第2章　动力技术

汉斯海因里希·迈尔-彼得(Hansheinrich Meier-Peter)
译:郑　瑜　魏友亮　刘积骅　王增国　尤学刚
校:闻雪友　富贵根　张　昕

为了适应经济上的需要和人类对生态环境保护的认识而提出的强制性要求，船舶动力技术在过去的数十年间持续不断地发生着变化。采用蒸汽动力装置驱动的船舶数量显著减少，而利用低速二冲程柴油发动机作为动力的船舶数量日益增多。采用中速四冲程柴油发动机作为动力的船舶数量也在上升。首先着重考虑的是能利用重油动力燃料和可为降低烟气排放量提供更好的前提条件。随着高速航行舰船的发展，尤其是通常已在海军高速舰艇建造中的实际应用，进而导致产生了高速柴油发动机和燃气轮机作为船舶动力装置的概念。与此同时，电子技术研究在测量、控制与调节技术领域上的发展使按以往传统的技术水平无法解决的关键性难题能得以解决。电子技术的进一步发展将会引导未来船舶动力概念新的根本性的变革。然而，动力技术的其他方面却并未或似乎未发生变化，也就是说，没有像在上述所提及的推进技术领域中所发生的变化那么大。

鉴于这个背景原因，本章将分船舶推进系统和发电机驱动系统两个部分进行阐述。

2.1 推进装置

2.1.1 功用

推进装置的功用是，根据船舶载重量和航行的要求，即使是在最困难的环境条件中也能安全地驱动船舶。同时，推进装置还必须运行可靠，尽可能经济地采用现有可能提供的且符合环保法规要求的燃料。

2.1.2 结构形式与部件

单轴和多轴推进装置

绝大多数的商船都采用单轴推进装置，因为单轴配置能达到最佳的推进比。只是在特大型船舶或高速船，或者是由于船舶的允许吃水深度受限制的原因要求很大的推进功率的情况下，才将推进功率分配在多轴推进器上。虽然，对客船而言最重要的是安全航行需求，但是在决定采用多轴功率分配时主要考虑的是安全功率储备。

直接作用系统与间接作用系统

人们将推进系统区分为直接作用系统与间接作用系统。两者的多种配置概览如图 2.1.1 所示。动力部分(柴油机、汽轮机和燃气轮机)产生的动力通过传动部分的机械、液压或电气机构直接或间接地传递到推进部分[定距螺旋桨、可调距螺旋桨、直翼(外摆线)螺旋桨、喷水泵、叶轮等]。动力、传动和推进部分的各个层面之间还可以进行相互组合，例如，柴油机＋燃气机、燃气机＋汽轮机，机械＋电气传动，定距螺旋桨＋可调距螺旋桨、可调距螺旋桨＋喷水泵等。这些通常特别复杂的推进系统主要应用于军事领域。在军事领域上的应用往往须满足看似互相矛盾的要求，譬如要求达到最大的功率集中但最小的燃料消耗、高冗余、最大的可使用性和最小的标杆值。

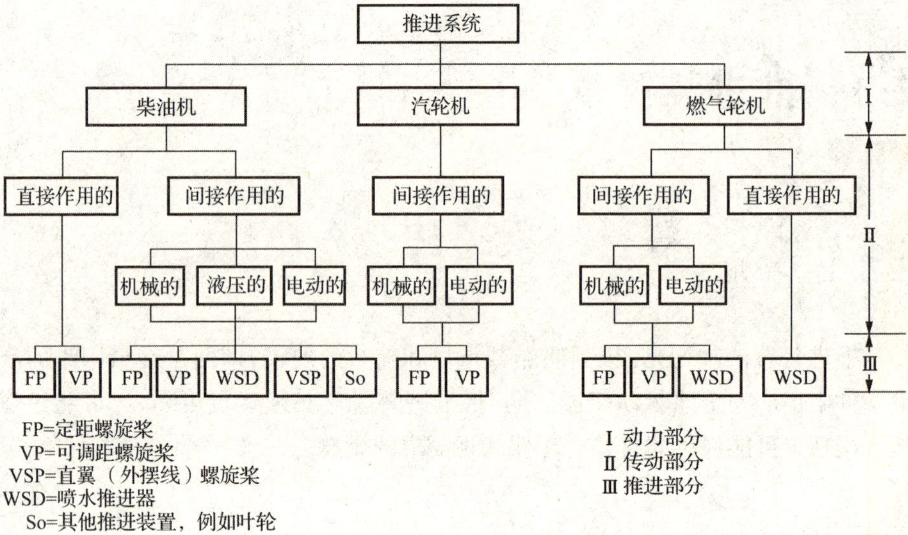

图 2.1.1　船舶推进系统一览图

各种不同配置的推进系统之间的差异还在于其工作方式，即各自独立运行或联合运行的工作方式。

不久前推出的一种由燃气轮机与汽轮机联合通过电力传动的推进系统(COGES)，已应用于多艘巡游系列邮船上。

表 2.1.1　联合推进系统

联合方式 / 运行方式	柴油机＋燃气轮机	燃气轮机＋燃气轮机（小型燃气轮机＋大型燃气轮机）	汽轮机＋燃气轮机
共同的	CODAG	COGAG	COSAG
各自独立的	CODOG	COGOG	COSOG

轴系

轴系的功用是将原动机产生的转矩传递到螺旋桨上，再把由螺旋桨上产生的推力传递到船体上。轴系大致由轴、联轴节、轴承和尾轴管及轴封构成。

在所有直接作用的推进系统中，原动机(船舶主机)的功率或转矩无一例外全是通过轴系传递到推进机构上的。在非直接作用的推进系统中，则介于原动机(船舶主机)与轴系之间总是设有一个传动件或传动装置。从推进系统中还经常通过联轴器分离出一部分能源或即功率,以作为提供给船上轮机设备和船舶操纵系统用的动力。分离出来的动能可以是热能、机械能、电动机械能或液压能。推进系统的动态特性受影响的大小取决于联轴节的形式和数量。具体实例将会在本章的下文中做进一步描述。

轴系的构成

轴系的构成如图 2.1.2 所示。螺旋桨轴 1 大多置于尾轴管 2 的两端;至少在尾轴管的前端装配一个轴封 3,以防止水进入船体内。根据尾轴管的支承方式,也有的在尾轴管末端再装配一个密封件 4。一个刚性联轴节通过中间轴 5 与螺旋桨连接。鉴于制造技术和考虑到安装的可能性,中间轴通常由若干段刚性联轴节互相拼装组成。中间轴在支承轴承或滑动轴承中旋转。若每一个轴段设置两个轴承,则在两个轴段之间通过一根短 6 轴连接。通常则是每一个轴段设置一个轴承。由于大多数船型的动力装置设置在船艉部,因此现代的船舶轴系通常较短,并且除尾轴管轴承外还经常增设一个支承轴承。在直接驱动的情况时,推力轴承往往装配在发动机中,而在非直接驱动的情况下则与减速齿轮箱整体装配。推力轴 7 配备一个推力法兰 8 ,将螺旋桨推力通过止推轴承 10 及其基座传递到船体上。

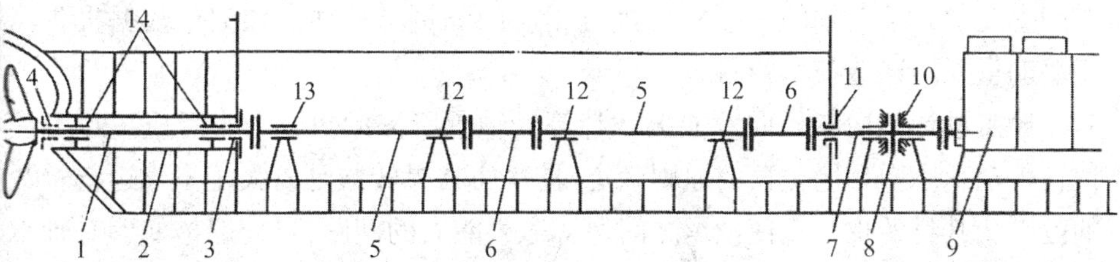

图 2.1.2　轴系的构成

轴系的效率与轴系所设置的轴承的形式和数量有关。轴系运行效率首先关注的是主机功率输出法兰与前端尾轴管舱壁之间的功率损失,损失的大小可通过测量确定。在对螺旋桨上所接受的功率进行总体平衡时,必须考虑尾轴管轴承和轴封上的功率损失。由于测量所花的费用太大,故通常不对该损失进行测量。这将在后面的轴功率损失概念中总结。

原动机(主机)机械传递到螺旋桨上的总效率

$\eta_{ü}$=1−联轴节功率损失−传动齿轮功率损失−轴承功率损失−轴功率损失

或

$$\eta_{ü}=\eta_K+\eta_G+\eta_L+\eta_W \tag{2.1.1}$$

按机械传动装置的不同型式，上述的有些功率损失(例如 η_K 和 η_G)在直接作用推进系统的情况时几乎等于零。

轴

轴系应根据船级社规范设计，各船级社规范对轴系设计要求的描述大同小异。需要计算的是中间轴所要求的最小直径。这取决于被传递的转矩的量值和所采用的轴材料；从而根据中间轴直径确定轴系其他部分的直径。通常采用的轴材料有普通的调质钢，如 CK35、CK45 钢，其抗拉强度 $R>700\ N/mm^2$，或更高强度的调质钢。螺旋桨轴要求增强，是由于受螺旋桨重量和作用在螺旋桨中心上的推力偏心而产生弯曲应力的影响，特别是当后尾轴管轴承严重磨损时。推力轴同样也需增强，以免因受偏离中心的推力作用而发生变形。

利用上述确定的设计数据可进行轴系的扭振计算，以验算由于扭振产生的附加动应力。最大的附加动交变应力取决于其出现在轴系的哪个部分(螺旋桨轴、中间轴等)，以及轴的直径(见图 2.1.3)。由此得出，若轴短时间或甚至持续超过许用极限，则要求对其作相应的变化，例如，通过对轴机进行加强或选择强度更高的轴材料。具体实例汇总在图 2.1.55～图 2.1.57 中。在任何情况下，船舶提交前必须对轴的扭振特性进行相应的测量与确认。该测量数据报告属于船舶重要的建造技术资料。

还需进行轴向和径向弯曲振动计算。轴承所需的数目与布置应按尽可能使各个轴承承受相同载荷的原则确定，且弯曲临界转数足以大于工作运行转数的范围。其目的也是想使轴承之间保持尽可能大的间距，以使船体变形对轴承力变化产生的影响降到尽可能小。

《远洋航运安全规程》(UVV)(参见参考文献[2.17])规定对轴系的自由端、自运动或旋转的部分，若其未被铺板或其他材料封闭盖住，则必须采取相应的防接触措施。

螺旋桨轴

处于水润滑轴承中的螺旋桨轴必须配置青铜轴衬(覆层)或采取其他适合的保护措施，比如耐海水的金属或非金属层，因为螺旋桨轴材料自身是不耐海水的。由于螺旋桨通常是采用青铜材料制作的，可能会形成电解元素(钢-青

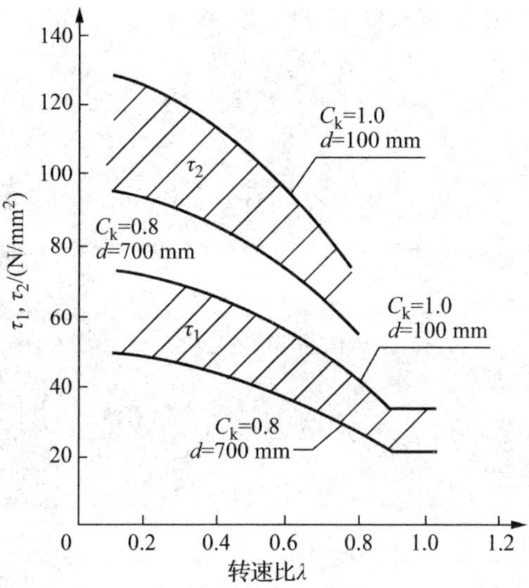

图 2.1.3 按参考文献[2.6]的螺旋桨轴(尾轴)的允许动态附加应力

铜)和很大的腐蚀电位(应力裂缝腐蚀)。薄壁青铜轴衬采用加热后与螺旋桨轴冷缩装配工艺。它必须从桨毂的凹槽起穿过前尾轴管轴封。在螺旋桨很长(例如,双螺旋桨)的情况下,则仅在螺旋桨轴承部位配备轴衬。轴衬间隔部分的轴的裸露表面用纤维加强的塑料或橡胶缠绕层包覆,进行硫化处理并用镀锌钢丝绕扎。玻璃钢包覆层末端必须置于轴衬(下面)内,以使轴衬与包覆层的过渡处紧密结合,保持其水密性。有的船级社也接受在水中运行的轴系部分利用相应的环氧树脂涂层替代包覆保护层。这是因为对包覆层的水密性难以进行无损检测,而随着包覆层渗透经常会引起轴表面蚀损。反之,环氧树脂涂层的损伤则容易确定(见图 2.1.4)。

传动轴(中间轴)

传动轴(中间轴)一般采用锻钢造(抗拉强度 $R_m=420\sim720\ \mathrm{N/mm^2}$) 切削加工而成。轴上不能涂油漆,而利用一层薄油膜防腐蚀。在较长的停止运行期间,应注意保持油膜并防止滴落的冷凝水破坏油膜。轴承架(座)上的轴直径较大一些,以允许可能的后加工;轴承架通常经抛光 (粗糙度 2 μm)。轴内钻空心孔允许达到轴直径的 40%,船级社在此范围内不会要求对外径进行加强。空心轴主要应用于可调距螺旋桨;轴内钻孔表面品级的要求取决于可调距螺旋桨的型式。

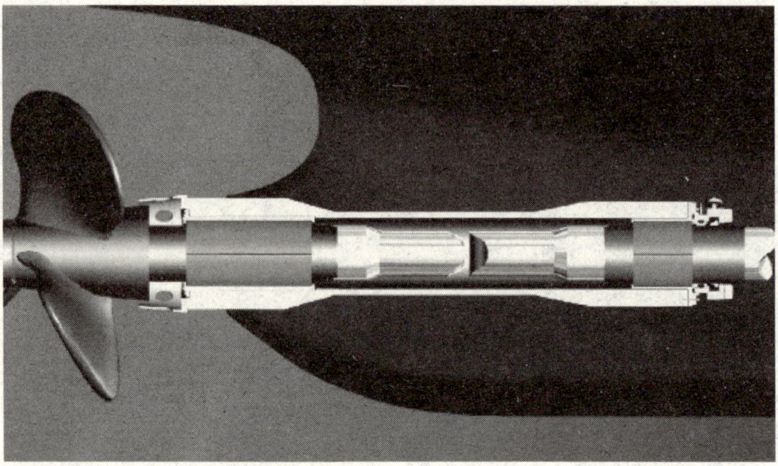

图 2.1.4　水润滑轴承中的螺旋桨。在轴承位置装有铜轴套，轴承之间的部位浇注环氧树脂层（资料来源：Thordon 轴承公司）

在特种轻型快速船中采用玻璃钢薄壁空心轴，其内外径比（d_i/d_a）非常大。每轴段之间通过钢质中间短轴相互连接，并设置轴承架。中间短轴直径通常小于钢轴直径（见图 2.1.5）。

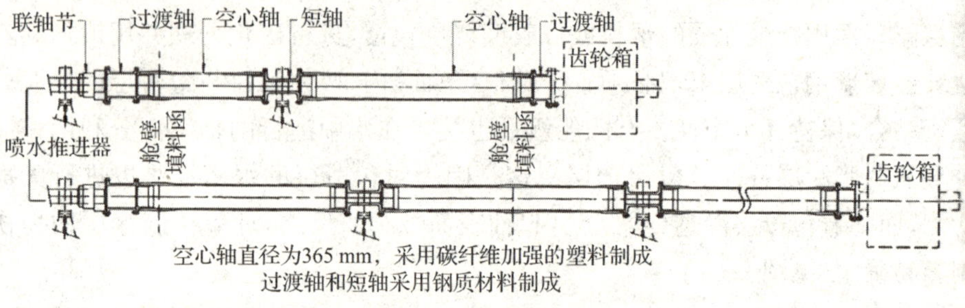

图 2.1.5　轻型高速船舶的轴系（资料来源：Geislinger 有限公司）

推力轴

采用单盘（环）自调式扇子形推力块推力轴承的推力轴两端大多为对称的推力轴法兰。这样，在推力轴前侧出现磨损的情况下，只要转个向就能继续使用。推力轴法兰的滑动面是经过研磨（抛光）的（粗糙度 2 μm），其外圆则一般车削即可（粗糙度 200 μm），因为它同时还起到甩（送）油环的作用。推力轴承处于自由状态安装时须注意，由于推力轴在推力轴承壳体内未能径向对中，通常配备相应的辅助对中工具。安装完毕后必须将对中工具取出。如果推力轴是设置在减速齿轮箱内的，则推力轴承法兰也可制成圆盘形的，并借助油压拉力装置顶住轴环将推力轴承法兰套拉入减速齿轮轴。由于推力盘的扭转应力很微小，因此这种装配方法是可行的。轴压紧螺母可防止推力轴轴向移动。

轴系支承

轴系的长短根据船舶主机的具体排列布置而定。为此，支承轴系的轴承数目相应按轴系的长度和轴承力的分配要求来确定。

尾轴管轴承

螺旋桨轴以滑动轴承或滚动轴承的方式装入尾轴管内。尾轴管轴承设置的不同方案如图 2.1.6 所示。制作轴承的材料有塑料、特种橡胶（至今仍少见）、铁梨木及其他金属和非金属材料。滚动轴承、白金轴承和有些塑料轴承要求油润滑（或者油脂润滑），而铁梨木轴承、塑料轴承和橡胶轴承则仅水润滑即可。

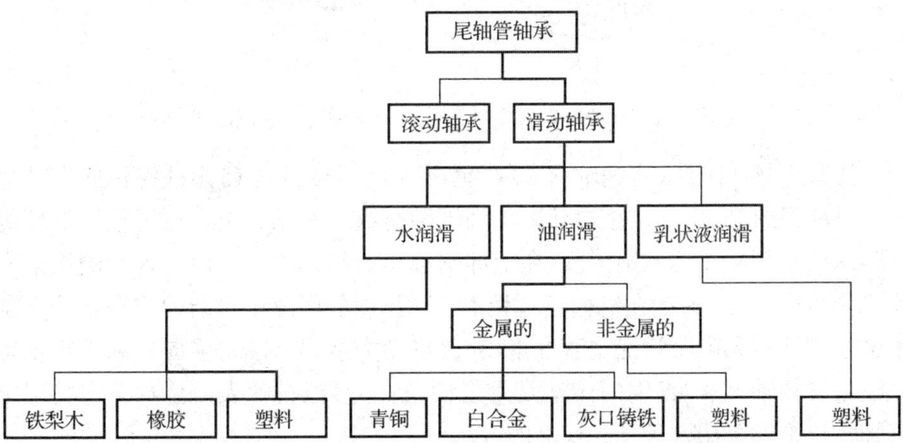

图 2.1.6 各种不同型式的尾轴管支承概览。主要采用的是油润滑的白合金滑动轴承和水润滑的塑料轴承

海水润滑的尾轴管轴承

多年来因轴系在水中运行而产生其青铜轴套和/或包覆层相对较高的磨损率和各类问题，采用水润滑尾轴管轴承的船舶数目趋于减少；与此情况相反，近

来采用水润滑尾轴管轴承的船舶又重新多了起来。对此，主要是环境亲和性有着愈来愈重要的作用。海水润滑的尾轴管轴承作用原理在此借助一个采用铁梨木轴承的尾轴管举例说明，该原理亦同样适用于橡胶轴承和塑料轴承(见图 2.1.7)。

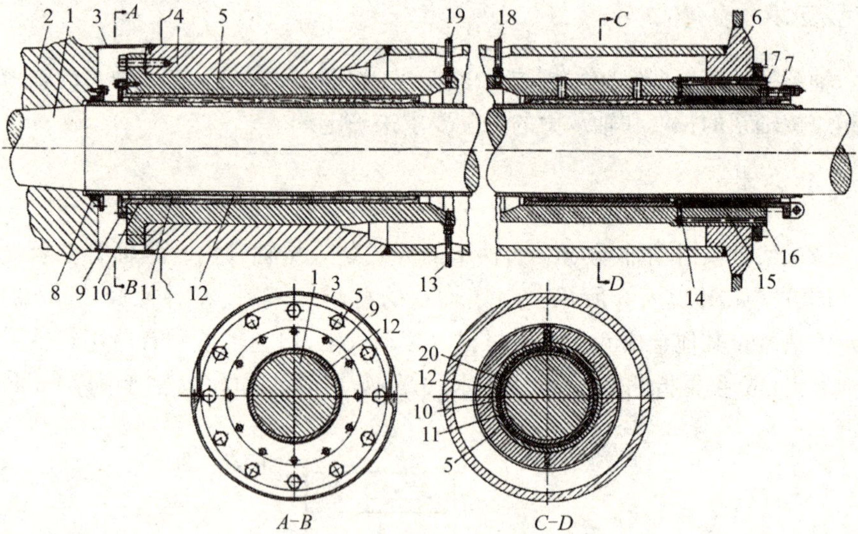

图 2.1.7　塑料轴承中铁梨木上的尾轴管支承截面图

铁梨木棒 11 装入青铜轴套 10 收紧，并用一个或两个带螺柱铆钉固定的燕尾状纵向滑轨 20 压住。止挡环防止轴承轴衬纵向移动。至少在尾轴管下部的铁梨木棒采用横纹芯木扇形段，在上部则选用直纹芯木条。即使含油的铁梨木在水中也会膨胀，为此在纵向还应留有 1% 长度的间隙。对新的或换新的铁梨木轴承应注意其膨胀情况是否严重，为此在动力装置启动之前应先利用转轴辅助设备转动轴，以检查轴的转动是否轻便，且小心地接触表面。对于塑料尾轴管轴承也推荐采用这种预先检查的方法。

尾部敞开的水润滑尾轴管轴承靠压力水从尾端进入尾轴管内完成水润滑。铁梨木条上的纵向槽能使水相当均匀地流向轴承面。通过连接在尾轴管轴封填料盒 7 后面的压力水管 16，可在必要时将轴承上的淤泥和砂冲洗掉。通过同样的连接管还能输送蒸汽或热水，以免轴承在低水温时被冻住。为避免因局部不均匀发热导致扭曲变形的最简单方法是在正式运行之前借助辅助转轴装置使轴旋转。

现代的水润滑尾轴管支承配备一个后轴封，并利用机舱设备海水冷却系统的经过滤的海水进行润滑。为此,专门配备了一个带压差监视器的 100 μm 双滤器,必要时还配置一个带储备泵机组。尾轴管供水系统的设计水流量为 0.15 L/min/mm(轴直径);轴直径大于 500 mm 的,则设计水流量为 0.12～0.10 L/min/mm。从管路 13 可取水样以控制冷却水的温度。若发现在水样中含有青铜颗粒,则可认定轴套已严重磨损。在尾轴管区域的尾尖舱通常注满水,用以冷却运行过程中在尾轴管轴承上产生的热量。

同样的设计原则也适用于采用耐油和耐海水的内衬金属特种橡胶轴承或塑料条形状支承(见图 2.1.8 和图 2.1.9)。

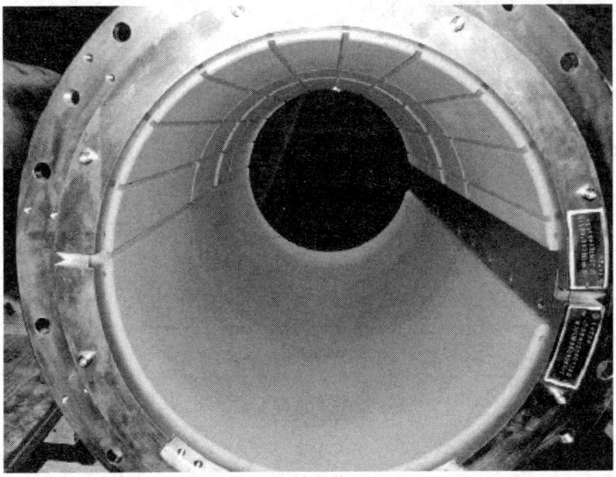

图 2.1.8 水润滑型尾轴管轴衬(资料来源：Thordon 轴承公司)

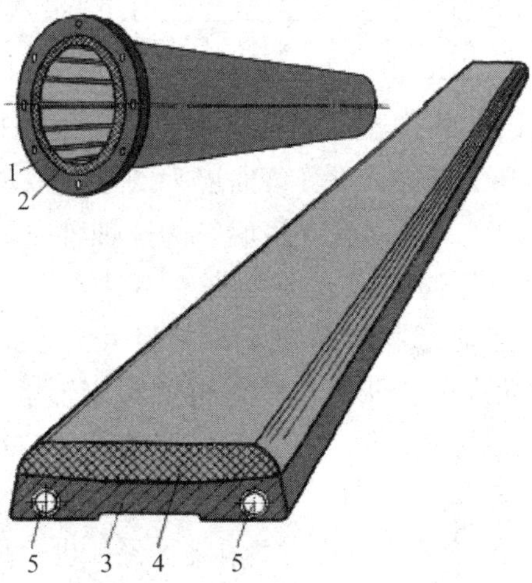

图 2.1.9 橡胶条形轴承(类似于 Vesconite)

这些材料与铁梨木材料相比，能承受更高的允许单位面积压力，且磨损率较低及滑动性能更佳，所以摩擦损失较小。

由于这些轴承材料的防摩擦性能亦受其极限性限制，故在任何情况下都得注意，必须一直或至少是在操纵运行时将辅助海水供给系统（辅助润滑）处于开启状态。由于轴承材料对高温的反应很敏感，故辅助海水供给系统主要是起到冷却轴承支承面的作用，而非润滑作用。橡胶尾轴管轴承即使在常规运行时也需要强制供水。轴承间隙的经验值如表2.1.2所示。即便塑料条形轴承在安装后的首次运行的30天内也会发生浸胀现象。考虑到这种情况，在安装时轴上缘与塑料轴承内缘之间的间隙

$$\Delta = 0.0025 \cdot d + 0.020 \cdot s + 0.3 \qquad (2.1.2)$$

式中，s 为塑料条形轴承的厚度/mm；d 为轴直径/mm。

表2.1.2 铁梨木轴承的允许轴承间隙值（在后轴承上测量）

直径 d /mm	最小间隙 Δ /mm	轴承换新 Δ /mm
100	0.5	3.0
200	0.8	4.1
300	1.2	5.2
400	1.4	6.1
500	1.6	7.0
600	1.7	7.0
700	1.7	7.2

各种不同塑料的浸胀程度也有很大差异。为此对制造商提供的技术数据应予以足够的重视。鉴于塑料条承受弯曲应力的性能很差，对轴承内的塑料条的饱和数据应特别重视。当今已有好多船舶的尾轴管内采用了全塑料轴套（见图2.1.8），有的制造商将塑料轴套的外面裹上一金属包覆层。在选择轴承间隙时应考虑到，这种类型的轴承材料不仅是因为吸入水分而产生膨胀，而且还会由于运行时受热负载而发生膨胀。安全运行的额定轴承间隙应为轴直径的千分之0.75～1.0（包括轴衬套），除另有规定；当轴承间隙达到轴直径的千分之8.0～8.5时须更换轴承。

Vesconite轴承衬套材料是一种专为干态运行、也适用于水或油润滑而设计的轴承材料。它属于一种含有润滑剂的热塑性塑料。根据制造商的资料，它

类似白合金能承受高负载，吸水量极小仅为 0.5%，几乎不会发生膨胀(0.07%)，其热膨胀系数

$$\alpha=6\times10^{-5}\qquad\left(\frac{\mathrm{mm}}{\mathrm{mm}\cdot{}^{\circ}\mathrm{C}}\right)$$

其在水中的最大允许工作温度为 60～70℃，在干态运行时的摩擦系数为 0.12～0.2。允许的轴承压力视具体应用情况而定：尾轴管轴承允许轴承压力为 10 N/mm²，其他应用的允许轴承压力可至 30 N/mm²。该轴承材料的性能已在大量的船舶建造水润滑轴承应用实例中得到了验证(更详细的信息请浏览网页 www.vesconite.com)。

适用于不同轴直径的橡胶条形轴承间隙：

$$d\leqslant 300\ \mathrm{mm},\quad \Delta=0.0033\cdot d$$

$$d\geqslant 300\ \mathrm{mm},\quad \Delta=0.0030\cdot d$$

表 2.1.3 橡胶尾轴管轴承的允许轴承间隙数值

轴直径 d /mm	轴承间隙 Δ /mm	槽深 /mm	槽数目	槽总横截面积 /mm²
100	0.3	6	8	250
110	0.3	7	10	380
120	0.4	7	10	380
130	0.4	7	10	380
140	0.5	8	12	690
150	0.5	8	12	690
175	0.6	8	12	690
200	0.8	8	14	970
225	0.8	8	14	970
250	1.0	8	14	970
275	1.0	9	15	1200
300	1.0	9	15	1200
400	1.2	9	20	1600
500	1.5	9	24	1920

油润滑的尾轴管轴承

相对于海水润滑的尾轴管轴承所具有的结构简单、成本较低和防摩擦性能等不可低估的优势，亦存在其不足之处：

- 必须花费巨额费用才可能确定，轴衬套是否仍完好无损或者是否已产生会导致轴失效的裂缝或腐蚀点；
- 相对较大的轴承间隙会使轴产生附加的弯曲应力；
- 按轴承材料的类型，摩擦损失相对较大；
- 轴承因其导热性能差而对热特别敏感；
- 轴承磨损相对较快，具体视使用的情况而不同，一般每隔 5～10 年必须更换；
- 鉴于过去曾发生过轴断裂，故要求至少使用 5 年须检查一次。

采用油润滑尾轴管轴承可避免上述海水润滑尾轴管轴承存在的缺点。安装这种油润滑尾轴管轴承的前提条件是该尾轴管轴封对水、油绝对密封，且工作完全正常。

轴(密)封能消除轴套的弱点，大大减低发生轴腐蚀损伤的风险。

白合金滑动轴承

白合金滑动轴承因其间隙较小而能显著减小螺旋桨轴的弯曲应力。由于轴在润滑完好并保持足够的滑动速度的情况下在轴承中处于浮动状态，几乎不会发生大的磨损，因此轴承很少或根本就不必更换。如果轴承是新浇注和加工的，则须注意配油腔和进行轴承出口的设计。

表 2.1.4 白合金轴套尾轴管轴承间隙值(内装式螺旋桨轴)

轴直径 d /mm	最小间隙 $\Delta(=0.001d+0.1)$ /mm	间隙(按制造商数据) /mm	最迟轴承换新值* /mm	装配时轴套孔直径测量值(约数) /mm
100～200	0.2～0.3	0.4～0.5	0.6	0.55
200～300	0.3～0.4	0.5～0.6	0.8	0.65
300～400	0.4～0.5	0.6～0.7	0.9	0.75
400～500	0.5～0.6	0.7～0.9	1.1	0.95
500～600	0.6～0.7	0.8～1.0	1.2	1.05
600～700	0.7～0.8	0.9～1.1	1.3	1.15

（续表）

轴直径 d	最小间隙 $\Delta(=0.001d+0.1)$	间隙（按制造商数据）	最迟轴承换新值*	装配时轴套孔直径测量值（约数）
700～800	0.8～0.9	1.0～1.3	1.5	1.40
800～900	0.9～1.0	1.1～1.4	1.6	1.50
900～1000	1.0～1.1	1.2～1.5	1.8	1.60
1000～1100	1.1～1.2	1.3～1.6	1.9	1.70

* 在轴承工作完全正常的情况下，轴承的自然磨损约为 0.03～0.06 mm/a。

轴承的支点在图 2.1.10 和 表 2.1.5 中示出。白合金镀层是通过离心铸造工艺镀覆在铸铁轴套上的；为此工艺要求在铸铁与白合金连接面做精心的电化预处理，以避免日后由于连接面缺陷而造成损坏。白合金镀层完工后必须对铸铁与白合金连接面做超声波检测，以验证其连接完好。由于油润滑轴承容许承受一个相当高的单位面积压力（表面压力），因此油润滑轴承的长度与水润滑轴承相比可大大缩短（$l=2\cdot d$）。这与一个合适的轴承滑油出口形状相结合就能减小边缘压力（侧压力），并有利于减小尾轴管轴承的摩擦损失。

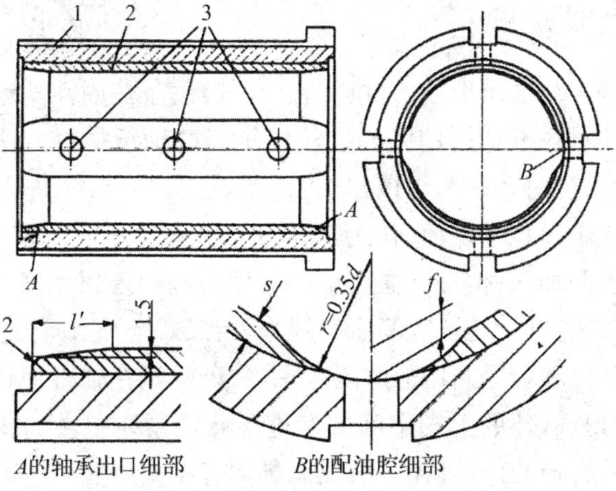

图 2.1.10　油润滑白合金尾轴管轴承构成示意

在选择润滑油时应注意尾轴管轴封对润滑油技术规格的要求。在尾轴管轴承处于润滑性能良好、负荷分配合理的运行状况时，尾轴管轴承温度仅高于海水温度约 20℃。为了能对轴承温度加以控制，至少应在尾轴管后轴承设置一个相应的温度传感器。该传感器的安装位置应考虑到必要时便于在船内进行拆换。

表 2.1.5　白合金轴套尾轴管各细部设计的基准值

轴直径 d/mm	尺寸(见图 2.1.10)			
	s/mm	f/mm	l'/mm	r/mm
100～200	2	3	15	
200～300	3	3	20	
300～400	3	4.5	30	
400～500	4	4.5	40	
500～600	4	6	50	$r=0.35d$
600～700	4	6	60	
700～800	4	6	70	
800～900	4	6	80	
900～1000	2	6	90	

非金属材料的滑动轴承

除了利用碳素纤维作为轴承材料的试验外，属于热固性塑料族的织物增强型的甲酚树脂基材料也开始用做船舶轮机工程的轴承材料。这种轴承材料是以 RAILKO 轴承公司名称而得以出名，由于其对海水偶尔进入尾轴管润滑油的不敏感性远优于白合金，故它作为舵轴轴承和尾轴管轴承材料(甚至作为迄今最大轴系尺寸的轴承材料)已在大量的应用实例中得到良好的验证。根据船级社规范，后尾轴管轴承的长度至少必须为 $l=2d$(d=支承位置的轴直径)。基于更佳的可安装性和容易制作的原因考虑，这种轴承在轴直径较大的情况时轴向划分为 2～3 道环，环的上端中间的滑键起到锁紧防扭转的作用。各个轴承段均以不同的外直径制作，直径等级根据具体直径分为 1～2 mm。首先将直径最小的环段推入。安装时应考虑到轴承材料的长时间膨胀值。轴承间隙参考标准值如下：

$$\Delta-\frac{d}{1000}+\frac{2\cdot T}{100} \tag{2.1.3}$$

$$T=\frac{d}{22} \tag{2.1.4}$$

式中：d 为轴直径/mm；

T 为轴瓦壁厚/mm

或
$$\Delta=0.002\cdot d+0.2 \tag{2.1.5}$$

还有一种用做轴承材料的就是上文中已提及的热塑性塑料 Vesconite 轴承材料。轴套(衬瓦)过盈制作，在安装时先把轴套放置在干冰或液氮中使其过度冷却收缩，随即将其冷缩装入尾轴管。装入尾轴管后的轴套通过镗孔除掉并不费力，尤其是在修理时很有好处。

滚动轴承

滚动轴承用作尾轴管轴承，首先是与吊舱式电力推进(POD 驱动)有关。这里主要涉及的是摆式滚珠轴承。摆式滚珠轴承通常利用夹紧轴套固定在轴上，也有的采用热装红套工艺装配。在安装滚动轴承时要特别注意确保装配状态在制造商给出的装配公差和轴承间隙范围内。虽然尾轴管轴承产生磨损很小，但对它的润滑也要予以重视。主要采用的有两种润滑系统：一种润滑系统是通过一个高悬的、能保证对海水侧保持所要求的超压的油箱使尾轴管轴承安装腔室内充满润滑油。这种主要适用于小型设备的润滑系统较之采用滑动轴承的轴系支承会产生较高的油温(流经轴承时的油涡流)。另一种润滑系统适用于下述结构：这是一种油循环润滑系统，油从轴承的一端送入流经轴承，又从另一端被吸出。输油泵将油流经一个观察玻璃送入集油箱。此类循环润滑所需的油量少。尾轴管或尾轴管轴承安装腔室内注入的油仅约至轴承滚珠下端的一半。尾轴管密封装置(轴封)借助气压(0.8～1.6 bar)使密封保持一个压紧力；润滑油进行闭式循环。在较长时间停止使用的情况下，轴承安装腔室(尾轴管)内必须注满油，以防产生腐蚀。一种现代结构的滚动轴承如图 2.1.11 所示。除了应监控润滑油温度之外，还必须对轴承的振动信号，若可能的话，对润滑油中所含金属颗粒进行监控。因为与泵和电动机上使用的轴承相比，用于螺旋桨轴的滚动轴承都是定制单件制造的，一旦发生轴承损坏的情况，则更换一个新轴承的制造周期需要长达若干个月的时间。

弹性尾轴管(Grim 轴)

通常的尾轴管支承原则上起到刚性轴承的作用。螺旋桨产生的循环力，在尾轴管支承配置的情况时，通过后轴承未经多少衰减直接作用在后尾柱和船体结构上，引起船体振动和强烈的颤动。如果在轴承与尾柱之间装入一个弹性或

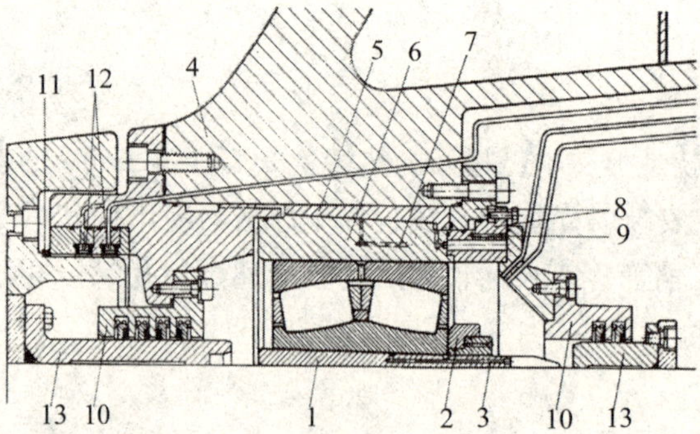

图 2.1.11　滚动轴承型尾轴管轴承

缓冲元件，则可能消除或减缓螺旋桨产生的循环力对船体振动的影响。将尾轴管向后延长使尾轴管后轴承置于船体之外（见图 2.1.12），也能得到所期望的缓冲作用。这时，尾轴管起到一个弹性弯曲弹簧的作用，传递到船体上的循环力受到阻尼而明显减缓。

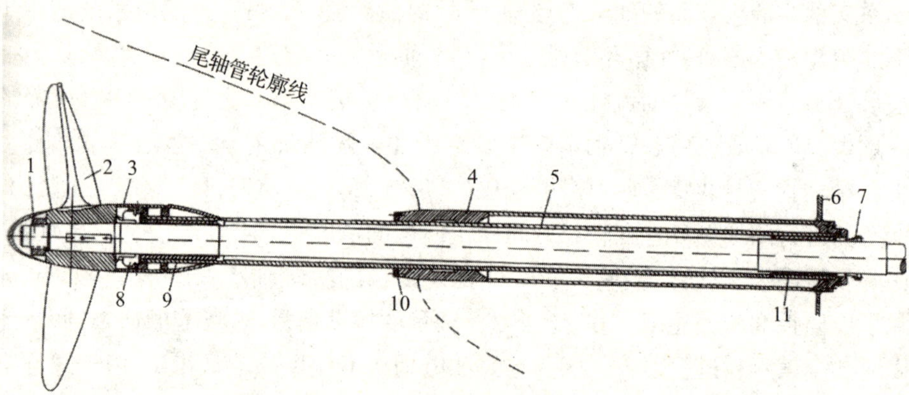

图 2.1.12　弹性尾轴管（格林轴）

尾轴管密封装置（轴封）

这里可区分为两种完全不同的密封工作原理：带径向密封或（即）皮碗密封的密封装置［例如，辛浦莱式（Simplex）密封、辛浦莱式紧凑轴封、SC 2000、

Sealol、Kobelko 轴封等],以及径向滑环密封(端面密封)装置(例如,CEDERVALL、Crane Packings 等)。密封的功用与其结构形式无关:尾轴管后部密封装置的任务是必须有效地阻止海水侵入尾轴管,又能防止润滑油向外漏出;尾轴管前部密封装置则是封油,使润滑油不漏入机舱内。船舶的航行安全在很大程度上取决于这两种密封装置完好无缺的功能。同时当前的水域保护始终要求密封装置达到零泄漏设计。

唇形密封装置

辛浦莱式紧凑 2000 型尾轴管轴封(SC 2000,见图 2.1.13)是 20 世纪 50 年代早期辛浦莱式尾轴管轴封的延续产品,体现了径向密封形式的最现代设计理念。这种新型密封装置的开发是因为必须适应航行条件不断提出的更高要求,譬如由于吃水深度增加而产生更大的压力,轴系尺寸的加大而使周缘速度相应提高,以及航行时间和维修间隔时间的延长等。

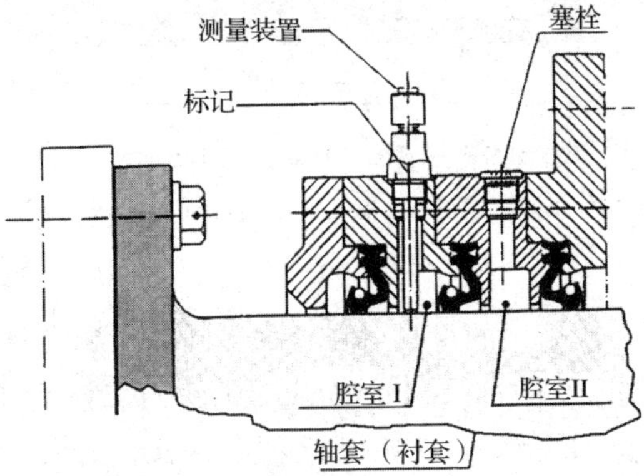

图 2.1.13 SC 2000 辛浦莱式紧凑型尾轴管后轴封
(资料来源:Thyssen Krupp 海运系统/Blohm+Voss 工业有限公司)

辛浦莱式紧凑型轴封是按组合部件原理设计的,这样有更多结构相同的构件可用于内、外密封装置。该密封装置设计基本上由 3 个用螺栓互相连接的密封环组成。密封环一般采用铸铁制成,形成静止的密封壳体,特殊结构形式的亦可采用青铜材料。球鼻形密封唇口固紧在密封环之间(见图 2.1.14)。先由密封环 1 作为污物清除器,随后的密封环 2 和 3 分别起阻止海水和封油的作用。密封的旋转部件由铬钢或涂陶瓷层铬钢质轴衬构成,加上锌阳极防腐蚀。球鼻形密封唇口成型时应特别注意,使其尽可能均匀张紧(固),以免在张紧边缘产生应力集中。球鼻形密封唇口(球鼻形皮碗)因其形状和弹性在轴移动(位)与振动时对轴衬移动的跟随性好,且球鼻形密封唇口受压力与温度影响变形较小,故与先前的密封设计形式相比有利于对轴衬的滑动接触和工作温度大大降低。通过对上述提及的法兰(凸缘)环、中间环和盖环(填料函压盖)连同球鼻形密封唇口做相应的组合,前部密封装置和后部密封装置可由 2 或 3 个,若需要甚至还可由 4 个或更多的球鼻形密封唇口组合而成。这种可按需组合的密封装置能与具体的环境条件和环境影响以及可能会有的特别环保要求达到最佳匹配。

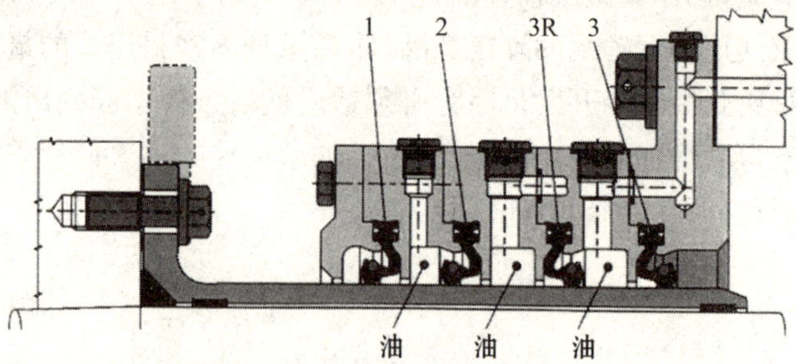

图 2.1.14　带有 4 个密封唇的辛浦莱式紧凑型尾轴管轴封密封唇,
通过附加的密封环 3R 能更好地监控轴封的密封状态
(资料来源:Thyssen Krupp 海运系统/Blohm＋Voss 工业有限公司)

球鼻形密封唇口所采用的材料可在各种不同技术规格的带经硫化织物的 Viton 氟橡胶皮碗与传统的材料(Perbunan 橡胶)之间进行选择。如上文所述,轴衬材料可选用铬钢和表面热喷(镀陶瓷涂层)的灰口铸铁。为在尾部密封装置区域达到足够的防腐蚀效果,在轴衬凸缘上连接固定锌阳极;在固定锌阳极时应注意将轴衬与螺旋桨之间完全绝缘。此外,通过穿经尾轴管的管路连接对尾部密封装置第二与第三球鼻形密封唇口之间的环腔(环状通路)进行附加润滑。管路由一个自带的小重力油箱(约 20 升)供油。因此,在任何工况和吃水情况下,环腔内的润滑油一直能保持一个直观可控的压力比。这将大大地减轻球鼻形密封唇口的负荷,从而提高轴衬和球鼻形密封唇口的使用期限。鉴于该附加的小润滑系统独立于其他的能源,因此即使在船上发生失电的情况下,环腔内的压力条件也不会受到影响。

辛浦莱式紧凑 2000 型(见图 2.1.15)前部密封装置的结构形式与上述相类似。使用油润滑轴承时仅发生很小的轴位移。铬钢轴衬 1 固定在一个锁紧环

(压环)2 上。润滑油从一个带肋状散热片的小油箱的接头 3 注入密封环之间的空腔内。密封装置在运行中的温度以手感(约 55～60℃)为适,温度过高会使密封唇口过快老化、变脆而影响密封效果。这种紧凑型的润滑冷却系统在现代的船舶轮机中通常属于标准配置。只是在轴径很大或转速较高的情况下,有时也为润滑油循环配置一个小的循环泵和冷却器,以减小密封唇口上的摩擦热。一个典型的尾轴管润滑系统将在 5.4 节中进行描述。

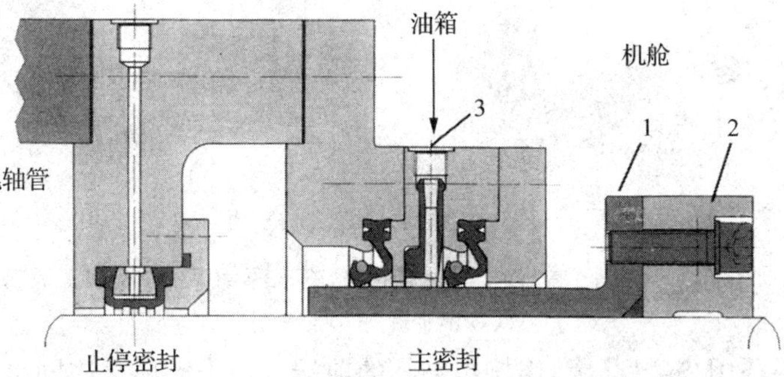

图 2.1.15 SC 2000 辛浦莱式紧凑型尾轴管前轴封

(资料来源:Thyssen Krupp 海运系统/Blohm + Voss 工业有限公司)

润滑系统使用的润滑油应是一种恩氏黏度为 5°～9°,且在 50℃温度时尽可能不会发生乳化的润滑油。在外界温度低(冰海航行)的情况时,可先预热但不应超过 60～70℃。润滑油的技术规格必须与密封装置制造商的给定值相符合,以保持与密封材料的相容性。使用说明书中包含的注意要点尤其重要。尾尖舱布置须始终保持在尾轴管上面至少 1 m 深的水,以确保随时冷却由尾轴管润滑油产生的摩擦热。尾尖舱内的水只能通过安装在外板上的放水旋塞泄放。

平(端)面密封装置

尾部 CEDERVALL 密封装置(见图 2.1.16)的壳体 1 固定在螺旋桨上以封水和油。白合金铠装的环体 2 通过 6～12 个沿圆周均匀分布的不锈钢弹簧 3 压紧在一个与尾轴管拧紧的铸铁止推环 4 上。软填料连同盖环 5 阻止水从壳体与环颈之间进入。1～2 个传动销带动壳体同环体一起旋转。

这种密封装置稍做变动就可改进为可拆分的结构形式(CEDERVALL 普通可拆型密封装置),以便在检查轴和轴承时可将该密封装置拆卸,从而无需取下螺旋桨或拉轴。这对带可调距螺旋桨的装置可节省许多时间。首部密封装置亦可改进为可拆分的结构形式,紧贴一个端面经过研磨的、水冷却空心环 6

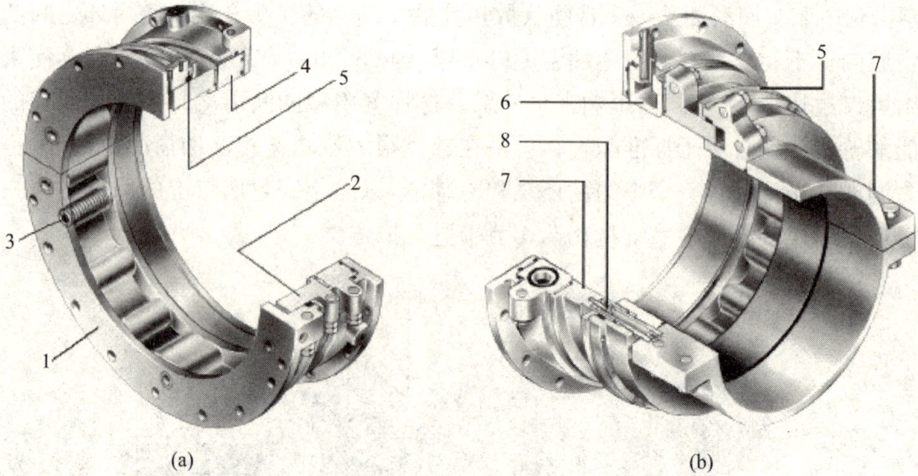

图 2.1.16　平(端)面尾轴管轴封(资料来源：CEDERVALL AB)
(a) 后轴封　(b) 前轴封

滑动，空心环用法兰(凸缘)连接尾轴管的前端。一个卡环 7 连同传动销 8 起到使密封装置与轴一起旋转的作用。

联轴器

刚性法兰联轴器

通常，轴是通过整体法兰与原动机输出轴相连接的。法兰通过圆柱形密配螺栓连接，锥形螺栓很少使用。锥形螺栓虽然装拆容易，但它比圆柱形密配螺栓要贵好多，因为锥形孔的制作和铰孔很费工时。图 2.1.17 和 图 2.1.18 是另一种虽价格贵但借助液压装配工具能大大减轻其装拆工作劳动强度的拉紧螺栓。

这个系统主要由 3 个部件组成：扩开螺栓(膨胀螺栓)、拉紧螺栓和液压工具。扩开螺栓由两端带螺纹的锥形螺栓、一只内面锥形套筒和两个螺栓螺母组成。套筒外侧呈圆形，它的直径(根据其直径的尺寸大小)小于连接法兰的孔径 0.1～0.3 mm。装配时借助液压工具将锥形螺栓拉入锥形套筒，通过扩张挤压机械联结。锥形螺栓上有一个中间孔。中间孔通过径向孔与锥形螺栓锥面上的螺旋形油分配槽连接。拆卸锥形螺栓时，先借助液压工具将两个螺母之一拧松并旋松几牙，然后把液压油压入中间孔。拉紧螺栓则相对要简单得多。它由圆形中间段构成，其直径小于法兰的孔径 0.1～0.3 mm，两端有螺纹。拉紧螺

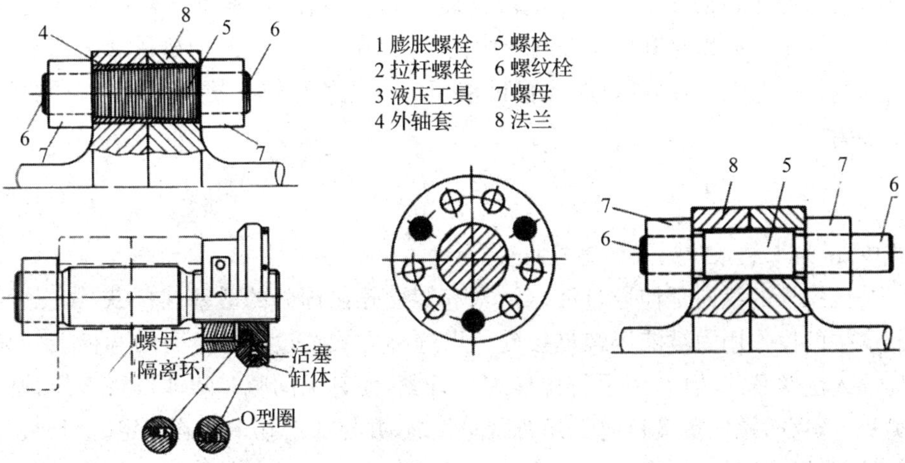

图 2.1.17　安装法兰联轴器用的拉杆螺栓装置(资料来源：Morgrip)

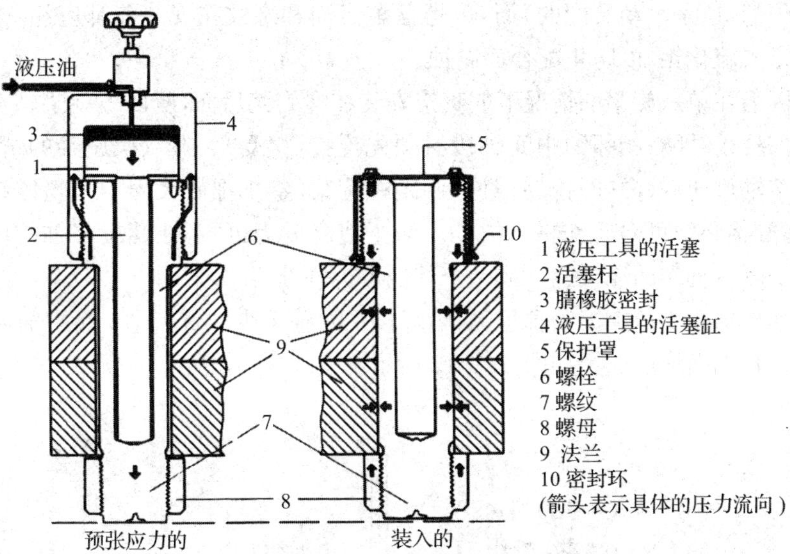

图 2.1.18　法兰联轴器螺栓的液压装配(资料来源：Morgrip)

栓借助液压工具张紧。通过增加摩擦力使轴端凸缘之间的力传递加强，这样就能确保弯曲力、轴向力和转矩的传递。液压工具的工作压力约为 800 bar。由于利用液压装配的螺栓在拆装时不会损坏配合面，故理论上可进行无限重复拆装。反之，传统的机械可拆联轴器每次拆装都会使配合面受损而须重新修复，为此要求用一个新的过盈(联结)螺栓。

另一种 Morgrip 螺栓系统也同样能达到拆装容易、避免配合面受损的目的。它的工作原理是利用一个圆形体在受张力的情况下，纵向延伸和横向收缩之间的物理关系。在安装前，先借助液压工具把圆形螺栓拉长，使其直径收缩至多为

$$\Delta=\frac{d}{2500} \tag{2.1.6}$$

式中，d 为未经张拉的圆形螺栓直径/mm。

该螺栓的纵向延伸通过液压活塞和螺栓孔内深处的活塞连杆获得。这时候产生的反作用力被液压螺母接受。以这种方式经过预张应力的螺栓能轻易地穿入法兰孔。然后，用手将螺栓螺母拧紧，使其无间隙。随即可将液压预张力松开，这时螺栓重又径向张开而纵向收缩，并在法兰孔中精确固定。Morgrip 螺栓联轴器系统专用液压工具的压力根据螺栓尺寸大小在 2000～2500 bar 之间，其所需液压压力大于其他联轴器系统。对所有类型的螺栓联结(不管是液压装配的，还是手动装配的)而言，螺栓配合面和螺纹在安装前都应涂一层油，最好是二硫化钼，以防止配合面腐蚀。

因为在单螺旋桨的情况下舵直接安装在螺旋桨后面，所以螺旋桨轴在装拆时向前拉入轴隧；相邻的中间轴段必须先连接(接受)。在双螺旋桨的情况下，螺旋桨轴可向后(向外)拉动；对可调距螺旋桨，鉴于螺旋桨固定和整体结构需要，螺旋桨必须可向后(向外)拉动。为了使之成为可能，在螺旋桨轴的前端配置一个可拆轴端凸缘(法兰)或一个其他可拆联轴器。

如果轴系支承在滚动轴承上，则每段中间轴至少配置一个可拆联轴器。这种可拆轴端凸缘(法兰)如图 2.1.19 所示。

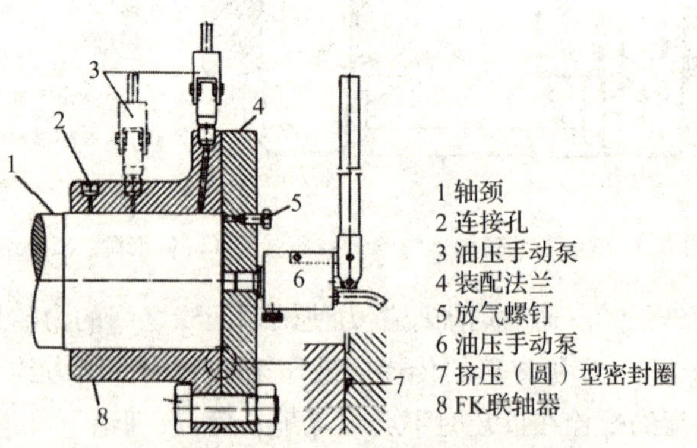

图 2.1.19 利用油液压方法装配松套法兰(资料来源：SKF 有限公司)

夹壳联轴器

夹壳联轴器(见图 2.1.20)用于连接两个平轴端,由连接毂和套入两个轴端的内圈与外圈构成。拧紧夹紧螺栓 6 使外圈 4 相互收紧。双锥形内圈 3 由此向连接毂强力压紧,待到克服了配合间隙后,在轴 1 与连接毂 2 之间产生力传递所需的压力。通过这样的配置,力和转矩直接从轴传递到连接毂上(或相反)。轴端之间的连接随时可通过松开夹紧螺栓 6 而脱开;轴、连接毂和内外圈弹性恢复到原来的尺寸,能轻易地解体。特别要注意的是,轴与毂孔上不得有油脂且须保持干燥,而内外圈的锥面上应涂刷二硫化钼。夹紧螺栓应使用扭力扳手十字交叉分级拧紧。应注意最终扭矩力!

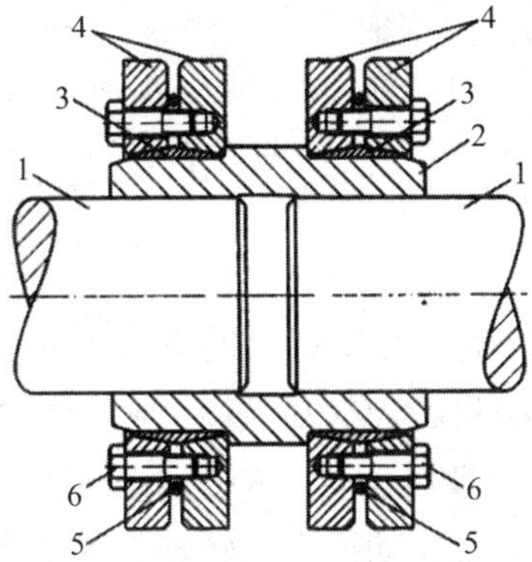

图 2.1.20 连接平轴端的力传递联轴器实例图示
(资料来源:STÜWE 有限公司)

套筒联轴器

用于连接两个无法兰轴端的液压联轴器结构形式如图 2.1.21 所示。套筒联轴器由一个带圆孔连同微锥形外壳面的薄内套和一个带有相应锥孔的强力外套组成。与例如用于将轴承固定在轴上的锥形套筒相反,内套是不开口的。利用装入联轴器内的液压挤压装置进行组装和拆卸时,在压力油的作用下同时扩张外套和压缩内套。压力油借助一个手动螺旋压力机通过油孔 4 压入锥形配合面之间,压力为 800～1000 (1200) bar。在装配时应特别注意,内套孔和轴的联轴器配合面(座)上不得有划痕、污物和油。内套推移到在轴上标记的位置时,须在内套外壳面上涂油,然后再套上外套。两个轴端端面间距不得超过轴径的 1%,此外,轴必须精确对准(中),在装配与拆卸期间不允许下垂。安装开始前和完毕后，测量外套两端的直径，并将测量值与安装规范中要求的压紧配合值做比较。记录安装时温度和周围环境温度。

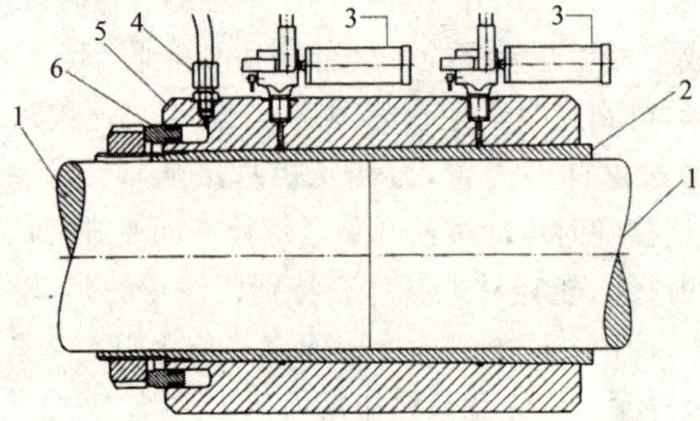

图 2.1.21　油压机构成(套筒联轴器)(资料来源：Weiss 有限公司)

1—轴颈；2—内轴套；3—径向扩径手动泵；4—液压装置(泵站)接口；5—外轴套；6—内置环形活塞压力机的活塞，用于轴向移动

转轴装置

鉴于若干操作和控制的需要，整个动力装置必须能够缓慢地(0.5～0.25 r/min)前进或倒退旋转。为了达到这个目的，专门配置一台大减速比的转轴装置。该装置主要是由一台电动机和一个带涡轮传动的二级减速齿轮箱或类似部件构成。大多可通过手动棘轮进行应急驱动操纵。转轴装置在脱开位置时锁紧，往往再加一把安全锁以防不经意的合上。更多的是还增加一把联锁，以避免在转轴装置合上的情况时驱动主机。这一联锁功能在柴油发动机上通过启动控制实现；在汽轮机上则由驾驶操纵阀控制。在原动机(主机)上进行任何形式的工作之前，操作人员首先必须了解转轴装置的运行状况，通过使驱动机构多次正反(前进倒退)旋转，并在旋转过程中每隔约 60 度切换到停止档，以观察转轴装置的惯性空转时间。在驱动机构上有零部件拆卸时，对转轴装置的运行状况要格外注意。操纵转轴装置之前，须向驾驶室(桥楼)通报。

传动轴制动器

当船舶航行时抛锚停泊在海浪急流中修理主机驱动机构零部件或者在港口内更换螺旋桨时，使传动轴保持静止(最小运动)的状态，这就需要传动轴制动器来完成。为安全保险起见，在从事这些操作时，转轴装置也应一直处于合上状态。轴制动器在电力推进螺旋桨装置(例如，POD 推进装置)上是不可省却的，因为这些电动机所配置的经常是滚动轴承，所以即使在转矩非常小的情况下也可能会马上转动起来。采用传统的双螺旋桨时规定，每根传动轴都得配备一个轴制动器，以使在船舶航行中确保每根轴都能可靠地固定。虽然采取这样的规定是很不经济的，因为剩下的轴的转数受到很大的限制。轴的制动大多采用强力的带式摩擦制动器，它借助一个自行制动心轴收紧。在制动器拉紧时，轴与摩擦片之间的间隙不得大于 0.10 mm。如果没有传动轴制动器，则在这种情况下可将一块厚实钢板铭牌用密配螺栓固定在轴法兰上并被挡在轴隧壁上。传动轴制动器还时常用来缩短换向时间，以使螺旋桨轴能更快地在换向转速时被制动。为此，采用多层片制动器或摩擦片制动器。这亦适用于电力推进(POD)装置的传动轴制动器。这种传动轴制动器主要适用于高增压中速柴油发动机驱动装置，且优先应用于对操纵性有特别要求的船舶，如供应船、拖船、渡船和沿海内燃机船。

轴承

传动轴轴承支承

每段传动轴各由 1～2 个轴承支承。大部分的轴系均采用油润滑滑动轴承，仅有少量的且小功率动力装置的轴系采用油脂润滑滑动轴承或滚动轴承。滚动轴承主要是用于 POD 电力推进装置才具有大的实际意义。电力推进装置的轴系实际上只是由原动机的转子轴构成的。

典型的传动轴轴承(滑动轴承型式)如图 2.1.22 所示。支承轴承与转子轴承的区别是，前者带有白合金镀层的轴承上瓦和下瓦，后者只有上瓦。舱壁填料函前的最后一个轴承总是支承轴承。在尾轴管轴承磨损或损坏的情况时，荷载的变化由(径向)支承轴承承受。特别要注意的是，轴承的密封应向外且是轴承内供给润滑油。根据具体的配置情况，轴承带有一个检查油位的观察玻璃和一个用于监控温度的温度计。在通常情况下，轴承内的润滑油供给是通过一个装在轴承内侧的输油环和一个把油导入侧面配油腔的刮油装置进行的。轴承壳体的上端配有一个可折合的翻盖，用做检查、控制和添加润滑油。

正如上文所述，滚动轴承很少被采用。作为轴承结构，无非是摆式滚柱轴承或圆柱滚子轴承，其中摆式滚柱轴承对轴承端部侧压力不太敏感。轴承大多连同夹紧轴套安装在轴上(见图 2.1.23)。

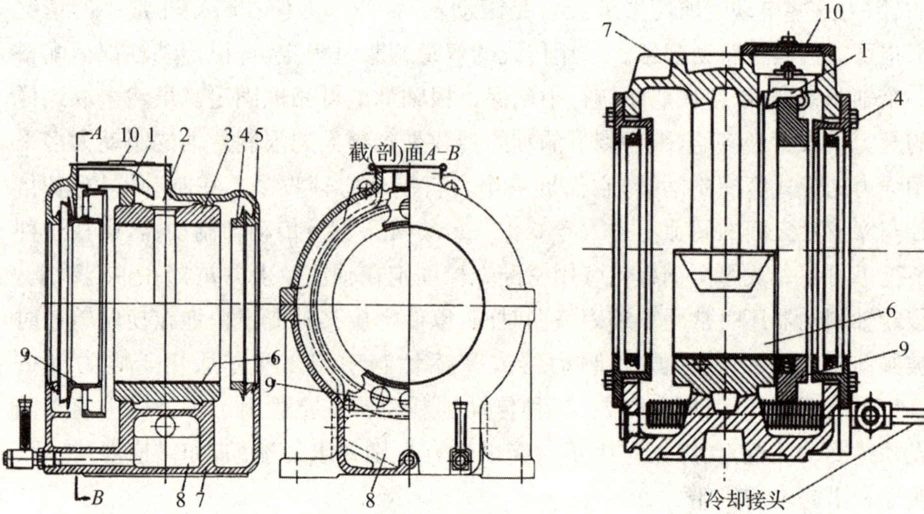

(a)　　　　　　　　　　　　　　　(b)

1 刮油装置　2 带注入孔的集油腔　3 轴承上瓦　4 油圈　5 回油槽
6 轴承下瓦　7 轴承壳体　8 冷却水腔　9 输油环　10 检视盖

图 2.1.22　中间轴滑动轴承支承

（a）轴的支承轴承（资料来源：TKMS/ Blohm ＋ Voss 工业有限公司）

（b）轴的滑动轴承（资料来源：Renk 股份公司）

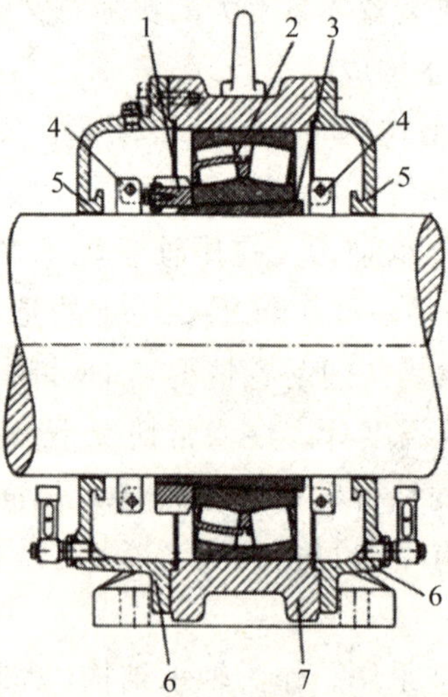

1 夹紧螺母连同保险圈
2 摆式滚珠轴承
3 夹紧轴套
4 油圈
5 回油槽
6 壳体罩（盖）
7 壳体

图 2.1.23　中间轴滚珠轴承、摆式滚珠轴承支承（资料来源：SKF 有限公司）

止推轴承

止推轴承的功用是将螺旋桨推力传递到船体上。迄今几乎都是采用单片自动调整式推块止推轴承。然而，喷水推进器驱动装置上也采用滚动轴承。其中经常采用的结构形式是圆锥滚柱轴承。

出于成本考虑和责任限定的原因，螺旋桨推力轴承在间接驱动时，往往安装在减速齿轮箱内；在直接驱动时则总是安装在主机的底板上。与减速齿轮箱或主机分开安装的止推轴承几乎总是更具优越性。止推轴承必须尽可能靠近原动机安装，以使原动机能远离（避免受到）轴由于船体变形或热膨胀而产生的纵向延伸的影响。通常作用在螺旋桨上的偏心推力，尤其是在直接作用式的柴油发动机上，由于止推轴承的刚性在上半部和下半部是不对称的，即轴承的下半部的刚性大于上半部，因此，它不但会对柴油发动机产生不均匀受力，而且还会作用于曲轴的（应力）负荷和第一个主轴承。

各种不同的结构形式止推轴承如图 2.1.24 所示。自动调整式推块是钢质和白合金镀层的。为了使自动调整式推块在运转一开始就能形成液体动力润滑油楔膜，白合金镀层倒棱呈坡形。止推轴承即使在高负荷运转的情况下也能在自形成的润滑油楔膜上无接触地运行。在较老式的止推轴承结构形式中，自

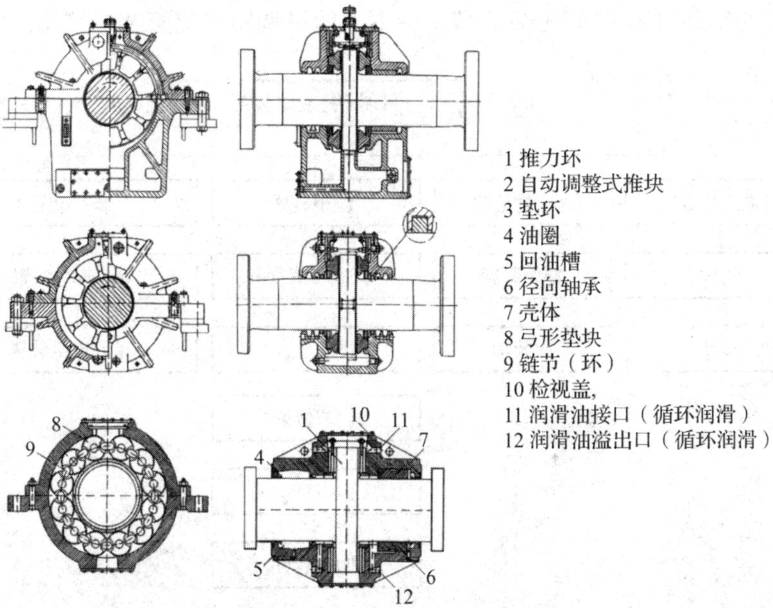

图 2.1.24 止推轴承结构

动调整式推块的支撑环之间设置垫隙片用于调整间隙。

基于当今加工精度能力的提高，新式的止推轴承结构已放弃了这种支撑环（垫环），并将自动调整式推块直接支撑在轴承壳体内。Renk 公司止推轴承形式设计的自动调整式推块是圆柱形的。它首先体现在加工技术上有优势。中速柴油发动机中的推力轴承（端轴承）设计为带有稳定（固定）斜楔面的立式推力轴承，这种结构形式只能接（吸）收小的轴向力。由于这种发动机几乎毫无例外都应用于间接驱动模式，因此它们不能吸收螺旋桨推力。螺旋桨推力由减速齿轮箱内止推轴承或独立的止推轴承吸收。

可调距螺旋桨装置

可调距螺旋桨装置的发展最初是为了满足船长们在扬帆航行时能将桨叶调整到挂帆位置以使航船受到的阻力最小的愿望。这个想法，即通过调整桨叶螺距使原动机的性能与船舶航行时的需求（拖曳航行、部分负荷运行、快速换向操纵等）匹配得更好，直到 1920 年才第一次形成技术上可行的设计结构。该设计主要的详细结构首先是取自于当时在大型水电站中使用的 Kaplan 透平机的设计结构。虽然当今大家都称之为可调距螺旋桨，但正确的说法应该称之为可调距螺旋桨装置。可调距螺旋桨装置的构成元件如图 2.1.25 所示。在过去的几十年的发展过程中，已开发了若干种不同的可调距螺旋桨装置结构形式并在

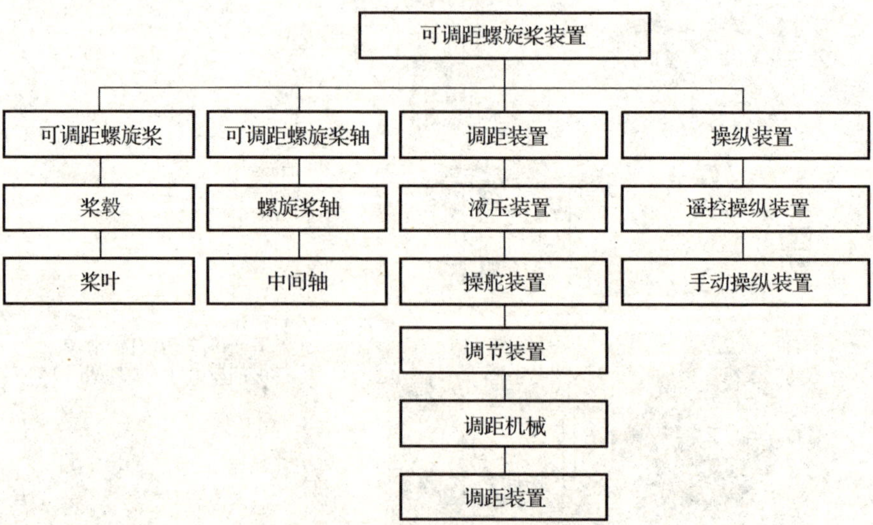

图 2.1.25　可调距螺旋桨装置构成元件

实际应用中得以验证。区别这些结构形式的判别特征,可统一认定为首先应是桨叶螺距调整机构的方式。其调整机构的方式可以是纯机械的、纯液压的,或机械液压组合型的。

不论是哪一种形式的螺距调整机构,所有可调距螺旋桨装置的设计共同点是,必须将一个轴向力变化和(或)行程变化转换到能使桨叶旋转的旋转运动或转矩。由于有时可能会要求推进装置在非常高速且高负荷工况下运转,而且可供调整力转换到桨叶转矩的空间又极小,故在这种情况下的螺距调整过程中会在可调距螺旋桨装置内出现非常大的力,而这种力有时可能会数倍于螺旋桨推力。基于这个原因,目前许多可调距螺旋桨装置中的螺距调整力都是通过一个直接与桨毂整体组装的液压活塞/液压缸产生的。液压油根据桨叶螺距的变换方向,经过一根在螺旋桨轴孔可移动的管子进入到活塞的前侧或背侧。以往曾经广泛应用的结构形式,即螺距调整力通过一根调整杆从轴系的前端部位对尾部安装在桨毂上的调整十字节进行调节,鉴于上述原因现已放弃采用。目前仅在较小的可调距螺旋桨装置上还在使用。上述情况同样也适用于机械调整装置。

第二个区别可调距螺旋桨结构形式的判别特征是,桨叶叶片支承的方式和作用在桨叶上的力导入桨毂体的方式。两种基本的轴承结构是轴颈支承和轮缘(凸缘)支承(见图 2.1.26)。图 2.1.27 中的列举对轴承结构吸收的力数量级比例做了清晰的说明。桨叶轴(支)承的工况条件并不理想,因为轴(承)颈总是仅在轴承的一个相对狭窄的扇形面上旋转,无法形成一个液体动力润滑。一个真正的液体静力润滑也同样无法明确实现,因此该轴承原则上毫无例外地在混合摩擦范围内工作。这表明,考虑到轴承力之大,在螺旋桨逆转时对混合摩擦范围工况应予以特别重视。同样的情况亦适用于桨叶座的密封。

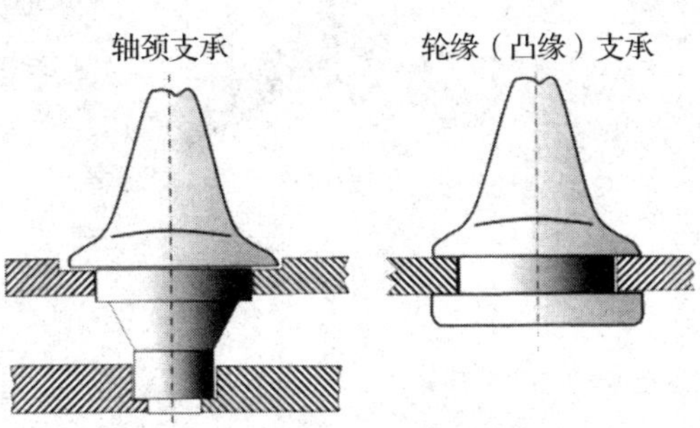

图 2.1.26　可调距螺旋桨桨叶支承的判别特征

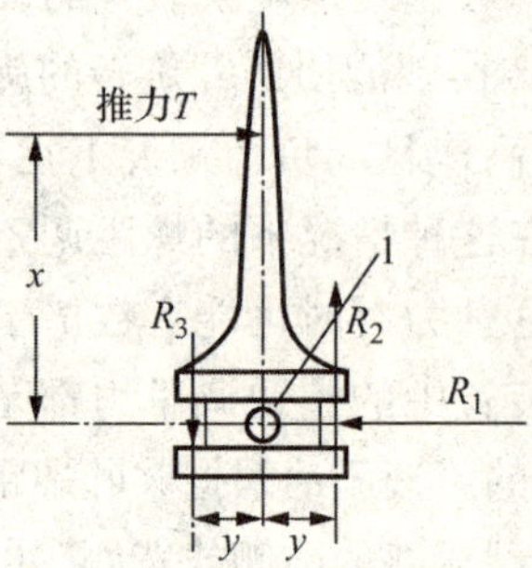

桨叶支承上力的估算

T=每个桨叶的推力

$R_{1,2,3}$=在轮缘（凸缘）支承上的反作用力

位置（1）处的全部力矩和

$\Sigma M_1=0 \rightarrow T \cdot x - R_2 \cdot y - R_3 \cdot y = 0$

横向力之和

$\Sigma F_H = 0 \rightarrow R_1 - T = 0$

$\rightarrow R_1 = T$

竖向力之和

$\Sigma F_V = 0 \rightarrow R_3 \cdot y - R_2 \cdot y = 0$

$\rightarrow R_3 = R_2$

总和：

$T \cdot x - R_2 \cdot y - R_3 \cdot y = 0$

$T \cdot x - 2R_2 \cdot y = 0$

$R_2 = \frac{T \cdot x}{2 \cdot y}$

举例：x=3 000 mm，y=300 mm，

x/y=10，T=30 kN，R_2=150 kN，R_1=30 kN

图 2.1.27　作用在可调距螺旋桨桨叶支承上的推力

第三个区别可调距螺旋桨结构形式的判别特征是，螺距调整十字头(调距十字头)的使用方式，即轴向位移是如何转换成旋转运动的。广泛采用的是滑块结构、连杆结构或叉形结构连同一个旋转的调整活塞(见图 2.1.28)。

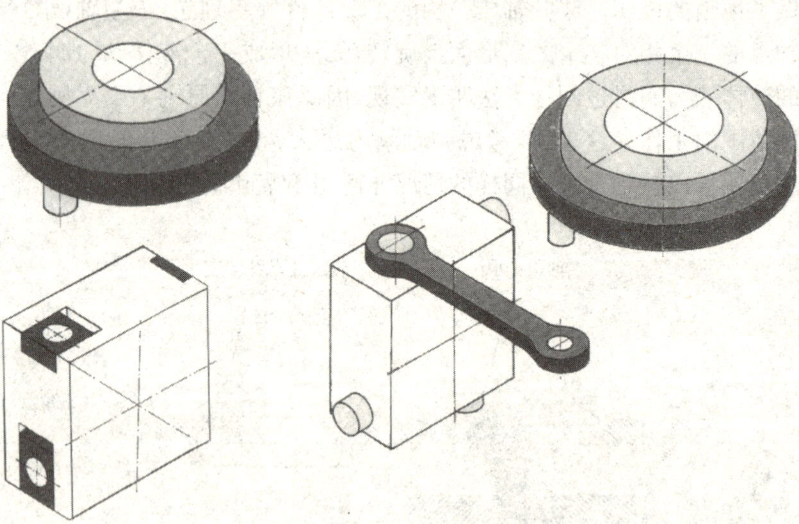

(a)　(b)

图 2.1.28　可调桨装置十字头结构型式

(a) 滑块结构　(b) 连杆结构

图 2.1.29 是一个可调距螺旋桨的桨毂结构，该桨毂结构中的调整缸与桨毂壳体 1 组合成一个整体部件。该部件连同桨毂底、调整缸盖 2 和活塞 3 构成一个调距伺服电动机。调整缸借助缸盖 2 和内置的密封圈 4 封闭。在活塞连杆与桨毂底之间是连杆密封 5。活塞密封 6 把操纵前进与倒退的缸腔 K 和缸腔 O 相互隔开。

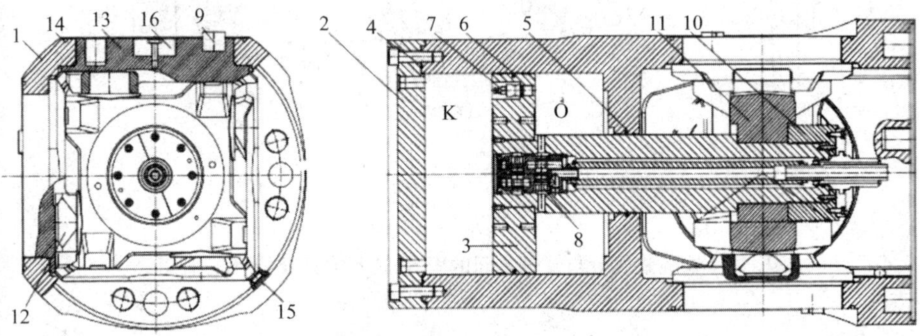

图 2.1.29 带调节缸的可调距螺旋桨桨毂(资料来源：Schottel 有限公司)

为了能使缸腔内注满液压油，在活塞中设置了一个压力阀 7。当阀行程碰到挡块时作为溢流阀，缸腔(K 与 O)排气。活塞 3 通过活塞连杆连同螺母 10 固定在螺距调整十字头上。

螺母 10 与活塞连杆用固定销保险，以防止扭转。在活塞中设置了一个可解锁(打开)的组合阀 8。当液压中断时组合阀关闭，螺旋桨螺距保持在原来的位置。螺距调整十字头轴颈 11 连同滑块 12 和轴承座 13 中的径向导槽能使螺距调整十字头的纵向移动转变为轴承座和固定在轴承座上的桨叶的旋转运动。轴承座 13 能旋转地支承在桨毂壳体 1 内(轮缘支承)。桨叶通过桨叶紧固螺栓与轴承座固定，每个桨叶用两个桨叶密配螺栓 9 并紧(见图 2.1.30 和图 2.1.31)。

其他的判别特征还有各种不同的调整装置配置(排列)和供油。在直接作用的驱动装置(例如，低速二冲程柴油机)模式情况下，这些单元装置都是骑装在轴系上并利用摆撑固定，以防扭动。通过一根直接在轴内的铣槽能够进入到卧置在空心轴内的供油管(或在较小可调距螺旋桨装置中的调整连杆)。该轴槽从结构强度上来看是轴上的一个几何形缺口，会导致相当大的应力集中。这种形式的部位会是产生裂缝的起始点。轴的这个部位必须得到加强。轴槽边

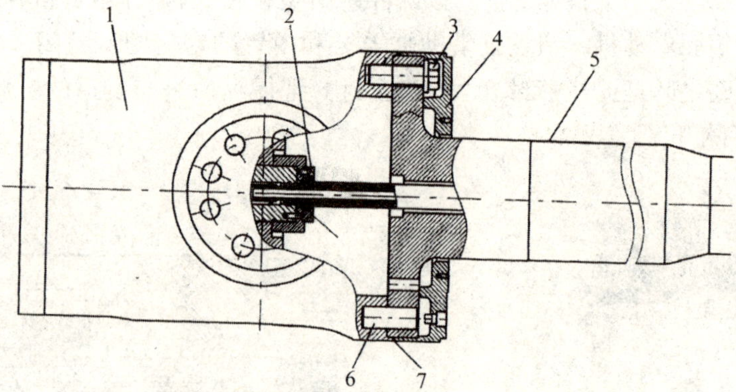

图 2.1.30　螺旋桨桨毂与桨轴之间的固定(资料来源:Schottel 有限公司)

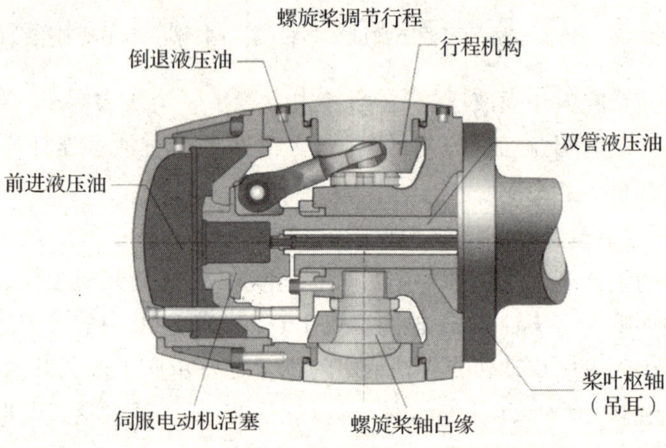

图 2.1.31　带调节活塞的螺旋桨桨毂。在深色部分的液压油注入调节桨叶螺距为前进方向;在白色部分的液压油调节桨叶螺距为倒退方向。调整十字在调节装置的活塞上,桨叶支承在轴颈(端)轴承上 (资料来源: VA Tech 有限公司)

缘必须进行非常细致且充分地倒圆加工。在这个部位的表面最好能进行抛光处理。在间接作用的驱动模式下,螺距调整装置亦即油分配器罩设置在前轴端,即安装在减速齿轮箱(或电动机)的前端(见图 2.1.32)。

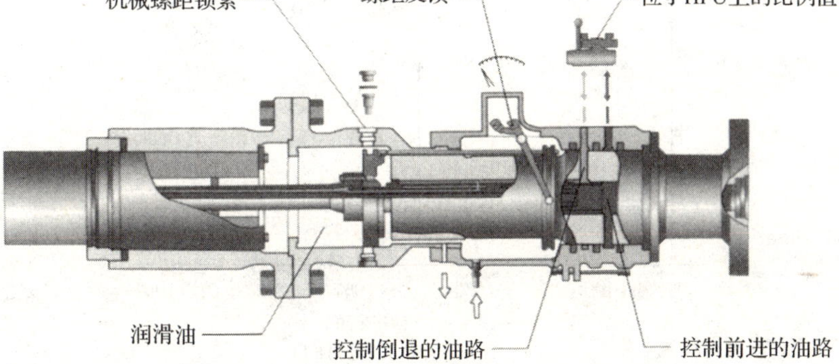

图 2.1.32　轴系上安装调整装置。液压油注入、润滑油注入、螺距信息反馈和应急操纵的机械锁紧装置清晰可见（资料来源：VA Tech 有限公司）

无论其结构形式如何，螺距调整装置在液压辅助能源发生故障时必须能清晰地反馈实际的桨叶位置（桨叶螺距），并设有手动操纵，即能就地进行螺距调节的操纵装置（见图 2.1.32）。由于手动操作仅仅是在应急例外的情况时以较大的应力负荷进行的，因此布置手动操纵装置时应考虑其位置直观显见，且能快速地到达操作位置。

可调距螺旋桨装置的操纵和调节在过去的几十年间也发生了显著的变化，尤其是自动化技术的发展对此产生极大影响。原先的螺旋桨调距装置是采用双操纵杆操纵的，其中的一个是操纵螺距调节，另一个是用于转速调节，即控制原动机的油量。由此而发展到下一个阶段，即对应于一个确定的数值组合（即所谓的组合曲线）把螺距调节与转数调节进行组合。其工作原理如图 2.1.33 所示。

进行低负荷范围操纵时，为维持发动机空转，转数所需的恒定的发动机注入油量仅利用螺距进行调节（约±10%）。有意义的是，在高负荷范围操纵，即发动机注入油量超过 85%时，则保持螺距恒定，仅利用发动机注入油量调节。由此可使强烈的荷载波动（例如因海浪引起的荷载波动），通过发动机注入油量调节进行控制，而无需经常改变负荷下的螺距。在这两个角值之间的范围内，发动机注入油量和螺距可同时调节，其提高比例在很大程度上取决于船型和船舶的大小。

螺距调节的速度在很大程度上同样也取决于这些参数。如果在船舶航

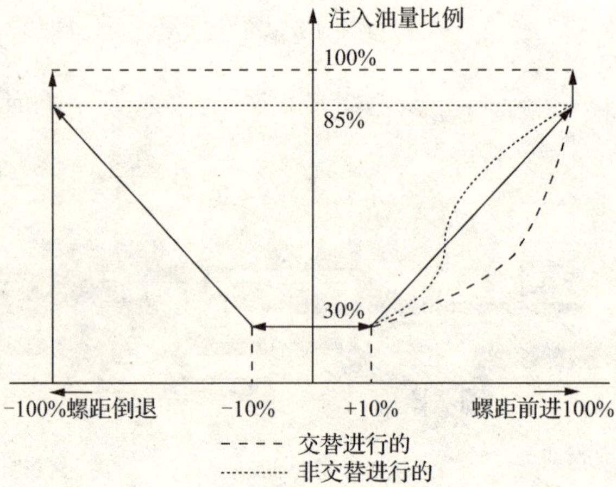

图 2.1.33 螺距调节与注入油量调节范围举例

行中螺距减小，则螺旋桨作用方式因受船舶航流的影响而发生逆转。螺旋桨起到一个透平机的作用使动力系统加速。这时出现一个负的转矩（自转、自由旋转）。这种逆转作用一直维持到船速重新降到使螺旋桨的迎流重新与相对于新桨叶位置的速度比相一致时才结束。这个特性限制了螺距调节的速度，因为应尽可能不出现负转矩；在直接驱动模式的情况下，由于负转矩，最大允许转数可能会超出；在间接驱动模式的情况下，负转矩会导致减速齿轮箱内的齿根面叠合而产生冲击负荷。在像柴油机和燃气轮机的联合动力系统中，通常采用自同步、自切换的操纵离合器（爪形联轴器）（SSS离合器），以使燃气轮机能与已在运行的动力装置合闸。当一个负转矩出现时，SSS离合器立即将燃气轮机与其他动力装置脱开，以避免超速损坏。商船的螺距调节速度从螺距全速前进返回至全速倒退通常在15～30秒范围内（见图2.1.74）。

2.1.3 运行

试运行

轴系对中

完整的轴系对中对推进装置完好无损的运行是非常重要的。这一点对于带减速齿轮箱的驱动装置尤其重要。轴系对中的检验因船体和轴系的弹性(变形)无固定的参考点或基准线,以及又无可为以后检查用的标记等情况而变得特别困难。早期的轴系对中是把全部的法兰在连接前相互平行且无错位排列。这样有时会对各个轴承产生不利的载荷比,从而导致损坏。约自 1960 年起,人们已普遍利用计算的方法对新建船轴系系统的支承进行研究,根据轴系研究报告确定各个轴承的最佳位置。对下列会影响到后续正常运行的因素应予以特别重视:

- 因吃水深度变化(载荷状态)或海浪引起的船体变形;
- 减速齿轮箱、主发动机或汽轮机本身因冷机与热机之间的温度变化而产生的"增身"(热胀冷缩)现象;
- 轴转动时,轴承内轴中心位移(与轴静止时比较);
- 因受偏心推力而产生的螺旋桨轴弯矩;
- 在轴带发电机直接置于轴内时,由旋转磁场产生的附加力;
- 轴承(例如,海水润滑的尾轴管轴承)的磨损;
- 尾轴管轴和螺旋桨轴上的浮力。

除了上述影响因素还应尽可能达到下列目的:

- 在大齿轮上(若采用减速齿轮箱的话)相同的轴承反应力,转子轴承和支承轴承上的负荷相同;
- 在所有运行状态时,各个轴承的轴承受力方向清晰一致;
- 后部尾轴管轴承中的载荷分配尽可能均匀(以避免轴承端部侧压力)。

船级社现在要求提交对中计算书和对中规程。计算书通常借助 EDV(电子数据处理)程序进行编制,首先是从一个完整平卧的轴系开始。然后,确定轴系系统弹性影响系数。计算给出,当每道轴承抬高或下沉 1 mm 单位值时,轴承受力 kN 的变化值。利用这些影响数值(系数)可计算出轴系应如何布置才能获得在运行中理想的轴系对中(即如上所述,尽可能同样大的轴承受力、受力方向始终一致等)。轴系布置设计方案必须考虑热态工况时轴系对中状况。通常,轴系装配时的状态有所不同,特别是低温等情况。低温状态的影响系数也应计算,计算结果值应填入轴系对中图。最后还得计算轴法兰在联结之前如何按对中的轴系相互排列(如偏移、曲折,或平面摆动和同心度)(见图 2.1.34)。

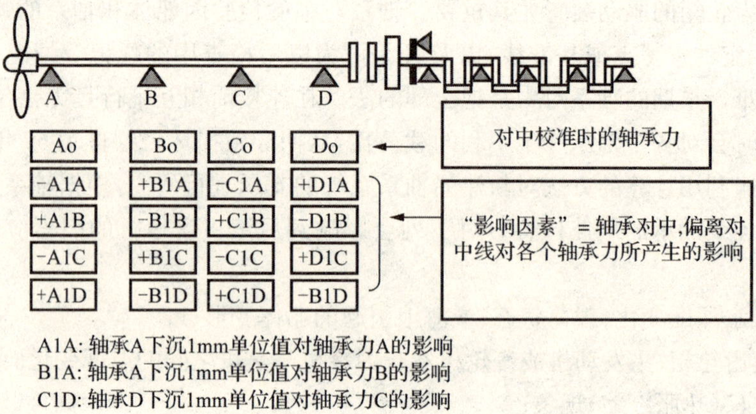

图 2.1.34　影响因数与轴系对中之关系

首次对中

在新建船或船舶大修时，待尾轴管中段和主发动机中段或止推轴承法兰之间的初拉线照光（光靶瞄准器、激光照光仪）完成后进行尾轴管镗孔。随后安装轴承、轴封、螺旋桨轴和螺旋桨。利用根据轴系对中计算书中给出的有关曲折和偏移的数据，从螺旋桨轴法兰向前对轴系的各个分部件直至止推轴承或主机输出端法兰逐个进行对中。新建船时把对主机的精调整放在最后，调整完毕后将主机固定所要求的密配件装妥或采用浇注方式固定。再把主机机座底脚螺栓拧紧，接着把轴系的各个分部件逐个联结（在船舶大修后要求重新对中时，也可能要求主机重新对中，并装入新的紧固密配件）。轴系安装联结完毕后，通过对轴称重检验轴承受力情况。轴系称重（按英美语言习惯称为 Jackingtest）是检验轴系对中实际状态的一种简易方法。如上所述，对于新建船除了轴系安装后进行称重外，至少在试航热机状态时再做第二次称重。在船舶吃水状态变化大（例如，油船和散货船）的情况下，推荐在最大和最小吃水状态各进行一次轴系称重。在船舶经受过碰撞、触底或者动力系统的重要部件更换后，也可能要求对轴系进行称重试验。轴系称重应尽量安排在阴天或夜间，处于正常的环境温度和水温及平静水面的条件下进行（要求记录温度！）。在称重期间不得改变船的横倾和纵倾。同样也不可移动大的重件（机器部件、装卸货、油水舱调驳等）。对已进坞的船应注意船底部变形，变形值可达数毫米。（只有在船已浮起，对偏移和曲折已做了检查，各轴段已按规范要求对中成直线后，才可安装密配螺栓。）

轴系称重不包括轴系在运行时出现的位置变化，例如，由于润滑油膜上轴的上浮力、轴的载荷变动和船体尾部结构因螺旋桨推力而引起的变化。这种测量只能在设备运转的情况下通过费用昂贵的动态测试进行，仅在特殊的情况时要求动态测试。

静态状况时所要求进行轴系称重时，需要配备下列辅助仪器与工具：

- 液压千斤顶连同精密压力表；
- 测量表（百分表/mm）；
- 厚薄规（塞尺）；
- 插件（垫片）；
- 直尺。

在进行称重之前，必须先检查一下是否需要插件（垫片）。插件必须精确匹配且平行对称，不然的话，会使千斤顶的液压柱塞产生倾角，所测得数值有误差而不能采用。

轴系称重试验（见图 2.1.35）：

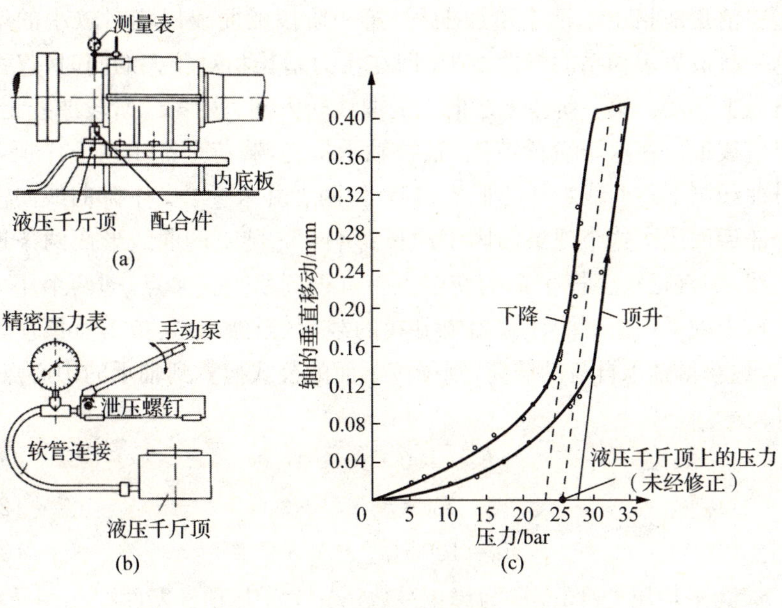

图 2.1.35 通过轴系称重测定轴承力

(a) 测量部分 (b) 称重仪器与工具 (c) 求值

(1) 将液压千斤顶和插件置于轴系下面规定的称重点上。必须注意，千斤顶是否正好置于轴系中线之下。

(2) 将测量表装上并校准到零位。

(3) 缓慢地以 10 bar(1 bar=10^5 Pa)为一级进行预泵压，并将测量表上的读数记录在测量表中。

(4) 如此继续进行，直到轴向上抬高约 0.3 mm。也可将轴抬高到整个轴承间隙值。注意轴承的最大密封间隙！用厚薄规(塞尺)检查！

(5) 达到最高点时，通过旋转调节旋钮小心缓慢地将压力以 10 bar 为一级减小。记录测量表上每一个压力级的读数。

(6) 取下千斤顶上的插件和测量表，将轴正转 20°，反转 40°，再正转 20°。

(7) 移靠到下一个轴承，重复上述(1)～(6)步骤 。

(8) 在所有轴承旁称重测量结束后，将轴转 180°重复上述称重测量。

称重测量值分析

为对称重实测值进行求值分析，将每道轴承处各测量点上测得的顶升值和相对应的压力值标绘连接成如图 2.1.35 所示的求值分析图。求值分析图上的曲线走势清楚地指出了两个阶段曲线：第一阶段的曲线以相对较小的增量上升。这一阶段表示轴系的弯曲变形，即在压力增长相对较大的同时，仅为少量的垂直向上移动。第一阶段平缓向上的曲线转入陡直的第二阶段曲线走势，测量点呈直线形。在这个阶段范围，轴被轴承抬起，载荷全都压在千斤顶上。虽然上升曲线与下降曲线走势的形式相似，但两者并未叠合。下降曲线向左移形成一个滞后回线。这个现象归因于摩擦影响两条陡直的曲线形成两条近似平行的直线，一直延长至横坐标的交会点。可得到两个交叉点，即两个压力。取这两个压力的平均值就能计算出要寻找的载荷(当然，这是指千斤顶顶轴的位置)。若想获得轴承自身的载荷，则须按下面的公式换算到轴承的中心点(见图 2.1.36)。

$$F_J = 100 \cdot p_m \cdot A_J \tag{2.1.7}$$

$$F_B = F_J \cdot C \tag{2.1.8}$$

$$F_B = 100 \cdot p_m \cdot A_J \cdot C \tag{2.1.9}$$

式中，p_m 为平均压力/bar；C 为修正系数；A_J 为千斤顶柱塞面积/m^2；F_N 为轴承受力/hN；F_J 称重处的力/kN。

修正系数 C 借助计算机程序计算时通过影响系数给出。粗略的修正系数 C 亦能利用力矩计算方法确定：

$$F_J \cdot L_1 = F_B \cdot L_2 \tag{2.1.10}$$

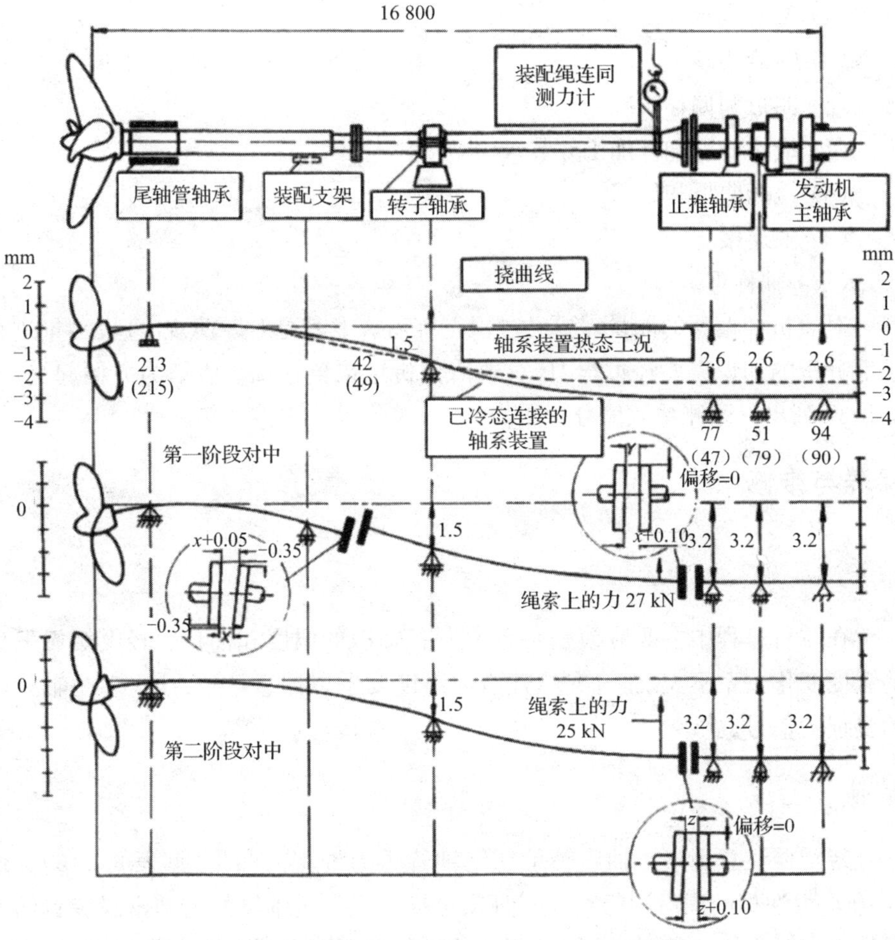

图 2.1.36　轴系研究实例(该轴系仅设置一个尾轴管轴承)

$$F_B = F_J \cdot \frac{L_1}{L_2} \tag{2.1.11}$$

$$C = \frac{L_1}{L_2} \tag{2.1.12}$$

重新对中检查表:

(1) 尾轴管中点,即主机法兰中点照光对中(校直)。

(2) 尾轴管镗孔,轴承装入(或即全套的尾轴管组件(SIMPLEX FLEXI TUBE))安装,对中和浇注。

(3) 转子轴承和支承轴承按高度和侧向校准,用螺栓固定。

(4) 塞轴或置入。

(5) 螺旋桨装上。

(6) 曲折和偏移校准。

(7) 最终的紧配件加工并装入。

(8) 检查曲折和偏移。

(9) 轴连接。

(10) 轴称重。

对曲折和偏移的测量需要经过预先练习。尤其是对厚薄规/直尺测量进行求值分析的知识需要经过学习,对求值分析结果要仔细检查。为方便起见,图2.1.37列出一张测量数值分析图。

保养与维修

轴系

在航行过程中主要应检查轴系中所有轴承的温度和油位。轻度缓慢发生的温度变化关系不大,而对突然升高的温度要予以注意,因为这大多是轴承开始受损的信号。

尾轴管区域

特别要注意观察尾轴管轴承和尾轴管重力油柜的油位(见表2.1.6)。该20升重力油柜的润滑油每隔6个月须更换一次。尾轴管的前部密封装置的润滑油也同时更换。每周还得取一次油样,以检查润滑油中的含水量,并检查尾轴管轴封的密封情况。

船坞内检查

- 将尾轴管轴封上的锁紧螺钉卸下;
- 利用作为附件提供的专用测量工具测量尾轴管轴承间隙的下沉量,并与新建船交船前进坞时的尾轴管轴承间隙的原始下沉量进行比较;
- 将带有锁紧螺钉的新密封环重新装上;
- 检查防蚀阳极,必要时进行更换。

在装拆密封时须注意,切勿将密封内的铬钢质衬套取出,否则在重新装入

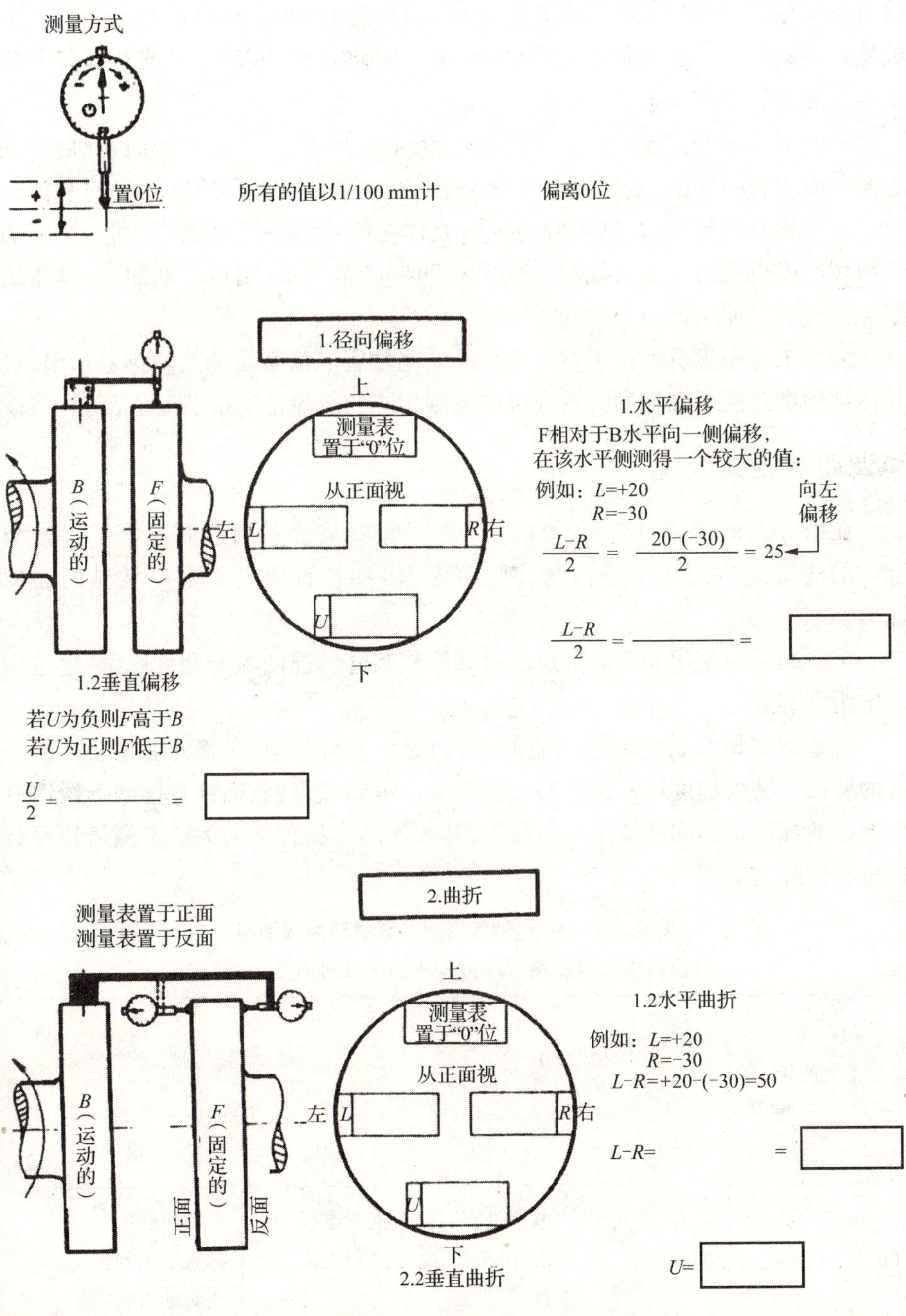

图 2.1.37 轴系对中测量计数示意图

时可能会使密封唇口受损。在首次装配密封(轴封)时应尽可能按制造商要求的端面摆动和同心回转值进行调整;调整时需将轴转动,测量表或测量仪器应装在所要测量的测点上。

密封唇口或密封皮碗的正常使用寿命约为 20 000～30 000 小时,此后必须更换。由于长时间的工作运行,在密封唇口部位的轴套会形成环状的磨损凹痕。作为临时措施,可在尾轴管与轴封壳体之间增设一道密封,以利用轴套的未损坏面进行密封。如果轴套上的磨损凹痕已很严重,则可车削加工,具体切削数据按工厂使用说明书中的规定。

表 2.1.6 中汇总列出了对一个标准的尾轴管润滑系统的故障排除指南;对其他结构型式的尾轴管润滑系统也应编制相应的故障排除指南汇总表。

可调距螺旋桨装置

在第一次试运转时要特别注意可调距螺旋桨装置制造商对该装置各个部位的清洗规定要求。脏污物、潮气(潮湿)和装置通气不足是常见的故障原因。

重要的是在使用期的后期阶段对螺旋桨桨叶状况的检查和维修(这也适用于定距螺旋桨)。

对螺旋桨操纵特别频繁的船舶,例如短程航行船舶,在桨叶上也会产生一定的磨损。磨损程度还与桨叶的材料有关。由铝锰青铜、铝镍青铜或不锈钢材料制作的螺旋桨在同样使用的条件下,其桨叶的磨损程度大大低于浇铸特种黄铜材料桨叶的磨损。

表 2.1.6 SC 尾轴管密封装置故障原因指南

(资料来源:TK 海运/Blohm+Voss 工业有限公司)

观察 20 升重力油柜	轴静止		轴转动	
	原因	措施	原因	措施
油位总是下降*)	润滑系统中油泄漏	漏油处密封 油柜布置检查	密封磨损 密封失圆	更换密封 检查轴承间隙 或对轴密封或轴套进行重新调整

（续表）

观察 20 升重力油柜	轴静止		轴转动	
	原因	措施	原因	措施
油位总是上升	油通过溢流流入**）密封(3)磨损或损坏 尾轴管内连接 20 升重力油柜的管螺纹接头不密封	将 20 升重力油柜输油管上的截止阀关闭	密封(3)变形或硬化 尾轴管轴承熔化或者轴封壳体或轴套未调整好	将 20 升重力油柜输油管上的截止阀关闭 检查尾轴管轴承间隙 检查轴密封与轴套的调整
20 升重力油柜中有水+）	密封(1+2)磨损或损坏 轴封壳体中有异物造成不密封	将输油管上的截止阀关闭 检查是否有水流入尾轴管 经常检查油含水量或将 20 升重力油柜置于上方更高处	密封(1+2)变形、硬化或其他损坏	将输油管上的截止阀关闭 检查是否有水进入尾轴管 经常检查油含水量或将 20 升重力油柜置于上方更高处 检查轴封壳体和轴套的调整情况，若必要则再调整

*）日油耗至 1% 密封油量(升/日)属正常，并非密封故障。若油耗持续增大，可使用黏度更高的润滑油。也可将输油管上的截止阀关闭，每天开阀两次，每次一小时。

**）20 升重力油柜溢流的轻度滴油属正常(只要日滴油耗仍在 1% 密封油量内)，并非密封故障。

+）20 升重力油柜有少量的水流入属正常(只要日流入水量在 1% 密封油量内)，并非密封故障。

铝锰青铜材料的桨叶较之其他材料的桨叶修复简单。对采用中度含铬不锈钢材料制作的桨叶和桨毂要求进行细致的裂纹检验，并在进坞间隔期间检查应力裂纹腐蚀情况。在螺旋桨上的任何焊接修补原则上必须得到船级社的同意认可，焊接修复后的螺旋桨应进行仔细认真的热处理。

(1) 特别需注意的是桨叶安装螺栓的钻孔。

(2) 尤其对桨毂上的桨叶座和螺纹孔要予以重视。

(3) 每次拆检(可能拆检的话)须仔细检验松轴承环的螺纹线裂纹情况。

(4) 通常含铬量高（大于 22% Cr)的不锈钢抗应力裂纹腐蚀能力相对较强。

(5) 从码头至码头利用重油和轴带发电机以恒定转速航行的可调距螺旋桨,若经常处于长时间减螺距航行,则其桨叶上比较容易产生空泡剥蚀。此外,以恒定转速操纵会明显增加螺距调整机构的机械应力,使所要求的螺距调整油压亦相应明显高于(例如在 70%n_0 时)所要求的螺距调整油压。

在航行期间:

(1) 油压和油温每天或每周检查一次。

(2) 注意观察滤器上的压力差！在滤器压力差提高到能使滤器自行转换(取决于滤器的型式)之前,应经常清洗滤器。$\Delta_p < 2$ bar 或 200 kN/m^2。

(3) 检查重力油柜的油位;在海上航行时每天一次,或每次值班即每 4 小时一次;在港口期间,每 12 小时检查一次。

(4) 检查液压油中的含水量;在海上航行时每次值班检查一次,在港口期间每天检查一次。(液压油的最大含水量取决于使用的液压油的种类,参见相应的润滑计划数据表说明)。

(5) 自由水是始终不容许的！这表明在系统的某处存在大量泄漏,必须尽快予以消除。

(6) 若怀疑油中含有水分,则取水样化验分析;如果确认油中的含水量大于 0.5%,则应立即寻找水的来源！水有可能从桨毂进入,也可能是经过甲板上的空气管或通过注入管进入的。

(7) 若泄漏处未能确认,则可通过进行肥皂泡试验加以确定:在系统中注入一些压缩空气以形成微量的过压($p \approx 3.5$ kN/m$^2 \approx 0.035$ bar),然后在管螺纹接头和法兰连接处喷肥皂水检查密性。通常,油中的含水量较大或其他油污染会使油分配箱的滑块(垫)很快磨损,滤器上沉积物增多。若此时不做任何清洗处理,磨损则会延伸到泵轴承和泵转子以及桨叶轴承,从而有可能导致螺距调整机构承受高负荷的部分产生腐蚀疲劳断裂。

(8) 每月检查所有的螺纹接头和法兰连接,检查螺栓是否有松动,紧固保险是否完好。

(9) 每次航行均测试和检查就地手动应急操纵的按钮控制或手动操纵的螺距调节阀(若有的话),以及螺距信息反馈的功能完好。

(10) 检查供油单元(OD-Box)的ND密封的密性情况。定期观察油冷却器上的温差;若温度发生变化,必须立即清洗冷却器。假如怀疑油侧有污染、油焦炭(垢)或其他沉淀物(如油泥),则清洗油侧。

(11) 定期检查液压软管连接;检查并清洗主-辅伺服电动机和控制油滤器。若使用可清洗的滤芯,则清洗滤芯。

(12) 检查"牛眼"(压差显示或压差恒压器)的功用。

(13) 检查螺距指示器行走(摆动)的灵活性。

(14) 每年取一次油样,送实验室做油样状况分析;测定含水量、TBN、黏度、颗粒和化学成分。液压油系统通常应符合一个认可的纯度标准(例如,ASTM 6 级)。

(15) 结构形式较老的设备可能还是使用机械气动调节系统。检查机械气动调节系统元件的执行动作灵活性,油润滑和清洁。

(16) 定期排放空气管路和滤器中的积余水。

船坞内检查:

(1) 检验螺旋桨上的损伤(桨毂、桨叶、防绳罩、尾轴管密封装置)。

(2) 船体外板(壳)喷砂时,应先把桨叶座与桨毂之间的空隙用胶带粘盖住。喷涂油漆前将螺旋桨包扎好(螺旋桨溅上的喷漆以后会引起空穴腐蚀)!

(3) 定期更换桨叶密封,至少每4~6年换一次(主要取决于所航行的区域和航行情况)。

(4) 更换密封后要求做桨毂压力试验(参见使用说明书和制造商给定的数据)。

(5) 从桨毂的低压侧取油样,如同上述其他试样那样送实验室做试样分析。

(6) 检查所有螺栓紧固和锁紧保险情况是否完好。

(7) 检查船上推进装置的所有组件,并按使用说明书要求换油。

重新入级检验所要求的工作:

(1) 桨叶密封换新!

(2) 桨叶紧固螺栓的裂缝检验(裂缝检测)!(在重新拧紧桨叶紧固螺栓时要认真仔细地按制造商规定的操作指南进行!)

(3) 桨叶轴承环松(如果有这种情况存在的话):全部松开,检查裂缝,重新装上并用保险销销紧。注意制造商的安装说明!!!(操作说明)

(4) 如果桨毂内进水并已生锈,则应检验颈端上的裂缝!

(5) 清洗可调距螺旋桨、清洗油箱,若有必要则重新涂层(重新安装后按测试压力进行压力试验)。

(6) 对整个桨叶装置按制造商规定的技术说明进行冲洗(操作说明)。若无制造商技术说明,则按 ASTM 6 级清洁度的要求进行冲洗。

(7) 检验泵机组并检查其磨损情况。确定磨损是否尚在许用范围内?(操作说明)

(8) 将轴端法兰防护罩盖取下,检查里面是否进水或已锈蚀。

(9) 检查尾轴管轴承间隙。检查尾轴管密封装置的磨损情况和密封唇口或滑动面的状况是否完好(按具体制造商的技术规程修复)。

现场运行监控和动力、传动、推进部分的其他零部件的维护与修复指南参见第 1 章。

轴系和螺旋桨轴上的损伤

螺旋桨轴上发生损伤会危害动力系统的安全,有时还甚至会危及船舶航行的安全。它是轴系上受损危害最严重的部件。这种情况尤其会发生在水润滑轴承中转动的螺旋桨轴上。损伤的形式和产生的原因各异。损伤的原因大部分可追溯为不合理的设计、未正确装配或恶劣的运行状况;因材料缺陷而产生这类损伤的情况,由于目前制造工艺和质量保证的改善,一般很少发生。螺旋桨轴上常见的受损部位如图 2.1.38 所示。

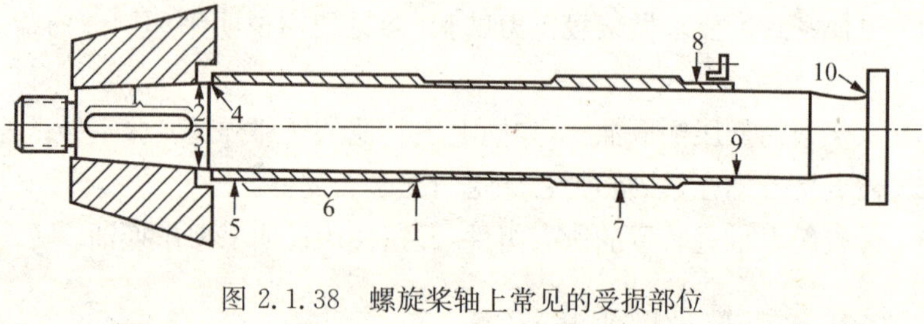

图 2.1.38　螺旋桨轴上常见的受损部位

如图 2.1.38 所示部位:1 滑键槽内的裂缝,2 桨毂前端下面轴上的裂缝,3 桨毂与轴衬(套)之间环状通道(环形缝隙)内的裂缝,4 轴衬(套)外端下面轴上的裂缝,5 轴衬(套)上的异常磨损与刮(划)痕(大多出现在后部螺旋桨轴承的后端),6 后部螺旋桨轴承部位的表面侵蚀,7 轴衬(套)内的裂缝(大多与轴衬下的轴的腐蚀与裂缝有关联),8 密封装置部位轴衬(套)上的刮(划)痕,9 轴衬(套)

前端下的裂缝，10 轴与法兰过渡区上的裂缝。

最常见的受损原因

由于不规则伴(尾)流而产生的轴弯曲应力，推力未作用在螺旋桨的中心。在船舶愈是满载和流向螺旋桨的入流愈是不利的情况下，推力的偏离亦愈大。桨叶片数为单数的螺旋桨上的推力偏离较之于桨叶片数为双数的更大。轴和轴衬(套)还承受螺旋桨重量的弯曲载荷。每旋转一次，正负应力符号交换二次，由此推动轴衬(套)端部。由于轴此处受到收缩压力，故在轴衬(套)和轴上会产生从外观上难以辨别的侵蚀和微细裂缝。这种现象在轴衬(套)的前端不是很典型，因为这里的弯曲应力要小得多。措施：利用适合的检测方法对轴和轴衬(套)至少每隔 4～5 年进行一次裂缝检测；最适合的是，超声波检测、磁粉探伤检测和荧光或着色试验。仅敲击轴衬(套)不足以能检查其完好性。最迟 10 年后应将轴衬(套)的后端 20 mm 切削割除，以检查轴的状态。若未发现裂缝，则该轴在更换相应的螺旋桨密封装置后可继续使用。在任何情况下，采取这种措施都必须事先与船级社商定。

在轴衬(套)端部由于横截面突然改变会产生最大的应力。这种因结构引起的应力集中会导致疲劳裂缝，尤其是在长时间承受高负荷的情况下。这种情形发生于，诸如经常在波浪起伏的海上航行的，未完全卸货或处于强烈纵摇运动的船舶上，尽管这时的螺旋桨尚处于正常工况。在临界转速范围或快速换向操纵时航行也会产生高负荷。措施：在征得船级社许可的情况下，将轴的圆周磨削直到所有的裂缝完全消除。棱键槽槽深不能超过 5～6 mm(见图 2.1.39)。

如果螺旋桨未完全推靠到轴锥体上，则它会因脉冲式推力而沿着棱键向锥体撞击，从而会产生类似上述的(咬)蚀痕。为此，这时的棱键有时传递一部分转矩，这可从棱键上的变形辨别出来。其后果是经常会在棱键槽的底部和端部产生裂缝，该裂缝往往就是发生轴损的起始点。措施：把棱键槽的前端做成条勺形，以使裂缝能完全消除(见图 2.1.40)，符合德国劳氏船级规范的棱键槽形状。锥体上的裂缝可通过精切削加工使螺旋桨能进一步向前推靠(如果螺旋桨与尾柱的间距容许采取这种措施的话)。棱键装上后，棱键槽的宽度余量不得大于 10%。螺旋桨套装时应涂上合适的润滑剂。将螺旋桨尽可能推到底，在向粗的轴锥体端上每推入 1 mm 轴直径，其参考值为 0.009～0.012 mm 。在锥斜度小、外部温度低时，取较大的参考值。在松开轴螺母之前，利用厚薄规测量轴螺母以检查螺旋桨是否已蠕变。

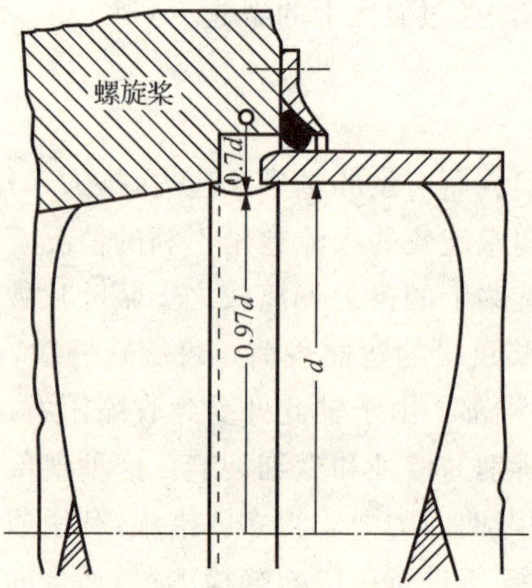

图 2.1.39　螺旋桨轴(尾轴)上的裂缝消除

图 2.1.40　符合德国劳氏船级规范的棱键槽结构

由于密封不足而使螺旋桨与轴衬(套)之间的环状通道(环形缝隙)内进入海水，这会导致对轴材料产生电化学腐蚀作用而形成裂缝。措施：装配时，通过注入 0.7～1.0 bar 压缩空气过压，并喷肥皂水检查密封装置的密性情况。随后，将防腐蚀油脂注满所有的空腔。始终采用新的密封环!

上文所述的弯曲应力变动很大，这是由于螺旋桨桨叶每次旋转都周期性地以频率转数乘以桨叶数，通过各个不同的伴流区域所致。若这个频率与螺旋桨-轴-尾部系统的弯曲固有频率相一致，则在尾轴管轴承和轴衬(套)上会产生空泡现象。具体表现为在轴衬(套)上呈现刻划条纹状的空泡剥蚀(浅凹痕)。刻划条纹的分布位置和数量与螺旋桨桨叶片数有关，在同样的位置塑料轴承的磨损更严重。人们把这种现象解释为，由于被压入轴承空隙内的小水滴与轴的振动不一致而产生空泡。由空泡产生的高压力使轴承和轴衬(套)受损破坏。此外，空泡腐蚀现象还由于尾部强烈的振动而显见。措施：在空泡腐蚀部位圆周补上一块相应大小的轴衬。在特殊情况下，必须加强尾部的刚性。

海水污损。在船舶长途航行中经过浅水、风浪区域，通过运河和港口时，固体物质随海水一起涌入尾部敞开的尾轴管并进入轴承，从而导致轴承和轴衬(套)严重磨损。措施：海水补充润滑及时接通或提高海水流通量。

轴承负荷不均匀。通常总是发现后部尾轴管轴承磨损严重，而前部尾轴管轴承却无磨损现象。这个现象表明有两种可能：不是轴承间距选择不当，就是轴系对中有问题。措施：重新检查轴系对中，后部尾轴管轴承安装时应视具体情况与轴弯曲挠度保持一定的倾斜。若有可能，则改变轴承间距。

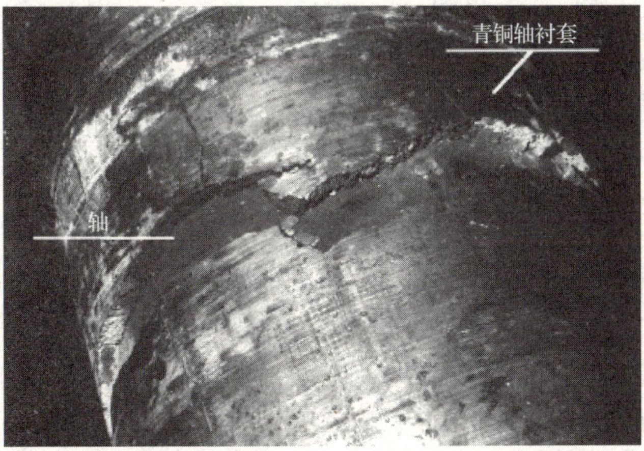

图 2.1.41　轴损(螺旋桨轴青铜衬套)(资料来源：Klaus Bösche 工学硕士)

有时在轴承和轴衬(套)的整个面上产生的空泡剥蚀呈宽的或较窄的刻划条纹(环)状，整个范围内分布均匀。这种情况表明未受到螺旋桨桨叶片数的影响。其原因尚未能完全解释得清楚；人们假设，这可能与流经轴承位置的起润滑作用的海水的流速过大有关。措施：对受损部位的轴承材料做切削加工处理，同时增大海水流通截面。

传动轴(中间轴)部位的损伤

轴承滑动面上的损伤。该部位的受损现象主要是侵蚀痕和刮划痕，究其原因是随海水进入的杂质和硬颗粒嵌入软的轴承浇铸衬层所致。侵蚀痕也往往是由于润滑不足而使轴承运转时发热所产生的。不均匀磨损会导致形成局部棱边。即使是正常的磨损也会使轴颈随着运行时间的推移而失圆和呈轻度锥形(例如，因受轴承端部侧压力)或鼓形。精确的磨损测量可利用量规、测量仪表和千分尺进行。两个互相垂直的轴直径的差别应最大为 0.25 (0.30)～0.45 (0.60) mm，锥度为 0.25 (0.40)～0.50 (0.70)mm 之间(括号内的值适用于螺旋桨轴)。轴的轴向窜动不得超过 0.03 mm。措施:轴承座(轴颈)精车加工(若精车后的直径仍在所规定的最小直径容许的公差范围内),并重新浇铸轴瓦。否则的话可对轴进行喷涂或堆焊加工修复。

轴上的裂缝。因材料缺陷产生轴上裂缝的情况极少,大多源于局部应力集中,如因过渡半径过小和径向孔或局部腐蚀等。因轴系对中误差而引起负荷增大、冲击应力(系泊浮筒或连续不间断的操纵)和高热应力(例如,轴承高热运转)及扭转振动等都会导致轴上产生裂缝。尤其是经堆焊修补过的轴特别容易产生裂缝。措施:裂缝始终必须立即消除!如果裂缝不太深,则可通过打磨消除,或如上所述通过精车加工消除。否则:焊接修补后进行热处理。

轴断裂

轴断裂的情况实属少见,一旦发生,则大多由于轴裂缝未及时发现或未消除所致。措施:若发生轴断裂,可采用热剂焊修复。轴弯曲,轴对中误差较大、船体变形严重、异常的运行(航行)条件和相邻轴承之间的轴承间歇不均匀等情况会造成轴弯曲;同样,不恰当的修复方法、强力的碰撞或者在轴制造过程中的热处理缺陷也会导致轴弯曲变形。措施:轴弯曲变形可通过小心谨慎的校正予以恢复,但要求操作人员具有相当的实践经验。

密配螺栓孔内因受撞击产生偏孔变形大多是由于轴对中误差或密配螺栓未完全拧紧引起的。措施:若密配螺栓孔变形不大,则可通过铰孔并配尺寸大一档的密配螺栓重新修复。

推力轴上的损伤

类似发生在传动轴(中间轴)轴承滑动面上的损伤情况也会在推力轴承的推力环上发生。推力环因过载而发生变形的情况较少。措施:推力轴精车加工,加工后的尺寸不得超过对推力轴所规定的最小许用尺寸,可能还需校正推力轴,并按拆卸时的相反顺序重新安装。

轴承损伤

大部分的轴承损伤是因工作温度过高才引起人们注意的。造成轴承损伤通常是由下列之一或若干个原因而引起的:

- 轴承间隙过小(轴承螺钉拧得过紧);
- 润滑油污染(磨损物、砂、脏物、金刚砂粉);

- 对中误差，由海浪、搁浅和异常载荷等引起船体变形而导致轴承偏移；
- 轴颈或轴瓦滑动面受损；
- 设计缺陷（单位面积压力过大、轴承太短），轴承壳体内的轴承座太小）；
- 润滑油供给量不足。

滑动轴承上的损伤

在轴承处于热工作状态时存在这样的危险，即轴承合金会发生延伸膨胀将轴卡紧，从而使供油中断，同时润滑油的黏度降低，由此承载能力也随之降低。润滑油油膜破坏，导致轴承合金金属摩擦，温度继续升高。其后果是磨损增大和温度进一步上升。当温度达到熔点时，轴承合金熔化。但在达到熔点之前，轴瓦与轴承合金的连接可能会软化，轴瓦中的浇铸合金（衬层）滑动。这个变化过程还受轴瓦和浇铸合金延伸膨胀程度的影响，尤其是材料配对不当时。各个轴承的润滑油温度经常是各不相同的，因为轴承的受负荷情况几乎总是不一样的（例如，船体因海浪或装载分布的改变而引起的弯曲变形产生的附加轴承受力）。各个轴承少许的温度升高并不一定表示轴承开始受到损伤，而对突然的温度上升要格外予以重视。措施：检查润滑油供给（完好的滑油循环）状况，视具体情况将堵塞或沉积的污物清除。对于采用强制循环润滑方式的，应增大润滑油流通量；对于采用冷却型方式的轴承，则应检查冷却水的流通，酌情增加冷却水量。检查和搞清润滑油的受污染情况。降低轴转速，迫不得已时只得停车；对于支承轴承，借助垫隙片增加轴承间隙，但仅适合于明显由于对中误差或间隙过小所致。只有在特别紧急的情况时，才容许从外面利用消防水进行冷却。在运行过程中发热过的轴承必须尽可能立即拆开检查。若轴承合金虽已熔化，但损伤范围仍允许，则可进行刮瓦修复并通过取出相应的垫隙片在一定的限定范围内重新调整间隙。在熔化损伤严重的情况下，必须重新浇铸轴瓦合金。借助超声波探伤仪检测新浇铸轴承的轴承合金与支承体（即轴瓦）的结合是否完好。其他通常只有在拆开轴承检查时才能确定的受损情况：首先是轴承浇铸合金中的裂缝，这主要是由于用于夹持轴瓦中浇铸合金的燕尾槽形状设计不当造成的，应力最大；因机械应力或热应力而产生的裂缝。新型的轴承已避免了燕尾槽形状设计不当的情况。措施：轴瓦的重新浇铸，新的轴承合金材料电化浇铸方法能使完全放弃燕尾槽成为可能。轴承合金与轴瓦的脱离经常是从配油腔侧开始的。措施：轴承浇铸合金换新。轴承壳体的裂缝。原因：缩孔位置和浇铸应力，有时是振动的原因，熔化往往是由于热应力所致。措施：裂缝通过嵌入或金属闭合方法填密或焊接修复，但这仅适用于钢质或铸钢结构，不适用于灰口铸铁结构。

有许多轴承壳体设计是把轴瓦置于轴承壳体中的，参见图2.1.22。不利的运行工况（如轴承端部侧压力、振动等）会使壳体内的轴瓦座松开（轴瓦座看上去像是锻过的，有光泽）。措施：检查固定情况或再拧紧，必要时加工轴承壳体内的轴承座。检查所有修复处，以确认全部的损伤和造成损伤的原因是否都已消除。搞清楚导致轴承最初受损的起因是船上轮机技术官员最感为难的任务之一，因为初始的起因往往被后来发生的损伤所掩盖。

安装缺陷

轴承内的轴倾斜导致单边负荷过载（轴承端部侧压力），以使轴承合金在受轴承端部侧压力的范围发生严重变形。这时轴承内表面上形成的轴转动轨迹大多呈暗黑色。径向轴承内表面的对角侧上也可看到类似的倾斜，但大多略小些。其结果是轴承白合金被推入配油腔。对于带椭圆间隙的轴承（例如，涡轮增压器的轴承或高压涡轮机的轴承），安装错误很容易造成在结合缝（线）的高点产生强压力，以使白合金受强力挤压而变形。随后，在这个区域（部位）通常会形成一个抛物线形状。

凹槽

一旦有异物进入到油槽，它就会嵌埋在白合金镀层中。异物的大小和数量会对轴颈造成不同程度的凹槽。由此引起白合金镀层局部过度发热而发生熔化，从而发展到小的白合金颗粒剥落并堵住供油处。

油量不足

可见到轴承滑动面上因油烧焦而呈黑色，表面的发热使白合金氧化皮（鳞皮）熔化并沉积在轴承间隙最大的部位。

空泡剥蚀

空泡剥蚀即轴承合金颗粒从轴承滑动面上裂出或爆出。空泡（穴）可从白合金一直发展到合金与轴瓦结合区。若轴承合金与轴瓦结合良好，则在结合区与爆裂处之间会留有白合金岛状空蚀。空蚀现象是由于轴承中滑油的速度过高所致。

疲劳损伤

因轴承单位载荷过高引起的过度应力而产生的裂缝特征是，裂缝像张开的网或大或小地覆盖在白合金上（即所谓的呈铺地砖形状）。由此，滑油受压进入裂缝并侵蚀结合区。停留住的轴承合金在棱缘处熔化。由于成型问题（例如，燕尾槽棱缘的成型）而在结合层中形成的应力最大会促使轴承疲劳断裂

电蚀

轴与船体之间形成的杂散电流或高电位差（在未恰当接地的情况下）会引起电蚀现象。电蚀会发生在轴上和轴承合金上，材料的腐蚀部位呈边界清晰的环状。蚀痕发生在薄合金层，常见的有从点状的到钉刺状的。轴向轴承上因电蚀引起的损坏出现在压力件的压力点或压力点稍后处。轴表面呈暗灰色。利用常规的电压测试仪测得的电位差通常按刻度显示为 250～400（650）mV。若按峰值时间段测量，则峰值电压可达若干个伏。

腐蚀

腐蚀损伤可呈点状或平面状。主要原因是润滑油中含水量过高。因燃烧而产生的酸反应生成物在内燃机曲轴箱内经过润滑系统进入轴承也经常会产生腐蚀作用。若支承（轴）瓦和轴承座上出现生锈痕迹，则应怀疑是否已受到侵蚀。

这里所述的若干腐蚀损伤形式的实例如图 2.1.42～图 2.1.50 所示。

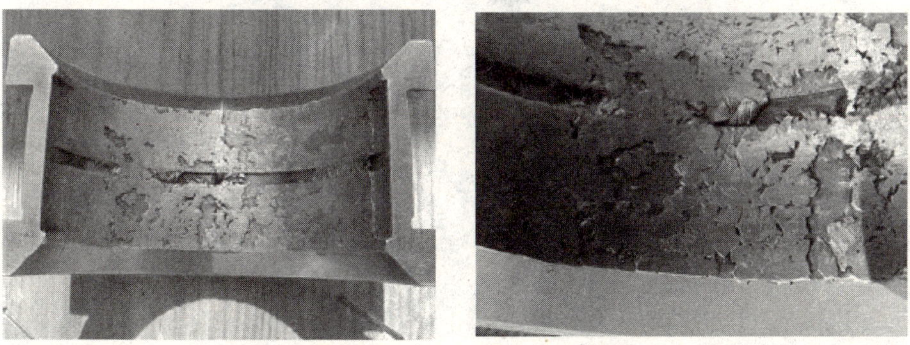

图 2.1.42 过载引起的白合金轴承滑动层疲劳（资料来源：Zollern BHW 有限公司）

图 2.1.43　过载引起的白合金轴承滑动层断裂(资料来源：Zollern BHW 有限公司)

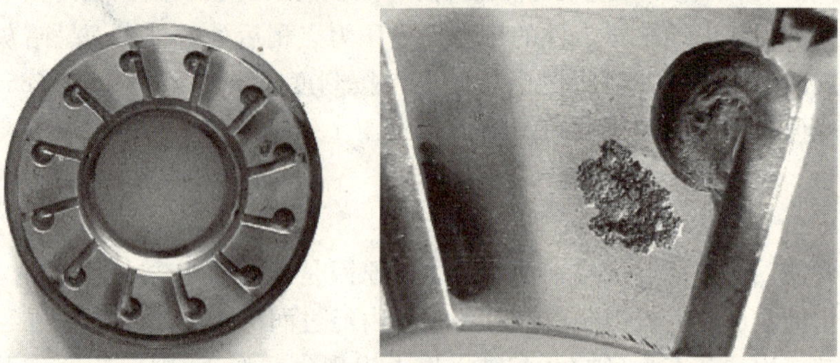

图 2.1.44　由于热过载引起的轴向滑动轴承断裂（资料来源：Zollern BHW 有限公司）

图 2.1.45　由于旋转方向错误(设计缺陷)而引起的滑动式推力轴承自动调整式推动块的滑动层移位(资料来源：Zollern BHW 有限公司)

图 2.1.46 由于水流速度过高而引起油槽出口上的空(泡气)蚀
(资料来源：Zollern BHW 有限公司)

图 2.1.47 因装置强度不足(壳体成型缺陷)而引起支撑瓦断裂
(资料来源：Zollern BHW 有限公司)

图 2.1.48　因壳体内紧配合差而产生的轴瓦背面摩擦痕迹
(资料来源：Zollern BHW 有限公司)

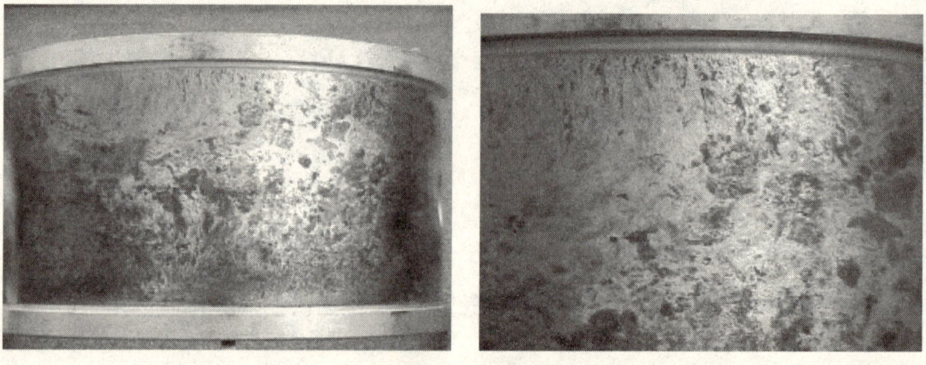

图 2.1.49　轴瓦背面带有摩擦腐蚀(资料来源：Zollern BHW 有限公司)

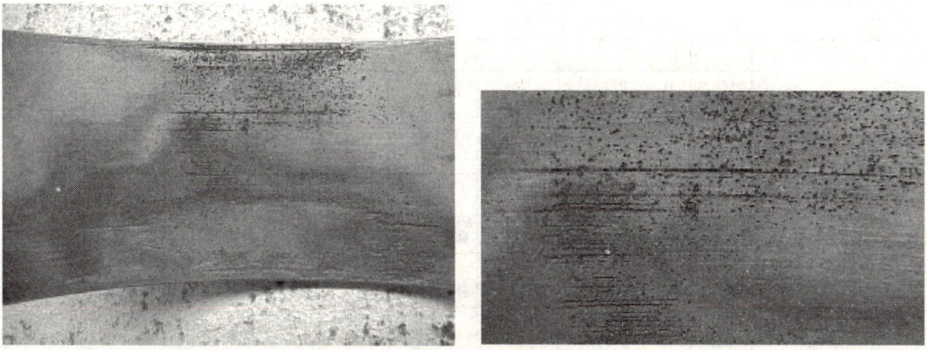

图 2.1.50 柴油机连杆轴承滑动面(摩擦面)上的腐蚀损伤
(资料来源：Zollern BHW 有限公司)

滚动轴承上的损伤

相比较而言,滚动轴承上发生腐蚀的情况较少。根据滚动轴承制造行业提供的数据,仅 0.2%～0.5%的滚动轴承在使用中损坏失效,且也是由于维护、操作和设计错误造成的。其故障原因分布为:润滑油老化占 20%、润滑油选用不当占 20%、润滑剂过少占 15%、污染占 20%、水(或油中含有其他液体)占 5%、过载(转速过高、润滑剂过多、密封不足、轴承选择错误和变形太大)占 10%、连带受损(由于相邻机器零件损坏而引起的,例如,齿轮磨损或联轴器磨损、密封损坏等,以及机器振动)占 5%、改装或加工错误(轴承损坏、轴承座不完好、轴承间隙不对)占 5%,以及轴承自身缺陷(材料缺陷和制造缺陷)所占百分比小于 1%。

振纹和生锈是船舶轮机运行中最常见的损伤特征。生锈是由于船舶航行在各种不同的通航区承受相对大的温度和湿度变化以及不同的工况而引起的。振纹是指,由静止物的颤动而引发的振动磨损,例如,备用机组在船上其他机器设备处于运行期间,较长时间处于未接通备用状态。

滚动轴承受损及其原因和工作状态特征如图 2.1.51 和图 2.1.52 所示。这里所示的例图均应感谢 FAG Kugelfischer, Georg Schäfer & Co. 公司提供的图片材料。这些图片摘自该公司的印刷资料。

在侧面导向上的滑动痕迹,先是在滑动面上呈有光泽,然后呈褐色滚动痕迹,表示润滑不足(润滑油不够或质量差)。油温上升表示密封装置处于干态运转(无润滑工作)和油位过高。在安装备用轴承时应注意,保护轴承用的防腐油脂不具有润滑功能。在第一次试运转之前,必须用清洗油或三氯乙烯清洗轴承

特征	滚动轴承受损的典型原因									
	工作负荷			环境影响				润滑		
	超负荷或欠负荷	振动	高转速	灰尘、脏物	侵蚀性介质、浸进水	外热	电流通过	不合适的润滑剂	润滑剂不足	过度润滑
(a) 运行状态中的异常现象 运转不稳定		■		■	■		■	■		
异常噪声	■	■		■	■		■	■	■	
温度变化特性受到干扰	■		■			■		■	■	■
(b) 拆卸的轴承部分的外观 1.异物压痕				■						
2. 疲劳损伤	■			■		■		■	■	
3.停机标识		■								
4.熔穴与槽纹							■			
5.滑动损耗痕迹	■								■	
6.滚动体压痕、刮擦痕	■									
7.咬蚀痕迹	■		■					■	■	
8.磨损				■				■	■	
9.腐蚀损伤					■			■		
10.高热运转损伤			■			■		■	■	■
11.断裂										
12.摩擦腐蚀损伤（配合缝隙腐蚀）		■								

图 2.1.51　滚动轴承受损及其原因(资料来源:EAG)

并立即上润滑油。

目前已研究开发了许多鉴定轴承使用状况的测试方法。这些方法都适用于对疲劳损伤进行的测定。然而,对测量值进行分析和解释则是一项要求具有工程知识且很细致的工作。只有这样才能避免发生判断错误。利用现有的测试方法尚无法在早期就能判断润滑状况,需要对滑油温度及其变化进行细致的观察才能做出确切的判断。对于大型滚动轴承,例如应用在轴系和电力推进装置(POD)上的滚动轴承,还可通过观察滑油中是否含有金属颗粒来判断轴承状况正常与否。如果以这种方法发现了轴承开始受损,那么接下来的问题是要知道该轴承还能继续使用多长时间,而不会发生灾难性事故。轴承开始受损后的

特征	轴承受损部位					滚动轴承受损的典型原因					
						安装					
	支承面	滚动面	滚边端面与滚珠端面	导圈	密封	错误的装配工艺或工具	不干净	装配过紧、预应力过高	装配过松、预应力不足	环未支撑好	对中错误或轴弯曲
(a) 运行状态中的异常现象 运转不稳定						■	■		■		
异常噪声						■	■	■	■	■	■
温度变化特性受到干扰								■			■
(b)拆卸的轴承部分的外观 1.异物压痕		■					■				
2.疲劳损伤		■				■	■	■		■	■
3.停机标识		■									
4.熔穴与槽纹		■									
5.滑动损耗痕迹		■							■		
6.滚动体压痕、刮擦痕		■	■			■					
7.咬蚀痕迹		■	■	■							
8.磨损		■	■	■	■		■				
9.腐蚀损伤		■	■	■	■						
10.高热运转损伤	■	■	■	■	■			■			
11.断裂	■	■	■	■		■		■		■	
12.摩擦腐蚀损伤（配合缝隙腐蚀）	■								■	■	

图 2.1.52 滚动轴承受损及其原因(续上)(资料来源:EAG)

损伤发展速度从来都不是线性的,而总是一开始缓慢,而后则损坏速度愈来愈快。对此,轴承力的大小即负荷程度,起着非常重要的作用。虽然未停止使用,但减小负荷亦能有效地延缓损坏的速度。综合观察振动水平、滑油温度和滑油中金属颗粒的数目和大小是一种能对推进系统中主要滚动轴承的剩余使用寿命进行准确判断的必要辅助手段。对滑动轴承状态进行观察的相应方法正在研究开发中。

在集中荷载和壳体具有足够刚性的情况下,只要不产生径向预应力,在立环上的滑动痕迹短于滚道圆周的一半。在圆周负荷的情况下,滑动痕迹延伸到整个滚道圆周上。

人们经常能从拆下的轴承表面的滑动痕迹上看出，轴承负荷情况与轴承设计载荷能力是否相符，或轴承是否由于过分张紧而承受了不正确的负荷。滑动痕迹的排列取决于外部载荷的方向和旋转的情况（集中荷载或圆周负荷、轴向载荷或组合载荷）。在单纯的径向载荷的情况下，立环的切线方向（圆周方向）产生的滑动痕迹主要取决于载荷的高度、轴承间隙和轴承座的刚性。载荷愈高，轴承间隙愈小和轴承座愈软，则载荷区就愈长，滑动痕迹也愈长（见图 2.1.53 和图 2.1.54）。

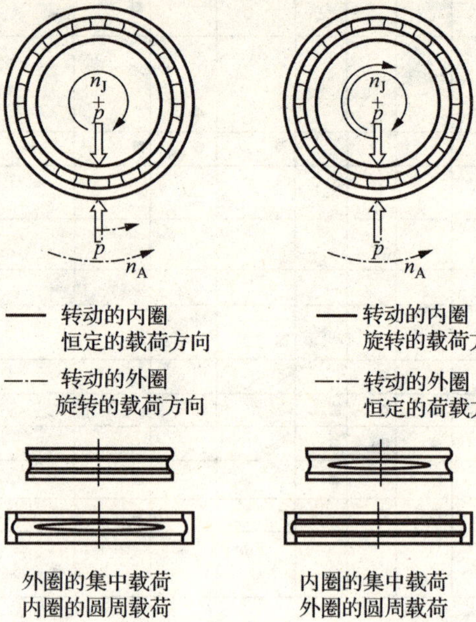

图 2.1.53　凹槽滚珠轴承上的滚动痕迹

推进装置的动态性能

低速二冲程柴油机动力推进装置

关于这种机型发动机的专门技术，如换气（配气）、燃油喷射、混合气形成和燃烧、增压、润滑、冷却、控制及监控等已在第 1 章有专门叙述。本章节主要对低速二冲程柴油机动力推进系统的动态性能、振动问题和加速度及换向性能加以描述。这种推进系统的推进机构是定距螺旋桨和可调距螺旋桨。

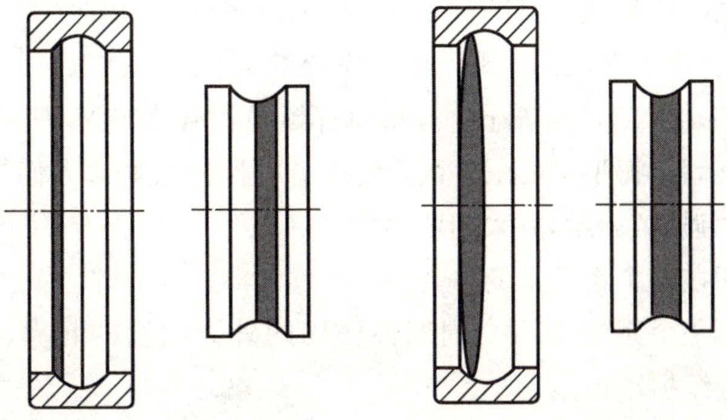

图 2.1.54 轴向载荷滚动痕迹

(a) 径向轴承轴向载荷，内圈和外圈的整个滚动痕迹是偏心的 (b) 组合推力轴承轴向载荷，内圈(圆周载荷)的整个滚动痕迹呈均匀宽带状，外圈(集中荷载)在径向载荷区的滚动痕迹比其他部位的宽一些

振动性能

为了能对推进系统的振动性能进行计算，取自推进系统元件的技术数据建立了一个振动计算等效系统(振动计算简化模型——译注)。在这个等效系统中，包括了重要振动元件的质量和刚性。一个简化的推进系统由各种质量(体)即螺旋桨、轴系和发动机组成，其中发动机还由飞轮、曲轴(连杆颈、曲柄)和阻尼器(减振器，若有必要)元件构成。这些单个的质量(体)通过刚性(弹簧)相互连接，代表轴系和曲轴的各个零部件的弹性性能。根据研究那些不同对象的自由度(如扭振、纵向振动或弯曲振动)，通过质量和刚性，求得与具体相关惯性轴线有关的值。

为便于能更好地理解下述内容，有必要对这个等效系统中相互关联的若干重要概念与定义做简要说明。

术语

频率 f：为每秒的振动数 (Hz，s^{-1})。

圆频率 ω：$\omega=2\cdot\pi\cdot f$ (rad/s)，为产生圆周运动的角速度。

振动周期 T：

$$T=\frac{1}{f}$$

本征值、固有频率或固有圆频率 f_0 或 ω_0：一个有振动能力的系统在由一个脉冲激励后自己产生振动的频率。一个系统的固有频率数取决于质量数。

自转数 n_0：$n_0=60\times f_0$(r/min)，将固有频率表示为转数，即每分钟转数。

固有形式、固有振形：表示这个系统各个质量的振幅。人们把各个不同固有振形依次用"强度"表示，并采用罗马数字标识。

激励：作用在一个系统上的外力。

激励频率：一个系统由一个周期性作用的外力激励的频率，该系统以(固有)振动状态继续振动。

振动阶：基于运行转数，即轴每次旋转(每次转速)的脉冲数。

振动响应：对激励的力即力矩的系统响应。

共振：激励频率与一个振动系统的固有频率相一致，导致振动响应的增大。

临界转数：共振转数，即临界振幅在系统中出现时的转数。

幅值：最大与最小的振动响应之一半，它与平衡的位置有关。

阻尼：一个系统消耗振动能量的能力。

节点：即一个结构点，该结构点在一个给定的固有形式振动期间不会发生变形。反节点，即一个结构上的点，在以一个确定的振形进行振动期间，该结构点上的变形最大。

等效系统

振动计算等效系统把质量、刚性和阻尼性能作为几个为数不多的系统要素，将振动计算量控制到最小。该等效系统必须具有与真实系统等值的振动能量。这样才可能得到用于等效系统的本征值。一个有 n 个质量的等效系统就有 (n^{-1})个本征值和 (n^{-1})个固有形式。首先对一个简化的发动机-轴-螺旋桨系统而言，在计算技术上具有意义的主要是下述 3 个固有频率。对于带中速柴油发动机和减速齿轮箱的推进系统，或许还带有驱动发电机或泵的辅助动力输出轴(PTO)，较高的固有频率才具有意义。在这些系统中，全部的质量和刚性都可换算成螺旋桨轴的转数或发动机转数("还原")。如果有多台原动机存在，则可分成带有若干个分支的分支等效系统。

每一个固有频率都有一个所谓的固有形式。固有形式描述振幅的相对高度，各个质量在这个幅值范围，以固有频率按所谓的标准化振形进行振动。这里，设最大的幅值=1.0；其他的幅值均为 1 的分数。

固有形式是系统动态特性的一个重要依据。例如，就地激励的力的振幅较高，则其作用力强于激励在一个振幅较小的元件上的力。具体实例在后续图示中列出。

扭振

一个动力装置的扭振特性对于其运行的可靠性具有重要意义，因为过高的附加载荷会使曲轴、轴系或系统的其他元件受到损伤。因此，船级社做出了相应的扭振计算规定，对扭振计算的认可需经过实际测试数据结果的验证。对于轴系的各个部分，船级社规定了剪(切)应力的允许极限值(见图 2.1.3)。如果计算的结果在下载荷范围超过极限值 τ_1，则须将与之对应的功率范围锁定为持续运行禁区。极限值 τ_2 则在任何情况下都不得超过。在功率范围大于 75%时，极限值 τ_1 也不可再超过。

轴系系统设计计算的各种不同方案举例，分别如图 2.1.55～图 2.1.57 所示。

图 2.1.55 是一个带五缸二冲程发动机的相对柔性的系统。它是通过为轴系采用强度较高的材料(上限拉应力 UTS＝屈服极限)达到的。为在螺旋桨与发动机之间获得一个更佳的质量分配，在曲轴的前端装上一个附加质量。最低自转数及其共振位置远低于额定转数，在经过这个共振位置时的扭转应力高于持续运行时的额定应力。由于极限值 τ_2 不允许超越，故只有极限值 τ_1 在设定转数锁定(禁区)范围后才可被设计接受。

图 2.1.56 所示的设计方案与前述设计方案的概念相反，是表示一个中等刚性的系统。因此，第一个共振位置非常接近运行转数而且明显超过了极限值 τ_1 和极限值 τ_2。然而，通过在曲轴前端装上一个扭振阻尼器，则载荷比可大大地减小而不要求设定一个转数锁定(禁区)范围。

第三个例子(见图 2.1.57)表示一个强刚性的轴系。这是主机布置完全后置的许多现代设备所常用的典型轴系。其结果是采用常规强度的轴材料，增加轴直径能提高轴系刚性。最低自转数时的主共振位置明显高于额定运行转数(时的共振位置)，故不要求设定转数锁定(禁区)范围。另一方面，如第 5 阶部分的曲线所示，动应力相对较高。

这里介绍的 3 种轴系扭振基本概念的采用频率各不相同。对此起作用的其他影响因素还有，如轴系的长度、气缸数和螺旋桨型式等。图 2.1.55 所示的方案已广泛应用，而图 2.1.57 的方案也很常见。

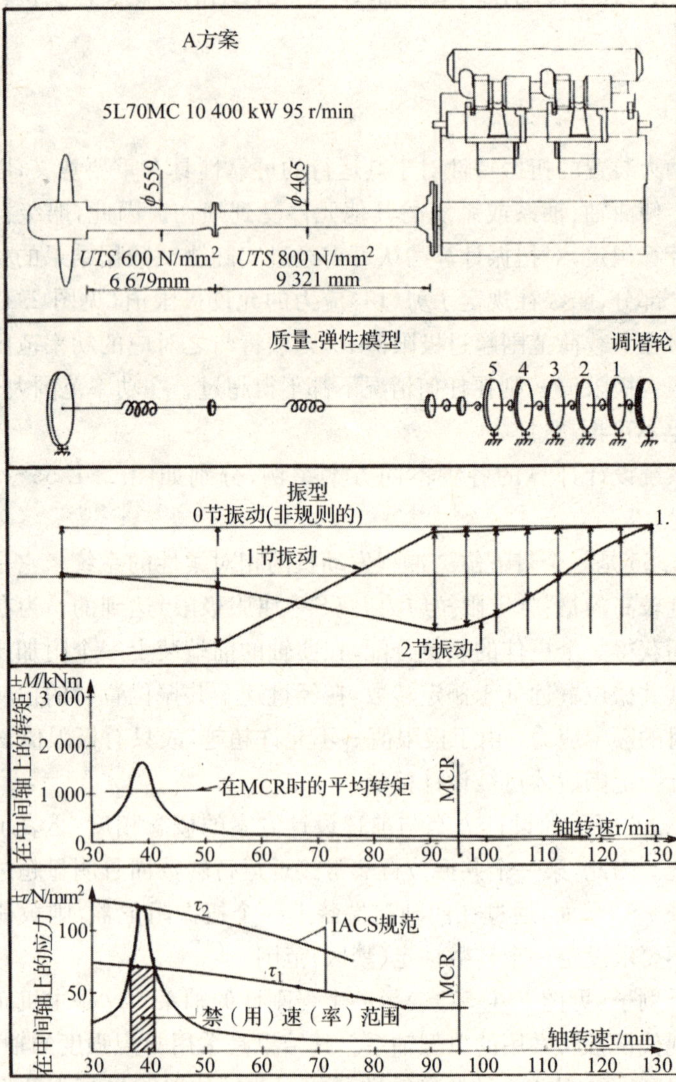

图 2.1.55　为超临界运行设计的轴系系统(资料来源:参考文献[2.20])

纵向振动

纵向振动的出现与低速二冲程发动机有着特殊的关系。其原因主要是低速二冲程发动机的质量大,及其曲轴在推力轴承紧固位置上的轴向刚性差。同间接动力系统相比较,这将导致固有频率过低。轴系的质量与刚性以及一起振

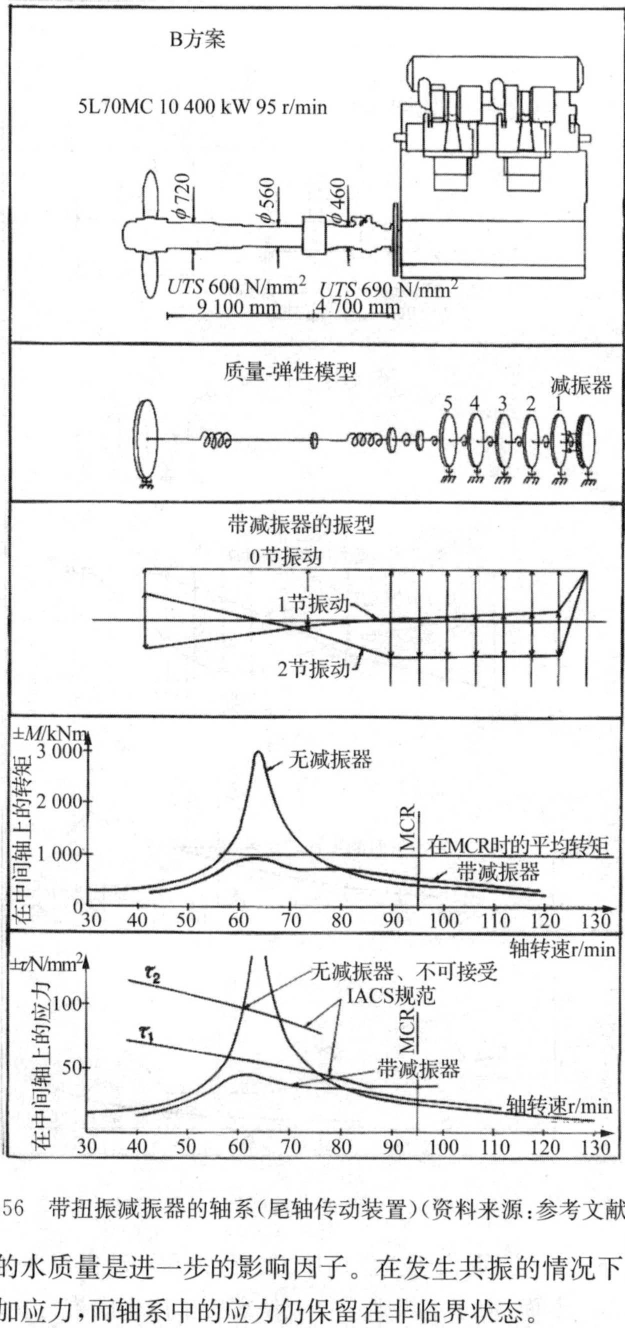

图 2.1.56 带扭振减振器的轴系(尾轴传动装置)(资料来源:参考文献[2.20])

动的螺旋桨的水质量是进一步的影响因子。在发生共振的情况下,曲轴中会产生明显的附加应力,而轴系中的应力仍保留在非临界状态。

推力轴承上的负荷在发生共振时也会增大。船体结构中由于轴向力的变

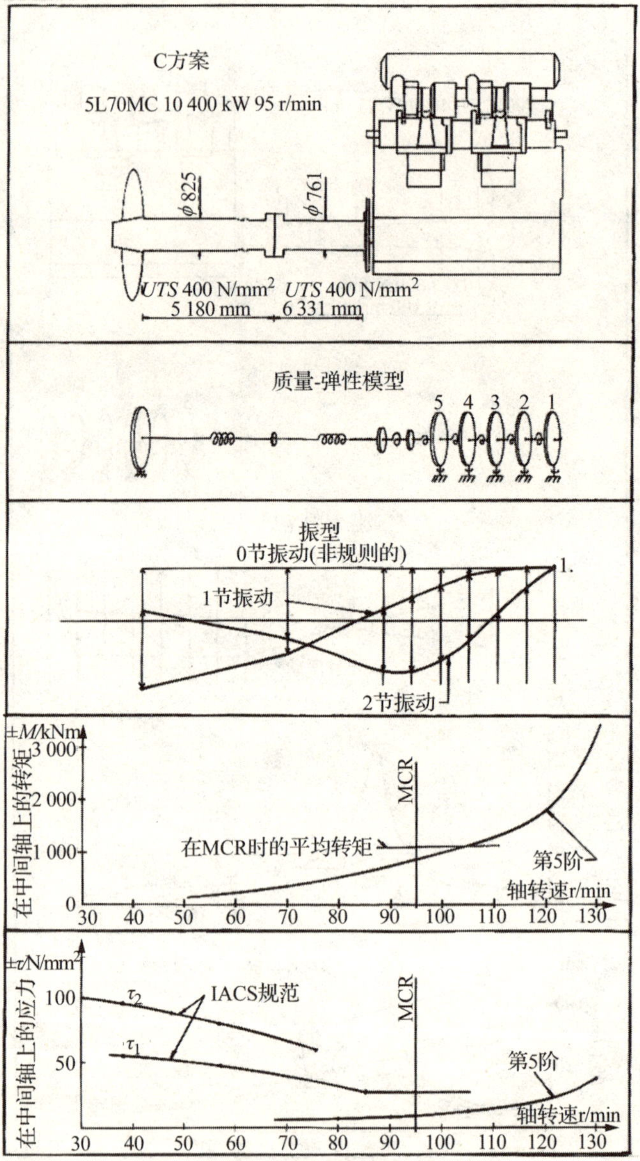

图 2.1.57　为亚临界运行设计的轴系(资料来源:参考文献[2.20])

动也会激励共振。一方面,由于受燃烧压力各分力和发动机惯性力的激励而产生轴向振动;另一方面,由于不规则形伴流使螺旋桨产生的推力变动,以及一端来自曲轴,另一端来自螺旋桨的扭矩与推力的耦合激励而产生的轴向振动(见

图 2.1.58)。在出现这种状态时,作为唯一有效的结构性措施,是在曲轴的前端安装一个轴向振动阻尼器。

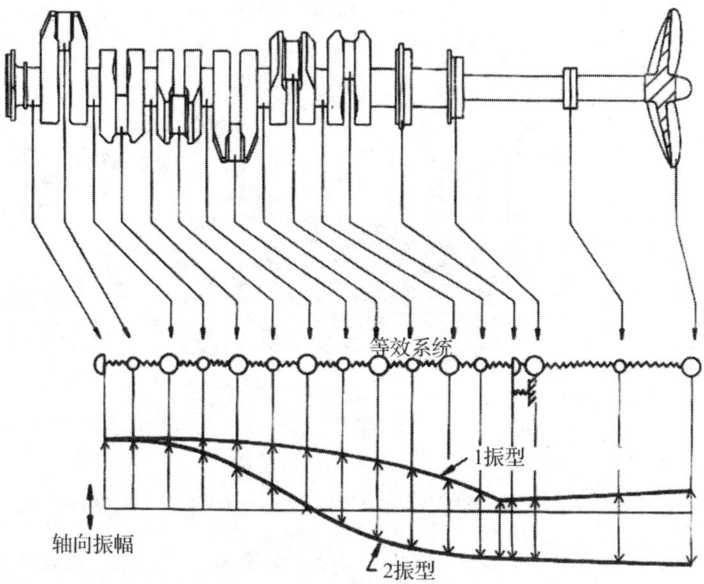

图 2.1.58 等效系统和轴向振动的振型(资料来源:参考文献[2.20])

曲轴除了较大的应力(也许还能被发动机结构所吸收外,在接近轴向共振时运行会使尾轴管润滑系统中产生明显的压力波动,从而造成滑油损失。解决的办法是利用一个可做相应压力调节的气压垫将尾轴管润滑系统完全封闭。

与低速二冲程发动机相关的,除了上述扭振和纵振这两个振动问题外,还有那些通过自由力(矩)或转矩产生的激振也起着重要的作用。由于激振是通过来回的质量惯性力引起的,因此,通过采取相应的平衡措施能使激振保持在极限范围内。

其相互关系如图 2.1.59 所示。力矩第 1 阶在垂直和水平方向,以每一转速一个脉冲激励。质量(力)矩第 2 阶在垂直方向,以每一转速两个脉冲激励。虽然还存在更高阶次的力矩,但无什么实际意义。

第 1 和 2 阶力矩能够激励船体结构振动。该振动在共振的情况下会产生严重的问题并导致发生损坏(参见第 9 章)。振动的大小可通过采取相应的质量平衡和明智地选择点火次序加以影响。在特殊情况下,可要求采取有效的振动阻尼措施。

另外,作用在十字头滑轨(板)上的力也是一个会发生在低速二冲程发动机

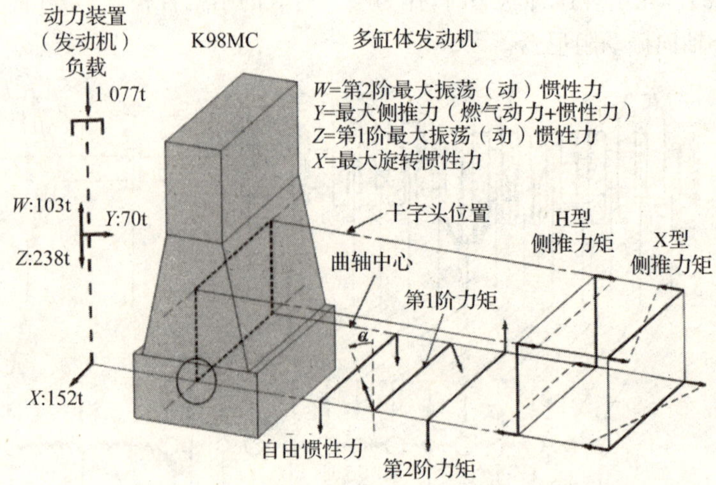

图 2.1.59 大型低速二冲程发动机结构的主要运动形式，
以 K 98 MC 发动机为例(资料来源：MAN B&W Diesel AS)

上的特定问题。它以两种形式出现：一种是 H 型力矩，以每一转 z 个脉冲(按点火次序，z 表示单数或双数气缸数)；另一种是 X 型力矩，以每一转 z 个脉冲($z=1,2,\cdots,12$)。横向作用的力矩会对发动机内部的对准产生负面影响，因此，必须将其保持在限定范围内。可采取将发动机气缸头高度处十字头滑轨(板)与船体结构支撑连接加强的措施加以解决。以一台缸径为 980 mm 的 K98MC 型发动机为例，低速二冲程发动机运动形式与各阶次的力矩数量级值关系如图 2.1.59 所示。

间接作用的系统

对于间接作用的系统，基本力学原理原则上也同样适用。参与的质量通常要小些，但其数量较大。其刚性较小，但频率却因转数较高而较高。质量与刚性在一个会振动的系统上的分布，完全清晰地决定了对外力形成的激励所做出的反应，无论是由于撞击或冲击引起的单激励还是多激励，或者是因发动机点火冲击产生的周期性强制激励。

每一个由质量与刚性相互耦合组成的系统都是以一个或多个特有的频率(即固有频率)进行反映的。

在设计一个系统时，如何正确选择刚性的艺术或技巧在于，(譬如，考虑到扭振特性)选择能形成有利的固有频率谱的抗扭刚度(只有这个才是值得一提的)。选择固有频率应考虑到,在大多数难以避免的共振情况时仅容许产生小的动负荷。

以简化的 3 个质量振动体连同 2 个弹性联轴器构成的间接作用的推进装置图例,有助于对该系统中相互关系的了解(见图 2.1.60 和表 2.1.7)。

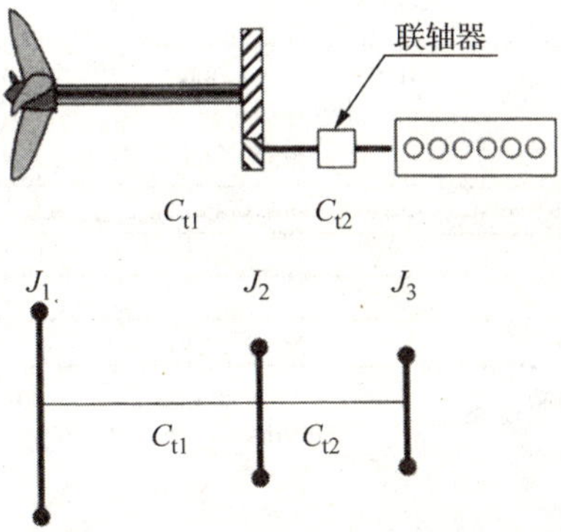

图 2.1.60 间接作用的推进装置以 3 个质量振动体简化图示

表 2.1.7 图 2.1.60 中列举的不同方案的技术数据

J_1	C_{t1}	J_2	C_{t2}	J_3	n_{e1}	n_{e2}
/kgm²	/(Nm/rad)	/kgm²	/(Nm/rad)	/kgm²	/min⁻¹	/min⁻¹
4 650	600 000	500	580 000	1 410	155	490
4 650	1 200 000	500	580 000	1 410	181	490
4 650	600 000	500	1 160 000	1 410	175	614

通过乘上系数 2 改变弹簧体 C_{t1} 或 C_{t2},可以使固有频率 n_{e1} 和 n_{e2} 发生不同的变化。根据这 3 个质量系统运行的转数范围,产生相应的共振;根据运行中柴油发动机的燃烧状态,产生不同的激励频率和激励强度。

为了描述其实际作用,在一个动力装置中对随时间变化的平均和交变应力,即联轴节的转角[见图 2.1.61(a)]和时间转数曲线[见图 2.1.61(b)]进行测量;由此建立频率分析[见图 2.1.61(c)]并得出各个频率分量的振幅。由此而得出的频率谱是相当稳定的,振幅(频率分量)也是相当的低,即全部处于正常工作和平衡状态。

图 2.1.62 所示的情况则相反:平均转角大致相同,但交变振幅则较大;同样,转数波动呈均匀曲线,而各个频率分量则较大且互不相同。

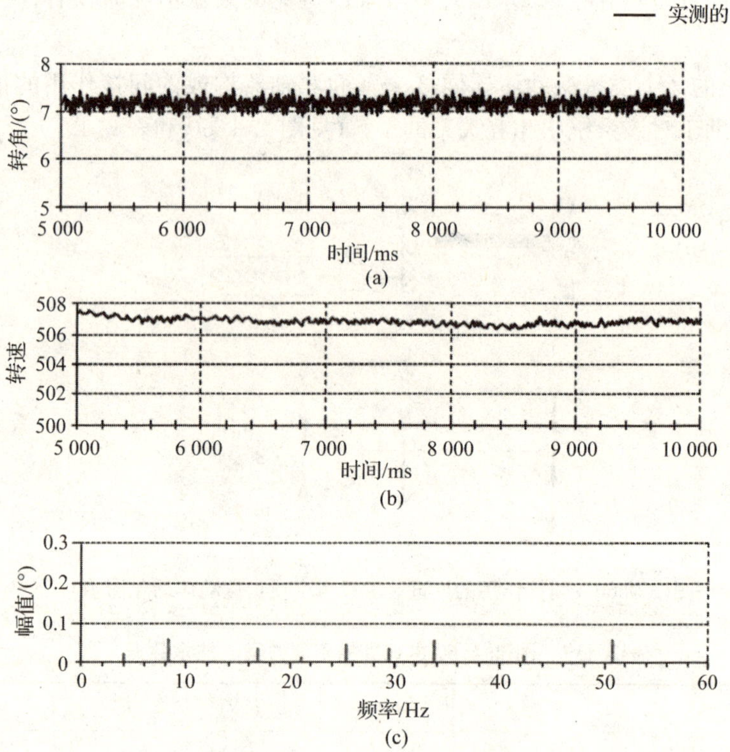

图 2.1.61　正常运行状态

(a) 角度变化过程　(b) 转速变化过程　(c) 频率分析(傅里叶变换结果)

发动机燃烧状态受到干扰时，在同样的固有频率时，即在同样的共振位置，由于各个频率分量较强的激励会以较大的动态振幅产生较强的载荷。

从图 2.1.63～图 2.1.65 中可得出下述结论：

根据动力装置的转矩和相应的抗扭刚度水平来选择联轴节，这不仅能决定联轴节内的动负荷水平，而且也能决定其他相关机器层面的负荷。属于此类的有齿轮箱、发电机和轴系，以及推进装置的部件，其允许动负荷亦是各不相同的。

描述转数与共振关系的 Campbell 曲线图清晰且具有说服力地对发动机运转时的固有频率与激励频率或振动阶次之间的相互关系做了表述。一个振动阶次的固有频率的每一个交点表示一个共振情况。将共振情况与具体的固有频率固有形式相关联，就能确定该共振情况是否会对系统产生临界影响。Campbell 曲线图对选择自转数/螺旋桨转数关系曲线的表述尤为清晰。共振情

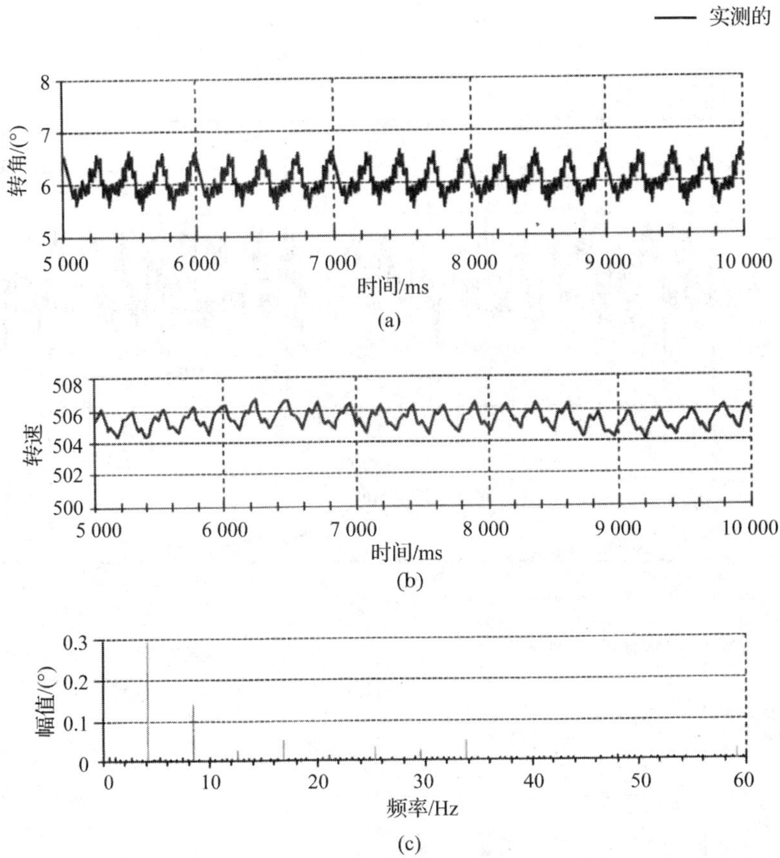

图 2.1.62 异常运行状态

(a) 角度变化过程 (b) 转速变化过程 (c) 频率分析(傅里叶变换结果)

况与螺旋桨转数之关系一目了然。

汽轮机装置

作为其他间接作用装置的实例,这里将对一个带二级传动机构的汽轮机装置的物理等效系统做简介。为该系统确定其固有频率及其固有形式。

当自转数最小时,该系统的最大质量(这里指螺旋桨)相对系统的剩余部分进行振动。在第二自转数时,该系统的第二大质量相对系统的剩余部分进行振动,这里是指低压涡轮机转子。由于低压涡轮机转子与齿轮箱的第一传动级的连接非常刚性,因此会跟着运动。接着是下一个更高的自转数。最大的附加应力(负荷)出现在各自的节点上。在发生共振时,对出现在一个系统位置上的激

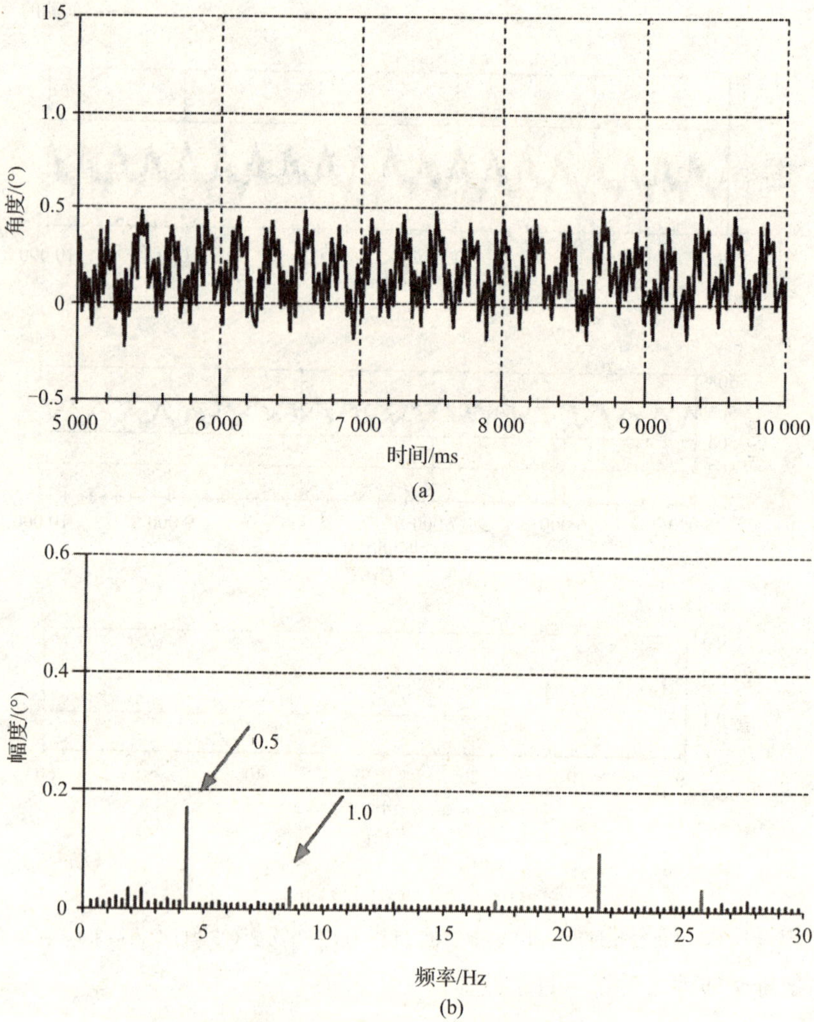

图 2.1.63　正常运行状态图示放大

(a) 角度行程　(b) 频率分析(傅里叶变换结果)

励力矩的最大固有形式(固有频率)尚需要做精确研究。

与发生在柴油机推进装置上的激励力情况不同，在汽轮机推进装置上产生的最大激励力或力矩来自螺旋桨。由图 2.1.65 可知，第 5 阶直线与第 I 级自转数的交点已远在最大螺旋桨转数之上。因此，在这个范围的运行低于临界点，不会出现较大的动态附加应力(负荷)。

激励力还会来自高压透平的叶片，即当导向叶片经过 50 个喷射推进的

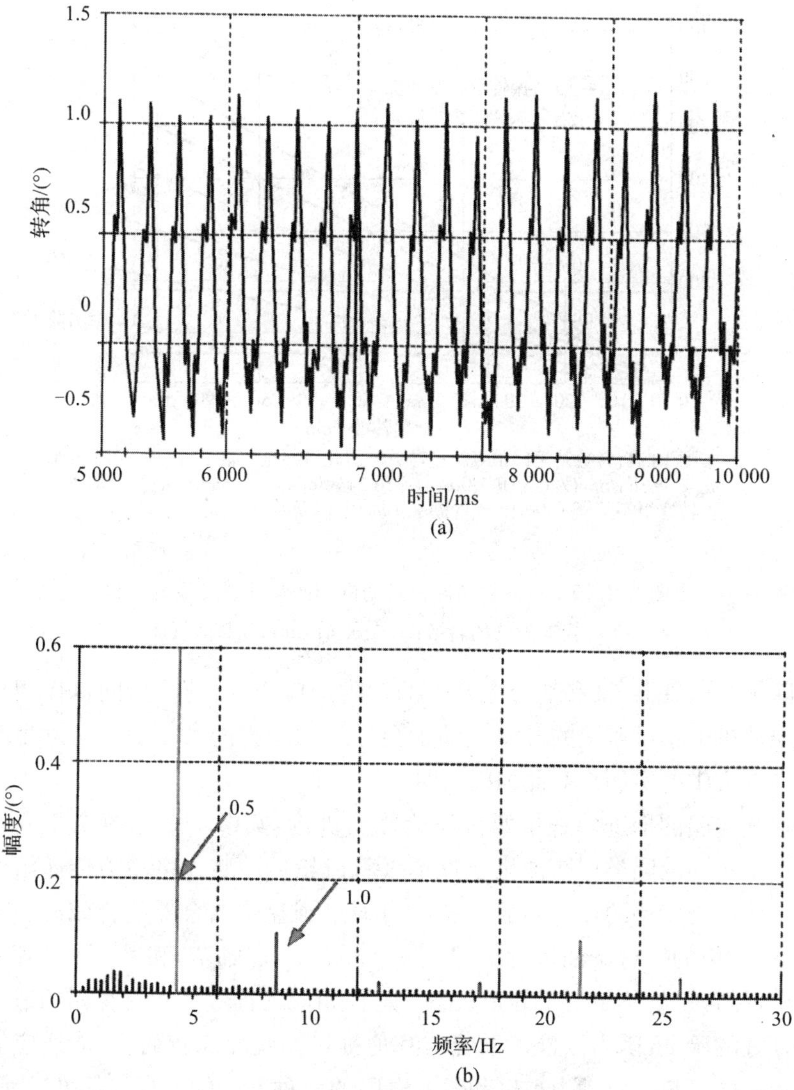

图 2.1.64 停车运行状态图示放大

(a) 角度行程 (b) 频率分析(傅里叶变换结果)

喷嘴时产生的激励力。在相应的共振转数 $n_{V,50}=52.5$ r/min 时，最大的固有频率出现在齿轮箱低压侧的第一级传动，故实际上不会产生激励(见图 2.1.66)。

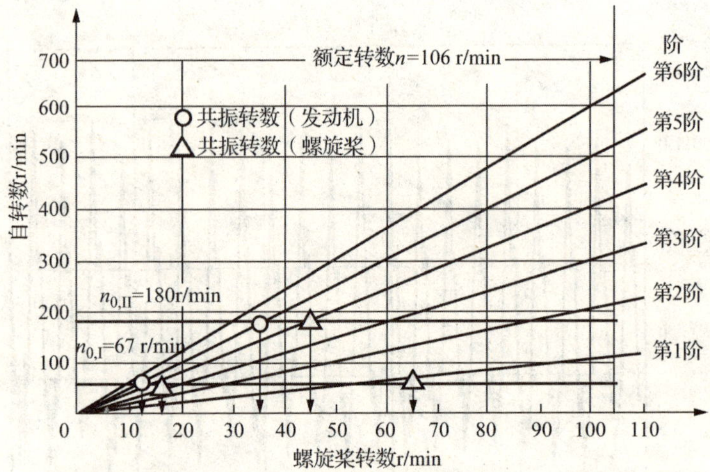

本图中的自转数是第I、II级的自转数。由此得共振转数：$n_{RI,5}$ = 13.4 r/min, $n_{RII,5}$ = 36 r/min(发动机侧) 和$n_{RI,4}$ = 16.7 r/min, $n_{RII,4}$ = 45 r/min (螺旋桨侧)。在转速很不平衡（例如，桨叶断裂）时，共振转数可达$n_{RI,1}$ = 67 r/min

图 2.1.65　由五缸二冲程发动机和四桨叶螺旋桨组合的推进装置为例的转数/共振关系 Campbell 曲线图

除了在联轴器、轴和啮合上产生的动附加应力(负荷)外,间接作用在推进系统原动机上不可避免的转矩波动也会导致轴承力的大小和方向发生明显的波动。下文中的实例将对此加以说明。

一艘客船的推进装置带两个齿轮传动机构,其中一个如图 2.1.67 所示。两台功率不同的同类型柴油机通过单级斜齿轮传动装置将动力传递给可调距螺旋桨。动力传递的接合与脱开可各自通过圆盘式离合器的合或离实现。此外,功率较小的一台柴油机可通过另一个离合器(联轴节)和另一个变速级驱动发电机,尽管螺旋桨轴处于静止状态。这种相应的推进系统对客船的适用性已得到良好的验证,因为该推进系统与其他推进系统相比较而言,能适应船舶在海域和港区环境中对动力推进和船上电网的各种不同的要求。就推进而言,可能存在 3 个主要的负荷情况。情况 1:两台发动机同时以 100%的功率满负荷工作。情况 2:仅将功率大的一台发动机(父式)与推进系统接通。情况 3:仅将功率小的一台发动机(子式)与推进系统接通。至于还有其他联合配置的可能性,在此不再做一一介绍。

轮轴轴承 A 和轴承 B 的轴承受力如图 2.1.68 所示。轮轴置于滑动轴承中;小齿轮轴置于滚珠轴承中。各种不同负荷情况下的轴承受力方向和数值在

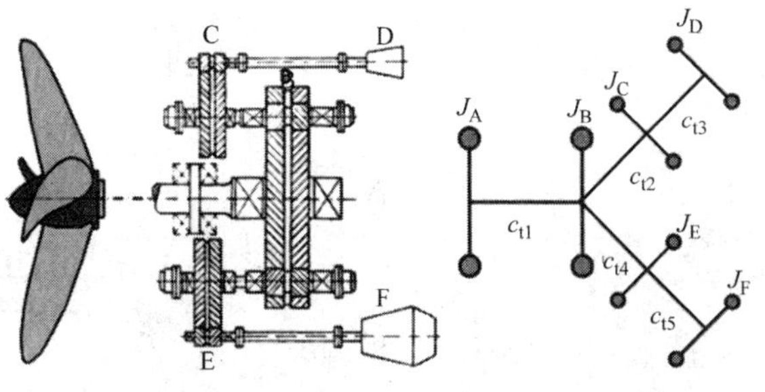

(a)

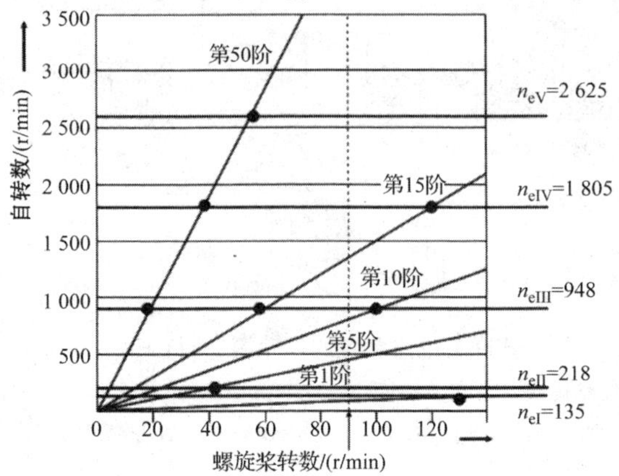

(b)

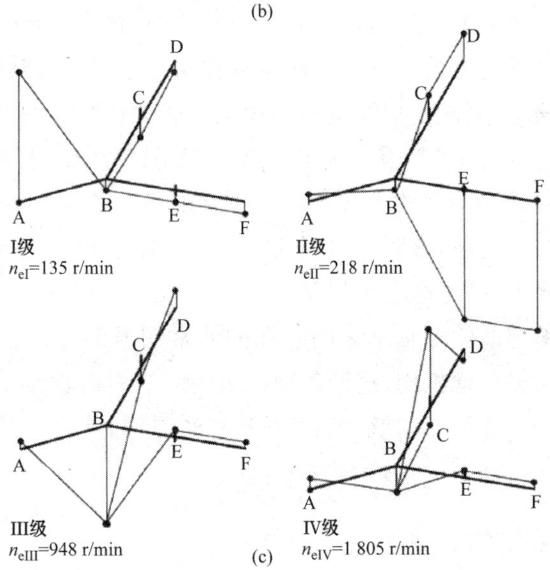

(c)

图 2.1.66 利用物理等效系统测算一个由汽轮机驱动的推进装置的转速

(a) 等效系统 (b) Campbell 曲线图 (c) 特性形式

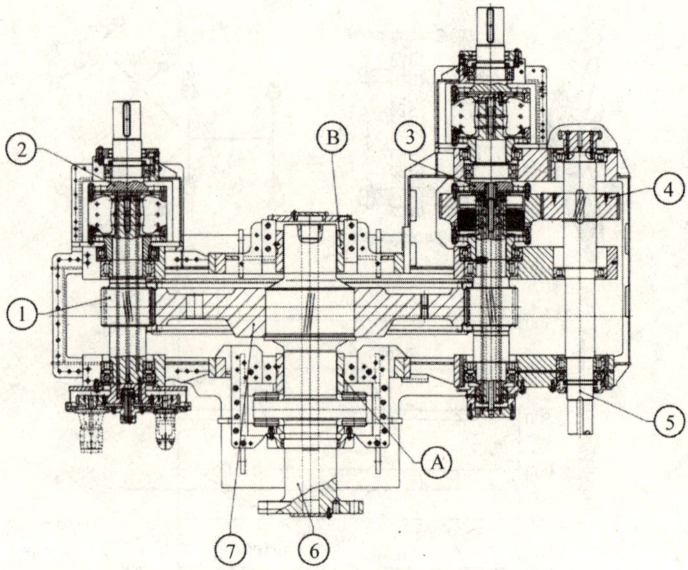

图 2.1.67 父子式联合推进装置的齿轮箱(资料来源: Flender 有限公司)
1—正齿轮轴传动; 2—法兰轴传动; 3—法兰轴传动(中间轴); 4—PTO 正齿轮;
5— PTO 轴; 6—法兰轴传动; 7—正齿轮传动; A—后齿轮轴承; B—前齿轮轴承

该图上标出。该图上列出的是以两台发动机在同相(位)上运转为前提,因此,只能在产生的轴承受力数值上注意到转矩波动,而不是在旋转方向上。通过将转矩最大和转矩最小相互移位,则可出现轴承受力在图示的极限(端)方向之间来回摆动。由于联合 100%满负荷航行状态(工况)会使向上方向的轴承受力变小,故尤其是前面的轴承(轴承 B)会因此受到损伤。在两台发动机转矩相互处于不利的相(位)情况下,有时会出现轴承受力在短暂时间内抵消。倘若两台发动机的功率一样大,则可能会出问题。

后轮轴轴承与前轮轴轴承之间存在的非常明显的差别在于其典型的特征是采用单级斜齿轮传动机构;这种差别在采用双级斜齿轮传动机构的情况下实际上并不会发生。这种结构形式只有在连接轴系时,才会在两个轴承受力之间出现小的差别。

推进系统与船舶的相互作用

如果把发动机的转数、扭矩和功率在其整个运行范围内的相互关系绘制成一个关系曲线,则能得出该发动机的特性曲线。在船舶动力推进中,螺旋桨与

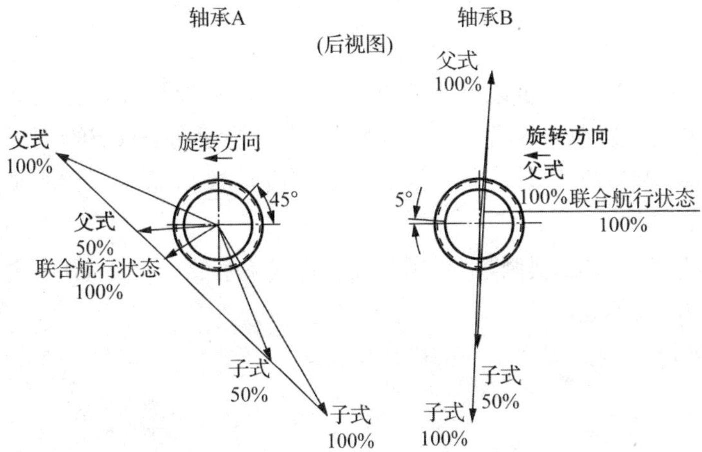

图 2.1.68 取自图 2.1.67 的齿轮箱齿轮轴承受力图
(资料来源:Flender 有限公司)

原动机特性必须相匹配。只有当原动机和螺旋桨共同具有一个与其两者最佳特性值相符合的工作点时,两者才可能达到其最佳的运行效率。不同阻力变化对功率消耗的影响和螺旋桨转速与功率特性曲线如图 2.1.69 所示。对于常规的商船螺旋桨设计而言,只要能满足图 2.1.69(b)上绘出的 3 根功率消耗与螺旋桨转数曲线范围即可,然而对于拖船、拖网渔船和破冰船则要求能覆盖一个更大的功率消耗与螺旋桨转数曲线范围。曲线 1 表示在理想工况条件下的螺旋桨功率消耗特性。曲线 2 则表示在船体阻力(海浪、海底附生物等)增大时的螺旋桨功率消耗特性,这时发动机不能以额定功率运转,螺旋桨转数和船速无法保持。曲线 3 表示在船体阻力减小时的螺旋桨功率消耗特性。虽然螺旋桨未能消耗全部的发动机功率,但是仍以额定转速运转。

集装箱船、散货船和油船的螺旋桨功率消耗特性曲线通常是按动力装置的平均使用工况设计的。图 2.1.69(b)右侧的曲线符合试航时的工况条件,亦适用于以后的压载航行和静水航行。左侧的曲线符合设计使用工况。所要求的船舶航速应当在保持持续功率 *CSR*(Continous Service Rating)航行的工况下达到。发动机的持续功率置于其最大持续功率 *MCR*(Maximum Continous Rating)之下,它不等于发动机的最大允许功率。试航测速时应尽可能通过采取有意义的措施和精确计算,以使能以较低的功率(甚至以很微小的更低转数)达到设计要求航速。试航功率与持续功率(*CSR*)的比例体现了所谓的海上功率裕度 *SM*(Sea Margine)。海上功率裕度的确定取决于船舶的船型、用途和航行海域。

$$SM = P_{CSR}/P_{试航} = 1.15 \sim 1.2$$

持续功率(*CSR*)应足以能在大部分航行区位置保持设计营运航速。为考虑到适应可能会遇上的异常大的阻力情况,应将持续功率(*CSR*)明显地置于最大持续功率(*MCR*)之下。*CSR*/*MCR* 之比通常根据船东的经验设定,例如 *CSR*/*MCR*=0.9。

为此,推进装置必须调整到,在以最大持续功率(*MCR*)运行时,发动机转速 n 达到 *MCR*,但不超越。

机桨匹配比例如图 2.1.69(b)所示。

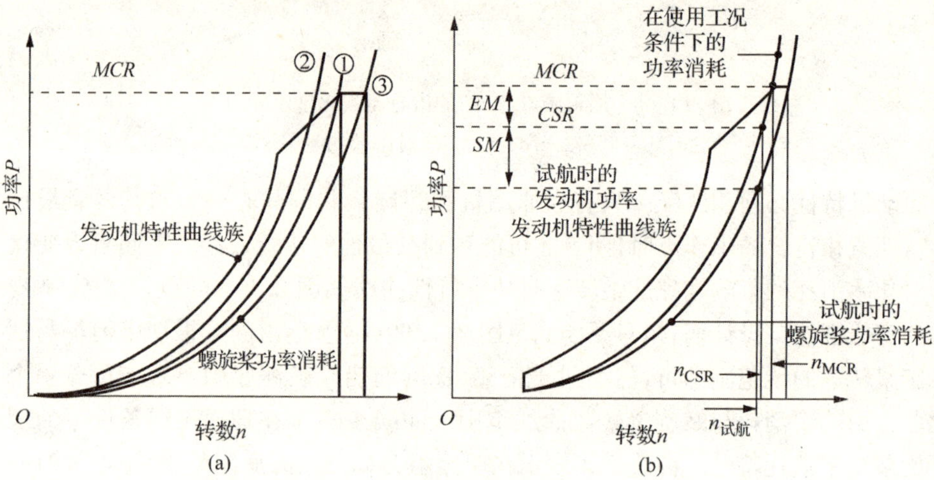

图 2.1.69　机桨匹配

(a) 一个由柴油发动机和定距螺旋桨组合的推进装置设计功率/转速曲线图

(b) 常用的发动机与螺旋桨匹配

推进装置的极限情况是系桩拉力试验,此时的航速降到零。系桩拉力试验对于拖船、破冰船和捕鱼船(作为在航速 $V=0$ 时拖索拉力的担保证明)具有特别的意义。通常在系桩拉力试验时,为防止推力轴承的推力负荷和动力装置的扭矩过大,必须限定转速;在有的情况下,特意安装一个零推力螺旋桨,以使机器设备的完整试验能在船厂码头进行。这特别有利于那些位于内陆、相对远离深水区域的船厂。

若螺旋桨因受海底附生物、风、海浪和排水量等阻力增大而负荷加重,则意味着发动机功率偏离其最佳点,效率开始变差,变化的大小不仅取决于其各自特性,还决定于各个特性之间的相互调谐。各种不同原动机的各自特性如图

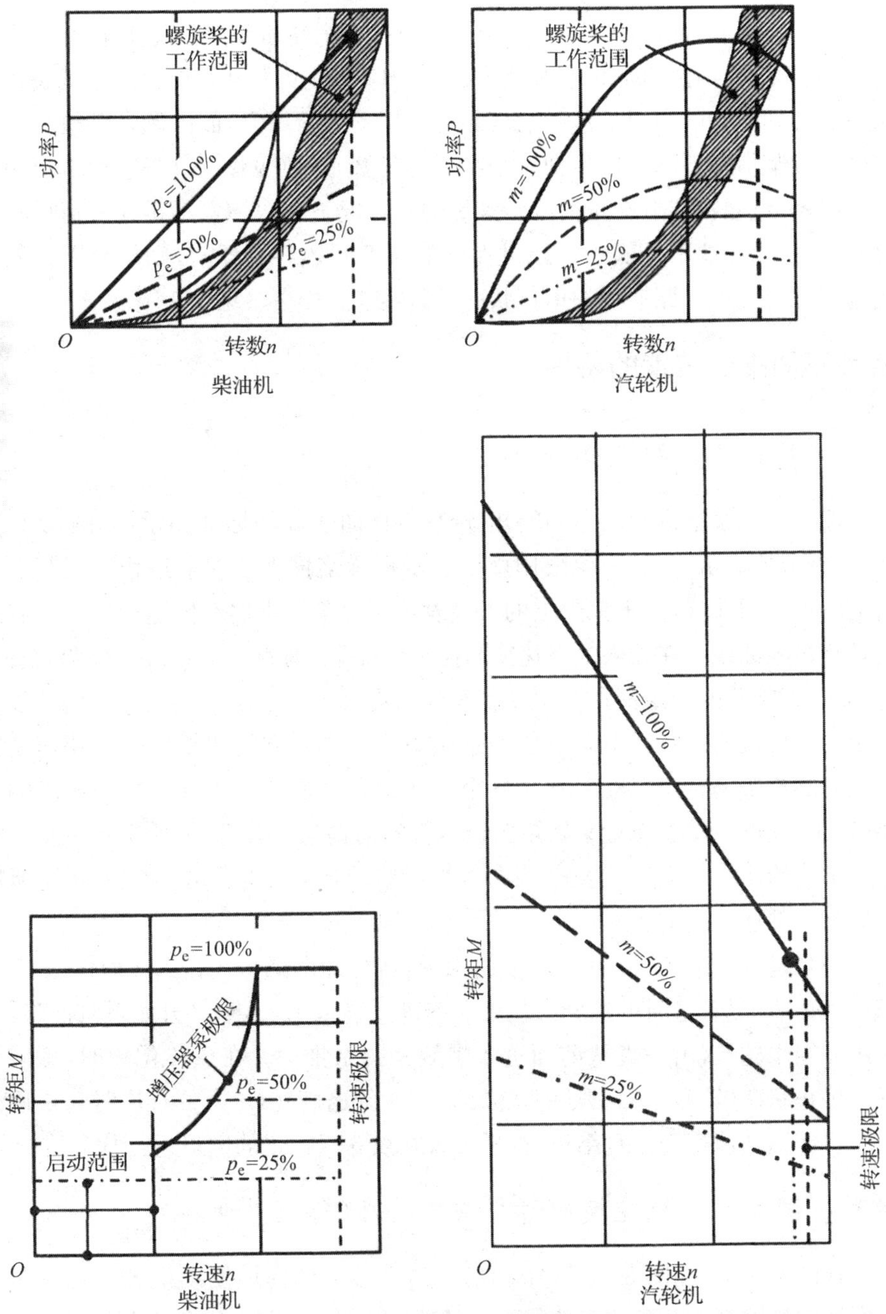

图 2.1.70 不同类型原动机(发动机)的典型特性

2.1.70所示。从图中可明显看出，柴油发动机对螺旋桨特性的变化反应最敏感，而汽轮机则对此反应不太敏感。还可看出，汽轮机船螺旋桨旋转荷重应尽可能不要太轻；内燃机船螺旋桨旋转荷重则应尽可能不要太重。汽轮机装置在轻荷旋转螺旋桨的情况下承受的离心力和振动负荷增大，而内燃发动机在重荷旋转螺旋桨情况下则转速降到一个很低的转数范围(见图2.1.70)。恰恰相反的情况是，汽轮机装置在重荷旋转螺旋桨的情况下和内燃发动机在轻荷旋转螺旋桨情况下，只要不是低于或超过保证的速度和燃料消耗值，则相对而言发生问题的几率较小。原动机的运行状况及其特性的详情参见1.1节。

各种不同推进装置的特性

螺旋桨推进装置的性能(特性)

船舶螺旋桨推进器的通用转矩-转数特性曲线族的标准图示，如图2.1.71所示(百分比表示)。右上象限用虚线表示螺旋桨推进器在前进稳定运行状态时的转矩极限曲线，左下象限上的虚线表示螺旋桨推进器在倒退稳定运行状态时转矩极限曲线。在无限的慢速换向操纵情况下，例如利用一台可精调的直流电动机，螺旋桨的转矩消耗在100%全速前进与100%全速倒退之间沿着该图象限中的虚线曲线线段变化。位于这条虚线曲线下方的曲线族代表快速换向操纵时螺旋桨的转矩消耗变化。各个曲线的参数取自具体导入换向操纵的初始(输出)速度。动态螺旋桨转矩曲线运行的前提条件首先是，原动机在每个时间点都能给出一个大于或至少等同于螺旋桨消耗的转矩。这一点并不是所有的原动机都能达到的。

一旦进入全速 ($v/v_0=1.0$)换向操纵，转矩随即减小。在点2时的值是0，随后为负值，尽管这时的螺旋桨仍处在前进(n为正)。从点2开始，螺旋桨运行作用如同水轮机，由一直从前面进入螺旋桨的水推动。在点4位置时，螺旋桨处于停止状态(转数=0)。随即，螺旋桨开始倒退旋转(n为负)；这时转矩逐渐增大。倒退加速过程一旦结束，推进装置在点5以稳定的倒退运行状态运行。

各种不同动力系统在换向过程中的特性(鲁滨逊曲线)

在图2.1.72和图2.1.73中列出了透平装置和内燃发动机各自特性曲线与船舶螺旋桨系统的鲁滨逊曲线叠合情况。由此可看出，各个动力装置在换向操纵时的各自超转矩有多大：在透平装置上存在很明显的超转矩，而在柴油发

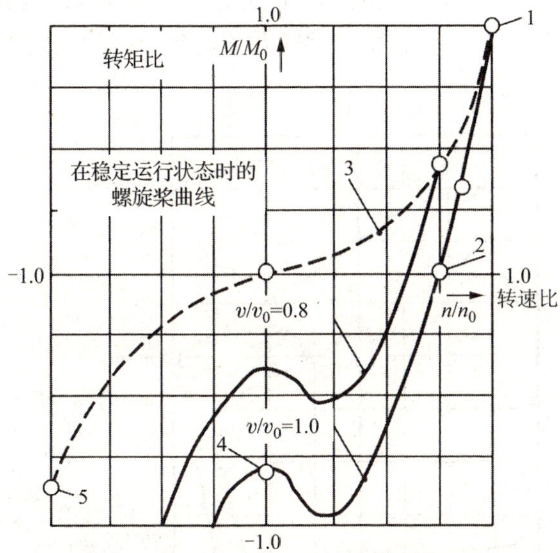

图 2.1.71 螺旋桨推进器在稳定和不稳定运行状态时的转矩消耗

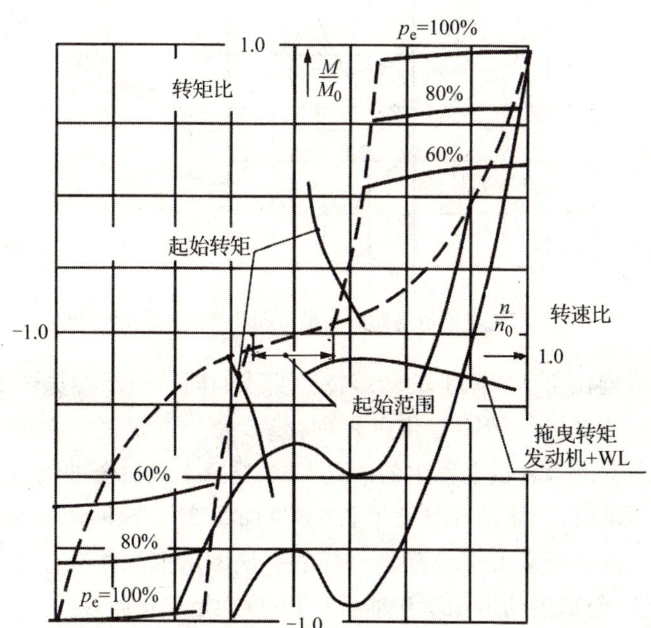

图 2.1.72 柴油发动机与螺旋桨推进器在换向操纵时的相互作用

动机上的大部分范围内根本就不存在超转矩。从叠合的曲线族上也可看出，基于上述原因，柴油发动机仅在螺旋桨转数下降到近乎其额定值的 30%时，才启动倒退。

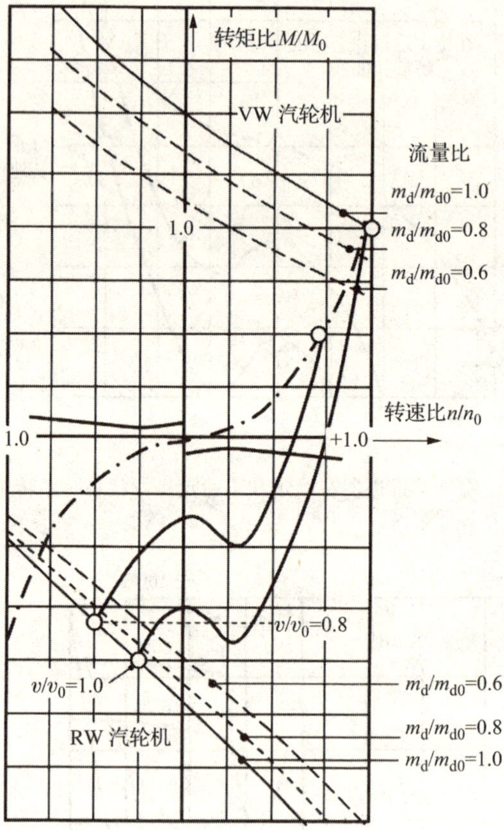

图 2.1.73　汽轮发动机与螺旋桨推进器在换向操纵时的相互作用

汽轮机装置在 4 个象限上的转矩特性曲线的同类图示参见图 2.1.73。曲线 1 表示正车透平机的转矩变化过程；曲线 2 表示倒车透平机的转矩变化过程。如同在所有的涡轮机上发生的情况一样，当透平机在全进汽($\dot{m}$=100%)以相反的方向驱动时，转矩消耗显著增长(参见曲线 3)。这种情况对于正车透平机和倒车透平机从意义上来说都是一样的。该图示上的曲线段 4 还列出了空转透平机装置(包括传动齿轮箱和轴系)的摩擦力矩变化曲线。

在这里重新给出的 4 个象限特性曲线族图示上看不出换向过程中转矩、转数变化与时间的关系。正如上文所述，对于涡轮机装置和柴油发动机而言，其换向过程中转矩、转数变化与时间的关系各有很大的区别。不同推进装置在换向操纵时的转数、转矩与时间的关系曲线如图 2.1.74 所示。

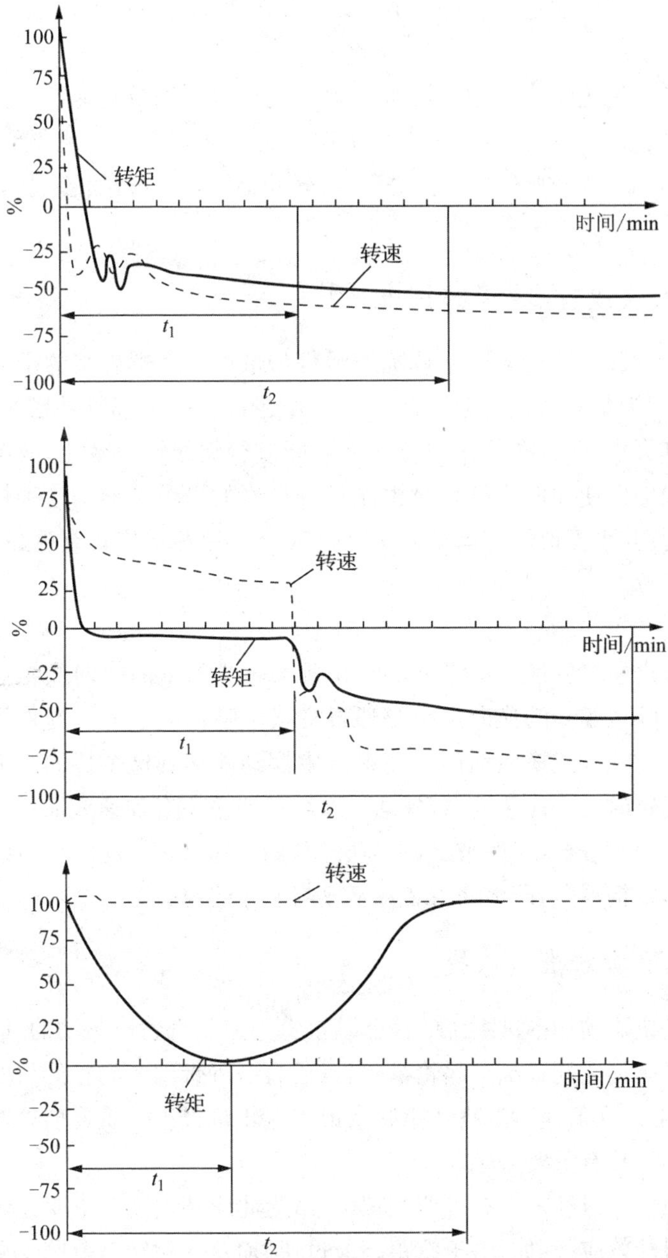

图 2.1.74　不同推进装置在换向操纵时的转数、转矩与时间的关系曲线

总而言之，对于带定距螺旋桨的柴油发动机必须始终注意保持换向转数，其各自的绝对时间值在相当大的程度上取决于船舶的动能(质量×速度)、船型或波阻力部分占船舶总阻力的大小。如果波阻力部分所占的份额大，则动能迅速减小。

对于带可调距螺旋桨的推进装置则应注意螺距调节的速度。其目的始终是，将透平机效应(螺旋桨自转)的影响限定在使转矩不会出现负值，对以柴油发动机作为动力的间接作用的推进装置，转矩波动不应导致传动齿轮箱内啮合的脱开。

带直翼(外摆线)螺旋桨的推进系统

直翼(外摆线)螺旋桨推进系统的运行与带可调距螺旋桨的推进系统的运行很相似，因为桨叶螺距在运行时也会发生变化。由于直翼(外摆线)螺旋桨的推力不仅其大小，而且在其作用方向上都能进行无级快速变化，故配置这种推进系统的船舶即使在低速航行时也能具有良好的操纵性能。这种螺旋桨结构型式，鉴于其几乎无惯性的运动力学原理，对于透平机效应具有更好的反作用。

带喷水推进器的推进系统

喷水推进系统的换向操纵性能与螺旋桨推进系统的换向操纵性能有着根本的区别。喷水驱动的换向操纵是通过变换喷嘴的喷射方向起作用的。通过使一个液压的顶推式换向活门在喷射水中摆动能达到这个目的。由于水喷射在原动机运转时已经连续流出，故动力系统的质量不会加速或滞后。换向操纵由此可在高速时进行，船舶被迅速制动并开始加速倒车。这时产生的很大的力必须由船体结构承受，即由动力装置基座与船体结构承受。

燃气轮机驱动的推进系统

燃气轮机驱动的推进系统的性能基本上类似于汽轮机驱动的推进系统，只是燃气轮机驱动未配置倒车涡轮机(当然还有一种带倒车涡轮的俄罗斯燃气轮机设计型式)。在低速时的高转矩剩余量和涡轮机很小的质量惯性对于一个良好的加速性能具有重要意义。

鉴于燃气轮机经常配有可调距螺旋桨，为此应特别注意不要让燃气轮机因受螺旋桨自转效应(例如，由于螺距调节过快)而落入超转速范围。采取的措施是为燃气轮机配置一个相应的超速离合器。当负转矩出现时，超速离合器立即将燃气轮机与其他连接脱开,以避免造成超速损坏。

浅水效应:在水深受到限制的区域和运河中航行时,逆流和波浪形成的变化会产生不同的阻力比。致使摩擦阻力、波浪阻力和剩余阻力之间的绝对值和阻力比会互相发生变化。由于河床底面与船底间的水流超速,船底下的压力下降,使得船体下坐。倘如船在水深不受限制的水域中航行时的阻力分量是已知的,那么在水深受限制水域中的阻力分量则就能通过计算求得。

在运河中的阻力:如前所述,显然船在运河中航行受到的阻力较之在水深不受限制的水域中航行受到的阻力要大得多。这里,除了水的深度,还应考虑把船舶尺度(型吃水)与运河尺度(运河横剖面)之间的比例作为影响系数。

频繁在浅水和深水水域航行的拖船或其他船舶有时配置双速比变速器(见图 2.1.75)。由此,能使功率转速变化曲线与各自的阻力比相匹配。

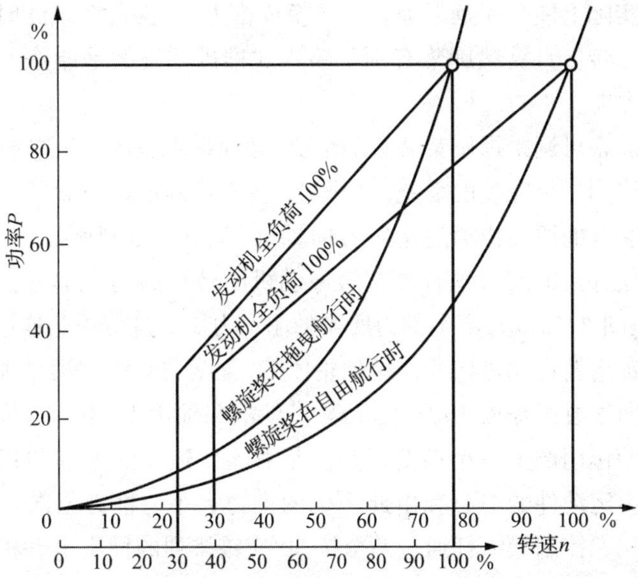

图 2.1.75 带双速比变速的动力系统功率转矩特性曲线

2.1.4 典型应用装置

本章节将对若干推进系统的典型特征进行描述。

带直翼(外摆线)螺旋桨的驱动装置[2.1]

鉴于对带可调距螺旋桨推进器的运动力学的各种解决方案前面已做介绍，因此，这里仅对直翼螺旋桨(VSP)的技术特点做若干简述。直翼螺旋桨的特点是通过调节螺距不仅能改变螺旋桨推力，而且同时还可无级调节，按所需的任何方向改变推力方向。它主要适用于那些必须时常以不同的推力和变化的航速进行航行的船舶，如拖船在拖带和自由航行时或作为辅助拖船和靠泊拖船、顶推船、水雷战舰艇、渡船(双体轮渡船)、浮吊船、浮标敷设船等。对于短程营运的轮渡船而言，靠泊离泊操纵所需的时间长短具有重要意义。轮渡船愈是在恶劣气候环境下快速且准确地驶达轮渡靠泊码头，轮渡时刻表就愈能保持准时。从船舶加速性能来看，配置直翼螺旋桨的船舶与喷水式推进器船舶大致相似。这两种推进系统中都不必对动力系统的大质量部件进行制动或加速。原动机的转矩实际上能毫无延迟地直接转换成推力，因推进系统此时已经全速或近乎于全速运转。直翼螺旋桨有别于喷水式推进系统的是能按所需的任何方向改变推力方向。

类似于配备可调距螺旋桨装置的情况，必须把带直翼(外摆线)螺旋桨的推进系统也理解为一个完整的系统。如图 2.1.76 所示的两个直翼(外摆线)螺旋桨推进系统装置的原动机通过十字万向轴(因受空间限制所需)对存在的倾角偏差进行补偿并借助液力耦合器减缓原动机的转矩的动力部分。其功能原理简述如下(见图 2.1.77):产生推力所需的驱动力矩通过由法兰连接的正齿轮传动机构 7 和锥齿轮传动机构 6 传递到轮体 1。桨翼支承采用滑动轴承或滚动轴承。轮体轴向通过跟踪板 10 导入，径向借助滚珠轴承 11 中心定位。桨翼 2 由于运动件 3 的作用产生一个振荡运动。桨翼振荡运动的振幅和相位取决于运动件的位置。运动件的中心和由此产生的推力大小与推力方向可由控制操纵杆 4 进行变化。控制操纵杆通过两个按 90°交错排列的伺服电动机 5 驱动。航行伺服电动机调节纵向推力的螺距(正车或倒车);舵伺服电动机调节横向推力(控制左舷或右舷运动)。

直翼(外摆线)推进螺旋桨(在配备伺服电动机的机械控制和挂装在传动齿轮箱进口的压力油泵 12 后的情况下)是一个能够自主独立运行的推进系统和操纵系统。它除了转矩输入外，不需要任何其他能源。

直翼(外摆线)螺旋桨，如同可调距螺旋桨一样，亦能以恒定的转速运行或螺距转速组合调节运行(见图 2.1.78)。

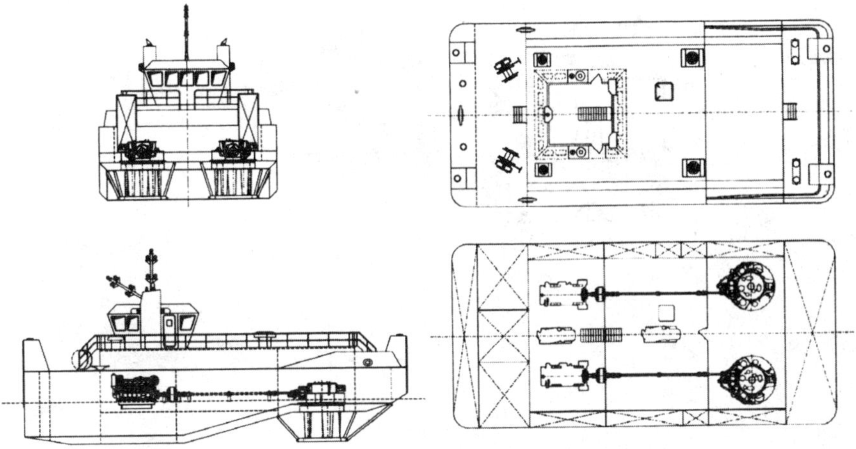

(a)

(b)

图 2.1.76 直翼(外摆线)螺旋桨推进装置

(a) 顶推船带直翼(外摆线)螺旋桨的推进装置(资料来源:Voith Turbo Marine 系统有限公司)

(b) 顶推船带直翼(外摆线)螺旋桨的推进装置应用实例

考虑到转矩的动力部分,在达到一定结构尺寸的情况下,应在原动机与直翼(外摆线)螺旋桨之间连接一个液力耦合器,以使转矩得到一个适当的缓冲并降低调节装置的振动负荷。

直翼(外摆线)螺旋桨运行所需的转速较之于螺旋桨推进器所需的转速要低得多(仅约 25%),因此,在二级传动的基础上可采用高速柴油机作为原动机。

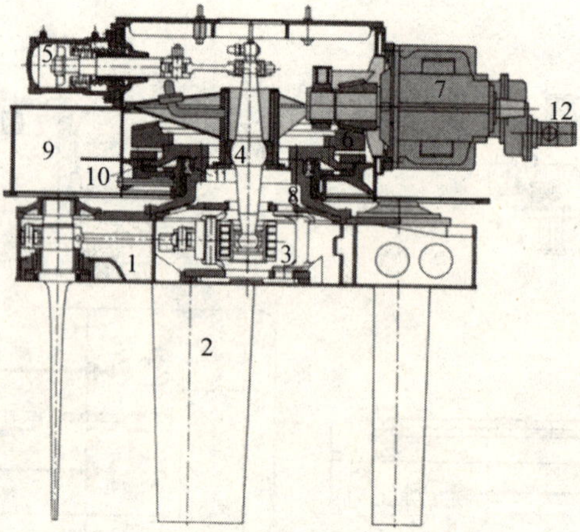

1 轮体　2 桨翼　3 运动件　4 控制操纵杆
5 伺服电动机　6 锥齿轮传动机构　7 正齿轮传动机构
8 驱动鼓　9 罩壳　10 跟踪板　11 滚珠轴承　12 油泵

图 2.1.77　直翼(外摆式)螺旋桨截面图
(资料来源：Voith Turbo Marine 有限两合公司)

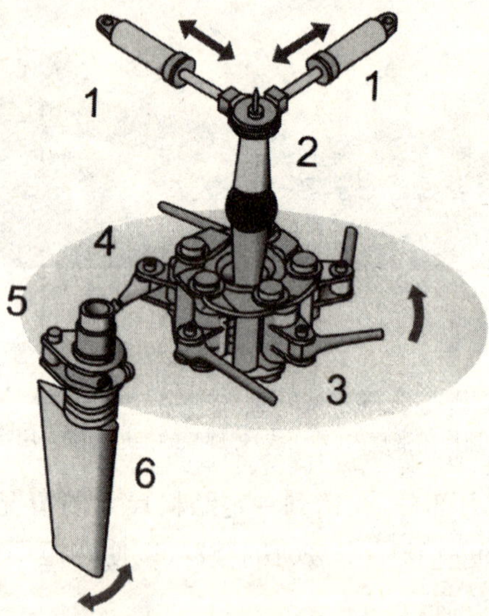

1 伺服电动机　2 控制操纵杆　3 下球形轴承
4 连接杆　5 桨翼驱动杆（柄）　6 桨翼

图 2.1.78 (a)　直翼(外摆式)螺旋桨运动原理
(资料来源：Voith Turbo Marine 有限公司)

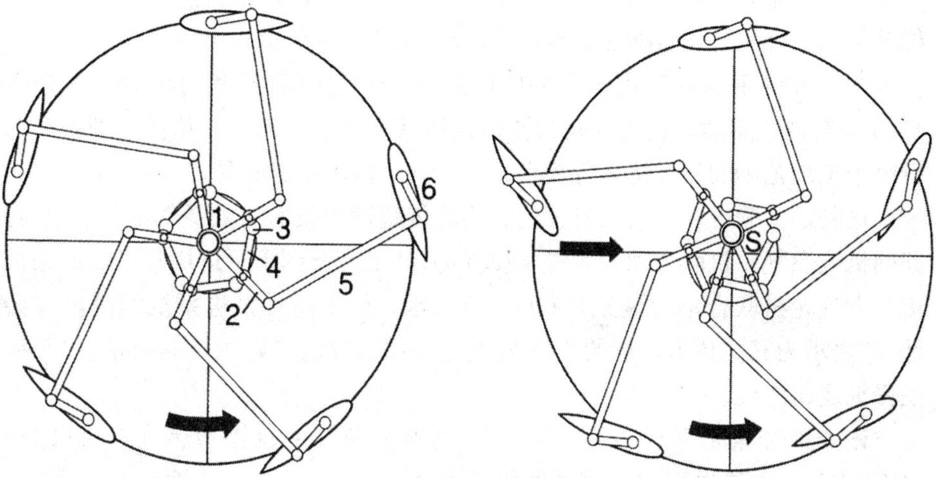

图 2.1.78(b) 当下球形轴承的中心(点)位于齿轮体的中心时,桨翼不产生推力。下球形轴承的中心偏移,则桨翼产生推力。偏移值大小决定桨翼推力的大小;偏移的方向决定桨翼推力的方向

柴油机与燃气轮机联合型(CODAG)推进装置[2.8]

海军舰船的使用范围与通用商船的截然不同。军舰的大部分运行时间是以轻载航行,尤其是那些总是在遥远海域上进行沿海巡逻的海岸警卫艇。在发生特殊情况时,往往突然要求必须立即加快到最高航速。然而,这个航行速度级在这种舰船全部航行时间中所占的比例很少大于10%。海军舰船的这种要求导致了联合动力装置的发展。在舰船保持最高航速航行的情况下,巡逻勤务的功率需要量是如此的小,以致使配置的大功率柴油机不得不一直处于轻载航行,这对发动机运转是不利的。这类舰船因其最高航速要求高功率需求量且通常又受到吃水的限制,故大多设计采用双螺旋桨。保守的推进系统配置为两个独立的单元,即两组相同的动力装置要求至少每组各配备一台高功率柴油机和一台燃气轮机。这样,大功率柴油机在轻载航行时更得不到充分利用,因为低船速所需的功率本来就不多,却还得由两台发动机共同分担。此外,舰船上采用的大多是舰用化的,只有单一旋转方向的航空燃气轮机。因此,在这种推进系统的左舷与右舷上使用的传动齿轮箱是各不相同的,这不仅不利于备件的互换,而且也不利于左右舷两侧齿轮箱的工作性能。针对上述问题,研究开发了

适用于小功率装置的推进系统。这种推进系统具有的高端传动技术结构设计能够提供多种重要运行功能的可能性,并使其工作性能更为出色。

两个可调距螺旋桨由一台 GE LM 2500 型燃气轮机和两台 MTU 20 V 1163 型柴油机驱动。它所具有的各种运行状态可能性能覆盖从低速到高速航行整个工况范围的最经济运行要求。该传动机构示意图如图 2.1.79 所示。

这种动力联合装置与当时普遍应用的传统动力技术的主要变化在于,它将柴油机或燃气轮机联合动力装置(CODOG)技术过渡到了更适用且可靠的柴油机与燃气轮机联合动力装置(CODAG)技术。由于这种推进系统的高度复杂性,故要求为其高技术含量的推进装置配备调节性能良好的控制技术,以与船舶操纵逻辑匹配。

该推进装置把两台各为 7.4 MW 的柴油机和一台大型燃气轮机(23.5 MW)的总功率传递到两个可调距螺旋桨上,由此可达到一个高的最大航速。同样,对于中速航行级,这两台大功率柴油机的每一台都能独立地通过一个传动齿轮箱将动力传递到与其同舷侧的可调距螺旋桨上。对于隐蔽航行或特别低的航速,左舷或右舷的柴油机可通过一个耦合齿轮箱把动力传递到两个可调距螺旋桨上,而且,左舷的柴油机可把动力传递到右舷的螺旋桨上,反之亦然。一个由液压控制的圆盘(片)式操纵离合器和变速级连带配备相应电子程序控制与监视装置组成的系统能够实现这一功能。电子程序控制根据航行速度级指令对全部所要求的操纵进行自动调整并按要求闭锁。将燃气轮机通过自动步滑动离合器与已由柴油机驱动的装置接通,能使低负荷运转迅速地加速到最大负荷运转。在此介绍的传动装置概念是由 Renk 股份公司研究开发的,并已实际应用在德国海军 F-124 型护卫舰上。

如果想要达到很高的最大航速,则上述的柴油机与燃气轮机联合动力推进装置(CODAG)亦已达到了其使用极限,首先是可调距螺旋桨的使用功率已到极限。图 2.1.80 所示的是研究开发的另一种可供选择的推进系统。两台大功率柴油机通过减速齿轮箱各驱动一个可调距螺旋桨。在低速运行时,使用一台柴油发动机的功率通过与耦合齿轮传动装置 (cross connect gear)接通分配到两个螺旋桨上。左右舷两台柴油机可借助耦合齿轮传动装置交错驱动可调距螺旋桨,即左舷的柴油机可驱动右舷的可调距螺旋桨,反之亦然。另一台燃气轮机的功率,在最大负荷时,通过减速齿轮传递给喷水推进器。如果此时可调距螺旋桨同时运转,则要求其转速通过置于柴油机发动机与可调距螺旋桨之间的变速器同航行状态相匹配。这个动力推进概念是由 Blohm + Voss 有限公

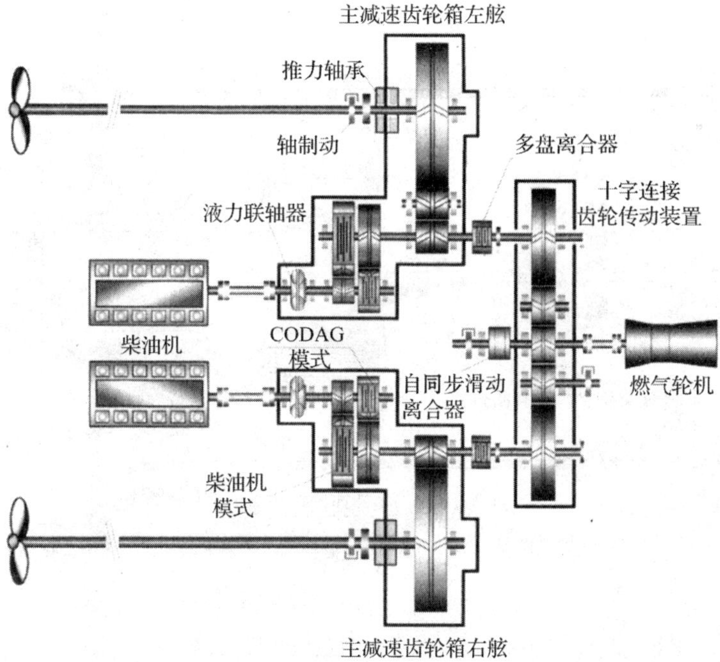

图 2.1.79 CODAG 推进装置(资料来源：Renk 股份公司)

司/ Thyssen Krupp 舰船系统有限公司研究开发的，并已实际应用在南非海军的轻型护卫舰上。齿轮传动技术是由 Renk 股份公司提供的。

高速巡逻艇对推进系统提出了特殊的要求。为此，必须在狭小的空间内配置功率相对更大的动力推进装置。图 2.1.81 中列出了关于这种类型动力推进装置的各种不同设计方案。近乎只有采用高速大功率柴油发动机和定距螺旋桨才能适用于这种划破水面式的(英语：surface piercing) 或超空泡的高速巡逻艇。采用可调距螺旋桨的方案对于这类船来说过于昂贵，故几乎不被采用。在该类艇上的轴系布置大多呈明显的倾斜度。这就对机舱布置设计提出了苛刻的要求，发动机输出轴的倾斜度必须与轴系布置的倾斜度保斜持平衡。一个简单的解决方案是采用万向轴。若齿轮箱内主、从动轴的倾斜度必须保持平衡，则采用啮合几何形状复杂且装配精度要求高的锥齿轮与正齿轮配对。

鉴于这种齿轮传动优先适用于定距螺旋桨，故用做转向传动机构。专门对传动齿轮啮合进行校正以达到低噪声运转是高速巡逻艇应用提出的另一个特殊要求。鉴于狭小的空间比，加之艇员工作位置又靠近推进系统，因此必须保持低噪声和低振动。推进装置的重量通常在高速船上，尤其是在高速巡逻艇上

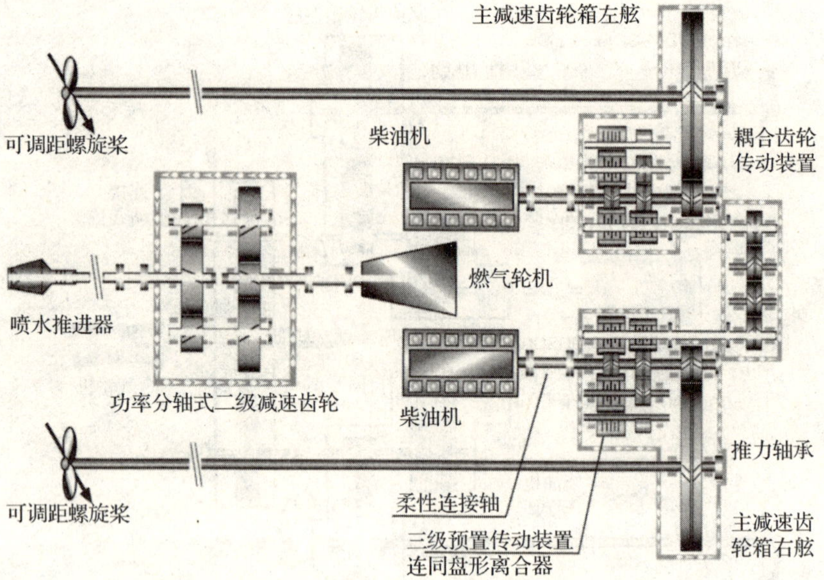

图 2.1.80　SAF 型护卫舰的 Warp 动力系统(资料来源：Renk 股份公司)

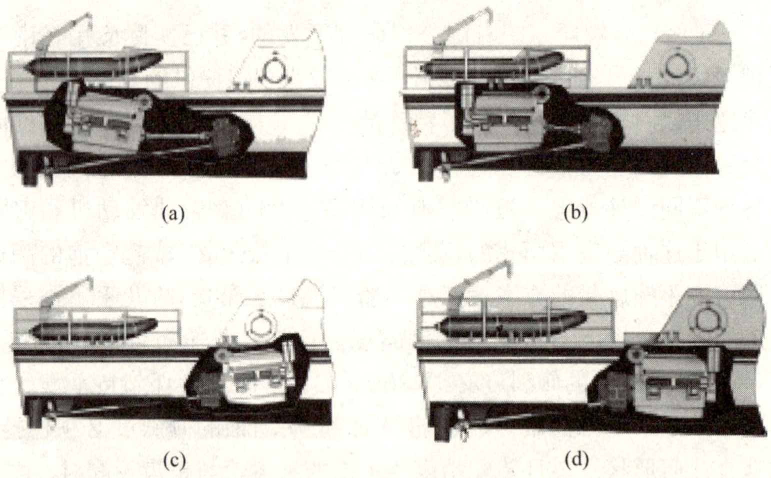

图 2.1.81　高速海岸巡逻艇的推进装置概念

(a) U 型驱动配置　(b) V 型驱动配置　(c) Vertical Offset 配置

(d) Down Angle 配置(资料来源：ZF Marine 有限公司)

始终是一个敏感问题。为此,齿轮箱壳体经常采用铝质轻型结构。考虑到铝质材料的低弹性模量和壳体的刚性要求应采取特别的结构加强措施。同时总是把螺旋桨推力轴承装配在齿轮箱壳体内。当然,对于这种高要求的齿轮传动机构来说,齿轮箱壳体的变形不得对齿轮啮合的接触面产生不利的影响。若干可供选择的上述专用推进装置的配置概念如图 2.1.81 所示。图 2.1.82 是一个带斜轴的齿轮箱截面图。图 2.1.83 为一台带有下卧主动轴和上卧从动轴的大功率减速齿轮箱的外形图,适合于一定的船型和推进概念的要求[2.13]。

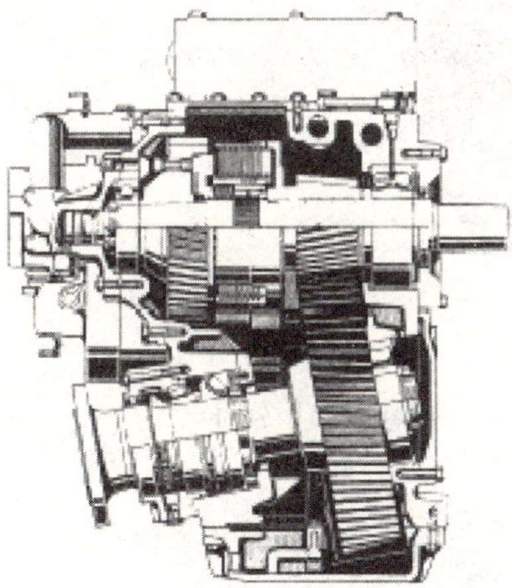

(a)

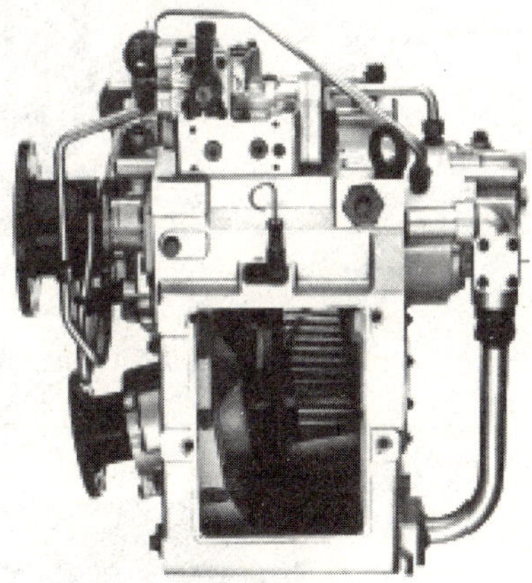

(b)

图 2.1.82 带斜轴的转向传动机构

(a) 截面图 (b) 侧视图(资料来源:ZF Marine 有限公司)

出于对船舰适应海况性能的要求,在民用船(如高速渡船、超大型游艇)和准军事舰艇(如海关巡逻艇、海岸警卫艇)领域已经研究开发了数量众多的、不同寻常的船型(如小水线面双体船、高速单体船、穿浪艇、三体船及气垫船等)。这些独特船型采用的推进装置所具有的共同特征是结构轻型、功率特别集中,布置在狭小且狭窄的空间内。

带液力耦合器的推进系统

这里介绍的推进装置着重于满足在特殊的冰区中航行的船舶对推进装置及其使用条件的要求,并指出了使用液力耦合器的特别优越性。选用的相关资料是由 Voith Turbo Marine 有限公司提供的。所涉及的推进装置应用于一艘在冰区行驶的 M/V TULPAR 钻井平台供应船,即所谓的近海供应船(OSV)。

图 2.1.83 高功率(效能)减速齿轮箱,带有下卧主动轴和上卧从动轴,安装在喷水式推进装置内(资料来源: ZF Marine 有限公司)

图 2.1.84 冰区航行近海供应船 M/V TULPAR 号驶向位于(欧亚之间的)里海的石油生产平台(资料来源 Voith Turbo Marine 有限公司)

Voith Turbo 有限公司受 Schottel 有限公司委托,为其肖特尔可转动导管螺旋桨的动力装置提供涡轮离合器。这种供应船连同其动力装置是专门为航行条件非常恶劣的里海而设计的。该海域水深最浅处仅 3.5 m,这会使船舶航行非常困难,特别是到了冬天海面上的冰层厚达 75 cm 时,航行条件变得更为恶劣。为了适应这两个难题,并能满足船舶动力的许多其他要求,故在动力系统中配备了涡轮离合器。

该推进系统包括下列部件:电动机、齿轮传动装置、与可转动导管螺旋桨集成一体的二级锥齿轮传动(传动比为 4.388∶1)、做功机械、肖特尔可转动导管螺旋桨、定距螺旋桨、最大起动转矩为 150 Nm(与涡轮离合器的转速有关)的轴制动器。一个电-气动轴制动器安装在齿轮传动输入的前端。当电动机的操控置于零位时,电动机轴转速低于 60 r/min 时,轴制动器强力制动(见图 2.1.85)。

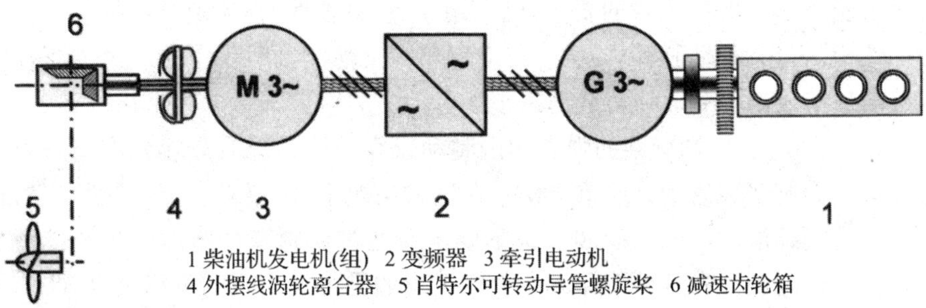

图 2.1.85 钻井平台冰区航行供应船的推进系统

作为动力部分,多台柴油机发电机为各个工作点提供足够的推进功率。电动机给出的转矩通过变频器调节到额定转矩的 1.1 倍。然而,螺旋桨因受浮冰的撞击能使转矩冲击达到额定转矩的 2.5 倍并作用到涡轮离合器的二次侧。

设计数据:

额定功率: $P_N = 2000$ kW

额定转数: $n_N = 1200$ r/min

额定转矩: $T_N = 15900$ Nm

环境温度: T_U=最低 0℃,最高 45℃

大气中可能含有盐分(海水大气)

确定了下列运行方式

(1) 起动:电动机在螺旋桨处于静止状态下起动。肖特尔可转动导管螺旋桨必须在电动机起动时松开,随后加速。

(2) 空载运转:实际上不存在明显的空转运行。螺旋桨在需要时起动并加速到要求的转速。直翼(外摆线)涡轮离合器传递由变频器给定的最大转矩。

(3) 螺旋桨起动:通过保持一个最少的起动加速时间,应使离合器最大滑转(转差率)限定到7%。

(4) 机动操纵:船速通过选择电动机转速进行调整。螺旋桨转速可几乎返回到零。

(5) 额定运转/全负荷:在额定运转状态,最大离合器滑转(转差率)约为2%时的功率传递。

(6) 超负荷:冰区航行时螺旋桨对力矩的需求增大。变频器调节允许上升力矩为110%额定力矩。一旦超过这一上限力矩时,调速控制减低驱动转速。为满足船级对船舶抗冰级的要求,已采用直翼(外摆线)涡轮离合器将电动机大的惯性矩从齿轮传动脱开。这样,传动齿轮在突然制动时仅承受已经过离合器次级质量滞延的负载。该负载远远小于电动机的质量。

(7) 持续滑动:螺旋桨的强力冲击制动仅在特殊情况时方才允许。因为这可能会使螺旋桨装置受到严重损伤。在这种情况下,不要求直翼(外摆线)涡轮离合器的持续滑动(100%滑转),也不要求对通过涡轮离合器作用在推进系上的转矩进行限制。在这种情况下令人感兴趣的是可能出现的负载集合,即各种运行方式的频次和持续时间。

每日的起动过程:频繁的起动过程,因螺旋桨推力由于电动机断开而中断("电磁操纵离合器")。

表 2.1.8 近海供应船(OSV)冰区航行负荷分布

运行状态	功率 (VTK 输入功率)	转速 (VTK 输入转速)	时间分配
起动	参见文	n_1约 300 r/min	10 %
定位/ 机动操纵	P_1= 600 kW (0.3×$P_{额}$)	n_1= 800 r/min (0.67×$n_{额}$)	10 %
额定运转/部分负荷	P_1=1025 kW (0.51×$P_{额}$)	n_1=960 r/min (0.8×$n_{额}$)	20 %
额定运转/全负荷/破冰	P_1=2000 kW ($P_{额}$)	n_1=1200 r/min ($n_{额}$)	30 %
超负荷/破冰	P_1= 2200 kW (1.1×$P_{额}$)	n_1=1200 r/min ($n_{额}$)	30 %

1150 TM1-X 型直翼(外摆线)涡轮离合器(VTK)(见图 2.1.86)安装在电动机与肖特尔可转动导管螺旋桨(SRP)之间,通过一个柔性膜片与电动机相连接。电动机必须承受约一半的离合器重量和由轴系产生的轴向推力。在从动侧的离合器重量由一个支撑轴承承受。

正常运行中离合器滑转产生的热量(每个离合器产生的热功率最高为 40 kW)通过排风冷却器从机舱排出。为加速冷却在电动机断开时产生的热量,配备了一台带防溅罩的鼓风机。参见图 2.1.87 为离合器的减速齿轮箱。

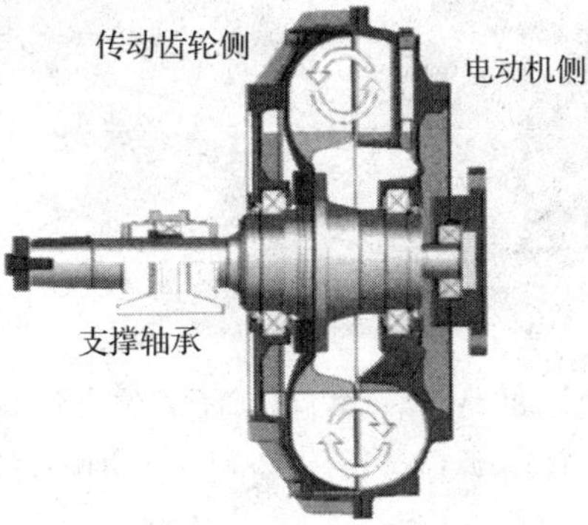

图 2.1.86 VTK 型外摆线涡轮离合器剖面图
(资料来源:Voith Turbo Marine 有限公司)

液力耦合器(涡轮离合器)的功用总结如下:

(1) 起动离合器和操纵离合器:

在电动机起动时,起动转矩形成缓慢。电动机并不是突然承受全部的起动力矩的,而是由轴系和螺旋桨柔缓接受且无过载。即使频繁起动亦无甚问题。

(2) 在负荷波动的情况下,亦能可靠地传递转矩:

即使在转矩波动很大的情况下,电动机的转速也能保持平稳,转矩波动的冲击由离合器进行缓和。过载峰值通过离合器的滑转被软吸收而得到平衡。电动机保持转速,当负载下降时,立即使泵(轮)加速。

(3) 改变液力耦合器注入油量以使其与转矩传递相匹配:

通过改变涡轮离合器处于静止状态时的注入油量,能使做功机械在工况条件持续变化的情况下仍保持相匹配。由于涡轮离合器采用几乎零磨损的工作方式,即使是经验不足的操作人员也同样能获得最佳效果。

(4) 扭振与冲击负荷的阻尼作用:

涡轮离合器能自动且近乎零磨损地对扭振与冲击负荷起到阻尼作用。所

图 2.1.87 带外摆线涡轮离合器的减速齿轮箱
(资料来源：Voith Turbo Marine 有限公司)

有驱动组件，从泵(轮)到齿轮传动直至电动机，都能得到防冲击保护。

数量可观的冰区航行船舶使用的涡轮离合器装置(最大功率为 8 MW、转速 500～1800 r/min)都是由 Voith Turbo Marine 有限公司提供的。

上述列举的动力推进系统还可应用于其他偶尔或经常受到突然冲击负荷的船舶，特别是经常要求推进系统快速进行转向逆变的船舶(如挖泥船)，以及在考虑到采用可调距螺旋桨同转向传动机构相比较成本昂贵的情况下(如中型的渡船)。这种型式的离合器的良好阻尼性能尤其适合于靠泊拖船、救助/打捞拖船和护航拖船[在推进器部分经常与直翼(外摆线)螺旋桨组合使用]。而且，推进系统与不同等级原动机和不同的调节动力所产生的振动问题也可通过使用这种形式的离合器得以控制。具体实例如图 2.1.79 所示。

液力耦合器在动力推进系统中的其他应用举例如图 2.1.88(a)所示。驱动柴油机 1 将其功率有选择地经过减速齿轮箱 6 和轴系 7 传递给可调距螺旋桨 5，并通过调节装置 8 调整到所希望的航速。通过直翼(外摆线)涡轮离合器 2 和二级吸泥泵传动装置 3 (由涡轮离合器对两个不同转速范围进行无级调速)驱动吸泥泵 4。吸泥泵功率通过这两个传动级与两个挖泥装置和吹泥作业所需的功率相匹配。挖泥作业是把海底的泥沙泵送到挖泥船的货舱，吹泥作业则是把货舱里的泥沙泵送到海里。其相应的不同之处在于泥沙的密度和泵的扬程。

该涡轮离合器能在挖泥装置因泥泵堵塞而使转速急剧波动时，对发动机起到很好的保护作用[见图 2.1.88(b)]。

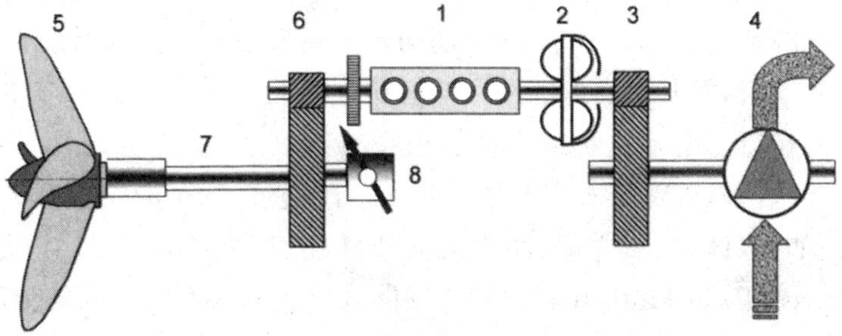

图 2.1.88(a) 吸扬式挖泥船动力系统示意图
(资料来源：Voith Turbo Marine 有限公司)

图 2.1.88(b) TPKL-X 型直翼(外摆线)涡轮操纵离合器，应用于按图 2.1.88(a)所示的吸泥泵驱动 (资料来源：Voith Turbo Marine 有限公司)

在一艘高速船(High Speed Craft)推进系统中应用涡轮离合器的实例，如图 2.1.89 所示。该高速船推进系统由两台大功率柴油发动机、一台燃气轮机作为动力部分和喷水式推进器组成。特别显眼的是燃气轮机的进送气道和排出气道，这是因剩余空气过量所要求的。轻型高速船原动机的功率通过齿轮传动和轴系传递给喷水式推进器。两台 MTU 20V8000 型柴油发动机中，每台功率各为 8 200 kW。一台功率为 26 000 kW 的通用电气 LM 2500＋型燃气轮机加上两台柴油发动机的功率，可提供的总驱动功率为 42.4 MW。该功率驱动一艘长度为 120 米的细长型单体船(见图 2.1.90)，能使其营运航速达到 43 kn (n mile/h)。该单体船能载客 1200 乘员和装载轿车 300 辆。这种船型的高速船已有相当的数量在 1995～2005 年期间投入了营运。它们通常适合于乘员客流大的短程航行，尤其是在海况适中的海域上航行。采用本文所描述装置的船舶在地中海航行。配置这种或类似推进系统的高速船/艇还应用于军事领域，用以快速运送部队人员和军用器材。此外，有的特殊船型的船舶也选用这种推进系统，例如，双体船、三体船、小水线面双体船(英文：SWATH = Small Waterplane Area Twin Hull)和利用气垫辅助升力紧贴水面滑行的气垫船（英文：SES = Surface Effect Ships / 表面效应船）等。

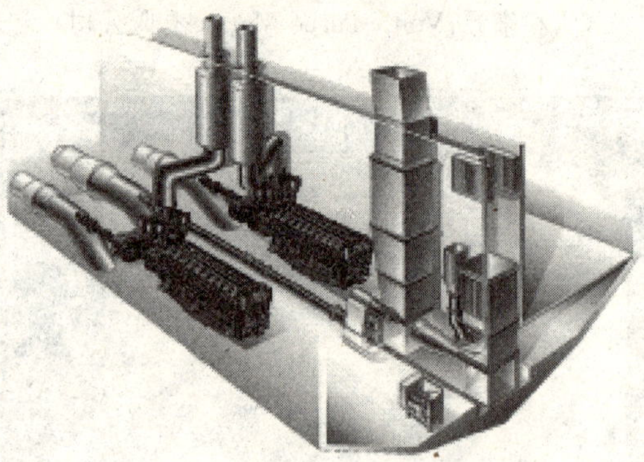

图 2.1.89 一艘高速船(艇)的动力装置

图 2.1.90 一艘 120 米长的高速艇(资料来源：MTU)

2.2 动力装置

2.2.1 功用

除了船舶的推进装置功用，还有其他动力装置如发电机、艏侧推、泵和压缩机，以及绞车与吊机的功用。

这里首先应对发电机的动力做一番详细的描述，因为发电机动力具有各种不同的解决方案可供选择。

2.2.2 应用实例

具有解决上述功用的原动机方案基本上为柴油机、汽轮机、燃气轮机、液压马达和电动机。

绝大多数的各种类型的泵和压缩机都是由电动机驱动的(参见第3章)。锚绞机和吊机除了由电动机驱动，也有用液压马达驱动的。偶尔也有在穿梭转运油船上用于驱动货油泵和遥控阀操纵。对此这里仅做若干简短的备注。

液压驱动

液压动力系统之间的主要区别在于敞开的系统与封闭的系统。敞开的液压动力系统是将油箱(舱)里的液压油吸出并泵送到液压马达。设有一个控制阀平行于液压马达。当控制阀完全打开时，液压马达停止。该控制阀愈是关闭，则液压马达给出的功率或转矩愈大。流出的液压油流回到油箱。这种型式的液压动力系统可无级调节，也就是说，液压马达转速可非常精准地进行调节。

封闭型的液压动力系统与之相反，它能以相当高的工作压力运行。液压油通过控制阀流入液压马达。控制阀与液压马达直接串联，根据要求打开。在封闭的循环回路中，液压油流经液压马达后重又流回到输油泵的吸入侧。因为液压油不是流入一个敞开的油箱，所以称之为封闭式液压动力系统。可参见5.11节。

压力低的设备大多是按敞开式液压动力系统工作原理运行,其结构简单、直观且可靠。但此类设备的构件显得笨重、工作效率中等,且长时间运行,若未配备冷却器易发热。船舶操纵主要采用中、高压力的设备,这种设备大多按封闭式液压动力系统工作原理运行,除非是功率较小的设备仍按敞开式的。若须驱动多台液压传动装置,则应优先选用封闭式集中供压液压动力系统。

液压传动装置的使用范围:舵机、艏侧推、油船上的货油装卸管路的阀门伺服电动机和吊机的起重与回转机构及绞车动力等。在挖泥船上的各种装置或系统:在“Vasco da Gama”号挖泥船上的液压系统长达 800 km。

绞车液压动力系统主要分为 3 种不同的基本操纵方式[见图 2.2.1(a)],油泵 1 把液压油从一个敞开的油箱内吸出,并通过液压马达输送到绞车 3,或经过控制滑阀的旁路 4 敞开循环返回到油箱。在旁路关闭时,全部油量都通过液压马达送到绞车,绞车以最大转速运行。当旁路完全打开时,油压降到零,绞车停止运行。悬空的载荷则通过一个制动阀刹车。通过节流器控制流量可对液压马达进行无级调速。载荷下降时,制动阀 5 由其他的液压管路控制。该管路内在制动阀打开之前,必须产生一定的压力,以使流经控制滑阀流入液压马达的油能流出。

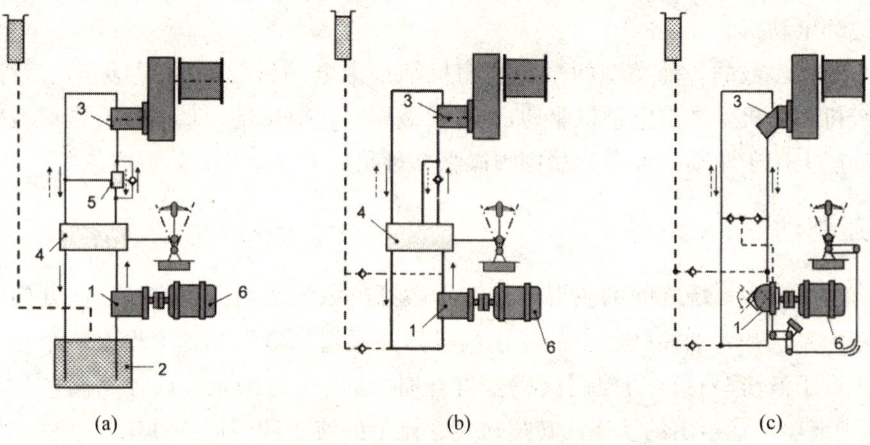

图 2.2.1 液压绞车操纵机构

该操纵方式虽然简单,但其缺点是,油泵不得不始终处于满负荷功率状态。未使用的载荷起重功率通过控制滑阀内的节流转换成热量。

发电机的动力

发电机的动力对于一个经济、可靠和有利于生态环境的船舶电网电源的准备和船舶航行的安全性具有重大的意义。

直接动力

绝大多数远洋商船上的船舶电网发电机都是由柴油机驱动的。所要求满足的船用发电机数量由船级社的入级和船级建造规范予以规定。

出于安全上考虑,要求配备两个独立的,且必须是直接驱动的发电机电源(见图 2.2.2)。

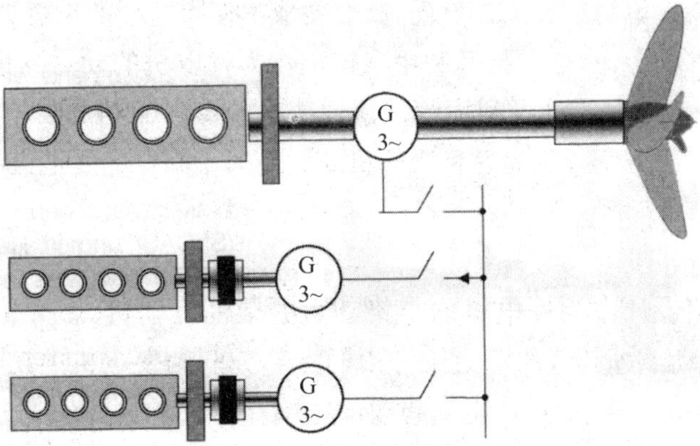

图 2.2.2 直接驱动发电机

为了使原动机-发电机系统的振动匹配(谐调),通常在原动机(主机)与发电机之间安装一个高弹性联轴器,以使这一对系统的最低转速足以低于工作转速。由于船舶电网(除特殊情况例外)总是以恒定的电源频率运行的,故这样的配置不会有什么问题。然而,如果船舶电网以滑动电源频率运行,则须考虑采取振动匹配(谐调)技术措施。

原动机与发电机通常都安装在一个共同基座板上。该基座板按规定可以架设在钢质件上,或弹性件或半弹性件上。这取决于对机体的声传播进入船体的可接受程度。尤其是就客船和渡船而言相对注重于乘客的舒适性,故优先选用弹性基座。对于那种要求机体噪声发射值特别低的船舶,例如,科学考察船、海军舰艇等,则原动机与发电机系统的基座采用双弹性基座。这种情况下的原动机和发电机弹性地安装在一块特别厚重的基座板上,该基座板的质量远高于原动机和发电机的质量。该基座板形成一个中间基座,然后它也弹性地安装在船体结构上。所有的电缆和管路连接同样得通过弹性缓冲件连接,以减缓噪声传递。这两层基座平面下弹簧的弹力应做相应的调整,以达到一个满意的效果。

发电机-原动机组合件的基座同样有各种不同的方案。为降低成本，基座设计时省去了原动机侧的发电机基座。这样的基座结构显得过于复杂。还得注意的是，若原动机与发电机系统未做适当调整匹配，则原动机与发电机之间的弹性联轴器的复原力（反作用力）会返回到原动机的承座上。因此，发电机与原动机弹性基座的均匀匹配始终应优先考虑。

除了利用柴油发动机作为直接动力外，有的商船尽管很少但偶尔也会利用燃气轮机作为发电机的动力。然而，高燃料成本使得这样的设想难以实现。

鉴于成本的考虑，必须提及利用汽轮机作为发电机的动力。具体例子已在1.3节中提及。尤其是涉及利用废气锅炉产生的蒸汽驱动的汽轮机，至今仍作为一种动力解决方案。只是这种汽轮机动力应属于间接的发电机动力。

间接动力

除了专门设计作为发电机的直接动力的柴油发动机、燃气轮机或汽轮机外，从主机驱动推进装置的动力中分出的一部分驱动发电机的功率（英语称之为：Power-Take-Off—PTO）起着重要的作用。

这项功率输出（PTO）技术首先应用于通过推进装置的减速齿轮箱的间接动力传递驱动发电机。

对这项技术在该领域应用的持久发展具有影响的3个主要因素为：燃料成本、维护与修复费用和对船上人员的资格要求及新规程/规则的发展所提出的新要求。

例如，1970年以来由于燃料成本的上升趋势，以及作为发电机动力的柴油机尚不适宜使用重柴油，故导致新建船更多地采用直接由主机驱动的轴带发电机。

随着发动机制造商相应进行的后续研发工作已经解决了燃重油问题，这样轴带发电机设备的高建造成本就难以站得住脚。取而代之的是，设计出了单燃料船舶。然而，重油（HFO）柴油发电机的连续运行却使得保养与维护成本上升，还必须投入额外的人力。

当今，日益强化的各类环保规定正以如下方式影响其发展，即在特殊区域（硫化物排放限制区域SECAS）和港口将不再允许使用重油。

由于驱动转速较大的发电机可以建造得越来越小且成本更为低廉，因此通过中速运转的四冲程发动机进行驱动时动力输出（PTO）所需要的是增速比，而推进系所需要的则是减速比。但两种要求均可以单级的变速比予以实现(实例:推进系的转速 90 r/min,动力输出的转速 1500 r/min,驱动用电动机的转速 500 r/min)。

为此,区分为两种原理上互不相同的方案:一是一次动力输出(PTO)运行时无需转动推进系;二是二次动力输出(PTO)运行时则要求推进系亦在转动。在传动装置内分别布置相应的操纵联轴器,便可实现这些解决方案。由于在具备间接动力的推进系统和动力输出(PTO)装置中都毫无例外地应用了可调距螺旋桨推进器,因此保持稳定的电源频率达到所要求的精度就显得比较简单,同样柴油发动机在同一汇流排上的并行运转亦如此。图 2.2.3 为操作实例。

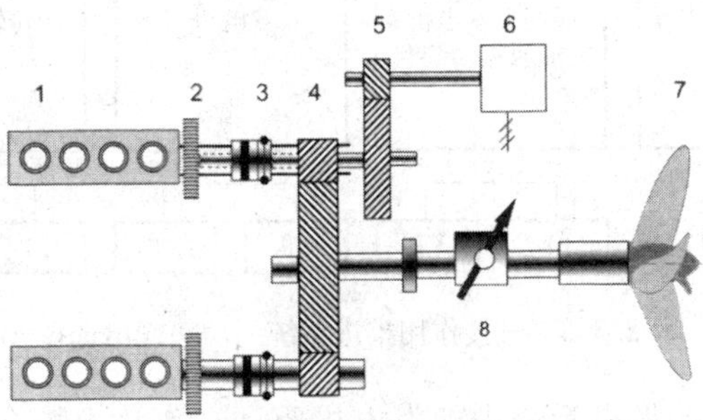

1 柴油机 2 飞轮 3 弹性操纵离合器 4 主减速齿轮箱
5 PTO变速级 6 发电机 7 可调距螺旋桨 8 调整装置

图 2.2.3 一次动力输出(PTO)

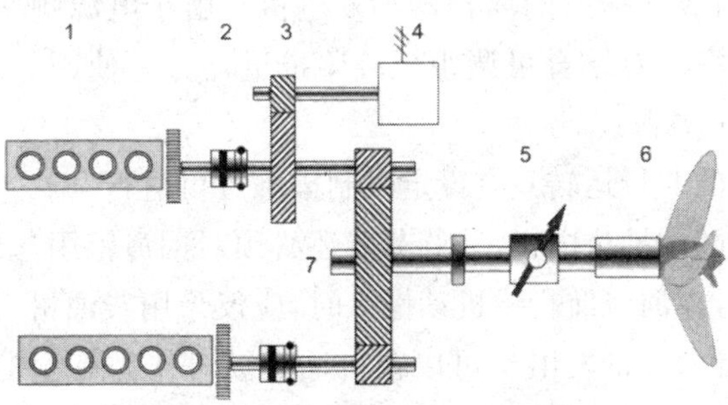

1 柴油机 2 弹性操纵离合器 3 PTO变速级
4 发电机 5 调整装置 6 可调距螺旋桨
7 主减速齿轮箱

图 2.2.4 二次动力输出

在直接作用的推进装置中，用于驱动发电机的动力输出更为困难，因为低速柴油机的驱动转速比发电机所需的转速要低得多。此外，在直接进行传递的推进装置中总是首选定距螺旋桨。再者，相对于主机而言，动力输出(PTO)配置存在着许多不同的方式。图2.2.5为各种原理性方案的概览。

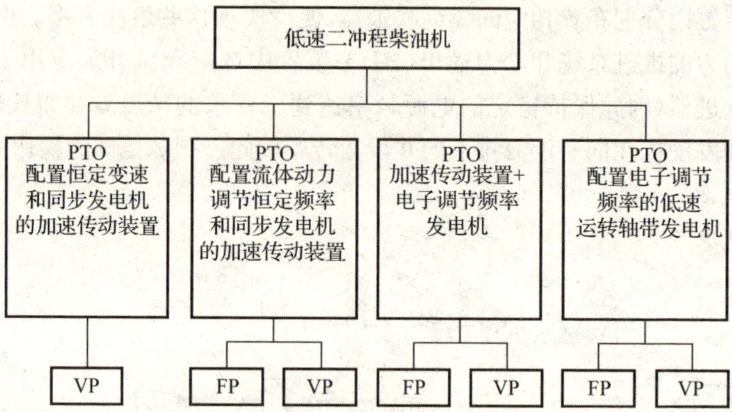

图2.2.5 直接作用推进系统的功率输出选择

对于直接作用的推进系统中的发电机驱动功率输出耦合这一较难解决的应用情况，曾研发了众多的技术解决方案，可系统划分如下。

最为简单的方案是在柴油机旁边或后面布置变速比恒定的传动装置。这一解决方案由多种元件构成，即高弹性联轴器、具有增速比的两级齿轮传动装置、扭转刚性且可频繁接通的离合器和发电机。由于电源频率必须保持恒定，因此这一解决方案只有结合可调距螺旋桨推进器方可使用。总发电效率相对较高，约为90%～92%。

柴油发电机的并行运转只有设定限制措施方可进行，因为它们的调节特性不同于低速运转的主推进电机，其调节器还必须对因海浪引起的负荷波动进行平衡调整。因此，在河口航行或机动操纵时，应仅采用柴油机发电机进行航行。只要电源配置允许，轴带发电机可以在机动操纵时作为首侧推器的电源，而后者一般对可能的频率波动并不敏感。然而，必须设置相应的独立汇流排。

如果不把可调距螺旋桨推进装置相对的高成本，也不把因以恒定转速运行而使螺旋桨效率较差的原因归于轴带发电机，那么这就是成本经济的解决方案。图2.2.6为实施实例。

具有不同变速比和液压机械式频率稳定器的动力输出(PTO)传动装置，是

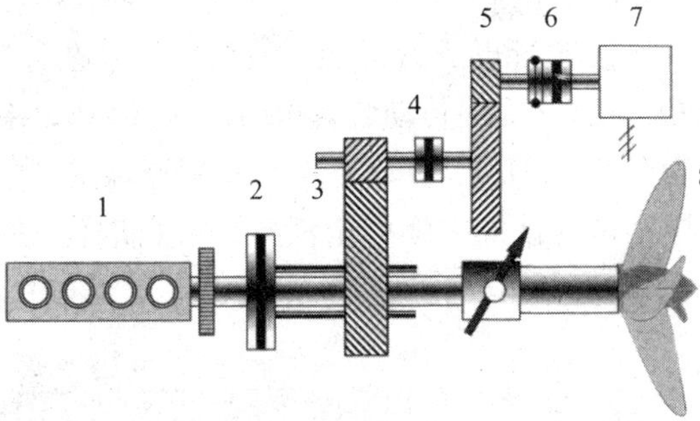

图 2.2.6(a)　动力输出(PTO)恒定传动比变速器(隧道式变速器)

图 2.2.6(b)　隧道式变速器(资料来源:Renk 股份公司)

以 Renk 传动装置股份公司的商标 RCF(Renk Constant Frequency)而为人们所熟知的解决方案,它由下述元件组成,即柔性联轴器、加速传动装置、扭转刚性的圆盘片式操纵离合器、液压式叠加传动装置(外摆线传动装置,参见 1.7 节)和同步发电机。在主机的 70%～100%的转速范围内,液压式叠加传动装置使轴带发电机的驱动转速保持恒定不变。叠加传动装置由一行星齿轮装置构成,其内齿圈由一液压电动机可以任意旋转方向驱动,并能在所述的转速范围内平衡主机转速的波动。通过电子调节系统可确保所要求的精度。这样,柴油发电机进行并行运转就不成问题了。该系统的研发最初是应用于将主机功率直接传输至定距螺旋桨的系统中，但也可用于可调距螺旋桨推进装置的系统中，以使港口对港口穿梭航行也成为可能。该系统的复杂程度较高，因此较具有恒定变速比的动力输出(PTO)传动装置更为昂贵，但其效率却差一些。视设备情况，其效率约为88%～91%。图2.2.7为布置原理图。频率稳定所需的叠加传动装置，在同样是试验性的方案中由液压系统所取代，亦可由一个设有直流中间电路的电气系统进行运转。

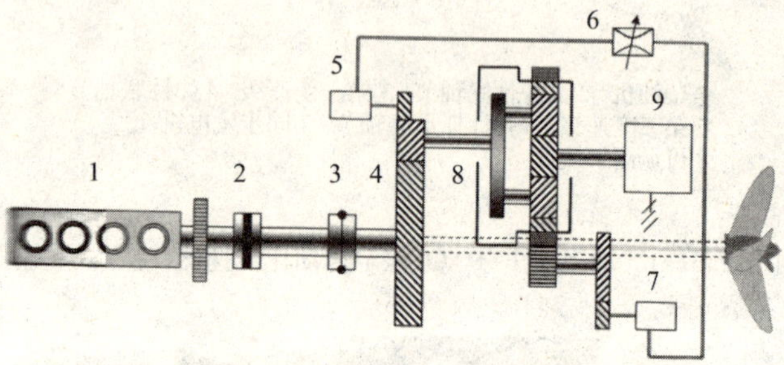

1 柴油机　2 高弹性联轴节　3 操纵离合器　4 第一变速级
5 液压泵　6 液压调节阀　7 液压马达　8 差动齿轮(外摆线齿轮)
9 同步发电机

图 2.2.7(a)　动力输出(PTO)恒定频率变速器(资料来源：Renk 股份公司)

图 2.2.7(b)　用于 TCS 系统的 PTO 恒定频率变速器
(资料来源：Renk 股份公司)

另外一个解决方案是借助电子频率稳定器来实现发电机功率的电-机输出耦合。为此主要研发了两种解决方案，它们均可在不同转速的情况下提供频率稳定的三相交流电，并应用于定距螺旋桨推进装置。随着运行安全的晶闸管研发，就可以在直接作用的轴系推进系统中采用低速运转的交流发电机，发电机首先产生变频交流电，然后经过整流并随后通过频控式静态变流器转换成固定频率的交流电(参见第3章)。结合作为移相器的相位补偿器，这种轴带发电机在40%额定转速之上范围时提供固定频率的交流电，并且可以毫无问题地并行于柴油机发电机进行运转。根据设计，在发动机的75%～100%额定转速范围内，将达到轴带发电机的全功率，在75%以下范围其功率随发动机转速呈比例减小(见图2.2.8)。

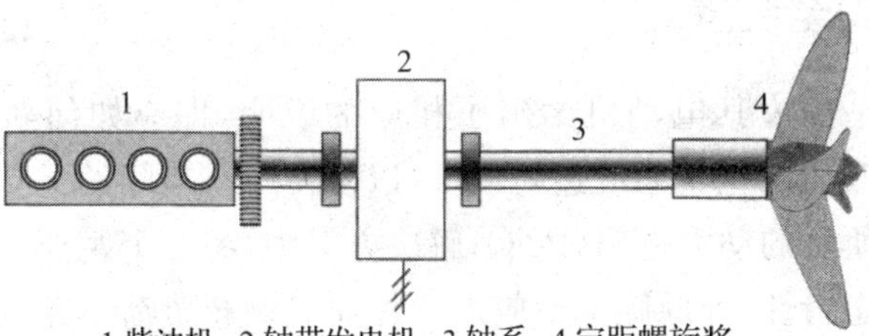

1 柴油机 2 轴带发电机 3 轴系 4 定距螺旋桨

图2.2.8 直接装入轴系的低速轴带发电机

对于多数这样的设备，发电机直接布置在电动机与螺旋桨之间；在其他的布置方案中，例如也有布置在电动机之前或部分与电动机集成一体，然而这种方案的实际采用情况少之又少。原则上，此类方案也可应用于设置可调距螺旋桨推进装置的推进系统中，但其意义不大。根据发电机的结构尺寸和要求甚高的晶闸管控制装置，此类型的设备较其他解决方案更为昂贵，而且其效率为85%～90%范围之内，较其他解决方案差一些。

另一个电-机式动力输出(PTO)解决方案用于在发电机驱动转速可变的情况下将固定频率的交流电输出耦合。它结合旋转励磁场的脉冲跟踪一起运转，这是一个已应用在风能转化器中的解决方案。为此，发电机驱动功率首先由弹性联轴器和加速传动装置从推进系中输出耦合。该传动装置通过操纵离合器与发电机相连。在驱动转速出现波动时，通过跟踪旋转磁场使得由发电机所供交流电的频率保持稳定。这一基于附加传动装置的设计在成本上仅略微降低了些；其效率为88%(见图2.2.9)。

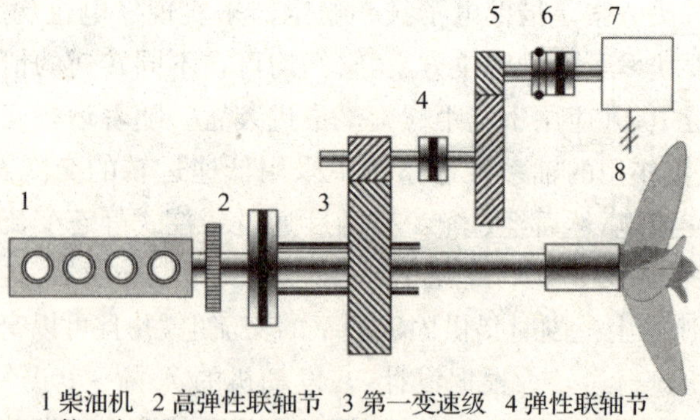

1 柴油机　2 高弹性联轴节　3 第一变速级　4 弹性联轴节
5 第二变速级　6 弹性操纵联轴器　7 发电机　8 定距螺旋桨

图 2.2.9　轴带发电机传动齿轮通过旋转磁场保持频率恒定

控制、调节、安全装置

电动机制造商为其电动机给出了相应的说明，即应如何对带有动力输出(PTO)的推进装置的整个系统进行设计，以使在所有实际的运行条件下能确保运行稳定。在所有的动力输出(PTO)解决方案中，另一个主要的方面则始终是机械系统的动态特性，即原则上不应出现任何机械超负荷。尤其对设有加速传动装置的系统务必注意，由于机械的规律性，整个推进系统上占主导的飞轮质量(离心质量)通常不再是螺旋桨，而是发电机。困难的是与螺旋桨相反，发电机实际上几乎并不具有阻尼作用，并且在频率波动时总是使悬挂在轴带发电机汇流排上的旋转质量得以加速或延迟，这会在电源频率较大的波动宽度内导致传输元件出现明显的额外负荷。此外与可调距螺旋桨推进装置相关，在全螺距和零推力螺距的情况下，均产生诸多各不相同的可能负荷情况或运行状态，对此必须予以考虑和检验(见图 2.2.10)。

推进装置运行模式	运行模式 PTO			
	输出耦合	耦合、未激励的	耦合、激励的	耦合、激励和负荷的
联合运行(未干扰的)	×	×	×	—
恒定转速(未干扰的)	×	×	×	×
联合运行(点火故障)	×	×	×	×
恒定转速(点火故障)	×	×	×	×

图 2.2.10　带可调距螺旋桨和 PTO 减速齿轮箱的推进装置运行可能性与负载下降矩阵。
在负载下降的情况下联轴器、轴或啮合(齿轮装置)上不得超负荷。
尤其是必须避免发生齿轮撞齿（英文：gear hammer）现象

直接嵌装在轴系中的低速发电机，对轴系的对中会产生诸多影响。通常需要设置附加的轴承。在轴系对中时，必须注意到将运转中的发电机转子拉入电场中心的附加磁力，还必须进行相应的轴接地。轴带发电机与推进电动机之间的第二个接地系统对防止主轴承损坏有着重要意义。

推进功率按需求输入或输出耦合的系统(PTI/PTO装置)

动力输出(PTO——Power Take Off)概念是指每一种从推进系统中输出耦合的功率，适用于驱动泵、压缩机或其他转动机械。广为应用的是为满足电能需求的功率输出耦合，这早已结合轴带发电机功率输出概念进行了解释。

较之动力输出(PTO)的应用，用于按需求输入耦合机械能的系统，即动力输入(PTI—Power Take In)的应用要来得少。

在不久以前，用于按需求输入耦合额外功率的系统已经在船舶工程技术中得到越来越多的反响与应用。

其应用的目的各不相同，最为重要的是：

- 通过输入额外功率来提高船速；
- 通过输入额外功率作为主发动机出现故障时的功率储备来提高船舶安全性；
- 通过进一步利用主发动机中的废气能量来降低燃料消耗。

通过输入额外功率来提高船速的首批解决方案之一，就是早先拖网渔船的父子式驱动装置。其中为了提高抵达或离开渔场的船速，曾将拖网渔船上高电耗的柴油发电机连接至推进装置上。类似的解决方案今天还偶尔应用于渡船与客船中，参见2.1.3节。与此相反，在其他的应用中，多数则是由于船舶航行营运变换或提高载重量的原因所致。为了能够以现有的船只来满足定期频次的航线营运业务，就需要设置额外的功率，例如通过在船舶的适当位置嵌装柴油发电机。发电机的功率输至一台电动机上，该电动机则通过一个另外安装的传动装置将功率输入耦合到轴系中。该系统的工作原理与恒定转速的轴带发电机驱动原理相似，只是其作用力或转矩呈相反的方向(见图2.2.11)。

对于潜在危险较大的船舶(首先是化学品运输船、油船等)，要求船舶即便在装卸货期间也必须具备完全的操纵性或者是准备就绪可立即出港。为了能够在港口停泊期间维系主机的运转，在此类船型中设置有动力输出(PTO)传动装置，其发电机亦可作为由船舶电网馈电的三相交流电动机使用(所谓“take-home”概念，即应急返航)。电动机的驱动功率应足以使船舶在平均海况环境条件下亦能保持其可操纵性。另外，必须在轴系中设置一分离式离合器，以使主

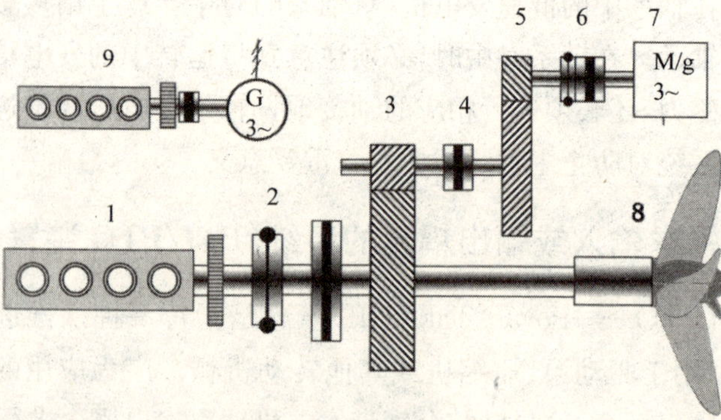

1 柴油机 2 轴系中的分离联轴器连同应急止推轴承 3 第一变速级 4 联轴器 5 第二变速级 6弹性操纵联轴器 7 应急返航用电动机、发电机 8 定距螺旋桨 9 备用柴油机

图 2.2.11　PTO-PTI 概念

机与推进装置的分离成为可能，但在“take-home”（应急返航）运行时却可将螺旋桨推力引入船舶结构。为此有各种不同的结构性解决方案，其区分标准为离合器在分离与啮合时会有多快、需消耗多少功。此类设计的成本归因于离合过程的速度：离合器离合过程越迅速，价格就越昂贵。

图 2.2.12 中所示的离合器用于发动机与螺旋桨的连接或分离。转矩则以刚性连接与无间隙的方式通过经淬火抛光处理的楔形齿轮系统进行传递。其离合转换是以遥控液压操纵方式通过液压缸轴向操纵齿套进行分离与啮合。可以在低负荷与低转速时进行转换，接通时间持续 1～2 分钟，切断时间为 1 分钟。在离合器脱开时，螺旋桨推力由离合器的轴向轴承所吸收，其静态支承则由发动机止推轴承承担。在离合器合上时，螺旋桨推力仅以静态方式传递至发动机止推轴承。离合器脱开时的轴系偏心受到芯轴的限制。芯轴通过径向轴承为两个半片离合器定中心。

具备相应用于安全应急运行的动力输入（PTI）方案的推进装置，须经船级社按在一定的前提条件评定认可，并给予相应的船级符号（见图 2.2.13）。

由于废气涡轮增压器效率的明显提升，故通过对柴油发动机（首先是低速运转的二冲程发动机）进行适当的匹配就能使其在满负荷运行时的废气中所含的能量要多于发动机供气时所需要的能量。这些过剩的能量可以在独立的燃气轮机中转换成机械能，然后用于驱动发电机或通过多级传动装置输入耦合至推进装置（见图 2.2.14）。图 2.2.14 为动力输入（PTI）系统的主要元件。在满

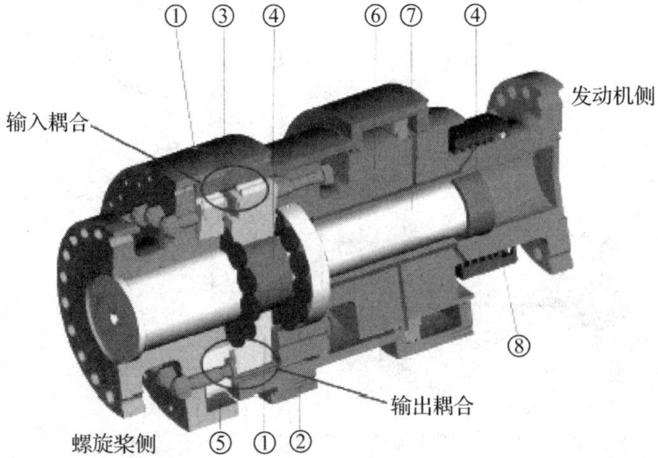

1 带外啮合的轮毂 2 带内啮合和缸体的齿轮 3 轴向轴承 4 径向轴承
5 凸缘轴连同连接滑块 6 空心轴连同活塞式滑片 7 芯轴
8 液压旋转执行

图 2.2.12 RSC 型操纵离合器(资料来源:Renk 股份公司)

图 2.2.13 RTC 离合器在试验台上(资料来源:Renk 股份公司)

负荷运行时柴油机 1 所产生的废气能量非常大,以至于涡轮增压器仅利用了其中的一部分来驱动压缩机 10。究其原因,是涡轮增压器机组的效率非常高,可达到 70%或更高,这需要视设备的结构尺寸而定。在打开燃气轮机 6 的关断阀 7 之后,剩余的废气能量被转换成机械能。通过齿轮传动 5,4,3 和弹性联轴器 2,将燃气轮机 6 的功率输入耦合至推进系中。低负荷运转时,通过关闭阀 7 和 8 而绕开燃气轮机。

表 2.2.1 为各类转速的汇总。所谓的三级 Crankshaft 传动装置的总变速

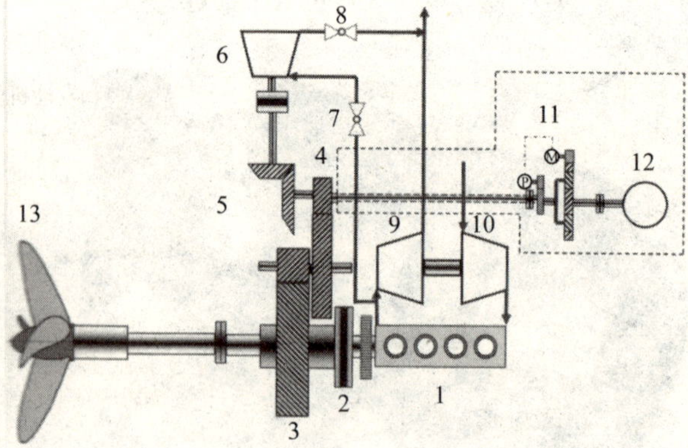

图 2.2.14　PTI 齿轮传动与动力涡轮(示意图)

表 2.2.1　各类转速汇总

构件	转速/(r/min)
柴油机	88.0
弹性联轴器	88.0
一级小齿轮	88.0
一级齿轮	459.4
二级小齿轮	459.4
二级齿轮	1 235.7
三级小齿轮	1 235.7
三级齿轮	22 823.0
燃气轮机	22 823.0

比 $i_{总}=259$。在这一结构中,该系统的商标名称为 TCS(涡轮复式发动机系统),早在 1957 年就已申请了专利,并在 1980～1990 年间生产了多批产品。该系统就是以此形式的纯动力输入(PTI)系统,它使增压器机组的最佳匹配成为可能,而不必在满负荷时将废气所产生的剩余能量排除出去或得不到利用。

传动级 11 作为固定式螺旋桨推进系统中的差动齿轮传动装置。经过与传动级 11 组合,可将燃气轮机 6 的功率部分或完全用于驱动轴带发电机。如果轴带发电机还可以在需要时作为电动机进行运转,那么就形成了一个完全的动力输入(PTI)/动力输出(PTO)系统。正如从转速关系表中可知,此类设备中有待解决的机械结构振动与调节技术问题充满了挑战。

如此则不允许例如在发电机运行中超过电动摆动角±5 Hz(电动摆动角是机械摆动角与极对数之积),这对调节质量提出了高要求。此类结构形式的传动装置已由 Renk 股份公司制造生产,且数量较大。为此,将具有液压叠加(外差)作用的外摆线传动装置作为差动传动装置使用(RCF 传动装置,见图 2.2.7)。此类推进装置的扭转振动特性非常复杂,因为动力涡轮是基于所需的大变速比而成为系统主要的振动质量,这对其中的齿轮系统和轴会造成明显的动态负荷。

热力输出(耦合)

大功率推进装置中主机所产生的废气含有相对较高的能量,对此可通过设计相应的废气锅炉来为汽轮发电机获取充足的蒸汽。双压力系统证明是可靠的,它使得更好地利用废气能量成为可能,而且同时考虑到各种热量消耗设备的不同温度水平(油舱加热、重油预热等)。然而,此类方案对水的维护和蒸汽发生器加热面保持纯净提出了更高的要求。如果在航海期间可安全通过汽轮发电机来满足对电能的全部需求,那么这些方案首先就是合适的。如果能注意到两台驱动电机的不同调节特性,那么与柴油发电机并行运行则毫无疑问是可行的。该系统首先适用于对电能需求相对较小的船舶,而且其航行模式为相对较长的满负荷运行时间(例如,原油运输船、散装货船)。

燃气轮机-汽轮机-轴带发电机方案,即热-机械-电力输出耦合亦是可行的,且也有个别制造的。在这一组合方案中,以主机的过量废气驱动的动力涡轮的功率,通过传动装置与以废气锅炉的蒸汽馈送的汽轮机的功率进行合并,用以驱动发电机。该发电机向汇流排系统馈电,而以此方式它同样可与现有的轴带发电机连接在一起。通过相应的自动化方案,两种发电机的功率均可以送入船舶电网,但涡轮发电机的功率同样可通过作为电机运转的轴带发电机,作为额外功率输入耦合至推进系统。船舶电网随后由船上的柴油发电机实现供电。

废气锅炉 6 分为四个部分(见图 2.2.15)。最上部分Ⅰ(最冷的)用作后续部分的废气节能器。用于供给一般热量消耗设备(燃料舱与油舱加热装置、重油预热器等)的蒸汽,其压力约为 3~4 bar。在第二部分Ⅱ,蒸汽被加热至蒸发温度,然后蒸发到蒸发容器 12 中。蒸汽从这里被消耗设备 7 所获取。从这一个分系统中回流的凝水在闪蒸器 9 中发生膨胀,接着在形成蒸汽后通过一个或两个接头将剩余能量送入汽轮机中。如果这里没有得到蒸汽,那么凝水将返回

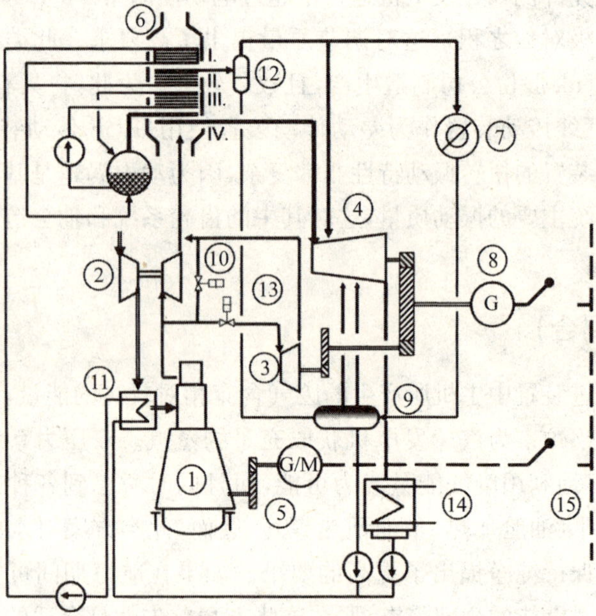

图 2.2.15 热力输出

至循环回路中。废气锅炉部分Ⅲ的运行压力水平较高，约为 9～10 bar。在此，较高压力水平下蒸发所需的能量被送至给水中。辅助锅炉 10 的蒸汽室用做这一部分循环回路的蒸发容器。用于汽轮机的蒸汽则从这里被获取，在废气锅炉的Ⅳ部分被加热至过热，然后输送至汽轮机。根据运行状态，来自低压系统中的那些已不再需要的蒸汽被馈送入汽轮机的后续顺流卧式级中。汽轮机中的废气则在冷凝器 14 中冷凝，并由此作为凝水送入循环回路中。主机的增压空气冷却器在这一循环回路中充当附加的给水预热器。此外，其他系统也利用高温冷却水作为给水预热的附加介质。主机送风所不需要的废气能量，有部分在动力燃气轮机 3 中被充分利用，其功率通过传动级与汽轮机的功率进行合并。动力涡轮的废气则通过阀组 13 再次混合入主废气流中。在主机部分负荷运行时，相应的关断阀切断了通往动力涡轮的废气流，以使废气绕开它。此外，系统所属的轴带发电机，也可选用做电机。为了满足电能需求，通过充分利用废气能量而获取的电能可以馈送入船舶电网，或者用于向作为电机的轴带发电机馈电以提高推进功率。

此类系统的构造不尽相同，并得到成功的应用。在此所介绍的系统由三菱公司研发，类似的方案也由 Peter 兄弟有限公司制造，应用于超大型集装箱船。

在结合使用相应的大功率自动化装置后，本系统的采用可明显节约能源。所节约的燃料可达 10%～12%，这在具体的案例中早已得到证实。

控制、调节和安全装置

控制、调节和安全装置的相关问题，请参见第 3 章和第 4 章。

参考文献

[2.1] Bartels, J.-E., Jürgens, D.: Voith-Schneider-Propeller. Gegenwärtige Anwendungen und neue Entwicklungen. Handbuch der Werften, XXVI. Band. Schiffahrtsverlag HANSA C. Schroedter & Co., Hamburg 2000.

[2.2] Börner, J., Humm, K., Joachim, F.: Development of Conical Involute Gears (Beveloids) for Vehicle Transmissions. Proceedings of Insert Conference Abbreviation PTG 2003. ASME Chicago, 2.-6. Sept. 2003.

[2.3] Bozung, H.: Der Einsatz von Nutzturbinen in Verbindung mit Abgasturboladern hohen Wirkungsgrades. Jahrbuch der STG, 80. Band. Springer Verlag Berlin, Heidelberg, New York 1986.

[2.4] Deichmann, F.: Auslegung der elektrischen Energieerzeugung und deren Auswirkung auf den Schiffsbetrieb bei Schiffen kleinerer Leistung. Jahrbuch der STG, 82. Band. Springer Verlag Berlin, Heidelberg, New York 1988.

[2.5] Droste, W.: Kriterien zur Auswahl von Wellengeneratoren. Jahrbuch der STG, 82. Band. Springer Verlag Berlin, Heidelberg, New York 1988.

[2.6] Germanischer Lloyd: Vorschriften für Klassifikation und Bau der Maschinenanlage von Seeschiffen. Selbstverlag des Germanischen Lloyd, Hamburg 2006.

[2.7] Hirt, M.: Erfahrungen mit dem mechanisch geregelten Wellengenerator. Jahrbuch der STG, 81. Band. Springer Verlag Berlin, Heidelberg, New York 1987.

[2.8] Hoppe, F.: Modern Gear Technology Trends for Navy Surface

Ships, Transactions of INEC 2004 Conference, Amsterdam, March 2004.

[2.9] Illies, K.: Handbuch der Schiffsbetriebstechnik, 2. Auflage. Verlag Friedr. Vieweg & Sohn, Braunschweig/Wiesbaden 1984.

[2.10] Klein Woud, H., Stapersma D.: Design of Propulsion and Electric Power Generation Systems. The Institute of Marine Engineering, Science and Technology, London 2002.

[2.11] Knaak, H.-J.: Betrieb von Verstellpropelleranlagen mit Synchron-Wellengeneratoren bei abgesenkter Drehzahl. Jahrbuch der STG, 76. Band. Springer Verlag Berlin, Heidelberg, New York 1982.

[2.12] Knaak, H.-J.: Statisches und dynamisches Verhalten von Bordnetzen. Jahrbuch der STG, 79. Band, Springer Verlag Berlin, Heidelberg, New York 1985.

[2.13] Luetjens, E.: Modern high speed propulsion systems and their impact on marine transmission design.

[2.14] Neddermeyer, U.: Schottel Combi Drive in LNG-Fähren und Offshore-Versorgern. Antrieb, Fachzeitschrift für Schiffs-, Energie- und Umschlagstechnik, 52. Jahrgang (2006) Heft 2.

[2.15] N. N.: Simplex-Compact Komponenten für Wellenleitungen. Firmenprospekt der B + V Industrietechnik GmbH, Hamburg 2004.

[2.16] Rothenhäusler, G.: Getriebe für schnelle und unkonventionelle Schiffe. Fortbildungskurs Schiffsgetriebe und Kupplungen, TU Hamburg-Harburg, 1992.

[2.17] See-Berufsgenossenschaft: UVV-See einschließlich 17. Nachtrag. Selbstverlag der See-BG, Hamburg 2003.

[2.18] Schmid, H.: Fuel Saving with waste heat recovery. Jahrbuch der STG, 100. Band. Springer Verlag Berlin, Heidelberg, New York 2007.

[2.19] Schmidt, H.: Erfahrungen mit neuen Wellengenerator-Konzepten. Jahrbuch der STG, 98. Band Springer Verlag Berlin Heidelberg New York 2005.

[2.20] Vibration Characteristics of Two-Stroke Low Speed Diesel Engines.

MAN B&W Diesel AS, Copenhagen, Reg. No. 39 66 13 14.

[2.21] Wessel, J.: Kombinierter Wasserstrahl- und Propellerantrieb, ein innovatives Antriebs- und Propulsionskonzept im Marineschiffbau von Blohm+Voss. Vortrag anlässlich des 8. Schiffbautag Mecklenburg-Vorpommern 2004.

[2.22] Hochhaus, K.-H., Jacobsen, O.: Abgasnutzung auf Motorschiffen zur Erzeugung elektrischer Energie. Schiffs-Ingenieur Journal 2006, Nr. 305 Verein der Schiffsingenieure zu Hamburg, 2006.

中国外运长航
SINOTRANS&CSC

固定桨轴带发电机超节能、更环保

船舶轴带无刷双馈交流发电系统

船舶轴带无刷双馈交流发电系统是利用船舶主推进发动的功率储备，在其带动螺旋桨推进船舶航行且转速变化的同拖动轴带发电机发电，从而实现船舶航行时不使用或少使用助发电机组。

这种全新的轴带无刷双馈交流发电系统是针对固定螺距船舶，通过双馈变频控制技术调节来自轴带发电机的电力，而使配电系统的电压和频率恒定不变，并保持正确的相位，以便与其他并联发电机组匹配，从而获得并提供稳压稳频电力保障。这不仅优化了螺旋桨与主推进发动机的匹配,提了船舶主推进发动机的工作效率，而且改变了目前固定螺距船舶普遍仅采用辅助发电机组发电的状况，而能够将辅助发机组的燃油消耗节约下来，明显提高了船舶运行的综合经济标。

这种全新的发电系统还可以降低辅助发电机组管理及维成本；可以减少一台辅助发电机组的投资；可以降低运行噪，极大地改善船员的工作环境；还有助于降低二氧化碳和氮化物的排放。

技术创新:

1.基于绕组齿谐波磁动势理论来设计无刷双馈电机转子绕组并应用于船舶轴带发电系统；

2.实现了双正弦功率高效变换及电磁优化的设计方案和工艺路线；

3.采用无滑环装置结构，避免了有刷双馈电机存在固有的运行火花故障隐患，使发电系统运行更加安全可靠；

4.满足船舶工况条件下不论主机转速或负载如何变化，其发电系统稳压恒频，确保供电质量符合船舶规范要求；

5.船舶运行遇到紧急停车时，轴带发电系统与柴油发电机组间安全切换、并网运行或自动应急处理；

6.有效降低变频装置容量，方便调节发电机有功和无功功率。

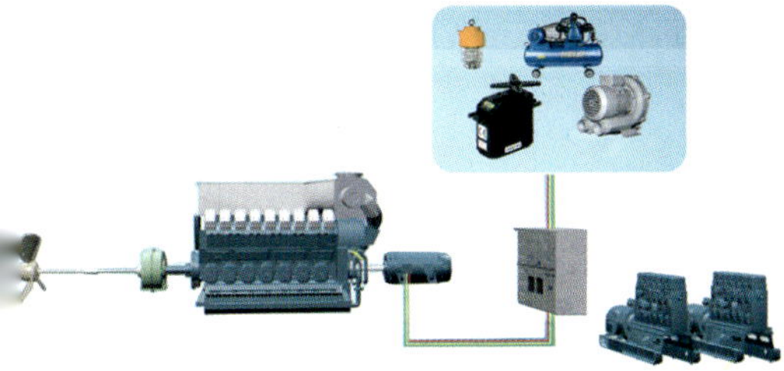

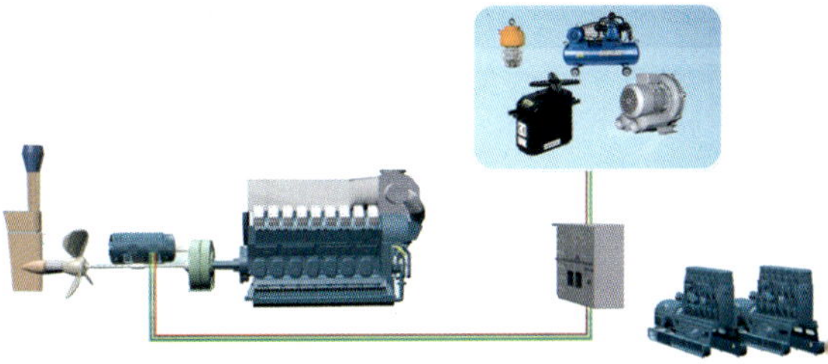

新的轴带无刷双馈交流发电系统以配备中速或高速主推进发动机的船舶为目标对象，其联接方式有两种。

轴带发电机与主推进发动机自由端直联，此时主推发动机的转速与轴带发电机的转速同步。

↘ 轴带发电机与主推进发动机通过输出端轴系的推进系统齿轮箱（PTO）联接，根据主推进发动机和轴的速度，以最适宜的方式提供动力。也使针对低速主推进发动机的船舶应用轴带发电系统成为可能。

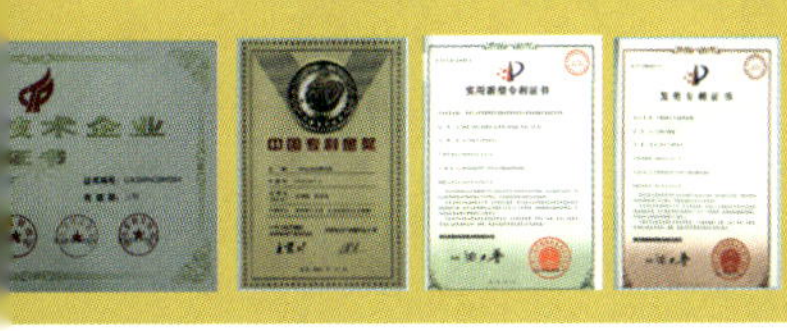

中国长江航运集团电机厂
CHINA CHANGJIANG NATIONAL SHIPPING GROUP MOTOR FACTORY

地　址：中国湖北省武汉市藏龙岛科技园九凤街5号　邮编：430205
电　话：027-81977303　81977348
传　真：027-81977303　81977348
邮　箱：shudixian@163.com　yxchdj@163.com

第3章 电气系统、发电和配电

冈特·阿克曼(Günter Ackermann),沃尔夫冈·普拉尼茨(Wolfgang Planitz)

译:许继衡 王增国 尤学刚

校:孙玉祥 陈传明 刘祯祺 王 婧

3.1　基本定律、交变电流、三相交流电

3.1.1　电工技术的度量单位(约定)

电工学量	符号	单　位
电流	I	A (安培)
电流密度	δ	A/m^2(安培/米^2), A/mm^2(安培/毫米^2)
电量	Q	As(安培・秒), C(库伦), Ah(安培・小时)
电压	U	V(伏特)
功率	P	W(瓦特)
无功功率	Q	var(乏)
视在功率	S	VA(伏安)
电容	C	F (法)
电感	L	H (亨利)
电阻	R	Ω (欧姆)
电导	G	S (西门子)
电阻率	ρ	Ωm(欧姆・米), $\frac{\Omega mm^2}{m}\left(\frac{欧姆・毫米^2}{米}\right)$
电导率	κ	S/m (西门子/米), $\frac{Sm}{mm^2}\left(\frac{西门子・米}{毫米^2}\right)$
电场强度	E	V/m(伏/米)
磁通量	Φ, Ψ	Vs(伏特・秒)
磁通密度 (替代磁感应强度)	B	$\frac{Vs}{m^2}$T (特斯拉) (替代 G,高斯)
磁场强度	H	A/m(安培/米)

（续表）

电工学量	符号	单　位
频率	F	1/s, Hz（赫兹）
圆频率	ω	1/s
阻抗	$\underline{Z}$	Ω
电抗	X	Ω
视在电阻	Z	Ω

换算系数

对于传动装置，其功率也以 HP（马力，英制功率单位）或 PS（马力，公制功率单位）为单位表示。

$$1\ \text{PS(公制马力)} = 736\ \text{W(瓦特)}$$

$$1\ \text{HP(英制马力)} = 745.7\ \text{W(瓦特)}$$

约定

- 复数电工量加下画线；
- 复数的单位为 j（$j^2 = -1$）；
- 随时间变化的量以小写字母表示，而对时间恒定的量则以大写字母表示。

3.1.2 电阻

电流即电荷的输运。在目前常见的电流模型中存在以＋号和－号任意表示的两种不同电荷。正电荷是质子的一个属性。电子带负电。质子与中子一起构成物质的原子核。在固体材料中，原子都固定分布在譬如一种晶格结构中。与此相比，原子的外层电子却能相对地自由活动。因此，固体中电流的传导总是基于其电子的运动。在液体中，若几个电子从一些分子游离出来，于是留下一个带正电的残余分子（离子），而本身聚集到另一些分子上，从而形成带负电的粒子。在液体中不存在自由活动的电子，故电流传导通过正负离子方向相反的运动来实现。在气体中，既无自由活动的电子也无离子，因此不可能有电流流动。（例外，在极高电场强度下使分子分裂，所生成的离子将使电流能够流动。)

这就是说,所有这些情况中,电流的流动总是与基本粒子的运动相联系的。由于运动期间粒子的相互碰撞,能量将转化为热量。因此,要维持电流的流动就必须持续不断地提供能量。

电荷 q 从"1"传输至"2"所需消耗的能量 W 与电荷 q 之比,称为电压 U,

$$U=\frac{W}{q} \tag{3.1.1}$$

而电流则表示为

$$I=\frac{q}{t} \tag{3.1.2}$$

此时必须确定,该电流涉及怎样的截面(见图 3.1.1)。

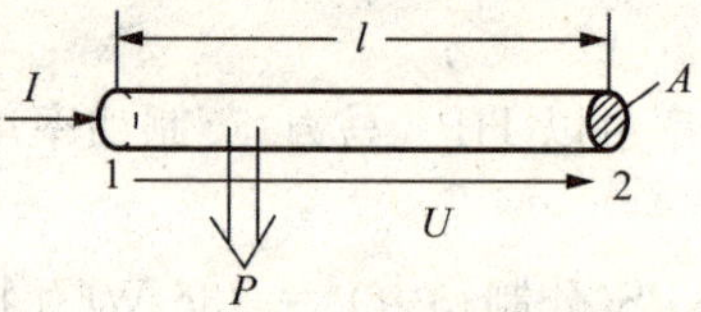

图 3.1.1　流经一段直导体的电流

对于大多数材料而言,可移动载流子的数量与电流的传导无关。因此载流子的运动速度与电流 I 成正比。在大多数材料中,输运电荷所需要的能量同样正比于运动速度。由此提出了欧姆定律:

$$U \sim I \text{ 或 } U=R\cdot I \tag{3.1.3}$$

称系数 R 为电阻,其倒数 $G=1/R$ 则为电导(见图 3.1.2)。

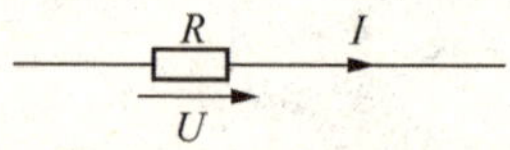

图 3.1.2　带有表示电流 I 和电压 U 的方向指示箭头的电阻 R 符号

对于长度为 l 和截面积为 A 的细长导线,可得电阻的表达式为

$$R=\rho\cdot\frac{l}{A} \tag{3.1.4}$$

式中,ρ 为电阻率,与材料和温度有关;电阻率的倒数为电导率 $\kappa=1/\rho$。

所有金属均为良导体(见表 3.1.1)。工程上所有用做绝缘材料的塑料、陶瓷还有玻璃及橡胶,它们的电流传导性能如此弱,以致经绝缘体本身传导的电流实际上还不及通过其表面污垢传导的电流来得大。

表 3.1.1 20℃温度时不同材料的电阻率 ρ 及电导率 κ

	ρ_{20} $\Omega\cdot mm^2/m$	κ_{20} $S\cdot m/mm^2$
银	0.016	62.5
铜	0.01786	56.0
铝	0.02857	35.0
钢	0.1～0.15	7～10
锌	0.11	9
青铜	0.018～0.056	18～55
黄铜	0.07～0.09	11～14
海水 约	0.2×10^6	5×10^{-6}
淡水	$(10\sim100)\times10^6$	$(10\sim100)\times10^{-9}$

含水液体传导电流的性能中等，纯水例外。与此相反，有机液体试剂如汽油、乙醇及各种溶剂是很差的导体。金属在常温下，其电阻率随温度升高而增大，

$$\rho=\rho_{20}(1+\alpha(\vartheta-20℃)) \tag{3.1.5}$$

式中，ρ_{20} 为 20℃ 温度下的电阻率；ϑ 为温度，以 ℃表示；α 为对于 20 ℃ 温度下铜的温度系数 $\alpha=0.00392\ 1/K$。

因此，必须针对运行发热状态测定电缆和机器中的损耗。一些材料，在极低的温度下将达到超导状态，在该状态下电阻率将降至微不足道的小。最初只发现了一些极限温度(超导转变温度)在 10 K 附近的材料，因而必须采用液氦进行制冷，相当昂贵。1986 年发现了高温超导体，这些材料在氮的液化温度(在 1 bar 压力下为 77 K)以上就丧失了其电阻率。这样一来，就有可能把超导体经济地应用在电力工程中。

对于功率，由式 (3.1.1)及式(3.1.2)可得

$$P=\frac{W}{t}=U\cdot I=I^2\cdot R=\frac{U^2}{R} \tag{3.1.6}$$

该功率必须由一个电流源或电压源提供。

从式 (3.1.3) 和式 (3.1.4) 可直接得到串联和并联电阻的定律(见图

3.1.3)。

$$R_R=R_1+R_2+\cdots+R_n;\frac{1}{R_p}=\frac{1}{R_1}+\frac{1}{R_2}+\cdots+\frac{1}{R_n} \quad (3.1.7)$$

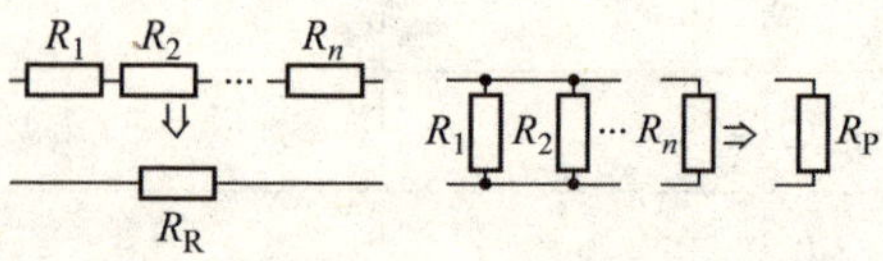

图 3.1.3　电阻的串联和并联连接

3.1.3　电场、电容器

按照经典物理理论，带电物体之间力的作用是通过电场传递的。图 3.1.4 表示两个带电导体平面之间的电场强度

$$E=\frac{U}{d} \quad (3.1.8)$$

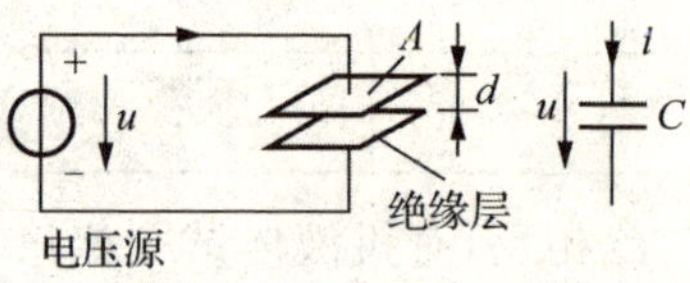

图 3.1.4　电容和电容器

由于两导体板与电压源相连接，它们将携带正值或负值的电量 Q。该电量的大小取决于装置的几何尺寸、两导体板间的材料及电压。几何尺寸及材料特性都归纳在电容量 C 中，

$$Q=C\cdot U \quad (3.1.9)$$

材料特性用介电常数 ε 来描述。通常，介电常数以绝对介电常数 $\varepsilon_0=8.854\times10^{-12}$ F/m 与 相对介电系数 ε_r 的乘积表示。对于常见的绝缘材料，ε_r 的值处在 2～6范围内(PVC：3)。

就图 3.1.4 中的简单装置而言，该电容

$$C=\varepsilon_0\cdot\varepsilon_r\cdot\frac{A}{d} \quad (3.1.10)$$

对于随时间变化的量，从式 (3.1.2) 可得(见图 3.1.5)

$$q(t)=\int i(t)\mathrm{d}t$$

再结合式 (3.1.9)，即得到适用于电容器的两条重要定律，可写成

$$u=\frac{1}{C}\int i\mathrm{d}t \quad i=C\cdot\frac{\mathrm{d}u}{\mathrm{d}t} \quad (3.1.11)$$

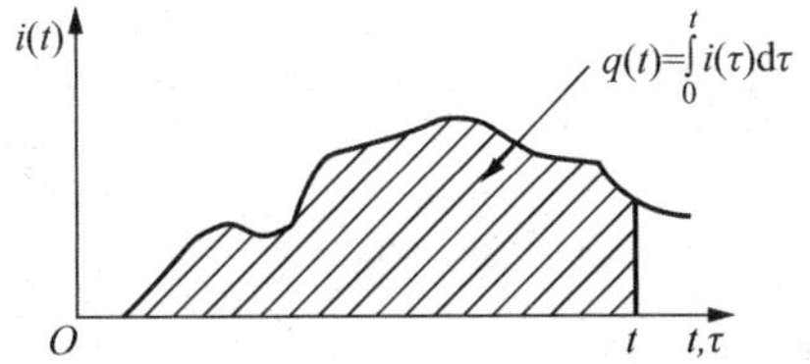

图 3.1.5 电流 i 和电量 q 之间的关系

依据式 (3.1.6)，电流 i 所输送的电量与电压 u 一起表示从电源流入电容的功率。如此传输的能量储存在电容上，由此可导出

$$W=\int p\mathrm{d}t=\int u\cdot i\mathrm{d}t=\frac{1}{2}CU^2=\frac{1}{2}\frac{Q^2}{C} \tag{3.1.12}$$

在电力工程中，从两个角度来看电容是很重要的：其一，按照图 3.1.4 所示的电容器来建立电容，该电容器中两个导体板由薄膜带构成，然后卷绕成紧凑的整体。所储存的能量与蓄电池相比极小，但正因如此能量能在极短时间内储存并重新释放，这使电容器能在短时间内就提供很大的功率。另一方面，各个互不相连的导体都会建立起电容。这一点是由自然法则决定的且不可避免的。作为例子，图 3.1.6 表明一组三相交流电缆与电缆托架间的电场。在相线之间，当然也包括相线与电缆托架之间都存在电容。即使电缆上未接用电设备，由于式 (3.1.11)的关系，随着任何电压变化都会有电流流过，尽管导体与导体、导体与电缆托架之间是绝缘的。在大型船舶供电网中，这些电容能够引起几安培的电流。

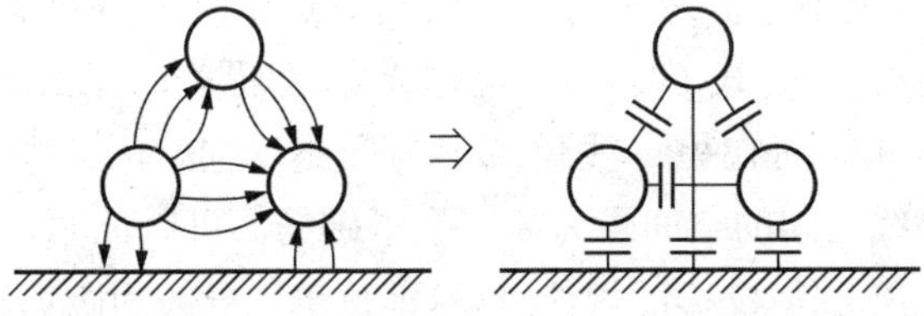

图 3.1.6 相线与三相交流电缆的电缆托架之间的寄生电容

3.1.4　磁场、电磁感应、电感

磁场和力的作用

依几何上的布置而定，载流导体或相互吸引或相互排斥，或者相互作用而产生旋转力矩。这一效应能够采用磁场的图解模型给予解释。磁力线为一些围绕通电导线或导线束的闭合线。磁场强度 **H** 由安培回路定律确定：

$$\sum I = \oint \vec{H} \cdot \vec{ds} \tag{3.1.13}$$

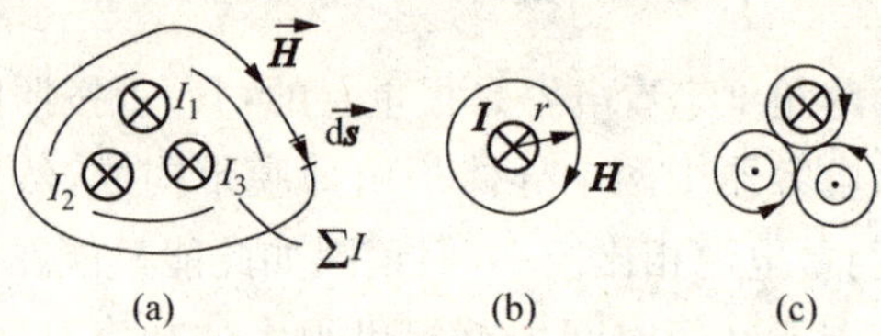

图 3.1.7　对安培回路定律的说明

对于单一通电导线这一重要的特例可得

$$I = \oint \vec{H} \cdot \vec{ds} = H \cdot 2\pi r \tag{3.1.14}$$

这样磁场强度就取决于电流之和。人们已确定，磁场对于电流呈右旋分布（螺旋法则）。

图 3.1.7(c)表示一条普通三相交流电缆的磁场。磁力线的密度与磁场强度相对应。3 条电缆中电流之和为零，因此依据式 (3.1.13) 较远处磁场也为零。离电缆较近处，尽管式 (3.1.13)同样成立，但沿着计算积分回路，磁场在某些位置上与回路同向而在另一些位置上与回路反向。因此积分之和抵消了。可见只是由于导线之间的空间距离才产生了磁场。可以证明，如此形成的磁场将随离电缆的距离 r 按 $1/r^2$ 的规律衰减，即比单一导线的磁场衰减快得多。

磁场的作用总是与磁通密度有关：

$$B=\mu \cdot H \tag{3.1.15}$$

式中，μ 是一个由物质决定的常数，称为磁导率，$\mu=\mu_0 \cdot \mu_r$，$\mu_0=0.4\pi \cdot 10^{-6}\dfrac{V_s}{A_m}$ 为真空磁导率，μ_r 为相对磁导率。对于大部分物质 $\mu_r \approx 1$。仅对铁磁物质（工程上主要指铁和钢以及特殊合金），其 μ_r的值取 $10^3 \sim 10^5$ 范围。重要的是，磁特性是由晶体结构决定的。因此一种非磁性($\mu_r \approx 1$)钢受热后有可能成为强磁性($\mu_r >> 1$)钢。

磁场在载流导线上施加力,这中间仅仅是那些取向与导线垂直的磁场分量才有效。这个力垂直作用于由 B 和 I 所确定的平面(见图 3.1.8):

$$F=I\cdot B\cdot l\cdot \sin\alpha \tag{3.1.16}$$

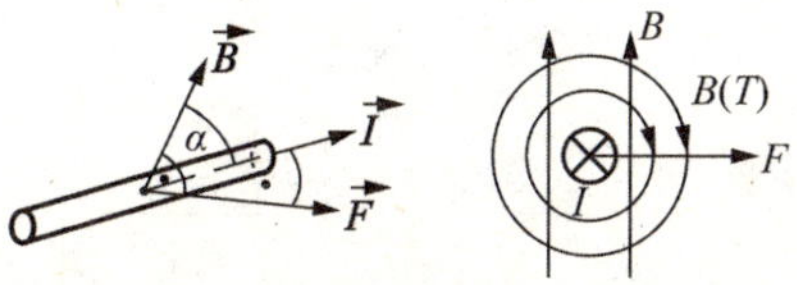

图 3.1.8 磁场 B 在一个有电流 I 流过的导体上的作用力 F

该力总是作用在导致磁场分布更趋均匀的方向上,即较强的磁场把导线向较弱的磁场方向“挤压”。

电磁感应

与电流产生磁场相反,磁场也能感应出电压。量值

$$\Phi=\int \vec{\boldsymbol{B}}\cdot \mathrm{d}\vec{\boldsymbol{A}} \tag{3.1.17}$$

或通常简化为 $\Phi=B\cdot A$ 称为磁通量。按照磁力线模型,Φ 对应于通过某一面积的磁力线数。导线环路中磁通量的变化即感应出电压(电磁感应定律)(见图 3.1.9)。

$$u_i=\frac{\mathrm{d}\Phi}{\mathrm{d}t} \tag{3.1.18}$$

在一个由被相同磁通量 Φ 穿过的 n 绕匝组成的线圈中,电压进行串接,有

$$u_i=n\cdot\frac{\mathrm{d}\Phi}{\mathrm{d}t} \tag{3.1.19}$$

要是电流流过该线圈,该电流便产生磁场,从而建立一个磁通,磁通的变化速率进而感应出电压。这就称为自感应(见图 3.1.10)。由式(3.1.13)、(3.1.15)及(3.1.17)可见,Φ 正比于 i ,于是式 (3.1.19)也能写成

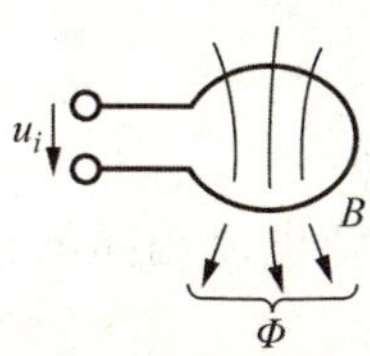

图 3.1.9 对电磁感应定律的说明

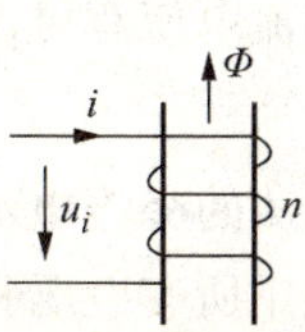

图 3.1.10 自感应的原理

$$u_i = L \cdot \frac{\mathrm{d}i}{\mathrm{d}t} \tag{3.1.20}$$

其中，自感 L 综合了几何尺寸、材料特性及绕组匝数等所有参数（见图3.1.11）。

对于两个线圈的互感应（见图 3.1.12），相应可定义互感 M，此处值得注意的是互感从两个方向看相同

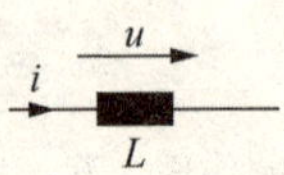

图 3.1.11 自感的符号

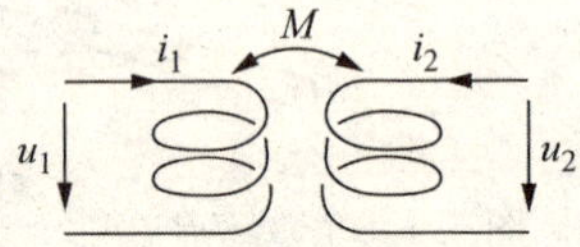

图 3.1.12 两个磁耦合线圈

$$u_1 = M \cdot \frac{\mathrm{d}i_2}{\mathrm{d}t}, u_2 = M \cdot \frac{\mathrm{d}i_1}{\mathrm{d}t} \tag{3.1.21}$$

至此曾假定，几何结构和磁导率均不随时间变化。除了旋转电机以外，这一点通常也成立。否则就必须在电磁感应定律式(3.1.18)中考虑到，磁通量本身也可能因电工量、导线环路的位置或材料磁导率的某种变化而改变。

3.1.5 交变电流

交流电工量、复数表示法、矢量

只有当电流和电压随时间变化，电容器和电感器才能在电力工程上进行技术应用[式(3.1.11) 和 (3.1.18)]。因此交流电很久以前就在电力工程中得到应用(见图 3.1.13)。以下首先假定各电工量是正弦波形的，例如对于电流有

$$i(t) = \hat{I} \cdot \cos(\omega t - \alpha) \tag{3.1.22}$$

式中，$\hat{I}$ 为峰值；$\omega = 2\pi f$ 为圆频率/(1/s)；$f = 1/T$ 为频率；T 为周期时间；α 为零相位夹角。

为了与直流电流有可比性，定义有效值

$$I = \hat{I}/\sqrt{2}$$

一个有效值为 I 的交流电流在纯电阻上产生如直流电流相同的平均功率。因此在电力工程中所有电压和电流都用有效值表示。

该式也可写成下列形式：

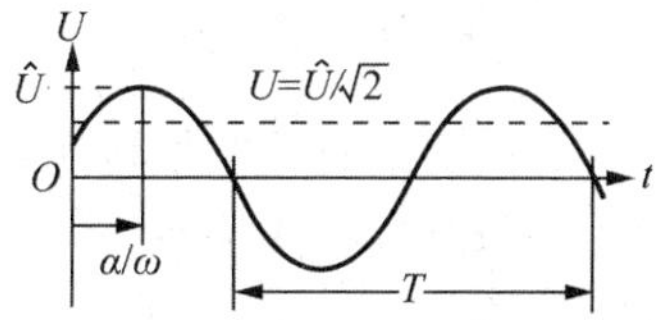

图 3.1.13 交流电压的特征参数

$$i(t)=\hat{I}_c\cdot\cos(\omega t)+\hat{I}_s\cdot\sin(\omega t) \tag{3.1.23}$$

式中：$\hat{I}=\sqrt{\hat{I}_c^2+\hat{I}_s^2}$，$\tan(\alpha)=\hat{I}_s/\hat{I}_c$

在产生圆频率为 ω 的电压的发电机的(线性)电网中，所有的电压和电流同样具有圆频率 ω。电路节点上每一时刻电流之和必须为零。同样，沿任一闭合回路的电压之和也为零。按式 (3.1.23) 的形式，这意味着，所有 cos 项之和及所有 sin 项之和均必须为零。与此极其相似的规则对于复变函数也适用。

$$\underline{c}=a+\mathrm{j}b,\ \mathrm{j}^2=-1 \tag{3.1.24}$$

仅当实部 a 之和及虚部 b 之和均为零，众复数之和才为零。如果将式 (3.1.23) 转换成相应的复数，交流电网的计算将显著地变得简便和直观。

$$I=I_c+\mathrm{j}\cdot I_s\text{，其中 }I_c=\hat{I}_c/\sqrt{2}, I_s=\hat{I}_s/\sqrt{2} \tag{3.1.25}$$

这被称为复数有效值。因为对于所有的电流和电压，圆频率均相同，因此再带着 sin 函数和 cos 函数进行计算是多此一举的(见图 3.1.14)。

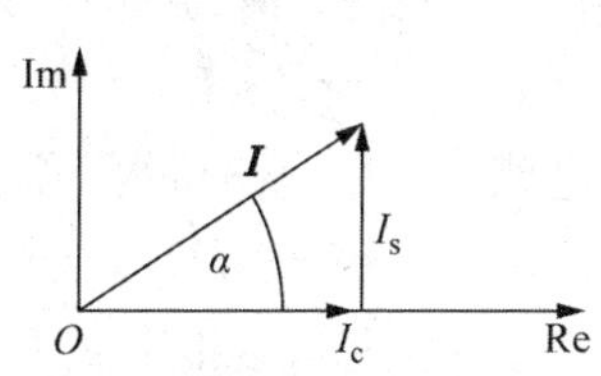

图 3.1.14 复变电流 **I** 在复数平面中的表示

式 (3.1.25) 能直观地表示在直角坐标系统中，在该系统中实部在水平方向标示，而虚部在垂直方向标示(欧拉复数平面)。通过这样的表示方法，根据几何法则重新得到了式 (3.1.23)原本确定的关系。对于复数，欧拉复数表示法更为简洁。

$$\underline{I}=I\cdot e^{\mathrm{j}\varphi}=I\cdot\cos\varphi+\mathrm{j}\cdot I\cdot\sin\varphi \tag{3.1.26}$$

采用这种复数表示方法，能够直观地说明电容和电感上电流和电压之间的关系。将式 (3.1.23) 代入式 (3.1.20)中，

$$U=L\cdot\frac{\mathrm{d}i}{\mathrm{d}t}=-L\cdot\hat{I}_{\mathrm{c}}\cdot\omega\cdot\sin(\omega t)+L\cdot\hat{I}_{\mathrm{s}}\cdot\omega\cdot\cos(\omega t)\quad(3.1.27)$$

并按照式 (3.1.25) 及 (3.1.26)的方式将该结果转换到复数表示方式,于是得到

$$\underline{U}=\mathrm{j}\omega\cdot L\cdot\underline{I}\quad(3.1.28)$$

由式 (3.1.26)可见

$$\mathrm{j}=\mathrm{e}^{\mathrm{j}\cdot\pi/2}$$

于是得

$$\underline{U}=\omega\cdot L\cdot\mathrm{e}^{\mathrm{j}\pi/2}\cdot I\cdot\mathrm{e}^{\mathrm{j}\varphi}=\omega L\cdot I\cdot\mathrm{e}^{\mathrm{j}\left(\varphi+\frac{\pi}{2}\right)}\quad(3.1.29)$$

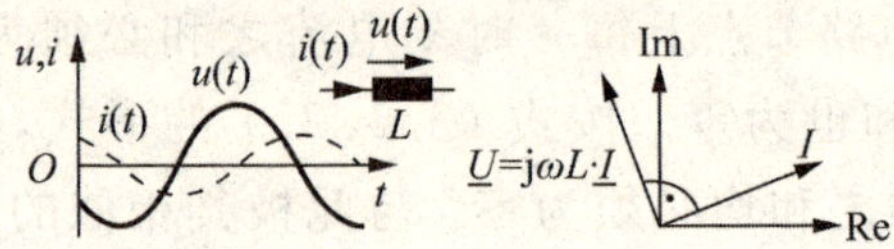

图 3.1.15 电感中的电流和电压

这表明,电感中的电流达到其最大值比电压正好迟 90°(见图 3.1.15)。电压比电流超前 90°。按同样的方式可得出结论,电容上电流比电压超前。

$$\underline{U}=\frac{I}{j\omega C}=\frac{1}{\omega C}\cdot I\cdot\mathrm{e}^{-\mathrm{j}\pi/2}\quad(3.1.30)$$

交流电网中的大部分用器都可以通过电阻、电感和电容的串联和并联来模拟。于是 U 和 I 之间的相移可取任何值,并定义复电阻(阻抗)Z,

$$\underline{U}=\underline{Z}\cdot\underline{I}\quad(3.1.31)$$

例如,对于一个电阻与一个电感的串联电路可得:

$$\underline{Z}=R+\mathrm{j}\omega L\quad(3.1.32)$$

而电流和电压之间(见图 3.1.16)的夹角 φ 由下式求得:

$$\tan\varphi=\frac{U_{\mathrm{L}}}{U_{\mathrm{R}}}=\frac{\omega L}{R}$$

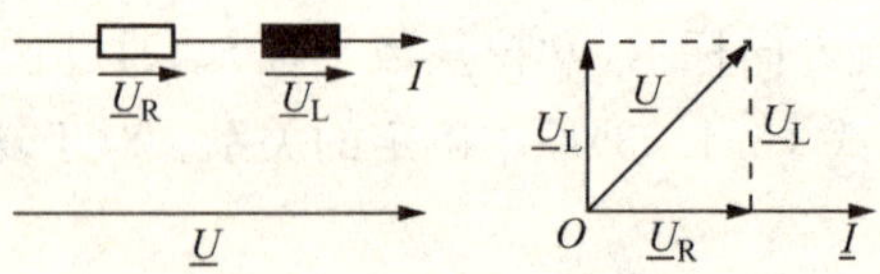

图 3.1.16 一个 R 和 L 串联电路上的电流和电压

为了减少复电阻的总数,对电感和电容经常使用电抗

$$X_L=\omega L,X_C=\frac{1}{\omega C} \tag{3.1.33}$$

视在功率、有功功率、无功功率

任意时刻送到用电器的电功率

$$p(t)=u(t)\cdot i(t)$$

其中

$$u(t)=U\cdot\sqrt{2}\cdot\cos(\omega t),i(t)=I\cdot\sqrt{2}\cdot\cos(\omega t-\varphi)$$

从而得到

$$p(t)=U\cdot I\cdot(\cos\varphi+\cos(2\omega t-\varphi)) \tag{3.1.34}$$

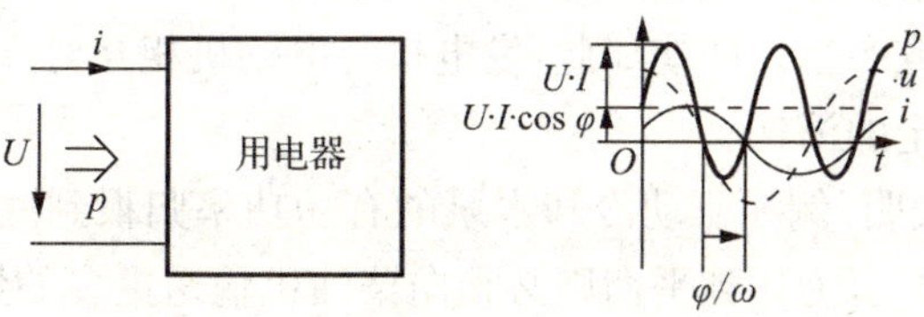

图 3.1.17 在用电器上所消耗功率随时间的变化过程

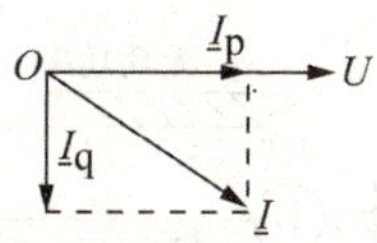

图 3.1.18 电流 I 表示为有功电流 I_p 与无功电流 I_q 的矢量和

对于工程应用，大多数情况下平均值最重要。该平均值称为有功功率。例如，对于图 3.1.17 中的用电器，可以表示成如同图 3.1.18 那样的矢量图。经与式 (3.1.34)比较可以看出，在给定电压下只有电流分量 (有功电流)

$$I_p=I\cdot\cos\varphi$$

对平均功率有贡献。与此相反，电流分量 $I_q=I\cdot\sin\varphi$ 仅引起功率的波动。由图 3.1.15 可见，对应 $\cos\varphi<1$ 的情况，用电器在某些时刻向电网回馈它先前吸收的能量。该能量是间隔时间中线圈在磁场或电容在电场中吸收存储的。因此总共定义以下几类功率：

$P=U\cdot I\cdot\cos\varphi$ 有功功率/W

$S=U\cdot I$ 视在功率/VA

$Q=U\cdot I\cdot\sin\varphi$ 无功功率/var

$$Q=\sqrt{S^2-P^2} \tag{3.1.35}$$

（说明：对于三相交流电应分别补充因子$\sqrt{3}$，参见第3.1.6节）。

在一个空间上有所扩展的供电电网中，所有发电机和用电器处的电压几乎相同。任何时刻流至发电机和用电器的电流之和都必须为零，或换一种说法，发电机必须在任何时刻都发送正好是用电器所吸收的那么多电流。根据导出式（3.1.25）的同样考虑于是得出结论，所有有功电流之和必须为零，所有无功电流之和也必须为零。发电机必须在任何时刻都发送正好是用电器器所消耗的那么多有功功率，发电机在任何时刻也都必须发送正好是用电器所消耗的那么多无功功率。因为许多用电器（例如电动机）都具有电感，故把电感称为无功功率用电器而把电容器或经相应调整的发电机称为无功功率发生器，尽管实际上谈不上是消耗或产生。即使如此，发电机与电动机相互对立地参与功率的波动还是会引起一定的消耗。

图3.1.19表明，例如驱动冷却水泵的有功功率归根到底来自燃料箱。例如，若泵的功率增大，为达到平衡则必须向柴油机输送更多的燃料。要不然，柴油机就不得不以较低转速运转。与此不同，无功功率仅存在于发电机和电动机之间，发电机必须按需要进行调整。

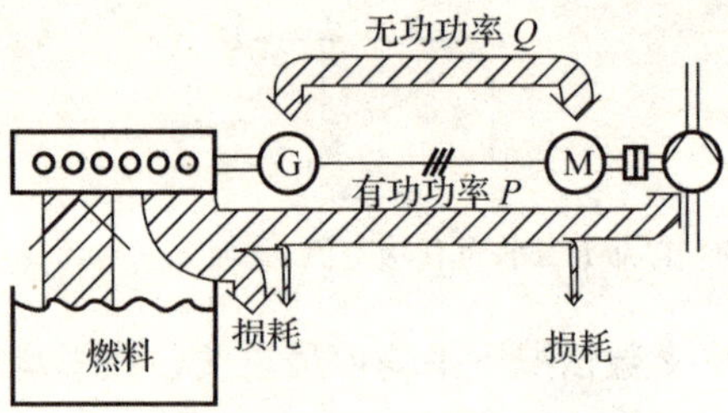

图3.1.19　有效功率和无功功率的源和汇

3.1.6　三相交流电

电压和电流

当3个交流电压源用公共导线N连接（见图3.1.20）即构成三相电压系统。3个电压应具有相同的幅度和相同的频率，并且相互之间在时间上分别相移120°（见图3.1.21）。

对于满足$\underline{Z}_1=\underline{Z}_2=\underline{Z}_3$的对称用电器，电流$\underline{I}_1$、$\underline{I}_2$及$\underline{I}_3$在幅度上也相等，并

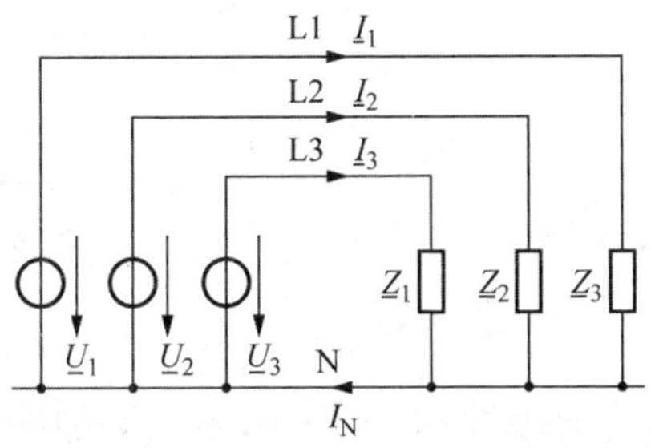

图 3.1.20　具有 3 根外相线 L1、L2、L3 及中线 N 的三相交流系统(一般)

且相互间各相移 120°。图 3.1.22 表明，

$$I_N = \underline{I}_1 + \underline{I}_2 + \underline{I}_3 = 0 \tag{3.1.36}$$

上式成立。公共回线上无电流流过，因此可省略。

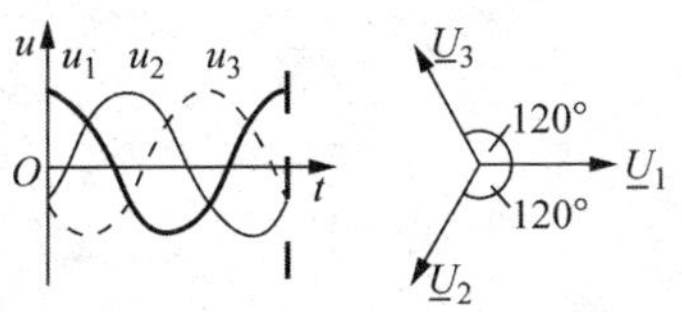

图 3.1.21　三相电压之间相位差

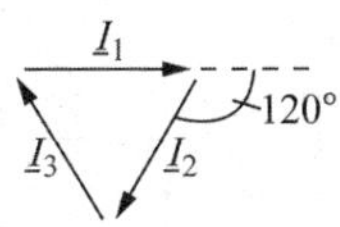

图 3.1.22　对称电网中电流相加为零

总功率为 3 个单相功率之和，

$$p(t) = u_1 \cdot i_1 + u_2 \cdot i_2 + u_3 \cdot i_3 \tag{3.1.37}$$

由式 (3.1.34) 可求得，含 $2\omega t$ 的项恰好抵消。这样功率将不随时间变化。

$$P = 3 \cdot U_y \cdot I \cdot \cos\varphi \tag{3.1.38}$$

式中，$U_y = U_1 = U_2 = U_3$ 及 $I = I_1 = I_2 = I_3$。

这并不表示，三相交流系统中不存在无功功率。能量就像电压源 U_1 和用电器支路 Z_1 之间、U_2 和 Z_2 之间及 U_3 和 Z_3 之间的交变电流那样上下波动。与此相应，相线 L1、L2 及 L3 将既承载有功电流也承载无功电流。

如果 N 中线不存在，即三相交流发电机只有 3 根连线，于是就无法测量电压 U_1、U_2 和 U_3。因此只能测量相线之间的电压(见图 3.1.23)，例如

$$\underline{U}_{12} = \underline{U}_1 - \underline{U}_2$$

从几何学求得幅度为

$$U_\triangle = U_{12} = U_{23} = U_{31} = \sqrt{3} \cdot U_Y \tag{3.1.39}$$

在三相电压系统中，该线电压称为电压并用 U 不带下标表示。因此，根据

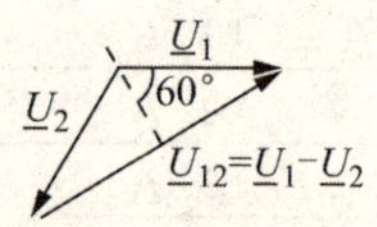

图 3.1.23 线电压 U_{12} 与相电压 U_1 和 U_2 之间的关系

式 (3.1.35) 并利用式 (3.1.38)，即得到功率

$$\begin{aligned} &P=\sqrt{3}\cdot U\cdot I\cdot\cos\varphi \quad \text{有功功率}\\ &S=\sqrt{3}\cdot U\cdot I \quad \text{视在功率}\\ &Q=\sqrt{3}\cdot U\cdot I\cdot\sin\varphi \quad \text{无功功率}\\ &Q=\sqrt{S^2-P^2} \end{aligned} \tag{3.1.40}$$

星形连接法	三角形连接法
$I_s=\dfrac{U}{\sqrt{3}\cdot Z}$	$I_s=\dfrac{U}{Z}$
$I=I_s=\dfrac{U}{\sqrt{3}\cdot Z}$	$I=\sqrt{3}\cdot I_s=\sqrt{3}\dfrac{U}{Z}$
$P=\dfrac{U^2}{Z}\cdot\cos\varphi$	$P=3\cdot\dfrac{U^2}{Z}\cdot\cos\varphi$

星形连接法与三角形连接法

因为 N 中线(对于对称电路系统) 可取消，3 个用电器支路可选择按星形连接法或三角形连接法。

在哪种支路的连接法下，用电器输出其额定功率，取决于各自的设计配置。电动机 (异步电动机) 因启动缘故暂时采用星形连接，以便维持低的合闸电流，启动之后因负载缘故再转换成三角形连接，以便获得电机所能提供的全负载功率(见图 3.1.24)。

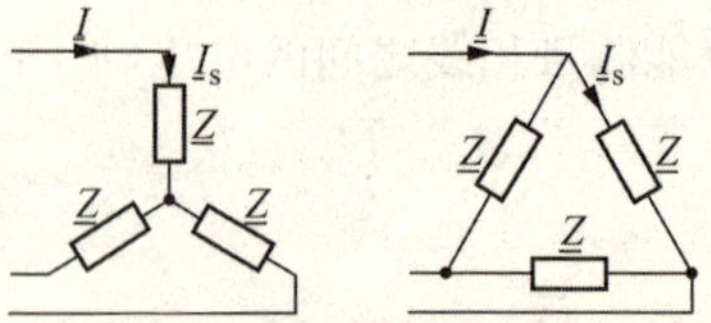

图 3.1.24 用电器的星形连接法和三角形连接法

对于一个带 3 个接头的用电器，无法通过测量获知它的各支路是按星形还是三角形方式连接的。只是在三角形连接方案中，人们似乎必须在用电器中配置星形连接方案中阻抗 Z 的 3 倍。因此实用的方法是，在考虑用于发电机和用电器的电气设备时，假定采用星形连接方式。由于电路的对称性，全部计算只要对一条相线进行(带 L 和 N 的单相等效电路图)即可。而该计算结果对于其他两条相线也适用，只要考虑到各自在时间上相移 120°。

当然也可以把所有用电器转换成三角形连接。但这并不是通常做法，而且生产厂家提供的设备阻抗值也总是以星形连接为准。

名称一览

相电压：　从外相线到实际的或假想的星形接点的电压。线电压的 $1/\sqrt{3}$倍。

线电压：　两条外相线之间的电压(一个供电系统的额定值以该电压为准，例如，“400 V”三相交流电)；相电压的$\sqrt{3}$倍；也称链接电压。

线电流：　一条外相线中的电流。

外相线：　相线 L1、L2、L3。

中线：　公共回流导线 N(由于对称系统中该电流始终为 0，故在通常的三线制系统中取消)。

支路：　用电器或诸如此类设备的电阻、绕组。3 个支路可连接在外线之间(三角形连接法)或从外线连接至公共点(星形连接法)。

星形连接法：　参阅“支路”。

三角形连接法：　参阅“支路”。

相序：　三个电压达到其电压峰值的顺序。
符合标准的顺序：L1、L2、L3。

3.1.7 船舶电网的额定电压和电压品质

在船舶上的三相交流电网中采用以下电压和频率：

440 V/60 Hz：　常用的国际标准。

400 V/50 Hz：　当与欧洲电网的良好兼容性有利时采用。

3.3 kV、6.6 kV、11 kV：　功率需求 >5 MW 的船舶。

通过发电机组上的调节器，将船舶电网的电压及频率控制在接近稳定值。允许误差的参考值，对于电压为 ±2.5%，对于频率为 ±5%，确切数值在相应的规定中说明。也允许两个量在短时间内偏离额定值稍大。

电网电压必须具有正弦变化波形。反映对理想正弦波形的偏离程度最关键的两个参数是畸变因素 k 和总谐波失真（total harmonic distortion）THD。

$$k=\sqrt{\frac{U_2^2+U_3^2+\cdots+U_n^2}{U_1^2+U_2^2+\cdots+U_n^2}},THD=\sqrt{\frac{U_2^2+U_3^2+\cdots+U_n^2}{U_1^2}} \tag{3.1.41}$$

从这样的事实出发，即电网电压为周期性的，因而能用傅里叶级数

$$u(t)=U_1\cdot\cos(\omega t-\varphi_1)+U_2\cdot\cos(2\omega t-\varphi_2)+\cdots+U_n\cos(n\omega t-\varphi_n) \tag{3.1.42}$$

表示。在电力工程的应用中总是满足条件 $U_1>>U_2\sim U_n$，因此，$k\approx THD$ 在很高的精度上成立，逐将这两个概念同义使用。应用该数值很重要的一点是，必须说明计算该数值时所采纳的最高谐波阶次 n。这中间数值差异大很正常。只有当 k 或 THD 的数值系相对于同样的最高阶次计算得到时，它们才能相互比较。

在某些变频器会发生这样的情形，即电压中还含有这样的高次谐波，其频率不是电网频率的整数倍。通常的做法是根据式 (3.1.41)，同样将数值

$$k=\frac{\sqrt{U_{\mathrm{eff},n}^2-U_{\mathrm{eff},1}^2}}{U_{\mathrm{eff},n}} \tag{3.1.43}$$

称为畸变因素，其中 $U_{\mathrm{eff},n}$ 表示直至 n 倍电网频率的所有频率的电压的有效值。从理论上看式 (3.1.43) 是不精确的，但究竟存在整数阶或非整数阶高次谐波，其实际差异是微不足道的，而且式 (3.1.41) 及式 (3.1.43) 以相近的方式着手处理电压变化波形对于正弦波形的偏离。

船舶电网中的高次谐波可能干扰电子用电器，并导致例如电机额外升温。因此对船舶电网，通常规定畸变因素的极限值在 5%～8%范围。

对于电动机（按标准 DIN EN 60034）定义了以电压谐波因素来代替畸变因素

$$HVF=\sqrt{\sum_{n=2}^{13}\frac{U_n^2}{U_n^2\cdot n}}$$

要求它小于 2%，在通常的频谱分布上该值约相当于畸变因素为 5%（见图 3.1.25）。

式 (3.1.42) 中的偶数阶次会导致不同形式的正反半波，因此本式中未出

现。因为无中线的系统中全部电流之和也为 0,故也不出现能被 3 整除的阶次。这样对于三相交流系统就留下 5, 7, 11, 13, …这些阶次。

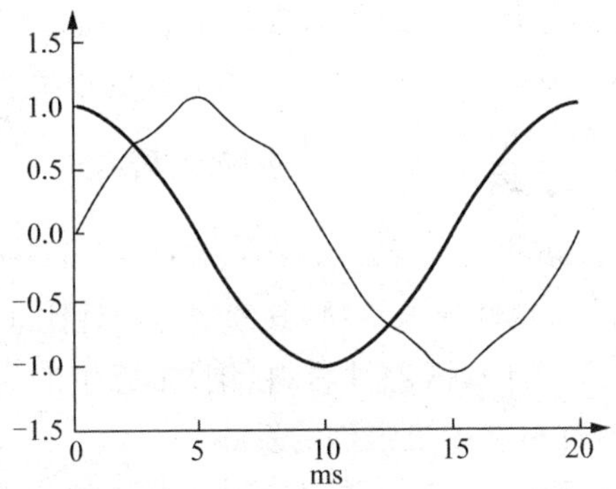

图 3.1.25 含 0% 和 5%畸变因素的电压实例

3.1.8 集肤效应、涡流

电磁感应定律式 (3.1.18)与欧姆定律式 (3.1.3)导致的结果是,在导电材料中无意识和不可避免地感应出电流并发热。这种电流就称为涡流。

图 3.1.26(a)显示,导电表面上方的载流双股导线如何形成与图 3.1.12 类似的耦合。感应电流 I_W 主要分布在接近表面的材料层中流动,下文将介绍这种表面层是由磁场渗透深度确定的。在配电盘上可见到类似的布置,在配电盘舱壁上汇流排和电缆附近能发现明显的发热。

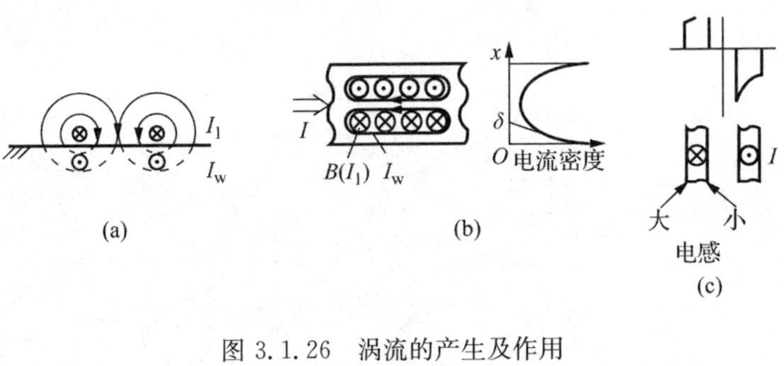

图 3.1.26 涡流的产生及作用

(a) 双股导线产生涡流 I_W 流入导电平面 (b)导体中的涡流导致磁场渗透区域中的集肤效应 (c) 两个通电方向相反的平行汇流排中的电流密度

在粗壮的载流导体如汇流排中,从外部压入的电流[如见图 3.1.26(b)]所示的 I 首先产生磁场(见图 3.1.7),然后该磁场又感应出涡流 I_W,这些涡流将对抗原先压入的电流。

作用的结果，压入电流将被排挤到导线的表面（集肤效应）。对很厚的导体而言，电流密度 σ 随离导体表面的距离按 e 指数衰减。

$\sigma=\sigma_0 \cdot e^{-x/\delta}$　　　x：离表面的距离

$\delta=\dfrac{1}{\sqrt{k \cdot f \cdot \pi \cdot \mu}}$　　　磁场渗透深度

$\delta=8.7\ \mathrm{mm}$　　　20℃和 $f=60\mathrm{Hz}$ 时的铜

对于 $\mu_r >> 1$ 的铁磁性导电材料，其渗透深度远比非铁磁性材料大。在如图 3.1.26(a)所示的装置中，铁磁性材料（钢）中感生的涡流因而向薄层聚集。这就导致了比非铁磁性材料中更强烈的发热。

若导线线径不是明显大于该渗透深度，集肤效应就可以忽略。若将图 3.1.26 中的 I 和 B 互换，相应地由于涡流作用将使磁场向表面挤压。因此，变压器和电动机中的铁芯都用相互绝缘的矽钢片制造。采用常用的 0.35 mm 片厚就能基本避免涡流影响。

如图 3.1.26(c)所示的布置是很常见的。导线中的电流分布也受紧靠着平行敷设的相邻导线的影响。容易看出，靠近回流导线的电流线路比远离的电流线路耦合的磁通较少。因此它们具有较小的电感并且比远端的电流线路传输更大的电流。

3.2 用电设备

3.2.1 防护等级

电气设备在运行时可能受到周围环境作用的影响甚至损坏。反之，危险也有可能源自电机。这其中的一些观点用 IP-Code（国际防护代码）进行分类：

- 设备对水的防护；
- 设备对异物和粉尘的防护；
- 对人员无意触及危险部件的防护；
- 环境对因设备引起爆炸的防护。

IP 国际防护代码（标准 EN 60529，标准 IEC 60529）由一个两位的数字（见表 3.2.1）和一位表示防爆的附加码组成。

尽管大约 IP54 以下的所有防护等级都不必采取特别昂贵的密封措施，但约自 IP34 起的设备则必须适当密封，不能再采取外部送风对内部器件直接冷却的方法。

因此在同等功率条件下，特别是对于大型机器和设备，具有较高防护等级的规格要比防护等级较低的型号庞大和昂贵得多。

表 3.2.1 IP 国际防护代码的含义

数码	第 1 位数码：异物的触及和侵入 防护对象	第 2 位数码：水的渗入 防护对象
0	无	无
1	大型异物（> 50 mm）	垂直坠落的水滴
2	中型异物（> 12 mm）	斜向飘落的水滴（直至 15℃）
3	小型异物（> 2.5 mm）	最高达 60℃ 的向下喷雾水
4	颗粒状异物（> 1 mm）	来自各个方向的喷水（类似淋浴莲蓬头）
5	灰尘沉积（允许灰尘渗透但不得干扰设备工作）	来自各个方向的喷射水

（续表）

数码	第 1 位数码：异物的触及和侵入 防护对象	第 2 位数码：水的渗入 防护对象
6	灰尘进入	浸水
7	—	浸渍
8	—	浸没

表 3.2.2　据参考文献［3.1］介绍对船上设备防护等级的通常最低要求

干燥、封闭的工作舱室	IP00～IP20
操纵室、生活舱室	IP20
舵机舱、无线电室	IP22
潮湿工作室、仓库	IP22
底舱、泵舱、厨房	IP34～IP54
通风阱、货舱、蓄电池室	IP55
露天甲板	IP56～IP67

在防爆方面，按照防护的结构形式来标示。不同标准规定的编码差别甚微。另外，偶尔还通过附加码对编码进行补充，指明该防爆类型适用于哪些易爆混合物。

防爆可按照如表 3.2.3 所示的四原则实施，该表同时还列举了常用的防爆结构方案及所属代码。

表 3.2.3　防爆（标准 IEC 60079）的四原则

防护的类型	代码
自身防护：电路必须适当安装，使得即使在发生故障的情况下火花的能量或局部发热也不足以引爆可能存在的易爆混合物	Ex i
防止易爆混合物渗入点火源区域。具体分为下列规格： • 浇铸封闭外壳 • 油封 • 填充高压惰性气体	 Ex m Ex o Ex p
更可靠地防止火花和起爆温度；这一点可通过特别优良的绝缘和电缆间特别大的间距达到	Ex e

（续表）

防护的类型	代码
限制可能的爆炸范围：适当地密封设备，使得渗入的易爆混合物引爆时，爆炸不向周围环境传递：	
• 耐压封装	Ex d
• 砂封	Ex q

3.2.2 异步电动机

构造、工作原理

泵机和鼓风机总是采用三相交流异步电动机驱动。商船上绝大部分的发电量都用于这样的驱动。异步电动机不需向转子传送电流，因此它的建造特别经济，维护节省并且稳固性好。它的静止部分（定子、定片）用硅钢片制成，装有3个中轴线相移120°的线圈绕组（见图 3.2.1）。这3个绕组与三相交流电网连接。由于绕组在空间上各位移120°以及三相交流电网中的电流和电压各相间时间上位移120°，电机中便形成一个按电网频率旋转的磁场。若将绕组沿着电机的圆周从360°推压至180°，而在空闲的区域中填装另一由3个线圈组成的构件，于是该磁场每一个电网周期就仅旋转180°，这样就将电机转速二等分了。一般把绕组沿圆周的重复次数称为极对数 p。于是，旋转磁场具有转速$n_0=f/p$。因此在60 Hz电网中可实现的转速为3600、1800、1200…(r/min)。往往给出极数 $2p$ 取代极对数。由图 3.2.1 可见，当绕组中的两个线圈与三相交流电网换接，磁场的旋转方向将改变。

电动机的转子同样由硅钢片制成。在极少情况下转子才装有类似定子绕组那样的绕组。连接电缆一直引导到集电环，从而通过对线圈绕组的切换或供电就能从外部影响电机的运行特性（滑环式转子）。

然而绝大多数情况下这是不必要的，因为应将该绕组短接。于是，集电环取消了。在此意义上，这个唯一的一组线圈用一些仅含一匝的线圈来替代，从而由转子的绕组形成一个笼罩（见图 3.2.2）。每个线槽中都有一根铜、黄铜或铝材制成的槽杆，槽杆的各端通过短路环相互连接（鼠笼式转子、短路环转子）。

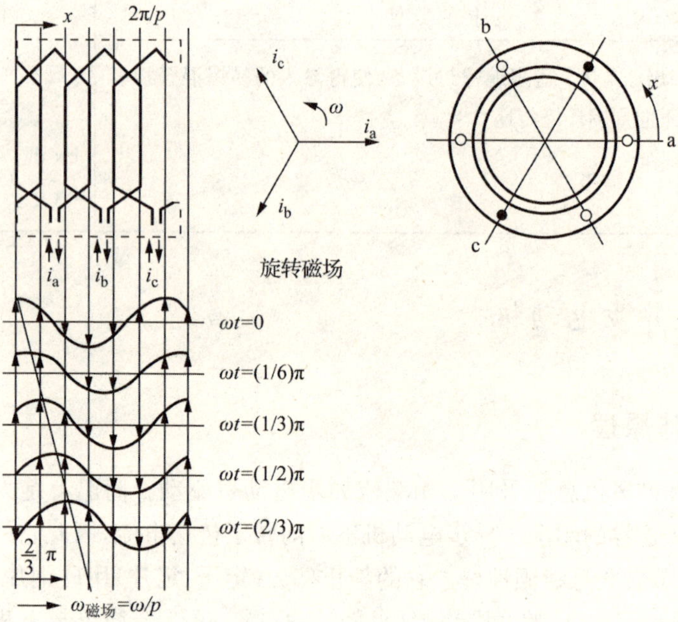

图 3.2.1 与三相交流电网相连接、空间上有位移的 3 个线圈 a、b、c 产生旋转磁场

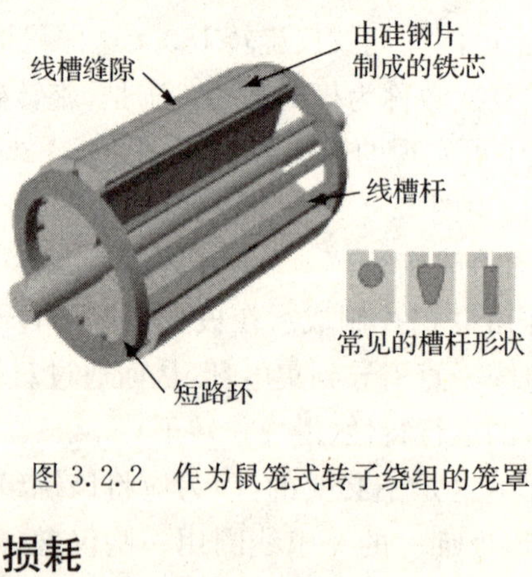

图 3.2.2 作为鼠笼式转子绕组的笼罩

旋转力矩、电流和损耗

按照式 (3.1.16)，旋转力矩是由定子的磁场和转子中的电流产生的。定子的磁场通过电磁感应[式 (3.1.18)]在转子中产生电流。由于电磁感应，转子必定做相对于旋转磁场的旋转，以致从转子的角度看磁场发生改变。因此在同步

转速(空载转速)$n_0=f_N/p$ 的情况下,旋转力矩为零(见图 3.2.3)。转子和旋转磁场之间的相对转速差,称为转差率 s 。

$$s=\frac{n_0-n}{n_0},n_0=f_N/p \tag{3.2.1}$$

根据式 (3.1.18),随着转差率的增大,感应电压从而感生电流及旋转力矩也将增大。转子中的电流具有频率 $f_2=s\cdot f_N$。随着转差率的升高,按照式(3.1.32),转子绕组电感的影响将增强。由此能够解释 $M(n)$转速-转矩曲线的进一步变化(见图 3.2.3)。

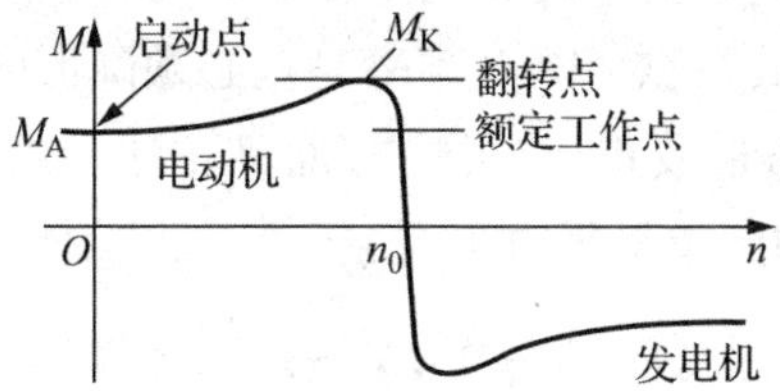

图 3.2.3 三相交流异步电动机的转矩-转速特性曲线

为了使转子中的损耗较小,应努力使转子绕组的电阻尽可能低。然而,较小的绕组电阻也使起动力矩 $M(n=0)$较小。因此对功率在几 kW 以上的电动机常采用电流排挤转子,这种转子中的线槽杆很窄但较高。在较高的频率 $f_2=f_N$下起动时,由于电磁感应电流被挤入气隙中(见图 3.2.4),以致线槽杆只有部分被有效利用,因而似乎具有较高的电阻。在电机的额定工作点有 $f_2<<f_N$,故电流在整个截面上均匀分布,相应较低的电阻起作用。

对于电流及功率的消耗,可合理地采用按照有功电流和无功电流分离的图表形式表示(见图 3.2.5)。一般,异步电动机的起动电流为额定电流的 7 倍,该电流主要是无功电流。因此为了大型异步电动机的起动,在船舶电网中发电机必须能足够快地提供充分的无功功率,而驱动柴油机必须能足够快地提供充分的有功功率。

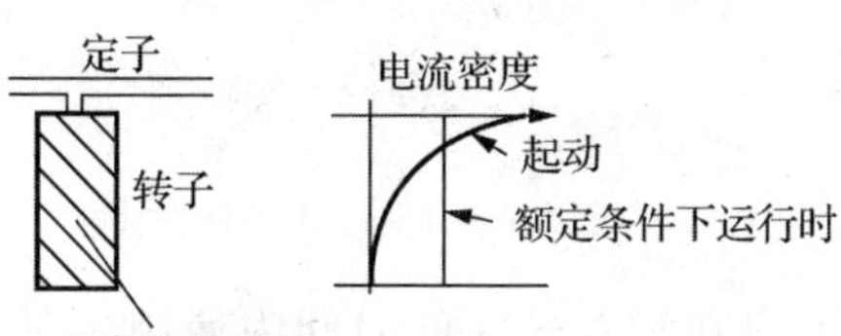

图 3.2.4 电流排挤引起的鼠笼式转子的槽杆有效电阻的变化

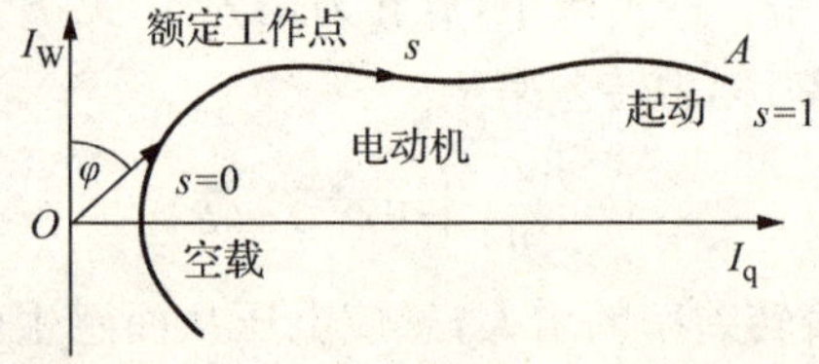

图 3.2.5　带电流排挤式转子的三相交流电动机的电流轨迹曲线

即使电压和频率改变了，转矩-转速特性曲线(见图 3.2.3)仍保持这些特性。由式(3.1.18)可知，电机中的磁通量 $\Phi \sim U/f$。但因为磁通量实际上受到铁的磁饱和特性限制，故在显著降低频率时也必须降低电压。

转矩一方面与磁通量成正比，另一方面又正比于由磁通感生的转子电流。因此对于变化的电压和频率呈平方关系：

$$M_k \sim \left(\frac{U}{f}\right)^2, n_k - n_0 = \text{常数} \tag{3.2.2}$$

鉴于电压的这种平方关系，对于异步电动机总是如此选择额定工作点：使得 $M_k/M_N > 1.6$ (大多取 2)。

异步电动机的效率取决于它的结构尺寸。标准值为：85%(对 4 kW 电机)和 96%(对 200 kW 电机)。

如图 3.2.6 所示，$P_{铜1}$、P_{V2} 及 $P_{铁}$ 在额定工作点约各占电损耗的 1/3。铁损几乎与电机的负荷无关。不过从额定工作点开始它随电压和频率升高而迅速增大。

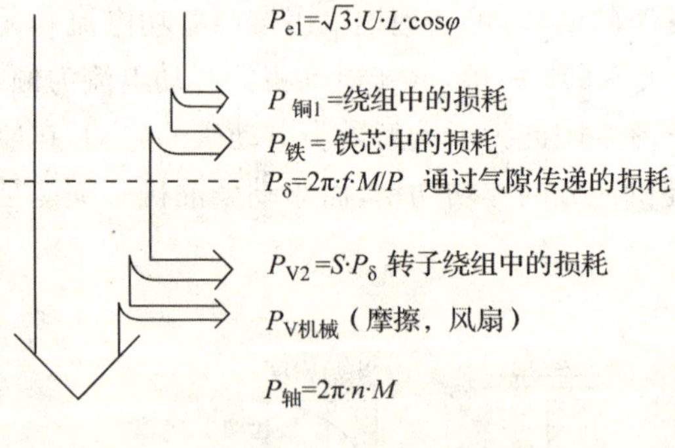

图 3.2.6　异步电动机中的功率流

一些驱动电机每次只在相对较短的时间内使用。在这段时间内可以对驱动电机施加很重的负载，因为随后的间歇时间可用于冷却。因此，电机额定功率的标注上可附加注明运行方式(DIN EN 60034-1)的缩写。常见的运行方式有：

S1：持续运行(标准，若未注明运行方式)。

S2：短时间运行：短时间内对电动机加载，然后实际上再完全冷却。标明工作时间(例如 S2－30 分钟)。

S3：不受起动升温影响的间歇运行。标明相对合闸时间。工作循环持续时间确定到 10 分钟(例如 S3－40 %)。

电动机的起动

大多数船载电动机是不使用特殊设备就直接接入的。对于特别大型的电动机(侧推器、空调压缩机)，起动电流有可能在电网电压中引入过分强烈的干扰。

大多数情况下，起动时将绕组按星形连接，经随后的加速再接成三角形(见图 3.2.7)。起动时每个绕组承受电压 $U/\sqrt{3}$，根据式 (3.2.2)，起动力矩因此要比直接连接时小 3 倍。

从图 3.2.7 中清楚可见，连接切换期间必须确保电磁开关 Y 在△连接之前处于可靠断开状态。连接切换时将出现非常短暂的电流冲击 (≈10 ms)，这一冲击可能比电动机直接连接情况下更强烈。

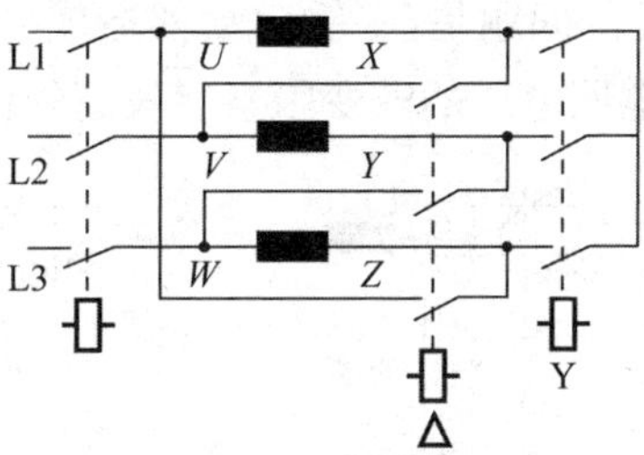

图 3.2.7　星形-三角形起动电路

之所以产生冲击电流的原因在于，定子绕组断开后，转子还能在片刻时间内垂直接收到磁通量。由于转子绕组被短接，故电磁感应定律式 (3.1.18) 左边的电压很小，以至于磁通量只能缓慢地变化。磁通以转子的机械转速旋转，并且有可能在电磁开关 Δ 闭合的瞬间相对于定子绕组的磁场正好方向相反。由于其持续时间很短促，电流脉冲一般不会造成危害。

Y-Δ-起动的主要缺点是起动力矩相对较小。为此，例如为侧推器配备了起动变压器，这种变压器总是按自耦变压器设计的。在这类变压器中，一部分初级绕组被用做次级绕组（见图 3.2.8）。因此，自耦变压器要比类似的双绕组变压器体积小且价廉。变压器变比可按照船舶电网和驱动装置的要求调整。绕组通常有多个抽头，以至在试验期间还能进行微调。

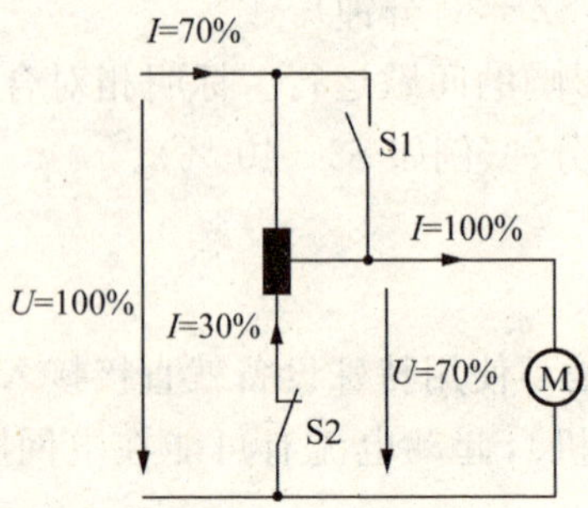

图 3.2.8　通过自耦变压器起动的原理。起动后 S2 打开而 S1 闭合

如今一个替代的办法是采用所谓的平缓启动器。使用这种平缓启动器，可对施加于电动机的电压无级地进行调节（见图 3.2.9）。尽管式（3.2.2）给出的关系依然成立，但与 Y-Δ-电路不同，$\sqrt{3}$的固定的电压比率系数取消了。同时，所有的平缓起动器都支配一个自动控制设备，该设备自动地按照斜坡函数提升电压。因此与直接合闸相比，船舶电网中的发电机要有较长的时间来调整频率和电压的干扰。常见的问题是，平缓起动器造成电流呈显著非正弦。因此起动过程中必须对船舶电网电压的畸变因素有较高的估计。

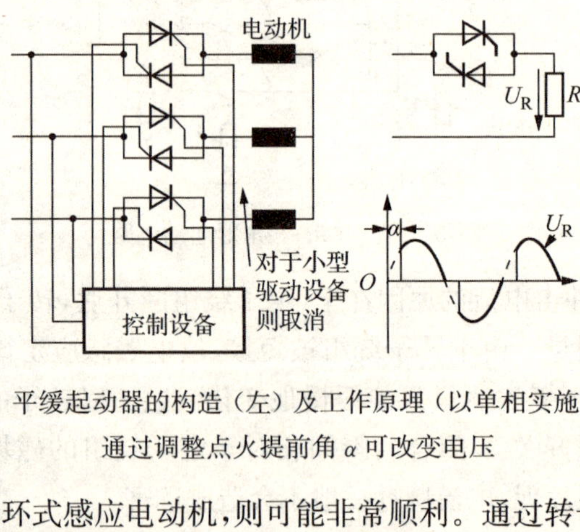

图 3.2.9　平缓起动器的构造（左）及工作原理（以单相实施形式为例）。通过调整点火提前角 α 可改变电压

起动对于滑环式感应电动机，则可能非常顺利。通过转子回路中的附加电阻能够将转速-转矩特性曲线调整到如此简单，以至于可以在额定力矩和额定电流下起动。将电阻逐步切换至越来越小的值，直至 0 Ω 对应于额定工作状态

(见图 3.2.10)。这一变通方案有时用于侧推器。对实际应用必须考虑到,电刷会遭受磨损,而电刷磨耗本身可能作为粉尘沉积。

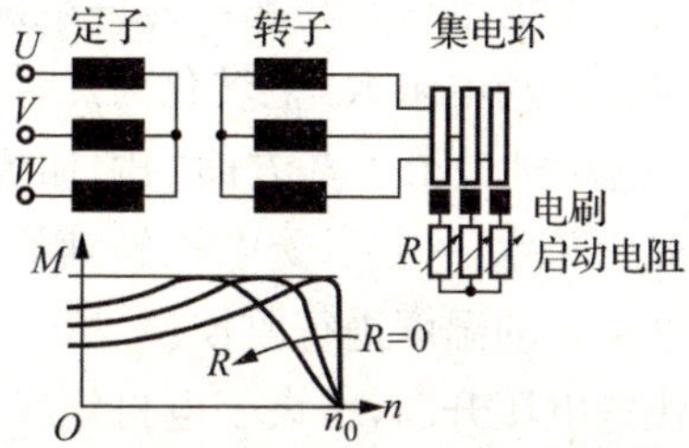

图 3.2.10 滑环式转子电动机的起动及电阻值对转矩-转速特性的影响

转速变化的驱动

由于转差率很小仅达百分之几,异步电动机的转速实际上由极对数 p 和电网频率 f_N确定。人们可以在定子中安装两个分离的、具有不同极对数的绕组。对于极对数比率为 2 的情况,只要采用一个由两个分绕组组成的绕组即可。依局部绕组的连接情况的不同,结果将形成具有不同极对数的绕组[Dahlander(达兰德)-变极连接]。可按照不同的旋转力矩来设计绕组,例如根据风机特性曲线 $M \sim n^2$设计鼓风机的驱动电机。采用电子变频器能对转速进行更为精细的调节。如今在调速方面,无例外地都采用脉冲逆变器(见图 3.2.11)。此时,首先对船舶电网电压进行整流,从而在充电电容器 C 上将提供几乎恒定的电压 U_d。由作为开关的三极管组成的桥式电路利用该直流电压再产生一个三相交流电源系统,该电源系统的旋转方向及转速能通过三极管的开关控制来确定。只要使三极管的接通率按正弦变化,就能使输出电流近似为正弦波形。典型的开关频率处于 5~20 kHz 的范围,故在 60 Hz 频率下每一正弦半波最高由多达 170 个单脉冲组成。施加到电动机上电压是按方波变化的。然而,基于电磁感应定律式 (3.1.27),电流中将只出现由接通率决定的平均值,从而使电流近似为正弦波形。

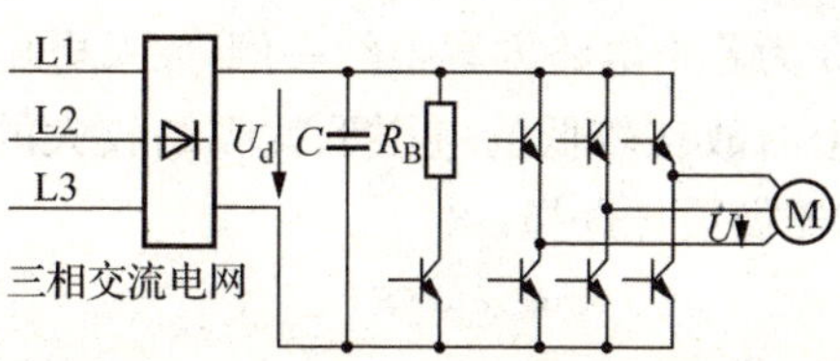

图 3.2.11 带脉冲逆变器的变频器原理图

欲制动驱动电机时，就降低频率，使得满足 $n_0 < n$，此时电动机作为发电机运行(见图 3.2.3)。电功率则输送到充电电容器 C 上。功率不可能经整流器输出至电网。为防止电容器上的电压升高超出允许范围，遂借助于一个受控制的三极管将所输送的能量在制动电阻 R_B 上转化为热量。

因变频器的缘故，对电动机提出了多方面的附加要求：降低的转速使电动机的冷却恶化。因此有时可安装一个不受电机转速影响的风扇(外设通风设备)，或者用传感器检测电机内的温度进行监控。

因脉冲开关引起的快速电压升高，增大了电机绝缘的负荷。必须对电机做相应的设计。对于大型驱动电机，充电电容器(见图 3.2.11)可用多个小电容器取代，这样就有多种不同大小的直流电压可供使用。于是减小了电压突变的幅度(见图 3.2.12)。

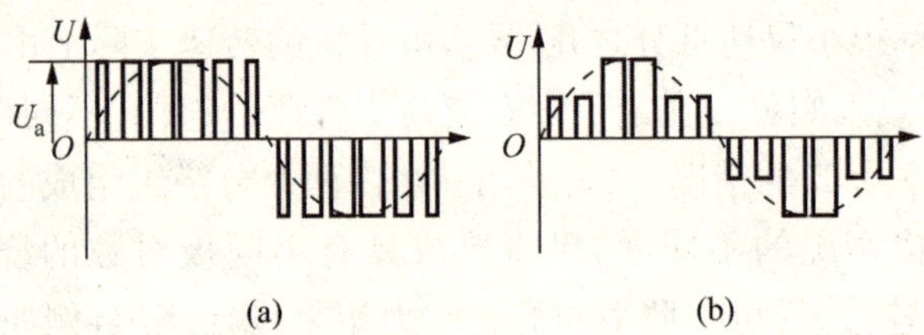

图 3.2.12　脉冲参数调制原理

(a) 3 级　(b) 5 级

由于寄生效应，可能产生几安培的电流流经轴承，导致轴承迅速损坏。因此常采用电气绝缘的轴承。

变频的驱动中特别大的麻烦系由电网输入电缆中的非正弦电流引起。

单相电动机

功率最高至 100 W 的小型电动机通常按单相电动机生产。这样，形成旋转磁场所需的、空间上成角度安装的各绕组的电流之间的相移就只能以其他方式来实现。通常，充分利用电容上的相移[式 (3.1.30)]。这种电动机就称为电容器电动机。图 3.2.13 为若干电路方案中的一例，以及电压与电流的矢量图。绕组 b 的匝数少于绕组 a，故在较低的电压下就吸纳较大的电流。人们认识到，可根据工作点对电容器做最佳选择。

电动机防护

表 3.2.4 表示了各种不同的电动机防护功能。对于大多数驱动设备，过载

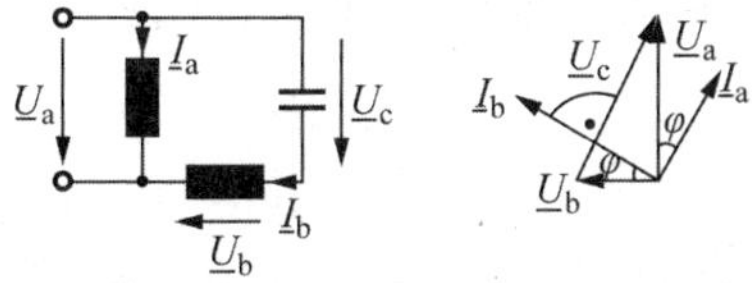

图 3.2.13 二支路电容器电动机的原理

保护采用双金属器件实现(见图 3.2.14)。

表 3.2.4 电动机防护功能及其实现

功能	按参考文献[3.1]规定	实现方法
短路保护	>1 kW	• 熔断丝 • 带短路释放机构的大功率开关
过载保护	>1 kW	• 双金属开关 • 电子设备 补充:在电动机内安装温度传感器
缺相 电流不对称	—	• 双金属器件 • 电子设备
欠电压	当不能再启动时	• 电磁开关 • 带欠电压释放机构的大功率开关 • 电子的识别方法

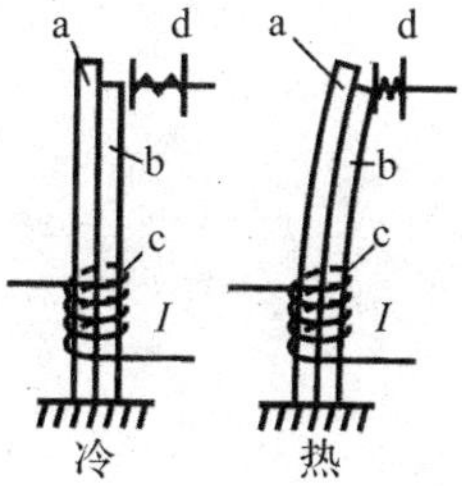

图 3.2.14 双金属开关的原理

a 和 b—具有不同热膨胀系数的金属;c—通电加热丝;d—释放机构

大功率开关中的短路保护都通过磁力快速释放机构实现。释放电流强度一般可在确定范围内调节。关于电动机防护,得到如图 3.2.15 所示形式的特性曲线。个别情况下，特别对于舵机的驱动，过载不得导致关机，而必须触发报警。

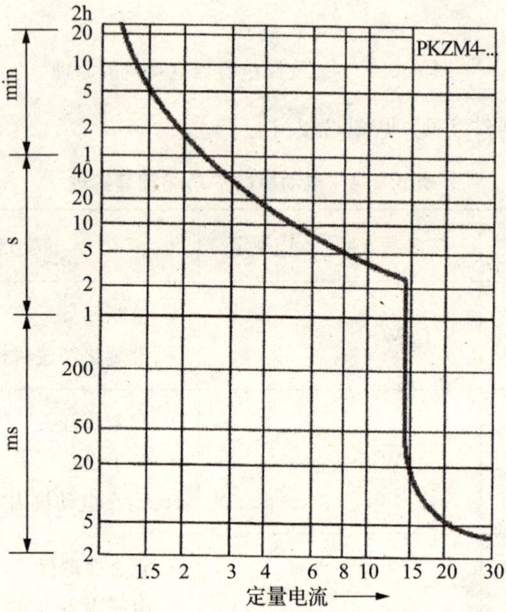

图 3.2.15　带热敏释放机构及磁力快速释放机构的电动机保护开关的典型释放特性曲线（当 $I/I_n = 15$）

3.3 变压器

结构和工作原理

采用变压器,能在电力传输的途中变换电压。忽略微小损耗,则功率保持不变,因此电流将根据式 (3.3.1) 按反比率改变。图 3.3.1(a)表示单相交流变压器的原理性构造。两个线圈"1"(初级)和"2"(次级)分布在一个共同的铁芯上。由式 (3.1.15) 和式 (3.1.17) 得到,绝大部分的磁通在铁芯中穿过。因而两个线圈中贯穿几乎相等的磁通量,于是由式 (3.1.19) 得到

$$\frac{n_1}{n_2}\approx\frac{U_1}{U_2}\approx\frac{I_2}{I_1} \tag{3.3.1}$$

其中,各电流是如此定向的,即使得穿过铁芯窗口的总磁动势近似为零[基于式(3.1.13) 且 $\mu_r>>1$]。

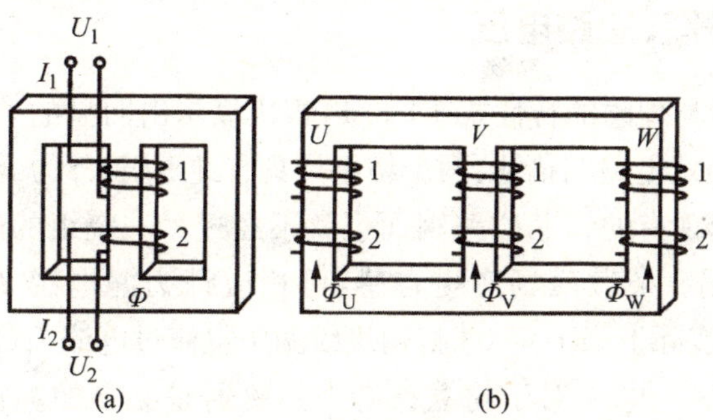

图 3.3.1 变压器的原理性结构

(a) 交流电 (b) 三相交流电

对于三相交流电,原则上可使用 3 个单独的交流变压器。不过一个三相交流变压器来得更为经济[见图 3.3.1(b)]。绕组的连接必须确保满足 $\Phi_U+\Phi_V+\Phi_W=0$。从式 (3.1.19) 可知,关系 $u_U+u_V+u_W=0$ 必须成立,这对一个对称系统是已知的(见图 3.1.20)。变压器的绕组可以按照不同的方式连接。

图 3.3.2 所示为最常见的连接方案。连接的方式称为接线矢量组。数字表示次级和初级绕组的相同标记的导线之间的相移,按 30° 为步进值表示。两

个接线矢量组的主要差异在于,只有 DY5 接线矢量组也能用于作为负载的单相用电器的连接,例如在 U 和 N 之间。对于 YY0 连接方案容易证明,不存在一个电流分支同时满足已知前提 $I_U+I_V+I_W=0$ 以及 $\Phi_A+\Phi_B+\Phi_C=0$。这样,单相负载将不可避免地导致铁芯外部的磁通出现,并在该处引起,例如,不允许的发热。对于 DY5 连接方案,由于 $I_V=-I_U$,电流 I_U毫无疑义地取得平衡。

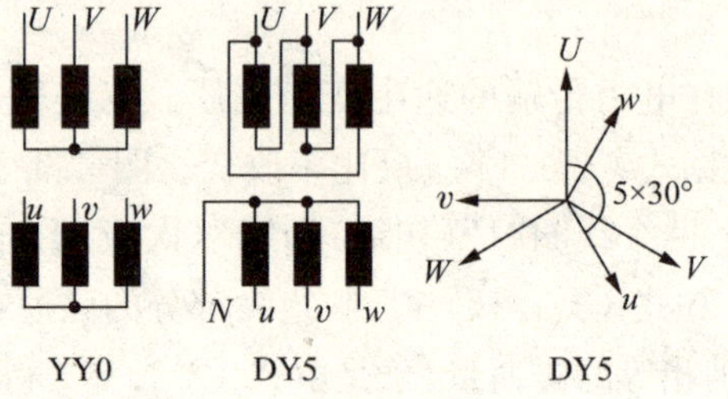

图 3.3.2 三相交流变压器的两种最常见的接线矢量组

采用锯齿形连接(例如 YZ5)可得到进一步的改进,在这种连接中将次级绕组分配到两个铁芯磁分路上。

单相等效电路图、短路电压

实际变压器与理想的特性式 (3.3.1)相比显示出明显的差别,这些差别由图 3.3.3 中的等效电路图描述:两个绕组均具有纯电阻,计为 R_1和 R_2。两个绕组都产生未穿越现有的铁芯磁路因而也就不经过另一绕组的磁场。这样的磁场称为杂散磁场。杂散磁场产生自感,可相应计为漏电感 $L_{\sigma1}$ 和 $L_{\sigma2}$。与式 (3.3.1) 不同,实际上当 $I_2=0$ 时,初级线圈中也流过电流 I_1(因为 $\mu_r\to\infty$也只是近似成立)。这一电流对于建立铁芯中的磁通是必要的。它将用开路电感 L_0 计及。另外,在铁芯中还存在着主要与电压而不是电流有关的损耗。该损耗由电阻 R_{Fe}进行明显的简化模拟。因为铁损也与频率有关,故 R_{Fe}必须在不同频率下做相应的调整。

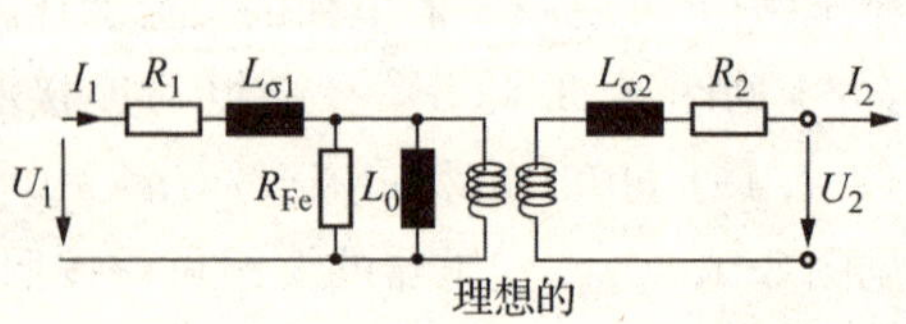

图 3.3.3 变压器的单相等效电路图

除了那些很小型的变压器(最大为几倍的 100 VA)外，开路电流总是远小于额定电流（<1%）。此外，R 和 L_s组成的串联电路上的电压也基本上完全由L_s确定。因此，计算绝大多数所出现的负载情况时，都可采用明显简化的等效电路图(见图 3.3.4)。汇总了所有的漏电感并有选择地置于初级或次级。漏电感的大小由相对短路电压 u_k确定，该电压按如图 3.3.4 所示的方法测得。适当地调节电压 U_k，使得流入电流恰好为额定电流 I_{1N}。于是有

$$u_k=\frac{U_{1k}}{U_{1N}};X_\sigma=\frac{U_{1N}}{I_{1N}}\cdot u_k \tag{3.3.2}$$

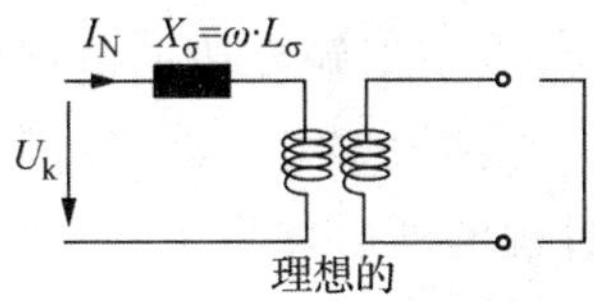

图 3.3.4 简化的单相等效电路图和短路电压的定义

(对于三相交流变压器 U_{1k}为中性点电压)u_k通常为 5%左右。从图 3.3.5 可推知

$$U_2=U_1\left(\sqrt{-\left(\frac{I}{I_N}\cdot u_k\cdot\cos\varphi\right)^2}-\frac{I}{I_N}u_k\cdot\sin\varphi\right)\approx U_1\left(1-u_k\frac{1}{I_N}\cdot\sin\varphi\right) \tag{3.3.3}$$

例如当 $u_k=5\%$ 及 $\cos\varphi=0.8$，可得在额定电流下的电压损失为 3%。作为补偿，变压器的变比一般按略微偏高的次级电压来选择。

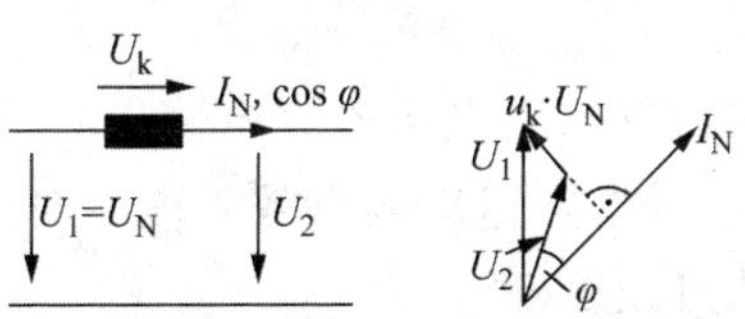

图 3.3.5 相对短路电压 u_k 对次级电压的影响

当变压器的次级发生短路，而初级为额定电压时，便产生短路电流 $I_k=I_N/u_k$。因此，为了限制发生短路时的电流，有时就采用相对短路电压特别高的变压器。

变压器的接入

对于大型变压器，接入可能是成问题的。由式 (3.1.17) 和式 (3.1.20) 可

知，在接入瞬间电流和磁通必须是连续变化的，否则将需要无穷大的电压。为了满足这一初始条件，在稳定的变压器开路电流上叠加一个按指数衰减的直流电流（图 3.3.6），该电流的大小也由接入的时刻决定，该时刻以电网电压为参照。通过该电流的叠加，磁通也达到某一极大值，该极大值为正常工作条件下的两倍。

由于铁的磁饱和特性曲线，建立磁通需要一个特别大的电流，电流在变化过程中将出现巨大的尖峰（浪涌）。该尖峰的大小与变压器设计结构有极大关系。对三相交流变压器，接入的变化过程原则上相似。由于船舶电网中同时出现电压跌落，实际装置中尖峰有所减弱。

电流冲击可能如此之大，以至于触发船舶电网中的短路保护。作为解决办法，有时在真正接入之前，先使大型变压器经过限流电阻与电网连接，以便进行预磁化。只有当暂态过程消逝后才将主开关合上。另一替代方法是，采用一个所谓浪涌抑制功能，利用该功能在短时间内将短路保护切换到无效状态。

图 3.3.6 中所示的仿真结果表明，由于叠加直流分量的作用，铁芯仅在相应的半周达到磁饱和，并导致图中所示的很大的电流。因此，船舶电网电压仅在一个半周期间明显降低，而在另一个相反的半周内不受干扰。总之，浪涌电流对中等的船舶电网电压的影响，微弱得令人惊讶。即使对一些额定视在功率比供电发电机还大得多的变压器，也可考虑采取不经预磁化直接接入的方法。

作为双扼流圈使用

变压器作为双扼流圈[3.2]与发电机或分电网串联是涉及次级暂态过程、特别还涉及高次谐波时进行分电网退耦的有效手段。对于如图 3.3.7 所示的装置，由式 (3.1.20) 及 (3.1.21)可得

$$u_1 = u_0 - L'' \cdot \frac{\mathrm{d}i_1}{\mathrm{d}t} - L'' \cdot \frac{\mathrm{d}i_2}{\mathrm{d}t} - L_1 \cdot \frac{\mathrm{d}i_1}{\mathrm{d}t} + M\frac{\mathrm{d}i_2}{\mathrm{d}t}$$

$$u_2 = u_0 - L'' \cdot \frac{\mathrm{d}i_1}{\mathrm{d}t} - L'' \cdot \frac{\mathrm{d}i_2}{\mathrm{d}t} - L_2 \cdot \frac{\mathrm{d}i_1}{\mathrm{d}t} + M\frac{\mathrm{d}i_2}{\mathrm{d}t}$$

若取 $M=L''$，则 u_1 与 i_2 及 u_2 与 i_1 均无关。这样非正弦的强电流 i_2 对于电压 u_1 就无影响。因此，有时将双扼流圈应用在与直流整流器或交流变频器有关的场合，为了补偿船舶电网中的高次谐波，例如，还可用于主轴驱动发电机（见图 3.4.16）。

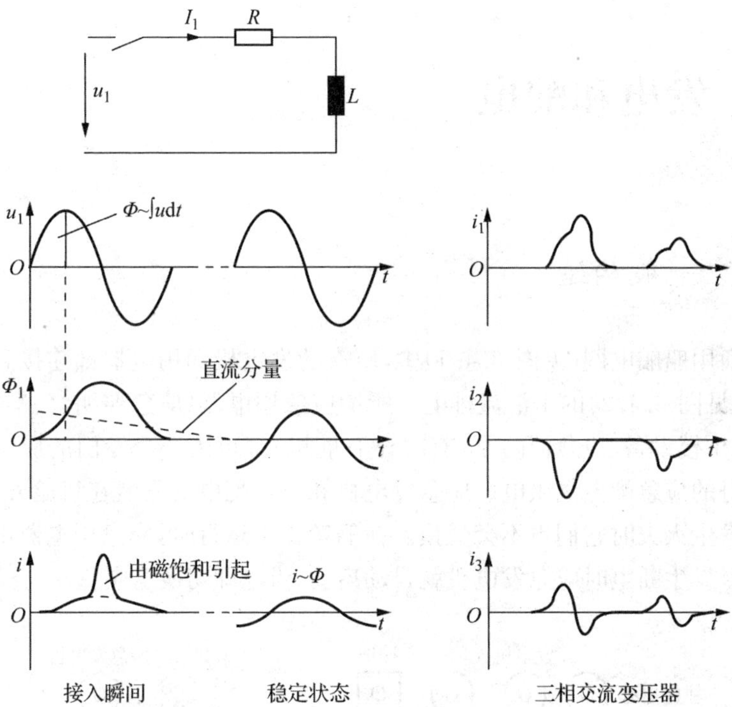

图 3.3.6 变压器的接通电流(左:原理;右:仿真的结果)

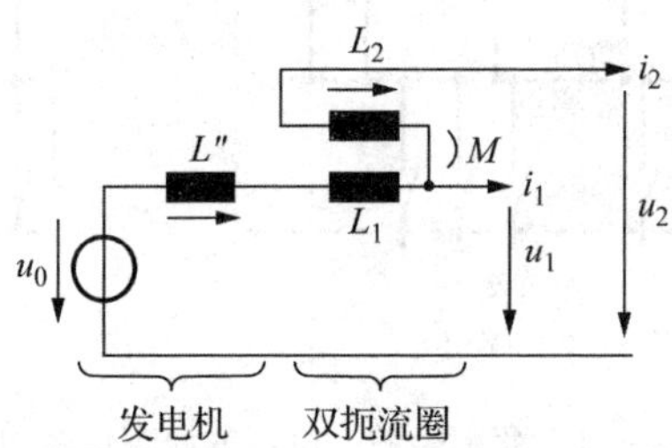

图 3.3.7 双扼流圈的原理说明

3.4 发电和配电

3.4.1 一般构造

在商用船舶电网(见图 3.4.1)中,所有的发电机和用电器都连接到处于总配电盘(见图 3.4.2)的主汇流排上。所谓应急用电器(应急照明灯、航行灯、信号设备、桥楼设备、应急消防泵,有时还有舵机)都可由一个专门的应急发电机经由自身的应急配电盘供电。应急发电机和应急配电盘安装在机舱外,使得即使机舱发生火灾时它们也不会受损。在船舶正常运行时,应急用电器由主配电盘供电。发生断电时应急发电机就自动启动,供电即切换至应急发电机。

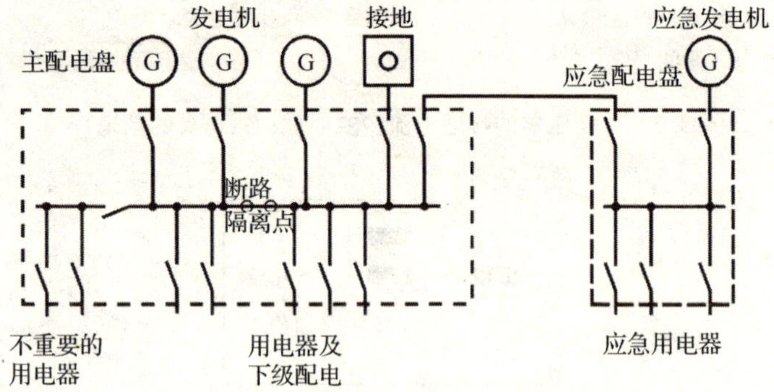

图 3.4.1 商用船舶上电网的原理性结构图

暂时(几分钟)关闭不会造成危害的用电器称为不重要的用电器。食品冷藏装置和货物冷藏设备是典型的例子。发电机过载时,为尽可能避免供电中断,就使用一个特有的开关关闭这些用电器。

发电机由专用的柴油发动机驱动(柴油机组)。通常发电机中的一台由螺旋桨轴驱动(主轴驱动发电机),因而在海上能关闭柴油机组。特殊情况下,也可使用其他类型的机器特别是汽轮机来驱动发电机。任何情况下设备都须适当设计,使得除少数特例外,任何一台发电机或它的驱动失效时,船舶仍能不受限制地运行。

图 3.4.2 调试中的集装箱船(1700 TEU)的总配电盘

如今自配的停港用发电机已很少见。通常即便在停港期间电力需求也如此大,以至于可以明智地开启一台普通的柴油机组。在相应的设备设计中,也可把应急柴油机用于港口内供电。

岸电接头,通常计划仅用于照明和一些小型用电器以及修理时的码头供电。有些港口力图在停港期间通过岸电接头为船舶供电。这需要比目前常见的粗壮得多的岸电连接电缆。

主配电盘中的汇流排含有易于断开的断路隔离点,从而在汇流排发生损坏时短时间内就至少能部分地恢复功能。将发电机和用电器适当地划分为一些单独的分段。在要求较低时,电路断路隔离点由螺丝固定的搭接板构成。在要求较高时,由一个大功率开关用来实行隔离,从而主配电盘上未损坏的器件在非常短的时间内就可供重新使用。

3.4.2 同步发电机

结构和工作原理

同步发电机的工作原理如图 3.4.3 所示。例如,转子由一个柴油发动机驱动。转子上安装一个线圈，线圈中有一直流电流即励磁电流流过，从而产生磁场。磁力线经由矽钢片制成的定子闭合。励磁电流能经滑环和炭刷输送到转子上。不过，船上常见的却是一种感应转换式无滑环发电机，下文将进一步介绍。

定子配置了一个三相交流绕组，如图 3.2.1 所示。由于转子的旋转，按照式 (3.1.18)，变化的磁场将在每个绕组中都感应产生一个电压。由于3个线圈空间上各位移，总的组成一个三相交流电压系统。通过适当的线圈单个绕组的布置及磁极转子的设计，就可获得近似正弦变化电压。

如同异步电动机一样，发电机也可按多极对数设计。例如，对于转速为 720 r/min 的中速柴油发动机，采用极对数 $p=5$ 时就可实现 60 Hz 的电网频率。转子既可配置锻铁制凸极和集中励磁线圈[见图 3.4.3(a)、(b)]，也可包含处于线槽内的绕组[见图 3.4.3(c)]。构造形式对运行性能的影响不大。设计或加工的规范主要是决定结构形式的。

为了抑制转子的机械旋转振动，大多数同步发电机在转子中另外还含有一个阻尼绕组或阻尼笼罩。

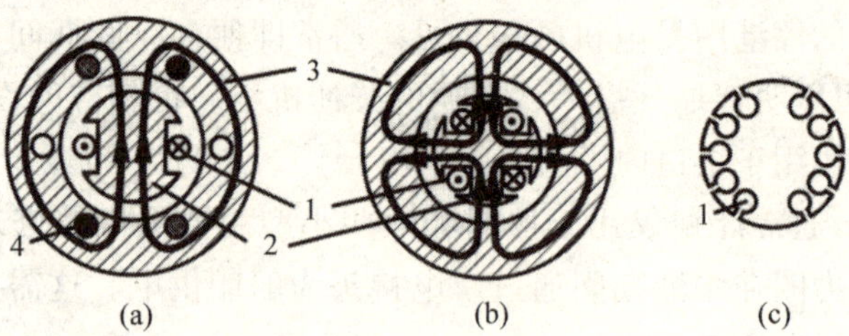

图 3.4.3 同步发电机的原理性构造

(a) 2 极的凸极转子和带绕组的定子 (b) 4 极的凸极转子和带绕组的定子

(c) 2 极的隐极转子

1—励磁绕组(直流电流流过)；2—磁极转子；3—定子；

4—三相交流绕组的连接(按照图 3.2.7)

无滑环发电机

在船上及其他很多应用场合中都采用无滑环发电机。此外，还要求在电网中断后无应急电源仍能恢复供电。因此，图 3.4.4 和 图 3.4.5 所示无电刷发电机的结构形式得到认可。主发电机所需的励磁电流，由励磁机通过一个旋转整流器产生。该励磁机是一个三相交流绕组安装在转子上的同步发电机，而励磁绕组则安装在静止部件中。励磁机的励磁电流决定了整流器上的电压，从而决定了励磁电流并最终也决定了主发电机的感应电压。励磁机的励磁电流从一个小型永磁发电机取得,因此,随着转子的旋转不需要其他任何辅助电源就能对发电机进行激励(自激励)。通常都将辅助励磁机集成到励磁机或主发电机中。也有一些不需永磁铁就能工作的结构形式,取而代之的是对始终存在的铁芯剩磁的充分利用。

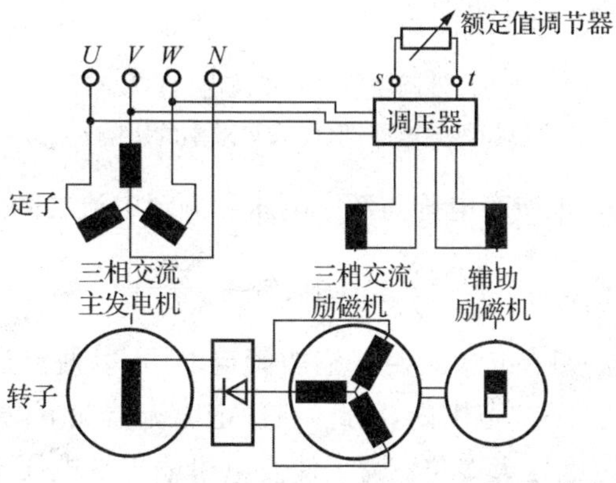

图 3.4.4 带辅助励磁机的无刷发电机原理图

图 3.4.5 一个带辅助励磁机的无刷发电机剖面图
(资料来源:德国 AVK 有限责任公司)

稳态的工作特性

一条支路接线端上的电压由 3 部分组成(见图 3.4.6):旋转的磁极转子感应产生的磁极转子电压 U_p,该电压在给定转速下近似正比于励磁电流 I_e。当发电机接入负载时,电流将在每个线圈中按照式(3.1.20)产生自感电压以及绕组纯电阻上总能忽略不计的微小电压降。如图 3.4.6 所示各量的符号可得:

$$\underline{U}_Y = \underline{U}_P - j \cdot X_0,\text{其中 } X_0 = \omega \cdot L_0 \qquad (3.4.1)$$

X_0 称为同步电抗。

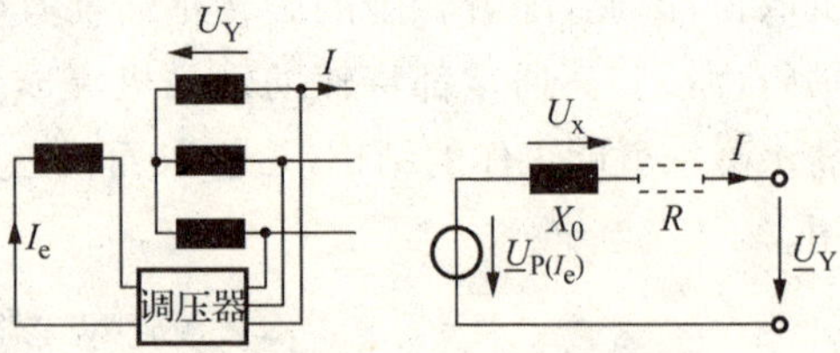

图 3.4.6　带调压器的同步发电机。稳态下的单相等效电路图（R 只有微小的影响）

通常的做法是，把所有电抗与额定电压和额定电流之间的比值联系起来。

$$x_0=\frac{X_0}{Z_N},\text{其中 } Z_N=\frac{U_N/\sqrt{3}}{I_N}$$

故基准电抗 $x_0=1=100\%$ 要求施加额定电压，以便流过额定电流。对于通常的发电机 x_0 在 1～3 范围内，因此，在额定电流情况下，如图 3.4.6 所示的电压 U_x 最高比额定电压大 3 倍。为了使发电机输出端电压不受负载电流的影响，调压器必须通过励磁电流 I_e，从而根据磁极转子电压 $\underline{U}_P$ 把该电压调整到预先设置的额定值。

从图 3.4.7 中功率平衡及矢量图三角形之间的几何关系得旋转力矩

$$P=3\cdot U_Y\cdot I\cdot\cos\varphi=M\cdot\omega/p,\quad I\cdot\cos\varphi=\frac{U_P}{X_0}\cdot\sin\vartheta$$

$$M=p\,\frac{3\cdot U_Y\cdot U_P}{X_0\cdot\omega}\cdot\sin\vartheta\approx p\,\frac{3\cdot U_Y\cdot U_P}{X_0\cdot\omega}\cdot\vartheta \tag{3.4.2}$$

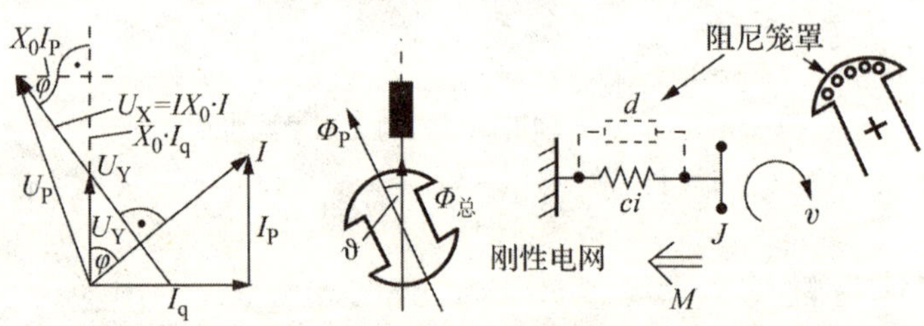

图 3.4.7　与图 3.4.6 相应的矢量图，磁极转子夹角 ϑ 的含义及发电机的挠性

对相角 ϑ 可做如下解释：电压 U_Y 由电磁感应定律式（3.1.18）确定，此时总磁通 $\Phi_总$ 由穿过磁极转子的磁通部分 Φ_P 及由定子电流产生的磁通部分 $\Phi(I_1)$

组成。由于旋转，Φ_P产生磁极转子电压U_P，依据式（3.1.20），则Φ（I_1）引起电压$X_0 \cdot I$，而由这两者之和得到$\underline{U}_Y$。因此，电压的矢量图可以直接换算成所研究定子线圈和磁极转子的几何方向。于是，可以把磁极转子角度视为励磁绕组轴线与电网电压所确定的总磁通$\Phi_{总}$之间的夹角。

基于这一解释，式（3.4.2）说明，在固定电网电压和固定励磁下，随着旋转力矩增大，磁极转子的角度也变大，于是磁极转子超前电网电压越来越多，也就是说磁极转子“拉”着电网走。式（3.4.2）也表明，存在一个最大的力矩。要是超过这一最大力矩，发电机将“倾覆”，转子不再与电网频率同步旋转。

由对ϑ的几何解释可知，旋转力矩和旋转角度ϑ之间的关系符合一个弹性的扭转弹簧的规律。与转子及所连驱动装置的惯性矩一起，就能形成一个振荡系统，即如图 3.4.7 所示的用于刚性电网运行的系统。

因此为了避免无阻尼振动，不考虑少数例外情况，在转子内总是安装一个阻尼笼罩。这种阻尼笼罩与异步电动机的笼罩起同样的作用。按图 3.2.9 所示，所产生的旋转力矩M_D与旋转磁场和转子之间的转速差成正比，因而能视为一个阻尼器（见图 3.4.7 中的d）：

$$M_D = d \cdot \frac{d\vartheta}{dt} \tag{3.4.3}$$

与所有的阻尼器情况一样，这里的机械能同样也转化为热量。因此，对于不论从驱动一侧还是电网一侧受激引起不正常强烈振荡的发电机，都必须设计用于大功率转换的相应阻尼笼罩。

效率和冷却

损耗主要出现在定子绕组和励磁绕组中，除此以外也发生在铁芯、阻尼器中，以及由风扇引起。发电机的效率处在 94 %（1 MVA 发电机）和 96 %（4 MVA 发电机）之间。对于小型发动机，所产生的热量直接靠气流排放到机舱中。

特别是在大型发电机中，使发电机中循环的空气经过空气水热交换器进行循环冷却。这样，一方面能使发电机密闭以防止污物和水的渗入，另一方面使热量通过冷却水排出，而不是经空气直接排放在机舱中。

发电机的不对称

原则上，同步电抗X_0（见图 3.4.6）可如此测量，即设定$I_e = 0$，在定子上施加电压并测量实际吸纳的电流I。可以确定，测量结果与磁极转子和旋转磁场之间的相对位置，即磁极转子角度ϑ有密切关系。其原因在于转子的不对称，这种转子沿激磁磁场方向比垂直方向面对的气隙窄得多。对于隐极转子[见图3.4.3(c)]这一效应不太明显，但尽管如此还是存在的。因此，严格说 图 3.4.6 中的表述，仅对理想的隐极发电机成立。

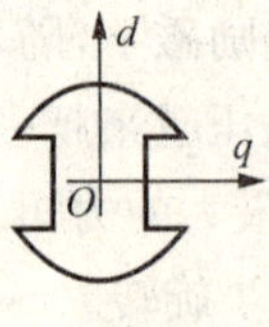

图 3.4.8　同步发电机的轴线

通常对于同步发电机都分别规定 d(纵轴)和 q(横轴) 两个方向上的(见图 3.4.8) 电抗。

这样，代替同步电抗 X_0，当磁极转子角度 $\vartheta=0$ 而磁场 $\Phi_{总}$(见图 3.4.7)转到 d 轴方向时，就必须采用量值 X_d。随着磁极转子角度的增大就必须逐渐过渡到 X_q。为精确考虑这一影响，有一些很有效的方法(二轴理论)可供使用。如图 3.4.6 所示的等效电路经简化取

$X_0<X_d$　　　　　当 $\vartheta\rightarrow 0$ (例如当短路或空载)时

$X_0<(X_d+X_q)/2$　当额定负载时

接入负载和短路时的特性

将开关或短路时所经历的过程，按照其特征时间常数划分为以下阶段：

(1) 次瞬态过程(量值上加″标记)：约 $T<50$ ms；该过程受到阻尼笼罩的强有力影响 。

(2) 瞬态过程 (量值上加′标记)：约 $T<1$ s；该过程受到励磁绕组，励磁电机及调压器的显著影响。计算时通常假设励磁电压不变。

(3) 稳态：过程主要由励磁电机和调压器及其界限确定。

在考虑最大可支配励磁电流情况下，稳态过程可利用如图 3.4.6 所示的等效电路进行计算。瞬态过程则不能按简单的方法进行研究，而且在设备设计任务范围内也没有这种必要。

然而对于次瞬态过程，又可采用一种非常简单的等效电路图 (见图 3.4.9)。有功次瞬态电抗 X''_d主要由漏电感决定，一般约占 20 %。

图 3.4.10 说明了瞬态短路电流由磁场泄漏决定。图中简化地展示两个矩形线圈。线圈 1 为固定的，而线圈 2 可绕一轴旋转，并对应于例如励磁绕组。在短路的时刻两线圈可能处于同一平面，在线圈 2 中有电流 I_{20} 流过。由于短路故电压为零，因此基于式 (3.1.19)，两线圈维持该时刻所存在的磁通不变，不受线圈 2 旋转的影响。

旋转 180°之后，由电流 i_1 和 i_2 产生的磁通分量作用相反。为了接收到原始的磁通量 $\Phi=B\cdot A$，要求在线圈 1 和 2 之间与漏磁相应的狭窄间隙中达到非常高的磁通密度 B。按照式(3.1.14)和(3.1.15)，这需要非常大的电流，该电流越大漏电感就越小(相应于线圈间一定的间隙)。

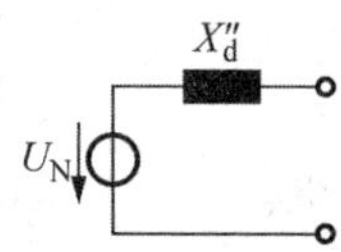

图 3.4.9　用于计算同步发电机瞬态过程的等效电路图

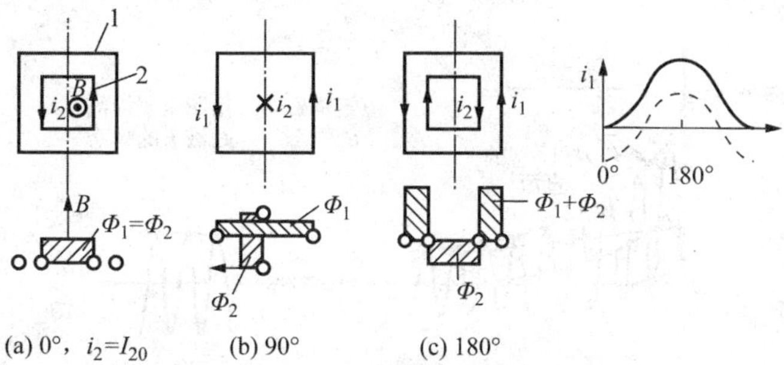

图 3.4.10　磁场泄漏对同步发电机短路电流的影响

同步发电机中，在短路后的最初瞬间，主要是阻尼笼罩接收到所包围的一倍磁通，同时感应产生一个电流。图 3.4.10 所描述的短路发生时刻，i_1 总为正值。要是短路在 90° 时开始，则电流将对称于时间轴。因此，在具有空间上移位的 3 个绕组的实际同步发电机中，3 个支路的瞬态过程在所叠加的直流分量上相互不同。

由于绕组存在纯电阻，线圈不能理想地保持磁通，因此，短路后将出现缓慢的电流衰减过程直至由同步电抗确定的稳态值(见图 3.4.6)。如图 3.4.11 所示的电流特征变化曲线，由此获得与电机设计有关的量值为

$I''_k\approx\dfrac{U_N}{X''_d}$　　起始短路交变电流　　(3.4.4)

$I_{ac}(T/2)=I''_k$　　$T/2$ 后的短路交变电流

$I_s=1.8\cdot\sqrt{2}\cdot I''_k$　　冲击短路电流（考虑到第一半波期间的衰减，取系数 1.8 代替 2)

$I_k=(3\sim6)\cdot I_n$　　持续短路电流，主要由励磁设备的效率决定

如此算得的值与按标准化方法(IEC363)精确计算得到的值相差约 5 %。

用电器接入后紧接着发生的电压跌落，同样能使用如图 3.4.9 所示的等效

电路计算。

举例：

发电机： 800 kVA，$x''_{\mathrm{d}}=20\%$

电动机 $P_{\mathrm{M,N}}$： 50 kW，$\cos\varphi=0.8$，起动电流 $I_{\mathrm{M,A}}=7\cdot I_{\mathrm{M,N}}$

接入后紧接着发生的电压跌落：

$$\Delta u=x''_{\mathrm{d}}\frac{7\cdot I_{\mathrm{MN}}}{I_{\mathrm{GN}}}=x''_{\mathrm{d}}\frac{7\cdot P_{\mathrm{MN}}}{\cos\varphi\cdot S_{\mathrm{GN}}}=0.2\frac{7\times 50}{0.8\times 800}=0.11=11\%$$

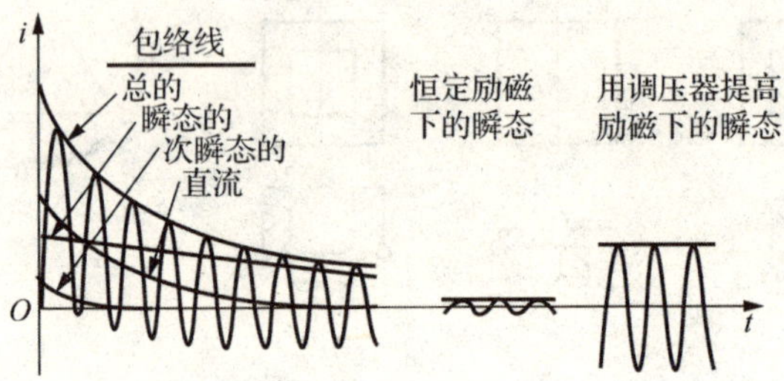

图 3.4.11 发生三支路短路时同步发电机中的电流变化过程

并联运行和同步

首先假定，船舶电网中所有发电机均用柴油发动机驱动。在多台发电机并联运行的情况下，船舶电网的总功率可如此分配，使所有柴油发动机按照各自的额定功率均等负荷，也即

$$\frac{P_1}{P_{1\mathrm{N}}}=\frac{P_2}{P_{2\mathrm{N}}}=\cdots \tag{3.4.5}$$

如图 3.1.19 所示，通过对柴油发动机的燃料供给来确定有功功率分配。因为船舶电网的频率总大致与其额定值一致，故配备带转速调节器的柴油发动机，在偏离额定转速时转速调节器就对燃料供给进行相应的调整。符合式(3.4.5) 的功率分配只能按下述简单的方法实现，即每一个转速调节器随着负载的增加(从燃料供给的上升可以识别)便沿一条静态特性曲线略微降低它的额定转速值，使得带调速器的柴油发动机具有如图 3.4.12(a)所示的工作特性曲线。通常静态特性参数选择为 4 %。

在多台这样的发电机并联运行时，由于船舶电网频率导致的耦合，转速必然强制相同。由此得出[见图 3.4.12(b)]，在不进行其他控制的情况下功率也将按照式 (3.4.5) 分配，并且额外接入的负载将由两台柴油发动机自动平均分摊。

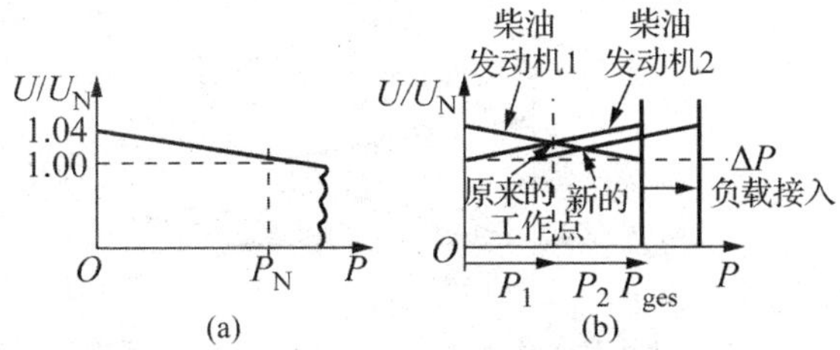

图 3.4.12　柴油发动机的工作特性曲线

(a) 带静态特性参数为 4% 的调节器的柴油发动机的工作特性曲线

(b) 以两台柴油发动机为例，将静态特性曲线用于负载分配

在海上静止运行时，将两条特征曲线适当向下移动使得船上电网频率调整到它的额定值，这样做通常是有利的。为此，可一边观察各个功率测量仪表一边在主配电盘上手动调节各个发电机的额定转速值，也可采用一个中央自动控制装置(功率管理系统)来承担这一任务。中央自动控制装置的故障并不会使工作的可靠性受到影响，因为静态特性曲线所确定的可能频率偏差处于静止工作通常允许的误差范围之内。

如同有功功率，电流或无功功率同样也应在发电机上平均分配

$$\frac{I_1}{I_{1N}}=\frac{I_2}{I_{2N}}=\cdots\frac{Q_1}{Q_{1N}}=\frac{Q_2}{Q_{2N}}=\cdots \tag{3.4.6}$$

从图 3.4.7 中可看出

$$\underline{U}_P=(U_1+X_0 I_q)-jX_0\cdot I_P \tag{3.4.7}$$

在电网电压 U_1 近似恒定的情况下，有功电流 I_P 通过调节有功功率确定。因此，发电机的励磁电流通过 U_P 首先影响电网电压和无功电流。改变电网电压也能间接改变用电器的有功电流消耗，但恰恰对于电动机类型的用电器这一效应很小。此外，对一般的 $\cos\varphi$ 值，从图 3.4.7 中可看出，有功电流对于矢量 U_P 幅度的影响比对无功电流的影响小得多。总之，电网电压和无功功率分配因而可互不影响地通过有功功率加以控制。

为了按照式 (3.4.6) 进行控制，为发电机中的调压器设置通常为 2% 的静态特性曲线，并按照有功负载分配的同样方法实现无功功率分配。然而对调压器不再进行上级控制(见图 3.4.13)。

同步

若要在电网上额外插入一个发电机，则必须使该发电机与电网达到同步，

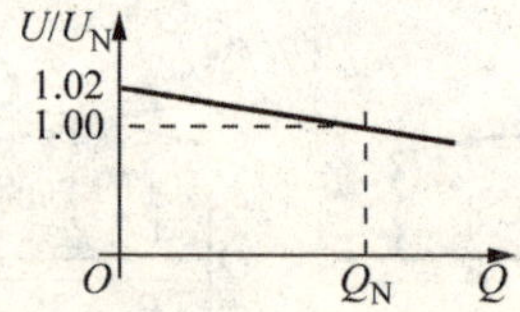

图 3.4.13　对并联工作发电机的无功功率进行平均分配的无功功率（电压）静态特性曲线

这就是说，大功率开关合闸瞬间的电压必须尽可能小。理所当然，各发电机的旋转方向必须相同，而这一点必须在首次试车时经过测试。使用调压器把电压幅度调整得足够准确。于是两个电压之间的相位差直接决定了开关合闸时的冲击电流，而且与短路时类似，次瞬态电抗也是决定性的（见图 3.4.14）。人们发现，当开关在反相（$\alpha=180^\circ$）时合上，情况实际上就相当于短路，此时一个相对较小的发电机有可能与电网中的一系列发电机和电动机处于反相状态并因此承受比发生输出端实际短路时更大的电流。因此，同步故障可能导致设备损毁，故规定使用同步闭锁装置作为防护装置，当相位差大于 45°时该闭锁装置便阻止大功率开关合闸。

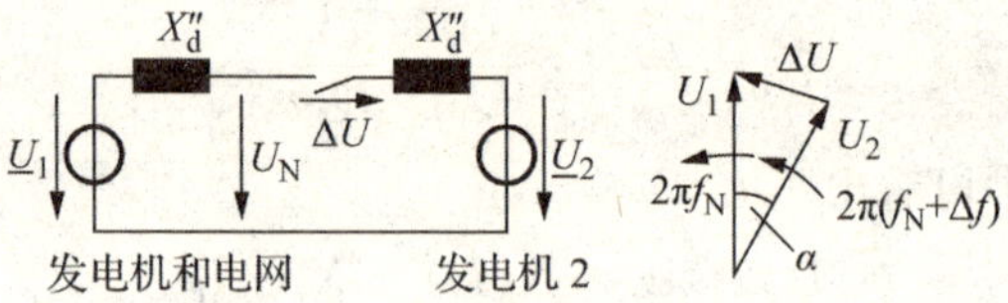

图 3.4.14　插入期间的有效电压

发电机的转速也必须尽可能与实际电网频率相一致。不过，若需调节相位角时，则必须存在频率差。因此将待插入发电机的频率调得比电网频率高约 0.3 Hz。于是，如图 3.4.14 所示的矢量 U_2 大约每 3 s 超越 U_1 一次，故得等待至多达 3 秒钟，直到相位差满足大功率开关合闸的要求。频率更高导致的结果是，新插入的发电机刚插入后仅向电网提供极小功率（见图 3.4.15）。通过提高柴油发动机的额定转速值，就能实现缓慢的和平均的负载承担。

为显示频率差和相位差，主配电盘上配备有一个发光显示器或同步指示器。两者都一目了然地显示当前的频率差和相位差。

原则上，最大达 2～3 Hz 的显著转速差下仍可以进行同步。但问题在于，从发出合闸指令到触点接通，大功率开关也需要一定的时间。这段时间取决于许多不同因素，因此只能相当不准确地确定。对于 0.1 s 的时间数量级及 2 Hz

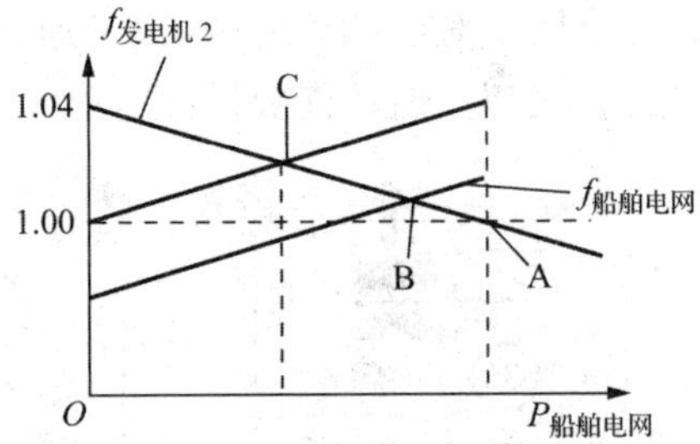

图 3.4.15 同步、插入及负载分配

A—插入之前的工作点；B—刚插入之后的工作点；

C—为了承担负载而提高发电机 2 的空载转速之后的工作点

的频率差，相位角在开关动作时间期间已变化了 72°。因此在通常为 30° 的限度内插入几乎不可能。于是，当频率差大于 1 Hz 时同步制动器就阻止插入。

对于不带变频器的轴带发电机（参见第 3.4.3 节）或对于功率消耗常常大范围变化的电网和用电器，船舶电网频率可能持续波动。要把频率和相位同时调整到要求的范围，便是很困难的。为此，人们可在设备内安装一个同步扼流圈，先经过扼流圈再把待插入发电机接入电网。

通过扼流圈把补偿电流的量值限制在安全的数值。待所有的暂态过程衰减后，直接把发电机接入电网并加接负载。

3.4.3 轴带发电机

将螺旋桨轴与一个发电机轴连接，从而在海上为电网供电，这样的做法往往是有利的。经济上的优越性，一方面在于能够节省柴油发动机组的维护费用，另一方面在于主机的效率通常高于柴油发动机组。轴带发电机的工作需要主机自动控制机构与船舶电网自动控制设备之间的联系。这样，例如只有当柴油发动机组接管了船舶电网的供电之后，才能关闭主机（严重故障除外）。常见的有两种设备方案。

带变频器的轴带发电机设备

在图 3.4.16 所示的设备方案中，发电机 G1 以可变的转速驱动。频率变化的输出电压由一个电子变频器转换成恒定的电网频率。馈送到电网的功率是在 G1 处由旋转力矩和转速确定的（$P=M\cdot\omega$）。因此，以远低于额定转速的转速运行将比以额定转速运行需要大得多的旋转力矩。因为最大旋转力矩是与发电机和传动装置的结构尺寸对应的确定值，设备通常如此设计，使得仅当转速达到大约额定转速的70%以上时才能提供额定功率(见图 3.4.16)。

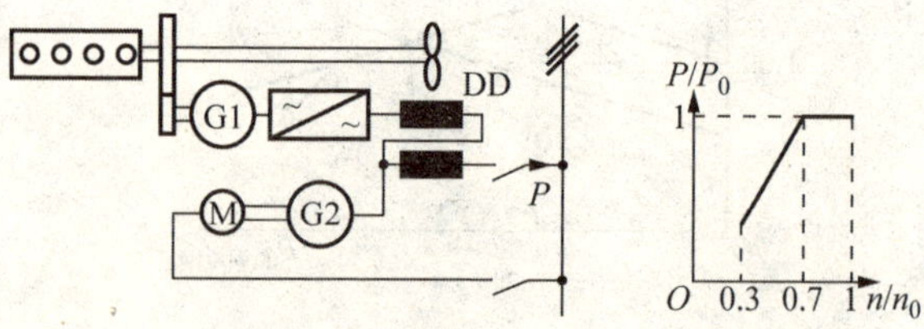

图 3.4.16 带变频器的轴带发电机设备和异步调相机 G2(通常不带减速装置)以及典型的功率对转速的依赖关系。不是总有双扼流圈 DD

作为变频器，人们常常遇到可控硅整流元件的桥式电路(电网整流逆变器)。由结构形式所决定，这种变频器不能为电网提供任何无功功率，反而如同电感那样甚至需要吸收无功功率。因此，引入发电机 G2 作为异步调相机，它既向变频器也向船舶电网提供无功功率。设备启动时，通过一个小型启动电动机使该发电机提升到额定转速和额定电压，然后便可启动变频器，达到同步后就能与电网建立连接。然后再断开启动电机，异步调相机靠电网满足自己的损耗。船舶电网频率在变频器上进行调整，而电压则由异步调相机中的调压器调节。如同柴油发动机组一样，所属调节器也具有一条静态特征曲线，使得采用柴油机组能够顺利地实现并联运作。

电网发生短路时，异步调相机只对短路电流有贡献，为释放开关设备提供足够大的持续短路电流。

电网整流逆变器产生非正弦电流，使得船舶电网电压含有丰富的高次谐波。通常可将异步调相机的次瞬态电抗选得如此小，以使船舶电网电压的畸变因素能够接受。双扼流圈可非常有效地补偿高次谐波，使用它可使畸变因素(见图 3.3.7)大大低于 5 %，此外冲击短路电流也明显减小。

近来，也采用脉冲逆变器(见图 3.2.11 和 图 3.2.12)。这种脉冲逆变器能提供无功功率，因而可取消异步调相器及双扼流圈。但是，按照一般的船舶电网防护观念，变频器至少必须能在 3 s 时间内提供高达 3 倍额定电流的短路电流。采用带电流方向识别功能的智能保护系统(参见 3.3 节)可避免这一问题。

由于发电机的惯性矩在主轴系中的作用随传动比的平方放大，图 3.4.16 中所示的传动机构对于采用低速柴油发动机的装置常被认为是有问题的。所以传动机构必须传递可观的交变力矩。因此人们优先采用一种把发电机围绕着螺旋桨主轴安装的构造形式(见图 3.4.17)。

图 3.4.17　带水冷却装置的轴带发电机(3000 kW)直接安装在螺旋桨主轴周围的实例,65～95 r/min(资料来源:SAM 电子设备责任有限公司)

无变频器的轴带发电机

柴油发动机以恒定的转速运行,而通过可调距螺旋桨来调整船速(见图 3.4.18)。船舶电网频率直接受到螺旋桨的影响。主发动机的控制设备必须设计适当,使得在任何情况下转速以及船舶电网频率也都能尽可能保持相应稳定。

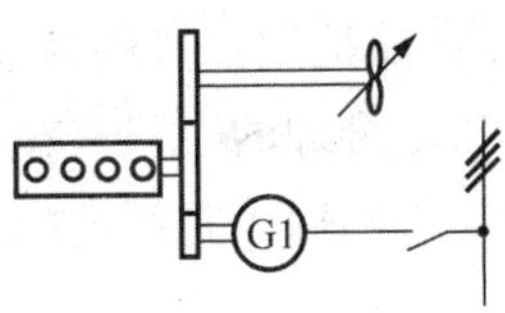

图 3.4.18　无变频器的轴带发电机

轴带发电机与柴油机组并联工作原则上是可行的。一般情况下,轴带发电机的功率明显小于螺旋桨的功率。因此,主发动机的转速几乎与轴带发电机的负荷无关,此外也不是精确恒定的。因此,柴油机组的转速调节器必须针对负载分配进行专门设计。因而并联运行也就很少考虑。相反,更常见的是让柴油机组和轴带发动机在独立的分电网为用电器供电。也可将分电网连接起来,然后就能有选择地通过柴油机组或轴带发电机供电。

其他冷僻的设备方案

若用一个定距螺旋桨替换如图 3.4.18 所示的可调距螺旋桨,就构成一个特别简单的设备。但随之而来的,轴带发电机只能在船舶的一个很窄的工作区间围绕额定工作点运行。对于主要用于长途航行的船舶，这种冷僻的替代设备方案也许是明智的。

此外，在主发动机转速变化的情况下，发电机的频率也可借助一个具有可变传动比的传动装置来保持稳定。

如果不用同步发电机，而使用一个带滑环的、以可变频率给转子供电的异步发电机，就可以通过电气方法进行频率补偿。当用直流电流供电时，实际上成为一个同步发电机，要不然，得到的电网频率则是机械转速与转子供电的频率之和。

用作电动机的轴带发电机

任何同步发电机都能作为电动机运行。人们已经注意到一些不同应用的苗头，例如，或者利用柴油发动机可提供的功率来提高推进(助推电动机)的功率，或者作为“Take-home-device(应急返航装置)”在主发动机发生故障或在港湾中慢速航行时用做螺旋桨的应急驱动。

通常，轴带发电机拥有的功率要比主发动机的功率小得多。因此，轴带发电机作为电动机单独驱动螺旋桨时，传动装置的减速比必须能够切换，对于配备可调距螺旋桨的设备也是如此。没有变频器，同步电机几乎无法启动。一个用于发电机运行的变频器，其制造必须适用于双向的功率流，或者至少能够进行切换。

总之，要把发电机作为应急驱动使用，就需要大笔投资，这些投资仅当特殊情况下才是合理的。只有在如图 3.4.18 所示的那个设备方案中，发电机作为助推电动机使用才是可行的。

3.4.4　电网形式、电网保护、开关、电缆

电网形式、选择性

岸上常常有一些环形电网或多路封闭电网，这些电网在一条电缆发生故障时仍然能够为用电器不间断地供电。与此不同，船舶电网总是按辐射状运行，即任何时刻从任一用电器都确实只有一条路径通向汇流排。这就允许船舶电网采取简单的防护观念。如图 3.4.19 所示的数值，即使对于次瞬态短路电流而言，其数量级也几乎与短路发生在船上哪个位置无关。持续短路电流只由发

电机中励磁的实际功率决定，因此也与短路的位置无关。当短路位于如图 3.4.19 所示的位置(a) 时，大功率开关 LS1 应打开，从而船舶电网的供电继续由两个发电机维持。相反，当短路位于(b) 时，则发电机开关应打开。由此可见，我们的目标是，达到一定的选择性，在短路时断开尽可能少的电网支路。因为发电机开关无法识别短路究竟位于(b)和(c) 还是(a)，唯一的解决方法只能是时间的选择性(UMZ 保护：与最大电流无关的时间保护)。一个替代办法是下文介绍的网络连接系统。有时也可采用一种 AMZ 保护(与最大电流有关的时间保护)，这种保护与熔断器的选择特性相匹配。

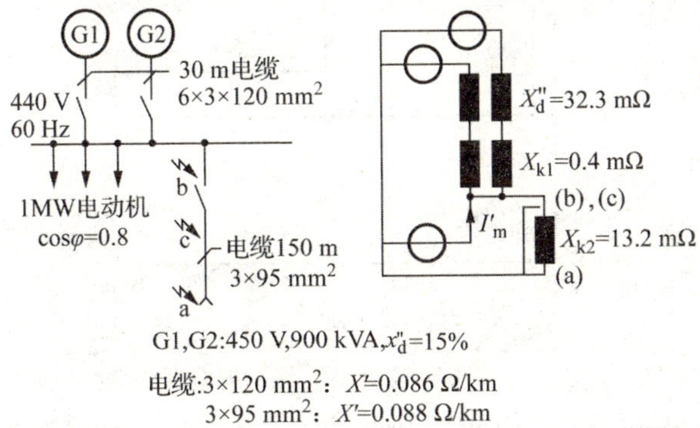

图 3.4.19　简单的船舶电网及用于计算起动短路交流电流的等效电路图

对于时间的梯次配置，开关的短路释放器都具有延迟时间，其中到达发电机的延迟时间最高会增加到 500 ms。因而，若在如图 3.4.19 所示的位置(a) 和(c) 处发生短路，则大功率开关 LS1 在发电机开关之前释放。当(b) 处发生短路时，则经一段延迟时间后发电机开关就断开，因为这是消除短路的唯一途径。

设计时，将所有保护装置的特性绘制到选择性曲线图中(见图 3.4.20)，尽管这需要一个习惯的过程，但此后能对选择性协调情况有迅速的全局了解。向右面标出短路电流的值，而向上则为释放时间。净梯次时间选择性(UMZ 保护)绘制成 90°角。在触发门槛以下，即垂直线的左边，未发生开关动作；在触发门槛以上，经过一段与电流无关的固定时间后就切断开关。熔断器和 AMZ 保护功能在触发门槛以下同样也不执行保护动作；在更高的电流下则执行释放，电流越大释放越快。

远离坐标原点的那些线，属于被覆盖的层面，因此较迟释放。而离坐标原点近的那些线，属于终端配置。作为例子，在图 3.4.20 中绘制了所有 3 个并联运行的发电机 (a)～(c) 以及一个接有用电器组(e) 的变压器(d) 的选择性，发

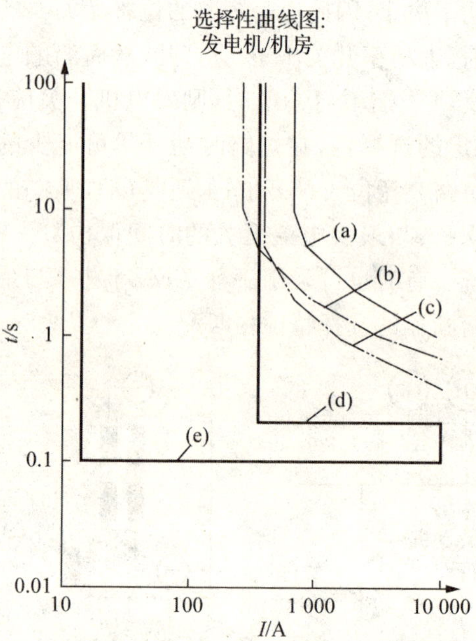

图 3.4.20　用于一个装置中 5 个不同保护继电器的选择性曲线图。
配备与最大电流有关的时间保护(AMZ)的 3 个发电机 (a)～(c),经由一变压器
(d) 向一个用电器组(e)供电。(d)和(e)采取与最大电流无关的时间保护(UMZ)进行防护。
与(d)相比,当过载时(c) 不是优先选择的

电机都具有 AMZ 保护,而变压器和用电器组分别配备 UMZ 保护。从图中可看出,对于变压器 (d) 而言,最小的发电机 (b) 无优先性。但这仅适用于过载区域,也就是说当释放时间大于约 6 s 的区域。

由于存在大功率开关的开关时间以及与此相联系的公差,几乎不可能按照单纯的时间选择性来可靠地控制 3 个以上的选择层面。作为替代方法有一种系统,这种系统测量各电网支路的电流并集中计算。据此能够在几个电网周期之内确定短路的位置并发送出相应的开关指令。即使对于较小型的装置,这一方案也具有优越性,因为它比采用时间选择能更快地断开汇流排处的短路,因此使较少的能量在故障点转化成热量。

系统接地

对于低电压目前一般优先选用未接地电网[见图 3.4.21(a)],因为经简单接地(将一根导线与船体连接)就能维持运行。为识别接地情况需要一个接地

监控装置,该装置检测电网与船体之间的电阻,并在低于下限(30 kΩ 左右)时触发报警。故障点的定位通过依次断开用电器实现。仅在个别情况下才有一种支持故障点界定的测量装置。因为在海上不是所有用电器都能为寻找故障而短时间断电的,所以接地有时仍较长时间存在。关于这一点,因为接地与短路一致,图 3.4.21(b)的接地线就显示了唯一性,于是通过有选择地断开短路界定了故障点。

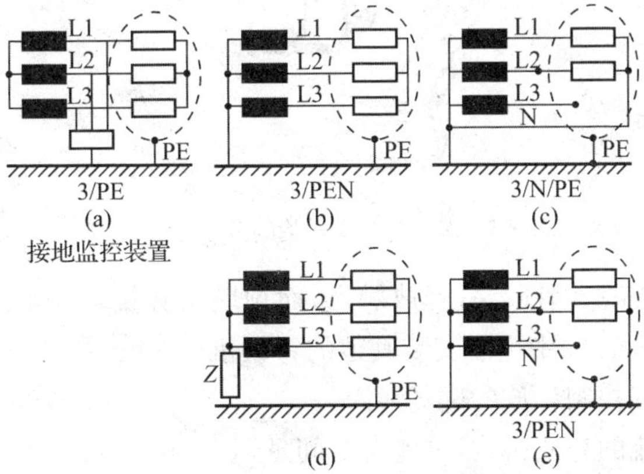

图 3.4.21 电气运行系统及系统接地

(a) 通常在低压情况下 (b) 可能在低压情况下,油舱清洗船除外 (c) 适于分电网(例如客舱)或小型船舶 (d) 通常在中压情况下;在低压情况下有时也用半导体器件或开关代替熔断器 (e) 仅可用于小型船舶

需要说明的是,由于各种机器设备的电容(见图 3.1.6),如图 3.4.21(a)所示的电网已通过电容接地。实际中在故障点的接地处,将因此产生高达几安培的电流,并可能引起二次损坏。这也就是为什么,触及接地或未接地电网的相线对于人员来说都是同样危险的。对于中压设备,优先采取经一个阻抗接地的方式[见图 3.4.21(d)],因为与未接地结构相比,这样在接地处形成的过电压较低(参见 3.5.6 节)。

大功率开关

发电机和用电器经过大功率开关与汇流排连接(见图 3.4.19)。为了能将短路时出现的强大电流切断,触点是经特殊加工成型的(见图 3.4.22),并将断开时形成的电弧驱入一个灭弧腔,在灭弧腔中从电弧吸收热量从而使其熄灭。触点的断开和闭合都借助预应力弹簧实现。弹簧总能手动预张紧。但对于大型开关，为正常进行开闭操作需要配备一个电动机。

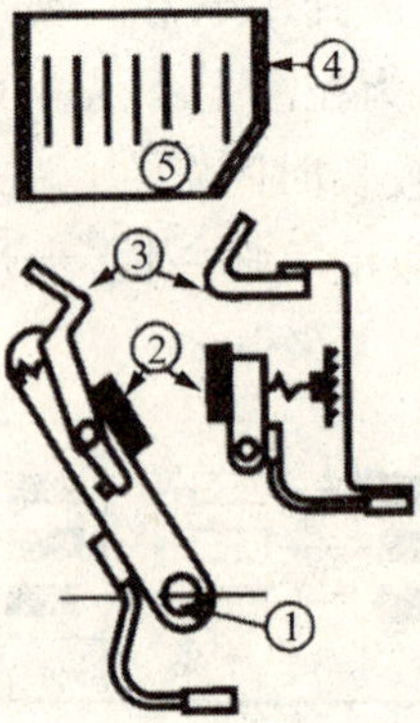

图 3.4.22　大功率开关的开关触点构造

要断开开关时，闭锁装置释放触点，而预应力弹簧打开触点。除了手动操作的释放机构外，开关中也能安装其他的释放机构：

- 用于开关远程控制释放的磁场线圈
- 用于短路电流的释放机构，可能有时间延迟
- 用于过载电流的释放机构
- 用于欠电压的释放机构

对简单的开关而言，其功能是按机械方式实现的。而对于较大型开关，则将一个微控制器装入开关中。这样的大功率开关可通过一种数据总线(CAN总线，以太网)控制，并将当前的测量数据及开关的当前状态传送到船舶电网自动化控制设备。

由于机械结构的缘故，维持大功率开关触点的连接并不需要辅助电源。断开开关所需的能量则是储存在弹簧中的。因此，当发生如同图 3.4.19 中 a 所示的短路时，发电机开关就能够保持闭合。在短路断开后，汇流排上的电压就将返回，无须进行其他的开关操作。

除了额定电压和额定电流以外，对大功率开关的要求主要由一个装置中的短路电流决定。

(1) 开关必须能够断开出现的短路电流(设计短路电流－断流容量 I_{cn})。因未考虑到可能的延迟，所以必须满足 $I_{cn}<I_{ac}(T/2)$ [式(3.4.4)]。

(2) 若为满足选择性而插入一定的延迟功能，开关必须能承受短路电流达 500 ms 而不损坏(设计短时间电流耐受强度 I_{cw})。

(3) 开关合闸时不得因短路电流受到损坏。因此，设计合闸短路电流容量

I_{cm}必须大于冲击短路电流。

大功率开关的机械部分是按 10 000 次开关过程设计制造的。开关触点的寿命与所切换电流的大小有关，在额定电流下它们最多达到开关几千次。而在短路电流下却只能断开几次。因此，为了保证大功率开关的性能可靠，不可忽视定期检查和维护。

仅能切换额定工作电流而不能切换短路电流的开关称为负载开关。为进行短路保护，还将一个附加熔断器与开关串联，此时最好把熔断器接在汇流排和开关之间。

接触器

在接触器中(见图 3.4.23)开关触点经弹簧固定在一个铁芯(轭铁)上，该铁芯被铁芯上的磁场线圈吸引。随着磁场线圈中电流的断开，预应力弹簧便再次断开触点。由于这样的结构，采用接触器于是也能切换相对较小的电流。当电压中断时接触器就自动打开，从而断开所连接的用电器。

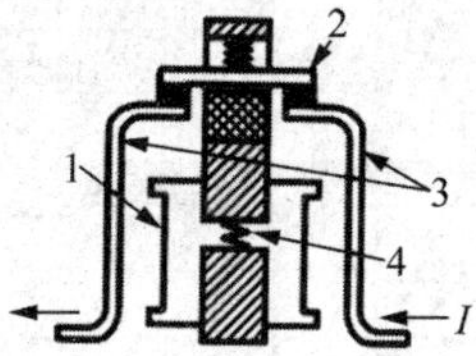

图 3.4.23　接触器的原理性结构图

1—磁场线圈；2—装有弹簧的触点桥路；3—触点；4—复位弹簧

熔断器

依据不同的设计电流采用不同的类型：

- 细丝型熔断器(电子设备领域)；
- 带螺纹的 D 型熔断器，一般到 63 A 为止；
- NH 型熔断器(低压高功率保护系统)，通常高于 63 A。

NH 型熔断器 (见图 3.4.24) 能够断开低压配电盘上出现的短路电流。当短路电流很大时，熔断丝熔化得那么快，使得冲击短路电流来不及达到其预计值。如此就获得了一个限制电流特性。断开特性由工作等级加以说明。工作等级 gL-gG 最常见，用于对短路和过载中的电缆和导线的保护。除此以外还有用于电动机(aM)、变压器(gTr)或半导体器件(aR，gR)等一些专门的工作等级。如图 3.4.25 所示，只有在过载电流很大的情况下，熔断才很快进行。在中等的短路电流下，熔断特性与电缆的发热特性相适应。对于变压器，接通时将产生很大的合闸电流（见图 3.3.6）。工作等级为 gTr 的熔断器做了专门设计，使它们的特性曲线比等级 gL-gG 的特性曲线变化陡度更大一些。

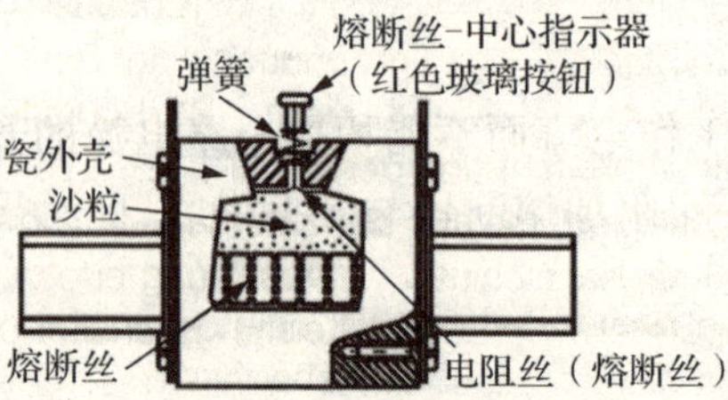

图 3.4.24　具有中心指示的 NH 型熔断器插件的构造

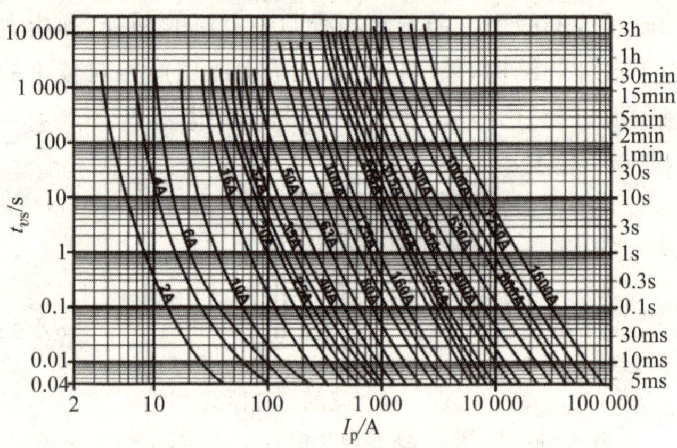

图 3.4.25　NH 型熔断器插件 500 V 的时间电流特性曲线，
工作等级 gL-gG（EN 60269-2-1）

类似的规律也适用于 D 型熔断器。但在大型配电设备中，其开关容量不足以可靠地断开短路电流。

短路电流限幅器

从 5～10 MVA 的总发电机功率起，低压配电设备（450 V）中的短路电流如此之大，以至于借助可使用的最大大功率开关正好还能可靠地控制它。在更大的功率下，要是此功率在低电压下实现的话，那么，在额定工作状态下必须使汇流排能单独地运行，要么，在短路情况下必须使汇流排能如此快地断开，以至于自然冲击短路电流 I_S（见图 3.4.11）不能生成。图 3.4.26 为一种结构形式。

通过引爆雷管能够断开主电流路径。借此使电流旁路到一个并联的熔断器上，然后，这个熔断器很快地中断电流并熄灭电弧。雷管的引爆由一个控制装置操纵，该装置根据当前的电流值及随时间的上升率来判别，何时出现严重短路需要断开。为了将两个分系统的所有 3 根电缆确实地断开，须将一个大功率开关或电负载隔离开关与短路电流限幅器串联连接。

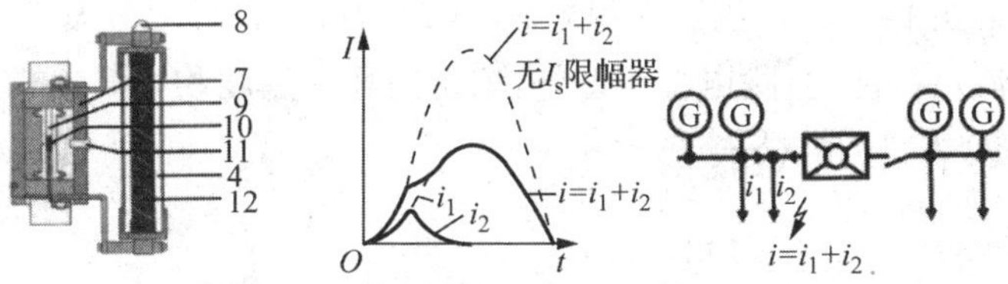

图 3.4.26　一种短路电流限幅器（I_s 限幅器，ABB®）的构造和工作原理

4—熔断器；7—识别指示熔断器；8—绝缘管；9—雷管弹簧座；

10—雷管；11—主电流路径识别指示；12—熔断丝

电缆

图 3.4.27 为配电部门典型电缆的结构。屏蔽层经常是不必要的，于是图中 4 所标示的部分将省略。可供使用的三芯电缆的最大截面积达 120 mm²，但截面积在 95 mm² 以上的仅在少数场合使用。电缆的电气特性用单位长度的电阻和单位长度的电感描述。在船舶电力工程应用中不需要考虑电容。只有在那些很长距离和很大电流的场合(如在船首区域启动异步电动机，短路)才必须考虑电阻。

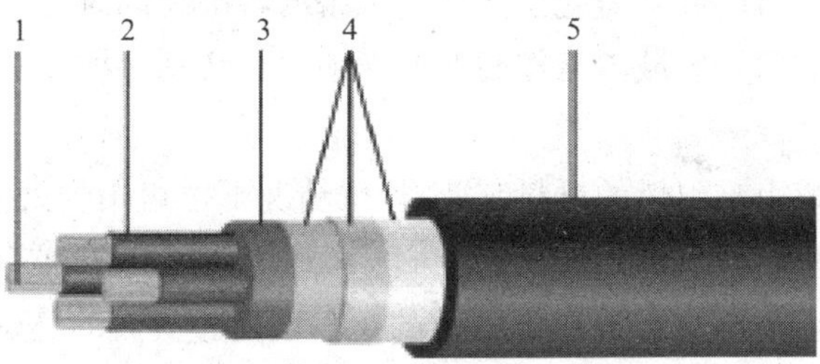

图 3.4.27　低压电力电缆的构造

船首侧推器实例：

异步电动机　额定工作点：U_N= 440 V，　I_N=250 A，　cosφ=0.85

　　　　　　起动：　　　　　　　　　　I_A= 1500 A，cosφ=0.4

电缆　　　　在 85℃时 200 m，3×95 mm²（允许电流 I_{Zul}= 276 A 对于工作方

式 S2—30 分钟 以及 85℃电缆温度，$r'=0.244\ \Omega/\mathrm{km}$)，在 60 Hz 时 $x'=0.088\ \Omega/\mathrm{km}$

当汇流排上的电压为 450 V 时，电动机的电压在额定负载下为 419 V。而起动时为 357 V。

对许多周围影响的考虑要比电气特性的描述来得复杂和广泛得多。敷设电缆的规则也同样涉及广泛。在规划、布线或增添装备时须考虑下列要点：

(1) 电流负荷能力：除电缆类型外，这也与环境温度和布线方式有关。相邻的电缆妨碍散热。近似公式

$$I_{\max}=11.1A\cdot\sqrt{\frac{\vartheta_{\mathrm{L}}-\vartheta_{\mathrm{U}}}{40\mathrm{K}}}\left(\frac{\mathrm{A}}{\mathrm{mm}^2}\right)^{0.624} \tag{3.4.8}$$

式中，ϑ_{L} 为最高允许电缆温度；ϑ_{U} 为环境温度，一般以 45℃代入；A 为以 mm^2 为单位计算的电缆截面积。

给出了在一般布线情况下三芯三相交流电缆的大致符合参考文献[3.1]规定的最大电流。

(2) 电磁影响(EMI)：特别当电缆与变频器连接时，电缆产生的电磁场可能会干扰其他电子设备。于是就必须采用屏蔽电缆，屏蔽层的两端必须与船体连接。

(3) 机械要求：曲率半径不得小于规定值。长距离走线时必须通过补偿弯头来吸纳电缆的热膨胀及船舶结构的机械形变。在一些薄弱的部位必须采取附加的保护措施，例如在穿越甲板的绝缘套管处加接管。

(4) 后备能力和安全性：必须避免连接后备设备的各电缆同时发生故障。

(5) 防爆：对于爆炸危险区域内工作的电缆必须进行特别保护(加固、屏蔽、管内布线)。

(6) 火灾蔓延：电缆由难引燃的材料制造，特殊情况下也可用耐火的材料制造。难引燃和耐火这两个概念由规定的测试方法详细说明。例如，必须利用电缆绝缘套管处的阻燃材料，或者依靠电缆特殊的覆盖层阻止火灾的蔓延。

(7) 燃烧特性：在输入电能的情况下难引燃的电缆是可燃的。在含卤素(氯、氟等)绝缘材料的情况下，烟气将生成大量的腐蚀性酸。例如，细微酸滴在机舱中弥散时由腐蚀造成的损失会非常大，消毒翻新的费用可能超过针对原本火灾损坏的维修费用。因此应优先选用不含卤素的电缆。

(8) 电流分配及单芯电缆中的涡流：在传输三相交变电流的单芯电缆之间存在相当强的磁场。处于这一区域的铁磁性材料(钢)由于涡流作用(参见

3.1.5节)会剧烈发热。几根平行电缆上的电流分配主要由所有电缆之间的相对位置决定,因此必须对此进行特别的规划。

3.4.5　发电机和电网的保护、船舶电网自动化

电力供应的中断对于船舶或多或少总是意味着巨大的危险,因此必须尽可能避免其发生。若尽管如此断电依然出现,那么船舶电网自动控制系统就必须尽快地恢复供电。因为所有发电机都已通过汇流排相互紧密连接,所以每个机组总是配备自身的保护及控制单元。保护的首要目的在于使机组能无故障地运行。

保护功能

下表列出各具体的保护功能。对功率在1500 kVA以下的发电机,未规定对发电机中或连接主配电盘电缆中短路的识别[3.1]。虽然,或许可使所有的发电机都与汇流排断开,并且由一台新的发电机接替为船舶电网供电,但故障点可能仍通过尚在旋转的那个发电机供电,从而会在故障点甚至可能在邻近机组引起严重的损坏。对于功率在1500 kVA以上的发电机,一般认为这种故障的危害如此严重,以至于必须对主配电盘之前的电网范围都进行监控。如果不是在发电机开关处,而是在发电机星形连接的中性点测量发电机电流,则将获得更具实际意义的保护[见图3.4.28(a)]。当识别到短路时,立即断开发电机,同时关闭发电机的励磁。如果发电机中两个绕组之间出现短路,而此短路仅分接到一小部分感应电压,于是短路电流可能太小而不足以立即触发短路保护。只有当继续损坏引起进一步短路后才会触发保护功能。差动保护能够实现提前故障识别[见图3.4.28(b)]。

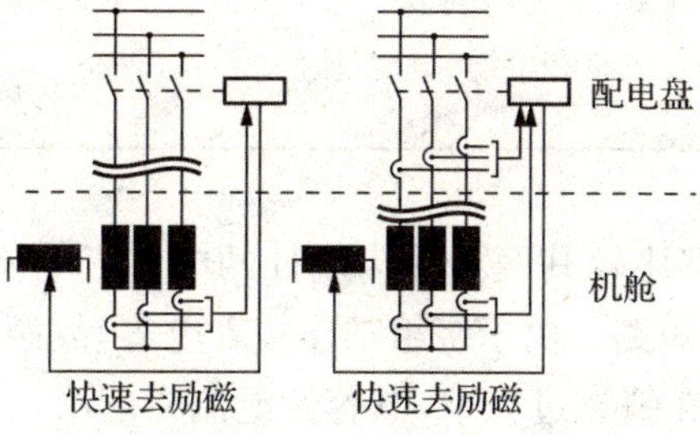

图3.4.28　发电机或发电机电缆发生短路时的识别和断开
(a) 星形连接中点监测　(b) 差动保护

功能	目的	判据	反应措施
短路	保护主配电盘及发电机	$I>>I_N(0.5\sim1I_k)$	打开发电机开关（T约 0.5 s）
过载保护	保护发电机	$I>I_N(1.1\sim1.5I_N)$	打开发电机开关（T最高至约 2min）
非重要用电器的断开	维持船舶电网供电	$I>I_N$	断开不重要的用电器
欠电压保护	插入而不妨碍励磁	$U<0.35\sim0.7\cdot U_N$	打开发电机开关（T约 0.5 s）
相位不对称/缺相	保护船舶电网	相间电压不等	打开发电机开关
逆功率保护	保护发电机的驱动机械设备	$P<-0.01\sim0.1P_{额定}$	延时断开发电机开关（T为几 s）
频率过低保护		$f<f_{min}$	延时断开发电机开关（T为几 s）
发电机快速去励磁(电流互感器在星形连接中心)*	发生内部故障时保护发电机和电缆	（与短路保护同）	延时断开发电机开关,并关闭磁场
差动保护（每一支路 2 个电流互感器）*	发生内部故障时保护发电机和电缆	发电机支路中的电流差	延时断开发电机开关,并关闭磁场

* 仅对大型发电机。

对于每一绕组,都比较其两个输出端处的电流。电流差超过规定的上限,就说明发电机内存在短路。由于绕组都连接着电容,故两个电流之间总可能存在微小的差别。特别在瞬态过程中,电容性电流将起决定作用。为了能够在瞬态过程期间对比较电流与实际短路电流进行区别,保护系统都具有滤波器和延时环节。

回馈功率保护用来进行船舶电网和柴油发动机的保护。该保护功能防止发生这样的情况，例如当某一柴油机组的燃料供应被切断时，该机组又由在电网并联工作的另一个机组驱动。一方面柴油发动机在持久运行中因异常的受力方向而损坏，另一方面该机组在船舶电网中也没有效果。可能的最大回馈功率由柴油发动机的压缩损耗及摩擦决定，通常达到额定功率的 5%～10% 。为了在一定的测量误差储备条件下可靠地识别回馈功率，通常把回馈功率保护机构调整到该值一半。瞬态过程期间，例如大型用电器接入后，对于短时间回馈功率允许其时间为几秒钟。

从属于一个机组的控制功能

为实现正常的自动化运行，配备一个启动和同步的自动控制装置，它控制柴油发动机的启动，至额定转速的加速、同步以及大功率开关的合闸。接入负载需要对电网上工作的其他发电机负荷情况的了解，因此只能由操作人员或上级中央控制器(功率管理系统)执行。同样，为了发电机的退出也配备了一个自动控制装置，它首先通过降低空载转速缓慢地卸载，然后打开大功率开关，并按具体设定也使柴油发动机停止下来。

当汇流排处的供电跌落时，必须自动启动一个备用机组并重新建立供电。因此，各个机组的自动控制机构都连续地监测汇流排上的电压。在最简单的情况下，用一个选择开关把一个处于非工作状态的机组选为备用机组，然后该机组可能启动。人们通常放弃这一选择，而当电压跌落时则启动所有现有的机组，各机组的启动在时间上仅有极小的交错。第一台机组连到汇流排之后，使其他机组关闭或者空转，以便由操作员对进一步的运行做出决定。由于当今的一般控制设备无非通过总线系统交换信息，备用设备的确定是在正常运行期间自动完成的，其时针对通信中断将控制切换到所调用的基本对策中的某一个处理程序。

上级的控制功能

中央自动控制装置(功率管理系统)按需要来控制机组的加入和退出。在最简单的情况下，当可支配功率的储备低于某一最低值时就将机组插入。相反当储备很大时就使一个机组退出。对特别大型的单独用电器，发给用电器的合闸指令首先传送到功率管理系统，可能当增添另一机组使电网上拥有足够可支配功率后，该系统才将指令转发此用电器。按较简单的方式，用电器的释放通常根据运行中的机组个数来推算。

从设备上说，中央控制功能通常是每个单独机组控制装置的组成要素。于是，要么根据某一判据来确定在何处主动执行中央控制，要么也可使控制功能分散化，即每一机组控制装置都通过数据总线系统获得有关总的设备状态的完整信息，而相应的从属机组按照预定的对策进行控制。

3.5 使用中压的特点

3.5.1 使用中压的原因

为了传输日益增长的电功率,原则上可维持电压固定仅仅提高电流。若这一大电流需要过分大的电缆截面积,那么这样做至少是不实际的。

此外,下述的考虑表明,当电压升高时设备内阻将变得越来越无足轻重:若在 100 V 下传输 1 kW(即电流为 10 A),内阻为 1 Ω,则电压的 10 % 将损失在内阻上。而若在 1000 V 下传输同样的功率,并使电流密度保持不变,即导线的截面积缩小至 1/10,则电阻增大到 10 倍,成为 10 Ω,因此仍有 10 V 电压降。但是这一电压降仅占电压的 1 %! 这就节约了高电导铜,同时使损耗减小到原先的 1/10。

另一方面,所有设备都用几千伏的电压供电也是不合理的,因为这样一来,尽管只是在部分场合,有些只有头发丝粗的导线却需要厘米厚的绝缘层。因此,规定各种按不同用途采用的电压等级是有益的。电压的工程划分在 1000 V 作为低压和中压之间的分界,高于 52 kV 则称为高压。这一概念不是标准化的,然而各自领域的机器设备均有不同的标准。单单电压的"整"数值就已表明,这样分级纯粹是任意划分的界限。

所以,这里讨论的中压表示高于 1 000 V 的电压,典型的电网额定电压为 3.3 kV、6.6 kV 及 11 kV。电网的外线电压(链接电压) 可视为额定电压。有时会遇到如 3.8/6.6 kV 这样的(冗余)标注,此时那个小的数值代表相电压。因为三相交变电网中的接线约束就使链接电压为相电压的$\sqrt{3}$倍,所以双重的标注是过剩的。高于 11 kV 的电压,尽管仍属于中压范围,但根据作者的了解尚未在船舶上得到应用。

按照系列标准,这一电压范围的设备在外观和技术上都相似。在配电设备领域,甚至将 10/17 kV 电压系列的装置也用于更低的电压,因为不值得为了少量应用额外开发设备。

在未来的大功率设计项目中,最高至 18 kV 的工作电压至少也要纳入评价范围内。电压额定值 11 kV(在 60 Hz 频率时;在欧洲陆地固定电网则为 50 Hz 时 10 kV)具有商业上的优越性,因为在该电压等级已存在大量的工业和电厂电网,因此有可观数量的电动机和电缆可以低廉价采购。

在 100 万 V 和 200 万 V 之间存在一个需要认真对待的物理界限,也就是说离开中压相当远。在百万伏电压范围,例如闪电不再取最短路径,而是循一条不再能直接解析计算确定、也许还是杂乱无章的锯齿形途径。因此,即使是在超高压范围的工程中所使用的电压也限制在远低于 1 MV 的范围。

提高设备电压的更重要原因在于控制短路造成的后果。短路时产生的能量与电流的平方成正比。另一方面,发电机有关的内阻只能在很窄的范围内选择。因此,一个设备的冲击短路电流大约与额定电流成正比,并且与额定电压有关。

甚至电弧放电故障释放的热功率几乎也只与电流有关。测量表明,一个中压设备中电弧点火电压仅比低压设备中稍微略高。电弧由其最低点占主导地位,伸长的电弧柱所占比例很小(由于很长的绝缘距离)。同一考虑也适用于大功率开关的合闸电弧放电。

在 10 倍的额定电压下,额定电流将减小到 1/10,从而使短路能量减小至 1% 而电弧放电事件的发热功率降低至 10% 。

由于电弧放电的发热作用,有关配电箱内的空气将猛烈膨胀。另外还出现由气化导电金属组成的气体和包裹材料产生的可燃性气体。配电设备必须控制出现电弧时形成的压力波,使其不致危及操作人员。在峰值电流为 100 kA 时,该压力最高就已达到几个 bar,并随故障电流超比例地增大。压力上升如此之快,以至于对压力波来说即使带孔的钢板也如同封闭的表面一般。只有大面积泄放口才能确保把压力限制在一个配电箱的门仍能承受的数值上。卸载挡板通常用于此用途,挡板在重力作用下重新关闭,或者仅为防止海浪中发生活动,用几颗小螺丝固定。

为用于越来越大的电流,把低压设备制造得结实的成本将它的价格推到如此之高,使得额定短路电流在 100～150 kA 之间的范围时,其价格大致与中压设备相当。额定短路电流最大至 150 kA 的低压设备技术上已实现,并对故障电弧放电的安全性进行了试验。不过对于这类设备的高度潜在危险不应低估。

3.5.2 电缆和绝缘材料

如引言所述,在过渡至中压范围时物理规律并未突然改变。尽管如此,绝缘当然必须与增大的电压负荷相适应。这不仅意味着较厚的绝缘层，可能还意味着绝缘材料的改进。特种橡胶混合物(如 EPR = 乙烯丙烯橡胶)或聚乙烯都用于绝缘。同样的材料也用做(几乎全部红色的)电缆护套。20 世纪 70 年代有时使用 PVC 绝缘电缆，如今人们也仍愿用 PVC 塑料制造电缆护套。这种电缆(由于含氯绝缘材料生成的有毒酸性可燃气体)在船舶上却无法应用。

为使电缆质量轻而且价格低廉，经常为中压电缆配备铝导线。在正确计算电缆截面积的情况下，原则上这并不是什么问题，但由于与铜材相比，铝材具有较高的蠕变趋势，因此要求装配电缆的端套和电缆套管时更加仔细。

在低压下，只是为使导线间保持距离才需要绝缘材料。与此相应，导线和绝缘层的形状更是与机械条件相适应(例如所谓扇形导体)。最高至 6 kV 有时还制造扇形导体电缆。对更高的电压则均制成同轴导体。

在更高的电压下，绝缘材料也受到更强的负荷。为了避免出现局部电场强度过高，绝缘材料内部的电场分布非常重要。为此，采用导电性能良好的外圆光滑的导电塑料将原有导体包裹，该导电塑料层朝外与原有的绝缘材料连接，在绝缘材料中电场就准确沿径向穿行。绝缘材料的外面再用一层光滑的导电层包裹。两个导电层通常采用与绝缘层相同的材料，但含有碳黑或其他导电性填充料添加剂。

该导体连同绝缘层和外侧的导电光滑层，或者三者一起安置在共同的电缆护套中(见图 3.5.1)，或者作为单导体电缆敷设。由于绝缘层较厚，电缆总是难以操作，因而往往采用单导体电缆。中压电缆会由于机械变形(剧烈弯曲；对护套的冲击等)损害它们的使用寿命。尽管这些机械作用没有立即导致短路，但几天或几个月后可能发生击穿。因此，在脚踏区域内的中压电缆托架都应具有护盖罩。可能发生的机械损伤，如果目前尚未影响电缆的功能，此后也必须非常认真地对待。

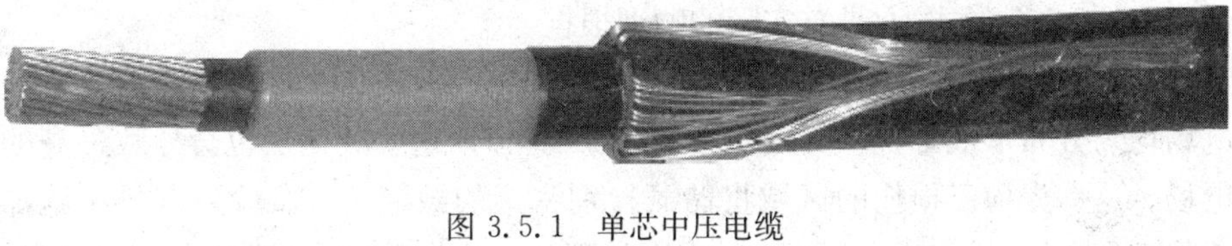

图 3.5.1 单芯中压电缆

为了防止在电缆端处出现超高电场强度，安装一种所谓电缆端套(见图 3.5.2)。除了电缆内部电势的控制(见图 3.5.9)，有些情况下这些电缆护套还具有保护线芯端免受外界影响的功能(直至防雨水的端套)。安装电缆端套，必须极其仔细。在 10 kV 及更高的电压下，周长为额定值的端套成为电缆损坏的原因，而在电缆长度上的损坏实际上总能追溯到制造失误或机械损伤。安装电缆的端套及套管需要一定的经验，故应由经过培训的装配人员担任。

图 3.5.2　中压电缆用电缆端套(两种不同的型号)

若为试验断开电缆连接，处理中压电缆时需要集中注意。此时，通常必不可少的接地就暂时缺失了。受高电场强度的作用，电子渗透进入绝缘材料。在交变电压下，由于电场持续变换极性只有少数电子储存起来。但如果在直流电压下对电缆进行了试验，并且该电压还长时间停留，按这种方式就可能存储可观的电量。如果试验之后使电缆放电，这些储藏的电子也只能重新缓慢地释放。即使电缆经过几分钟放电后重新处于开路，随着时间推移在电缆终端可能再次建立危险的电压。因此在中压情况下，安全规则“接地及短接”(见 3.7.6 节)不只是一个形式，而具有实际的物理根据。

如果一根电缆已经带有显微镜能观察到的故障点，那么这些故障点总是对电场均匀分布形成干扰。因此在测量绝缘电阻时，这些故障点也会导致过高的电场。这一先前已损伤的区域将储藏特别密集的载流子。试验后若再次施加工作交变电压，于交变电压的负半周，空间电荷就将在故障点附近产生极端的高电场强度，这样易受损害的绝缘材料，特别是聚乙烯，就可能被进一步损坏或摧毁。因此，在测试 PE(聚乙烯)绝缘电缆时，须尽可能避免使用直流试验高电压。

任何通电流的导体均被一个磁场包围着。因为在无故障的情况下，三相交变电缆中3条相线的电流之和为零，一根3线、4线或5线的三相交变电缆的合成磁场也近似为零。单芯线电缆的情况完全不同，正因如此，它更多地应用在中压而非低压场合。这种单芯线被同轴的交变磁场包围，该磁场可能在金属结构(电缆托架、固定夹、船用铁板)中引起涡流，从而导致发热。

为此，单芯线电缆必须总是按3根一索敷设，在电缆索中电流之和重又为零。即使在这种情况下，不用磁性材料的工件夹固电缆，退而采用塑料连接件或不锈钢夹子也是合理的。

为了即使在机械损坏或电击穿情况下也能避免接触通电相线，所有中压电缆都配备能传导短路电流的屏蔽线。此外，屏蔽还起一个作用，即把地电势皆为均匀地引向电缆绝缘系统的导电层。对于三芯线电缆，屏蔽层可以双面敷设，因为这样屏蔽层就包围全部3根相线，从而包围电流也为零。发生故障时(接通电源设备中的接地)，双面敷设的屏蔽层起故障电流回路的作用，减小了对其他设备的影响。

对于单芯线的情况，电缆如同一个拉长的变压器，变压器的初级(相线)和次级(屏蔽层)都是单匝绕组(见图3.5.3)。如果电缆中屏蔽层双面敷设，那么变压器的次级绕组就经过船舶壳体短接起来了。此时，屏蔽层中将出现一般达到相线电流1/3的电流，该电流导致了额外损耗及不必要的发热。因而在实践中，船上每一电缆的屏蔽层，仅在供电一侧接上；在负载一侧，屏蔽层则悬空着。

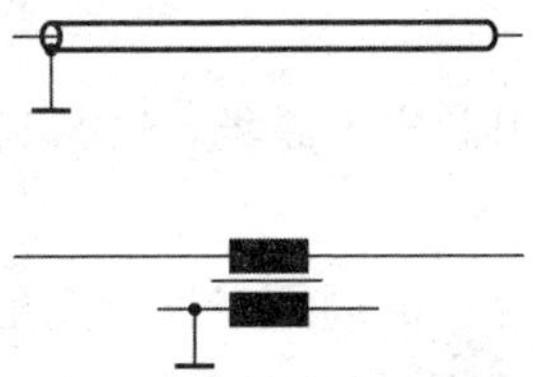

图 3.5.3 含屏蔽层的单芯线电缆的等效电路

问题的另外一个方面是中压电缆较高的电容。对于10 kV的电缆而言，每根芯线的电容量约为每km长度上0.5～1 μF，依据相线截面积和绝缘材料而定。鉴于相线-地之间的电压较高，在船舶的系统中从每一相到地经该电容可流过约2～10 A的容性电流。在无故障电网中，3条芯线中的充电电流相互抵消，以致三相交变电缆系统的3条屏蔽线的公共接地点上无电流流至船舶壳体。

若屏蔽线未与船壳地刚性连接(至少有一侧)，具体的危险就将产生于屏蔽线。这种情况下，线电压也几乎无减小地滞留在屏蔽线上(见图 3.5.4)，并可能导致人员伤害。

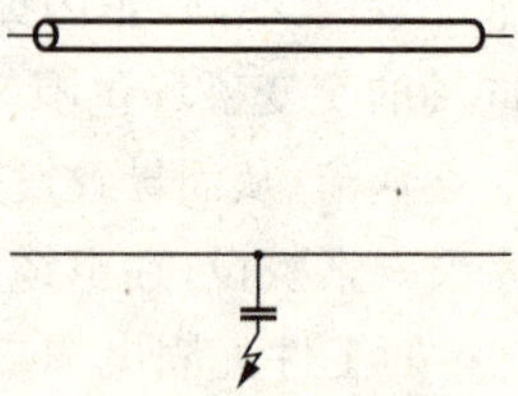

图 3.5.4　用于屏蔽(错误地)未接地的电缆的等效电路图

3.5.3　开关设备

大功率开关和接触器必须切断电流。只有当开关断路间隔在电弧放电条件下至少能够承受工作电压，断流才是成功的。在低压下利用不同的效应来实现这一点：

(1) 将开关电压分配在几个开关断路间隔(一般开关中每个电极至少分为两个开关断路间隔，由一个两端平放在静止对应触点上的活动开关跨接件构成)。

(2) 将电弧分成多个分电弧(可在灭弧腔中见到一些金属叠片)；由此每一分电弧承受约 20～40 V 的电压。此外，数量很大的叠片还起使电弧等离子体冷却的作用。

(3) 磁力吹泡：由于电流的作用形成了磁场，该磁场拉长电弧，并因此使所承受的电压升高。

此时，作为开关断路间隔绝缘介质的周围空气也充足。

对于较高的中压，这样的技巧就不再足以解决问题。于是一般以一种更合适的介质来代替触点之间的空气。典型的介质有：

- 绝缘油和类似的液体；
- 真空(严格说不属于介质)；
- 特种气体(六氟化硫 SF_6)。

如果不再存在灭弧介质(“外泄”)，开关断路间隔也就不再具有灭弧性能，而这将引起静止的电弧，从而导致严重的破坏后果。因此，定期的维护检查是必不可少的。

几乎所有的交流接触器和大功率开关都是所谓的零点消弧器。开关切换时,触点多少有点缓慢地相互拉开。将形成一个电弧,作为引弧电压,此电弧大体上具有电网额定电压(见上)。电流回路的电感使电流继续流动直至自然过零点。此后,开关断路间隔必须阻止电弧重新点燃。电弧燃烧期间,开关断路间隔必须消耗功率 =(当前电流)×(电弧电压),即使小型设备中发生短路时,这一功率也将达到几百 kW。因为正常情况下断开开关最多只持续一或两个半轴,所产生的能量仍然相当微小。

零点消弧的开关原理具有一个显著的优点:要是电流在其时间变化过程中反正都变为零,则在电网电感中储存的能量为零。因此开关过电压将保持在很低水平。但如果制造一个中压大功率开关,用来切换几倍于 1000 A 的短路电流,那么开关切换时较小的电流将成为一个全新的问题:真空大功率开关特有的开关断路间隔需要如此多能量来维持电弧,以致在小电流时电弧自动熄灭。这样就不符逻辑,恰恰在特别小的负载电流下出现部分的过电压,此电压尽管对开关断路间隔不增加损害,但对于电网中的其他电缆和设备却可能构成威胁。针对这种过电压,在中压电网中采用过电压放电器。

过电压放电器连接在每一相线与地(船壳地)之间,多数安排在中压配电箱的输出区。对于每一个输出端都必须有一个单独的过电压放电器。正确放置这种放电器必须注意,在接地情况下,完好的外相线的相线-地电压与链接电网电压相同,并且在这种状态下放电器灭弧必须仍然是可靠的。

3.5.4 电动机和变压器

在中压情况下,既不是在工作特性上也不是在过载和短路条件方面,必须对电动机和发电机特别注意。它们的情况与低压电机完全相同。

对于中压电动机,往往对起动过程有限制,典型的是 60 分钟之内最多起动 3 次。这与中压关系不大。中压电动机总是较大型的电机(至少几百 kW)。由于给定几何体的表面积比体积增长较慢,较大型电动机的,尤其是处在更里面的转子的散热总是更加困难。此外,在较高电压下定子铜线棒中的损耗也小于低压电机中的情形。因此,许多中压电机是“转子薄弱的”,换句话说,由定子过载电流保护或许还有定子温度监控,仍不能对转子过热提供充分保护。

每个异步电动机的定子损耗至少在理论上能够降低至零,转子的线棒电阻对于电机的工作特性却是必需的。每次起动时,转子中必然获得至少像整个驱动设备的机械飞轮质量中那么多的能量(这里,在物理上遵循着飞轮靠摩擦连轴器起动时的相似定律)。

在此,转子的允许温度受到不同边界条件的限制:

- 转子线棒的熔化温度;
- 轴承的极限温度;
- 定子线棒的允许辐射温度及冷却空气温度。

为了将起动发热量排出转子,需要一定的时间,特别当静止电机起动时空气循环冷却尚未工作时更是如此。这就产生了上面已介绍的对起动次数的限制。

此外,大型电机如此昂贵,故而值得增加保护环节的费用。因此,保护检测仪表如定子和轴承的温度监控经常出现在中压电动机和发电机中,采取这些保护也并非直接由于电压等级的原因。

3.5.5　电网和电网结构

与低压情况同样,船上初级电网结构在中压情况下也限于辐射状电网。

作为电网扩展通常敷设环形电网。

环形电网

为了对分散的用电器供电(例如冷藏集装箱或客舱),在靠近用电器处安装多个小型变压器并通过中压电缆线路相互连接。这些变压器在低压一侧再向常规的辐射状电网供电。在中压一侧,两根中压电缆分别经过各个断路开关连接。在拓扑学上,中压一侧事实上就构成了环(见图 3.5.5)。主要的局限在于,当电网环路闭合时,分成两半的汇流排就会通过电网环路连接起来。这样一来就绕过了汇流排连接开关的保护功能。在半汇流排连接断开的情况下,环路中存在由半汇流排之间的平衡电流引起的电流过载危险,这种电流过载则可能触发环形电网供电的保护功能。为此,使该环形电网在可选择的位置断开(每台变压器至少有一个断路器保持断开)。结果,又形成两个辐射形电网用于运行,不过它们能按要求变换形式。这样,一方面能够提供同样的汇流排负载容量,另一方面又能在任何时候放弃某一电缆分线路段。借此为电缆,大功率开关或甚至某个半汇流排的故障提供后备冗余。接在这种环形电网上的用电器的可使用性,明显高于由主配电盘输出直接供电的情况。

针对运行操作需要说明的是,对于完好的电缆,即使是末级不通电流的电缆线路段,也应尽可能接上电压。这一点的考虑在于,只有当备用电缆的状态

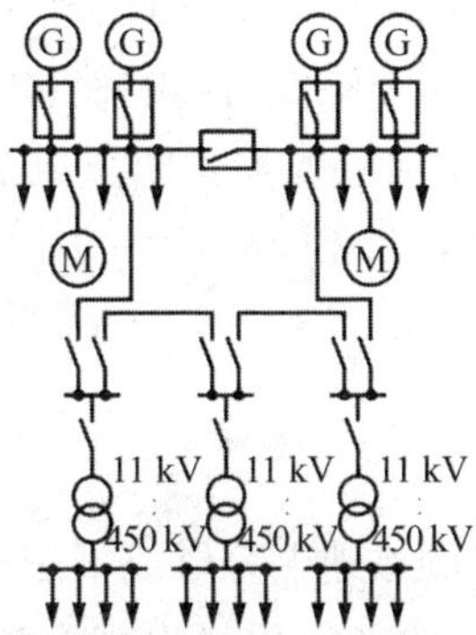

图 3.5.5 带开路环形电网的中压船舶电网

处于监控之下，然后它才是有效的。仅当电缆线路段连接着，这个为此设置的馈电式大功率开关的保护环节才能工作。所以在环路中总是恰好有一个断路开关断开。这一点或者通过连锁装置来确保，或者由开关操作人员负责，注意该条件的遵守情况。

3.5.6 中性点处理

中压电网的另一个特点是对于中性点的处理。按照船级社规则的规定，刚性接地(即譬如直接将发电机中性点与船壳地连接)(见图 3.4.21)对于中压电网是禁止的。

另一方面，即使在未接地电网中，接地电流会因电缆和设备的电容达到如此之大，以致接地定位或许还有自动断路功能是值得推荐的[3.1]。为了能对接地定位，需要一个确定的接地故障电流。把(发电机的)中性点经给定阻抗与船壳连接(见图 3.4.21)，就能达到这一目的。通常采用纯电阻，适当地设计电阻值，使得每个发电机产生约 3～6A 的接地电流。使用总和电流互感器，通常就能很好地将这一数量级的电流与背景噪声加以区别。由此就能识别并断开存在故障的支路。进行接地识别时，在各输出与供电开关之间也存在梯次配置时间选择性，该梯次配置时间最高可达分钟范围。

在刚性接地期间，在中性点电阻上施加电网的相线-地电压。通常，此电压是针对至少达 5 min 的短时间工作或持续工作确定的。

在接地期间，不仅在接地电阻上加载。因为在该状态下电网的接地移至一条外线上，未受干扰的两相之间的线-地电压比正常工作时大一个倍数。这增大了绝缘层的电压负荷，在极端情况下将导致击穿的后果。其中这样一些设备受到的危害特别大，即由于污垢和湿度的影响使这些设备中带电压的裸露金属零件之间以及先前损坏的电缆和电缆端套间形成了电气连接。为使这种负荷尽可能小，有选择的接地缺陷识别和接地断路功能也是可取的。

3.5.7 电容性电弧

在未接地的电网中，设备的接地电容形成了三相交变电力系统唯一的对地连接。现在若建立接地连接，就必须预料出现电弧放电。相对于电网电压而言，这种电弧具有很低的引弧电压。所以，流过的电流由电容决定，并且相位比电压超前 90°。如果在电流过零点附近使电弧熄灭，则电流为零，而电路中的电容充电至电网峰值电压。

只要电弧不是总处于有利的起弧条件并借此使电流重新流动，那么半轴之后在故障点上将形成峰值电压和电容器充电电压的叠加电压。这一双倍的峰值电压在许多情况下也将使已冷却的电弧断路间隔重新起弧。含电容限流的电弧燃烧时与含电感限流的电弧(电焊变压器)同样稳定。

3.5.8 配电装置

如今使用的配电装置都是全封闭装置参见(见图 3.5.6)，这就是说，依靠结构设计不仅使操作人员实际上不可能触及带电的部件，而且，在发生内部故障时使设备外壳尽可能保持完好，以致等离子体和灼热气体只能通过受控的出口逸出，杜绝了对操作人员的伤害。视环境条件而定，或者可将减压通道朝配电设备机舱顶的方向开设(为此需要有足够的机房体积和机舱高度)，或者在隔开的空间或向露天卸压。现代配电设备的主要区别在于大功率开关的灭弧介质和汇流排的绝缘介质。其中得到应用的有：

(1) 少油开关，Expansin 开关：少油开关的标记名称源自结构形式，与旧的结构相比它体积很小。触点安装在注油腔中。开关电弧在油中燃烧，通过油的气化和分解被剧烈冷却。不用油也可采用一种称为 Expansin 的混合试剂。定期维护，特别是置换旧的灭弧介质，是绝对必要的。

(2) 真空大功率开关(见图 3.5.7)：大量采用中压的船舶都装备了真空大功率开关。这种开关对应每条导线具有一个所谓的开关管。在这种陶瓷管内，

图 3.5.6 中压配电盘的外观(资料来源:ABB 股份公司)

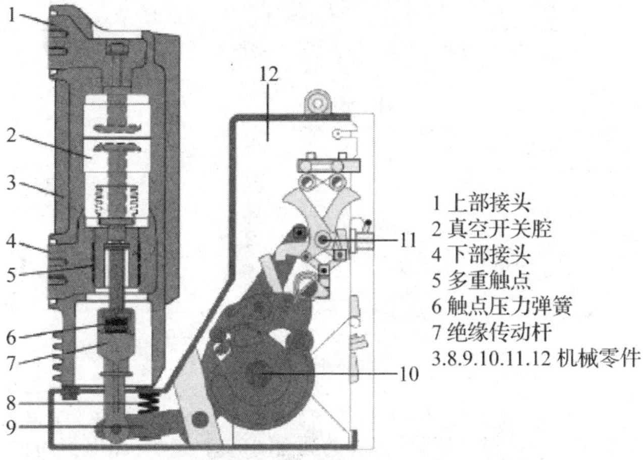

图 3.5.7 真空大功率开关的结构(资料来源:ABB 股份公司)

两组触点对处于高真空中。金属的波纹管使触点能够分开和闭合。开关的所有其他零件以及配电装置的其余部分都处在空气中。

当电流断开时,在触点接触表面之间就引发电弧,该电弧在触点气化物质构成的等离子云中燃烧。由于金属气化,电弧需要非常高的能量,因而消耗很大的开关功率。开关切换结束后,金属蒸气重新沉积在触点上,故并未出现值得一提的开关零件的磨损。即使在很大的工作电流下,真空开关管也达到很高的开关切换次数(寿命)。

如果真空开关失效,通常这是因陶瓷管机械损坏或机械传动机构中的磨损引起的。常见的是螺丝连接松动及由交变载荷造成的杠杆损坏。因此,真空大功率开关也需要定期维护,不过检查范围要比少油开关小。

3) SF_6 开关(见图 3.5.8):六氟化硫(SF_6)是一种密度比空气大 3 倍的无毒气体。要是这种气体释放得如此多,以致排挤了呼吸空气(向上),那它就变得危险了;于是将构成窒息的危险。

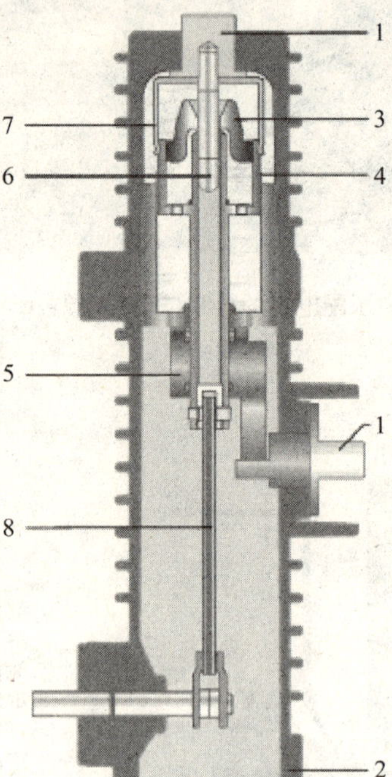

图 3.5.8　一个 SF_6 大功率开关的截面图(资料来源:ABB 股份公司)

1—接头;2—绝缘材料外壳;3—吹气口;4—活动电弧触点;5—活动主触点;6—固定电弧触点;7—固定主触点;8—绝缘传动杆;9—防爆裂安全阀

在高压电气工程中,人们利用 SF_6 比空气高 3 倍的击穿强度。通过增大压力还能按比例进一步提高击穿强度。当压力为 3～4 bar 时,绝缘距离只须取空气情况下的约 10% 即可。因而 SF_6 绝缘的配电设备比空气绝缘的设备明显紧凑。依型号不同而定,整个汇流排与电流和电压互感器一起安装在充气室中。

基于 SF_6 的高热容量,它适于作为大功率开关的灭弧介质。每次开关过程

中都有少量的 SF_6 在开关电弧中分解和消耗，因此必须定期进行气体补注。分解的产物为部分气态和部分粉尘状的，并有部分毒性。因此打开 SF_6 开关时必须加倍小心。

如果设备气压变得太低，气体的绝缘性能就降低了。因此压力检测属于 SF_6 配电装置的经常性检查工作，这种检测也能由船上工作人员执行。只要手边有压缩气瓶或合适的装备，气体的补注工作也能由船员完成。

3.5.9 部分放电

放电时，火花不是经过两个放电导体之间的整个距离而只是一部分路段的那些电气过程，人们把它们归纳为部分放电的概念。于是，其余的绝缘路段就被流经电容的电流所跨越。部分放电的一个广为人知的例子是高压线旁边特别在潮湿天气能听见的噼啪声。此时，高压线附近电场集中区域的电场强度超越了潮湿空气的击穿强度。很难看见的短促火花闪过，并在高压线周围形成一个圆形的空间电荷壳层。这样就降低了电场强度，不再发生击穿。但因为伴随每次高压线极性变换，空间电荷带都必定进行充放电，故每一电网周期内，飞弧放电过程都将重复两次。

经过火花放电，将有少量空气中的氧气转化成臭氧，不过，这对于露天电缆并没有进一步的后果，轻微的空气流动不断对电缆周围的空气团进行交换。

在中压下，空气绝缘配电设备中的电场强度如此微弱，以致导线上不会出现部分放电。但要是电缆或中压电机内的绝缘材料中存在空气封裹，那么在这样的缩孔内就可能闪现微细的火花。因为绝缘材料与空气不同，不会经常交换，随着每次部分放电都将引起一些微观的小损伤，经长时间后这种小损伤便可能导致绝缘材料的失效。PVC 和合成树脂以对部分放电特别耐久，而聚乙烯以对此特别敏感而知名。

对于电缆，只有当发生击穿时使用者才注意到部分放电的作用。正常环境条件下是不可能凭声音觉察到部分放电的，它的能量远远太小。在封闭的电机中，经常由于臭氧的存在而能够辨别强烈的部分放电。若经短时间运行之后打开电机(或接线端子箱)，常常还能闻到典型的臭氧气味(臭氧带有淡淡的刺鼻酸味；使人想起室内游泳池)，此外电机内还有多得超乎意料的铁锈，因为臭氧具有强氧化作用。

为了防止部分放电的发生，须尽可能避免电场的集中，为此，对那些带电的锋利边棱采用所谓的电势控制层进行倒棱。在电缆末端从某一规定点开始把外面的导电层剥除。没有进一步措施，在边棱处或许就会出现超高的电场强度。电缆端套内含有独特的导电层，这种导电层沿着一条曲线轨迹从芯线剥离，从而使电场缓慢衰减(见图 3.5.9)。

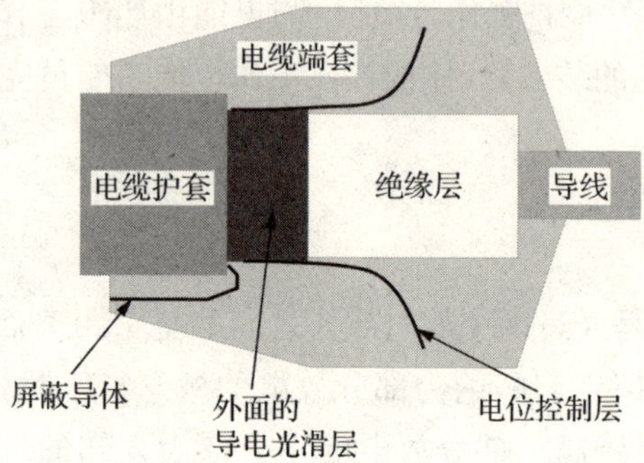

图 3.5.9　带防止部分放电的电位控制层的中压电缆端套

在中压电机中的一些位置也出现类似的效应，在这些位置上线棒从带地电位的叠片组的槽中伸出。为了避免电场集中，涂敷一种所谓的双端面辉光保护试剂。这是一种半导电的清漆，它把沿着线棒的电场转变区拉长。

在槽内，线棒被一导电层包围，该导电层把地电位直接传递给绝缘层。这样一来，空腔中就避免了线棒和叠片组之间的部分放电。

如果由于反复的热膨胀或机械振动而造成了线棒的外部导电层磨损，则电机中出现了增多的部分放电，这种放电将在中期内造成定子绝缘的毁坏。要是提前发现了这一效应，或许可通过补充涂漆和补充浸漆把剩余的使用寿命延长几年。如果损坏已经太严重，只有重新绕制或更换才能见效。

陶瓷类材料，例如电动机和发电机的接线端子箱中陶瓷处的部分放电完全不令人担心，因为陶瓷对于部分放电的影响根本不敏感。只是对具有加剧腐蚀作用的臭氧形成，应给予重视。

部分放电基于电容性电流，这一点对于试验很重要。因此，当使用直流电压进行试验时，不会出现部分放电或仅以单次脉冲形式出现。

3.5.10　中压设备的检测

开车调试时，用几倍额定电压对电缆设备进行试验，但那些必需的测试设备大多数情况下在船上不再使用。对于首次试验而言，可信的测量数据为自起点至终点的电缆电阻以及绝缘电阻。

电缆电阻最高为 100 mΩ 。对于这一测量范围，需要一个测量电桥。市场上常见的万用电表达不到这一要求。作为对比，可依次对 3 根芯线全面测量。各芯线电阻之间只允许有百分之几的偏差。否则不得不假定，应能在线路中找出一个接线端连接，其接触过渡电阻超过允许值。这种情况下，在短暂的工作之后通常就能根据相应的颜色变化辨认出这些接线端。采用同样的测量仪器和同样的方法也可检验电动机和发电机。

只有当采用至少 100 V 更好是 1000 V 的测试电压时，绝缘电阻测量才提供能说明问题的结果。提前老化的聚乙烯电缆特别容易引起电子在微细故障点处积聚，这可能使电缆在检验后失效。要是测试 PE(聚乙烯)绝缘电缆，只允许采用最高为 200～500 V 的直流电压进行测量。

市场上常见的万用表的测试电压通常在 3 V 以下，因此不能用于此目的。这需要一种所谓的兆欧姆计。这样的仪表属于装备精良的电工车间。由测量电桥组成的组合仪器(用于测量很低的导线电阻)及测试电压高达 1000 V 的兆欧姆计在市场上有售。

只要用电器许可，测量可在接上用电器的情况下，首先从配电设备的输出区开始进行。测量时须注意，通过用电器同时测量所有 3 根导线。仅当出现超过允许范围的低绝缘电阻时，才值得拆除用电器的接线并测量各单独芯线。

对于船上所有实际使用的中压电缆，绝缘电阻应高于 200 MΩ · km (这就是说，对于 100 m 长度测量值应至少为 2000 MΩ，对于 200 m 长度测量值相应地至少为 1 000 MΩ)。要是电缆端套被污染，常常出现更低的数值。如果用液体试剂对端套进行清洗，则重新测量前的等待时间必须达到数小时，否则，即使表面已呈干燥状，也将测得显然过低的数值。

对于电动机和发电机，通常这一数值也在 1 000 MΩ 以上。根据经验，只有加热电阻或负载电阻(例如用于中性点接地)经一定工作时间后将具有很差的绝缘电阻。此时，甚至低于 VDE(德国电工协会)对新型仪表的 1 000 Ω/V 的规定值，也并无担心的理由。只有当漏泄电流成为设备的实际威胁时，才出于绝缘电阻过低不得不更换加热电阻，所以典型的值为 100 Ω/V 以下。

为了在运行中测量电压和电流，必须依赖企业的检测仪表，有时还有互感器次级回路中的辅助仪器。由于电压很高，直接测量过于危险。只有单芯线电缆的电流测量，可借助钳形电流表安全地进行测量。测量时，测电钳须将电缆包括屏蔽层和护套整个地包围着。

3.6　电力航行装置

特殊情况下，驱动机械用电气方式向螺旋桨传输功率（见图 3.6.1）比直接经机械轴传输更有利。驱动装置与螺旋桨在机械上的分离，使船舶设计和噪声、振动传播的结构定型获得更多自由。一个带变频器的装置可理解为一个能对传动比和旋转方向进行无级调节的变速装置，从而能达到驱动装置与螺旋桨的转速-转矩特性之间的良好匹配。采用一个公共的汇流排（也可分离）使功率分配非常无拘无束，并且能够实现很高程度的备用冗余。由于这一特殊的性能，通常客船都装备电力航行装置。在破冰船中都安装了电力螺旋桨驱动，因为当螺旋桨静止时借此能达到很高的停转扭矩。对于小型危险品货船和军用舰船，涉及备用冗余的要求促使它们都安装电力航行装置。

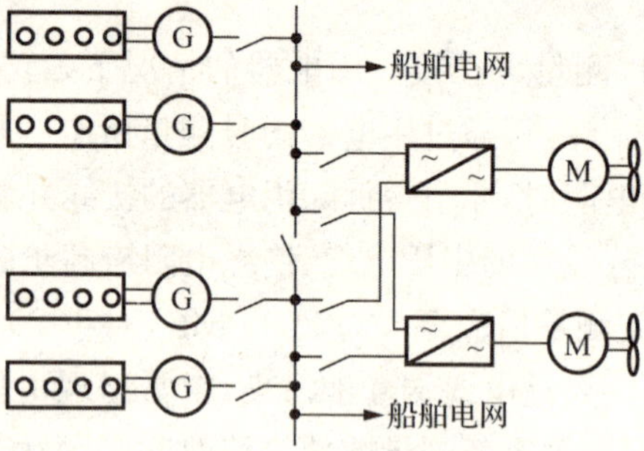

图 3.6.1　用于电力航行装置的船舶电网实例

一个特例是所谓的吊舱驱动装置（podded drives），在该装置中电动机与一个或两个可旋转的吊舱安装在船舶下方，通过导电滑环向电动机输送能量。

以多种多样的途径实现各种完全不同的设备方案（见图 3.6.2），这些方案之间的区别在于螺旋桨、变频器和电动机的类型不同。在船舶的操纵特性方面，可调距螺旋桨在许多情况下比定距螺旋桨优越。不过，大多数情况下，优点也不是大得足以证明所需费用增加是正确的。除了螺旋桨所决定的特性以外，各种方案的工作性能之间几乎没什么区别。对于方案选择具有决定意义的主要是一些判据，如投资费用、设备重量或制造商的优惠。此外，各具体的装置方案在技术上并不是在每一功率范围内都能合理实现的。

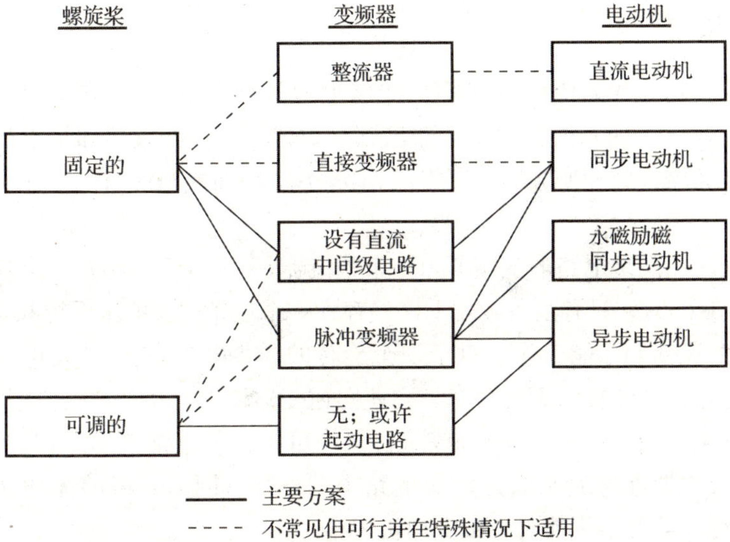

图 3.6.2　航行装置电气部件各种组合的可能途径一览

一种特别配置采取了异步电动机和可调距螺旋桨的方案。螺旋桨以固定转速驱动，通过螺距调节，螺旋桨推力是可调的。原则上，该装置只以很少零件构成，因此坚固耐用、成本合理。但电动机的起动是个重大的问题。由于静止电动机的起动需要很大的电流和功率，不可能采取直接合闸（见图 3.2.5）的方式。因为还必须获得轴装置所决定的停转扭矩，也不能过分降低定子电压。就这一点来说，即使通过大大提高设备费用采用前置变压器（见图 3.2.8）或平缓起动器（见图 3.2.9），仍不能满足要求。因此，这个看似特别简单的设备方案是以非常仔细的规划和设计为前提的。

关于电动机

在功率最高达 5～10 MW 的范围内，带鼠笼式转子的异步电动机是经济的。对于更高的功率，则同步电机是工程上的唯一选择。此外，同步电动机允许有较大的气隙，从而降低了对振动的敏感性。在一些近期的研发工作中，人们采用永磁铁替代励磁绕组。这样一来，就消除了励磁功耗，并且能将电动机制造得更小。现在，带超导励磁绕组的电机在试验阶段的功率已达到 4 MW。目前直流电动机的使用仅限于特殊的应用场合，例如噪声特别低或者由蓄电池供电的驱动。最新型电动机配备了经专门调适的电子设备，在军事用途中使用。

关于变频器

由于大功率开关特别是 IGBT(绝缘栅双极型三极管)及其衍生产物的发展,如图 3.2.12 所示的脉冲变频器已部分取代了直接变频器和带直流中间级电路的变频器。脉冲变频器能够提供无功功率,因而能与所有的三相交流电动机配合。

带直流中间级电路的变频器由一个整流器、一个直流电路及一个逆变器组成(见图 3.6.3)。只有当负载端上已经存在一个三相交流电压系统并且已提供无功功率,逆变器才能工作。对于一个旋转的同步电机,它能如发电机那样产生电压并为逆变器提供无功功率。它还向逆变器输出有功功率,并把机械能传递给螺旋桨。当电动机起动时,该航行机构可能尚未正常工作,因此为了开动设备,就要周期地接通和断开直流电路中的电流。因为必需的无功功率的关系,这种变频器类型不能与异步电动机配合。

不含中间电路级的直接变频器以往都用于大型驱动装置中。

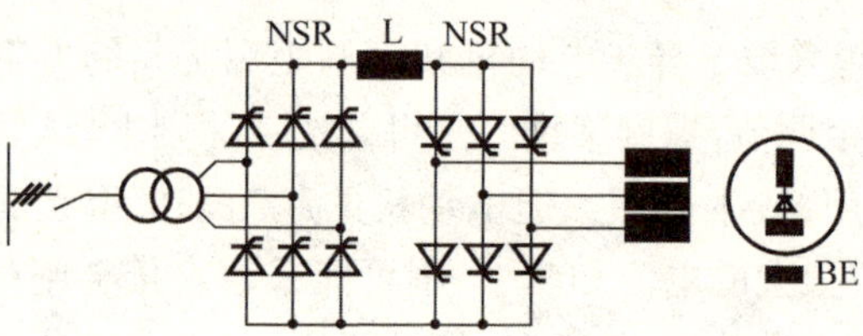

图 3.6.3　带直流中间级电路变频器的航行装置原理结构图

NSR—电网变流器；L—直流平滑扼流圈

关于备用冗余

在航行装置中不管发生多大程度的故障,船舶都必须能起动航行或有限制地起航,这取决于船舶的设计用途。图 3.6.1 为一种客船中常见的方案。即使当某个半汇流排损坏,两个螺旋桨还能以约 50% 的功率驱动,即使另外又有一个螺旋桨电动机发生故障,船舶还能靠另一个螺旋桨安全地航行。人们已经制造了一种没有交叉连接的装置。内部由电气上独立的两部电机组成的螺旋桨电动机组也已大规模生产,其中励磁设备也可分别由各个半汇流排供电。这样一来至少在一个绕组发生轻微故障时,能够用两个螺旋桨继续工作。尽管如此,设计装置时必须进行审慎的研究,为备用冗余及交叉连接所增加的费用是否真正赢得了与之相当的可靠性和利用率,或者是否通过附加零件和提高复杂性甚至两者才收到效果。

船舶电网的连接

每个变频器都从船舶电网取走强大的非正弦电流。出于灵活性的原因，直接从与变频器相连的同一个汇流排，通过变压器向船舶电网供电。因此，非正弦电流不允许导致船舶电网电压的畸变因素超过许可值。

实践中应一贯采用的措施是，在变频器前面串联一个三绕组的变压器，并将整流器划分为两部分(见图 3.6.4)。于是，两个三相交流系统 A 和 B 相互之间转过了 30°，使得变压器的原边电流中含有 12 个脉冲。通过傅里叶分析可以证明，由于原边电流的叠加，在 3.1.7 节列举的 5，7，11，13，17，19，23，25 高次谐波的阶次中，5，7，17，19 等各阶次抵消，因而只剩下 11，13，23，25 等阶次。在一个符合图 3.6.1 形式的装置中，两路供电采用半汇流排，甚至采用引起 15° 相位旋转的不同变压器。电网中将总共存在 24 个脉冲，并且只剩下 23，25，47，49，…阶次的高次谐波。

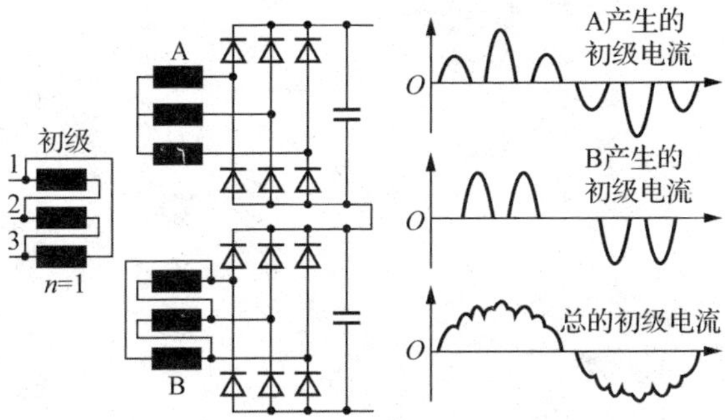

图 3.6.4 采用三绕组变压器降低高次谐波

为了使残留的高次谐波电流对电网电压的影响尽可能小，船舶电网对于出现的高次谐波的阻抗必须尽可能低。对于发电机而言，其中次瞬态电抗 $(x''_d+x''_q)/2$ 是主要的。一方面，该电抗的下限由发电机中的结构情况决定，另一方面，根据式(3.4.4)可知，此量的小数值也意味着大的冲击短路电流。使用滤波器，可使指定频率下的电网阻抗达到非常小的值。根据如图 3.6.5 所示的各量值，得到阻抗

$$\underline{Z}(\omega)=\mathrm{j}\,\frac{\omega L''(1-\omega^2 LC)}{1-\omega^2(L''+L)\cdot C} \tag{3.6.1}$$

这样就能做到，使指定频率下的阻抗变为零。若针对(不存在的)阶次 12

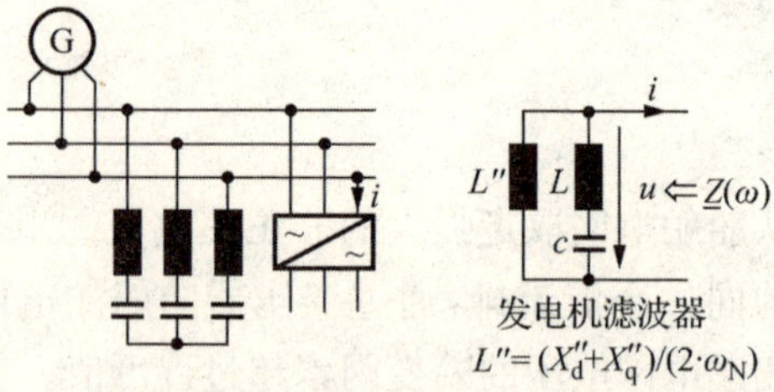

图 3.6.5　高次谐波滤波器的原理及单相等效电路图

设计滤波器，那么在(存在的)阶次 11 和 13 还能保持相当小。可是式 (3.6.1) 也表明，在设计频率以下的某个特定频率下，阻抗也可能达到无穷大。[式 (3.6.1)的分母为零]。这是一种危险的情况，因为一个很小的电流就已经能产生很高的电压了。所以，如图 3.6.5 所示的电路除了所需的串联谐振外，还具有不希望的并联谐振。由于 L'' 是由联网工作的发电机的个数决定的，因此为了防止谐振引起的过电压，可能有必要根据实际工作发电机的数量来连接滤波器。

3.7 危险、安全性

3.7.1 标准和规范

有关设备安装和操作的重要规定分为：

- 法律；
- 标准；
- 保险规定。

理论上，这样的划分将产生不同的影响范围：

(1) 谁触犯了法律，谁就应自动受到惩罚，或可能让设备停车。

(2) 标准是技术现状的总结。任何时候都准许安装和操作人员偏离标准。如果发生事故，偏离标准的处罚后果只是过失鉴定。尽管如此，事故有关人员事后可能会出庭作证，证明其解决办法与标准的相应建议相比，至少确保相同的安全性。

(3) 保险规范规定投保人的义务。若投保人未履行义务，保险公司可能全部或部分地拒绝承担保险义务或追索补偿。

到此为止都是些理论。特别在船舶运行方面界限模糊，因为保险公司(远洋航运同业协会)和它们的鉴定人(船级社)同时都担任威严的工作，因此它们所制定的规定都部分具有法律性质。在中压领域，规范基本上以 VDE 或 IEC 的标准为依据。这里不应继续考虑针对设备安装的规范，而应以建成的设备是否符合规范为出发点。船级社的验收就为此做了担保。

法律规章主要是劳动保护的法规，写在社会保障法典第 7 分册中。书中规定了对仔细工作的一般要求，但没有具体的处理指示。较具体的是 VDE 标准 DIN VDE 0105 第 100 部分“电气设备的运行”。标准 DIN VDE 0104“试验设备、安装和运行”其中更多涉及专业公司的责任。

行业公会的规范所谓 VBG 4 证明是与电气设备打交道的良好指南。其间对该规范做了少量编辑上的修改及多次更名，如今归于 BGV A3 的名号下。只有通过实施细则才容易理解本规范。任何情况下，书中写入的方法和处理方式都是允许的和安全的，尽管实际工作人员在日常生活中有时感觉这些操作麻烦、昂贵或不顺手。每个电气工程技术人员，首先对自己的行为负责，也可不按照实施细则行事。但了解规定的情况总是有益的。

只要不出现问题，尽可能简单高效的处理方法总是符合所有参与各方的利益。当作业范围发生财产损失时，必须获得令保险公司满意的解释。通常在这方面也能很快达成一致意见。但要是发生了环境损毁，甚至人员伤亡，特别是死亡事故，那么就启动检察官调查程序。防止这类事故发生是任何职业活动中理所当然的目标。如果所有谨慎也不够用，那么即使做得再正确也仍于事无补，人们就必须在法庭上明确地证明这一点。为此，通常要求书面的证明，在规范中未明确提到书面证明。关于中压设备运行的规范与一般标准没有不一致之处(关于低压设备的规范则有一些简化，即规范与标准有些差异)。

3.7.2　培训

定期地，一般每年一次，就工作岗位的特殊危险题目举办下属员工的指导讲座，也属于企业的义务。按照标准的规定，企业中将该项义务进一步委派专人，一般是落实到电气工程专业人员身上。应有关这方面培训的求询，行业公会将提供培训资料，这些资料至少涵盖了培训的公共部分。除此以外，培训还必须涉及设备的特殊性质及当前已认识的危险，例如近期同一操作人员在类似设备上发生的技术和组织方面的问题和经验。

尽管这样的培训有点成为令人厌烦的规定动作，但定期完成并记录对于事故预防和事故的司法评价仍然很重要。这里，必须通过参加人员的签字来确认是否出席。这些培训决不能总是同一内容的枯燥报告。不受个人指责的、对损失及差一点发生的事故的讨论，可以是绝对紧张有趣并依然富有教育意义的。

3.7.3　人员防护装备

必须为所有工作都提供并使用必要的保护装备。在电气工程领域主要的保护装备有：

- 由耐电弧材料(棉花，有时经相应的浸渍处理)制成的工作服；
- 合适的防护用品；
- 防护手套；

• 带护目镜的头盔。

使用防护装备时，领导的榜样作用是一个不可低估的因素。但促使员工贯彻人员防护装备的使用规定，也是领导的责任。

3.7.4 设备检验

设备建成后，建造商必须保证，设备不仅在结构上而且也在它的技术规格方面都符合有关的规范之规定。只有当操作人员从建造商收到已完成检验的相应书面确认后，才可以信任设备的无故障状态。通常，该确认包含在船级社的验收报告中。为保险起见，中压设备的操作人员应审核资料的完整性。

只要是固定的（也就是与船舶固定连接的）设备装备了相应的自动监控装置（例如接地监测和短路保护），并由电气工程专业人员操作管理或监控，那么就可以不必进行重复检查。在所有中压设备的正常情况下，这是适当的。

3.7.5 开关控制权限

新型的封闭式配电设备使工作中的误操作至少保持在不发生人身伤害的无危险程度，只要内装防护设备不至于作弄人似地失职怠工就行。

船上的中压电网应一目了然，以使只要一般仔细的态度就能避免连接错误。

使用遥控（例如在线路控制台的屏幕上）实现的开关操作，不需要特别的授权。当然不允许任何人非工作原因操作任何开关，不过这只是一个一般的而非电工技术上的要求。假定，自动控制机构将阻止危险的指令。通过采用遥控方式，确保了离开设备的安全距离。在电气设备中，并未对开关操作的有些风险加以限制，例如发生供电中断并由此引起驾驶性能恶化并最终危及船员的风险。在船上这类次生风险特别大，但不包括在电气安全的范围内。

出于电气直接安全的原因，现场操作、露天接线和接地均要求开关操作权限。VDE 0105 规范规定，尽管只是隐含的，中压设备的开关控制人员需要有开关控制权限。

开关控制权限是一种授权，在该授权下雇主（或他的全权代理人）向雇员授予针对某指定设备的执行开关操作的确定许可。现在，这种开关操作授权通常以口头或不太正式的方式宣布。为了领导和开关操作受权人员的安全，发放正式文件包括确认收到的回执是可取的。

开关控制授权的前提是：

(1) 雇员至少必须是一个经过电工技术培训的人员。

(2) 他必须具备有关设备的相应知识。

(3) 从个人方面来看他必须是合格的。所谓合格是指，例如无众所周知的酒瘾或烟瘾，或者曾经因过高的冒险决心受过警告等。

当新船交付时，正常情况下由建造商的调试人员介绍设备知识。然后再由一位船员向下一批人员传达这些设备知识。我们建议，让在设备建造商处接受培训的学员有机会熟悉配电设备的性能，或许还有维护情况。在一些供电企业和 VDE(德国电工协会)也举办开关控制授权的讲座，这些讲座颁发相应的证书作为电工技术培训的证明。

开关控制授权的授予不要求举行专门考试，但雇主做得对，在证书上记录授予开关控制权限所依据的技能。实际中，这一点可通过由培训教员和受培训学员不拘形式的解释问题来做到。

证书文本的内容可大致如下：

XYZ 强电流设备责任有限公司

事由："德国海船"中压设备培训

Heinz Meier 先生于 1900 年 1 月 1 日在"德国海船"上接受了我公司调试人员有关中压设备的结构和操作规程的培训。对于环形电网的特点如开关限制进行了说明。

由 Hans Müller 签字

接受培训人：由 Heinz Meier 签字

开关控制授权书在形式上也没有规定。一种可能的文本如下：

ABC 海运公司

事由："德国海船"中压设备的开关控制授权

Heinz Meier 先生取得按照操作要求独立执行"德国海船"的中压和低压配电设备的开关操作的许可。除非撤销，本开关控制授权均有效，而在与 ABC 海运公司的雇佣关系结束时失效。

由 Werner Schulze 签字

开关控制权限接受人：由 Heinz Meier 签字

当然，该开关控制授权书也可包含其他提示内容，例如日期、培训的实施者、普通电工技术培训的方式和范围及职业资格技能。该开关控制授权书也可包含一些限制，例如“本开关控制授权书不适用于发电机大功率开关和联络开关”。为了考虑开关控制权限接受者在范围扩展的工业设备方面的训练水平，这样的具体限制有时是有意义的。在供电企业，完全的开关控制权限只授予电工技术行业的领班和技术员，并且只有在工厂工作3年以上才授予。没有哪家海运公司花得起钱在船上雇佣如此专业的人员，但比较表明，该赋予开关控制受权者哪些责任。

3.7.6 安全规则

对于电气设备的所有工作，施工部位必须断开电源。对此，5条安全规则适用于以下情况：

- 断开电源；
- 防止再次合闸；
- 确认无电压；
- 接地和短接；
- 遮盖附近的带电元器件。

每个开关控制的受权者不仅必须掌握这5点规则，还必须把它的精神实质牢记在心。特别最后一点表明，这些规则起源于配电设备打开时，但这并不降低其现实意义。

遵守这些规则要求采取以下措施：

(1) 断开电源的前提是，为正确的设备执行开关操作。因为，例如左舷和右舷配电设备的外观相似，但处于不同的舱室，又例如1号压缩机和2号压缩机简单地交替使用，所以这一看似众所周知的事实也很重要。真正的开关操作是通过设备控制机构实现的，例如大功率开关的遥控或现场操作。

(2) 为防止再次合闸，或者可通过在所配备的相应断路开关处悬挂一把挂锁(一般对于低压设备)，或者使大功率开关脱开至断路位置。另一个允许的措施是，例如在断路触点之间推入绝缘板，不过这种措施更适用于老式工业装备的开放式配电设备。

若采用挂锁的安全措施，理想情况下每个参与现场施工的人员应悬挂自己固有的锁。这样一来就有了保证，所有的参加者也包括那些从新录用的人员都(必须)获得知识。如果是借助熔断器断开电路连接，则应采用绝缘材料制成的“假熔断器”来防止重新合闸。这样一来，同事就不可能无意中重新合闸了。一块辅助警示牌也是有益的。作者尚未听说，有一种真正满意实用的、采取熔断器自动化装置的断路方法。作为最低要求，必须设置带有警示标记及待断路设备名称的粘贴标签或悬挂标签。

(3) 对于中压配电设备，尽管机箱的封闭结构，但仍可通过相应的测量孔来测定是否无电压。但任何情况下，用于电压直接测试的相应测量仪器都属于配电设备的配备。在导电零件(例如在电动机的端子板)上施工时，着手工作前也必须再次现场测定是否无电压。对于低压设备，往往省略这种有无电压的测定。按照 VDE 的规定，如果采取了显而易见的断路间隔来防止重新合闸，就允许这样做。进一步的操作省力化是使断路开关等同于一对具有明显分离间隔的强制断开触点。在此，断路开关采取了必要的结构形式，使得只有当触点真正顶起时，开关才能推到位置“0”。而对于烧结触点对，开关手柄将无法移动至终端位置。根据作者的理解，这种操作简化有些过头了。原则上，正是在强制断开触点情况下，不再确保可靠断路的特殊情况才有可能发生。如果采用断路开关来防止重新合闸，至少就应更加细心并重复检测。事实上，应优先考虑看得见的隔离措施。

(4) 所有实际应用的中压配电设备中，接地断路器都集成在配电箱内。这些开关箱在机械上做到如此连锁，以使仅在无电压状态下才能开箱施工。这样一来，电压尚在的情况下是不能安装接地线的。另一方面，只有在接地状态下才能打开开关箱。对于发生故障的情形，当然有迂回的办法，不过这得留待制造商的调试人员或维修人员来处理。

在通电部件施工时(例如变压器接线端子之类)，必须在现场确认了无电压之后才能安装工作地线。因此，每台中压设备都需要一些必要的接地附件。即使这些额外的安全措施是令人厌烦的，特别是拆除电缆连接时更是如此，也不应废弃这份补充的安全保障。夹装了电缆接头套管的电缆，或者可采用螺丝短接，或者可通过接地附件短接和接地。

对于变压器需要特别小心，因为有时从低压输出端也可能使变压器建立电压。这里对于夹装了接头套的中压电缆，既在电缆上也在变压器一边都必须连接工作地线。对于低压设备，这样的工作接地可省略(参见第 3 点说明)。

(5) 宁可说，第 5 点安全规则是开放式配电器时代的遗迹。任何情况下，覆盖带电的零部件都是次等的解决办法，如果这个办法不成功，就断开整个危险区域的电源。在船上，而且再加上采用封闭式配电设备，有可能适当地安排施工区域，以致不存在带低电压的相邻部件。唯有在修理汇流排时会出现这种情况，应该把这样的修理工作委托给制造商有经验的维修人员。

3.7.7 工作许可

要是按照全部规则执行了断开电源，就可以开始施工了。如果关断电源的人员自己执行操作，则不需要进一步的花费。相反，若由第三方实施操作，就必须为这批操作人员签发正式的工作许可。其间将在工作现场对他们进行培训。培训包括，在断电实施人员在场的情况下，再次测定无电压状态。然后指明工作范围的界限。

为了使断电和施工双方都得到保障，建议把断电和培训情况都以书面形式记录下来，并由双方签字。施工结束时，施工方将书面的工作许可交还，而断电方对施工完成的规范和施工场地的整洁情况进行检查，并中止停电。

这一非常形式化的步骤大概并未在任何标准中固定下来，但在德国供电企业范围内却得到实际的实施。在船上，特别在海上，如果无他方人员在场，也可以通过口头移交来达到相当程度的安全性。

参考文献

[3.1] Germanischer Lloyd：Klassifikations-und Bauvorschriften，I-Schiffstechnik，Teil 1—Seeschiffe，Kapitel 3—Elektrische Anlagen，Ausgabe 2006-01-13.

[3.2] Schild，W.：Das Verhalten von Bordnetzen mit Stromteilerdrosselspulen zur Kurzschlussstrombegrenzung，Jahrbuch der Schiffbautechnischen Gesellschaft，1979.

YJ-C系列液压系泊绞车

概述： IYJ-C系列液压系泊绞车是由具有制动和过载保护功能的阀组，液压马达、行星减速器、带式制动牙嵌式离合器、卷筒、绞缆筒和机架等部件组成。由于绞车自带阀组，它不但简化了液压系统而且提高了传置的工作可靠性。该系列绞车可带张力阀组，此时系泊缆绳具有恒张力功能，除此，它还具有起动和工作时高，与传统的开式齿轮传动的系泊绞车相比，IYJ-C系列系泊绞车由于采用闭式行星减速器替代开式齿轮，动轴承替代铜瓦滑动轴承，使其传动总效率提高了 6%~10%，具有明显节能效果。由于上述改进使它具有外寸更紧凑、美观，噪音低，无需日常润滑维护，经济性好等特点。

IYJ-C系列

型号说明：

* - * - * - * - * - **** - *

- JP带绞缆筒，若不带无此符号
- P–带平衡阀，若不带无此符号
- D–带带式制动器，若不带无此符号
- L–带牙嵌式离合器，若不带无此符号
- X–带手动插销，若不带无此符号
- 船用系泊绞车
- 钢丝绳直径（mm）
- 卷筒工作容绳量（m）
- 卷筒第一层单绳额定拉力（KN）
- 行星减速器齿轮模数和传动级数
- 意宁牌液压系泊绞车

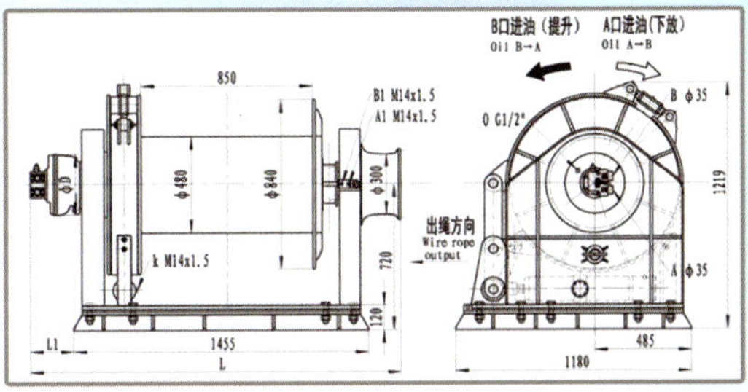

型号 Modle	卷筒负载 Drum load (KN)	支持负载 Holding load (KN)	公称速度 Nominal Speed (m/min)	空载速度 Light-line Speed (m/min)	爬行速度 Creep Speed (m/min)	总排量 Total displacement (mL/r)	额定压力 Rated Pressure (MPa)	供油流量 Oil flow supply (L/min)	钢丝绳直径 Rope diameter (mm)	层数 Layer	容绳量 Wire rope capacity (m)	D (mm)	L1 (mm)	L (mm)
50-280-20-C-PDLX-JP	50	150	15	30	0.5	6804	16	69	20	4	280	242	191	1810
65-265-22-C-PDLX-JP	65	200	15	30	0.5	8792	16	89	22	4	265	242	191	1810
80-250-24-C-PDLX-JP	80	240	15	30	0.5	11900	15	120	24	4	250	304	216	1835
00-230-26-C-PDLX-JP	100	270	15	30	0.5	15820	14.5	158	26	4	230	304	216	1835
25-220-28-C-PDLX-JP	125	310	15	30	0.5	17444	16	174	28	4	220	304	216	1835
50-200-30-C-PDLX-JP	150	420	15	30	0.5	22176	15.6	219	30	4	220	380	239	1858
60-330-32-C-PDLX-JP	160	470	15	30	0.5	33180	15	252	32	4	330			
80-310-34-C-PDLX-JP	180	520	13	30	0.5	37520	15	246	34	4	310			
00-290-36-C-PDLX-JP	200	590	12	30	0.5	40936	15	248	36	4	290			
20-400-38-C-PDLX-JP	220	630	12	20	0.5	50848	15	273	38	5	400			
50-390-40-C-PDLX-JP	250	720	12	20	0.5	59556	15	320	40	5	390			
80-380-42-C-PDLX-JP	280	810	10	20	0.5	70364	14	314	42	5	380			
15-330-46-C-PDLX-JP	315	940	10	20	0.5	79442	16	313	46	4	330			
00-310-50-C-PDLX-JP	400	1080	10	20	0.5	94556	17	370	50	4	310			
00-300-52-C-PDLX-JP	500	1350	10	20	0.5	94556	21	370	52	4	300			

地址：宁波北仑坝头西路288号 电话：0574-86300164 传真：0574-86115082

第4章　测量、控制和调节技术

冈特·阿克曼(Günter Ackermann)
译：施　璟　刘　旭　安维峥
校：宋新新　俞志刚　刘祯祺　王　婧

4.1　测量传感器

4.1.1　功用、基本结构

为了对机械设备实施监控及进行操作，在已实现自动化的船舶上配备有各种类型的传感器、执行元件、调节器、控制装置、显示器和报警器。为了在一个距测量点较远的地方显示测量数据，可将测量数据进行电传输。为此，物理测量值(例如，温度)必须在某一传感器内转化为一个电量值(电压、电阻)。在处理和传输后，经由传感器标定与处理，对用于显示的电信号进行原测量值意义上的转换(见图 4.1.1)并予以显示，或在某一控制装置或调节装置中进行处理。

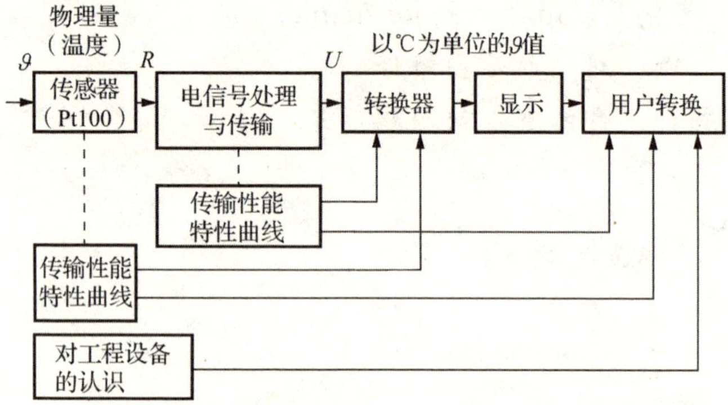

图 4.1.1　以温度测量为例的某一带遥控显示的测量分段

适用于电信号处理与传输的几种常见原理：

- 将传感器产生的电信号进行传输，在显示单元内进行后续处理；
- 将传感器产生的电信号进行本地处理，然后将电信号转换至某个统一的电流或电压范围(如 4～20 mA)，并在显示单元内进行后续处理；
- 将传感器产生的电信号进行本地处理、数字化并通过某一数据总线传输到显示单元。

整个处理的功能与所使用的原理几乎无关。各原理之间的差别仅在于各个功能产生的位置不同。下述功能是必需的，即结果最终以数字的形式进行显示或者以数字的形式用于调节：

- 将物理量转化为电量值(例如，温度/电阻)；
- 电信号处理(如电阻转换为电压)，必要时放大电信号；
- 必要时进行滤波；
- 数字化；
- 转换以用于显示；
- 以任一形式传输；
- 必要时可设置隔爆层，以排除出现故障时的危险(特别是防爆，如燃料舱内的传感器旁)。

传感器的工作原理通常如此，即传感器将物理量与某一临界值进行连续比较，并仅将这一比较的结果作为二进制信号输出。该信号要么是某个统一范围内的电流或电压，要么是换向触点的状态(终端开关，用于监控压力保持在最低值的开关)。传感器的特性曲线为针对电信号一侧状态的物理状态分配情况。

4.1.2 温度测量

Pt100、Pt500、Pt1000 传感器

这些传感器是由铂制成的、0℃时电阻值分别为 100 Ω(Pt100)、500 Ω(Pt500)和 1 000 Ω(Pt1 000)的电阻。电阻值增大的比例约为 39%/100K，因此可从电阻测量中计算出传感器的温度。

最常使用的是 Pt100 测量电阻。这种电阻为实际应用而被安装在标准化的壳体内。电阻值较大为 500 Ω 或 1 000 Ω 的电阻是较新的研发产品。

Pt100 测量电阻(EN 60751，1995 年)的电阻值通过下述公式确定：

- −200℃到 0℃范围内：$R_t=R_0[1+At+Bt^2+C(t-100℃)t^3]$
- 0℃到 850℃范围内：　$R_t=R_0(1+At+Bt^2)$

式中，$A=3.9083\times10^{-3}℃^{-1}$；$B=-5.775\times10^{-7}℃^{-2}$；$C=-4.183\times10^{-12}℃^{-4}$。

上述给定数值的最大允许误差 Δt 被界定为两类：

A 类：$\Delta t=0.15+0.002\cdot|t|$（至 650℃）；

B 类：$\Delta t=0.3+0.005\cdot|t|$

其中，$|t|$ =温度值/℃。

在有特殊要求的情况下，可使用更精准的传感器。

将测量电阻连接到相应的电子分析装置上，对整体精度有非常大的影响。在一般的设备中，电子分析装置大多安装在一个距测量点一定距离外的开关柜内。测量电阻与电子分析装置之间的连接导线可能会明显影响测量结果。一根长 20 m、电缆为 $2\times0.5\ \mathrm{mm}^2$ 的接线，相对应于约 9℃温度时的电阻为3.6 Ω。虽然这一误差在电子分析装置中会很容易地得到补偿，但需注意的是连接导线的电阻也受到温度的影响。导线平均温度变化 20℃ 就会导致其电阻增大 0.28 Ω。对于冷却水或燃料系统中出现的温度而言，这一数值与 A 类和 B 类极限值相比是非常大的。因此，必须对连接导线所产生的影响进行补偿。

因此，双线连接[见图 4.1.2(c)]只在中等精度要求、高温或者连接导线非常短的情况下适用。四线连接最简单且非常精确[见图 4.1.2(a)]。用于测量电压 U_m 的导线不加载电流，因此 U_m 精确地对应于测量电阻上的电压。三线连接实际上能达到同样的精确度，但是电子分析装置内需要两个测量输入端，以测得 U_m 和 U_k 两个电压[见图 4.1.2(b)]。在该电路中有一个前提，即两根连接导线要等同。因导线加工和导线较长而产生公差时，会发生很小的误差，该误差可在一次性校准时通过增加某一恒定值进行补偿。实际上，至少已经对导线温度的影响实现了完全补偿。

有时候人们会发现这样的变体方案[见图 4.1.2(d)]，即有一个测量电阻通过 3 根导线与为 4 根导线而研制的电子分析装置相连接。这种电路的特性如同双线连接，但其中只有 50％的导线长度起作用。该变体方案因此只能用做应急措施，如用于更换装备等。

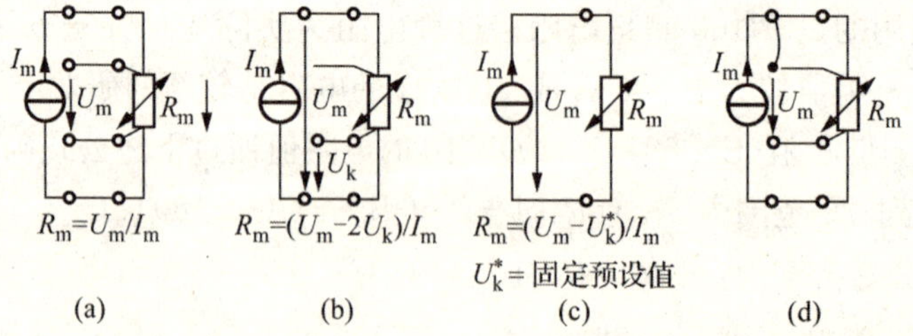

图 4.1.2　某一 Pt100 测量电阻的接线

(a) 四线连接　(b) 三线连接　(c) 双线连接　(d) 假三线连接(作为紧急措施)

作为三线连接的特点出现了这样的困难，即普通电缆总是包含成对绞合的芯线。因此为了经济利用，每两个测量电阻必须共享一对绞合芯线，而怎样才能使分配产生最少干扰则取决于电子分析装置的测量原理。应避免发生将一个传感器的三根芯线都分配到不同电缆上的情形。

为了测量电阻，可将某一给定强度（1～20 mA）的电流 I_m 通入该电阻。该电流在电阻内造成功耗 $I_m^2 \cdot R_m$，功耗导致传感器的自加热。因此，一些测量放大器只是短时间地接通电流来进行测量。

热电偶

由于 Seebeck 效应，两种金属 Me1 和 Me2 之间的连接点处会产生一个取决于温度的电压。闭合回路内所有电压会相加。在如图 4.1.3 所示的带有两个连接点的结构中，两电压起相反的作用。有温差时，热电动势 U_{th} 以合量形式存在，该热电动势与温差大致呈正比关系。

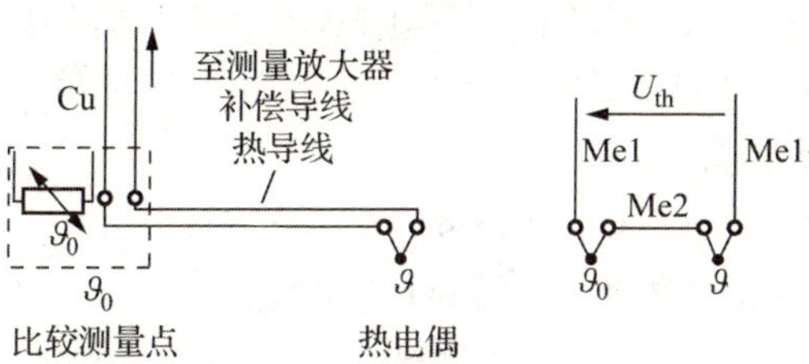

图 4.1.3 热电偶的工作原理及其带补偿导线或热导线和比较测量点（ϑ_0）的实际结构

热电偶被安装在各种不同的标准化壳体内进行使用。船上的典型使用场合为测量排气温度。

由于使用热电偶总是只能测量温度差，所以要确定温度 ϑ 就需要知道温度 ϑ_0（比较测量点）。实际上通常将一个配电箱内的多个热电偶连接到一个接线盒上，并利用一个电阻温度计（如 Pt100）测量接线盒的温度。但原热电偶与该接线盒之间的连接导线必须不产生任何影响。如果图 4.1.3 中的导线由铜制成（接线盒与测量放大器之间的导线也一样），那么直接连接到热电偶上的接线就是标准的过渡材料，必须测量该点的温度。最简单的是，连接导线的材料必须与热电偶（热导线）的材料相同。但是也有由其他材料制成的导线，这里所用的材料不对热电偶产生任何影响。不管怎样，连接导线都必须与所使用的热电偶相适应。

用标记字母表示热电偶的材料配对：

字母	热电偶	标准
R	铂-13%铑/铂	IEC 584
S	铂-10%铑/铂	„
B	铂-30%铑/铂-6%铑	„
J	铁/铜镍	„
L	铁/铜镍	DIN 43710
T	铜/铜镍	„
E	镍铬/铜镍	„
K	镍铬/镍铝	„
N	镍铬硅/镍硅	„

对符合技术条件的测量而言，J 型(铁康铜，Fe-CuNi)和 K 型(镍铬镍，NiCr-Ni)特别流行。热电动势与温差之间的关系并非正好是线性的，该关系在 IEC 584 (DIN EN60584)中进行了定义。若对精确度的要求并不是太高，可以用线性近似值进行计算：

$$U_{th}=a\cdot\vartheta \qquad (0℃时)$$

如表 4.1.1 所示，在测量排气温度时，电压值位于 10～20 mV 范围内。从热电偶到比较测量点以及进一步到测量放大器的传输必须有相应的防干扰措施。常见的是屏蔽电缆。

表 4.1.1　热电势计算近似值(最大误差：与按照 DIN EN 60584 计算的差值)

范围	K 型，NiCr-Ni		J 型，Fe-CuNi	
	a/(μV/K)	最大误差	a/(μV/K)	最大误差
0～500℃	41.07	±2.8℃	54.44	±3.2℃
0～1000℃	41.36	±4.8℃	56.89	±18.9℃

针对热电偶、补偿导线和热导线的精确度，对船上出现的 0℃以上的温度范围被定义为两个等级(见表 4.1.2)。

表 4.1.2 热电偶和补偿导线的精确度

	热电偶 Δt	温度范围	补偿式热导线 Δt
等级 1	± 1.5℃ ± 0.004 $\lvert t \rvert$	−40～375℃ 375～t_{max}	± 1.5℃
等级 2	± 2.5℃ ± 0.0075 $\lvert t \rvert$	−40～333℃ 333～t_{max}	± 2.5℃

表中：t_{max} = 750℃ 针对 J 型 (Fe-CuNi)；

t_{max} = 1 000℃ 针对 K 型 (NiCr-Ni)。

其他的温度传感器

存在大量基于合金、陶瓷或半导体的传感器，这些材质的温度系数比纯金属的温度系数高得多。但是这些传感器的精确度却没有 Pt100 之类传感器的高。较高的温度系数使得采用非常简单的电子装置进行评估成为可能。这种类型的传感器通常应用于电子元件、开关柜或小型电动机，后者用于简易监控制冷情况。电阻变化至 5%/K（超过纯金属电阻值变化的 10 倍）是常见的。PTC 传感器（positive temperatur coefficient 零上温度系数）的电阻随温度的升高而增大，NTC 传感器（negative temperatur coefficient 零下温度系数）的电阻则随温度的升高而减小。还有另外一些材料，它们的电阻自某一特定温度起将呈指数级增加，以至于几近出现自激励电路。

4.1.3 力和压力测量

力和压力或者进行直接测量（压电效应）而得，或者通过测量应变进行间接测量。直接测量只对变量来说是可以实现的，所以直接测量仅应用于振荡监测。

Hook 物质应变定律和关于直线导线的电阻与其长度和截面积的关系式 (3.4) 是通过应变来测量力的基础。在如图 4.1.4 所示结构中，电阻 R_1 和 R_3 的导线受到拉力 F 的作用而伸长，同时其截面积略有减小。电阻 R_2 和 R_4 则不受该应变的影响。通过桥电路将电阻变化转换为压力。由于所有 4 个电阻在空间上布置得非常靠近，所以温度变化对所有电阻的影响均相同，因而对测量出来的电压没有影响。

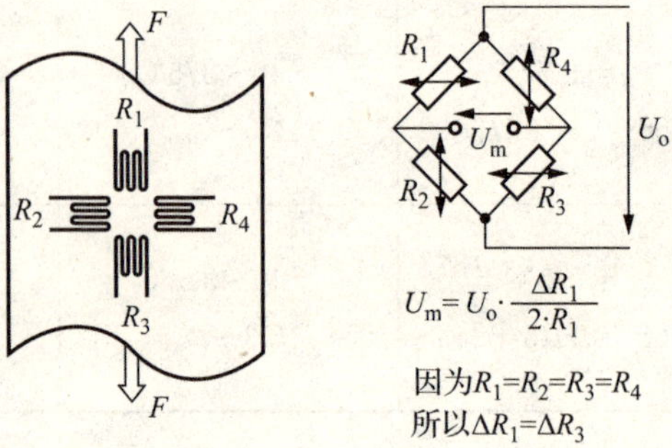

图 4.1.4　使用电阻应变片进行应变测量的原理

通常，所有的电阻都在同一骨架上进行制作，而且可以作为电阻应变片(DMS)进行安装。为此针对不同的使用目的，有许多不同的形式。这种形式上不统一的电阻应变片主要用于证明强度或者例如用于测量螺旋桨轴的扭矩。

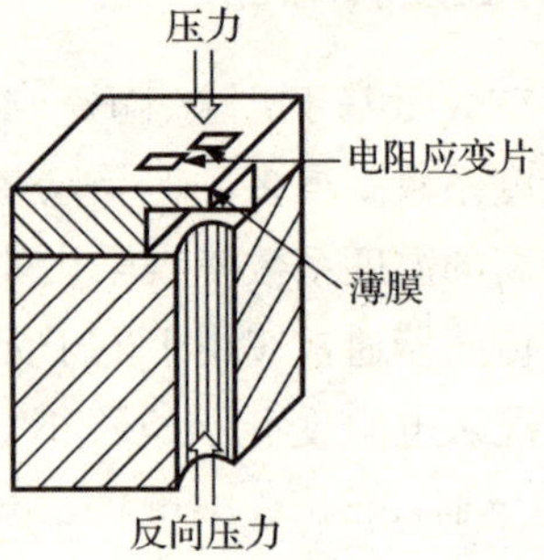

图 4.1.5　薄膜式压力传感器结构

对于例如用于测量水压的压力传感器来说，电阻应变片则被集成在一个薄膜内(见图 4.1.5)。薄膜两侧的压力差导致薄膜出现弯曲，该弯曲度通过图示桥电路中的电阻应变片被转化为电压。因此，压力传感器在原则上是压力差传感器。为了测量绝对压力，需在相应传感器中把薄膜之一侧空间抽成真空。

压电材料(半导体)常取代由金属制成的电阻应变片被应用在压力传感器中。这种材质的$(\Delta R/R)/(\Delta l/l)$比例要比金属的同一比例大得多，而且其制造价格更低。

在其他结构形式中，薄膜的偏移会引起测量单元的电容的改变，然后通过一个高频电流测得该值。

在所有类型中，都是先将压力差转化为应变，而且压力与应变之间的线性度对所能达到的测量精确度具有决定意义。例如，由压力冲击产生的过载会导致薄膜永久塑性变形，甚至是机械性损坏。根据损坏程度的不同，会由此而完全失效或出现重大测量误差（测量误差如果未被发觉，通常更严重）。

对于传感器的选择来讲另有一点非常重要，即传感器与待测介质应兼容。

4.1.4 液位、液舱容量

进行液舱容量测量时所使用的各种测量原理可能比船上任何其他测量任务的测量原理都要多。在每种情况下都应执行以下步骤：

- 测量从舱底到液面的液位高度 h，测量纵倾角 Ψ 和横倾角 φ；
- 由此根据液舱舱容曲线 $V=f(h,\varphi,\Psi)$ 得出装料量，其中 φ 和 Ψ 的影响必须与垂足点 F 相关；
- 根据介质的密度确定液舱液量的质量。

直接测量液位高度

在带有浮子（见图 4.1.6）的传感器中，一块安装在浮子内的永久磁铁可将浮子位置以及液面位置传输到传感器上，这些传感器安装在导管内部。最简单的情况为，这是一排由磁铁关闭的磁性触点（舌簧继电器）。液舱外有一套用于评估的电子装置，但也使用其他传感器来识别磁场。由传感器发出的信号与如图 4.1.7 所示的高度 h_1 直接对应。

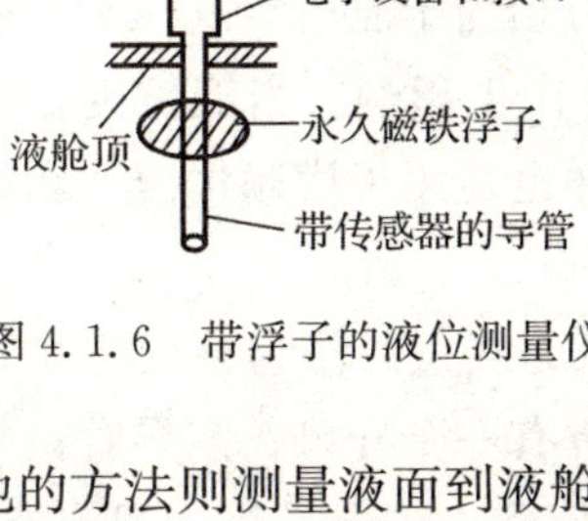

图 4.1.6 带浮子的液位测量仪

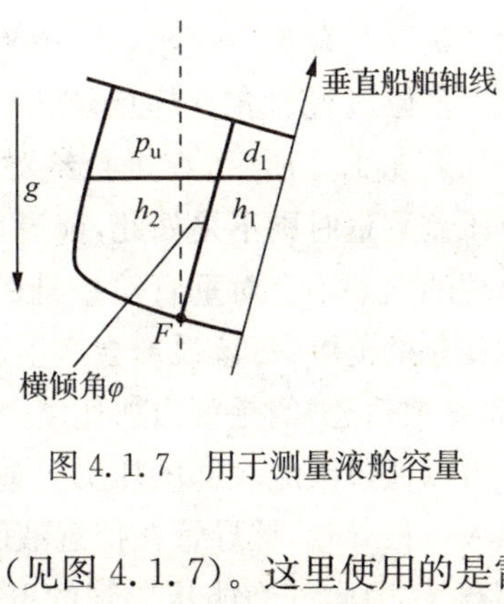

图 4.1.7 用于测量液舱容量

其他的方法则测量液面到液舱顶的距离（见图 4.1.7）。这里使用的是雷达声波或超声波。使用超声波传感器时，必须测出液态物质上方空气的平均温度，以补偿温度对声速的依赖关系。燃料舱中液体上方的气体混合物是可变的，因而只能不精确地了解当前的声速。雷达装置价格非常贵，所以只在特殊情况下使用，例如用在液化气运输船的货舱内。

使用在压载水舱或重油舱时，不应排除这一点，即浮子被杂质或者难溶成分卡住。

测得 h_1 或者根据 d_1 计算出 h_1 之后，利用 $V=f(h_1, \varphi, \Psi)$得出容积，然后根据密度得出质量 M。由

$$\Delta V=\frac{\mathrm{d}V}{\mathrm{d}h_1}\cdot\Delta h_1+\frac{\mathrm{d}V}{\mathrm{d}\varphi}\cdot\Delta\varphi+\frac{\mathrm{d}V}{\mathrm{d}\Psi}\cdot\Delta\Psi,\Delta M=\rho\cdot\Delta V+V\cdot\Delta\rho$$

得出容积和质量的误差，而通用液舱的纵倾和横倾测量中的误差绝对值小到可忽略。除此之外还有一个前提，即应排除液舱舱容曲线中的误差。

通过压力间接测量液位高度

液舱底部 F 点受到的压力由下式给出：

$$p=p_{\mathrm{U}}+g\int_0^{h_2}\rho\cdot\mathrm{d}h=p_{\mathrm{U}}+g\cdot\bar{\rho}\cdot h_2$$

式中，g=重力加速度；ρ=介质密度；h_2=垂直高度(见图 4.1.7)；$\bar{\rho}$=介质平均密度；p_{U}= 液舱内液体上方空气压力。

由此可确定高度 h_1 和 h_2

$$h_2=\frac{p-p_{\mathrm{U}}}{g\cdot\bar{\rho}},h_1=\frac{h_2}{\cos\varphi\cdot\cos\Psi}$$

然后由 h_1 得出容积和质量，方法同上。该计算过程中共有多处误差影响，下面以某一装有 4 m 高水(ρ=1000 kg/m^3)的理想方形舱为例来描述这些误差影响。横倾设置为 3°，以使影响较为明显。

如表 4.1.3 所示，在进行绝对压力测量时务必要修正所测得的环境压力。进行压差测量时则不是如此，前提是比较压力相当于舱内空气压力。确定密度时出现的误差不会对垂直舱壁处的质量计算产生影响。当液位处在液面突然发生变化的范围时，该误差会产生影响。同样也适用于横倾情况。影响相对较大(且常被遗忘)的是重力加速度受地点的影响。

可以通过液舱底部的压力传感器进行压力测量。作为替代方案是在液舱内插入一根导管，该导管在接近液舱底的地方有一个开口。该导管由外部供给压缩空气，因此气泡能从导管的下端排出。以此来确保导管内只有空气，且空

表 4.1.3 通过测量压力来测量液舱容量时出现的误差举例

	误差	$\Delta V/V$	$\Delta M/M$
绝对压力测量	0.5%	0.5%	0.5%
环境压力与气候相关 (通常值为± 20 hPa) (压差测量时取消)	(0.2 m)	5%	5%
重力加速度与地点相关 9.784 m/s^2 ± 0.039 m/s^2 位于赤道和纬度 45 度之间	0.4%	0.4%	0.4%
已知的密度并不精确	1%	1%	0
横倾	1°	0.1%	0.1%

气压力与排气点处的压力相符。因此,原来的压力传感器就被安装在液舱之外,其布置便于操作。

4.1.5 流量测量

利用各种不同的物理效应来测量液体和气体的流量。

喷嘴或膜片上的差力压:通过流动介质(液体或气体),在某一安装在测量仪内部的横断面收缩(喷嘴)处产生一个细微的压力差,该压力差与流量成正比。

容积置换作用:测量仪内有确定容积的腔室,其填充量以计数方式确定。根据介质种类的不同,腔室的设计形式也不同(叶轮、齿轮、螺旋纹、活塞)。

涡轮:流体内涡轮的转速与流速成正比。

量热法:将加热元件进行定量加热。因此,通过流动介质(气体)的冷却作用来降低温度则是流速的一个衡量尺度。

磁感应:在一个运动的导体(流动的导电介质)内,通过磁铁感应出电压,该电压值与速度成正比。因此,感应电压是流速的一个衡量尺度。

超声波:流动介质内的声速与环境相关,是静止介质中的声速与流速之和。通过测量声信号在某一确定距离内与流体同向和反向运动的时间,就能测出流体的平均速度。传感器也可以安装在流体管路的外侧。

Vortex 原理:在滞压体的后面因受流速的影响形成涡流,其压力脉冲可被测定,而该涡流则是流速的一个衡量尺度。

科氏力:一个不受外力作用的物体做直线运动(或保持静止)。从任意一个其他的直线运动参考系来看,运动轨迹也被视为直线。从一个加速的参考系来看,该轨迹则是弯曲的。因此,似乎有一个力(科氏力)作用于运动物体之上。加速参考系应当精确地使用这种力,以使运动物体保持在一条(看上去是)直线的轨迹上,并在该力的作用下自行改变其运动。这一效果被用于测量流量,当一根有介质流过的通流管引起振荡时,它也被周期性地加速。流动的介质通过科氏力对该振荡产生影响。图 4.1.8 为一个常见的带两根平行通流管的结构型式。在其他结构型式中,所使用的是一根 U 形管。受到测量原理的限制,使用此类流量计测量流量时不考虑介质的其他物理特性。

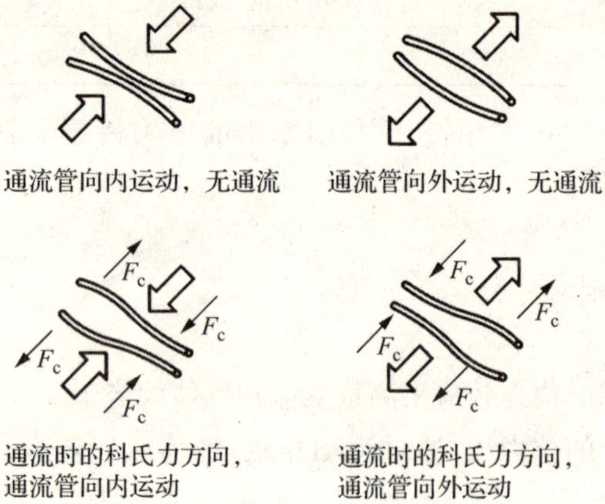

图 4.1.8 通过科氏力测量质量流量的原理

4.1.6 电量测量

测量仪和互感器

电流、电压、有效功率、无功功率以及功率因数既可使用指针式仪表(如磁电系统)进行测量,也可进行电子转化并数码显示。通常使用簧片式频率计和电子仪器来测量和显示船舶电网频率。船上很少使用电功测量仪(kWh 测量仪)。需要补充说明的是,如今在许多用于配电盘的指针式仪表内可进行信号的电子处理。

在所有的这些测量操作中,都必须测得电流和电压。待测电流通常由电流互感器进行测量。电压通常经过某一变压器(电压互感器)传输到测量仪上。对于 440 V 或 690 V 的设备,这虽然并不一定是必需的,但是变压器除了向测量仪输送一个较小的电压之外,还具备将测量回路与设备分开的优点。在按规定配置的电压互感器保护装置中,测量回路中的短路不会对船舶电网内的电压产生影响。

所有的互感器其精度等级各不相同,因此务必选择与测量目的和指针式仪表相应的等级。

电压互感器与电流互感器的特点

在电压互感器中,传输给原有测量仪的电流必须始终是小量的,从而避免变压器出现不允许的加热现象。此外,每股电流(见图 3.3.3)都会导致次级电压下降,以至于为某一互感器给定的精度只能维持在某一特定电流值之内。因此,通过唯一一个互感器向多台测量仪并行供电时,互感器的大小必须适度,不至于减小的电流量超过允许值。

作为电流互感器的变压器几乎是在短路状态下进行工作的。初级(绕组)侧的电流由待测电流与船舶电网中的用电设备来确定。将某一电流互感器应用于多台测量仪时,可将测量仪的电流路径串联。变压器的次级电压因此给定为 $U_m = R_m \cdot I_m$。通过感应定律(式 3.1.19)来确定电流互感器中心的磁通。如果该磁通超过了由铁芯的饱和性所确定的某个极限,则磁化电流通过如图 3.3.3 所示的 L_0 将显著上升,导致电流 I_m 小于通过名义变压比而给定的数值。

所以,要中断测量电流的回路也是非常重要的。铁芯趋于饱和,以至于铁芯内部出现明显的损耗,而该损耗会在短时间内导致互感器的损坏。

带负载的电压降一同决定了互感器的精度。互感器应有如此设计,即次级回路中的额定电阻(额定负载)为确定值时达到最高精度。额定功率是在额定电流时输至额定负载的视在功率。该数值确定了互感器的结构尺寸。为了实现精度最佳化,电流互感器不应明显大于所连接的测量仪所需的互感器。

电流互感器在确定的极限之内可过载。对用于防护系统(例如,用于识别短路)的电流互感器,其过载能力应非常高,使得即便是短路电流也不会导致铁芯出现值得引起注意的饱和现象。这可能等同于次级回路中电压和电流的极限,并且有可能无法正确地识别短路现象。

功率测量

功率测量仪(瓦特计)将电流和电压连续相乘并显示出乘积的平均值。在指针式仪表中,乘法操作以电磁方式进行,并通过指针的机械惯量进行平均值计算。在大多数较新的仪表中,此类操作已电子化。

三相交流系统中,原则上必须记录所有 3 根导线的电流和电压。为此存在多种可能性:

(1) 带中性线的对称网路[见图 4.1.9(a)]:一个瓦特计就已足够,所显示的功率必须乘以 3,以获得总功率。由于不存在完全对称,使用该线路只能达到中等的精度。

(2) 带中性线的网路(也不对称)[见图 4.1.9(b)]:使用 3 个瓦特计可测得各单一功率。

(3) 不带中性线的网路(也不对称)[见图 4.1.9(c)]:在此设置两个瓦特计就已足够,因为

$$p(t) = (u_1 - u_2) \cdot i_1 + (u_3 - u_2) \cdot i_3$$

而且其中

$$i_1 + i_2 + i_3 = 0$$

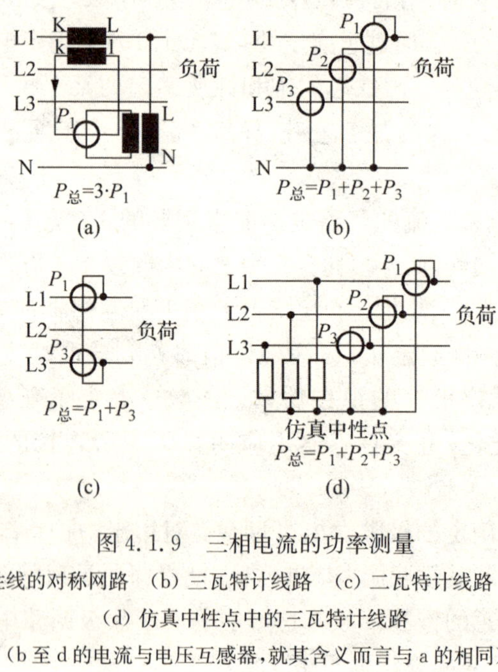

图 4.1.9　三相电流的功率测量

(a) 带中性线的对称网路　(b) 三瓦特计线路　(c) 二瓦特计线路(阿隆线路)

(d) 仿真中性点中的三瓦特计线路

(b 至 d 的电流与电压互感器,就其含义而言与 a 的相同)

得出

$$p(t) = u_1 \cdot i_1 + u_2 \cdot i_2 + u_3 \cdot i_3$$

该线路在实践中特别常用，当然也可以有其他的组合：

$$p(t) = (u_2 - u_1) \cdot i_2 + (u_3 - u_1) \cdot i_3$$

$$p(t) = (u_1 - u_3) \cdot i_1 + (u_2 - u_3) \cdot i_2$$

这些组合可根据上述模式得到相同的结果。在该二瓦特计电路(阿隆线路)中，将所有的互感器和测量仪进行连接，其连接的符号正确与否显得非常重要。

(4) 不带中性线的对称或非对称网路：这里可通过 3 个相同的电阻或其他阻抗形成一个仿真中性点[见图 4.1.9(d)]。与二瓦特计线路相比，这种方法没有任何优点，所以很少使用。

4.2　调节技术

4.2.1　调节电路的结构、传递函数、波德图

调节器(见图 4.2.1)的功用是将一个调节量 x(例如,某一冷却水回路中的温度)调整至某一由给定参数 w(额定值)所确定的数值。调节器为此通过调定量 y 对过程产生影响。在理想情况下,干扰不会因此对调节量 x 产生影响,反而会由调节器通过调定量 y 进行补偿。调节过程的特点表现在其作用范围是封闭式的。与此相反,“控制”系统这个概念则表示作用范围是开放式的,既有的调节过程则由设备操作员进行操作。

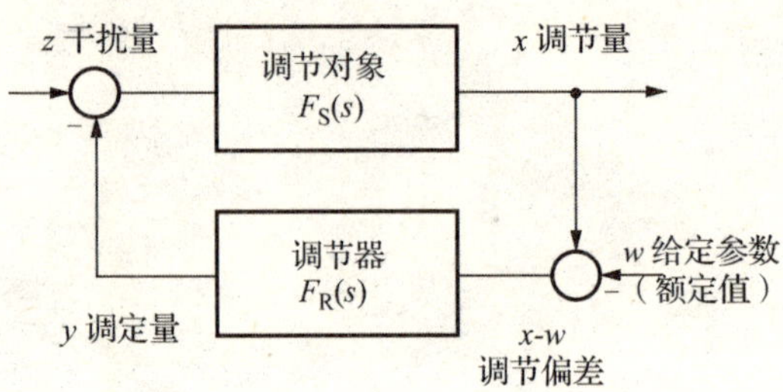

图 4.2.1　调节电路的基本形式

在调节技术中,对待调节技术系统的特性以及调节器都有抽象的描述。只有经过系统分析且设计调节器之后,才能确定如何按照仪器的要求来设定调节器、测量传感器和执行器。

调节对象和调节器由其传递特性来描述。传递特性描述了输出值是如何对输入值进行反应的。该特性通常与设备的正常工作点有关。所以第一步就从某一给定的正常工作点出发,只对输入值的非常小的变化给出反应的情形进行描述。对下述各种考察结果来讲,图 4.2.1 中用于表示 x、y 和 z 的名称是指与所选正常工作点的偏差。对于较小的数值,可得出线性关系,即一个 k 倍的输入值 $k \cdot (z-y)$ 在调节对象上得出一个 k 倍的输出值 $k \cdot x$。此外还有一个前提,即传递特性与时间无关。为了简化起见,纯运行时间效应也首先被排除。

所以假定，某一系统的输入值的变化经无穷小延迟后也引起输出信号的变化，但也允许该信号在开始的一段时间内为任意小。在这样的条件下，每个调节对象和每个调节器都可以通过线性微分方程来描述，例如对于 $w=0$ 的调节器：

$$y+a_1\cdot\frac{\mathrm{d}y}{\mathrm{d}t}+a_2\cdot\frac{\mathrm{d}^2y}{\mathrm{d}t^2}\cdots=b_0x+b_1\cdot\frac{\mathrm{d}x}{\mathrm{d}t}+b_2\cdot\frac{\mathrm{d}^2x}{\mathrm{d}t^2}\cdots \tag{4.2.1}$$

进一步的考虑则通过拉普拉斯变换而显著简化且更为直观。为了描述传递特性，假定 x 为一个正弦的指数增幅或减幅过程，

$$x(t)=\mathrm{e}^{\delta t}\cdot\cos\omega t \tag{4.2.2}$$

该变化过程由两个常数因子 δ 和 ω 确定。通过导数（或者也可以通过积分）产生带 $\sin\omega t$ 的项。只有当所有 cos 项相同且所有 sin 项也相同时，式(4.2.1)的两边才相等。所以，$y(t)$ 也只由带 $\cos\omega t$ 和 $\sin\omega t$ 的项组成，不会出现 ω 之外的其他频率。

由于通过一个由 sin 和 cos 函数组成的傅里叶级数就可描述任一输入函数 $y(t)$（若有需要，则假设为某一无限长的周期），那么根据式(4.1.2)只针对正弦输入值来解式(4.2.1)已足够。此外，指数项 $\mathrm{e}^{\delta t}$ 还被证实对调节回路有评定作用。从理论上来说，为了能够正确地解非周期函数，这一点非常重要。

如果将式(4.2.2)中的 x 扩展为一个复数，那么所有的计算都会明显简化：

$$\underline{x}(t)=\mathrm{e}^{\delta t}(\cos\omega t+\mathrm{j}\cdot\sin\omega t)\text{，式中 }\mathrm{j}^2=-1 \tag{4.2.3}$$

式(4.2.1)中所有由 sin 项得出的项同样也是虚数。$y(t)$ 的所有实数部分因此属于式(4.2.3)中的 cos 项，而且虚数部分属于 sin 项。当满足式(4.2.1)中的实数部分时，该式也就自动满足虚数部分，必须将每个实数部分的 cos 用 sin 替换，每个 sin 则用 cos 替换。

因此，式(4.2.3)中复数的补集对式(4.2.1)的解毫无影响。如果将欧拉记数法应用于式(4.2.3)，并使用拉普拉斯算子 $s=\delta+\mathrm{j}\omega$，那么其优点非常明显。

$$x(t)=\mathrm{e}^{\delta t}\cdot(\cos\omega t+\mathrm{j}\cdot\sin\omega t)=\mathrm{e}^{\delta t}\cdot\mathrm{e}^{\mathrm{j}\omega t}=\mathrm{e}^{(\delta+\mathrm{j}\omega)t}=\mathrm{e}^{st} \tag{4.2.4}$$

为此，

$$\frac{\mathrm{d}x}{\mathrm{d}t}=s\cdot\mathrm{e}^{st}=s\cdot\underline{x}\int\underline{x}\mathrm{d}t=\frac{1}{s}\cdot\mathrm{e}^{st}=\frac{1}{s}\cdot\underline{x} \tag{4.2.5}$$

和式(4.2.1)可以从一个微分方程转化为一个代数方程，并可以根据得到的输出值 y 直接求解：

$$\underline{Y}(s)=\frac{b_0+b_1\cdot s+b_2\cdot s^2+\cdots+b_n\cdot s^n}{1+a_1\cdot s+a_2\cdot s^2+\cdots+a_ms^m}\cdot\underline{X}(s) \tag{4.2.6}$$

该分数有理函数称为系统的传递函数：

$$\underline{Y}(s) = \underline{F}(s) \cdot \underline{X}(s) \tag{4.2.7}$$

通常在式(4.2.3)中考虑 $\delta=0$ 的特殊情况则更为一目了然，即列出一个带恒定振幅的正弦激励，并且可以将式(4.2.7)写成：

$$\underline{Y}(\omega) = \underline{F}(\omega) \cdot \underline{X}(\omega) \tag{4.2.8}$$

其中，$\underline{F}(\omega)$被称为频率特性。

频率特性 $F(\omega)$的结果此时将非常明确，即当人们将实数部分与虚数部分分开，并在此后将输入值 $x(t)$根据式(4.2.3)(其中，$\delta=0$)代入：

$$y(t)=[F_{\mathrm{R}}(\omega)+\mathrm{j}F_{\mathrm{I}}(\omega)][\cos\omega t+\mathrm{j}\sin\omega t] \tag{4.2.9}$$

相对于式(4.2.2)而增补给式(4.2.2)的虚数部分在式(4.2.1)中致使出现虚数部分 y。实数部分 $\underline{y}(t)$即是对原本在式(4.2.2)中给出的(作为实函数的自然有理量的)输入值的响应，即：

$$y(t)=F_{\mathrm{R}}(\omega)\cdot\cos\omega t-F_{\mathrm{I}}(\omega)\cdot\sin\omega t$$

$$y(t)=\sqrt{F_{\mathrm{R}}^2(\omega)+F_{\mathrm{I}}^2(\omega)}\cdot\cos(\omega t+\varphi) \tag{4.2.10}$$

其中，

$$\varphi=\arctan\frac{F_{\mathrm{I}}(\omega)}{F_{\mathrm{R}}(\omega)}$$

在欧拉记数法 $F(\omega)=F(\omega)\cdot e^{\mathrm{j}\varphi(\omega)}$中，$F(\omega)$表示输入值幅度增强的程度，$\varphi$则表示相移。当 $\varphi<0$ 时，输出信号到达其峰值的时间晚于输入信号。频率特性通常以带频率和总数对数标度的波德图(见图 4.2.2)形式表现。

表 4.2.1　常见系统的传递特性

技术实例名称	$y(t)$, $x(t)$ $\underline{F}(s)=\underline{Y}(s)/\underline{X}(s)$	阶跃响应
比例元: P 元件，无惯性传输: 杠杆、传动变压器	$y = k_{\mathrm{p}} \cdot x$ k_{p}	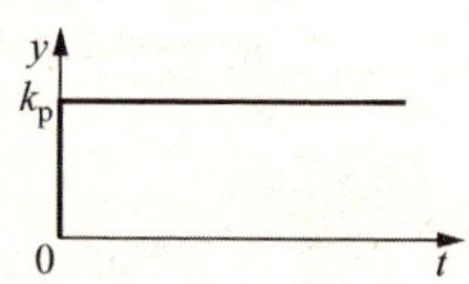
积分器、I 元件: x = 速度, y = 位移 x = 功率, y = 功	$y=\frac{1}{T_1}\int x\cdot \mathrm{d}t$ $\frac{1}{T_1\cdot s}$	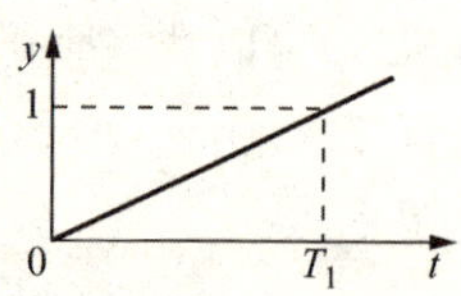

（续表）

技术实例名称	$y(t)$，$x(t)$ $\underline{F}(s)=\underline{Y}(s)/\underline{X}(s)$	阶跃响应
微分器、D元件： $x=$ 位移，$y=$ 速度 $x=$ 功，$y=$ 功率	$y=T_D\cdot\frac{dx}{dt}$ $T_D\cdot s$	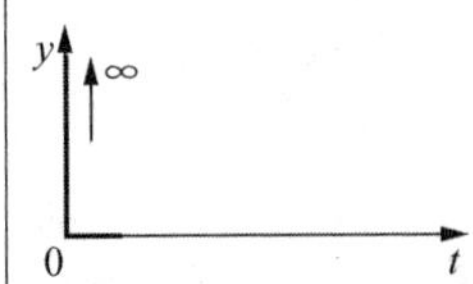
一阶延迟、P_{T1} 元件： 使用恒定功率加热某一物体直至某一固定的最终温度	$y+T_1\cdot\frac{dy}{dt}=x$ $\frac{1}{1+s\cdot T_1}$	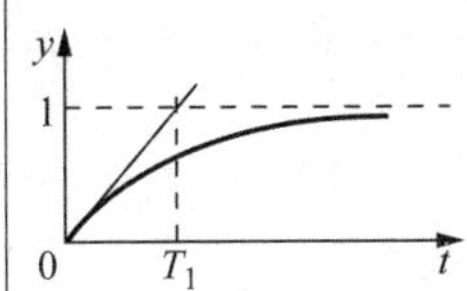
延迟微分器、D_{T1} 元件： 经常应用在调节器中，以取代理想化的D元件	$y+T_1\cdot\frac{dy}{dt}=T_D\cdot\frac{dx}{dt}$ $\frac{T_D\cdot s}{1+s\cdot T_1}$	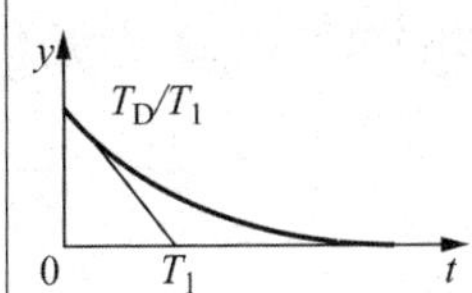
二阶延迟、P_{T2} 元件： 经阻尼的弹簧-质量-振荡器	$y+a\cdot\frac{dy}{dt}+b\cdot\frac{dy^2}{dt^2}=x$ $\frac{1}{1+as+bs^2}$	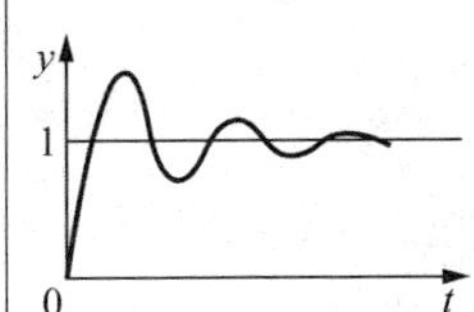
延迟时间： 在流动介质中传递温度	$y(t)=x(t-\tau)$ $e^{-s\cdot\tau}$	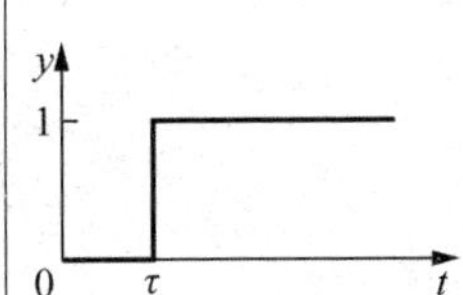
比例积分元、PI元件： 常见的调节器	$y=k_P\cdot x+\frac{1}{T_1}\int x\cdot dt$ $k_P+\frac{1}{T_1\cdot s}$	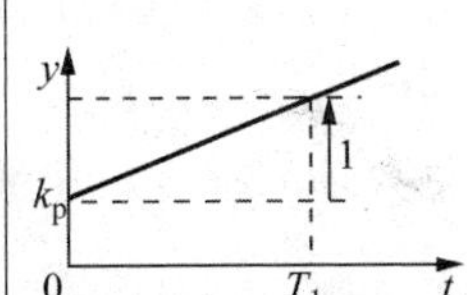

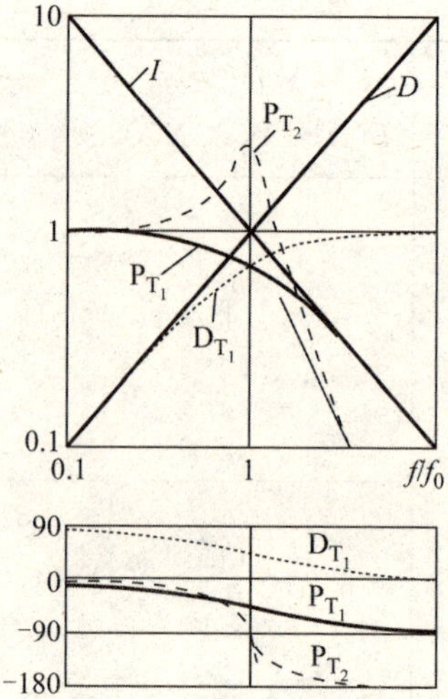

图 4.2.2　根据表 4.2.1 的基本传递函数的波德图

可利用式(4.2.6)，总是将分母和分子 $\underline{F}(\omega)$ 表示为这种形式的项之积：

$$\underline{F}_1=\left(1+\mathrm{j}\,\frac{\omega}{\omega_1}\right)\text{和 }\underline{F}_2=\left[1+\mathrm{j}k_1\omega-\left(\frac{\omega}{\omega_1}\right)^2\right] \tag{4.2.11}$$

因此，对数 $\lg(|F|)$ 为此类项之和。对于线性项则为：

$$\lg|F_1|=\lg\sqrt{1+\left(\frac{\omega}{\omega_1}\right)^2}$$

带渐近线：

$\lg(|F_1|)\rightarrow 0$　　适用 $\omega\rightarrow 0$

$\lg(|F_1|)\rightarrow \lg\omega-\lg\omega_1$　　适用 $\omega\rightarrow\infty$

$\lg(|F_1|)\rightarrow \lg\sqrt{2}$　　适用 $\omega=\omega_1$

对于二次项来说，计算更麻烦，但是能立即从式(4.2.11)中推断出渐近特性：

$$\lg(|F_2|)\rightarrow\lg\left|1+\mathrm{j}kw-\left(\frac{\omega}{\omega_1}\right)^2\right|$$

$\lg(|F_2|)\rightarrow 0$　　适用 $\omega\rightarrow 0$

$\lg(|F_2|)\rightarrow 2\cdot\lg(\omega-\omega_1)$　　适用 $\omega\rightarrow\infty$

因此，$\omega\rightarrow\infty$时的渐近线斜率是线性项渐近线斜率的两倍。

总数轴的标度单位通常为 dB：

$$|F|=20\cdot\lg(|F|)$$

因此在对数表述中，总频率特性由通过其渐近线来确定的函数之和组成。

对于相角(相位特性曲线),则可以从式(4.2.11)中直接推断出 $\omega\to\infty$时的 90°或 180°相移以及 $\omega=\omega_1$ 时的 45°或 90°相移。由于在大多数情况下,频率特性由多个串联元件的频率特性相乘而得,所以可知道如何根据式(4.2.11)进行分解,而且能够非常快地绘制出波德图。

当运用单位阶跃函数来代替式(4.2.2)表示的激励时,便得到传递特性的另一种描述:

$x(t)=0$ 适用 $t<0$

$x(t)=1$ 适用 $t\geqslant 0$

可以表明的是,这些函数包含所有的频率。因此如同式(4.2.8)一样,输出信号 $y(t)$对输入信号 $x(t)$的关系(阶跃响应)是对系统的一种完整描述。

表 4.2.1 所示为常见系统的频率特性和阶跃函数响应。

4.2.2 稳定性和动态特性

在调节回路(见图 4.2.1)的基本形式中,调节器的结构必须是这样的,即:

- 当 $z=0$ 且 $w=0$ 时,x 也接近于 0(稳定性);
- 通过调节器的一个调定量 y 尽可能又好又快地补偿干扰量 z(干扰传递特性);
- 额定值的变化尽可能又好又快地作用于调节量 x(主导传递特性)。

利用式(4.2.7)就能直接得出图 4.2.1 所对应的干扰传递特性:

$$\underline{X}(s)=\frac{F_{\mathrm{S}}(s)}{1+F_{\mathrm{S}}(s)\cdot F_{\mathrm{R}}(s)}\cdot\underline{Z}(s) \tag{4.2.12}$$

拉普拉斯算子原则上代表根据式(4.2.2)和式(4.2.3)的指数增幅或减幅的正弦时间过程。因此,式(4.2.12)也说明了当干扰量 z 拥有与式(4.2.2)相应的过程时,调节量 x 是如何对干扰量 z 做出响应的。其中,式(4.2.12)中的分母具有特殊的含义。也就是说,若存在一个 s_1,即:

$$1+F_{\mathrm{S}}(s_1)\cdot F_{\mathrm{R}}(s_1)=0 \tag{4.2.13}$$

那么,当 $z=0$ 时也会得出一个带相应于式(4.2.2)的过程的有限大 $x(t)$。由于根据式(4.2.6)的 F_{S} 和 F_{R} 由多项式组成,所以根据多项式等级的不同存在一个满足式(4.2.13)的 s_i 值。$\delta_i<0$ 的所有 $s_i=\delta_i+\mathrm{j}\omega_i$ 方程都是没有危险的,因为根据式(4.2.2)它们会导致出现减幅振荡。因此,调节回路总会回到 $x=0$。与此相反,$\delta_i>0$ 可能会导致出现增幅振荡,调节回路因此可能变得不稳定。所以对于调节器的设计,则以计算方式得出传递函数式(4.2.12),并从分母的零位得出回路稳定性的结论。

对实践来讲，频率特性法的应用更应该是一目了然的。其中可求得系统对某一正弦激励的响应，即根据式(4.2.8)的频率特性。然后由此计算：

$$\underline{X}(\omega)=\frac{\underline{F}_S(\omega)}{1+\underline{F}_S(\omega)\cdot\underline{F}_R(\omega)}\cdot\underline{Z}(\omega) \tag{4.2.14}$$

$Z=0$ 时，作为介于增幅振荡(不稳定的)或减幅振荡(稳定的)之间的临界情况的稳定连续振荡 $\underline{X}(\omega)$ 只会在这种情况下出现，即当

$$1+F_S(\omega)\cdot F_R(\omega)=0 \tag{4.2.15}$$

时。为此，F_S 和 F_R 的相移之和必须为 180°，以使该乘积实际上是负实数。图 4.2.2 表示，一个在 F_S 输入处短时间存在的干扰量 z 经过 F_S 和 F_R 之后，最终以同样的标记再次到达 F_S 的输入处，并因此正好可以取代原信号。即使没有 z，该回路亦得以保留。

如果信号通过回路后有所放大，那么振荡就会有增幅，调节回路因此变得不稳定。信号在通过之后变得越小，曾被激励的振荡减幅就越快，调节回路越是稳定。因此回路在这种情况下是稳定的，即当开环调节回路增益 $F_R(\omega)\cdot F_S(\omega)<1$ 适用于总相移为 180° 的 ω 之际。至该临界增益的距离被称为振幅裕度(见图 4.2.3)：

当 $\omega=180°$ 时：振幅裕度　$A_R=1-F_R\cdot F_S$

相反，相位裕度在 $F_R\cdot F_S=1$ 时(见图 4.2.3)也可作为标准使用。

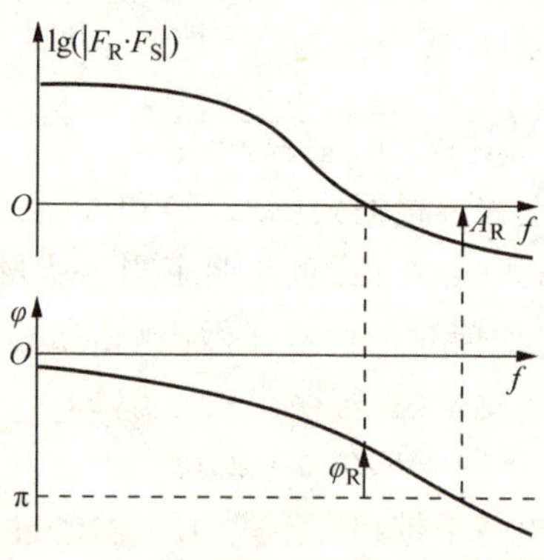

图 4.2.3　振幅裕度 A_R 和相位裕度 φ_R

(说明：准确地说，只有当开环调节回路 $F_R(s)\cdot F_S(s)$ 仅有带负实部的极点且当 $s=0$ 时最多有两个极点时，这些标准才能适用。只有在非常特别的技术系统中，这一点才得不到满足。)

振幅裕度越大,高频被抑制得越厉害,也就是说,调节器调整干扰或给定参数发生变化的速度也就越慢。因此对于一个良好的调节特性,即使在高频情况下增益也必须是尽可能的大。在振幅裕度接近零的情况下,每一次的小激励都会导致出现非常缓慢的减幅振荡。一般而言,这种情况也被视为并不适宜于待完成的调节任务。经验表明,当相位裕度约为 30°～60°或振幅裕度为 10～20 dB 时,就会产生一个可用的调节特性。

工作状态的影响

上述围绕正常工作点的线性化,允许对某一调节回路的特性进行线性化的且易于把握的描述。对于设计和调整来说,还是不允许忽略其非线性关系。一种经验证的用来考虑(非线性)的方法是参数变化法。在这种情况下,针对不同正常工作点和不同工作参数的系统得以被线性化,并使用针对线性系统的不同方法对该系统进行分析。

调节器必须如此进行调节,即每个正常工作点都有一个可用的特性。如果不能实现这一点,就要通过与设备工作状态相关的辅助输入来改变对调节器的调整操作(适配调节器)。

图 4.2.4 以实例表明,在某一二冲程柴油机(28 000 kW)的气缸冷却水循环(HT 循环)的温度调节回路中,调节对象的频率特性是在哪些范围内随发动机功率和海水温度而变化的。图中并没有描述到,即海水温度的影响比功率的影响大。当功率为 100%、海水温度最高时显然是临界情况,因为此处的振幅裕度最小,就是说必须考虑到最容易出现不稳定性能的情况。

例如在北欧冬季进行的一次试航中,如果纯粹凭经验来调整这样一种调节器,以使其显示出良好的特性,那么在夏天在温暖的海域,它可能会导致出现不稳定的特性,直至通过安全系统将主机功率自动下调。

调节器的类型

比例调节器(P 调节器):

$$y=k_{\mathrm{P}}\cdot(x-w) \tag{4.2.16}$$

是最简单的调节器。式(4.2.16)表明,干扰并不能完全被调整,因为需要有一个确定的调节偏差($x-w$),由此产生一个调定量 $y\neq0$。虽然原则上可以将 k_{P} 调整到非常大,但由于每个调节回路和测量传感器中都存在延迟现象,所以在技术系统中都是通过稳定极限来给出 k_{P} 最大值的。

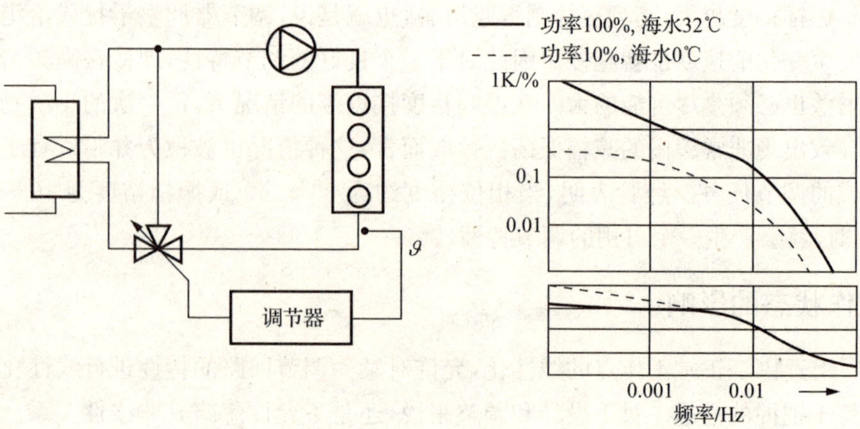

图 4.2.4　作为调节回路实例的典型的柴油机冷却循环过程。
波德图表明调节对象的频率特性(对调节阀进行调节时 ϑ 的变化)

为了避免出现持续的调节偏差，除了式(4.2.16)之外还通过时间来求得调节偏差的积分(比例-积分-调节器，PI 调节器)：

$$y = k_P(x - w) + k_I \cdot \int (x - w)\mathrm{d}t \tag{4.2.17}$$

只有当调节偏差 $x - w$ 接近零时，y 才会收敛至某一不变的终值上，这一点非常清楚。

通常还为这种 PI 调节器增加一个微分项(D 部分)，扩展至 PID 调节器。

$$y = k_P(x - w) + k_I\int (x - w)\mathrm{d}t + k_D \cdot \frac{\mathrm{d}(x - w)}{\mathrm{d}t} \tag{4.2.18}$$

D 部分将调节偏差的变化速度归入调定量中，以使在出现干扰的情况下表现出明显的调节偏差之前，可由调节器进行反向控制。实际上，D 部分无非就是以 D_{T1} 元件(参见表 4.2.1)的形式出现，即使 T_1 在多数情况下并不能得到明显的调整。由于在式(4.2.18)中每个单项都能通过参数 k_P、k_I 和 k_D 置零，所以 PID 调节器是通用的，并因此成为工业领域内中最重要的标准调节器。D 部分就此而言是重要的，即使所测得信号的小振荡是不可避免的，这也会导致调节器做出响应，而调节器的作用因此会是非常不平稳的。

4.2.3　PID 调节器的调整

调节器的调整总是需要有一个明确的目标定义。在图 4.2.4 所示的实例中，虽然一方面应将温度 ϑ 尽可能地相对应于额定值而保持恒定，另一方面也应避免这种情况，即调节阀旁的伺服电动机经常不恰当地被驱动。该伺服电动机通常并不是为连续运行而设计的。

此外，调节器的调整必须以对调节对象(如结合频率特性的结果)的分析为前提。在简单且不重要的调节回路中(但也允许用于试验)，对最重要的参数进行基本评估就已足够。在其他情况下，进行详细的系统分析则是不可舍弃的而且通常还会模拟调节特性。对于如图 4.2.4 所示的冷却循环过程，则可以根据图 4.2.5 对阶跃函数响应进行很好的评估。进行测量也是有可能的。

与如图 4.2.5 所示的走势过程相似，这一走势过程会出现在非常多的技术系统中。下述根据 Ziegler 和 Nichols 法而对 PID 调节器实施的调节过程至少会导致形成设备的可用特性，并使后续的实验优化成为可能。

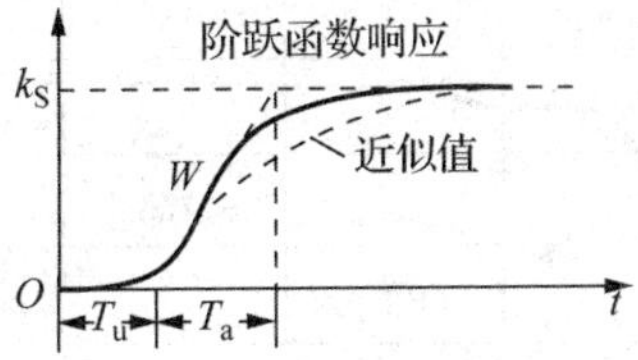

图 4.2.5 根据 Ziegler 和 Nichols 方法的某一调节对象的典型阶跃函数响应和调节器的调节参数

如果能够测得阶跃函数响应(见图 4.2.5)，那么该响应会被延迟时间 T_u 和随后的 P_{T1} 特性逼近。而重要的是仅至阶跃函数响应转折点 W 的范围。对应着较大时间值的长时间变化，则在频率特性中与非常低的频率相符，因此这些变化并不重要。根据时间 T_u 和 T_a 以及稳态比例 k_S(在图 4.2.4 中，$k_S=\Delta\vartheta/\Delta\alpha$)中，可以找到与表 4.2.2 相应的用于调节器的调整值。在将这些数值转化为可用于调整具体的调节器的参数时，也必须考虑内部标度(例如，通过 Pt100 温度计和放大器将温度转化为电压)。因此，k_P 通常是一维的。

作为选择，还可以通过下述过程进行试验：首先切断调节器的 D 和 I 部分，然后不断提高调节器的增益 k_P，直到出现持续振荡，或者每个冲击干扰或突变干扰都导致出现缓慢的减幅振荡。调节器增益被称为 $k_{P,临}$。对振荡周期 $T_{临}$ 进行测量。然后，就能从这两个值中得出与表 4.2.2 相对应的调整值(见图 4.2.6)。

表 4.2.2 根据 Ziegler 和 Nichols 法确定调节器的调整情况

调节类型	阶跃响应函数法			持续振荡法		
	k_P	k_I	k_D	k_P	k_I	k_D
P	$\frac{1}{k_S}\cdot\frac{T_a}{T_u}$			$0.5\cdot k_{P,临}$		
PI	$\frac{0.9}{k_S}\cdot\frac{T_a}{T_u}$	$\frac{0.3\cdot k_P}{T_u}$		$0.45\cdot k_{P,临}$	$0.85\cdot k_P\cdot T_{临}$	
P/D	$\frac{1.2}{k_S}\cdot\frac{T_a}{T_u}$	$\frac{0.5\cdot k_P}{T_u}$	$0.5\cdot k_P\cdot T_u$	$0.6\cdot k_{P,临}$	$0.5\cdot k_P\cdot T_{临}$	$0.12\cdot k_P\cdot T_{临}$

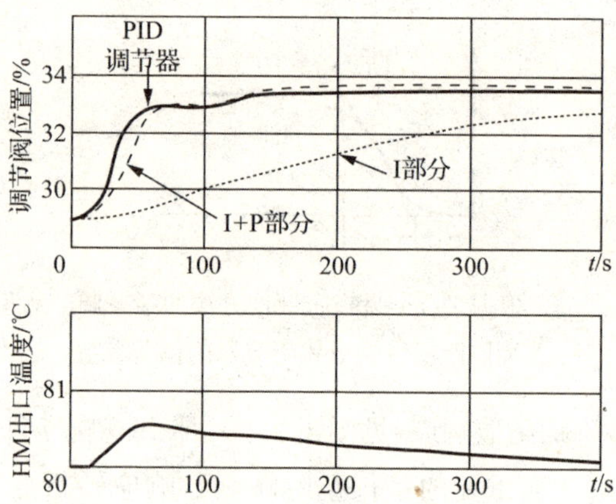

图 4.2.6 调节回路(见图 4.2.3)对柴油机热输入脉冲式提高的响应。总的调定量 α 被分为 PID 调节器的 P、I 和 D 部分

此外,用于确定调整参数的两种方法之间还有一种重要的关联性,可做如下定性表述:

(1) P 部分必须在相对较短的时间内调整大部分干扰。

(2) I 部分的作用是补偿持续时间较长的调节偏差(对表 4.2.2 中增益 k_P 的调整建议,受是否存在 P 调节器、PI 调节器或 PID 调节器的影响相对较小)。

(3) D 部分一方面可以加快调节器在调节过程开始时的响应,另一方面也可避免 PI 调节器中常见的、不可避免的自激。

4.2.4 改善调节特性的措施

限制调定量

经常会发生这样的情况，即原有调节器之外的调定量受技术事实的限制。在如图 4.2.4 所示的设备中，调节阀的调整范围也即调整速度受到了限制。因此，调定量的变化不会如调整调节器时所计划的那样快。这种影响参见图 4.2.7。积分器部分变得太大，而且当调定量再次达到额定值后，积分器部分实际上是不起作用的。为了避免出现这一结果，调节器偏差的积分必须在达到某一外部极限时被切断，且积分器的“液位”必须跟随该极限，而不考虑 D 部分。额定值 $w=0$ 且调定量 y 限制为 $y\leqslant 1$ 时，用于执行 PI 调节器的下述伪码则显示了这种原理：

P_部分：　= $k_P \cdot x$

I_部分：　= $k_I \cdot x \cdot \Delta t$

y：　= P_部分+I_部分

若 y > 1，则 y：　= 1

I_部分：　= 1 − P_部分

结束_若。

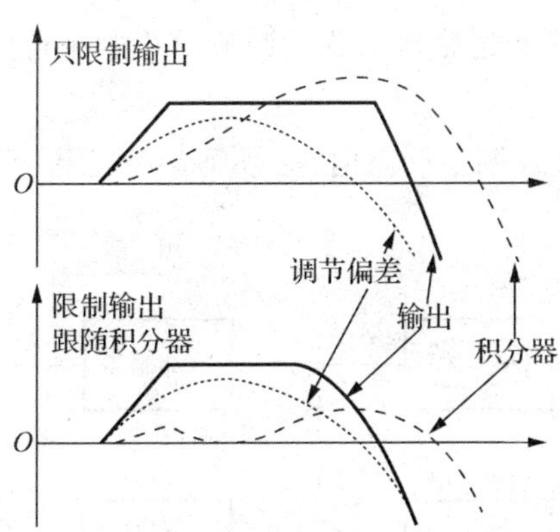

图 4.2.7　调定量外部限制的影响：上图无对积分部分的限制，下图含对积分部分的限制

额定值平滑和干扰量补偿

当额定值跳跃式地改变较大数值时，或者当干扰量跳跃式地改变较大数值时，典型的情况就是出现较大的调节偏差。因此，首先对由操作员给定的额定值进行处理，以使原有调节回路（见图 4.2.1）的输入值仅做快速的变化，使得系统能够遵循该设定值（额定值平滑）。

在一些系统中还能测量出干扰量。在图 4.2.5 所示的实例中，就可以测量例如柴油机的功率。当功率呈跳跃式增加时，在发动机的冷却水出口处可观察到功率提高是以温度升高的形式进行之前，就能将调节阀朝“冷”的方向调节某一个值（干扰量补偿）。

对于调定量与调节量之间存在较大延迟的系统来说，获取中间值是有意义的，例如图 4.2.4 所示实例中发动机进口处的温度。所有这些措施都会导致系统变得非常复杂，以至于模拟如何预选调整参数成了不可避免。由于调节器参数的数量太多，实验性调整变得纷繁复杂且几乎无法系统实施。

分级调节器（串联调节器）

就此而言，图 4.2.4 的描述是不完整的，即缺少将调节信号 α 转换成发动机的操作指令。实际上，该数值是作为额定值被预先赋予某一下置式调节回路的（见图 4.2.8）。由此可见，原则上存在两个相互嵌套的调节回路：在上置式调节回路中调节量是温度，而在下置式调节回路中调节量则是阀门位置。下置式调节回路的标准时间常数通常比上置式调节回路的小得多，以致可以将子系统分开进行检查。

此外，在设计上置式调节回路时，必须适当地考虑下置式调节回路的增益和相移问题。

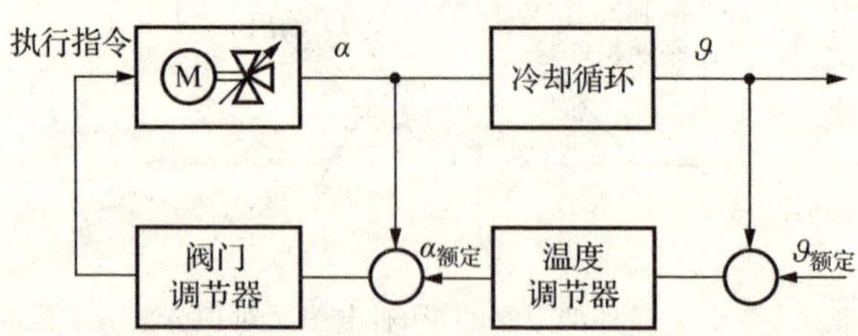

图 4.2.8 针对图 4.2.4 的带下置式阀门位置调节器的温度调节器

双位调节器和三位调节器

常见的功用是在一个相对较大的公差范围内调整该调节量。例如，当压缩空气瓶内的压力因消耗而降到最小值以下时，压缩机就会启动，随着达到上限压力它又被切断。因此，调定量只有两种状态且调节器是一台双位调节器。例如，当必须从压缩空气瓶中排出空气时，若假定调定量会有 3 种状态，那么就会形成三位调节器。这两种调节器的功能都非常简洁，且无需进一步的连续调节就能容易地进行调整。

在三位调节器中，当开关点之间的差距太小时，可能会出现持续振荡。开关点之间必须相距较远，使得调节量不是在从发出指令(例如，用于关闭某个阀门)到执行指令(阀门完全关闭)的时刻的时间内就已到达相对的开关点。

4.3　控制技术

4.3.1　逻辑功能和过程

控制任务通常在于，根据其他开关的开关状态或受限于经过自某一特定事件起的一段时间来触发特定的操作指令。所以，例如一台用于启动发动机的自动控制装置，就必须根据 Y-Δ 法（见图 3.2.7）以下述顺序对由操作员给出的初始指令做出响应：

- 关闭 Y 型接触器；
- 关闭主接触器；
- 等待一段时间（直至发动机大约达到额定转速）；
- 打开 Y 型接触器；
- 等待，直至 Y 型接触器显示开启状态；
- 关闭 Δ 型接触器；
- 其间连续检验是否未给出停止指令。

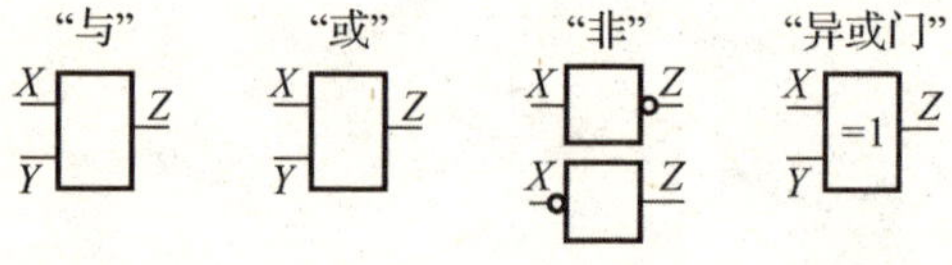

$Z=X\cdot Y$　　$Z=X+Y$　　$Z=\overline{X}$　　$Z=X\cdot\overline{Y}+\overline{X}\cdot Y$

X	Y	Z
0	0	0
0	1	0
1	0	0
1	1	1

X	Y	Z
0	0	0
0	1	1
1	0	1
1	1	1

X	Z
0	1
1	0

X	Y	Z
0	0	0
0	1	1
1	0	1
1	1	1

图 4.3.1　带有符号、布尔等式和真值表的逻辑运算

每个开关既可以打开也可以关闭，也就是说可以用一个值为“真”或“假”的逻辑（布尔）变量、通过二进制数 0 和 1 或任意其他的符号对来表示这种状态。逻辑关系的形式描述的基础是布尔代数与如图 4.3.1 所示的基本运算“与”、“或”和“非”。

从这些基本运算中，可以将所有的功能进行组合，例如所示的“异或门”也一样，它通常用做比较元件。这些运算的组合明确地描述了(技术)逻辑关系，而与此相反，每一种逻辑关系也能通过不同的运算组合进行描述。从图 4.3.1 的说明中能够容易地推导出下列常用的算法：

$$X+Y=Y+X, X\cdot Y=Y\cdot X \quad \text{(交换律)}$$

$$X\cdot(Y+Z)=X\cdot Y+X\cdot Z \quad \text{(分配律)}$$

$$X\cdot Y=(X+Y) \quad \text{(德摩根律)}$$

$$X\cdot 1=X, X+1=1$$

$$X\cdot 0=0, X+0=X$$

$$X\cdot X=0, X+X=1$$

以这种方式来描述逻辑关系，完全不依赖之后的执行方式。

有一个基本问题始终存在于物理状态对某个变量的分配中。一种常见的用于监控发动机冷却水压力的压力开关，在压力充足时关闭，在压力降低时打开。根据图 4.3.1，通常将 “开关关闭”信号转化为逻辑值“1”或者“真”。因此，陈述“压力足够大”被配置给逻辑值“真”。为避免出现错误和误解，建议采用此类型的信号名称。

如图 4.3.2 所示，大多数情况下都是这样的，即一个关闭的触点被配置给状态“真”，因此人们甚至可以用这种陈述来称呼该触点。然而“压力，n/c”名称更为常见，其中 n/c 代表“normaly closed(正常关闭)”，表示在正常运行时(压力充分)开关是关闭的。在相反的情况下，触点则被称为“n/o”，表示“normaly open(正常打开)”。对一些开关状态不能直接用“正常”或“非正常”来表示的开关，使用单一的名称是绝对必要的。

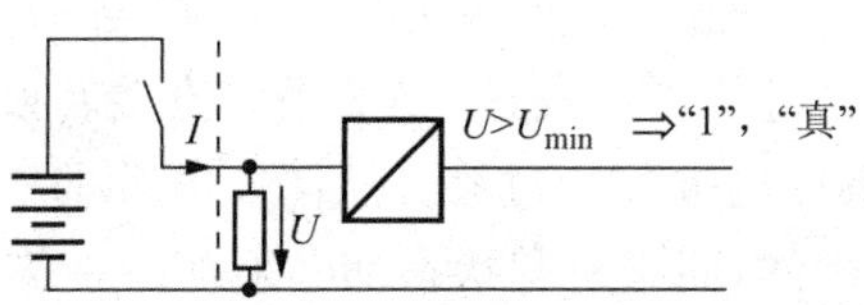

图 4.3.2 通过电流信号将某一开关状态转化为一个逻辑值

图 4.3.3 所示的实例为柴油机安全系统的一部分。当温度较高时，也就是说“非 $T_1<\max$”或“非 $T_2<\max$”，导致对功率进行自动限制(降低)。压力过小时，导致发动机自动停机。在这两种情况下会发出一个警报信号，并通过开关“应急运行”可绕过一个障碍。一次触发的停止信号与压力信号的状态无关，将一直存在，直到操作员通过按下复位按钮报告错位被排除或者在他了解情况后

想重新启动发动机。

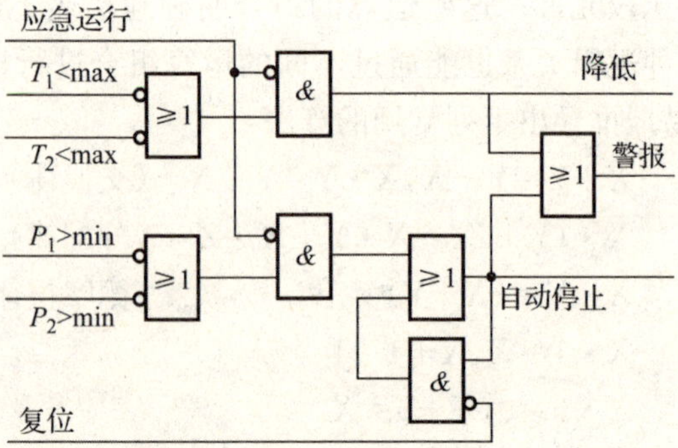

图 4.3.3　某一逻辑图实例：柴油机安全系统的一部分；
P_1，T_1：气缸冷却水；P_2，T_2：润滑油

结合计时器，原则上就能以这种方法来描述和执行每一次控制操作。为简化起见，定义了若干复杂的功能，但它们均由基本功能组合而成。

在多种控制操作中，主要是执行与特定事件相关的时序开关过程。如图 3.2.7所示的起动线路是一个实例。针对这种类型的任务，适合采用以状态过渡图表(Petri 网、SPS 过程语言)的形式进行描述。为此人们以这样的想法为出发点，即每个系统及所属的控制操作在任何时候都准确地处于某一个状态。待控制系统可以任何理由改变其状态。只有当它能够通过相应的传感器识别到这些变化时，它才会对控制操作产生影响。因此从控制的角度来看，每个状态的变化都是由一个事件，也就是由任一传感器信号的改变触发的。此外，状态变化还可以受时间控制进行触发。

对控制操作的设计来说，Perti 网这种不太严格的描述非常适用(见图 4.3.4)。采用过程语言进行详细描述，则适用于直接转换成可编程式控制(参见 4.3.2 节)。这些事件也被称为过渡。从图 4.3.5 的实例中可以看出，即所有状态都必须是可实现的，而且所有状态都必须存在一条出路。“故障”状态表示控制功能的结束，因为设备中明显存在一个故障。

这种不太正式的 Petri 网在设计和说明某一控制操作时非常适合用来描述其功能。例如，针对图 4.3.5 中的实例可以进行如下讨论，即是否有可能中止某一正在运行的开启过程。限制每个图表的状态数量对图表的简明性来说是至关重要的。如有需要，可在某一状态后面隐藏其他图表。因此，图 4.3.5 中的状态“Y 开启”可能还包括了一系列其他动作，它们可以在某个单独的图表内进行表示。

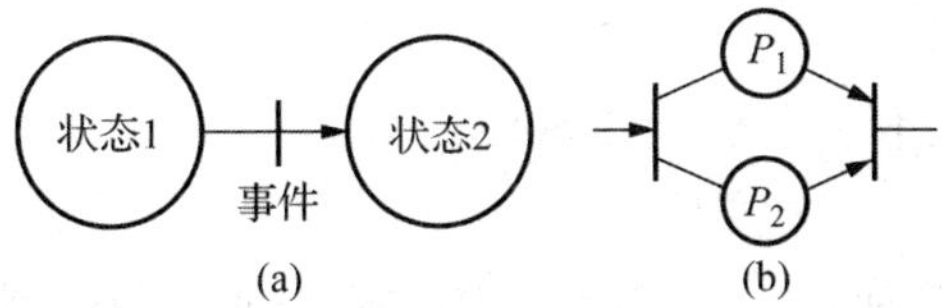

图 4.3.4
(a) 作为 Petri 网来描述过程的基本符号 (b) 并行过程

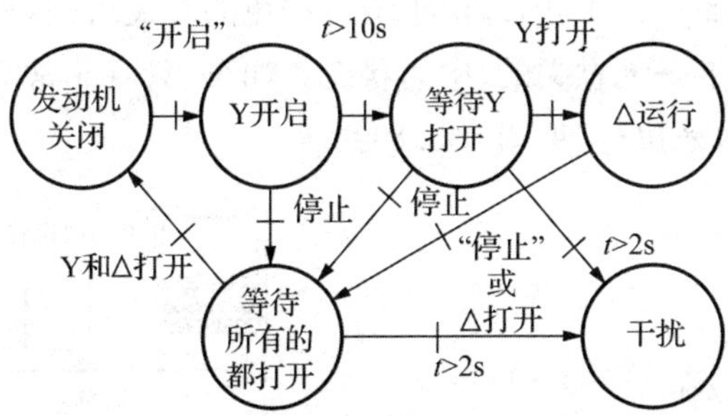

图 4.3.5 与图 3.2.7 中的起动线路对应的 Petri 网，
"开启"和"停止"是操作员给出的指令

有时候，并行描述过程显得更有意义[见图 4.3.4(b)]。例如，针对某一泵送过程的结束，就可以将泵的停止与所有阀门的关闭同时进行。只有当这两个过程结束后，才会触发重合时的过渡。

由于控制操作中的事件是由外部信号触发的，所以 Petri 网中更为动词化的描述也可以直接通过与输入信号的连接进行。相反地，控制操作中的每个状态也都拥有一个明确的控制输出信号的状态。人们以此得到一种详细的描述，它可以作为功能图(见图 4.3.6)或以过程语言的形式直接转换成某一控制操作。

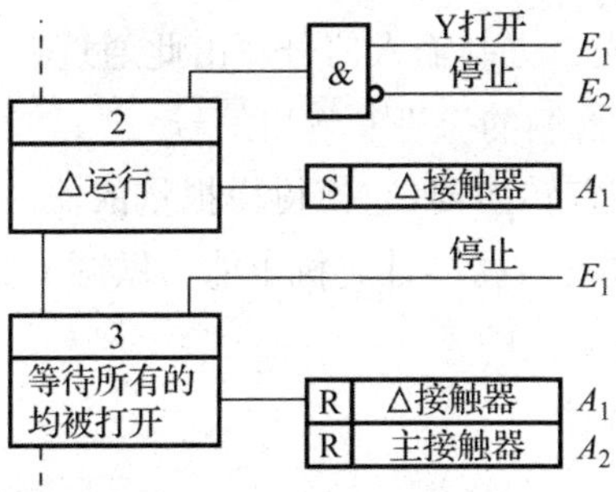

图 4.3.6 图 4.3.5 的一部分作为功能图(FUP)
E_1，E_2：输入；A_1，A_2：输出；S：设置；R：复位

4.3.2 可编程控制器(SPS)

在微处理器推广使用之前,控制操作主要是通过继电器电路和接触器电路来执行的。图 4.3.7 为一个至今依然经常出现的电路,该电路的逻辑运算“与”和“或”均通过触点的串联或并联来执行。在复杂的控制操作中,主要问题不仅在于原本的逻辑,而是在于此,即由于不可避免的开关时间,规划时还必须考虑到非常多的(原则上是无意义的)中间状态。如今,只有非常简单及小型的控制任务还以这种技术来执行(见图 4.3.8)。

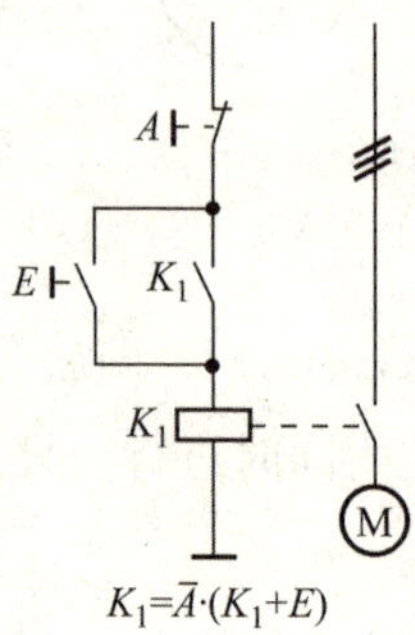

图 4.3.7 带继电器和接触器的控制操作实例:发动机开启(E)、停止(A)和自锁(K_1)

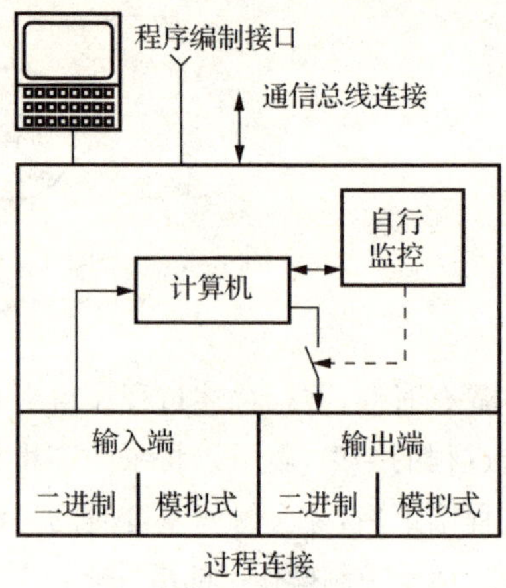

图 4.3.8 某一可编程缩放图的基本形式

大型且复杂的控制任务均使用可编程控制器(SPS)。一台可编程控制器的核心是计算机,它可生成二进制输入信号并由此通过在存储器内进行编码的逻辑运算而生成用于过程控制的二进制输出信号。

通常与此并用的还有转换器,它使得模拟量的输入与输出(例如,电压 0~10V,连续变化)成为可能。这样,计算机也能当做调节器(参见 4.2 节)使用,用于调节连续变化的量值。

仪器技术、硬件

可编程控制器(SPS)的功能应用范围较为广泛。对于很少有输入和输出的最为简单的控制操作,较为常见的是将紧凑式仪器直接安装在某一带罩轨条上。此类紧凑式仪器已配备有显示屏，既用于显示也用于编程，而且还可以扩充附加组件(见图 4.3.9)。

图 4.3.9 紧凑式控制器(SPS)实例(来源：西门子股份公司)

大型的可编程控制器具有个人计算机(PC)的计算能力，可以控制几千个输入与输出值并在彩色屏幕上以图形显示过程状态，而且还可以将过程数据进行存档和打印。

为了可编程控制器的应用，计算机应在无人看管的情况下可对某个过程实施监控。因此，所有的可编程控制器计算机都配备有内部的自监控装置。该装置至少能监控计算机对外部信号做出响应的情形。如果自监控装置确定出现故障，那么将根据过程类型触发警报，或者是通过应急切断开关将过程控制在一安全状态内。

软件、编程

如今所有的计算机(包括某些大型计算机)都采用这样的结构，即计算机按顺序处理其给定的计算程序。一个计算程序是指一系列保存在存储器内的基本指令，例如“与”、“或”以及数学运算，如加和减。从小的方面来说，这些运算中的每一个都需要进一步的次级运算。例如，$c=a$“与”b 就要求首先从存储器中读取 a 和 b，然后用“与”将两者连接起来，然后重新存储结果 c。在这个层面上，如今所有的计算机的确都能同时处理各项任务。在“方程”和“逻辑运算和数学运算”的层面上，处理过程却是按顺序进行的。由此得出图 4.3.10 所示的某一可编程控制器的流程。

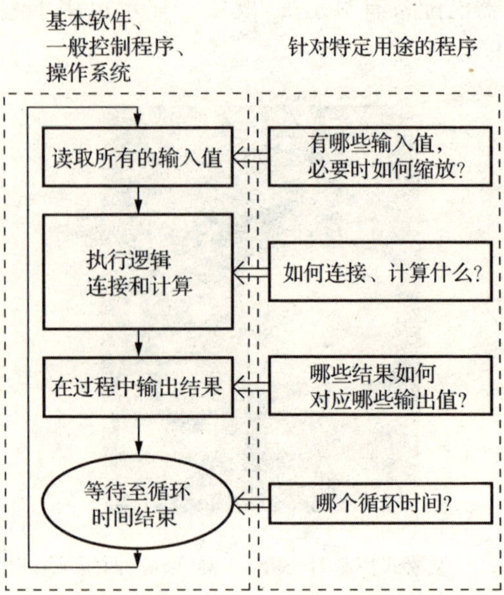

图 4.3.10　可编程控制器基本的程序流程

计时器以循环时间 τ 周期性地开启执行程序。很显然，该时间必须大于按顺序处理所有指令所需的时间。在实践中，执行程序的处理过程经常会被中断一段很短的时间（几微秒），以使计算机能执行其他无法推延的任务，例如为了与其他计算机进行通信。所以，相对于纯处理时间而言，τ 必须包括一段明显的备用时间。

可编程控制器内的基本软件是由制造商方面预先给定的。针对特定用途的程序可利用自有的辅助程序装载到可编程控制器的存储器中。多数情况下，通过嵌装在可编程控制器上的显示器至少可以临时变更程序。

输入值和输出值的逻辑运算、计算和分配均在可编程控制器内以二进制数存在，其格式由基本软件的制造商确定。

编程根据标准化的方法（语言）进行，以便所制定的编码至少能被大部分采用，以用于基于另一家制造商的可编程控制器的类似控制操作。相对标准而言，每一种可编程控制器的专门扩展使用越少，其可转让性（可移植性）就越好。对于程序的编制和可编程控制器内部格式的翻译，均由可编程控制器制造商提供相应的 PC 程序。这些程序通常还可以在 PC 机中使用模拟输入信号和输出信号来运行所编制的程序并以此测试流程。

IEC 61131-3 型定义有下述语言：

- 语句表(AWL):文本程序语言,以此可通过如“或”和“与”的关键词来描述逻辑运算;
- 梯形图(KOP):在描述带接触器和继电器的控制操作时依据符号学的图形语言;
- 功能组件语言(FBS、FUP):依据逻辑图的图形语言(见图 4.3.3);
- 流程图语言(AS):基于状态(步骤)和过渡状态的图形语言(见图 4.3.6);
- 结构化文本(ST):依据如 Pascal 的高级程序语言的文本程序语言(见图 4.3.11)。

```
SUM := 0 ;
FOR I := 1 TO 3 DO
   FOR J := 1 TO 2 DO
      IF FLAG THEN EXIT ; END_IF
      SUM := SUM + J ;
   END_FOR ;
   SUM := SUM + I ;
END_FOR ;
```

图 4.3.11　“结构化文本 ST”语言实例

AWL、KOP 和 FUP 语言是大多数可编程控制器或附属的可编程控制器软件的基本配备。这分别又是根据图 4.3.1 的逻辑基本运算的基础。

对顺序流程来说,流程图语言 AS(有时也称为序列发生器)比 AWL、KOP 或 FUP 更为合适。对此有两个决定性的原因:一是状态和过渡的控制程序由编译程序自动生成,而例如在 FBS 中就必须对自有的存储器和反馈装置(如图 4.3.3 中的复位功能)进行编程。另一个原因则是功能检测也更加可靠且一目了然,因为必须不断地考虑到每个当前状态的前后关系。

“结构化文本 ST”语言(见图 4.3.11)在很大程度上依赖编程语言 Pascal。例如,ST 允许的程序形式比 AWL 更为紧凑。特别是编写循环语句(FOR,END_FOR,WHILE,REPEAT)和通过使用子程序来避免重复程序代码的方式,明显减少了工作量。另外,通过避免相同逻辑的多次编程(只涉及其他的输入值和输出值)还减少了错误的发生。除此之外,结构化的数据组织(ARRAY,RECORD)与合理命名数据的方式都要求程序具备简明性,并因此而有利于避免错误。

总之,应注意这 5 种语言中的每一种语言都有其特殊的优缺点,哪种语言或哪些语言的组合最合适则取决于具体的控制任务。

带不同循环时间的并行程序

某一技术流程中常常会出现执行速度不同的几个过程。引用图 4.2.8 所示的温度调节过程作为实例。相比较而言，温度改变的速度比阀门位置改变的速度慢。因此，对阀门位置的调节，需要一个比上置式温度调节所需循环时间短得多的循环时间。以较短的循环时间来处理温度调节过程，将使计算机不必要地满载。更为严重的是，在循环时间过短的缓慢过程中，常常不能达到令人满意的调节特性[式(4.3.1)]。所以可编程控制器(除了最小的紧凑型仪器之外)总能提供这种可能性，即以准并行的方式处理不同的循环。

4.3.3　采用可编程控制器进行调节

待调节量(见图 4.2.4)通过传感器(如 Pt100)首先被转换为一个电量。然后，通过一个合适的放大器将该电量转换为电压。该电压能接受由传感器与放大器的类型所确定的某一类型之内的任意值。

此类量值被称为模拟量，与只能接受可数量值的数字量或二进制量相反。计算机总是以数字量(由多个二进制数组合而成)进行工作。因此，对于采用模拟电压表示的温度值的处理，必须将该模拟量转换为一个数字量。图4.3.12为该分配的原理。所有计算机的内部都是使用二进制量(二进制数字比特)工作的。采用两个比特总共可以表示 4 个状态：00，01，10 和 11。一般来说，用 n 个比特一共可以区分 2^n 个状态。一组 8 位配对的比特被称为一个位组，因此一个位组可以接受 $2^8=256$ 个状态。所以，可能值的数量(图 4.3.12 中的 x)总是被选为 2 的整数次幂。指数 n 说明每个单独的数值由多少个比特表示。这些比特中的每个比特的模拟数字转换器通常都有一条线路通向计算机，它可接通“0”或“1”，以便将一个经转换的测量值经过 2^n 条线路封闭式地传输至计算机。

如图 4.3.12 所示，由比特数 n 确定转换的分辨精度。所以，比特数是模拟数字转换器的一个非常重要的参数。在最简单的应用中，所使用的是 8 比特转换器(级高 1/256＝测量范围的 0.4%)。对于一般的应用来说，如今常见的是 12 比特转换器，这种转换器的级高为 1/4096＝0.025%，与测量误差相比，该级高小到可以忽略。需说明的是，所有放大器和模拟数字转换器与级高完全无关，仅在某个公差范围内是精确的。

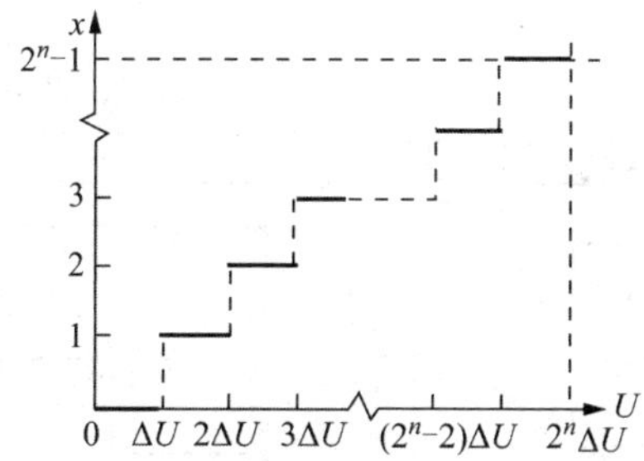

图 4.3.12 通过一台模拟数字转换器将 $0<U\leqslant 2^n\cdot\Delta U$ 范围内的模拟量配置给整数 x

另一个重要参数是测量值转换所需的时间。对于在自动化技术领域内最常用的转换器,根据逐步求近法原理(称量法,该法依次将所测得的电压与一系列电压进行比较,这一系列电压则被改变为某一固定比较电压的 1/2,1/4,1/8,…,1/n),该时间处于 1~10 μs 的范围内。对于自动化技术领域内的一般使用来说,比特数和转换时间的组合被证明为很好的折中办法,可结合良好的技术性能与低廉的价格。对于特殊的用途,则有分辨精度更高且运转更快的转换器可供使用。

数字模拟转换器被用于从数字量中输出模拟信号。该转换过程实现起来更加方便,对此几乎不存在任何限制。

由调节器执行操作

4.2 节中所描述的调节器可连续工作。与此相比,以可编程控制器执行操作的调节器在每次循环中只能读取一次调节量并输出一个新的调定量。所以,调节器的工作方式为时间离散的。图 4.3.13 为在 PI 调节器中是如何由此来影响这一特性的。还应认识到这一点,即 z_i 和 y_i 的计算顺序是有影响的。一般要求循环时间必须小于调节器或待调节系统的最小时间常数。那么离散化就几乎不起决定作用。另一方面,一个太短的循环时间也有缺点,正如图 4.3.13 中积分器 z 的实例所示。在式

$$z_i=z_{i-1}+x_i\cdot k_{\mathrm{I}}\cdot\tau$$

中,当某一循环时间 τ 太短时就会出现:

$$|z_{i-1}|>>|x_i\cdot k_{\mathrm{T}}\cdot\tau|$$

其中的比值有可能会很大,以至于由于表示 z_{i-1}的位数有限而使用加法却不会引起数值的改变。积分器也因此而变得无效。k_{I} 与反时间常数相符。因

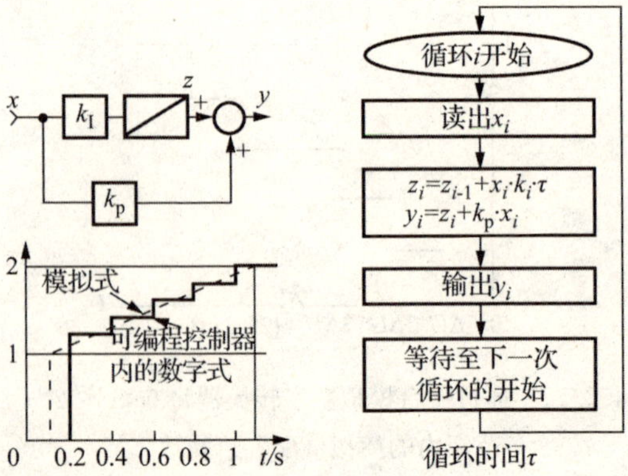

图 4.3.13　PI 调节器，在可编程控制器的某个程序中时间离散式地执行操作

此，最小可能的步距与调节器内出现的最长时间常数相关。所以，应如此选择循环时间 τ，以便满足带最小的时间常数 T_{min} 和最大的时间常数 T_{max} 的下述条件：

$$\tau << T_{min} \qquad 实际上\ \tau < 0.1 \cdot T_{min} \tag{4.3.1}$$
$$\tau << T_{max} \cdot \varepsilon \qquad 实际上\ \tau > 1000 T_{max} \cdot \varepsilon$$

其中，$\varepsilon << 1$ 是记数法最后一位小数位的数位价，也即例如当 0～1 之间的数字用 6 位小数表示的话，那么 $\varepsilon = 10^{-6}$。这两个条件只能在 T_{max}/T_{min} 的某个比例之内才能被满足。常见的 32 比特浮点格式（根据 IEEE）中，$\varepsilon = 2^{-23} \approx 10^{-7}$，以至于根据上述规定必须为 $T_{max}/T_{min} < 10^3$，以此可找得到一个答案。如果取而代之使用 16 比特（定点数），那么 $T_{max}/T_{min} < 6$，以至于经常找不到满足所有条件的循环时间。

因此，在差异较大的时间常数中这一点是必需的，即将某一调节过程的较慢部分与较快部分分开，并使之在可编程控制器内的不同循环中执行操作。

此外，循环时间必须视输入信号的类型而定。如图 4.3.13 所示，周期性地以循环时间 τ 来读取测量值。因此，必须要求某一循环之内的测量值只能有略微的改变，或者较快的变化至少不会干扰调节过程。严格来讲，调节量的傅里叶级数展开不允许包括大于 $1/(2 \cdot \tau)$ 的频率（Shannon 抽样定理）。在许多实际情况中，这一点已经由测量传感器的惯性（如 Pt100）或过程的惯性（如冷却水慢慢加热）来确保。否则必须通过合适的过滤器来处理测量信号。该过滤器也能在可编程控制器的快速循环内执行操作。然后，由一个经原有调节的缓慢得多的循环来包容快速循环中经平滑的测量值曲线走势。

4.4 分散式自动控制、总线系统

4.4.1 分散式自动控制

大约自从 1985 年起，在船上通常把不同的自动控制任务如主机监控、阀门控制、泵控制和发电自动装置等分配给机舱及装货区域内大量分布的微型计算机。这些微型计算机通过总线系统与工作站（通常为 PC）和打印机相连（见图 4.4.1）。通过空间分配，一方面可以使连接传感器和执行机构的线缆相对较短，另一方面通过合理的功能配置还能形成相当大的安全性，以应对整体的故障。某一台计算机的（罕见的）故障只会涉及非常有限的系统范围，所有其他的船舶技术范围都不会受到该故障的影响。虽然船舶技术设备的所有部分即使不是自动控制也能运行，但在自动控制出现整体故障时，以商船上普通的船员编制，这些设备只可能运行较短的一段时间。

虽然有些设备的中央系统总线（见图 4.4.1）是冗余配备的，但从可靠性角度来看它会造成瓶颈问题，特别是在一些冗余总线方案中冗余只涉及导线，而不会涉及发送器和接收器。

所以一般的设备都有一根用于备用警报装置的自有总线。这满足了船舶自动运行的最低要求，因此即使在冗余的系统总线和监视器出现故障时也能在无人值班的情况下保持船舶的运行。重要的是将所有设备的电力供应和冗余计划包括在内。常见的有，通过缓冲式不间断的供电或由一个中央自动化电池来提供电力，某些范围内的供电由船级社予以规定。

如图 4.4.1 所示，设备的精确配置与船舶操纵类型息息相关。桥楼上或总轮机长处通常是不配备监视器的。作为后续需要，有时会将测量数据传输给诊断系统、船舶管理系统或用于将数据传输给航运公司办公室的系统。

分散式计算机的结构与可编程控制器（SPS）相似。把用于约 100～200 个输入及输出信号的控制器安置在配电箱内，这种做法已被证实是经济有效的。多数情况下，会安装一台本地显示器，以便所有的测量值至少以文字数字的形式在机舱区域内供人员现场使用。

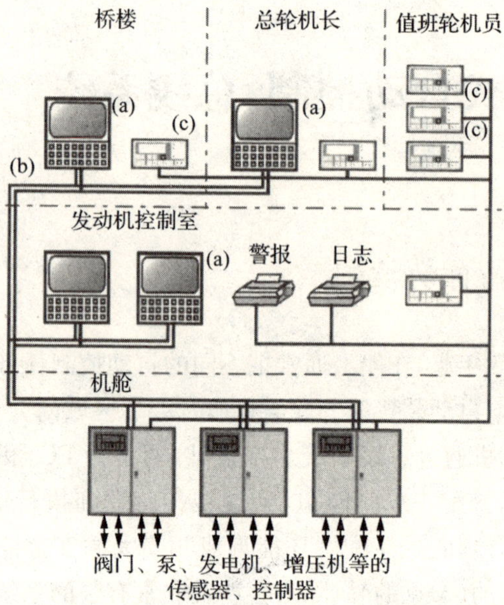

图 4.4.1 商船上常见的分散式自动控制实例

(a) 用于图形显示及设备控制的工作站；(b) 通过冗余总线系统进行通信；

(c) 带紧凑型操作控制台面板的备用警报装置，通过一根自有总线进行连接

当在各类制造商的产品屏幕上所显示的所有信息内容被相似地描述与选择时，在执行控制指令时却有不同的方法。例如，机组的启动和停止或者阀门的关闭和开启，在误操作时会对装置，甚至是船只造成危险。所以，不同的监视器务必不能发出争用性控制指令，有一点必须是明确的，即某一控制指令的职责在哪里，而且必须确保指令发出者也有权发出该控制指令。除了控制指令之外，所有系统还能改变警报极限值或完全阻止警报的发出。对于此类操作，原则上与控制指令的适用情况相同。

使用各种密码、电子锁和控制程序的不同组合而将某一工作站的指令传递给另一工作站，为此不同的设备制造商在此类安全要求与要求简单操作及尽可能柔性化分工之间寻找到了各种不同的折中方案。

4.4.2 总线系统的基本结构

总线系统的作用是将如图 4.4.1 所示的计算机和可编程控制器相互连接起来。一根总线就是一根多芯导线，所有的计算机都并联连接在该多芯导线上

(见图 4.4.2)。如今,也有传感器或其他仪器连接在总线系统上,所以一般是指各类用户。

由某一用户给出的待发送信息作为比特序列以数字的形式存在。这些比特按序通过数据总线发送。为此需要确定以哪个电压或哪个电流来表示线路上的"0"或"1"(例外情况下是在计算机的内部,也可通过并联导线同时传输多个比特)。

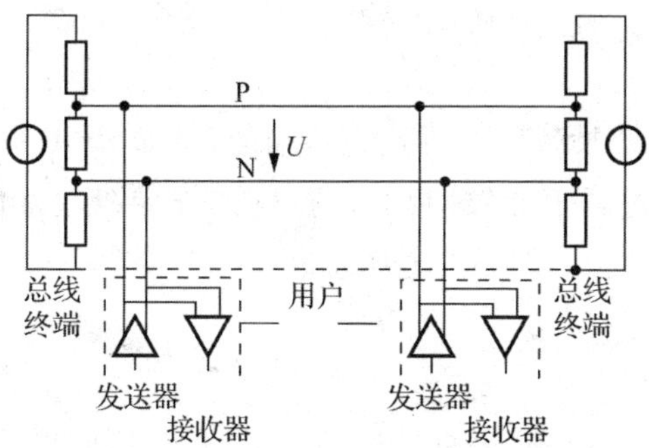

图 4.4.2 总线系统原理图,例如用于某一现场总线;
总线终端的电源不是所有系统都是必需的

发送器把电压或电流外加给总线。其结果是不允许两个用户同时进行发送,否则电压或电流将是两个发送器的信号的某种合成,且待发送信息将受到干扰。每个用户都包括一个接收器,该接收器不断接收总线导线上的电压,并通过与所定义的极限值进行比较而将该电压转换成"0"或"1"。为了在所有的用户之间实现数据交换,需要确定一些规则,即根据这些规则可确定哪些用户在何时允许发送。这些规则连同如何传输数据的说明,被称为协议。

在一项协议中,确定来自不同分级的规则,其复杂性各异。例如在最低一级的层次上,会规定某一比特的值"0"和"1"是如何进行物理传输的。在较高级的层次上则会确定总线发送权的组织控制程序或是描述被传输数据的含义。

各个单一的分级层次通常被称为层,而且设有针对每一层内应说明什么的标准。

有大量不同的总线系统。除了传输速度之外,最大可能的用户数量、时间特性、失效特性、最大可能的空间长度以及价格都是重要的区别标准。在本地的自动化仪器和传感器范围内,由于件数较多,低廉的成本和简单的电缆敷设则是关键,而且数据接收量比较适中及其空间延伸被限制在一艘船的各部分范围内。用于该范围的总线系统被称为现场总线。这里经常要求有保证的最大运行时间。主控层面(屏幕)或客船的娱乐性电子设备,则取决于高的数据吞吐量。由于多样性的存在,进行通用性描述几乎是不可能的。

除了标准化的现场总线协议(例如,CAN、Profibus、Interbus)之外,许多自动控制制造商也使用自有协议。下面将示范性地描述通过某一总线系统进行通信的过程和顺序。

4.4.3 物理级、比特传输层

这里通常是按照 RS485 标准进行传输的,例如 Profibus,以下描述均与此相关。信号传输通过两根导线对称进行,这两根导线通常作为双扭线相互扭绞。在接收器上将两根导线间的电压差进行如下转换:

$U > +0.2\ \text{V}$ “1”

$U < -0.2\ \text{V}$ “0”

发送器必须产生一个高得多的电压(为几伏特),因此尽管至所有接收器的导线上有电压损耗,但也能遵守该极限值。总线终端除了抑制反射(参见 4.4.6 节)之外其功用在于,万一没有用户接通其发送器,总线终端应在导线 P 和 N 之间产生所定义的电压。在大小为常见的情况下,可输入一个+0.8 V 的电压,以便所有接收器都能相当可靠地识别到一个“1”。该电压是通过一个相对较大的电阻被输入的,以至于每个接收器都能读取该电压。由于每个接收器必然有一个有限的输入电阻,所以总线上用户的数量也受到发送器内可用电流的限制。

在根据 RS485 所描述的方法中,每个发送器要么是断开的(也就是说在输出端是高欧姆的),发送一个“0”,要么发送一个“1”。其结果是两个同时接通的发送器都带正电压(“1”)和负电压(“0”)并相互作用,且接收器可能会以不可预见的方式将电压转换到总线上。所以,在该系统中必须避免这种情况的发生。

与此相反,在其他协议(例如,CAN、Ethernet)中却完全允许不同的发送器之间有发送尝试的冲突。例如在 CAN 中,发送器就采用这样的结构,即一个已发送的“0”在任何情况下对一个“1”来说都处于主导地位。每个发送器在其发送尝试的同时也从总线中读取结果,因此当一个由自己发送的“1”被另一个用户发出的“0”改写时,发送器能立即识别出。在这种情况下该发送器立即断开并将总线让给另一个用户,其已发送的“0”则不受影响。因此,尽管有同时进行的发送尝试,但却没有数据的损耗及受影响。在更高的协议层中则规定何时允许进行一次新的发送尝试。

扭绞的双芯导线对干扰相对不敏感，但多数情况下还是使用屏蔽线缆，屏蔽是从两边与船体相连的。

除了将状态"0"和"1"用于表示总线上的电压值之外，通常还采用在两个确定的水平之间进行电压变换的方法，该方法以电压变换为主，例如：

从正变为负：　　"1"

从负变为正：　　"0"

或者也可如下做法：

变换：　　"1"

没有变换：　　"0"

在后一个方案中，可直接看出接收器或发送器上的接线互换并没有产生影响。

4.4.4 互联级、数据链层

从一个用户向另一个用户传输的所有信息，在发送器内是以单个比特的序列形式存在的，原则上序列长度可任意。为了传输起见，必要时将这些信息分多级分配到单一的分段上。在现场总线的范围内，通常根据所谓的 UART 协议将 8 比特=1 字节合并为最小单位用来传输，该协议同样也用于例如 PC 机上的串行通信端口(COM-Port)。8 比特一般需补充有一个起始位、一个校验位(奇偶性)和一个中止位(见图 4.4.3)，这必须在协议中进行说明。奇偶校验位是一个校验总数，有了它接收器就能识别某一单个比特的错误传输，但不能更

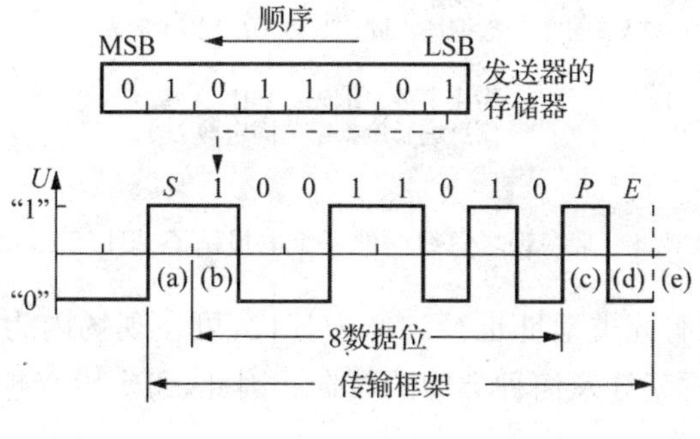

图 4.4.3　以 UART 格式串行传输一个字节=8 比特

(a) 0→过渡，标记起始位 $S=1$ 的开端；(b) 第一个传输的数据位；

(c) 奇偶校验位(并不总是存在)做如此设置，即根据协议所有"1"的总数是偶数或奇数；

(d) 中止位 = 0；(e) 下一个起始位的最早开端

正该错误传输。因此可降低某一未识别错误传输的概率。

接收器读出总线上信号的时间间距必须与发送器将信号发送到总线上的时间间隔完全相同。因此，在协议中将比特的持续时间规定为位速率(Bit/s)的倒数。某一传输框架的开端则以第一个上升沿进行标记。接通用户后，该用户当然能将每个上升沿(见图 4. 4. 3)转换为一个传输框架的开端。但在多数情况下，奇偶校验位或中止位不能准确配合，以至于接收器可能会不采纳所接收的数据并等待下一个沿的出现。实际上，在几次失败的尝试之后可实现同步，特别是当两次被发送的传输框架之间存在一个带有某一连续的“0”信号的暂停时。

例如，以警报状态和测量点编号一同表示一个测量值的多个字节，可以合并传输。这通常被称为电报。

在许多总线系统中，总线上的每个用户都有一个单一的编码(地址)。一个发送器会给待传输数据包补充目标接收器的地址和其自身的(发送器)地址。使用某一专门的开端与终端识别符，就会形成最终的传输框架(见图 4. 4. 4)。作为选择，发送器通常也在地址内注明一个“至所有的”(Broadcast)的识别符。

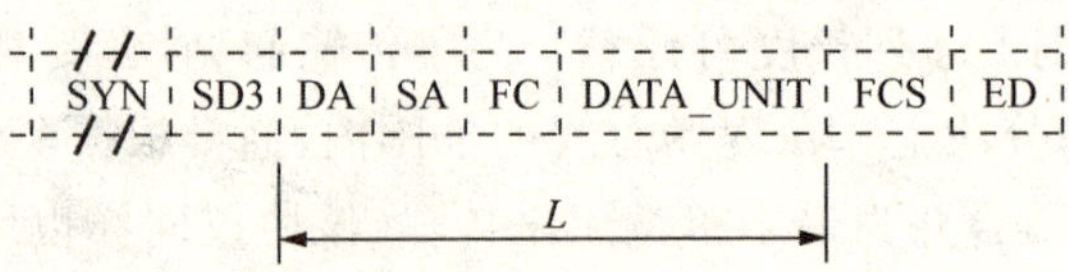

SYN	同步比特，最少33比特的静止状态（Idle）
SD3	起始字节3（起始定义符），编码：A2H
DA	目标地址字节
SA	源地址字节
FC	控制字节
DATA_UNIT	数据场，固定长度（*L*-3）=8字节
FCS	校验字节
ED	终止字节，编码：16H
L	信息场长度，字节固定数 *L*=11

图 4. 4. 4　某一现场总线内的一个电报例子(根据 Profibus)

CAN 总线没有此类地址也行。作为替代，可在现场内为所有的用户非常详细地描述传输框架涉及何种类型的数据。因此，每个感兴趣的用户都能处理数据。

将当前总线上的发送权进行分配，对运行性能有明显的影响。在现场总线、传感器和本地控制器的范围内，通常采用一种纯的主从法。所选择的用户被确定为主设备。该主设备周期性地询问所有其他用户的信息(轮询)或将信息传输至各用户。每次都精确地询问一个用户，而且该用户必须在确定时间内回答所要求的信息或确认已收到由主设备发出的信息。从设备只允许应主设备的询问才能进行发送。

这种方法实施起来非常安全且简单。在现场层次范围内，主设备通常是一个总站，它将传感器或分散布置的小型计算机的测量数据进行显示、处理，并传输至控制系统。当该总站出现故障时，通信的必要性也失去了实质，因为没有主设备的通信的确也是不可能的。如果必须实现独立于主设备的从设备之间的数据交换，那么纯主从系统是不适用的。

更灵活但也更复杂的是令牌传递法。这里通过电报内专门的识别符将一个虚拟令牌从一个用户传递给另一个。那个拥有令牌的用户是总线上当前的主设备，能发送信息或从其他用户处询问信息。总是要确定的是允许用户拥有令牌的最长时间，以确保每个用户在规定的持续时间内有机会停止重要的信息(例如，警报)。在那个正好拥有令牌的用户出现故障时，在最长的允许时间结束后，必须由其他用户之一来产生一个新的令牌，并将该令牌发送到循环中。对此协议中已规定了相应的规则。

特别灵活的是，这种方法原则上允许每个用户在任何时候都能接受控制，只要可识别的不正是总线上的数据传输即可。为此，每个用户将直接从总线上读取自己发送的数据。在出现失真时，用户则以此为出发点，即另一个用户几乎同时(冲突检测)也想进行发送。通常并不需要确定当前允许谁进行发送的特殊的判别标准，而是每个用户都产生一个随机数并根据事件来决定该用户是否立即重新进行一次发送尝试，还是等待一段由随机数所确定的持续时间。

4.4.5 时间特性

在自动化技术中，通常要求能够对某一持续时间进行详细说明，而在该持续时间内一个用户已确保将信息传输至另一个用户。这样的时间特性主要是由主从法询问周期的最大时间或令牌的最大循环时间来确定的。不是对所有的协议(例如，Ethernet 协议中的冲突检测)都能严格地确保遵守既定的最大时间。这却更像是一个理论观点。只要总线上有足够的未使用时间(大约 30%)，就能给出一个上限持续时间，在该持续时间内可将某一信息以非常大的概率进行传输。例如对主从法来说，进行更为充分的利用也是不可能的，因为信息在真正意义上通过总线被发送之前必须暂时保存在存储器中。就此而言，总线系统的选择及用户的组织主要取决于这一点，即即使在不利的条件下(船舶机动运行、分系统故障)，数据接收量也不应如此之大，以至于出现大到不允许的延迟或导致信息损失。

船上所出现的警报状态或其他的重要事件总是以术语形式进行记录，并常常被存储在数据载体上。至于对流程的评定，重要的是需要知道在哪一点上将该钟面时刻(时间穿孔器)配置给某一警报。在一些装置中，随通知到达总站而生成出现某一警报时的钟面时刻。虽然这种方法节约了数据总线上的数据接收量，但为此而将钟面时刻配置给警报并不比下述情况更为精确，即下置式可编程控制器内的钟面时刻是随警报的识别而生成的。当下置式可编程控制器内同时出现许多警报时，这会在最后一个通知通过数据总线被传输之前持续几秒钟时间。在第一种情况下，总站内的这些几乎同时发生的警报被配以不同的钟面时刻。如果在下置式可编程控制器内已经将钟面时刻配置给该警报，那么重要的是将系统内所有的钟面时刻实现同步。由于传输时间和循环时间是不可避免的，这种方法也会有其不准确性。在任何情况下都不能根据某一警报协议内的术语顺序来明确地推断出多个信号的出现顺序。

4.4.6 技术结构、总线终端

在大多数的应用中，信号的传输都是通过铜芯电缆(双绞线或同轴电缆)进行的。电压变化约以 0.7 倍的光速传播，即 2×10^8 m/s。例如当位速率为 10 MB/s 时，一个比特约为 20 m 长，也就是说通常比两个用户之间的电缆长度短得多。每段电缆必然在其芯线之间形成一个电容并产生电感(见图 3.1.6 和图 3.1.7)。因此根据式(3.1.12)，电缆中某一点的电压上升，就意味着能量的储存，并因此意味着有电流通过，而该电流再次在感应中导致能量储存。在末端效应下，提高了输出压力的发送器必须至少在短时间内向总线输送功率。其中所包含的能量随电压锋而传播。到达(开口的)电缆末端的能量可能无法流出，导致出现过压，此时的过压就向发送器的方向传播，因此原来的电压沿在开启的末端处被反射。图 4.4.5 表明，发送器与开启电缆末端之间的接收器将会记录下两个脉冲，而不是一次性发送的短脉冲(如对应于一个比特)。

反射与相应的信号相叠加，致使无法实现有序的数据传输。为了避免反射，必须用一个电阻来封闭导线的末端，而该电阻会无反射地吸收到达的能量。对于任意一种电缆，该电阻均被注明为特性阻抗。电缆的特性阻抗与电阻的欧

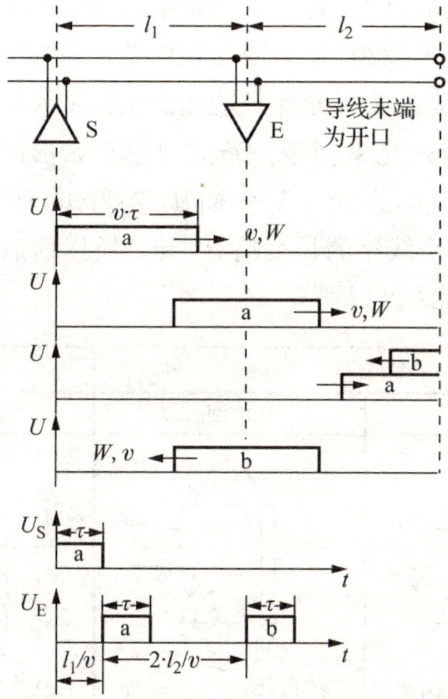

图 4.4.5　用于表示某一总线终端。若没有总线终端，总线的末端处会进行反射，以使接收器 E 除了原本由 S 发出的脉冲之外还要识别反射 b

姆值损失无关，而是信号传播的一个尺度。对于常见的电缆来说，其特性阻抗在 50～120 Ω 之间。一次可靠的数据传输则取决于总线导线的两端是否封闭有特性阻抗。在许多系统中，这样的封闭形式都被嵌装在每一个用户内，并可通过一个插接电桥或类似物进行激活。

当以 Y 的形状将一根导线分为两根支线时，相似的考虑也适用。功率通量在分线上不能协调，以致出现部分反射。只有当相应电缆段的长度比一个比特的长度短得多时，反射才不会产生影响。

4.4.7　光缆

在要求具备非常高的数据传输率的范围内，例如在传输用于监控的视频信号或客船客舱内的故事片时，如今使用的是光缆(LWL)。在现场总线范围内也使用 LWL，因为光缆对电磁场不敏感且能在发送器与接收器之间提供一个理想的电绝缘。

光缆是一种带有内芯和护套的光纤，由玻璃或塑料制成。护套的折射率比内芯小，最简单情况下内芯的折射率是恒定的（阶跃折射光纤）。从内芯将所出现的光以平面角形式完全反射，从而使光在内芯进行传导。当内芯的折射率相对于护套连续变化时（梯度折射光纤），能达到更好的传输特性。与硬反射不同的是，光束发生弯曲，因此光束会走一条大致呈正弦形的路线。在这两种情况下，光缆内有许多不同的光束，它们围绕着几何轴线呈螺旋形行进（见图 4.4.6）。由于单个线路的长度略有不同，所以前后紧接的光脉冲在光缆的末端会相互交错且无法再识别。

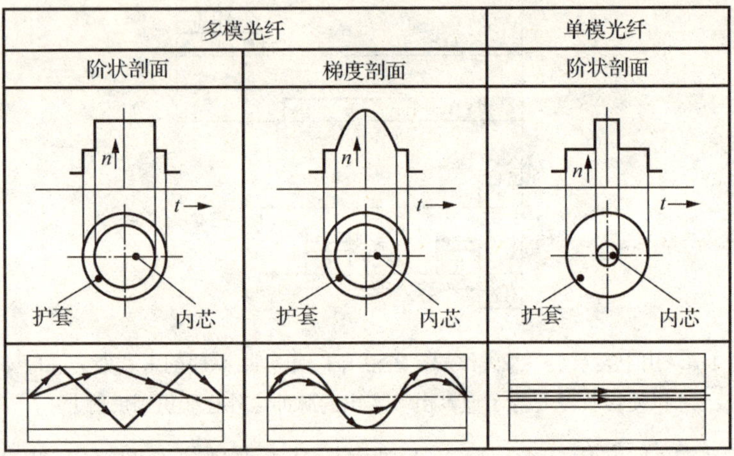

图 4.4.6　各种类型光缆的结构和光束走向

最大的可传输频率与最短线路和最长线路之间的运行时间差有关。该数值又与光缆的长度成正比。因此，极限频率与长度之积是光缆的特征值。在阶跃折射光纤中，该值约为 20 MHz · km，而梯度折射光纤则为 1 GHz · km。通过许多不同线路传播的光导致形成多模光纤这一名称。此类光纤的内芯为 50 μm 或 52.6 μm 粗，护套通常为 125 μm；用于较短距离的塑料光纤则被制造得更粗一些。

使用单模光纤能实现更好的传输特性。其内芯只有约 9 μm 粗，大致仅相当于所使用的光波长的 10 倍。所以会出现不同反射波的叠加（干扰），且光与导体几何轴线平行进行传导。例如在多模光纤中，不会出现不同的线路，因此也能远距离（50 km 或更远）传输高频率（10 GHz · km）。

现将发光二极管或激光器二极管作为发射器用于红光或红外线（660 nm、850 nm、1 300 nm、1 550 nm）的传输。在接收器内，使用不同类型的光电二极管或光电晶体管，将光信号转换为电信号。

针对长距离传输或非常高的数据传输率则使用单模光纤。在传输距离有限时,常使用梯度折射光纤。这样发送器和接收器的成本更低,而且其连接技术比单模光纤的技术更简单。

使用专门的接合装置来连接光缆。在该装置中,将待连接的光缆相互准确对齐,然后焊接或黏合在一起。对于插拔式连接,常使用各种类型的插头。断开一个正在运行中的连接,由于可能出现的激光束,对眼睛来说是个危险。

光缆只应用于传输一个方向的信号。所以,对计算机之间的数据传输来讲,每个方向都需要有一根光纤。光缆只应用于点对点连接。与某一总线相对应的结构可以通过以下方法实现,即每个用户都拥有两组光缆接线对,并直接转发所接收的信号(见图 4.4.7)。

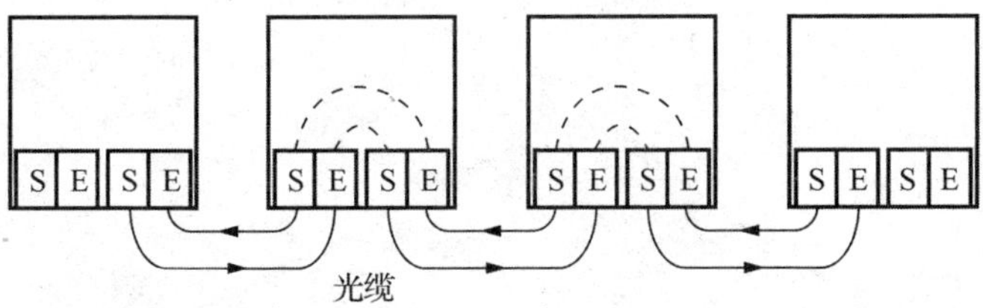

图 4.4.7 带光缆的总线系统。每个用户将所接收的信息发送给其后面的用户

第 5 章　供给和废物处理装置

5.1 船上的饮用水系统

卡尔-海茵茨·霍赫豪斯(Karl-Heinz Hochhaus)
译:李树山 刘 旭 安维峥
校:宋新新 俞志刚 董恩春 王 婧

5.1.1 引言

远洋船舶上所需要的淡水在很大程度上由海水生产而来,并根据使用目的进行相应的处理和使用[5.1.1]:

- 生活用水;
- 给水、淡水冷却水;
- 饮用水。

在船舶运行时,早先用于供给船员的淡水系统被划分为饮用水和生活用水系统。饮用水用于做饭、饮用、清洁和清洗餐具。厕所冲洗水被称为生活用水。海水、水质较差的饮用水以及用后经处理的饮用水可以用做生活用水。对于每一种形式的水(海水、淡水、饮用水),均需要一个带有蓄水箱、管路、压力水箱和水泵的独立系统。这种形式的供水是节约型的,并得到了应用,以便把必须携带的饮用水储备及其重量尽可能地保持较低的水平。通过利用废热,从海水中简单地制取饮用水,且费用较低,这使得船舶在这方面实现了自给自足。

从1960年到现在,货船由于实现自动化其船员数量减少到大约一半。第二个节水系统成为多余,因为现在来说这意味着增加额外的费用和重量。由于冲洗厕所部分用海水进行,这种系统经过严重腐蚀变得极易受损。因此,在今天西欧新建造的船舶上只安装了一套饮用水系统用于饮用水和生活用水,该系统由冷热水系统构成(见图5.1.1)。由此节省了附加的管路、蓄水箱及相关设施。

除了这个饮用水供水系统,还有一个饮用水生产系统。在货船上使用蒸发器,在科研、海军和客船上则另外还使用反渗透设备(RO)。所制取的水在使用蒸发器和反渗透设备后还不能用做饮用水,因此在后续系统中须做进一步处理(处理系统)。

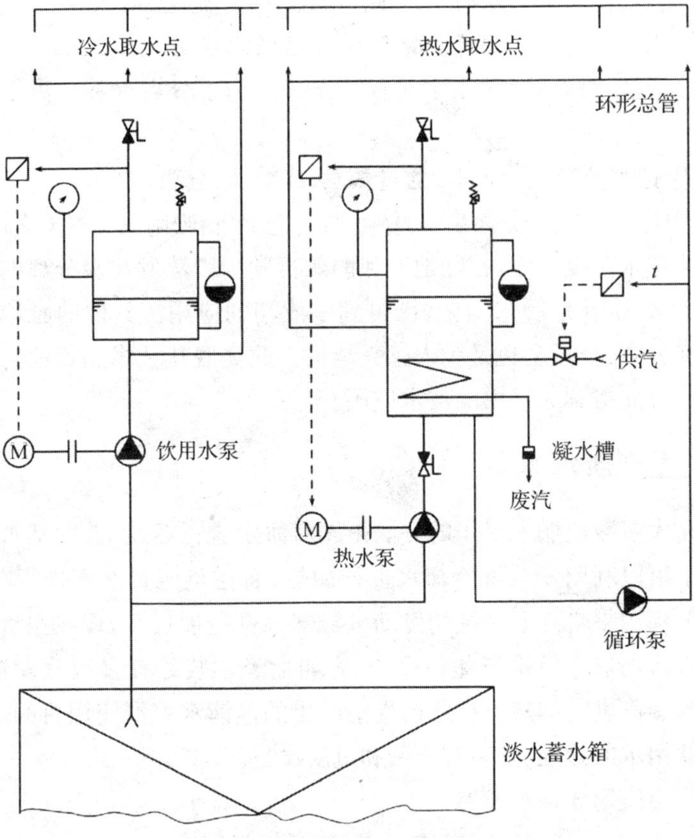

图 5.1.1 一艘典型货船的极为简单的冷热水系统

5.1.2 淡水生产

船舶供水通过陆上添加和船上自行生产进行，即通过蒸发器和/或反渗透设备(RO)生产淡水。在大中型货船上主要靠自行生产，船上配备的设备一般来说也具备足够的生产能力。在短途海运渡船(波罗的海、北海、地中海)上，由于近海问题，因此主要依靠反渗透设备(RO)。由于轮渡码头有规律地停靠船舶，关于添加水的水质也有足够的经验数值。船主在供水方面根据水质和水价享有较大的自由。在环球运行的邮船上，自行生产通过海水蒸发和反渗透设备(膜片)进行，另外需要时还可陆上添加。这里各港口饮用水的水质和特别是可支配性具有重要的作用，因为邮船也驶入偏远地区和小岛的港口。

海水或者即便是较好水质的海水，主要是因为盐（氯化钠）的浓度较高而不适合用做饮用水。理论上只需把溶解的盐从海水中分离出来即可。为此所需的能量在溶解盐（键合焓）于水中时释放出来。为了分离水和盐离子有两种技术方案：

- 从溶液中把水分离出来，例如通过蒸发、冻结、膜分离；
- 从溶液中把盐（离子）分离出来，例如通过电渗析、吸附剂、离子交换器。

从大的技术角度来看，在陆地上和船舶行驶中以蒸发和膜分离的方式从海水中制取淡水，也就是脱水工艺，已得到了成功的应用。其他的脱盐工艺具备了完全的优势，在技术上也是令人感兴趣的。此类脱盐技术到目前为止并没有在淡水生产方面得到大规模的技术应用。

通过蒸发生产淡水

这种在大多数船舶上采用的方法是先对海水进行蒸发，然后把水蒸气进行冷凝。为了可以利用发动机冷却水进行加热，而在负压状态下进行蒸发[5.1.2]。一般情况下利用来自高温系统的发动机冷却水进行加热，而现在在货船上很少利用蒸汽进行加热。但是与此相反，在客船上经常装备有多级蒸发器，经常利用冷却水和蒸汽进行加热。在此过程中产生的蒸馏水根据使用目的进行处理。对于用做饮用水的处理，安装有杀菌和过滤设备。

在航运中使用 3 种蒸发器[5.1.1]：

- 浸管蒸发器，带有管束式或平板式热交换器（见图 5.1.2）；
- 闪发蒸发器（以前也称做循环蒸发器）；
- 喷淋薄膜蒸发器。

浸管蒸发器已在商船上得到应用。闪发蒸发器或循环蒸发器优先应用于客船上，而喷淋薄膜蒸发器目前很少使用。

浸管蒸发器（货船）

在浸管蒸发器上加热蛇形管位于海水中。发动机冷却水或加热蒸汽流经其中，并把海水加热。图 5.1.2 为一种典型的单级浸管蒸发器。在达到对应于相应压力的蒸发温度时海水便开始蒸发。蒸汽通过水向上运动，在位于蒸发器和冷凝器之间的蒸汽过滤器里，随蒸汽一起带走的水滴被分离出来。然后蒸汽在冷凝器里被冷的海水冷凝，蒸馏水滴入位于下面的蒸馏水收集器。这些蒸馏水从这里被蒸馏水泵抽出，并且根据使用目的排入相应的水箱。为了维持蒸发

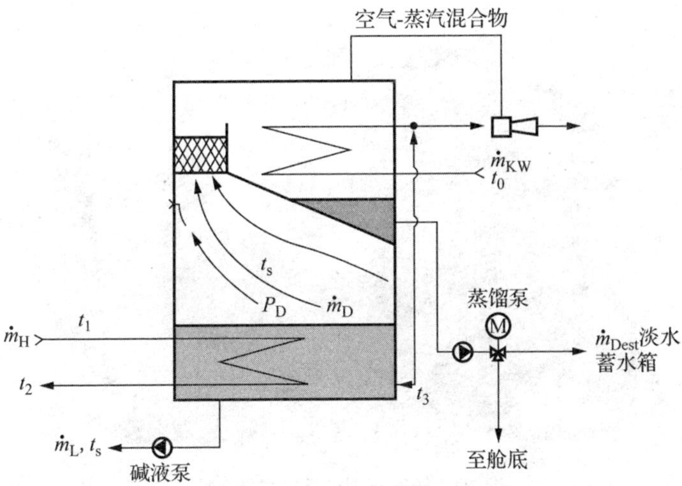

图 5.1.2　浸管蒸发器示意图

器中的负压，利用喷射器或者水环泵把海水中含有的气体和进入的空气排放出来。

第一代浸管蒸发器主要是两级规格的，而后续的浸管蒸发器主要是单级规格的。根据船舶的大小、船型和制造商的不同，安装有每天处理 5～100 t 水的设备。

板式蒸发器

热交换器(冷凝器和蒸发器)在这种结构形式中是作为板式热交换器而制作的(见图 5.1.3)，因此得到了更加紧凑而又轻巧的蒸发器，该蒸发器结构简单、加热面易于清洁。与在浸管蒸发器上的一样，海水首先流经安装在上面的冷凝器。接下来有一部分海水被用作给水，并在下面的热交换器里加热，部分海水被蒸发，通过蒸汽混合物过滤器流动到上面的冷凝器。

喷淋薄膜蒸发器

喷淋薄膜蒸发器和浸管蒸发器的构造相同。但是加热管不是浸入到海水中，而是把海水喷淋到加热管上。流下来的海水收集在加热管下面的水槽里。由于接下来出现的薄膜蒸发一方面产生了明显更高的传热量，这使得较小的受热面积和较小的蒸发器成为可能。另一方面也存在较大的盐沉积危险。由于生产水的单位功率较高，这种蒸发器主要在海军中得到应用，并且已被反渗透

图 5.1.3　板式浸管蒸发器(资料来源：Alfa Laval AB)

技术广泛取代。

闪发蒸发器(循环蒸发器)

对于闪发蒸发器，加热是在蒸发器外部一个独立的热交换器中进行的。加热后减压阀中的海水减压至蒸发器所控制的压力并被蒸发。加热和蒸发的分离是闪发蒸发器与浸管蒸发器的本质区别。应用客船上时，为了更好地充分利用热量，有多个闪发蒸发器串联在一起(见图 5.1.4 和图 5.1.5)。4～6 级闪发蒸发器到目前为止是为日生产能力高达 1 000 t 的船舶而建造的。

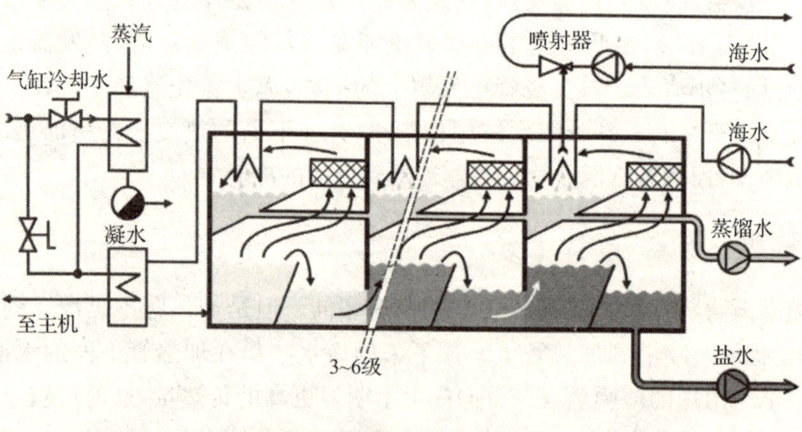

图 5.1.4　经常应用于邮船上的闪发蒸发器的原理示意图

图 5.1.5 可以安装的闪发蒸发器一瞥(资料来源:Serck Como 有限公司)

海水通过一个粗滤器借助海水泵被吸入,一部分没有从蒸发器中蒸发的水(盐水)与之相混合。由此盐水的热能被回收。根据海水的温度不同,混合后的温度将达到 30～35℃。这一混合物第一步用做冷却水,在预热器加热之后用做给水。冷却水将先后用水泵打入每一级的冷凝器。热交换器换热面的温度低于蒸发阶段中水蒸气的沸腾温度。水蒸气在热交换器换热面冷凝,并可以作为蒸馏水用水泵从蒸发级中抽出。通过预先设置的冷却水温度使得蒸发部分的最大压力确定下来,由此在蒸发器"冷端"的所有热动力参数都被确定下来。如果考虑到从冷却水到蒸馏水的一个温度降幅为 6～10 K,这样就产生一个最高的盐水沸腾温度约为 40℃,以及最大压力 $p_{abs}=0.07$ bar。

通过热交换器换热面的冷凝过程,释放出来的水蒸气的冷凝热量被传递到冷却水中。所有蒸发级的水蒸气的全部冷凝热就这样被回收起来。这种冷凝过程和热量回收过程在每个蒸发级都进行重复。在这个过程中,每级蒸发器的最大允许压力总是由冷却水温度确定的。如果冷却水流经所有级,并且通过吸收冷凝热而被预热,那么它现在就作为给水进入预热器。这是系统唯一的热交换器,在这个热交换器里热量从外部被送入整个过程。热量是从余热锅炉的蒸汽中或者从主机冷却水里提取的。

调节

在自动化的船舶运行中,淡水生产和饮用水处理设备是完全自动化的。为此,蒸发器中的水位通过进口节流调节器被调节至一个规定值上。碱液中盐的富集则通过碱液泵的输送量而被调整到允许的数值范围内。蒸馏水在含盐量测量装置中被实施监控，该装置用于测量蒸馏水的电导值。如果超出所设置的电导值，排水管中的磁阀就被打开，蒸馏水流向舱底或者舷外(见图 5.1.2)。

利用反渗透系统生产淡水

由于在客船上随着载客量的不断增长饮用水的绝对消耗量是非常巨大的，需要生产能力非常大的淡水生产设备。除了多级蒸发器外还安装反渗透设备[5.1.3]。

渗透是自然界中的一种传输现象，它保障了最高大树木的枝叶供水。在两种浓度不同的、通过一种半透膜分离开来的盐溶液中发生溶剂从低浓度向高浓度一侧的传输，这时高浓度一侧的液体水位不断升高。这种传输一直持续下去，直到实现平衡状态为止。在平衡状态下产生的两种液体液面高度差与渗透提升高度或者两种溶液的压力一致(见图 5.1.6)。这样系统的渗透压力与水静力压差相一致。

如果有一个比渗透压力还大的外部压力作用于较高浓度的溶液，那么这个过程将被逆转。溶剂将通过膜从高浓度一侧流向低浓度一侧。这个过程称之为反向渗透或者反渗透(RO)，并作为膜工艺应用于从液体中分离溶解的物质(盐、大分子)。渗透压力主要取决于水中盐的含量和水温，例如河口的淡海水含盐量为 1500 mg/L，在温度为 20℃时具有的渗透压力为 1.15 bar，而海水的含盐量为 35000 mg/L，在温度为 20℃时具有的渗透压力为 26.5 bar。从聚集的水力压力和渗透压力的差值以及渗透膜的性能可以得出通过渗透膜的流量。

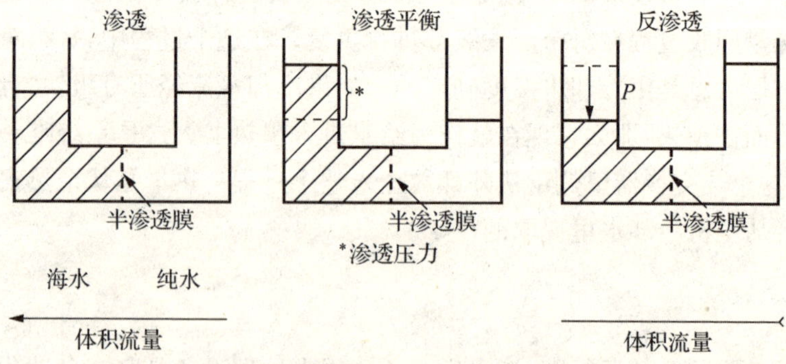

图 5.1.6　渗透与反渗透的原理示意图

渗透膜(见图 5.1.7)的功能与寿命极大地取决于入流海水中的悬浮物颗粒和有机物含量所造成的污染程度。因此反渗透设备的预清洗和预处理是非常重要的,并且费用也相应较高。有限水溶性的不同盐分(例如,碳酸钙、硫酸钙)中的结晶沉积物阻塞并损害了渗透膜的表面。微生物、金属氧化物和胶体造成膜表面的覆层(污底,造成污染),并导致膜的功率降低,长期来看还会破坏渗透膜。为了避免堵塞和封闭,除了多个串接的过滤器(沙层过滤或者费用较高的多层过滤器)和微过滤器(例如,自动弹药筒过滤器,网眼尺寸小于10 μm)外,还向海水中加入化学添加剂,用来杀菌和絮凝。

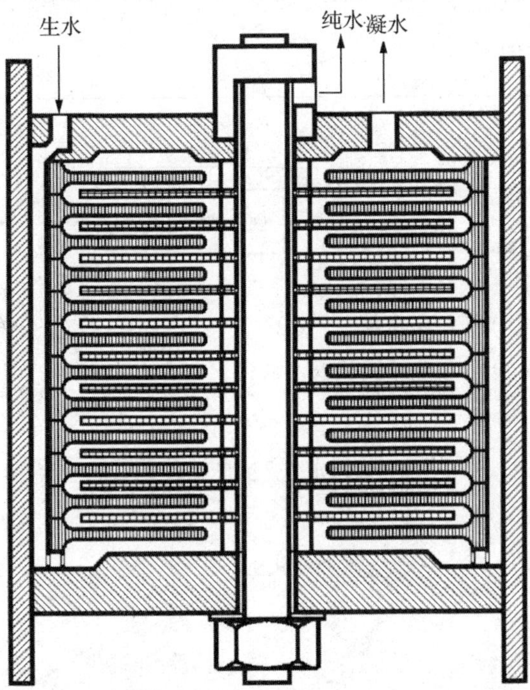

图 5.1.7　根据反渗透原理从海水中生产饮用水的模块示意图

海水由一台水泵(离心泵,压力最高为 6 bar)吸入,并由预处理元器件输送(见图 5.1.8)。高压泵(活塞泵,压力大于 50 bar)把海水输送到膜单元里。由于渗透和浓缩侧之间的压力差,水分子被挤压通过渗透膜。生产出来的低盐量的淡水被称为渗透液。海水中含有已溶解的盐、有机物和微生物的主要部分,因其分子大小之故而不能穿透渗透膜。这种浓缩的水作为浓缩液而被排出。

下列模块系统得到应用:

- 空心纤维膜；
- 螺旋线圈膜；
- 平板/圆盘式膜。

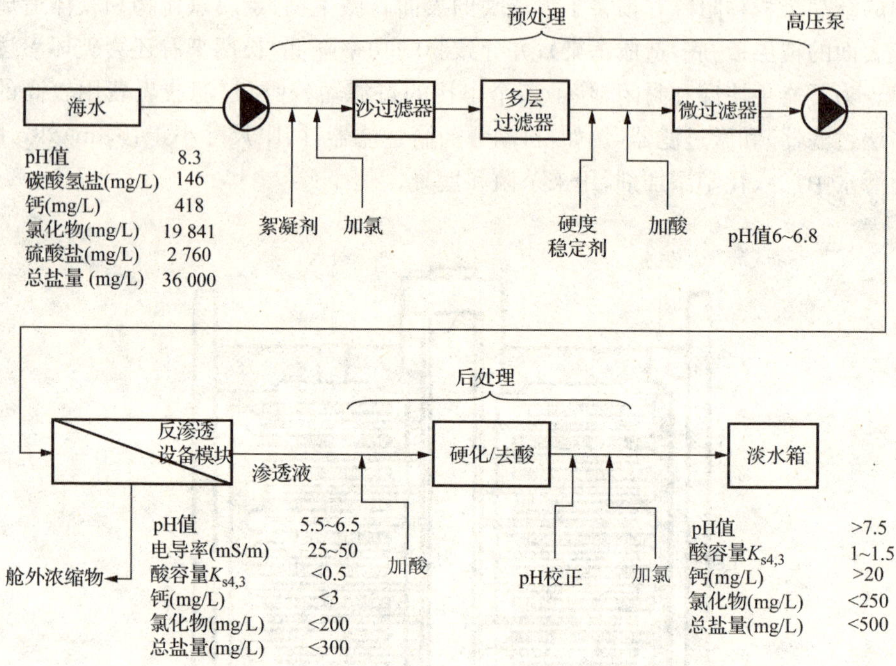

图 5.1.8　用于饮用水生产的反渗透系统简化示意图

5.1.3　饮用水系统

说明与规范

为了设计蓄水箱、管路、配件、压力容器和水泵，应当测定用于技术用途的需水量和饮用水需水量。对于饮用水，每人每天的需水量设定为约 100～300 L，在货船上估计为每人每天 150～250 L，客船上每人每天 50～200 L，邮船上每人每天 200～300 L。特别是对于带有客运设备的船只，将根据航运公司和造船厂的经验数值进行更加精确的需水量计算。船用加水量必须按照两天的需水量计算确定，计算时的参考依据是每人每天需水量 120 L。

对于货船饮用水系统的设计与运转，应当注意到下述规范与说明[5.1.4、5.1.5、5.1.6、5.1.7]。应当考虑到相应船级的规定和旗籍国的国内管理条例，在德国为饮用水管理条例(Trinkw V)。对于邮船，一般情况下还有其他的一些规定。对于驶入美国口岸的客船，务必要遵守美国公共卫生局(USPH)的规定[5.1.8]。"国际海上人命安全公约"(SOLAS)没有发布有关饮用水系统方面的规定。

最重要的规范包括如下内容：

- 不能与非水液体容器有共同的器壁；
- 通过饮用水水箱的管道应当布设在管道涵洞中；
- 通气管、排气管和溢流管必须进行标识，并与其他管道分开布设；
- 水箱顶部的人孔盖应当安装围板；
- 饮用水流入其他水箱时，应当安装回流安全装置，或者通过一个敞开式漏斗进行；
- 饮用水水箱应当和其他容器用隔离舱完全分开，并且采取对水质不会带来影响的防腐措施；
- 饮用水水箱不允许制作成双层底水箱，必须随时都可以排空；
- 如果水的生产或处理温度低于 80℃时，饮用水应当进行消毒；
- 饮用水应当每年进行一次细菌生物学调查分析。

货船上的饮用水系统

在货船的饮用水系统中，冷热水供应通常被归为一体(见图 5.1.1)。利用饮用水水泵把饮用水从淡水蓄水箱输送到饮用水压力水箱中。在压力水箱中，借助一个空气垫始终保持一种超压状态。受到船只大小和饮用水系统扩展情况的影响，这一超压为 4～7 bar。冷水供应点是由冷水压力水箱供给的。如果压力下降到压力开关设置的压力以下，那么饮用水水泵就会通过压力开关开机，当达到上述压力时该水泵就会关机。利用这种简单的两点调节装置，只要蓄水箱中有足够的饮用水，实现可靠的供水就成为可能。

在货船的热水供应系统中，有一个利用蒸汽加热的、很少利用热油或电力加热的热交换器。这里则在恒温器设置希望达到的温度(约为 60～80℃)，而恒温器影响到加热的过程。为此利用调控阀对蒸汽或热油的流量进行调节。利用电加热时，加热元件被打开或关闭。特别是在较小的船只上，高温循环中的冷水得到了充分利用。这种情况下经常采用纯粹的电加热。

利用这种船上通用的通过蒸汽、热油或冷却水的热水加热方式，使得主机的余热得到充分利用。另外还安装了电加热设备，以便在停泊港口主机停机时或者进船厂时保证热水供给。为了热水取水点中立即有热水流出，热水消耗设备都被连接到一个环形管路上，在此环形管路中一直有热水循环流动。为此需要第二台水泵作为循环泵使用。

客船上的饮用水系统

大型客船例如邮船和渡船，它们的水上部分很高，拥有规模宏大的饮用水系统，该系统一般情况下没有压力水箱。这里的饮用水压力泵一直处于运行状态。受白天和相应运行状态影响的流量在最简单的情况下是通过压力控制的旁通管路输送回蓄水箱中的。但是经常选用具有相同或不同流量的水泵进行并联连接。另外一种使流量很好地适应消耗量的办法正应用得越来越广，即是采用水泵极性可变换的或是转数调节的驱动电动机。为了避免饮用水静止不动以及由此出现的管路中军团菌增长的风险，在冷水系统中也使用循环泵。

5.1.4 饮用水处理

在生产出的淡水成为饮用水之前，必须对其进行处理，因为不管是来自蒸发器的蒸馏水还是来自反渗透设备的渗透水都不具备饮用水的水质。

在德国的饮用水管理条例（Trinkw V）[5.1.7]中，列举了在德国的供水设备应当要满足的所有要求。人类使用的水必须是适合享用的、纯净的、不含病原菌的，以便不伤害人类的健康。在管网中，只有通过消毒才能遵守有关供水设备的要求，因此必须通过自由氯或氧化氯来保证具备充足的消毒能力（客船）。

德国远洋航运同业协会[5.1.5]引用了上述饮用水管理条例和最重要的规定：如果通过蒸发或其他适当方法从海水中制取蒸馏水的生产或处理温度低于80℃，那么就需要对制取的水进行消毒。这种饮用水必须符合联邦防疫法第11条的要求，不允许含有根据饮用水条例未经许可的物质。用于海水蒸发器海水一侧和加热一侧的添加剂不允许导致对饮用水健康方面的危害。为此船东必须让添加剂生产商提供证明。

消毒

根据国内和国际准则及规范，一般来说对饮用水的要求是必须不含有病原菌。通过杀死和分离病原菌或者通常的减少细菌(杀菌)的办法来对水进行消毒,以无条件地保持卫生方面的不可动摇性。

为了在船上进行消毒,采用下述3种物理和3种化学方法及其组合方法[5.1.1]:紫外线照射、过滤、加热、加氯、臭氧以及银离子处理。在这6种方法中,客船上主要采用加氯方法,货船上则主要采用紫外线照射法。

加热

在采用这种方法之前,航运中应用非常广泛的是在大气压下通过海水蒸发进行加热处理。这一方法大约从1960年开始被负压蒸发所取代,蒸发温度低于70℃,从而处在细菌肯定被杀死的极限温度之下。因此,紫外线照射方法从这时起特别是在货船上得到快速又广泛的应用。

紫外线照射(UV射线)

紫外线是一种电磁波,波长约为380～10 nm,频率约为790 THz～30 PHz。一个单一光子的能量位于大约3.3 eV (380 nm) 到大约124 eV(10 nm)的范围。紫外线辐射是看不见的,但是它还属于光波长度范围之内,因此经常见到这样造成误导的概念“紫外线光”。利用紫外线光对水的辐射,是作为非化学工艺起到杀菌作用的。短波紫外线光UV-C射线(200～280 nm)破坏细菌的DNA和细胞膜,使细菌无法继续繁殖并被杀死。

在此过程中,水通过管道系统中安装的紫外线室以尽可能薄的水层流经石英管旁边,在这些石英管中布置了紫外线灯,或者相反(见图5.1.9)。不允许绕过(旁通)紫外线设备。为了杀死细菌或者使其失去活性,规定了饮用水消毒的最低剂量为250 J/m^2。安装方向应当保持垂直,以便使管道中的沉淀物较少。接着进行紫外线强度测量。在低于极限值时应发出警报,或者通过一个电磁阀关闭卫生设备。

紫外线消毒的效果取决于水质。特别是混浊度影响消毒效果,这也是一般情况下需进行过滤和定期清洁的原因。对于紫外线消毒主要是使用寿命大约为8 000～10 000个工作小时的水银低压辐射器。该工艺总体来说简单有效。没有添加有害物质,没有发生嗅觉和味觉的不良影响,这种消毒与pH值无关。必须注意的是,针对管网系统中事后重新产生细菌的现象紫外线处理并没有达到消毒储存的效果。

图 5.1.9　集装箱船上被打开的紫外线消毒设备一瞥，带有 4 只紫外线灯和 2 个有饮用水流过的石英管（资料来源：J. Dreves）

化学工艺——加氯

氯（黄绿色）是一种符号为 Cl、原子序数为 17 的化学元素。氯属于卤素族。加氯处理是一种古老的、到今天还在客船上广泛应用的消毒方法。在供水中使用氯气、次氯酸钠或次氯酸钙。在游船和渡船上，由于应用简单主要使用通常的溶液形式的次氯酸钠，其含氯量为 150 g/L，该溶液直接加入水中。在储存次氯酸钠溶液时（30 L 容器，含氯量为 150 g/L）必须注意到，由于该溶液随着活性氯含量的下降而逐渐分解，因此它只是在有限时间内可以保质。这里储存温度有着重要的影响。在 25℃时，必须考虑到有效氯的损耗量为每天 2.0 g。在数周之内，有效氯的含量可以下降 50%[5.1.1]。消毒的效果取决于 pH 值和温度（pH＝6～8 时效果最佳），pH 值等于 8 以及大于 8 时出现明显的效果减弱。这就是说，如果在相同接触时间内应当取得同样效果的话，pH 值越高，残留的氯量也必须越大。在此过程中产生的强烈的氯的气味就像是具备一种安全的消毒效果。

对于管网已扩展的船舶运行来说，尽可能恰到好处地确定加氯量是一个问题，因为水中的有机物消耗加入的氯，这种现象称之为氯消耗，它将导致没有或者没有足够的氯可以用来杀灭细菌。因此给这些系统安装一个调节装置是很有意义的，以便根据上一个取水点的剩余含氯量进行加氯配制工作。否则就容易出现加氯消毒程度不足的危险。

因此在客船上对供水分配系统中最后一个取水点的最低含氯量自动进行监控和登记。当超过最高或最低极限值时会引发警报。根据饮用水管理条例，在处理之后水中自由氯的最低浓度为 0.1 mg/L，最高浓度为 0.3 mg/L。根据美国卫生局制定的主要应用于邮船的准则要求最后一个供水点的自由氯含量为 0.2 mg/L。在整个管网分配系统中自由氯的浓度应当介于 0.2～5.0 mg/L 的范围[5.1.8]。最大值也符合世界卫生组织的指令中所确定的最高值。

在船上添加或生产饮用水时，根据美国公共卫生局（USPH）的要求，水的加氯量至少为 2.0 mg/L[5.1.8]。氯化药剂的连续加入可以通过水流量来控制。

为了整个饮用水管路系统每年 1～2 次的消毒，规定了一种强化加氯的办法。利用这种方法将活性氯含量为 150 g/L 的、浓度为 13%次氯酸钠溶液从配制箱直接送入添加箱中，这样氯含量至少达到 50 ppm。

呼吸空气中氯浓度达到约 0.5%时，对人类来说是致命的。呼吸空气中氯浓度为 0.001%时已经可以造成初步的病理影响。氯气对呼吸道，也对眼睛、皮肤和消化道产生强烈的刺激作用。液态氯对皮肤有强烈的腐蚀作用，氯水导致刺激和持久的湿疹。在德国最大的工作场所极限值（TRGS 900，空气极限值）目前是 0.5 ppm 或者每立方米空气 1.5 mg。

臭氧

臭氧（O_3）是一种由 3 个氧原子构成的、不稳定的分子，对微生物具有强烈的危害作用，属于最强的氧化剂之一。因此臭氧在饮用水处理过程中用来进行消毒和氧化，在陆地上的许多水厂也使用臭氧。利用臭氧处理过的水不含微生物和病毒，那些对氯不敏感的微生物也可以由此失去活性。臭氧毒性很高，在很低的浓度下作为刺激物造成生理学上的影响。因此，对于臭氧处理工艺提出了更高的技术上和专业上的要求。由于臭氧的不稳定性，它不能在长时间内储存，或者不能像其他工业上应用的气体在压力瓶中采购。臭氧的生产是在现场利用周围空气在臭氧生产设备中进行的，而且在处理完后饮用水中臭氧的浓度最高只允许为

0.05 mg/L。不过在船上与加氯处理相比较，臭氧的应用非常少。

银离子杀菌工艺（Katadyn法）[5.1.1]

这一自1930年开始使用的工艺也称为冷杀菌法，借助较低的消耗电压将杀菌银离子释放入水中。关于银对微生物的影响原因只是到了现代才进行了试验。如果水应在较长时间内可以保质的话（保存），则这一方法特别适合。在德国，这一方法作为Katadyn法而知名。其主要的缺点人们已经发现，即必须保证有一个很长的作用时间。管道和水箱通过这一工艺得到持续地消毒，同时避免了产生腐蚀的危险。银离子不具有挥发性，可在较大的温差范围内维持其剩余的功效。这种阴离子杀菌工艺在商船航运中应用较少，但在体育运动船只中却得到了应用。

5.1.5　蒸馏水的再处理

蒸馏水类似于雨水，是一种很软的水，对于不同用途是非常理想的。它在技术领域作为锅炉用水，用于补充冷却淡水，当然在船上的洗衣间也是需要的。由于蒸馏水矿物质含量太低，不适合用做人类使用的饮用水，因此蒸馏水需要加强矿化度。人们不允许大量地定期饮用蒸馏水[5.1.5]。蒸馏水在很大程度上是不含盐的，其总含盐量小于5 mg/L，仅仅含有少量溶解的二氧化碳。蒸馏水的pH值位于6.0～6.5之间，它主要通过溶于水中的二氧化碳和碳酸氢盐的浓度来决定。

为了标识硬度，便引入了硬度级别的概念，并且作为通用单位“德国硬度级”（°d或°dH）确定下来：1°dH相当于每升水中含有10.00mg氧化钙（CaO）或者7.19 mg氧化镁（MgO）。其单位今天仅允许使用每升毫摩尔（mmol/L）。在美国普遍使用“百万分之一（ppm）”单位。

从水质上将水划分为很软、软、中硬、相当硬、硬和很硬等不同硬度的水。水厂有义务至少每年一次向供水用户公布水的硬度范围，今天水的硬度被划分为下列范围：

1 = 软　　　　$< 7° = < 1.3$ mmol/L
2 = 中硬　　　$7°～14° = 1.3～2.5$ mmol/L
3 = 硬　　　　$14°～21° = 2.5～3.8$ mmol/L
4 = 很硬　　　$> 21° = > 3.8$ mmol/L

5.1.6 渗透液的再处理

渗透液的典型数值参见表 5.1.1[5.1.1]。尽管渗透膜的盐残留量在设备为单层结构的情况下很高且超过 99%,但来自反渗透设备的渗透液含盐总量为几百 mg/L,其中特别受到航行地区海水构成的影响。由于渗透膜对单价离子具有更大的渗透性,渗透液中的盐残余量主要由钠离子和氯离子的含量来确定的。渗透液由于其钙镁浓度非常低而可以被看做是一种很软的水,它的 pH 值位于弱酸性范围内,特别是取决于海水的预处理情况。在使用降低 pH 值的化学物质的情况下,渗透液的 pH 值位于 5.0～5.5 之间,不进行酸化处理则位于约 6.5 附近。渗透液的 pH 值主要是由水中以二氧化碳形式存在的碳酸决定的。在对反渗透入流原水进行酸化的情况下,与此相关的二氧化碳的浓度得到提高,这样由于二氧化碳的膜渗透性可以出现明显的浓度。水没有处于钙盐-碳酸平衡状态中,其饱和指数为负。这使得再处理有必要进行脱酸[5.1.1]。

这样生产的淡水由于硬度很低、缺少缓冲容量、pH 值低、部分特别是在反渗透设备中渗透液二氧化碳的浓度较高以及由此产生的负饱和指数,而被归为具有强腐蚀性的水。为了利用蒸馏水和渗透水并使其适用于船舶饮用水供给,无论如何都要进行再处理[5.1.1]。

在邮船上共同使用两种系统时,出现了管网和多个热交换器的腐蚀问题。必须落实对管路、仪表、水泵、水箱和用电器的保护。避免水管和仪表中主要的金属材料发生腐蚀现象是最高的规定。同样,水质也不允许由于水与管网材料之间发生的化学反应而变差。

5.1.7 船上测定[5.1.1,5.1.9]

对 4 艘货船和 1 艘渡船在较长时间内的淡水生产和淡水需求量,多次进行了船上测定。测定的结果表明,所生产的淡水量与海水温度相关,船上总的淡水生产量和需求量不总是平衡的。由于在港口和陆缘海区域里蒸发器被关停,在海运中应当有剩余的水。但在实践中并不总是如此,因此在港口必须采购饮用水。

货船

在货船上生产的水量平均约为每天 7.5 m^3,水的消耗量 1985 年约为每天

12 m³，到 1988 年减少到每天约 8.5 m³。关于船员，得出的人均耗水量约为 300～500 L，这其中包含了所有的消耗量。

渡船

波罗的海渡船上的饮用水系统用于整艘船的冷水、热水和厕所用水的供给。该系统不设蓄水箱，而是按照最大耗水量设计的。

饮用水泵从饮用水蓄水箱中抽水，然后把水通过紫外线杀菌设备输送到冷水消耗设备，并通过止回阀输送到热水系统。利用一个弹簧加载的恒压调节阀来调整水泵压力侧的系统压力。在压力超限时，过多输送的水流量被排放回饮用水水箱中。图 5.1.10 为单位耗水量的数值和一个月的乘客数量。一周内每一天的绝对值和趋势可以从图中读取（第 6 天＝星期六，第 7 天＝星期天）。

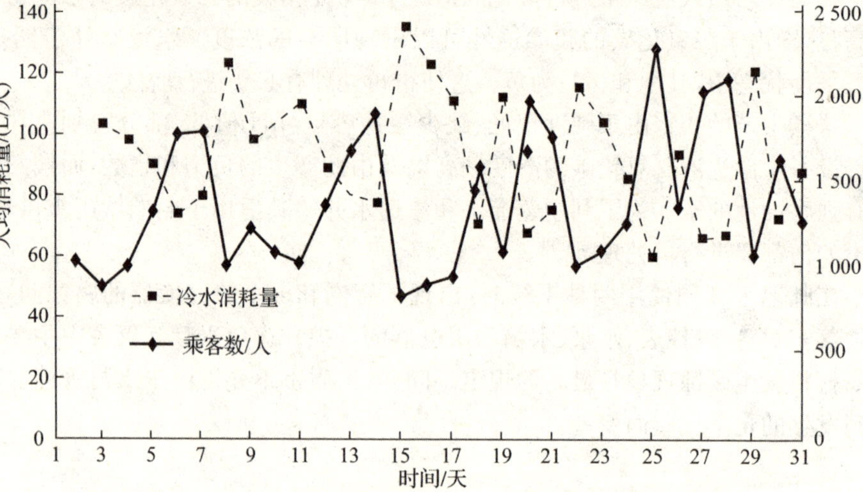

图 5.1.10　一艘渡船每天的乘客人数和每人每天的单位总耗水量/L

表 5.1.1　利用蒸发设备和反渗透系统实施自我供水的水成分典型值(取决于海水的组分)

参　数	单位	蒸馏水典型值	渗透水典型值
pH 值		6.5～7.0	5.0～6.5
电导率	μS/cm	＜15	300～700
碳酸氢盐	mg/L	≪1.0	2～5
自由碳酸	mg/L	≪1.0	约 30[1)]

（续表）

参　数	单位	蒸馏水典型值	渗透水典型值
总硬度	°dH	<1.0	<1.0
钠	mg/L	<1.0	50～85
镁	mg/L	<0.2	1～4
钙	mg/L	<1.0	<3.0
硫酸盐	mg/L	<1.0	<5.0
氯化物	mg/L	<3.0	100～150
TDS	mg/L	<5	<300～<500
饱和指数 SI		无数据	负

1) 仅适用于反渗透设备中流水进行酸化处理的情况。渗透液中二氧化碳的浓度取决于海水的碳酸浓度。

参考文献

[5.1.1] Hesse, T.; Hochhaus, K.-H.; Mehrkens, J. D.: Trinkwassersysteme auf Schiffen, Handbuch der Werften, Band 25, Schiffahrtsverlag Hansa, 2000, Hamburg.

[5.1.2] Jung, I.: Ausnutzung von Wärme aus Abgasen und Kühlwasser bei Dieselanlagen, STG-Jahrbuch 1959.

[5.1.3] Janda, W.: Beurteilungskriterien für die Auswahl von Umkehr-Osmose-Anlagen, Hansa Nr. 23/24, 1987.

[5.1.4] Verordnung über die Unterbringung der Besatzungsmitglieder an Bord von Kauffahrteischiffen Bundesgesetzblatt, Jahrgang 1973, Teil I Vom 8. Februar.

[5.1.5] Merkblatt: Untersuchungspflichten und überwachung von Wasserversorgungsanlagen an Bord von Wasserfahrzeugen, SBG, Arbeitskreis der Küstenländer für Schiffshygiene, Stand 4.12.02.

[5.1.6] N. N.: Bauvorschriften und Richtlinien, Teil 1, Seeschiffe, Kapitel 2, Maschinenanlagen, Germanischer Lloyd 2005, Hamburg.

[5.1.7] Verordnung zur Novellierung der Trinkwasserverordnung vom Mai 2001. verkündet im Bundesgesetzblatt Nr. 24 (BGBl. I S. 959).

[5.1.8] U.S. Public Health Services, Center for Disease Control and Prevention. Vessel Sanitation Programm, Operation Manual 2000.

[5.1.9] Hochhaus, Schmeiser, Trierweiler, Geppert.: Trinkwasserversorgung und -verbrauch auf Handelsschiffen, Schiffs-Ingenieur Journal Nov./Dez. 1992.

5.2　废气系统

哈克·奥科·迪德里希斯(*Hark Ocke Diederichs*)
李树山　译

废气系统的首要任务是把废气从船的内部排出。另外,该系统还可用于热量回收,以便使部分废气能量可用于其他的过程,例如燃料预热。

废气系统不仅由于其功用,而且特别是由于废气发生器的类型不同而在结构形式方面有所区别。它们可能就是烧油蒸汽发生器或载热体加热器、燃气轮机或柴油发动机。

燃油蒸汽发生器或热油加热器工作时发生持续燃烧,空气剩余量很低。废气的温度在进入废气系统时约为 180～200℃,因此只是略为超出最低允许露点温度。所以,废气系统仅仅局限于排出废气。废气持续地流过系统,速度为 20～30 m/s。在进行废气设备结构设计时,首先要注意热膨胀作用的平衡(比较 1.15 节)以及两台蒸汽发生器或加热器连接在一起时管道和流体导板的对称性。

燃气轮机同样排放持续的废气气流。这一气流取决于过程,比蒸汽发生器产生的气流大,具有较高的温度 380～400℃。因此在燃气轮机上,废气系统除了排出废气外还用于能量回收。在废气气流中安放了一个热交换器,它吸收废气中的热量,并把热量传输到能量载体(液体、气体)上。废气以大约 30～40 m/s的速度进入热交换器,并以大约 20～30 m/s 的速度流出热交换器。

这里使用的热交换器有两种基本类型的结构。

对于第一种类型[见图 5.2.1(a)]废气流经垂直设置的管道,管道外面被能量载体包围。废气气流和热量载体气流方向一致。这种构造形式的优点是针对能量载体的污染不敏感。缺点是重量相当大(整个外部的圆柱形外壳必须设计为承受高压的)、调节特性不利(面积不适合,由于储存量大、无效时间长)以及热交换器的清洗很不方便。

这种构造形式优先用做具有恒定流量的非调节式载热体油装置中的加热器。

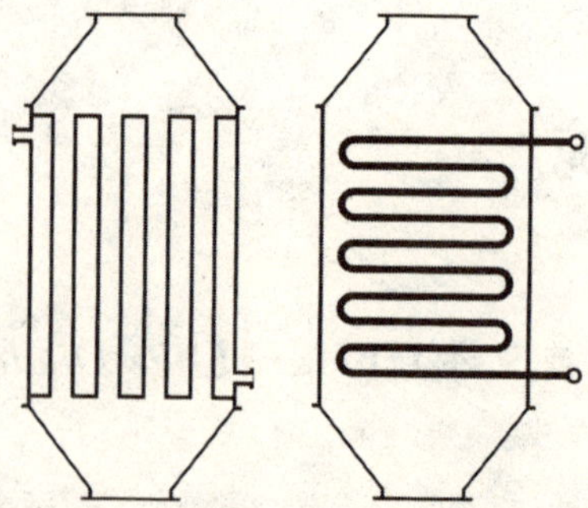

图 5.2.1 废气热量交换器

对于第二种类型[见图 5.2.1(b)],载热体流经水平或垂直设置的蛇形管,进行强制循环。同时废气从外部环绕蛇形管流动。

根据蛇形管的布置,热能以叉流、同向叉流或逆向叉流的方式传输。这种构造方式的优点是重量轻、调节状况有利、传输面积的布置多样性。缺点是对载热体质量有要求以及形成分离涡流(见图 5.2.2)。这是通过管道绕流而形成的,并促使振动系统(管道、侧壁)产生振动。由于涡流的分离频率与流动速度 c 成正比、与管道外径 D 成反比,必须保证在 c_{min} 和 c_{max} 之间的整个运行区域内不会出现谐振振荡。

水管式锅炉优先在燃气轮机设备和发动机设备上用来生产供暖蒸汽或者用于驱动汽轮机来发电。通过把整个传热面积划分成多个开启或关闭式部分,所需要的面积就可以适合相应的需求。

在发动机上,废气系统同样用于排放废气和能量回收,后者取决于发动机的功率。缺点是通过这种废气系统由发动机产生的空气传播声从船的内部向外界传送出去。因此废气系统必须另外用于消除空气噪声。

消声器的有效性明显取决于频率。因此对于消声器的设计,废气噪声的频谱具有重要意义。对于柴油机,主要的频率范围位于 63～2 000 Hz 之间,电平值介于 100～125 dB 之间。为了消除在此频率和电平值范围内的废气传播声,有两种基本类型可供使用,即吸收式消声器或反射式消声器。

吸收式消声器由吸收声音的气流槽外套构成,而气流槽在消声器范围内被透声的多孔薄板所覆盖[见图 5.2.3(a)]。该消声器结构简单,价格合理,具有较宽的消声频率范围,并且以较低的压力损耗而具特色。缺点是在 63～250 Hz 的低频率范围内消声特性较弱。

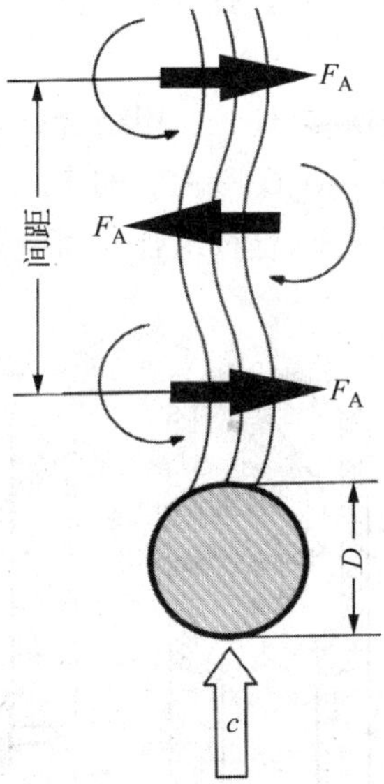

图 5.2.2 在管道绕流的情况下分离涡流的形成

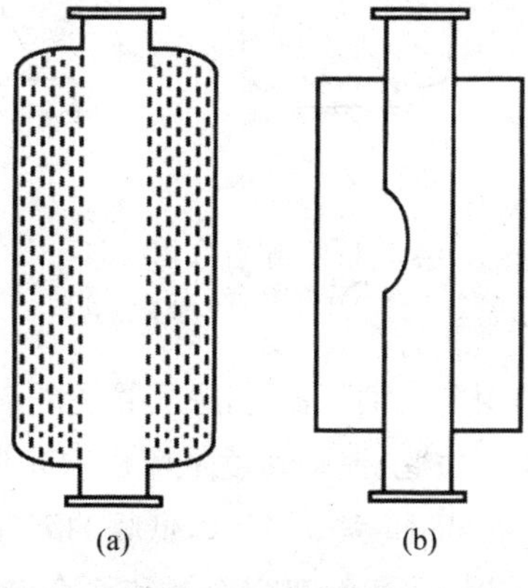

图 5.2.3 消声器类型

在反射式消声器或分支谐振器上声音室通过开口连接到废气管上。图5.2.3(b)为一个单室分支谐振器用做大型二冲程柴油发动机废气槽的低通滤波器。

由于反射式消声器应严格遵守尺寸要求，所以这种消声器生产成本比较高，消声频率范围比较窄。缺点是与吸收式消声器相比压力损耗明显较高。但是优点是在 63～250 Hz 的低频率范围内消声特性良好。

通过在废气管道中将不同类型的消声器进行组合式串联，废气噪声可以被降低到55 dB的总体噪声水平。

对于前置的废气热量交换器，优先使用结合有后置吸收式消声器的组合式串联谐振器-消声器[见图5.2.4(a)]。在尺寸较大的情况下，为避免透射设置了一个吸收式内锥。通常情况下，这种组合式消声器与一个火花罩结合成一个单元[见图5.2.4(b)]。

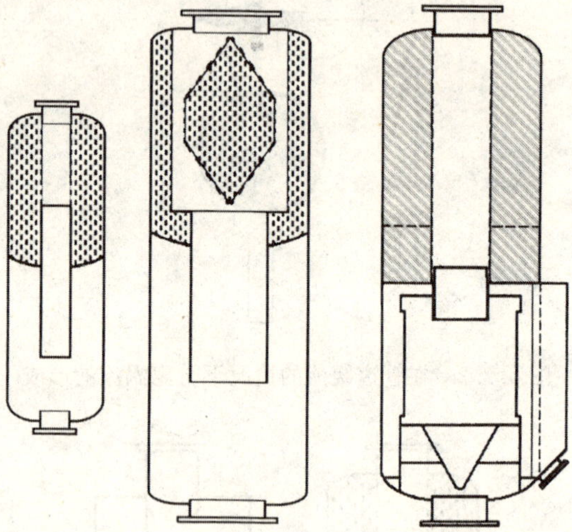

(a) (b)

图5.2.4 组合式消声器

(a) 没有火花罩 (b) 带有火花罩

在使用带有火花罩的组合式消声器时，废气管道的流量截面在废气涡轮增压器之后直接被极大地扩展。由此，流动速度从流出涡轮增压器时的约70 m/s减小到管道中的30～40 m/s。由于容积的扩大，低频的废气噪声尤其被吸收消除。

利用这种横截面的扩展、后置的热交换器和一个带有火花罩的组合式消声器，在通常情况下可以有效地降低总噪声水平级。

对于特别的要求例如邮船，这种安排一般情况下是不够的。在此类情况下，使用其他特别适合的消声器是必要的。

火花罩的功用是消除废气中还可能存在的燃烧着的固体物质，并在必要时从废气中进行分离。

对于具有机械萃取功能(旋流分离器)的火花罩，则通过一个导向轮使得废气气流旋转起来(见图5.2.5)，较重的成分被甩入外部收集槽中或者管壁上。

这里通过冷却来消除可能燃烧着的固体物质。

为了分离废气中的固体物质，收集槽向上延伸到出口处。通过外壳和出口锥体之间的一个环形缝隙，固体物质流入分离槽，并从废气系统中去除。

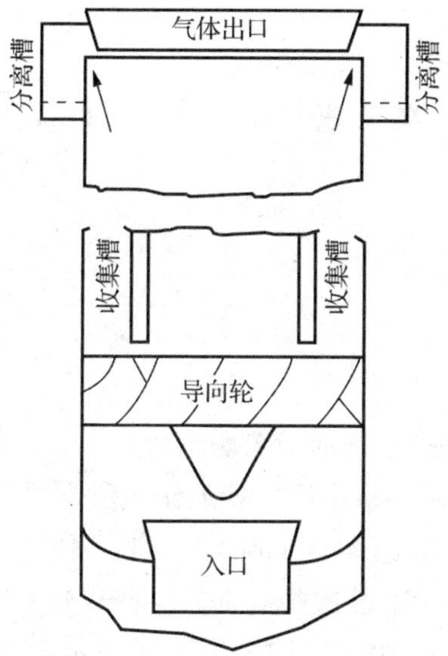

图 5.2.5 带有分离槽的火花罩

通过氧化工艺或吸收工艺，固体物质的分离程度可以提高，但是这会带来压力损耗的增加。目前的废气系统由一个热交换器和一个带有火花罩的组合式消声器构成，其压力损耗约为 300～350 mmH_2O，已经处于上限。现在还不能进行评判，即哪种工艺方法可以成功地用来去除废气中的二次烟灰。

5.3 环境

卡尔-海茵茨·霍赫豪斯(Karl-Heinz Haochhaus)，米夏埃尔·拉赫(Michael Rachow)

李树山 译

5.3.1 引言

在新千年里，轮机制造，特别是船舶运行的主要创新活动其中有一部分已对环境负起了责任。国际海事组织(IMO)作为联合国下属组织，负责建立了有约束力的海洋环境保护规则(附件Ⅰ到Ⅵ)。为了使这些规则生效，必须由拥有多数国际吨位的国家批准通过这些规则。这些规则必须得到航运业务国的遵守，例如1973年的防止船舶海洋污染协定，该协定于1978年进行过增补。这些规则又因增补了减少有害物质放射污染的规则而得到更新。赫尔辛基协定(1974年)保护着波罗的海及其入流的海洋环境，奥斯陆-巴黎公约(OSPAR，1992年)保护着北大西洋和北海的海洋环境。蒙特利尔保护大气层协定(1987年)调控着对臭氧层有害的物质的生产与使用(卤化烃、氟利昂FCKW)。这些物质可能包含在制冷剂和灭火剂中以及用于生产绝缘材料。

国际海事组织的这些规则适应于国际范围，因此在竞争方面是中立的，一个国家的规则一般只适应于本国。通过国家机构例如船级社、同业协会和港口国家检查机构进行监督执行。船级社建立了附加的船级符号，如环境证书(GL)、环境保护(LR)和洁净船舶与清洁设计(NV)等。

如果说到目前为止曾发生过因触犯规则而遭受处罚的情况，那就是鹿特丹港务局为绿色油船而进行的奖励。联邦环境署与RAL协会合作，向得到成功认证的船舶颁发环保船运蓝色天使标志。这些船舶必须使用含硫量低的燃料，氧化氮的排放量至少比附件Ⅵ关于海洋污染协定中要求的低20%，并且必须证明对船运安全提高了要求。另外，必须对船员进行环保意识行为培训。如果船舶能够证明有害物质辐射污染较低，例如在瑞典就可以得到降低港口费用的优惠。

一些具有环保意识的租船者或者船舶装卸公司都要求船舶对环境是友好型的，这给具有较高环境标准的船主带来竞争优势。特别是在邮船航行中，环境责任得到很好的贯彻执行，这有利于促进竞争，另外使得有可能在敏感地区（如南极区域、阿拉斯加或者北美五大湖）开展航行。另外欧洲港务局借助白色、灰色和黑色名单，首创了公开的信息门户和电子示众平台。

单位能量消耗较低，一般也意味着环境污染较轻，因为在驱动内燃发动机时 CO_2 的排放量与燃料消耗量成正比。NO_x 排放量和二氧化硫排放污染物取决于燃料和燃烧过程，或者取决于燃料中硫的含量，由此对排放量和排放污染物产生直接影响（见表 5.3.1）。

表 5.3.1　现行的或是由德国提供的液体燃料含硫量极限值

燃料种类	当前含硫量		未来含硫量	
单位	ppm; mg/kg	%	L/m^3	
汽油	10	0.001	0.01	从 2003 年起
高级汽油	10	0.001	0.01	从 2003 年起
柴油	10	0.001	0.01	从 2003 年起
轻燃料油	2 000	0.200	2.00	从 2008 年起 0.1%
煤油	300	0.030	0.30	根据 ip 336
重油（陆地）	10 000	1.000	10.00	
重油（海洋）	45 000	4.500	45.00	波罗的海和北海为 1.5%

世界范围的货物运输

国际海运在全球货物运输中担负着世界经济的重担，拥有国际民用船队共约 9 万艘船舶（大于 100 总登记吨），2000 年完成的运能约为 425 000 亿 t · km（见图 5.3.1）。这相当于约 95%的洲际货物运输量，或者 70%的全球货物运输总量。这些船舶的 97%由柴油发动机驱动[5.3.2]，与其他竞争性的运输工具如飞机、铁路和载重卡车相比船运单位能耗最低，不过船运速度也较低[5.3.1]。

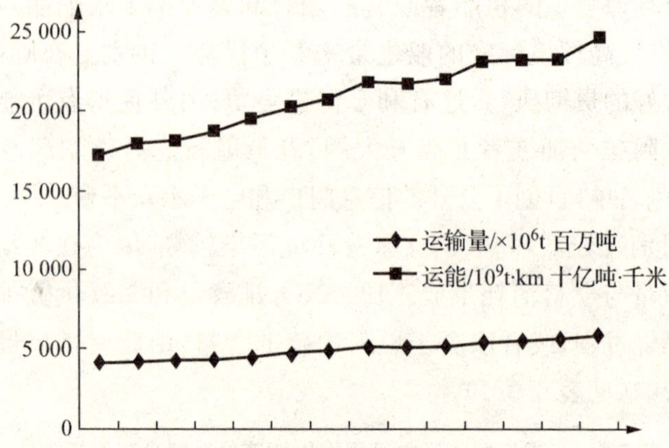

图 5.3.1 海上全球货物运输(百万吨)和运能(十亿吨·千米)
(绘图:Hochhaus;数据:ISL)

表 5.3.2 全球越境交通中不同交通工具的年运能、燃料消耗量和 NO_x 排放量[5.3.3]

运输范围	运能 /×10⁹ t·km	运能率 /%	燃料需求量 /×10⁶ t	单位燃料需求量 /[g/(t·km)]	NO_x 排放量 10⁶ t/年	NO_x 单位排放量 [g/(t·km)]
航运	45 500	95	282	6.6	23.4	0.55
空运1)	350	1	200	447	3.0	8.60
其他	1 790	4				

1) 包括军事空运。

如同使用其他交通工具(轿车、载重卡车、飞机、铁路)一样,在航运中也通过废气、垃圾、油、废水和氟利昂 FCKW 产生环境污染。由于对环境问题的讨论,人们一再对柴油发动机提出疑问并要求具备可供选择的驱动装置如燃气轮机驱动、氢驱动或者滑翔驱动装置。在参考文献[5.3.2]中根据不同的例子对这些问题进行了回答。一个 100 000 dwt 的燃料储备油船为了驱动柴油发动机需要其货舱容量的 1.6%,燃料电池需要其货舱容量的 22%。至于设备费用的问题,在有保留的条件下没能给予回答,燃料费用的问题也没能给予回答,因为使用氢的基础设施尚不存在,也没有提供可供负担的费用估计。

今天环境保护在航运中发挥着重要的作用。在 20 世纪 80 年代末期,倾倒稀酸和燃烧化学垃圾是合法的,固体和液体垃圾轻率地往大海中倾倒的时代已经过去两个年代了。但是在沙滩上散步时发现这些规定并没有被所有的船舶所遵守。今天在沙滩上还有空的塑料瓶子、泡沫塑料垃圾、油污结块和其他漂浮上来的垃圾。在海洋上倾倒稀酸和在公海上燃烧化学垃圾都是被禁止的,这些行为都属于过去的事情。为此环境协会做出了决定性的贡献。

5.3.2 废气中的氧化氮、二氧化碳和二氧化硫

从2000年开始,氧化氮的最大排放量是根据国际海事组织关于"预防船舶产生空气污染"(附件Ⅵ)的规定来调整的。该项规定于2005年在由至少15个签约国通过海洋污染协定批准后生效,这些签约国拥有至少世界贸易吨位数量的50%。从2000年1月1日起,在船上开工建造必须具备相应的国际证书(船舶证书IAPP=国际防止大气污染证书;发动机证书EIAPP=发动机国际防止大气污染证书)。

船用发动机生产商例如MAN B&W、Wärtsilä/Sulzer、三菱公司、MAK、MTU、Deutz以及其他厂商,都利用不同的技术工艺做了适当调整,并相应地准备了二冲程和四冲程发动机(见图5.3.2)。现代的发动机通过相应的结构设计措施和影响发动机内部燃烧过程的调整措施来满足这些规定。更高的要求则通过向燃烧空气或燃料中添加水得以实现,最高的要求则通过发动机外部措施予以实现,例如通过后置的催化净化器(见图5.3.3)来实现[5.3.2~5.3.6]。由此在典型的船舶运行中已毫无问题地达到排放量低于100 ppm的情形[5.3.5]。不过在这种情况下要求硫含量更低,例如对于使用SRC催化净化器的情况最高允许硫含量为1%。

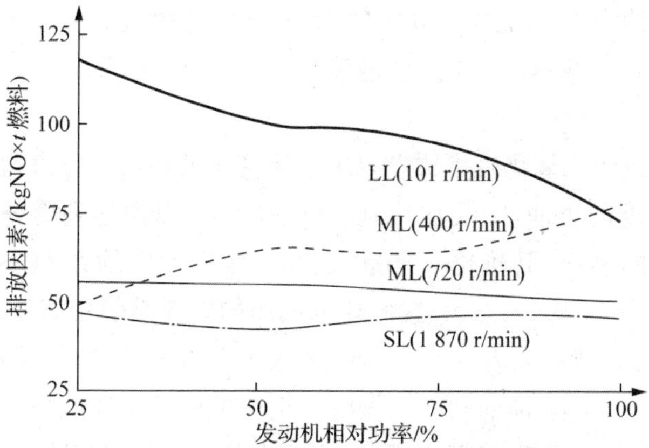

图5.3.2 带有不同氧化氮特性的船用发动机

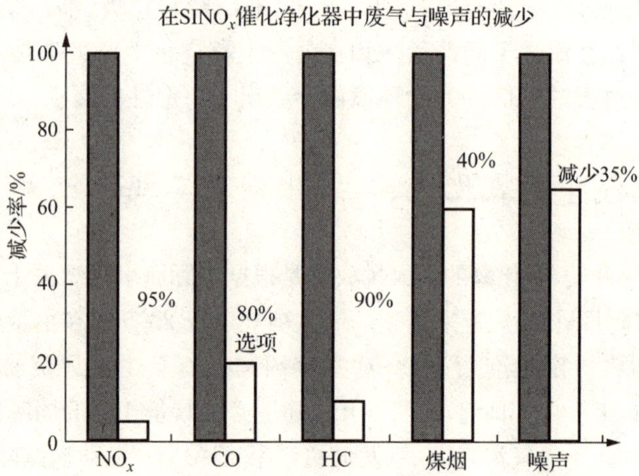

图 5.3.3　通过使用催化净化器来减少废气与降低噪声[5.3.4]

在参考文献[5.3.3]中描述了由 MAN B&W 公司就航运造成的世界范围氧化氮环境污染进行的调查研究结果。这次调研的基础是船舶主机和辅机的排放特征、运行的实际边界条件如行驶时间、负载、燃料种类以及发动机的实际单位燃料消耗量。全世界范围内约有 9 万艘大于 100 总登记吨的船舶登记在册，它们的 117 000 台驱动发动机拥有的额定总功率为 2.86 亿 kW，即平均每艘船的驱动功率为 3 200 kW。对于辅机，说明的额定功率为 3 000 万 kW。

这项调查表明，2001 年国际航运消耗了约 2.82 亿吨燃料，并排放了 2 350 万吨氧化氮，相当于由人类造成的全球氧化氮排放量的约 15%。全球每年的氧化氮排放量约为 1.95 亿吨，其中约 1.56 亿吨是由人类通过工业、交通和房屋火灾造成的。船舶运输和航空运输行业的排放量总计 2 640 万吨(见表 5.3.2)。

船用发动机的二氧化硫排放量取决于所使用的燃料。在海运中，今天主要燃烧的是高黏度的重油，需要加热到 100～140℃，以便达到需要的喷油黏度。这是一种便宜的燃料，其价格在 1995—2005 年期间大约是 60～350 美元/吨(相当于每升 0.05～0.35 美元)。另外可选用的燃料是船用柴油(MDO)，价格为 100～600 美元/吨，或者硫含量较低的为 0.6%～0.9%的重油，每吨加价 20～30 美元[5.3.6]，许多加油站可以供应。正在试用的有硫洗涤器，它利用海水把二氧化硫冲洗掉，因而油烟颗粒同时也被吸收，这是一个很好的副效应。

关于二氧化碳的排放量，至今为止只有在欧洲才设有结合分配计划予以执行的具有约束力的规定，不过它们也只适应于发电厂和大型企业。对于减少或分离、最终处置二氧化碳的技术方案正处在研究之中。对于陆地交通、海洋与航空运输，还没有现存的法律基础。自 1995 年起，国际海事组织(IMO)开展了有关这一问题的讨论[5.3.6]。

所有的这些动力燃料，到目前为止由于越境交通和缺少全球国际社会的统一而免于缴税。根据国际海事组织，重油中允许的最高硫含量为 4.5%，2005 年平均硫含量约为 2%～3%。借助一些典型数值(每 kg 燃料含二氧化碳 33.2 g，含二氧化硫 40～60 g，相当于 2%～3%的含硫量)和海运燃料消耗量(主要为重油)可以粗略计算出二氧化碳和二氧化硫的排放量。因此，2001 年约有8～9 亿吨二氧化碳以及燃料中硫含量为 2%～3%时有 1 000～1 400 万吨二氧化硫由船舶排放到大气层中。根据劳氏船级社，每年二氧化硫排放量为 1 000 万吨、氧化氮排放量为 930 万吨。

5.3.3 舱底油污水和残油(油泥)[5.3.7]

尽管引起轰动的 BRAER 号、EXXON VALDEZ 号和 PRESTIGE 号油船事故以及 ERIKA 号和 PALLAS 号货船事故，或者海上钻井与石油开采平台事故，都定期地唤起公众的注意，但非法排放残油还是对环境造成了严重的负担。这些残油是在油船上清洗货油舱时产生的，在多数油船上主要是在清洗重油时产生的。大约有 1%(全球范围内约 280 万吨)的重油在分离与过滤之后作为残油(油泥)残留下来。在润滑油清洗和舱底油污水脱油处理时，也产生残油(油泥)。收集凝水和泄漏水的机舱舱底油污水是一种混合物，由海水、淡水、重油、润滑油、冷清洁剂乳浊液和污泥组成。

为了净化舱底油污水，按规定须有一个舱底油污水除油器，用于清除舱底油污水中的油。剩余油量允许为 15 ppm，即每 1 000 升舱底污水含油 15 g。这一极限值由海洋污染协定(MARPOL)的附件 I 规定下来，并由测量装置进行监控。超出极限值时将触发警报，舱外阀门将自动关闭。今天的舱底油污水除油措施一般来说是按照两种原理结合进行的，即重力原理和较小油滴结合成较大油滴原理(聚结)，这些处理工艺由不同的公司提供(见图 5.3.4)。舱底油污水除油器的最低处理量取决于船的大小，并在文献参考[5.3.7]中确定下来，例如对于 1 600～4 000 总吨位的船舶处理量为 1 m^3/h，对于 4 000～15 000 总吨位的船舶处理量为 2.5 m^3/h。

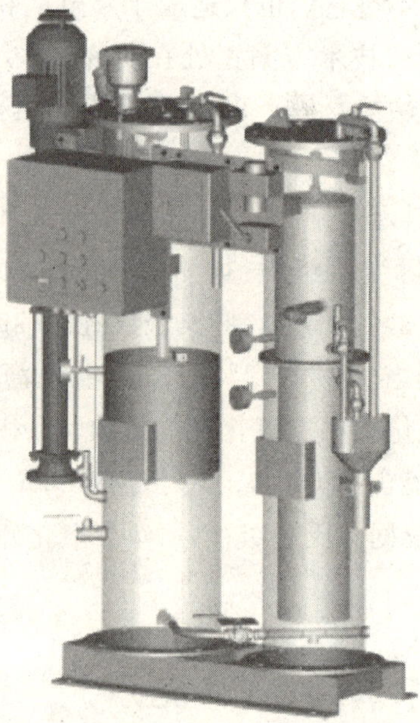

图 5.3.4　设有集油装置的 TMPB 型船用除油器
（资料来源：B+V 工业技术有限公司）

其他原理如离心分离、膜分离、微滤和超滤同样也在船上得到应用。化学和生物学除油系统对于航运来说还处在研究和早期开发阶段。

所产生的舱底油污水量取决于船型和船舶大小，但也取决于船舶的状态和年龄。国际海事组织（IMO）估计平均每天每艘船产生大约 2～3 m^3 污水，每年则产生 100～150 L 油。推算到所有的船舶，则得出每年 3.5 万～5 万吨。由于许多设备工作不正常，对于油船采用了高很多的极限值，因此每年的实际值约为 25 万吨，明显高出许多[5.3.6]。但是，处理费用也是向大海中非法倾倒残油（油泥）的一个原因[5.3.8]。

残油（油泥）被收集到污泥槽中，这些污泥槽在双层底的上方尽可能地布置在远离燃料分离器的下方。其大小相当于所有燃料箱总容量的 2%，如果燃烧残油（油泥），则污泥槽的大小可以减少 30%。污泥槽配备了暖气设施（大于 60℃）、抽吸器的舱底井并设有输送坡度、清洁检查孔。为了分离油和水，对于分离器的控制水和污水规定安装一个格栅。这里使用一种自我抽吸的、适合于干运转的容积泵，对它的吸入管进行加热，其压力管仅通向残油（油泥）转接站或者残油（油泥）燃烧设备。最低的流量为 2 m^3/h，规定的排水时间为 4 h。

残油(油泥)燃烧设备则根据每天的燃料消耗量来安排,额定处理量至少为燃料消耗量的1%。如果没有规定进行残油(油泥)燃烧,那么将在港口交付残油(油泥),如果相应的基础设施也存在的话。为此,在小于4000总吨位的船上设有一根根据海洋污染协定(MARPOL)校准的连接管道用来转交残油(油泥),在大于4000总吨位的船上设有两根连接管道。在参考文献[5.3.9]中,一个经验丰富的船长做了这样的描述,即是否所有港口都提供这种服务以及精明的人会在贫穷国家将这些残油(油泥)用于何处。为了进一步实施监督,规定记录用油日志,用于准确登记岸上添加的燃料、润滑油和处理过的残油(油泥)等数量,这些数据供国家港口检查机构查看和检验。

5.3.4 生活污水

对于航海货运业的约9万艘船舶,相关文献说约有60~80万名船员。在约为400艘的客船上,有4000~6000万人天次的运输量,这一运输量可以在考虑有20~25万名常备船员的情况下换算而来。由此得出在全球航运中至少有100万人产生的垃圾与废水需要处理。渔业、海岸附近的岛屿航行,居住船舶、海军船舶、渡船、没有计数的帆船与机动船的体育运动航行以及离岸工业的海上钻井与石油开采平台等没有或者只是有限地包含在这一统计数据中。

表5.3.3 商船与客船上每人每天生活污水排放量(单位L)

(资料来源:海洋环境保护委员会MEPC)

生活污水名称	商船		客船	
	常规系统	真空系统	常规系统	真空系统
黑水	70	25	70	25
灰水	200	155	230	185

定义:根据远洋航运同业协会(SBG)的说明,生活污水是从厕所、便池、WC排水孔、卫生医务区(药房、医院等)以及在这些区域内的盥洗池、洗涤槽和排水孔排放出来的的排出物。还有来自活的动物生活房间的排水或其他脏水,如果它们和前述排水混合在一起。在德国工业标准和其他资料中,这里所定义的生活污水又称为黑水,而从厨房、配膳间、洗衣房、船上厨房、浴室和淋浴间排放出来的废水则称为灰水。

国际船舶防污染公约(MARPOL)和赫尔辛基协定到目前为止只是包括了

废水。一些港口管理当局和团体要求对内陆水体如河流或泻湖中的灰水进行处理。

船舶工程配件业为污水处理开发出了紧凑式的污水处理设备(见图5.3.5),这些设备已经成为常备技术设施并已安装在所有的船舶上。灰水和黑水输送到污水净化处理设备,进行机械式、生物式和物理化学式净化处理。在机械式净化处理过程中,不添加化学成分而发生沉降,这时不溶解的、可沉淀的物质便从废水中被去除。在进行生物净化处理时,利用微生物如细菌和真菌的活性结合氧气来降解废水中含有的有机成分。在此过程中通过转换过程产生无机化合物(例如,二氧化碳和水)和稳定的生物质。对于一个完全的生物净化处理过程要求生物耗氧量(BOD5)下降到 25 mg/L 以下。BOD5 表示,在废水中存在的细菌在5天的时间里消耗多少氧。如果这个数值较高,细菌会消耗很多的氧气,废水还没有得到很好的净化处理。在德国生物耗氧量的上限值位于 40 mg/L。

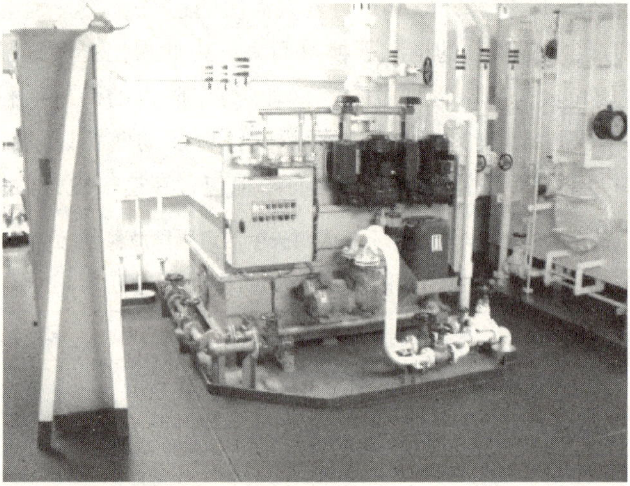

图 5.3.5 一艘现代化集装箱船的机舱内污水处理设备一瞥(资料来源:Hochhaus)

生活污水处理分为好氧处理工艺和厌氧处理工艺。厌氧处理设备在隔绝氧气的情况下工作,好氧处理设备则需在供氧状态下工作。在船舶甲板上几乎只使用好氧处理设备。主要使用的是四腔设备(见图 5.3.6)。黑水流入第一腔,第一腔和第二腔构成曝气腔,通过鼓风机进行曝气,以便启动好氧处理过程。第二腔也有灰水流入,从这里废水流入按照重力原理运行的净化处理腔。在此漂浮物质作为活性污泥沉降到池底,然后用一台水泵又将其送回曝气腔内。为了给黑水供给具有活性的微生物，把活性污泥送回曝气腔是必要的。

第四腔是消毒腔（也称加氯腔），它通过一个溢流管道和净化处理腔相连接。这里通过注入消毒剂进行杀菌，消毒剂是通过一个配料装置输入其中的。如果消毒腔加满时，借助一个浮标开关进行排空。

对于特别保护的海洋区例如极地区域，目前高效的膜分离技术设备正处在试验或者使用中。第一代设备目前正在船上使用。在极地科研船 POLARSTERN 号上，Rochem 公司正在试验一种紧凑式设备，而在波罗的海渡船 TRANSEUROPA 号和海军舰艇上人们积累了使用膜分离与活性污泥工艺设备（Krüger Wabag 有限公司）的经验。作为全生物设备，这一设备安装到了 2005 年交付的科考船 PLANET 号上。

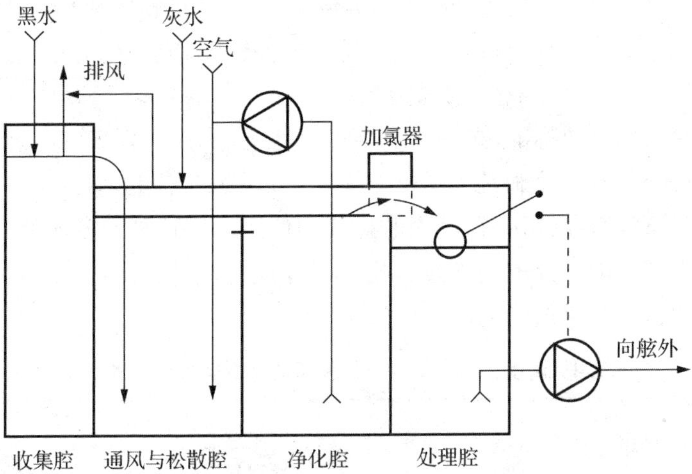

图 5.3.6　典型的航运四腔污水处理设备，按照好氧工艺运行

根据规定，已处理过的污水只允许通过经许可的设备引入[5.3.7]。对于生产商的污水处理设备系列中最小的一种构造，根据国际海事组织的决定 MEPC. 2（Ⅵ）须进行类型试验。必须遵守的极限值是 250 个排泄物大肠杆菌/100 mL、50 mg/L 漂浮物、50 mg/L 生物化学耗氧量（BOD5）。在成功结束类型试验之后，远洋航运同业协会向生产商颁发类型测试证书，由此可以批准设备的安装。对于废水处理设备，可区分为微生物设备和机械粉碎消毒以及附加曝气式设备[5.3.7]。远洋航运同业协会或劳氏船级社在 5 年的船级周期内定期检查污水处理设备，并签发相应的废水证书。

5.3.5　垃圾

过去常见的向大海中倾倒垃圾的方式受到了极大的限制，只允许在船长的安排下根据垃圾种类、航行区域(中、短途和远航)以及海区情况往海中排放垃圾。海区又划分为特别区域和非特别区域(见表 5.3.4)。塑料产品一般来说不允许投入大海。木材、纸张、玻璃、金属以及类似垃圾只允许在 12 海里区域以外进行处理。在 12 海里区域以外未经处理的食品随处都可以处理掉，即便是在特别区域内。在货船上进行垃圾分类，并把垃圾储存在甲板上的封闭收集箱内或者特别的房间里，然后在港口交付处理。为此必须准备至少 3 个垃圾箱和一个特制的独立钢制容器用于收集油类垃圾，这些垃圾箱的最小尺寸根据人员数量或者总登记吨位计算确定。如果通过粉碎、压缩或燃烧对垃圾进行处理，那么垃圾箱的容积可以减少 50%。

对于每人的排放标准，在货船上以每人每天为 1.5～2.25 kg(客船上每人每天 2.5～4 kg)作为大概的参考值。从 20 世纪 70 年代起，货船上一再使用的垃圾燃烧设备没有获得认可，因为非连续的使用对于这种设备不利，而且为了可靠运行而产生的必要的工作量也比原来计划的明显高出许多。这种设备的高污染排放量也一再遭受批评。

表 5.3.4　海船倾倒垃圾只允许按照该表由船长安排进行[5.3.7]

垃圾分类	向海洋中倾倒	
	特别区域以外	在特别区域*
塑料制品例如合成绳索、合成渔网和塑料垃圾袋	禁止	禁止
漂浮的垫舱物料，材料和包装材料	在 25 海里以外区域	禁止
纸制品、碎布、玻璃、金属、玻璃瓶、陶器等类似垃圾	在 12 海里以外区域	禁止
未经处理的食品垃圾	在 12 海里以外区域	在 12 海里以外区域

* 波罗的海，北海包括英吉利海峡，加勒比广大地区包括墨西哥海湾、加勒比海、巴哈马群岛、大小安德烈斯群岛(从 1993 年 4 月起加勒比扩展地区)，南极，地中海，黑海，波斯湾，红海(参见 MARPOL 73/78 的 1997 年修改版附件 V Reg. 5(1) 第 363/364 页)。

在客船上垃圾产量很高，使用特种设备如粉碎机和挤压机进行垃圾的浓缩，以便减小垃圾体积和垃圾排水。在垃圾排放量很高的邮船上，垃圾焚烧设备得到推广使用。根据船舶的规模、航行区域和航运公司的经营理念不同进行垃圾焚烧或者港口垃圾转运处理。一些供应商公司(如 Deerberg 公司)专门从事这一技术领域的解决方案,提供集成式处理系统。在垃圾产生的地方(船舶厨房、仓库)就把垃圾排入相应的运输通道,以便减少工作量和中间环节存放位置[5.3.10]。

在科考船上,也成功地使用了垃圾焚烧设备,这些船舶经常在敏感海域执行长期的科研考察任务。在货船上工作人员很少超过 25 人,因此主要是摆放垃圾桶以收集垃圾。现代化的、先进的航运公司开发了示范性的处理方案,即通过回收、避免垃圾产生和对垃圾浓缩与粉碎等处理方法的结合来减少空间使用和人力的投入。

5.3.6 船底粉刷防污漆、氟利昂/卤化烃管理条例

通过船底粉刷含三丁基锡的防污油漆(TBT)在船边水下区域造成的危险已经得到证实,并导致研发不含三丁基锡,但含有铜和其他抗微生物剂的油漆。另外,开发并使用了不含抗微生物剂的涂层,不过到目前为止使用寿命较短,为 24～36 个月。2003 年禁止使用含三丁基锡的新油漆,从 2008 年开始在造船厂的喷砂丸处理用材料中也不允许含有这种油漆。

卤化烃灭火设备在商业船队中禁止使用,根据过渡规定使用含或不含泡沫的二氧化碳设备、压力水喷射设备以及水雾设备来替代。根据新造船舶的管理条例,结束使用制冷剂 R12 和 R22,并在 R12 设备中更换成更加有利于环境的 R134a。“老的”遭禁止的、但有利于环境的氨又获得许可并在一些船舶上得到使用(参见第 6 章及 1.16 节)。

5.3.7 压载水

在海船上尤其是在油船和散装货船上通过使用大量的压载水以避免压载航行中的稳性问题,但也由于集装箱船上的甲板集装箱之故,长期以来都有非本地的海洋生物被携带而走。据推算,全球范围内有 100～120 亿吨含有动物和植物的海水被携带而走。其中涉及的物种大约有 3 000～4 500 种。这一事实是毋庸置疑的,原来定居在中国的中华绒螯蟹为许多人熟知。只有很少的物种有能力排挤当地物种,但是外来的藻类、凿穴蛤和斑马蛤在渔业、水产业以及港

口设施上造成了巨大的损害。为消除这些损害而产生的后续费用，估计约为 85 亿美元。大约有 40 个研发项目是涉及物种被携带问题的。澳大利亚和美国的一些联邦州都制定了具有约束力的且带有惩罚性质的指导准则。许多船运公司因此引进了压载水管理系统。于 1992 年颁布的用于保护动植物群的的欧盟指令不具有约束性，因此对航运只有微小的影响。2004 年国际海事组织经过长时间分析和持续的工作在伦敦就这一问题通过了压载水公约，经过批准之后适用于新的和现有的船舶。

不同的公司和高校正致力于寻找技术解决方案，船级社也在从事这一问题的研究。压载水置换被宣传作为过渡解决方案，规定在相应海域需要进行 3 次置换。未来所必需的后续系统将把过滤工艺与化学或物理后续处理结合在一起。

5.3.8　总结与展望

约 30 年以来，在航运中进行着缓慢的、但却持续的环保范式变更，这是为我们的子孙后代留下适合生活的地球而迈出的明确一步。与电厂、汽车、家用燃料方面的国家规范相比较表明，国际航运业有弥补改进的需求。另外一方面，由国际海事组织通过的、经全球国家联合体批准的各种规范在全球范围内适用，这并不会导致像各种陆地规范和公约那样的竞争扭曲现象。

除此以外，像在瑞典那样的国家，国家的与地方的津贴机制均采用分级的港口费用，导致了以金钱为目的的环保航运措施的出现。对于驶入一个瑞典港口在普通船舶和环保船舶之间的高达 6 000 欧元[5.3.10]的费用差别是支持环境保护的一个重要论据。特别是对于欧洲航运公司、造船业和配件供应商这是一个已经接受的巨大挑战。

大型发动机的黑烟过滤器和减少废弃中二氧化硫的脱硫装置以及无毒船用油漆正处在开发和试验阶段。

参考文献

[5.3.1]　Keil, H.: Hochtechnologie Schiffbau, Mensch und Technik Nr. 2/1996.

[5.3.2]　Lausch, W.: Hat der Dieselmotor als Antrieb von Schiffen eine langfristige Zukunftsperspektive, STG Jahrbuch, 2003.

[5.3.3] Köhler, H. W.: Beurteilung der NOx-Emission durch die weltweite Schifffahrt Schiff und Hafen, Nr. 11/2002.

[5.3.4] Hochhaus, K.-H.; Isensee, J.: Blauer Engel für die Cellus, Umweltaspekte im weltweiten Schiffsverkehr, Mensch & Technik (VDI/VDE) Nr. 2/2003.

[5.3.5] Braren, Rörd.: Erfahrungsbericht mit SRC-Katalysatoren bei Haupt- und Hilfsmotoren, STG Jahrbuch, 2004; Springer-Verlag Berlin Heidelberg New York.

[5.3.6] Krackhardt, C.: Emissionsoptimierte Schiffe-Green Ships-Möglichkeiten und Realität STG Jahrbuch, 2004.

[5.3.7] N. N.: Bauliche Maßnahmen auf Seeschiffen zur Verhütung der Meeresverschmutzung durch Öl, Abwasser und Müll; SBG Hamburg, Schiffssicherheitsabteilung, Stand 2002.

[5.3.8] Henckeroth, J.: Illegale Entsorgung von Ölrückständen; Ingenieur Journal, Jan./Febr. 2003.

[5.3.9] Schwarzer, J.: Die Entsorgungsproblematik auf Schiffen in Häfen aus der Sicht des Reeders; STG Jahrbuch, 1998.

[5.3.10] Strassmann, B.: Sauber auf See; Ingenieur Journal, Jan./Feb. 2003.

[5.3.11] Höft, H.: Der Einsatz FCKW-haltiger Kältemittel; STG Jahrbuch 2000.

5.4 润滑油系统

哈克·奥科·迪德里希斯(Hark Ocke Diederichs)
李树山 译

润滑油的功用是排放来自机器内部的废热、通过液动润滑减小运动构件之间的摩擦以及经抛光的机器构件的防腐保护。根据所提出的不同功用,可以使用油循环润滑或者油消耗润滑。

如果所有的3种功用应当同时实施的话,则使用油循环润滑。为此,通过封闭循环系统中的合适的输送装置来泵送较大的油量。如果润滑油仅用于减小摩擦和防腐保护,则使用油消耗润滑。

发动机和螺旋桨轴主要是通过油循环润滑系统供给的,但十字头二冲程发动机的气缸润滑或者压缩空气系统的油气润滑则属例外。

5.4.1 发动机的循环润滑油系统

图5.4.1为一个四冲程柱塞式发动机的典型的压力循环润滑系统的简图。驱动装置、活塞和气缸套均习惯地供应同样的油润滑。

在静止的发动机上泵1把油从油箱中通过油冷却器输送至发动机。在发动机内部通过一个固定安装的管道系统分配油,即向轴颈处供给润滑油、向活塞供给冷却油以及向气缸套供给气缸油。油通过排放管从发动机流回循环油箱。在达到最低转速时,附加的泵2承担输送油的任务。

为了确保运行不受干扰,在泵的吸入管和压力管中均设置了过滤器和止回阀。这特别适用于带有不同驱动设施的两台泵的布置。通过具有很小的流通阻力的特殊止回阀,即所谓的吸入阀,可以阻止吸入管的排空,以便保证两个泵之间的连续的过渡,没有中断供应。

对于较小的发动机,循环油箱是直接和发动机连接在一起的,而对于较大的发动机其油箱则是集成入船体中。在这种情况下,油箱应当通过一个空舱或隔离舱来保护以免受外部影响的损害(见图5.4.2)。在排放管中,为了平衡发

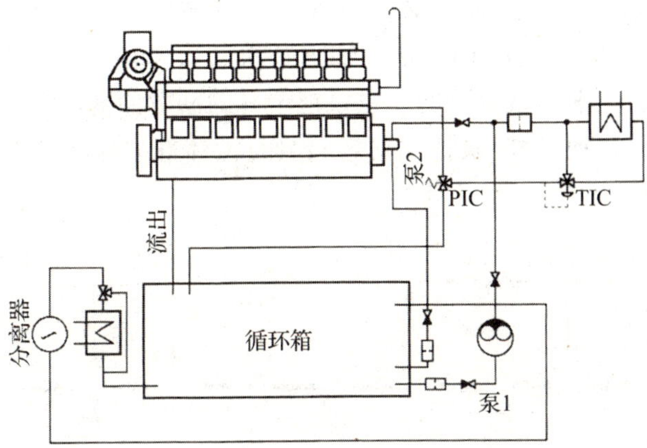

图 5.4.1 四冲程柱塞式发动机的压力循环润滑

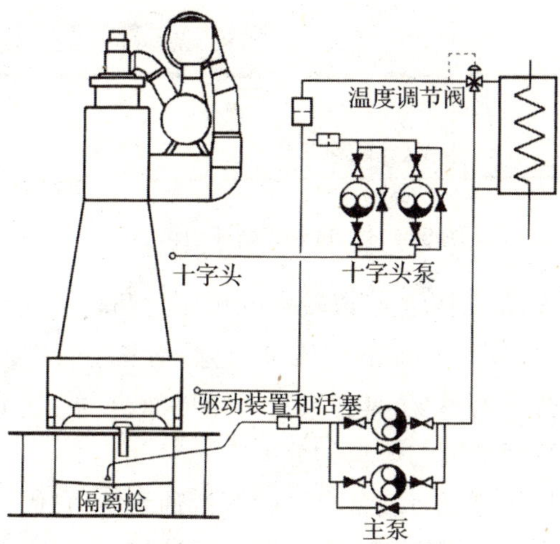

图 5.4.2 十字头二冲程发动机的压力循环润滑

动机和油箱之间的热膨胀规定安装一个补偿器。

在油箱内部，泵的回流管和吸入管之间通过循环薄片来强制形成一个矩形的流体（见图 5.4.3）。由此使得从油中把气体分离出来成为可能，通过通风管中的油分离器气体被排入周围环境中。为了去除沉淀物，使用适当的分离方法，一般来说使用在辅助油路中运行的分离器。

在泵的吸入管中，过滤器对于泵只有一个保护作用，而在压力管中通常使用的自动过滤器也具有监控发动机运行的功能。对于可能出现的不正常情况，其指示就是清洗频率。

对于十字头二冲程发动机，除了驱动机构和活塞之外，具有流体静力作用的十字头轴承也必须供油。由于这些轴承必须以较大的预压供油，因此整个油流在进入发动机之前是被分开的。主泵把全部的润滑油输送至发动机，在由压力管进入发动机之前，增压泵把油输送给具有流体静力作用的十字头轴承（见图 5.4.2）。

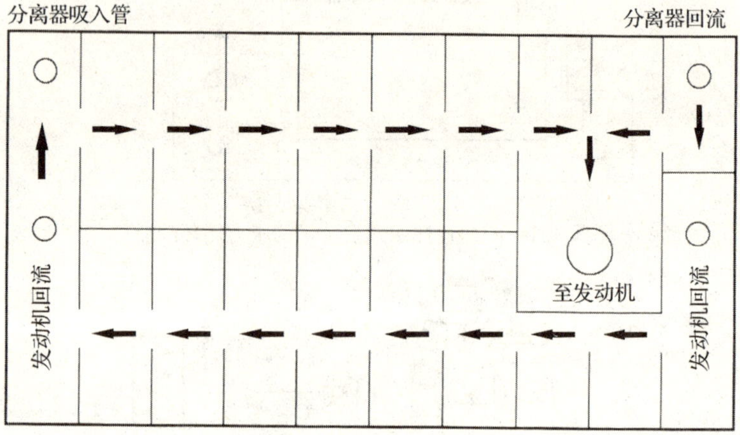

图 5.4.3 润滑油循环油箱实例

在一些二冲程发动机中，也是以较大的预压对凸轮轴轴承供油。正如十字头润滑那样，这里同样使用附加的增压泵，它们均从主管中取油。这种润滑油系统可以选择作为分开的系统，具备自身的循环油箱、泵、过滤器和冷却器。这种连接的优点是实现润滑油与燃料的分离。

只要废气涡轮增压器没有装备自己的润滑油系统，它们就必须与主润滑油系统相连接。为此在涡轮增压器上方安装一个油箱，在运行期间该油箱将持续加满油。一部分油供给到涡轮机的轴承上，剩余的则回流到循环油箱中。高位油箱的容积是这样来计量确定的，即在润滑油泵停机的情况下，轴承还可以在一个足够的时间范围内（约 15～20 min）获得供油。

在十字头发动机中，通过对驱动装置和燃烧室结构上的分离，必须由一个分离系统向气缸供给润滑油（见图 5.4.4）。由于润滑油承受较高的热负荷和机械负荷，因此只有一个消耗系统得到应用。

加油泵从备用油箱中把每天的需用量输送至测量油箱中，通过一个入流管从测量油箱中供给定量给料泵。该定量给料泵把润滑油用高压送入燃烧室中，以使活塞环湿润起来。

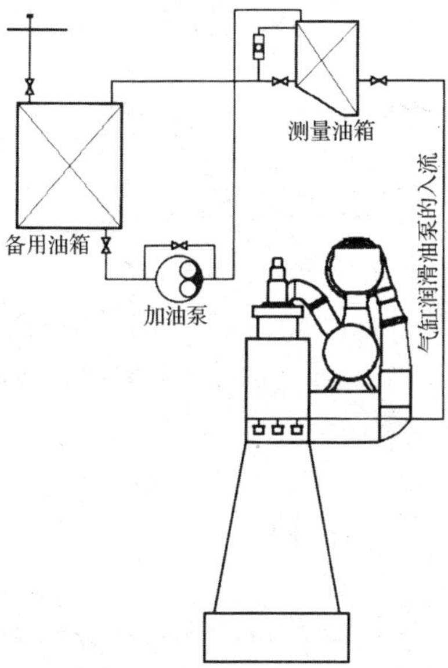

图 5.4.4　二冲程发动机的气缸润滑油系统

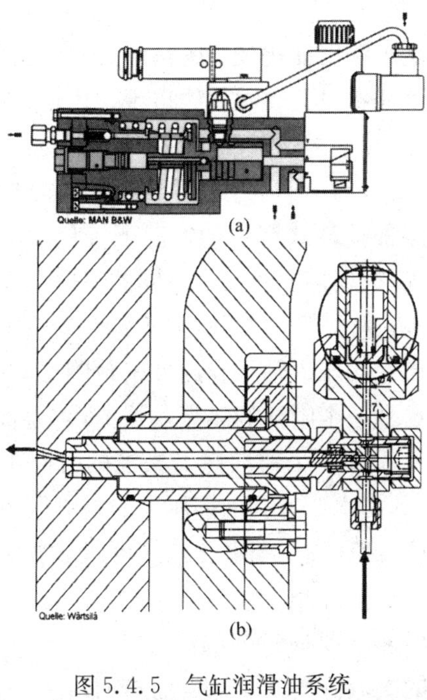

图 5.4.5　气缸润滑油系统

(a) 与压力无关的系统　(b) 与压力有关的系统

这里有两种系统用来定量给料。第一种情况是通过高压泵把油直接输送入气缸中[见图 5.4.5(a)]。

向燃烧室输送的开始时间及输送量与气缸压力无关,而是由外部控制装置决定的。

第二种情况[见图 5.4.5(b)]是通过高压泵把油输送入活塞式储存器中。输送量通过与弹力逆向移动活塞储存起来。在通向气缸的排出管中安装了一个止回阀。只要气缸的压力低于储存器中的压力,油就从高压下的储存器中被输送到燃烧室内用以湿润活塞环。输送开始时间和输送量取决于止回阀上的压力情况。

5.4.2 尾轴管和螺旋桨轴

螺旋桨轴润滑油的功用是排放损耗热,减小轴承以及密封圈上的摩擦和防腐保护。同时润滑油也用于形成密封圈上的压力平衡(见图 5.4.6)。根据船舶大小和吃水深度的不同,润滑油系统设计为带有高位油箱的消耗系统或者带有循环泵的循环系统。

对于较小设备和吃水深度变化较小的情况,内外密封圈之间加满油的腔室与油箱连接在一起。该油箱设置在吃水线以上。由此在腔室内产生一个静压,它略微高于外部海水压力,这样就很确定地阻挡住海水侵入船体内部。同时向径向密封圈和轴承供油。损耗热通过在尾尖舱中的油与水的自由对流而被排放出去。轴承温度在这种损耗式润滑的情况下仅仅取决于外部条件。为了避免密封圈上压力差过大,根据需要可以在不同的高度布置两个油箱。

如图 5.4.6 所示,在大型的设备上,循环润滑油系统也得到应用。通过一个循环泵把油经过入流管而压入轴承和内外密封圈之间的腔室,并向上经过回流管流出。损耗热输送到一个附加的热交换器上,它通常与 NT 冷水系统连接在一起。油的始流温度通过一个通向热交换器的旁路中的三通阀来调节。通过压力调节阀,使得外部海水压力和内部压力的差值保持恒定。

由于机械和热负荷,循环油逐渐老化。这可以从非溶解性成分增加以及中和能力下降中明显分辨出来。

非溶解性成分的增加主要通过油的循环率 U_S 来确定。U_S 表明全部油量每小时经过油泵循环的次数。图 5.4.7 为油箱加油量、泵的输送流量和循环率 U_S 之间的关系。

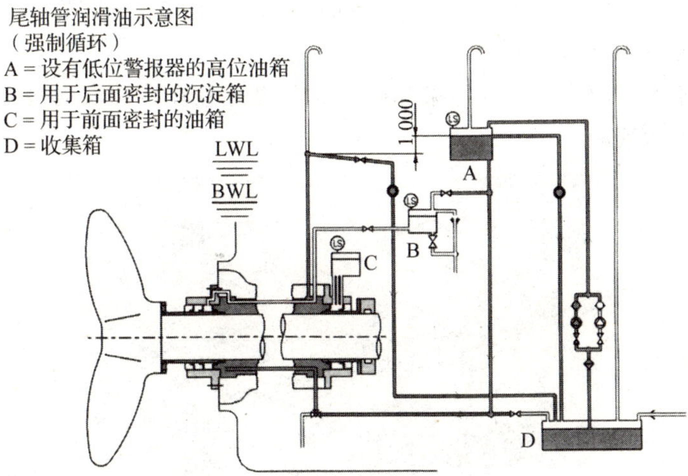

图 5.4.6 尾轴管润滑油系统(资料来源:蒂森克虏伯船用系统 Blohm + Voss 工业技术有限公司)

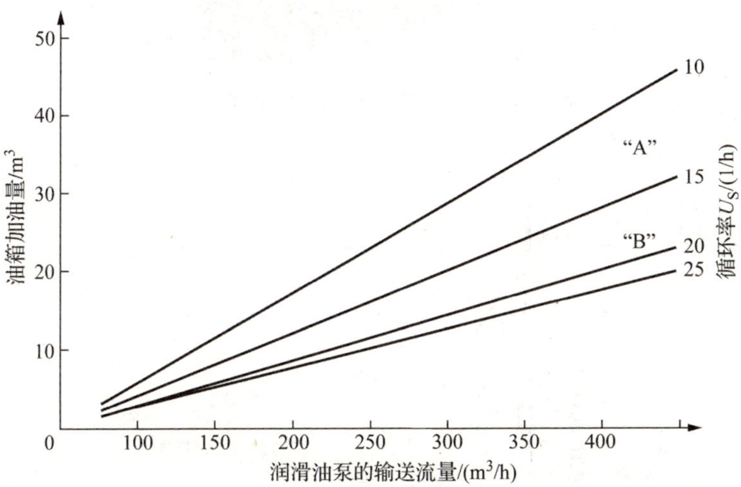

图 5.4.7 油箱中循环油的停留期限

对于柱塞式发动机或者带有油冷活塞的二冲程发动机,建议在循环油箱中油位高度为 80%的情况下加油量为 1.0～1.2 L/kW。循环次数应当位于 A 区。B 区适用于带有水冷活塞的发动机,C 区适用于如压缩机等的做功机械。

由于循环油箱中的油量太少,用于通过过滤器或分离器来分离溶解气体和去除杂质的时间就会减少。因此这里循环油的老化程度就会加剧。测量表明,循环次数提高 100％时油的污染则会增加 150％。由此在热的表面上有利于循环油的热分解和残渣的分离。

图 5.4.8 为由于油的高污染和高热流密度导致在柴油发动机喷油阀的冷却油管中形成残渣。

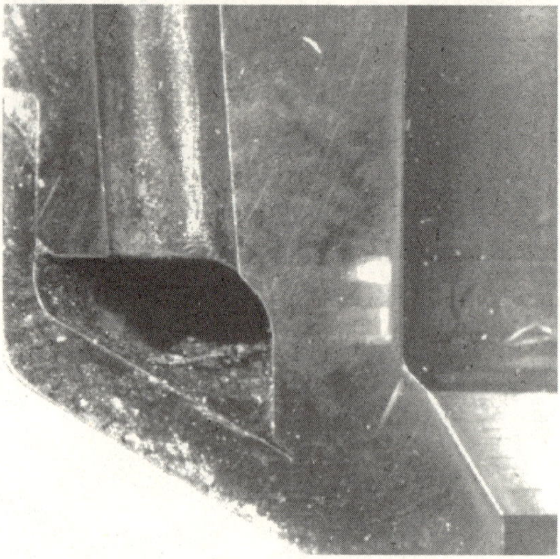

图 5.4.8　冷却槽中的沉积物

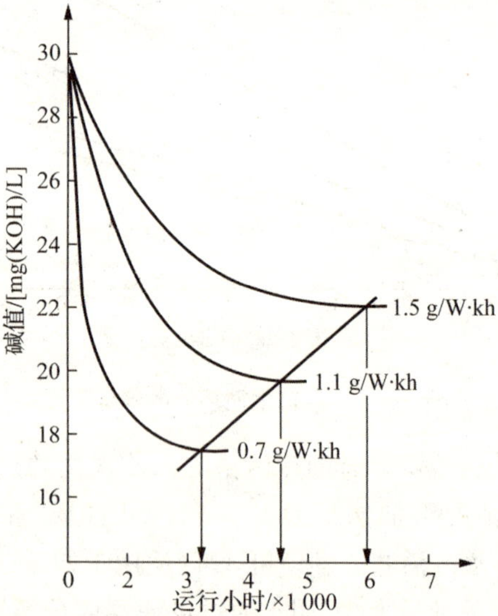

图 5.4.9　柱塞式发动机中碱值(BN)的下降

在缝隙中的残渣导致焊接连接失效并拆除盖罩。对于循环油，热流密度不应当超过每平方米受热面积大约 0.8 W/m^2。

中和能力的下降主要是通过油的消耗来决定的(见图 5.4.9)。对于利用重油运行的柱塞式发动机，循环油的中和值即碱值(BN)不应当下降到新油碱值(BN)的 60%以下。在中和能力过低的情况下，要么就应当换油，要么就更换大部分的油量。

5.5　冷却水系统

哈克·奥科·迪德里希斯(Hark Ocke Diederichs)，卡尔-海茵茨·霍赫豪斯(Karl-Heinz Hochhaus)
李树山　译

冷却水首要的功用是排放来自船舶内部的废热。此外，冷却水还用来分配船舶内部尚可利用的热量，例如用于生产淡水。从结构上来说，可以分为直接和间接冷却水系统。

对于直接冷却水系统，热源(冷却点)用海水来冷却。在简单设备上，为了改变体积流量，或者采用附加的海水泵或者将泵的压力管进行节流。始流温度的调节和旁路调节要求有调节技术方面的附加耗费。

对于始流温度的调节[见图 5.5.1(a)]，始流和回流通过设有一个温度调节式三通阀的管路连接在一起。两股水流就这样混合在一起，使得始流温度和体积流量保持不变。旁路调节[见图 5.5.1(b)]通过冷却点调节体积流量。在这种连接方式中，始流和回流之间的压力差几乎保持恒定，但是流向热源的体积流量不是保持不变的。

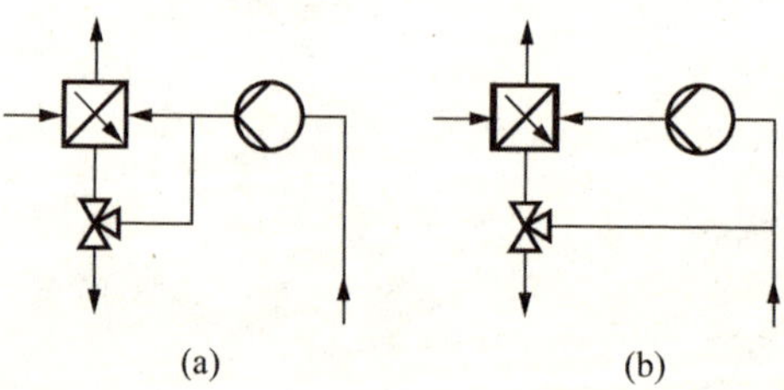

图 5.5.1　直接冷却水系统
(a) 始流温度调节　(b) 旁路调节

通过提高温度并改善与此相关的可更好利用热能的机会，直接冷却几乎完全被间接冷却水系统所排挤。对于间接冷却水系统，仅仅使用淡水来供应热源，这种淡水在一个或多个海水冲击的热交换器里被海水再次冷却。

冷却海水系统

除了废气热量和辐射热量外，利用冷却海水可以将不能再行利用的全部废热都排放出去。设计这种海水系统的依据是热量平衡，即在该平衡中不同运行状态下全部需排放的热流都被统计进来。这样就得出所需的冷却海水流量 $\dot{m}_{\mathrm{SW}}/(\mathrm{kg/s})$：

$$\dot{m}_{\mathrm{SW}} = \frac{\sum_{i=1}^{n} \dot{Q}_{v,i}}{c_{\mathrm{p,SW}} \cdot \Delta\vartheta} \tag{5.5.1}$$

其中，$\sum_{i=1}^{n} \dot{Q}_{v,i}$ 是所有同时排放的热流总和；$c_{\mathrm{p,SW}}$ 是海水的比热容，$\Delta\vartheta$ 是海水的加热温差。通常冷却水系统的入口温度被设计为 32℃，加热温差为10 ～15℃。

冷却海水系统主要用做泵系统(见图 5.5.2)。在船舶内部布置有一个或多个热交换器，并且通过船舶内部的一个管道系统由海水泵供给海水。泵的吸入管与两个海水吸入箱之间的连接管连接在一起。海水吸入箱的大小是这样计算确定的，即在一个打开的海水吸入箱中所有连接着的工作泵都可以用最大的输送功率来运行。如果有其他的工作泵例如压载水泵可以同时运行，那么在设计海水吸入箱时应当考虑到这一点，或者必须为这些系统设置自己的海水吸入箱。为了改变体积流量，原则上可以使用如直接冷却时同样的方法。

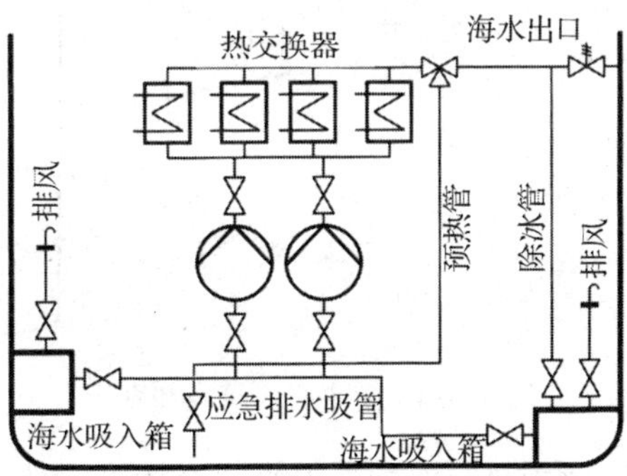

图 5.5.2 冷却海水系统示意图

对于泵系统可供选择应用的还有 SCOOP 系统、海水吸入箱冷却系统或壳体冷却水系统。

在 SCOOP 系统中(见图 5.5.3)，船舶内部有一条管道，其出口和入口与船

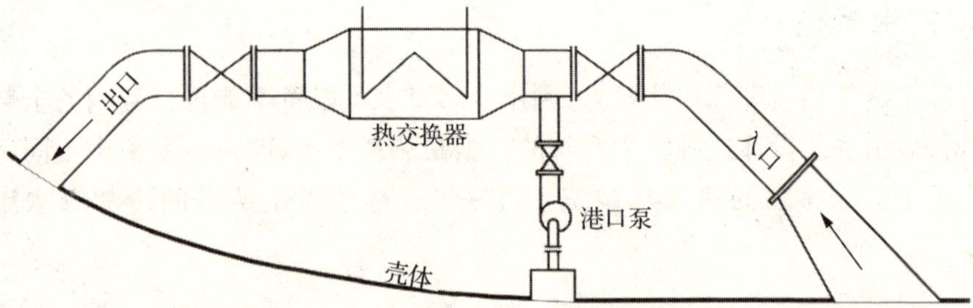

图 5.5.3　SCOOP 冷却海水系统

的壳体相连。通过船的环流在两个开口之间形成一个压力差，促使海水流过这条管道。在航行期间应从螺旋桨获取输送功率，船速很低或船舶处于静止状态时将接通港口泵。

在海水吸入箱冷却系统中（见图 5.5.4），热交换器设置在海水吸入箱内。海水吸入箱上设有两个开口，海水可以通过它们流入或流出。通过吸收热量在海水吸入箱内部的海水中形成一个密度差，促使海水流过海水吸入箱。

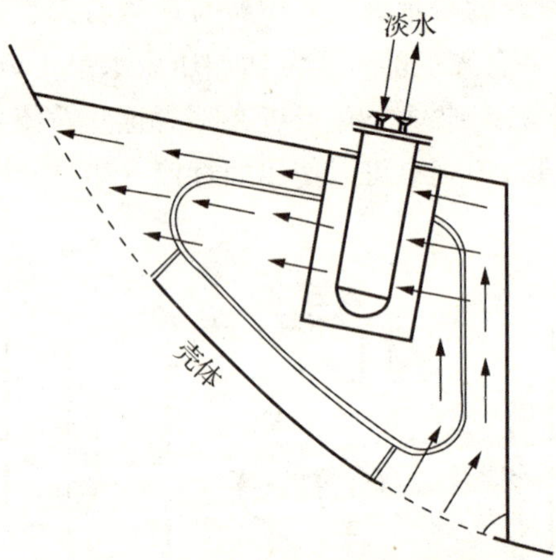

图 5.5.4　海水吸入箱冷却系统

在壳体冷却水系统中，热交换器管道直接布置在沿船体纵向的壳体上。在航行期间，海水环绕管道流动，热量通过强迫对流被传递。在船速较低或静止的情况下，强迫对流转变为自由对流。

这些选择式系统的优点是：对于 SCOOP 系统和壳体冷却水系统通过主机以有利的效率获取输送功率，而对于海水吸入箱冷却系统则通过待排放热量本身得到输送功率。缺点是在产生故障的情况下难以接近。

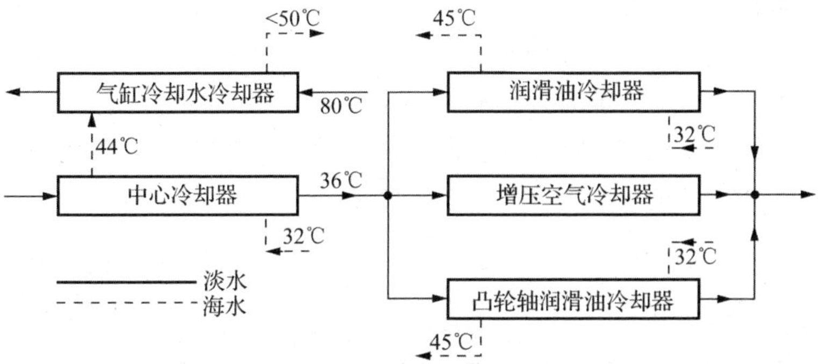

图 5.5.5 分散式冷却水系统

分散式冷却水系统

分散式冷却水系统是混合系统(见图 5.5.5)。一些热源例如凸轮轴润滑油和发动机润滑油直接获得海水供给,其他热源如增压空气和发动机气缸获得淡水供给,而淡水在海水冲击的热交换器里得到循环冷却。

这些单一热源经海水或淡水流过。这里通过相应的温度水平以及热量来确定连接方式:并行的或串联的。

在不同的工作状态下,体积流量的变化通常出现在排放热量的一侧。因此海水系统可以作为简单的流量系统而无需特别的调节来执行。在此过程中热源的连接方式可这样选取,即海水温度不超过 50℃ 。

分散式冷却水系统的主要优点是单一热源的温度调节比较简单。通过单一的、相互间没有关联的调节回路,在很大程度上排除了通过循环冷却产生的干扰。不过缺点是这种海水系统规模大、养护费用高。

集中式冷却水系统

在集中式冷却水系统中,为了供给热源仅使用温度可以调节的淡水。鉴于连接方式不同,有 3 种方案可供使用。

在第一种方案中(见图 5.5.6),热源根据其温度水平连接到低温或高温淡水循环系统上。这两个淡水循环系统相互分离并配备有各自的集中冷却器。

由于低温系统承担了海水的任务,因此海水冷却系统通常作为简单的水泵系统来执行,其流向集中冷却器的体积流量尽可能保持恒定。

在低温系统中,热源根据温度水平不同和热能不同进行并行或串联布置。

平衡水箱的回流管与泵的吸入管连接在一起。由此吸入管中的压力与泵的输送功率无关，相应于水箱的设置高度 H（见图 5.5.7）保持不变（恒压点）。

高温系统与低温系统的构造相同，为较高温度水平的热源供应冷却水。它们是主机气缸和主机增压空气冷却装置的第一级，只要增压空气冷却系统设计成两级或多级的即可。辅助柴油一般是通过低温系统供给的。

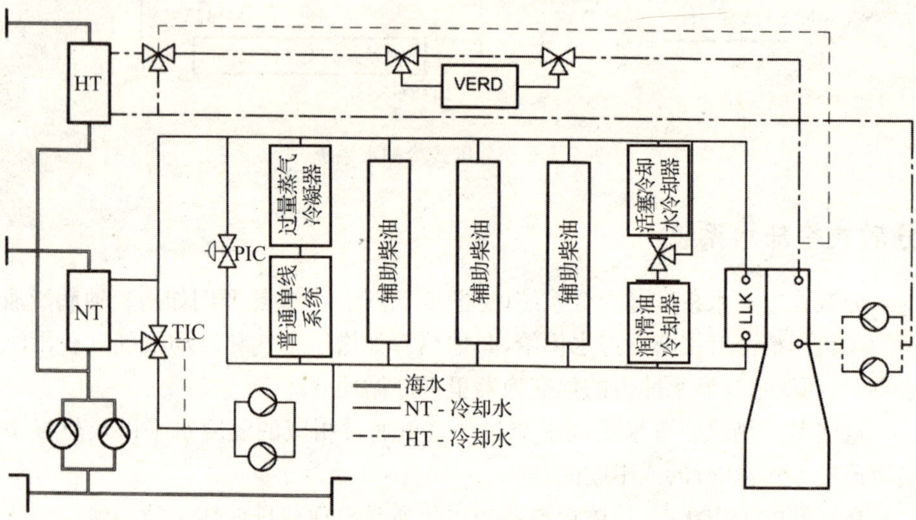

图 5.5.6　设有两个集中冷却器的集中冷却水系统

有待输出的热量可以用于加热目的，例如淡水生产和燃料箱的加热。通过在通往集中冷却器的始流管中设置热交换器，使得这些热能被分离出来。

在第二种方案中，低温系统（见图 5.5.8）中布置有高温循环水冷却器，这样只需要一个用海水冲击的集中冷却器。

这种方案的优点是可以简化需要高强度维护的海水系统。缺点是低温系统的耦合程度较高和在高温系统中循环水量较低。通过较高程度的耦合，调控回路之间的相互影响机遇增大，而同时通过减少水量其蓄热容量下降，在功率变化的情况下温度反映较快。

在第三种方案中，低温系统直接和高温系统连接在一起（见图 5.5.9）。为了高温系统的始流，两个系统的回流均通过一个温度调节阀混合在一起。

在这种连接的方式中，可以分离出来较多热量用于加热，因为两个回流的温度差值作为有效的温度降来使用。缺点是蓄热容量急剧减少。

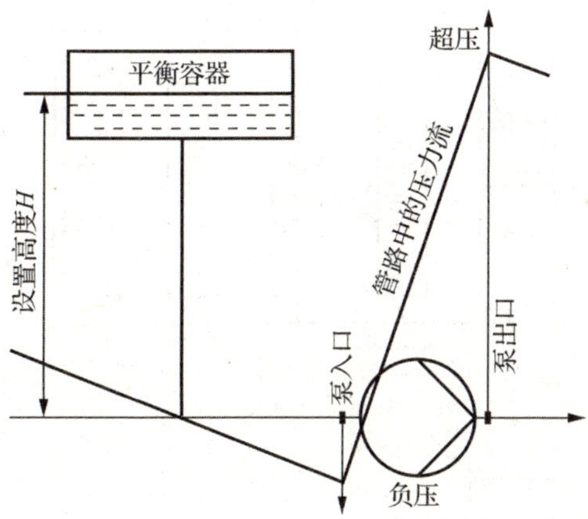

图 5.5.7 恒压点

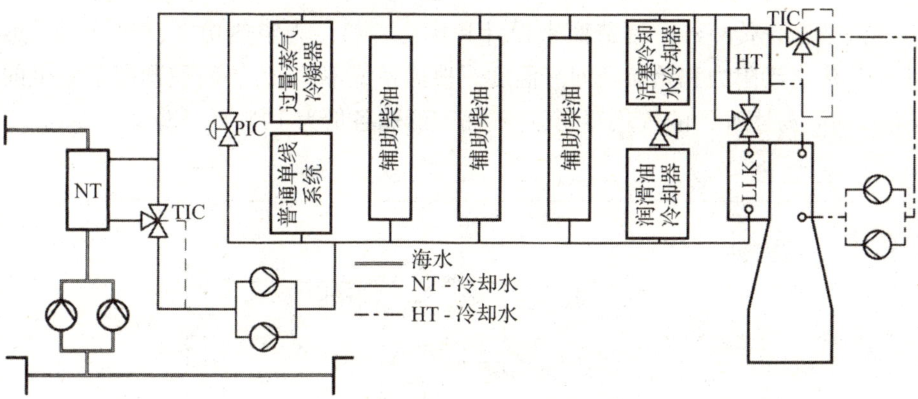

图 5.5.8 设有一个集中冷却器的集中冷却水系统

设计

设计系统元器件即泵、热交换器和管路的依据是各种单一热源的热平衡。图 5.5.10 表示额定功率为 6 000 kW 的柴油发动机高温和低温系统的热平衡。

利用热平衡来确定通过高温和低温系统进行排放的热功率。根据这些热功率，可通过下式确定各量值：

$$\dot{Q}=k\cdot A_{\mathrm{K}}\cdot\Delta\vartheta_{\mathrm{m}}=\dot{m}_{\mathrm{w}}\cdot c_{p}\cdot(T_{\mathrm{A}}-T_{\mathrm{E}}) \tag{5.5.2}$$

式中，$\dot{m}_{\mathrm{w}}$ 为设计管路和水泵用的质量流量；A_{K} 为传热器所需的冷却面积，$(T_{\mathrm{A}}-T_{\mathrm{E}})$ 为温度差。

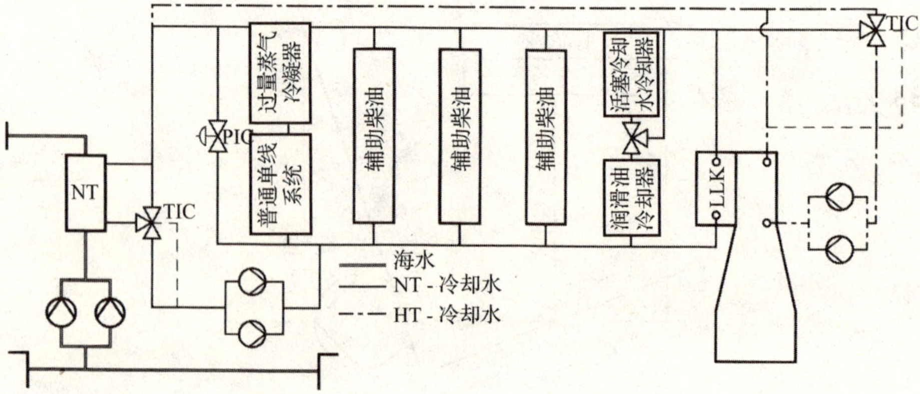

图 5.5.9　单回路集中冷却水系统

一般来说传热器由制造商来设计和优化。船厂规定热功率、质量流量、最大允许流通动阻力和始流及回流温度。根据系统不同，传热面积预留了一定的储备，对于海水冲击的传热器，其传热面积的储备量为 10%～15%。

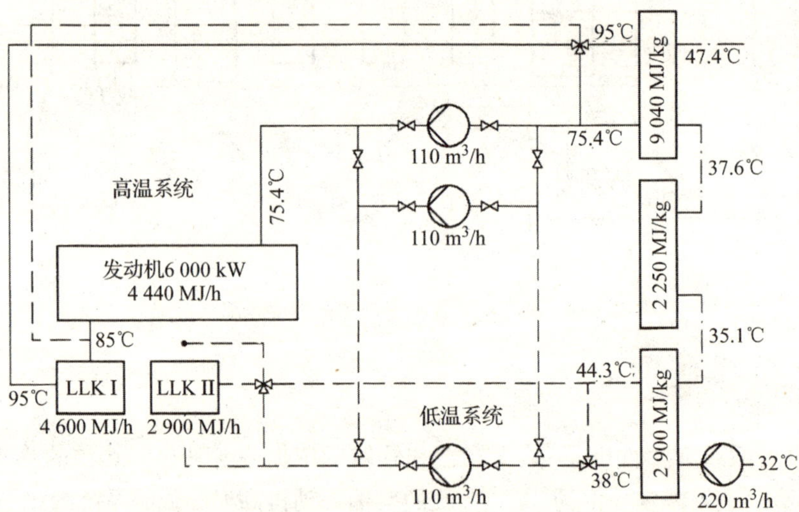

图 5.5.10　在额定功率下柴油发动机的热平衡

调节

调节的功用是调整系统中的体积流量，以使在运行状态(功率)改变或运行条件(吃水深度、环境温度、海水温度)改变的情况下,加热或冷却的温度差 $T_A - T_E$或者始流温度 T_E或者回流温度 T_A保持恒定。

原则上有下列方法用于调节操作(参见 1.9 节):

- 提高设备阻力——节流;
- 开关泵——并行运行或串联运行;
- 旁路或者分流调节;
- 转速调节;
- 工作叶片即节数调整(对于螺旋桨泵):
- 螺旋桨泵的再旋转调节;
- 离心泵预旋流调节。

海水

通过调节可以确保系统内部的海水温度不超过 50℃,以避免溶解的矿物质析出并附着在冷却表面上。

现已使用的有各种泵设备,其中有半轴向叶轮离心泵。这种类型的泵具有有利的特性曲线和有利的功率变化特征。在负载状态下出现工作点 A,随着不断下降的吃水深度工作点 A 朝向工作点 B 移动(见图 5.5.11)。如果在吃水深度变化或在海水温度上升的情况下需要一个较大的体积流量,那么:

- 将开启另一台泵,并出现工作点 A''或 B'';
- 转速将被提高,并出现工作点 A'或 B'。

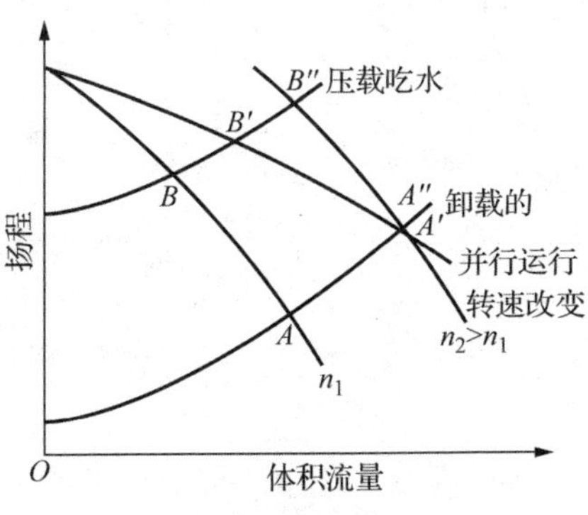

图 5.5.11　设有并行连接方式和转速分级的海水系统特性曲线

并行连接方式主要用在吃水深度变化很小的船上,但是随着船舶速度的变化其功率需要量大幅度上升,例如集装箱船。在吃水深度差距很大、功率需要量增长较小的船舶(例如油船)上,优先利用转速提高的情形。如果所使用的泵的特征曲线走向陡变(SCOOP 系统中的螺旋桨泵),那么当转速不变时在一个较大的运行范围内可以输送几乎恒定的体积流量,设备可以按照最高的海水温度来设计,而且当温度不断降低时泵的入流温度通过回流管保持恒定。

低温系统

在低温系统中,通过连接至集中冷却器旁路中的温度调节阀(TIC)而使始流温度保持恒定,与所连接的热源无关。同时通过连接至消耗设备的调节式旁路(PIC)而使始流压力保持恒定,与所连接的消耗设备无关(见图 5.5.12)。

通过关闭设备中单一的消耗设备,设备的特征曲线向左移,而在同时打开压力调节阀的情况下该特征曲线向右移。在压力恒定的情况下,体积流量 $V_{调节器}$(点 C)和 $V_{设备}$(点 B)给出全连接方式下的工作点 A,其体积流量为 $V_{总}$,它与所连接的消耗设备数量无关,保持不变。

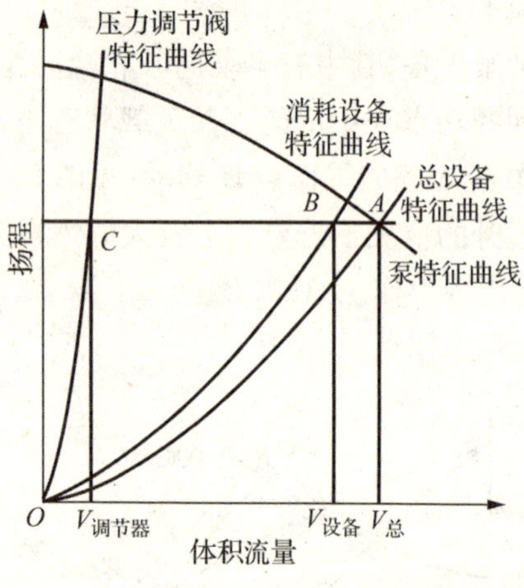

图 5.5.12　恒定压力调节

高温系统

由于较高的温度水平,在高温系统中一般通过三通阀(TIC)来调节,使得出口温度与运行状态无关而保持恒定。由此避免在系统内部超过沸点温度。

由于高温系统相互连接的程度大多较低,一般情况下无需进行压力调节。由热交换器和旁路所产生的可能不同的流通阻力在调节阀设计和液压适配时给予考虑。

故障

不考虑海水冲击的热交换器的污染，冷却水系统在一般情况下是无故障的。

如果热量例如为了在蒸发器中生产淡水而被分离出来，则应当注意高温系统中温度调节器的工作点因此发生位移。只允许分离这样多的热量，以使调节器还在线性区域内工作，否则由于调节回路的不稳定通过调节器振动就会出现温度波动。

这些振动通过水泵转轮的磨损也会出现，因为通过预压力的变化系统内部压力情况也会发生变化。

在单回路集中冷却水系统中，发动机功率发生快速又较大的变化时，由于热能储存量较少会出现温度波动。在此类情况下，有必要检查和修正调节器的设置数据。

5.6　燃油系统

哈克·奥科·迪德里希斯(Hark Ocke Diederichs)
李树山　译

一艘船舶的燃油系统包括储备储存、燃油处理和供给系统。

5.6.1　需求与储存

为了满足能源需求，船舶必须配备燃料。在航行开始之前的航线规划中，可借助下述关系式计算出所需要的燃料用量。

$$B_T = \frac{b_e \cdot P_e \cdot S}{v_S} = b_e \cdot P_e \cdot t \tag{5.6.1}$$

其中，B_T 为航行所需的燃料用量/kg；S 为航行距离/nm；b_e 为发动机单位燃料消耗量/(kg/kW · h)；P_e 为必要的驱动功率/kW；v_S 为所派配的船速/(nm/h)。

必要的说明可以从随船记录文献中获得。

按照比例关系 $P_e \approx v_S^m$，下述关系式适用于相同阻力下的两种不同速度：

$$\frac{B_1}{B_2} = \frac{b_{e1}}{b_{e2}} \cdot \left(\frac{v_{S1}}{v_{S2}}\right)^{(m-1)} \tag{5.6.2}$$

其中，m 为船速指数，还与船舶吃水深度有关。

辅助示意图被证实有助于确定在考虑到相应吃水深度时所需的燃料消耗量。在这些辅助示意图中，燃料消耗量 B/(kg/nm) 为船速 v_S/kn 和吃水深度(已卸载、压载)的函数(见图 5.6.1)。

全部的燃料储备均存放在油箱里，它们被布置在双层底舱里或者作为高位油箱放置在双层底上方。根据 SOLAS，必须在油箱里存放最少量的燃料，这在发生搁浅或碰撞时并不会直接受到危害。通常情况下，存储油箱配备有一个组合式溢流管和通风管，通往溢流油箱中。只有溢流油箱还设有一个连接大气的通风口。溢流油箱中的液位被连续监测并与报警系统相连接。

液位测量大多使用压电电阻性传感器，即把压力信号转化为 4～20 mA 的

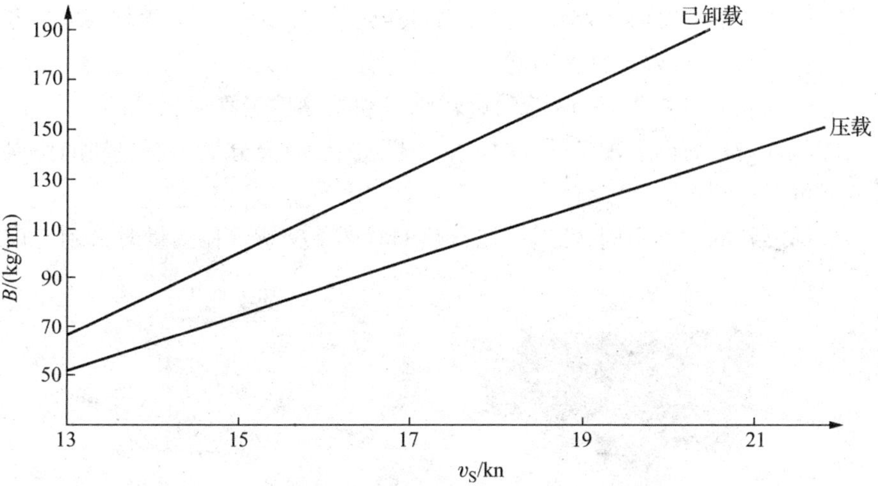

图 5.6.1 用于测定所需燃料的辅助示意图

电信号。根据修正曲线,由计算机把电信号换算成实际的油箱加油情况。由于传感器校正曲线的起始点取决于传感器与油箱底部的距离,因此在油箱加油的说明中不能排除误差的存在。与油箱测量装置无关,每个油箱还配备一个测深管,以便能够人工确定液位高度。

图 5.6.2 为船舶燃料接收和存储系统图,设置有 IF-MDO 燃料接收站以及输送泵。

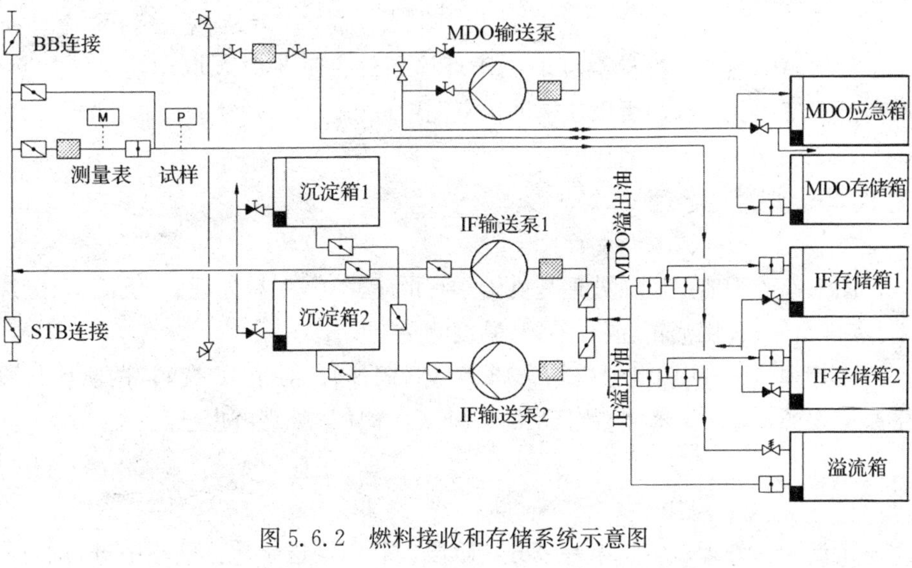

图 5.6.2 燃料接收和存储系统示意图

在一些船舶的接收管路中设置测量表以及取样机。在体积流量测量方法中，使用叶轮式计数器或椭圆齿轮计数器（见图 5.6.3）。

对于叶轮式计数器，其叶轮的旋转轴必须始终位于管道轴线的下方，以便测量腔是针对重力向上加满的，这样由于测量腔没有充分加满而出现的错误测量值就可以得到排除。

根据燃料的种类不同，燃料可以在热的状态下交货。在测量时必须考虑到这一点（参见 1.16 节）。

(a) (b)

图 5.6.3 体积流量测量仪

(a) 叶轮式测量表 (b) 椭圆齿轮计数器

存储箱中燃料的存储温度取决于环境条件。IF 燃料在取用前必须加热。所需的温度（泵的界限）可以从辅助示意图中取得。

5.6.2 燃料处理

图 5.6.4 为船舶燃料处理与供给系统的示意图，配有处理链（沉淀箱、分离器）和供给链（日用油箱、混合油箱、黏度测量）。

在处理链中，从燃料中去除杂质（液体、固体）。对于 IF 燃料，两阶段处理链是必要的，而对于蒸馏燃料（MDO、MGO）单阶段处理链也已足够。

IF 燃料

沉淀箱在处理链中是第一级分离阶段。利用输送泵从存储箱中进行加料。

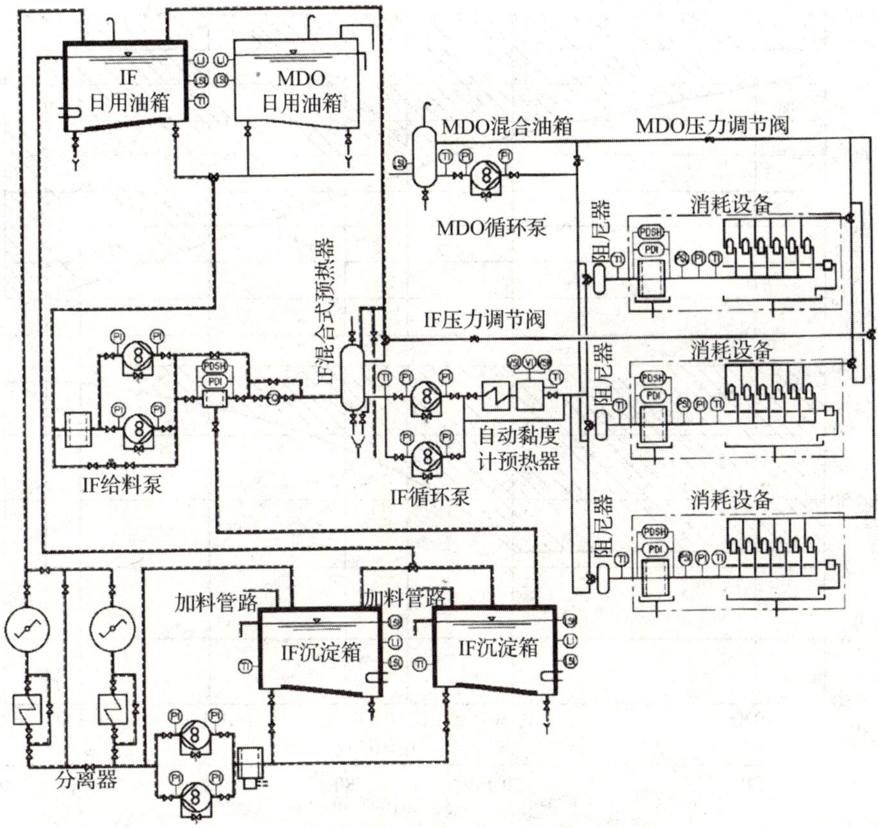

图 5.6.4 燃料处理与供给系统示意图

通过把箱中的燃料从泵送温度(约 40℃)加热到 70～80℃,燃料和杂质之间的密度差得到扩大,这样通过利用重力作用就可以分离杂质。分离和沉淀的杂质通过排水和排泥管路去除。

原则上应当:

- 选取尽可能高的油箱温度;
- 使沉淀箱中的停留时间尽可能的长;
- 总是断续操作排空管路,以便其余的沉淀物质能够流向排空处。

第二级清洗阶段通常使用分离器。根据黏度不同,燃料在进入分离器之前被加热到最高 98℃。经清洁处理的燃料被输送到日间油箱。为了获得良好的分离结果,分离器的输出功率应当略大于所有连接的消耗设备(见图 5.6.5)的实际需要量。多余的量则通过日用油箱的溢流管被送回到沉淀箱中。

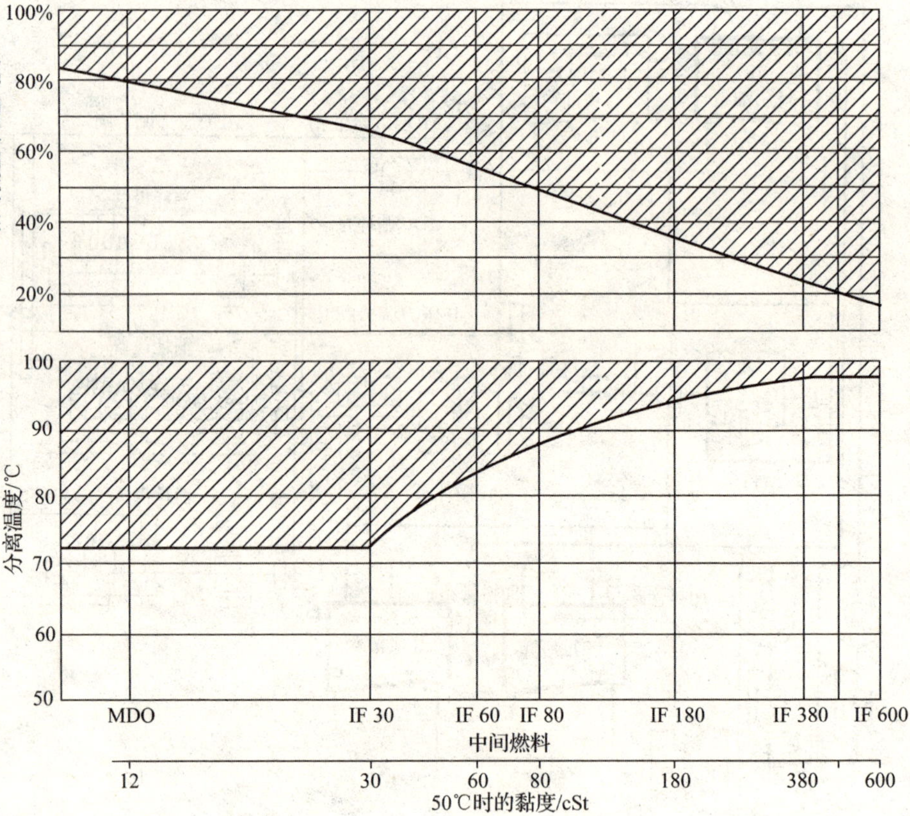

图 5.6.5　用于分离燃料的建议性设置数据

给料泵把燃料从日用油箱通过一个精细过滤器和一个消耗量测量装置输送到混合油箱中。输送流量是所有连接的消耗设备在额定功率时所需的体积流量的约 120%～150%。多余的体积流量在消耗量测量装置前通过一个恒压调节阀被送回到泵的吸入侧。在混合油箱中，来自日用油箱的较冷的燃料和发动机的热回流混合在一起。混合温度取决于日用油箱中的燃料温度和发动机的回流油量。气体或蒸汽则通过一个混合油箱的排气管中的浮标控制阀被送回至日用油箱。通常容器容量是这样确定的，即它的存储量可以满足约 5～7min 内供应所有连接消耗设备的需求量即可。混合管中的预压力位于 4～6 bar 之间，以便避免形成气体和气泡。

循环泵把混合油箱中的燃料通过一个终端预热器和一个黏度测量装置输送到发动机的喷油泵里。多余的燃料则通过压力调节阀被送回到混合油箱中。

根据发动机生产商不同，泵的输出功率位于所连接的消耗设备在额定功率时所需的体积流量的 300%～600%之间。根据发动机类型，预压力在 6～14 bar 之间是可行的。

用不同燃料质量运行的设备(发动机或锅炉)应当配备黏度调节装置。燃料的黏度需要持续检测(见图 5.6.6)，而且终端预热器的热功率的调节应使得黏度保持恒定不变，与燃料质量无关。

通过电磁离合器，由电动机来驱动恒定体积流量泵。该泵从主体流量中吸入少量的恒定流量 $\dot{V}_M$，并迫使其流过直径为 D 的测量管(毛细管)。根据 Hagen-Poiseuille，毛细管尺寸(直径 D、长度 L)、液体黏度 η、体积流量和压力差 Δp_V 之间的关系式如下：

$$\dot{V}_M=\frac{\pi \cdot D^4 \cdot \Delta p_V}{128 \cdot \eta \cdot L} \approx C_M \cdot \frac{\Delta p_V}{\eta} \tag{5.6.3}$$

在体积流量恒定的情况下，两个测量压力接头之间的压力差与液体的黏度成反比。由于电力驱动马达的转速取决于船上电网的频率，因此在设置额定值时应当考虑到这一点。

原则上日用油箱中燃料的温度应当是这样设置的，即在终端预热器上热流密度不超过约 1 W/cm² 加热面积。

MDO 燃料

蒸馏燃料(MDO、MGO)一般均为洁净燃料。因此，燃料直接通过分离器从存储箱被输送到日用油箱。然后燃料从这里通过重力流向位于深处的混合油箱。

循环泵的输送功率位于所连接的消耗设备在额定功率时所需的体积流量的 200%～300%之间，它把燃料通过一根环形管路压到所连接的消耗设备上。环形管路里的预压力则通过恒压阀保持恒定，约为 3 bar。

循环泵的大输出流量和较高的预压力是必需的，为的是：

- 排放因喷油泵的损失功率而产生的热量；
- 在极为短暂的可供使用的时间内确保能够完全加满喷油泵的压缩室。

为了避免喷油泵出现不允许的受热以及发动机内部不同的气缸功率，既不允许循环泵的输出功率也不允许喷油泵上的预压力因受污染的过滤器或其他的节流位置而被降低。

由于周期性地获取燃料，质量流量会出现波动，这在压力波动中可以明显地看出来。为了限定压力波动幅度，就使用阻尼器。主要使用的是设有气压弹

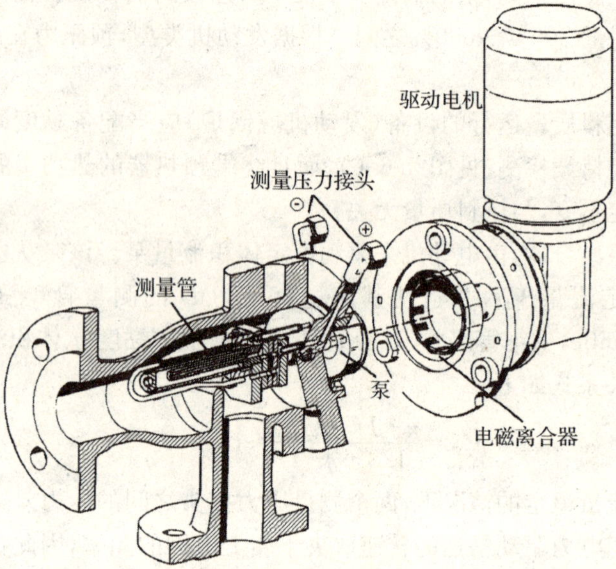

图 5.6.6　黏度测量装置

簧或螺旋弹簧的膜式阻尼器(见图 5.6.7)。

一种在整个圆周上与容器壁固定相连的滚动薄膜,与外壳壁一起构成一个封闭的体积。根据所期待的工作压力不同,该体积由气体质量

$$m=\frac{p \cdot V}{R \cdot T}$$

来充满。如果在燃料管中外部压力上升,气体体积会变小,而且燃料会流入阻尼器外壳内,在压力下降的情况下燃料又重新流出。在循环泵均匀的输出流量时,通过阻尼器上摆动的质量流使质量流量的波动在喷油泵的始流中得到补偿。

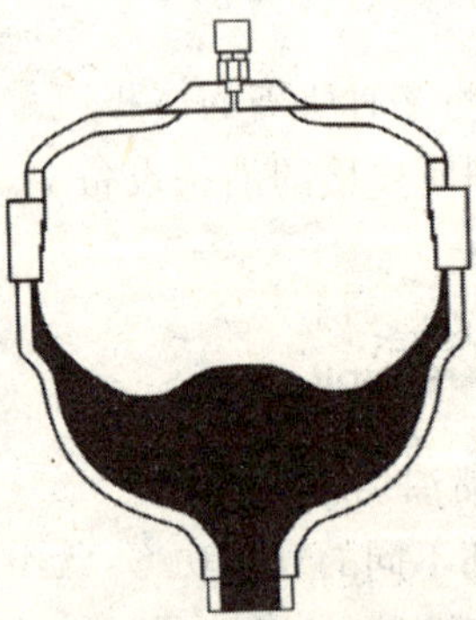

图 5.6.7　设有气压的薄膜式阻尼器

气压阻尼器的缺点是温度对运转特性产生影响。在气体腔里压力随温度的上升而上升。对于保持同等水平的外部压力波动情况,气体体积的同等变化不再可供利用,以至于阻尼器的效果变得微弱。因此,在外部压力波动较大和运行温度较高的情况下,优先使用设有螺旋弹簧的阻尼器。

5.7 液压系统

哈克·奥科·迪德里希斯(Hark Ocke Diederichs)
李树山 译

液压系统原则上由压力油发生器、控制装置和压力油消耗设备(见图5.7.1)构成。为了传递力与运动,优先使用液压系统。

在一台泵中,输入的机械能被转化成压力能,并馈送入管路系统。控制或调节装置的功用是把压力油流量导入到压力油消耗设备中。气缸或发动机则把输入的压力能转换成一种力或力矩。

这些系统被设计成开放式或封闭式循环回路。在封闭式循环系统中,油从消耗设备处直接又流回到压力发生器。为了排放损耗热,回流中的部分油被引导通过一个油冷却器。在开放式系统中,油从消耗设备处首先流向收集箱,而压力发生器又从收集箱中吸取油。为了排放损耗热,一般情况下在收集箱中布置一个油冷却器。

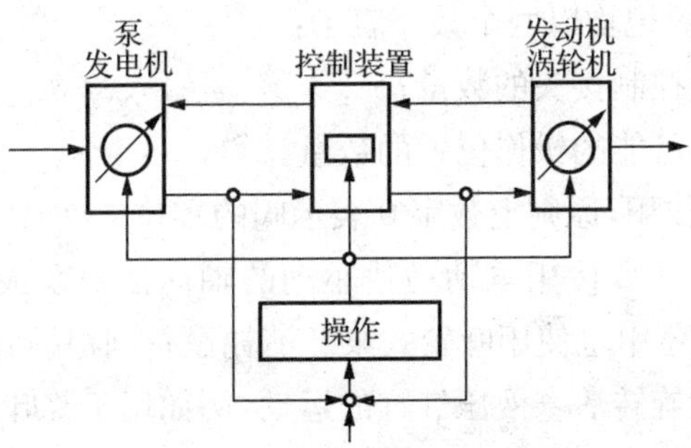

图 5.7.1 液压传动系统示意图

控制装置由控制部分和工作部分构成(见图 5.7.2)。在控制部分里,信号发生器(按钮)和控制部件(阀)汇总在一条链上。工作部分则由执行部件(换向阀)和工作气缸(电动机)组成。

根据结构和作用方式,原则上将控制部件和执行部件中的各种阀划分为4组:

- 压力阀——主要决定油压，用来调节力的大小；
- 截止阀——确定流向，用来调节运动；
- 流动或流量阀——确定油流量，用来调节速度；
- 换向阀——确定油流的路径，用来控制方向。

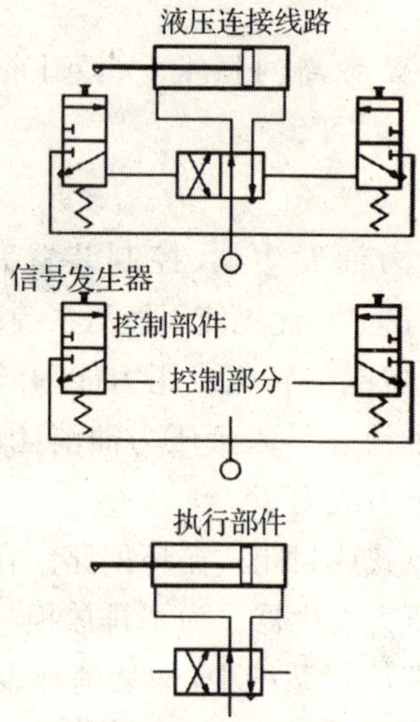

图 5.7.2　控制链的结构

各种阀的特征标记均以两个数字表示：

- 第一个数字说明控制接头的数量；
- 第二个数字说明可能的操作位置的数量。

如果没有调节力起作用，原则上数字 0 表示阀的零位。

为了产生油压，主要使用电动马达驱动的轴向活塞泵或径向活塞泵（参见 1.9 节）。在低压设备中也使用叶轮式泵。消耗设备则根据其功用而被用于：

- 传递线性活塞或旋转活塞液压气缸的运动，例如用于桨叶的运动；
- 传递液压马达的功率，例如用于驱动卷扬机和起重机的静水压变速箱。

泵侧的控制称之为初始控制（见图 5.7.3）。在转速保持不变的情况下，通过泵的调节使流向和输送量发生无级变化。如果在一个较大的转速范围内有必要保持恒定的力矩，例如在起重机或舵机中，则使用这种控制。

采用二级控制的电动机是无级调节的，而在转速恒定时泵产生恒定的压力。如果随着转速的下降力矩必须上升，例如在卷扬机上，则使用这种控制。

图 5.7.4 所示为二级控制作用原理。滑片泵（恒定偏心率 $+e$）输送一个恒

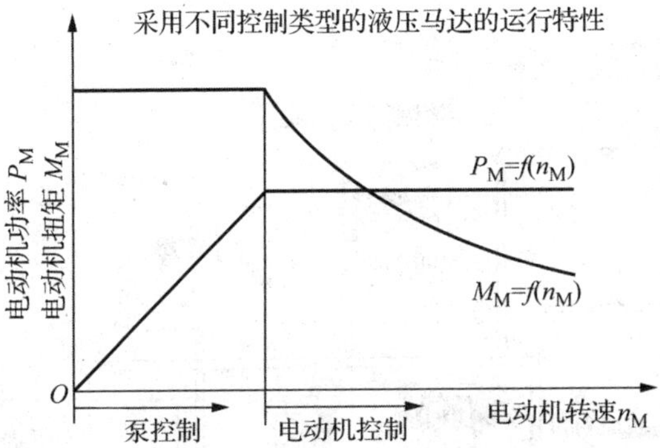

图 5.7.3 控制类型

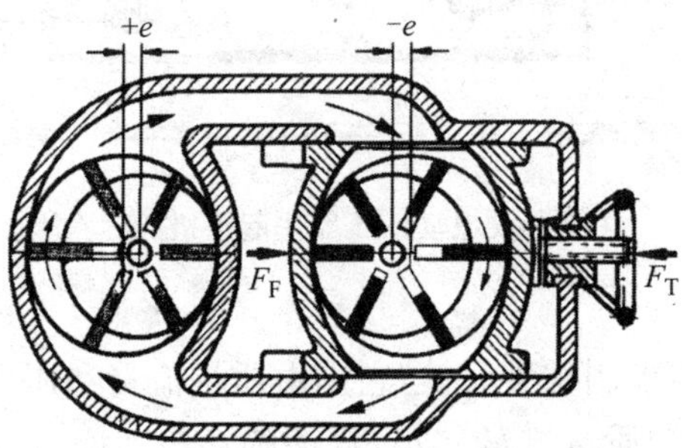

图 5.7.4 二级控制作用原理

定的体积流量。在电动机的偏心率为负值$-e$时,电动机按照与泵相同的旋转方向旋转。如果电动机的偏心率从$-e$经过零位调整到$+e$的位置,电动机的旋转方向发生改变。

电动机的旋转方向通过偏心率的符号确定,而电动机的转速则通过偏心率的数值确定。在泵轴的弹簧式轴承上,偏心率由力F_T(恒定牵引绞车)来确定。

图 5.7.5 为静水压驱动单元,它以泵控制机构来驱动船用吊车。

操纵杆的运动以机械方式传递到比例阀上,用以调整输送流量。通过比例阀的位移,以油量冲击泵的从动缸,并调节泵的摆动盘。泵的摆动盘与操纵杆旋转点以机械方式连接在一起(反馈)。摆动过程持续进行下去,直到比例阀通过反馈再次达到零点为止。通过泵的倾斜位置,输送压力油到电动机。在电动机里,压力油冲击活塞,于是产生一个力,它通过斜盘转换为力矩。

为了排放来自封闭系统的损耗热,通过管路把一部分油输送到油冷却器。其数量由内压和扼流圈决定。冷却油流入收集箱。加油泵从箱中吸入冷却油

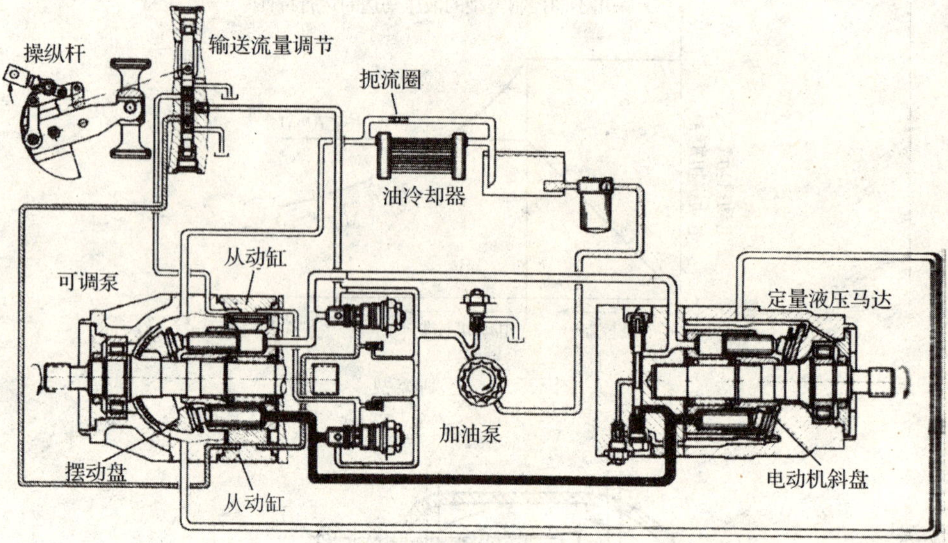

图 5.7.5　用于驱动电动液压船用起重机的静水压驱动装置

并再次馈送入系统中。

可传递的功率与控制类型无关，它是由质量流量和压力差的积决定的。随着油压的增加，环绕的质量流量变小，且油的环绕速度也加大以及油的机械和热负荷也增加。随着系统压力的上升，对所使用的液压用油的要求也提高。

一般将矿物油精制品用做液压用油，通过加入添加剂和抑制剂来调整其使用目的。温度为 50℃时，黏度应在 25～49 mm^2/s 范围内。

为了评价一种液体是否适合用做压力液体，如密度、可压缩性、黏度、着火点和凝固点的一般性说明通常还是不够的。在德国机械设备制造协会（VDMA）的会刊 24317 号和 24318 号中以及在标准会刊 51524 号和 51525 号中，对一般液压油的特性进行了描述，并根据其特性对于不同的使用目的进行了划分。

5.8 压载系统

哈克·奥科·迪德里希斯(Hark Ocke Diederichs)
李树山 译

5.8.1 功用

压载系统由水舱构成，它们沿着船长方向分布在双层底、侧壁或主甲板的下方。通过加满或排空水舱来调整吃水深度、船体横倾或纵倾平衡，使船舶保持稳定的漂浮状态。

5.8.2 概念与名称

管路的直径以及泵的输送功率仅由速度来确定，借助速度可以改变船舶的漂浮状态——通过船舶加载或卸载或者由于吃水线以下船体损坏而进水。

通常把设有管路和泵的水舱称为压载设备，水舱灌满或排空海水，用以改变船舶的总体质量及其吃水深度。

在船体横摇平衡设备中，压载水仅在船体内部用泵循环输送，从而平衡船体的横倾或纵倾状态，例如集装箱船的货舱设有筒形集装箱隔舱(见图5.8.1)。

横贯注水装置与倾斜平衡设备的构造类似。但横贯注水装置必须这样确定尺寸，即在漏损状态下确保15min内保持横倾平衡。图5.8.2为设有压载水舱的滚装船的压载断面示意图，以字母WB表示，而横摇平衡设备则以“HEELING TK”表示。压载设备同时可用做横贯注水装置。

5.8.3 所使用的设备

按照连接方式，压载系统分为两种类型，即直接连接管路系统和集中管路系统。通常情况下采用较为简单的集中管路系统，如图5.8.2所示。这里的主

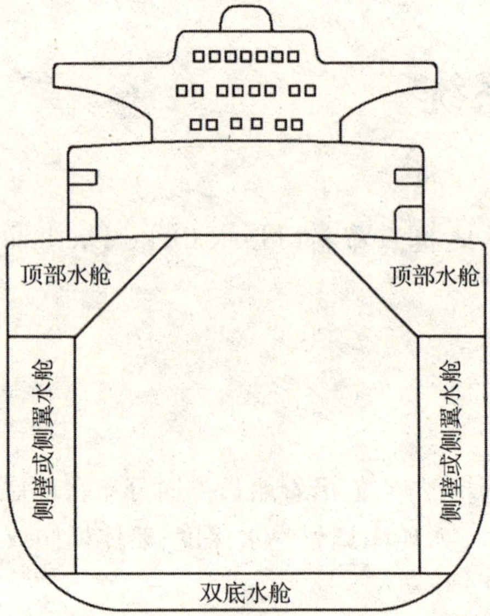

图5.8.1　压载水舱的布置

管路敷设在船舶的管道涵洞里。

在渡船上，特别是火车渡船，其横摇平衡设备必须有能力在短时间内用泵循环输送大量的水，但是泵的扬程相对较小。根据所需的输送功率，该设备有两种类型。

对于涵洞设备(见图5.8.3)，则在两个侧壁水舱之间设计有连接管路，其直径足够大，足以使管线泵能够安装在管道涵洞里。优先使用螺旋桨泵，在两个电动机的末端装备有固定的螺旋桨轮[见图5.8.4(a)]。为了改变输送流量的方向，发动机的旋转方向必须改变。

为了减少输送流量改变方向的持续时间，则使用可调距螺旋桨泵，这种泵配备有可调螺距螺旋桨轮，其电动机保持方向不变[见图5.8.4(b)]。

通风设备与涵洞设备结构类似。两个侧壁水舱通过一个截面较大的涵洞相互连接在一起。通过通风机(见图5.8.5)将空气从一个水舱中吸出，并被输送到另外一个水舱。由于较大的表面积，在鼓风机或空气压缩机输送压力较小的情况下产生了较大的力，它在非常短的时间内通过连接管路把水压入另外一个水舱。在鼓风机或空气压缩机旋转方向相同时，输送流量的方向由一个简单的四通阀来改变。

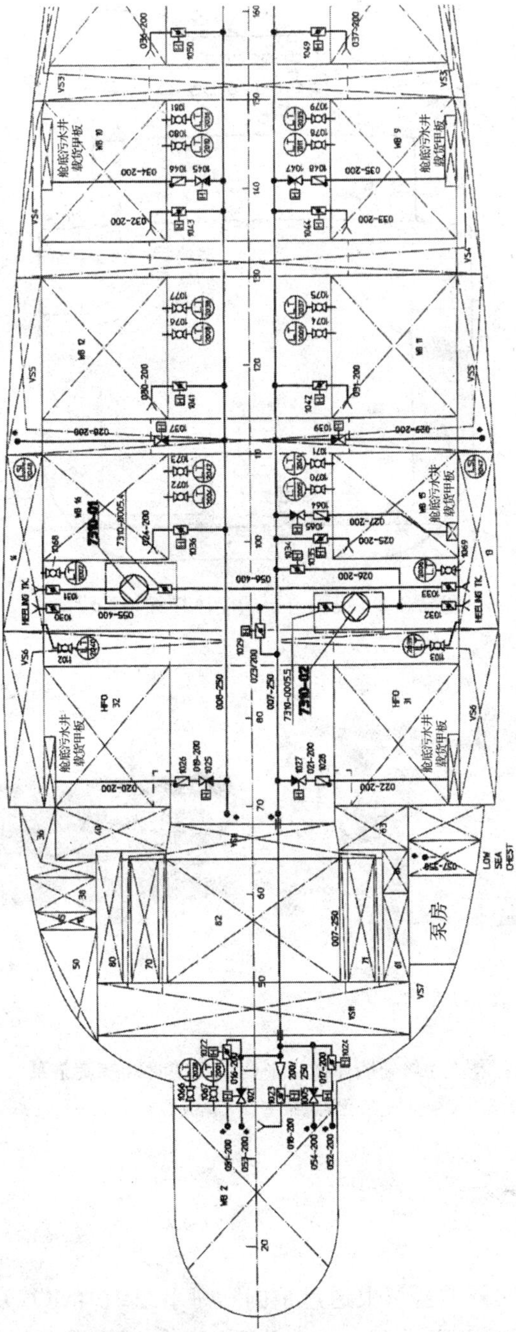

图 5.8.2 滚装船的压载设备、横摇平衡设备与横贯注水装置

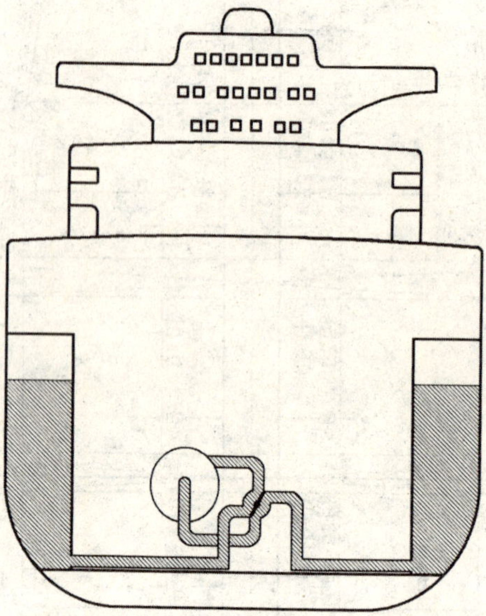

图 5.8.3　设置有泵的船体横摇平衡设备

(a)　　　　　　　　　　(b)

图 5.8.4　船体横摇平衡设备的管线螺旋桨泵

(a) 两级螺旋桨泵——定距螺旋桨　(b) 单级螺旋桨泵——可调距螺旋桨

5.8.4　规范

2004 年在一次外交会议上通过了国际海事组织(IMO)关于检查与管理压载水与压载沉淀物的国际公约。该公约适用于一切携带压载水的船舶。

对于压载水的管理有 3 种基本方法：

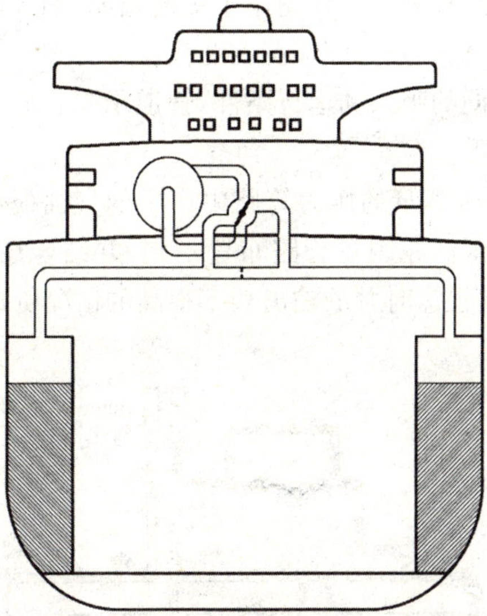

图 5.8.5　设有空气压缩机的横摇平衡设备

• 水交换法；
• 水处理法；
• 再分配法。

(1) 在水交换法中，或者把水完全抽走并随后重新注满(序贯法)，或者持续不断地更新水(直流法)。

(2) 在序贯法中，水舱完全排空并重新注满。由于因此改变了船舶的负载状态，这种方法是很成问题的。

(3) 在直流法或溢流法中，水通过水箱抽送到溢流管中。为了实现新旧压载水的充分交换(98%)，整个水舱水必须更换约 3 次。在这种方法中，船舶的负载情况没有改变，但是压载泵的输送功率和运行时间却在增加。水舱必须针对较高的压力设计制作，为了限制压力溢流管采用一个特别的盖头罩住。

(4) 在水处理法中，当注满和排空水舱时均以机械、物理或化学方式来处理压载水，沉淀物则通过过滤器或离心分离机进行分离。根据生产商的不同，利用红外线光照射或者利用超声波冲击对水进行加热。

(5) Alfa Laval 公司的高级氧化技术工艺(见图 5.8.6)属于水处理法之一。注满和排空水舱时，利用紫外线光结合特殊催化剂对水进行处理。在注满水箱时，水在预过滤器中去除沙子和其他的无机物成分。

(6) 在再分配法中，没有压载水排出或吸入，而是根据负载情况只是在船的内部用泵循环输送。这种方法特别适用于集装箱船，如果通过负载管理使得船舶的总质量保持不变，而只是分配情况在变化。

由于压载系统不同的吸入和运行条件，管道承受着通过气蚀和腐蚀而产生的逐渐严重的磨损情形。

图 5.8.7 为一台压载泵的压力管路中产生的气蚀损伤情况。这一损伤在运行 8 个月后就出现了。原因是管路布置不利，并结合在背压很小(压载水箱排空时)以及船舶吃水很深时泵的输出功率很高的情况所致。

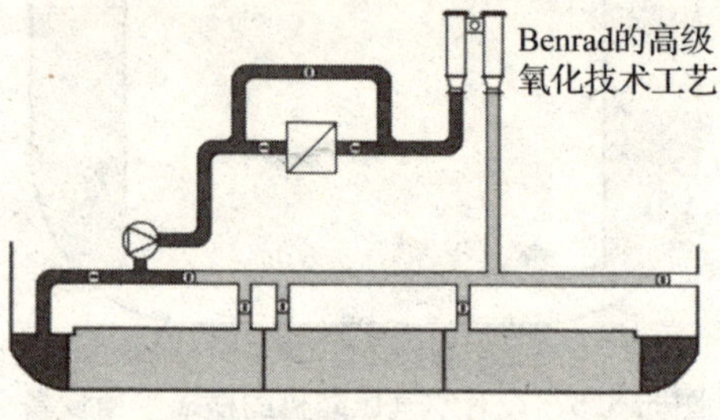

图 5.8.6　Alfa Laval 公司的高级氧化技术工艺(AOT)

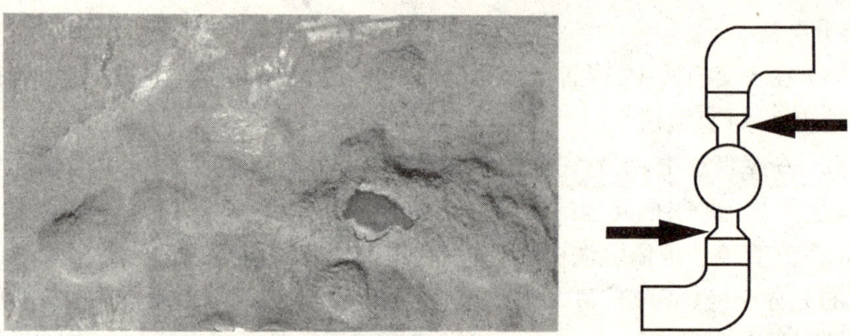

图 5.8.7　一台压载泵的压力管路中的气蚀损伤情况

图 5.8.8 为压载水舱中燃料管路上产生的腐蚀损伤。原因是塑料保护层的涂层不合格，以及由于压载水而使热管道产生热交变荷载，因此保护层变脆并出现裂缝。

由于海水侵入在保护层下面出现锈斑和点状腐蚀。在运行约两年后，保护层大面积脱落，并在多处管壁由于点状腐蚀而穿孔。从这些地方燃料流出。只有通过在排空压载水舱时油水混合物的流出才注意到管壁的损伤情况。

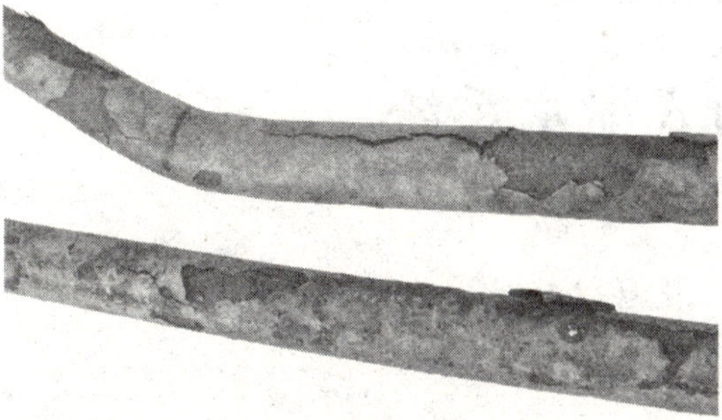

图 5.8.8 一个压载水舱中燃料管路上的腐蚀损伤

5.9 重力式泄水系统

米夏埃尔·拉赫(Michael Rachow)
李树山 译

5.9.1 功用

重力式泄水系统的功用是把由于不可避免的泄漏、波浪侵入或者使用消防泵而涌进的水从船上排除。没有规定如何从船上排除由于吃水线以下船体损伤而侵入的大量的水。

这里不包括机舱。由于海水主管道的破裂也会侵入大量的水,因此机舱必须同时能够通过与主要设备的直接连接管、与最大水泵的直接连接管以及主机冷却水泵上的应急抽吸器进行泄水。

5.9.2 构造形式

在船舶的不同地方设置有泄水井用于收集水,从这些泄水井中由舱底水泵抽吸所收集的水并输送到舱外。通往泄水井的主管路和分支管路的直径以及船底水泵的输送功率取决于船舶的尺寸。

通常安装有两个不同输送功率的系统,它们通过一个截止阀相互连接在一起。一台设备用于从船上去除油水混合物,另一台设备则用于排泄没有污染的水。

为了分离油水混合物,在水泵的压力管路中布置有油分离器。经油分离器流出的水通过一个设有 15 ppm 报警装置的监控与检查系统进行疏导,而报警装置则对剩余的油量进行测量。为此大多使用光学方法。在超过所允许的极限值时将引发报警,输送流通过三通阀被输送回船载管道系统中。不允许避开油分离器、监控与检查系统以及回流管路。

按照连接方式,重力式泄水系统有两种类型,即以直接连接管路从机舱连接至每个单独的泄水抽吸器(直接连接管路系统),或者以主要泄水管路从分支管路连接至单独的泄水抽吸器(集中管路系统)。

直接连接管路系统在管道工程中是昂贵的,但只需手动操作的阀门,且运行非常安全,因为在直接连接管路上出现故障时不是整个系统失灵。与此相反,集中管路系统在管道工程中虽然花费较少,但在泄水抽吸器中需要设置遥控阀,且运行安全程度较低,因此在分支管路出现故障时整个系统都会失灵(见图5.9.1)。

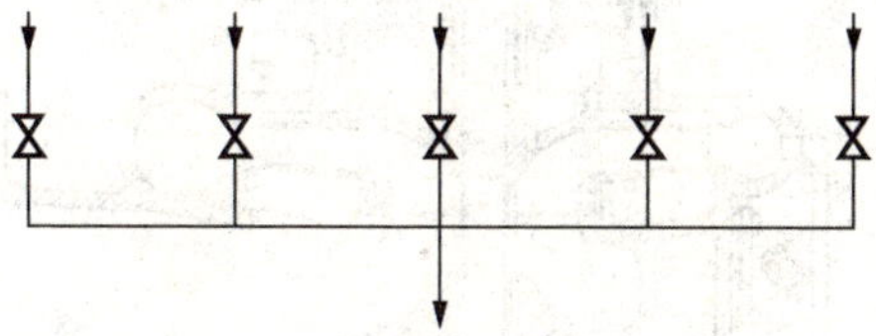

图5.9.1　直接连接管路系统(示意图)

在机舱设置在船尾的船舶上,采用集中管路系统。主要的泄水管路和其他运行系统的管路一起敷设在一个共同的管道涵洞里,该管道涵洞在船体中部沿着整个船体长度延伸(见图5.9.2)。

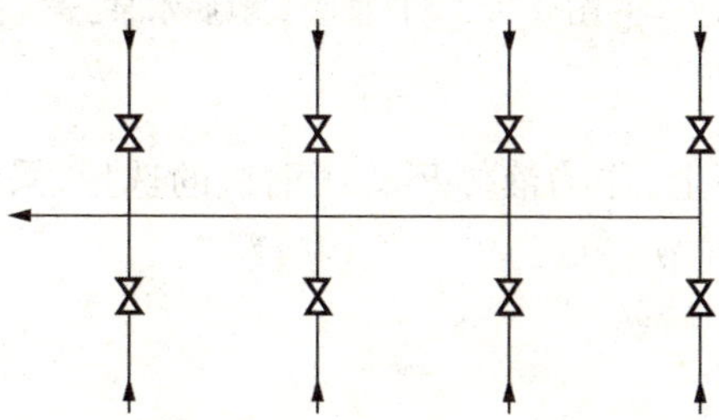

图5.9.2　集中管路系统(示意图)

作为舱底水泵抽吸管路中的止回阀的补充,在每个泄水抽吸器中都必须安装一个附加的止回阀,以便排除船体内部水的分配。

作为自抽吸式舱底水泵,除了活塞泵外还使用单级离心泵。为了确保安全进行抽吸,自抽吸式舱底水泵配备有一个液体环状压缩机(参见1.10节),它用于从管道中输送空气(见图5.9.3)。

在启动自抽吸式离心泵时,通过压缩机从带有抽吸管路的离心泵中把空气排出。一旦离心泵加满水并出现一个稳定的水流,则液体环状压缩机就转换为循环运行。

由于这种液体环状压缩机始终处在运行状态下并因此磨损较大,液体环状压缩机也装备有独立的电机驱动装置。一旦由主泵承担输送任务,压缩机的驱

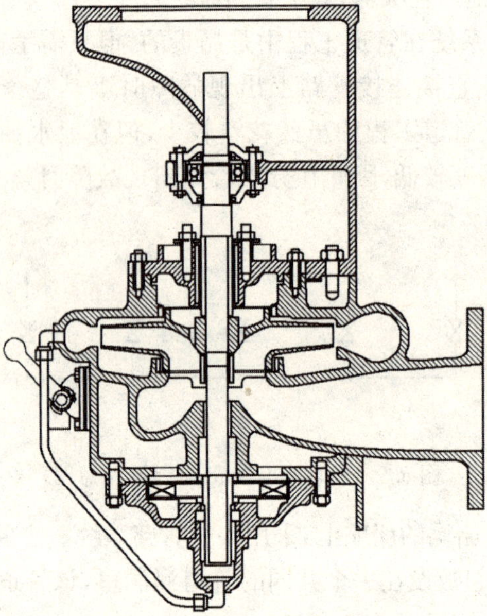

图 5.9.3　自抽吸式舱底水泵

动装置就被关断。

在自动泄水设备上，作为液体环状压缩机的选择，采用了压缩空气驱动的喷射压缩机(参见 1.9 节)。

5.9.3　运行

除了通常的检查与养护工作外，尤其必须进行定期检查的是抽吸管路中止回阀的密封性与功能。只要有必要，就应当对阀门进行磨合。

5.10　蒸汽和凝水系统

米夏埃尔·拉赫(Michael Rachow)，卡尔-海茵茨·霍赫豪斯(Karl-Heinz Hochhaus)

李树山　译

5.10.1　蒸汽和凝水系统的基本考虑

蒸汽作为热载体

蒸汽由于其高能量和高比热容非常适合作为热载体。尤其是水蒸气的特点在于，当压力在技术上可控时，它可吸收凝聚态变化所需的蒸汽热并把它作为冷凝热重新释放出来。

水蒸气循环是一个封闭的循环，在这里只有水损失(泡沫的、沉积物的、脱盐的、漏泄的损失)，必须通过锅炉补加水来补充。回流的凝水和锅炉补充水构成了锅炉给水。回流的凝水必须与污染物隔离开来(油、盐、空气和固体物，如锈蚀)。从锅炉给水状态到蒸汽状态所吸收的能量将在后续设备中作为使用能量或者损耗能量被重新释放。

基本构造

船舶运行中的蒸汽和冷凝系统是一个简单的、一目了然的结构。蒸汽主要作为热载体在加热和预热中使用。根据必需的温度水平使用不同的气压。一般情况下，对于重油最终预热的压力为0.6～0.9 MPa，对于加热目的的压力为0.3 MPa。蒸汽发生器给这个系统供给高压。蒸汽通过压力调节阀减压。同时蒸汽容易过热，这样就可以大大地阻止在绝热的蒸汽系统中蒸汽发生完全冷凝的情形。加热蒸汽应该在加热和预热器中完全冷凝且畅通地排出。那么这就要用到凝水排放阀。凝水到达后置的回流冷凝器，在那里面减压的蒸汽被冷凝出。

回流的凝水将检查污染物的含量如盐含量和油含量，然后至给水容器。

凝水系统中的构件

凝水排放阀

凝水排放阀在换热器和凝水系统之间构成一个阻隔。首先,它应该阻止蒸汽还没被利用前就被排放入凝水系统。蒸汽的冷凝热应该在换热器中被利用,而不被排入凝水系统中。凝水排放阀也应尽量不延缓地排放出凝水,而没有让蒸汽通过。空气也必须和凝水流一起引出。最简单的形式是浮标式排放阀。凝水流到收集腔,这其中有一个浮体和一个阀连接。凝水随液面水平变化成束流出。对于空气束流的引出,则有一个补充的隔膜,它随温度变化而释放。流入凝水排放阀中的凝水被排出。流入的蒸汽则通过排放阀的表面释放它的冷凝热然后冷凝出,而不改变温度。流入排放阀中的空气则在排放器的表面上冷却。随着温度的下降,隔膜开启,空气被排出。后来流出的蒸汽加热隔膜,使排放阀自行关闭。

由于船舶运行中因海浪的作用而持续存在机械负荷之故,浮标式排放阀几乎不被使用。取而代之,通常使用双金属排放阀或隔膜排放器。其工作原理相当于浮标式排放阀附加隔膜的原理,但要求对凝水进行过度冷却(见图5.10.1和图5.10.2)。

由隔膜或双金属阀启动凝水的流出,但受温度的影响。

为了使凝水或空气能够被成束流出,必须使排放阀上的温度降到蒸汽温度以下。因此凝水必须过度冷却。过度冷却或者发生在前置设备中,或者在凝水排放阀中进行。为了达到完善的功能,凝水排放阀必须能够将热量通过表面向周围散出。绝对不允许是绝热的。

回流冷凝器

凝水排放阀可以减压并因此使凝水发生膨胀。同时出现汽化膨胀。在膨胀过程中有部分凝水发生汽化。随之产生的膨胀蒸汽流量

$$\dot{m}_{ED}=\dot{m}_1\cdot\frac{h_1-h_2'}{r_2} \tag{5.10.1}$$

凝水排放阀之后附带产生的膨胀蒸汽,在到达锅炉给水泵之前必须冷凝。回流冷凝或者发生在水冷的回流冷凝器中,或者发生在凝水观察槽中。在回流冷凝之后,凝水经盐含量和油含量监控而流入给水容器中。由于从蒸汽发生器到回流冷凝器压力都在减小,因此蒸汽和凝水导管也可以上升的方式进行安

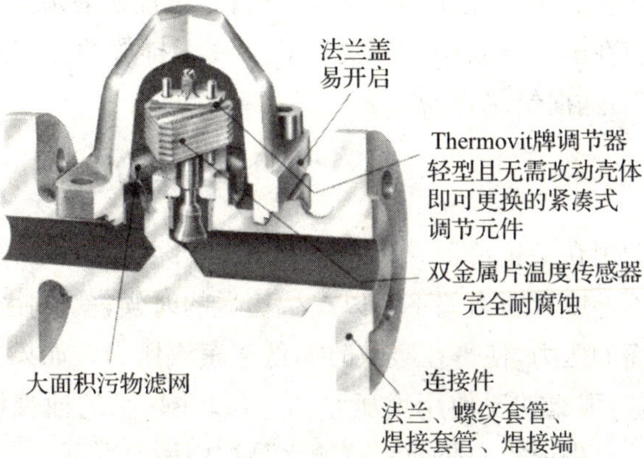

图 5.10.1 双金属排放阀(资料来源:Gestra 股份公司)

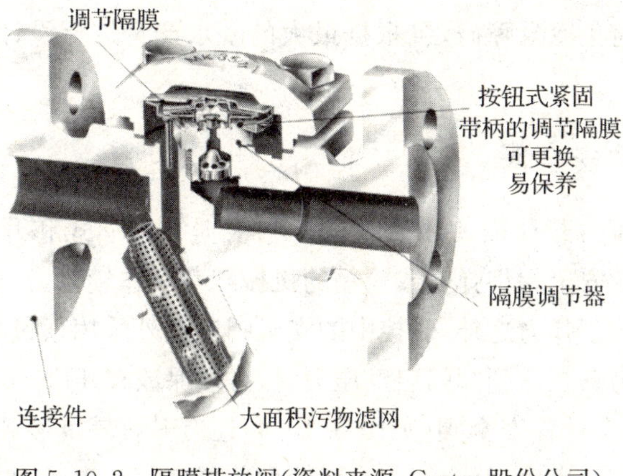

图 5.10.2 隔膜排放阀(资料来源:Gestra 股份公司)

装。回流冷凝一般情况下发生在环境压力下。凝水必须随后通过大地压力或者冷凝泵来向给水容器输送,以此给锅炉给水泵充水(见图 5.10.3)。

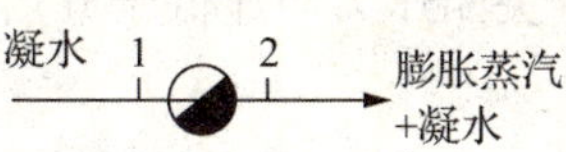

图 5.10.3 凝水排放阀中的膨胀过程

多余蒸汽冷凝器

在不可调节的废气和废热蒸汽发生器中,蒸汽的产生取决于废热量而不是取决于蒸汽的消耗量。如果蒸汽产量超过消耗量,那么为了避免锅炉给水损失，多余的蒸汽会在多余蒸汽冷凝器中冷凝出。布置在多余蒸汽冷凝器前的蒸汽压力调节阀使在蒸汽设备中的压力保持不变。排放的蒸汽量在多余蒸汽冷凝器中冷凝，然后输向给水容器。

冷凝泵

冷凝泵的功用在于把冷凝产生的凝水输向给水容器。当冷凝器和给水容器之间的自流落差或者压力差不足以支持输送的时候，就要使用冷凝泵。应当提高冷凝泵前面的压力，使得在吸入时不低于蒸汽压力。如果大地压力在泵的吸管接头处不够，那么就要使用增压泵，它可以在最小的抽吸损失时产生少量的压力提升。一般来说离心泵或者侧槽水泵被用做冷凝泵。

在凝水产量有变化的情况下，可以使用带有节流调节装置的冷凝泵，而在停机运行时则使用转速可变的或以回流装置运转的泵。冷凝泵应当避免无润滑运转。为了避免冷凝障碍，泵根据最大的凝水产量进行设计，在自动化设备中配有备用泵。

蒸汽设备中的安全阀

为了减小压力载荷而使用安全阀。它根据结构形式和开启性能来区分。产生直接作用的安全阀将弹簧或重物的机械载荷用作锁紧力，以克服阀锥之下的断开应力。除了弹力之外，受控中的安全阀还额外采用通过外来能量或自有媒介产生的助力。在达到阀门启动压力时，必须保证阀开启。

除了阀锥，全升程安全阀(见图 5.10.4)还有升程辅助装置，用做升程钟罩或升程活塞。在开启后，就会流入升程辅助装置。它产生的附加力可保持阀完全而又安全地打开。当内部压力降低时，开启力也降低，使得阀关闭。关闭之后升程辅助装置不再产生附加的开启力，使阀在再度达到启动压力前肯定保持关闭。升程辅助装置决定了关闭压力明显低于开启力，使得内部压力的小幅上升并不会马上又使阀开启。

定比限量安全阀没有或只拥有非常小的升程辅助装置，但是它的结构完全一致。阀的开启幅度与压力成正比，而且只有几毫米。这主要用于对液体介质的减压。

排气管通过背压影响安全阀。生产商给出的允许背压最大为公称压力的 20％。

为了避免腐蚀，可能在排气管中附带产生的凝水应当这样排出，使它不能回流到安全阀里。

安全阀的常见故障归因于腐蚀。在这里安全阀会因锈蚀而卡住，导致它在达到启动压力时不能打开，或者启动之后又不能完全闭合。

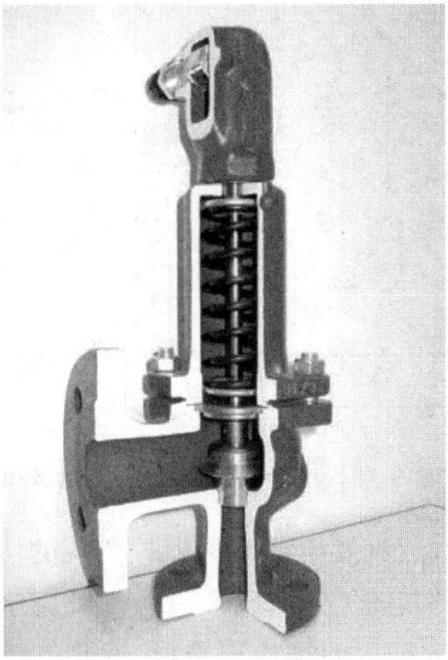

图 5.10.4　全升程安全阀

5.10.2　汽轮机装置的蒸汽和凝水系统

汽轮机装置的蒸汽系统

汽轮机装置由高温蒸汽提供动力。汽轮机装置的要求决定了蒸汽参数及其波动幅度。原则上蒸汽发生器能够在固定压力、滑动压力或者已变更滑动压力下向汽轮机装置提供动力(见图 5.10.5)。

以固定压力运行时，由蒸汽发生器提供在所有的负载点上均为恒定的蒸汽压力。涡轮阀部分闭合，蒸汽流量与负载成正比。涡轮调节是通过第一涡轮级的全部或部分进气进行的。由于其良好的经济性，大多使用由喷嘴调节的涡轮。通过锅炉调节，对汽轮机功率中的燃烧热功率进行制导，使得在涡轮阀之前的蒸汽压力保持不变。通过开启涡轮阀，蒸汽系统中的压力下降，蒸汽发生器的储存能力导致蒸汽流量短时上升并使汽轮机功率增大，由此燃烧功率调节和蒸汽生产的过渡时间就可以得到补偿。汽轮机装置在固定压力运行状态下有较高的调节动力。

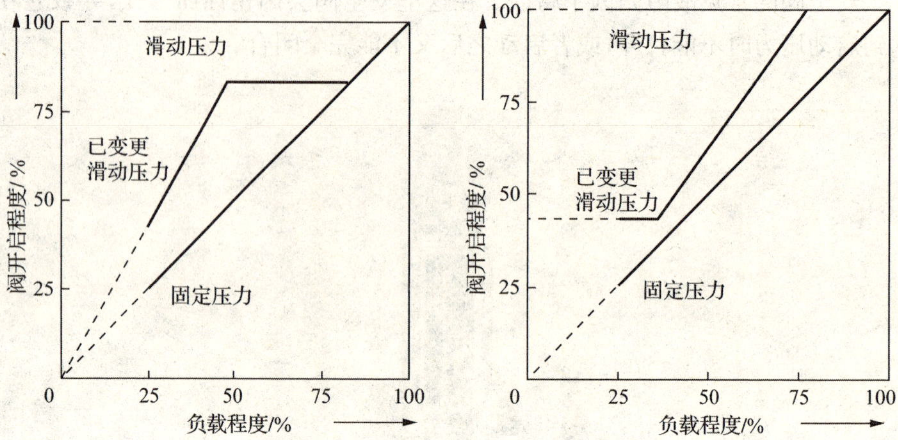

图 5.10.5　随负载程度变化的蒸汽压力和涡轮阀开启情况

以滑动压力运行时，蒸汽发生器产生依赖负载的蒸汽压力，它与蒸汽流量成正比变化。涡轮阀始终完全打开着，第一涡轮级完全进气，而汽轮机的调节级可以取消。滑动压力运行下的结构很简单，就是使汽轮机的内部效率上升。因为涡轮阀完全打开，蒸汽发生器压力几乎和涡轮进口压力相等，而且蒸汽发生器几乎没有储存能量。汽轮机功率随着燃烧热功率而变化，调节动力则很缓慢。在滑动压力已变更的情况下出现前述两种方式的结合。在经过节流的涡轮阀处，蒸汽压力则受负载影响，根据确定的特征曲线进行相应的调节。汽轮机的简单设计和高效率将与高调节动力的优点相结合（见图 5.10.6）。

为了维持涡轮之前的蒸汽压力，蒸汽发生器的燃烧热功率和/或节流阀的位置应在蒸汽涡轮之前进行调节。高温蒸汽温度至少和所要求的蒸汽涡轮入口温度相等，而且通过过热蒸汽温度调节下降到涡轮入口温度。高温蒸汽会在各个涡轮级减压，而且当它处于中间压力时，它会在蒸汽发生器中重新过热。蒸汽在涡轮高压级出口处被导入蒸汽发生器的中间过热器，然后再过热并输送到涡轮的中间压力级。中间过热导致整台机组的效率上升。通过中间过热获得的效率增加，则由于从高压涡轮经过过热器到达中压涡轮而在蒸汽导管内产生损耗，以及在过热器里自身有部分损耗。在实践中，有一种简单的中间过热法证明是可靠的。在大型设备中可能最多有两次中间过热。

为了继续提升机组效率，涡轮设有抽气口。经抽气口抽出的蒸汽在涡轮中直到抽气口均不做功，接下来继续用于辅助用途和预热过程。虽然通过涡轮中

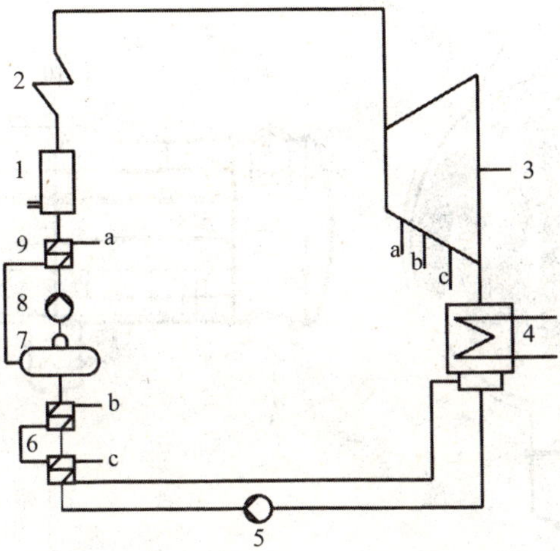

1 蒸汽发生器
2 过热器
3 蒸汽涡轮，在a到b处抽气
4 涡轮冷凝器
5 冷凝泵
6 通过从b到c抽气的低压预热
7 给水容器
8 给水泵
9 通过a抽气的高压预热

图 5.10.6　无中间过热的再生给水预热汽轮机装置的热力系统图

抽气会导致功率降低，但它必须通过更高的新蒸汽量获得补偿，然而在这个过程中会使用从涡轮冷凝器中向周围环境排放的冷凝热。在辅助和预热过程中废汽所产生的凝水将被输送到主冷凝器中，而不再排放热量。它从这里送达给水容器。

典型的应用情况是再生的给水预热，它将致使机组效率提升高达 8%。

汽轮机装置的凝水系统

从涡轮中流出的蒸汽含有湿度，因此涡轮冷凝器必须将湿蒸汽冷凝。在表面式冷凝器中，蒸汽流经汽道在冷却水流过的管束上冷凝。冷凝过程中，容积减小引起冷凝器里必要的负压。未冷凝出的气体则通过一个两级抽除装置排出。凝水则从冷凝器管外滴落，然后汇聚在凝水收集箱内冷凝器的底部。

在混合冷凝器中，通过喷射冷态凝水而使涡轮废汽冷凝。凝水通过循环泵从凝水收集箱中被抽吸上来，利用热载体冷却，然后喷射进冷凝器。在此它与涡轮废汽直接发生接触并冷凝（见图 5.10.7）。

冷凝泵将随之产生的凝水经过预热装置输送到给水容器中。在冷凝器压

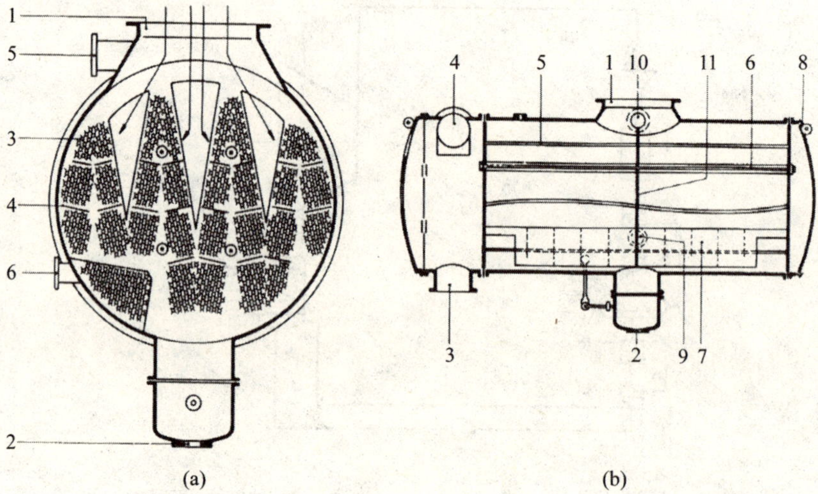

图 5.10.7　冷凝器(资料来源:Kugeler 公司和飞利浦能源技术公司)

(a) 1—蒸汽入口；2—凝水出口；3—汽道；4—导板；5—应急排气；6—抽气连接管

(b) 1—蒸汽入口；2—凝水出口；3—进水口；4—出水口；5—冷却管；6—电枢；7—空气室；8—排气；9—抽气连接管；10—应急排出；11—支承壁

力为 0.05～0.1 bar 以及给水容器压力为 1 bar 时,冷凝泵必须形成 10～20 的升压比,而这只有多级泵才能达到。

为保护涡轮和冷凝器,冷凝器上通常有下述安全系统实施涡轮的快速关闭:

- 液位限制器(最高冷凝器液位);
- 温度限制器(最高冷凝器温度);
- 压力限制器(最大冷凝器压力)。

如果冷凝器压力上升超过涡轮快速关闭的释放压力,那么冷凝器安全阀将防止冷凝器爆裂。

冷凝器通常也必须具备接收旁路蒸汽的功能。旁路蒸汽是一种在蒸汽发生器里产生的却没有被涡轮或其他消耗设备利用的蒸汽。它可以在启动或触发涡轮快速关闭时产生。旁路蒸汽可以保护锅炉的安全阀。通过喷射水,旁路蒸汽在达到冷凝器前被冷却到饱和温度。

5.10.3　预热与采暖装置的蒸汽和凝水系统

水蒸气特别适用于加热和预热,因为水蒸气的热流密度大,会在整个加热面上产生几乎恒定的高温，而且它的蒸汽系统结构简单。

蒸汽系统

在焓值恒定时，蒸汽发生器所产生的饱和蒸汽通过压力调节阀被减压至低压分配的压力。其间很容易出现过热的蒸汽。例如，如果饱和蒸汽从 8 bar(焓值为 $h'=2768.3$ kJ/kg，饱和蒸汽温度 170.4℃)下降到 4 bar(焓值 $h'=2738.1$ kJ/kg，饱和蒸汽温度 143.6℃)的压力状态，焓值差 $\Delta h=30.2$ kJ/kg 引起减压蒸汽过热，温差为 13.3 K。从 8 bar 减至 4 bar，产生了 156.9℃的过热蒸汽。在流向消耗设备的过程中过热蒸汽很容易在管壁上冷却，以致达不到饱和蒸汽的状态。由此在蒸汽管道中避免了凝水的形成，因此不会出现排气振动现象。

除了管路绝热和外部影响外，蒸汽冷却还受到蒸汽在管路中的流速的影响(见表 5.10.1)。随着管路中流速的提高，蒸汽冷却虽然减缓，但是压力损失却在增大。

表 5.10.1　蒸汽管路中的推荐流速

绝对压力/bar	流速/(m/s)
0～1	小于 10
1～2	10～15
2～5	15～25
5～10	15～35
10～40	35～40
大于 40	小于 60

在蒸汽发生器和消耗设备之间安装有隔离装置，使得每台单一消耗设备或每个消耗设备组之间被分隔开，以利于展开养护维护工作。在船舶运行中，逐渐放弃了二次分布的安装方式，这使得每台单一消耗设备之间的分隔变得困难。

在关闭单一消耗设备时应注意，消耗设备的蒸汽侧和凝水侧都必须可以安全分隔开。

当冷态蒸汽装置投产运行时，在处于冷态的管路和装置上发生水蒸气冷凝。这个过程同样可以在运行期间的不利条件下出现。随之产生的凝水可导致管路系统中发生水击。为了把在启动和运行时随之产生的或者从锅炉中带出的凝水从蒸汽管路中去除，则使用蒸汽管道排水装置。去除凝水要么通过凝水排放阀，要么通过在设备最低处用手工操作排空阀进行（见图 5.10.8）。

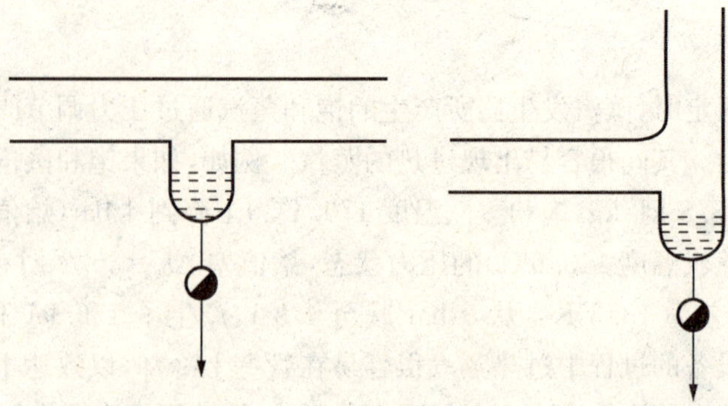

图 5.10.8　设有凝水收集器和排放阀的蒸汽管路排水装置

所需的蒸汽管路的管内径 d_i 可根据容积流量 $\dot{V}_D$ 和建议蒸汽流速 c_D 计算得出。容积流量 $\dot{V}_D$ 随单位蒸汽容量和蒸汽质量流量变化。

$$d_i=\sqrt{\frac{\dot{V}_D}{c_D}\cdot\frac{4}{\pi}} \tag{5.10.2}$$

$$\dot{V}_D=\dot{m}_D\cdot v'_D \tag{5.10.3}$$

蒸汽加热式换热器

在设计蒸汽加热式换热器时，要区分蒸汽达到传热表面时是否过热、饱和或含湿。设计主要是为了实现冷凝热的传导。一般来说容易出现蒸汽过热或者饱和蒸汽。蒸汽应该在换热器中尽早冷凝，因为壁面上湿蒸汽的热传导系数是热蒸汽热传导系数的约 10 倍。冷凝以薄膜式冷凝的方式进行（见图 5.10.9）。在换热器表面出现的凝水薄膜应尽快得到排放，这样使得热量传导必须经过的凝水薄膜厚度尽量小。为此应该：

- 使蒸汽和凝水尽量以同向流动；
- 尽量没有阻碍地排出所出现的凝水；
- 尽量水平设置外部环流的换热器管道；
- 对于内部通过管道导出的蒸汽，使换热器倾向凝水出口。

在薄膜式冷凝中，凝水总是过冷地从换热器中排出。

蒸汽的冷凝温度必须高于对过程介质所要求的预热温度。例如，如果在重油终端预热器中的重油应当加热到 135℃，那么在温差为 5～10℃时所需的冷凝压力至少是 3.6～4.2 bar。

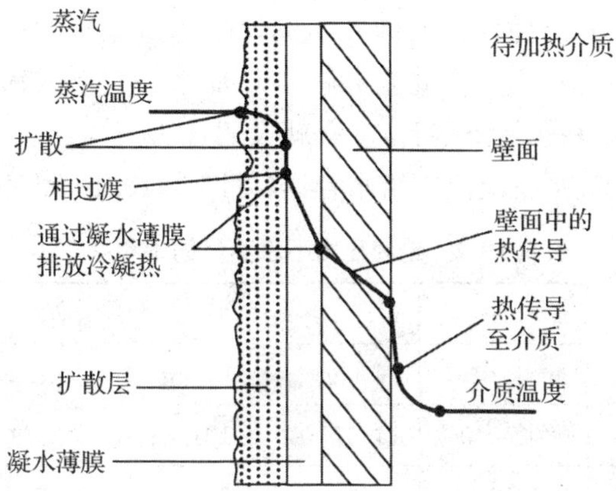

图 5.10.9　薄膜式冷凝中的温度走势

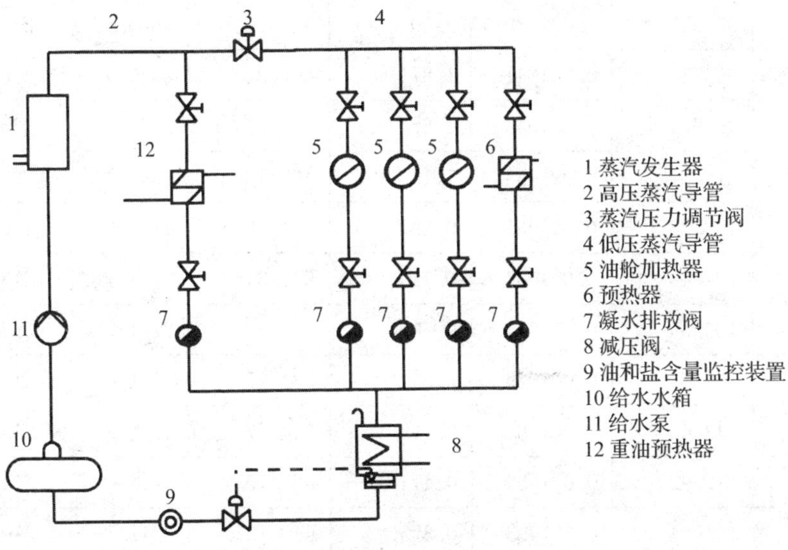

图 5.10.10　用于加热和预热的蒸汽设备热力系统图

凝水系统

在换热器和加热设备中出现的凝水通过凝水排放阀从换热器中被排出。在此过程中凝水减压，形成膨胀蒸汽。凝水和膨胀蒸汽一起通过凝水导管流向减压阀，减压阀则充当回流冷凝器并在凝水系统中产生背压。一般来说减压阀装有大气连通装置，使背压与环境压力平衡，而且凝水也可以无需附加的冷凝泵就从较低位置上的消耗设备流向减压阀。凝水从减压阀通过油含量和盐含量监控装置到达给水水箱。在此它和锅炉补加水一起形成锅炉给水。在船舶设备中，减压阀要么在正压下运行，要么就设置在大气连通状态中，使得随之产生的凝水不需要冷凝泵就能流向给水容器(见图 5.10.10 和表 5.10.2)。

表 5.10.2　绝对压力下水蒸气的饱和状态

p	T	v'	v''	h'	h''	r
bar	℃	m^3/kg	m^3/kg	kJ/kg	kJ/kg	kJ/kg
0.1	45.83	0.001010	14.67	191.83	2584.8	1392.9
0.3	69.12	0.001022	5.23	289.30	2625.4	2336.1
0.5	81.35	0.001030	3.24	340.56	2646.0	2305.4
0.7	89.96	0.001036	2.37	376.77	2660.1	2283.3
0.8	93.51	0.001039	2.09	391.72	2665.8	2274.0
0.9	96.71	0.001041	1.87	405.21	2670.9	2261.7
1.0	99.63	0.001043	1.69	417.51	2675.4	2257.9
1.5	111.37	0.001053	1.16	467.13	2693.4	2226.2
2.0	120.23	0.001061	0.885	504.70	2706.3	2201.6
2.5	127.43	0.001067	0.719	535.34	2716.4	2181.0
3.0	133.54	0.001074	0.606	561.43	2724.7	263.2
3.5	138.87	0.001079	0.524	584.27	2731.6	2147.4
4.0	143.62	0.001084	0.462	604.67	2737.6	2133.0
4.5	147.92	0.001089	0.414	623.16	2742.9	2119.7
5.0	151.84	0.001093	0.375	640.12	2747.5	2107.4
5.5	155.46	0.001097	0.343	655.78	2751.7	2095.9
6.0	158.84	0.001101	0.316	670.42	2755.5	2085.0
6.5	161.99	0.001104	0.293	684.12	2758.8	2074.0
7.0	164.94	0.001108	0.273	697.06	2762.0	2064.9
7.5	167.75	0.001111	0.255	709.29	2764.8	2055.5

（续表）

p	T	v'	v''	h'	h''	r
bar	℃	m^3/kg	m^3/kg	kJ/kg	kJ/kg	kJ/kg
8.0	170.41	0.001115	0.240	720.94	2767.5	2046.5
8.5	172.94	0.001118	0.247	732.02	2769.9	2037.9
9.0	175.36	0.001121	0.215	742.64	2772.1	2029.5
9.5	177.66	0.001124	0.204	752.81	2774.2	2021.4
10.0	179.88	0.001127	0.194	762.61	2776.2	2013.6
11.0	184.07	0.001133	0.177	781.13	2779.7	1998.5
12.0	187.96	0.001139	0.163	798.43	2782.7	1984.3
13.0	191.61	0.001143	0.151	814.70	2785.4	1970.7
14.0	195.04	0.001149	0.141	830.08	2788.9	1951.4
15.0	198.29	0.001154	0.132	844.67	2789.9	1945.2

5.10.4 典型的故障和损坏

为了避免水击和实现所需的热流量，就要避免发生凝水倒流现象。在已经切断的设备中，当剩余蒸汽冷凝时会出现真空。此时凝水可以回吸到热表面，或者剩余凝水不能流出。同样也会存在负压持续使传热表面变形的危险。设备启动时蒸汽流经水表面。气泡进入水里，并突然冷凝，导致发生水击。在安装止回阀的情况下，尽管能使水不再回吸，但不能阻止真空的形成。通过安装真空破坏器可以防止真空形成。这样就不会出现任何水冲击现象。

如果冷凝管是呈上升方式安装的，那么特别在换热器的部分负荷区域会出现水击。调节后的换热器在蒸汽流入口处进行节流。部分负荷情况下有少量蒸汽涌入，这些蒸汽相对快速地冷凝。在换热器中产生的压力很低，凝水不能通过上升方式敷设的冷凝管被排出，而是形成倒流。换热器会被部分淹没。如果继续打开蒸汽调节器，蒸汽经过凝水表面并突然冷凝出。这就造成了水击。如果冷凝管是呈下降方式安装的，那么凝水也会在较小的冷凝压力下流出（见表 5.10.3）。

表 5.10.3　典型的故障及其影响

故障	可能的原因	影响
蒸汽管路中的水击	• 蒸汽系统没有充分预热 • 蒸汽阀打开太快 • 蒸汽管路没有排水 • 夹杂锅炉容量水	蒸汽管路的强机械载荷，可能导致管路的紧固件破裂或管路断裂
没有达到所要求的热功率	• 换热器表面污染 • 预热器中的蒸汽压过低，或者蒸汽压偏离设计压力 • 凝水不通畅 • 温度调节装置破损	加热系统中出现后续故障
预热器中的水击	• 冷凝不通畅	蒸汽管路的强机械载荷，可能导致换热器上发生破裂现象或管路断裂
凝水不通畅	• 凝水排放阀中的过滤器受污染 • 凝水排放阀受污染 • 凝水排放阀安装错误 • 换热器中的气压低于蒸汽系统中的气压，止回阀不密封时使凝水从凝水系统中被吸入换热器	预热器没有达到所要求的功率
凝水排放阀安装错误	• 凝水排放阀阻塞 • 安装在升高式的凝水管路中 • 安装时忽视排放器上的方向标志	预热器没有达到所要求的功率

5.11　热传导油

哈克·奥科·迪德里希斯(Hark Ocke Diederichs)
李树山　译

5.11.1　热传导油设备的设计与结构

大约在350℃以下的温度范围内，以矿物油为基础的载热流体也被应用于换热设备中。这种液体(热传导油)是在无压液体状态下使用的。

在这种设备中，通过强迫对流实现热传导。这一点是通过在加热器与消耗设备(见图5.11.1)之间的环形管路中的循环泵确保实现的。由泵输送的容积流量V(m^3/s)则根据待传导的热功率$\dot{Q}=\dot{V}\cdot p\cdot c_p\cdot\Delta T$ (kW)、材料特性系数$p\cdot c_p$(1 600～2 000 kJ/ $m^3\cdot K$)、始流和回流之间的温差ΔT(20～60 K)得出。这种容积流量对于在系统中出现的加热器管道内壁上的最高温度T_i是决定性的。

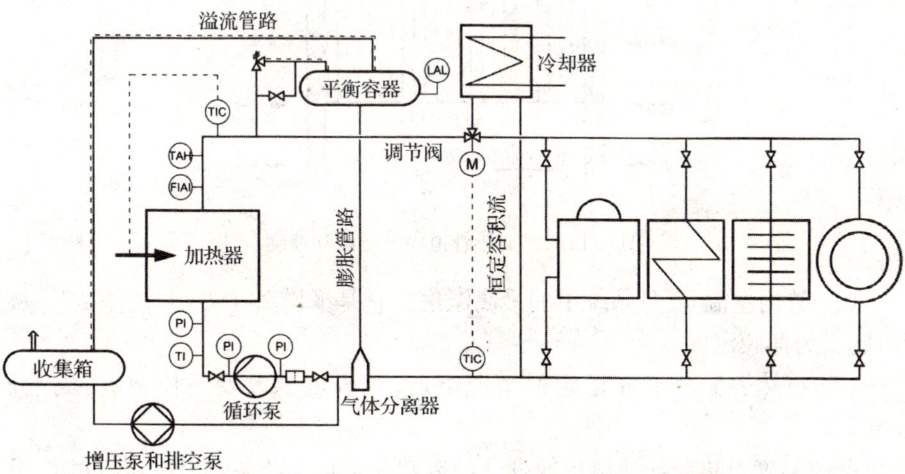

图5.11.1　含有载热油的简单单回路传热设备示意图

流经加热器的管道时，形成了层厚为 δ_h 的液压边界层层流以及层厚为 δ_{th} 的热边界层。在液压边界层中，流速上升到平均速度 c_m，而热边界层里的流动液体温度则从壁温 T_i 下降到平均温度 T_m。图 5.11.2 为加热管道中的温度和速度分布情况。

载热体薄薄的薄膜层 d_{th} 中的热传导 $\Delta T_{薄膜}=\frac{\dot{q}}{\alpha_i}$ 取决于加热面负载 $\dot{q}$/(W/cm²)和热传导系数 α_i。对于所使用的热传导油，则适用下式，且具备足够的精度：

$$\alpha_i=900\cdot\frac{c_m^{0.87}}{D_i^{0.15}} \tag{5.11.1}$$

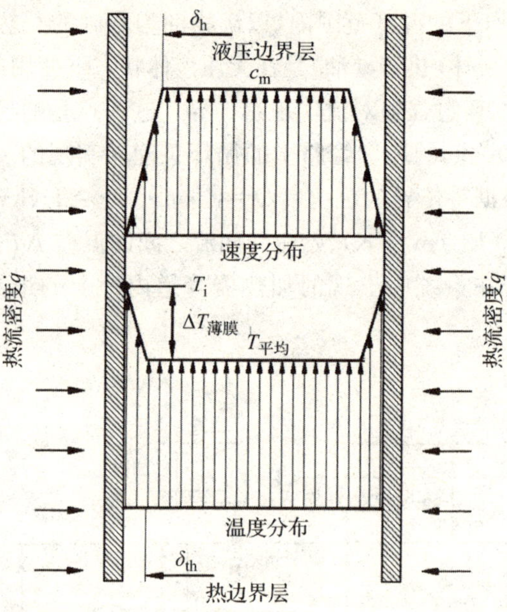

图 5.11.2　加热管道中的温度和速度

(1) 管内壁温 T_i 是系统中的最高温度。它是平均温度 T_m 和温差 $\Delta T_{薄膜}$ 之和，定义为薄膜温度。

(2) 在热表面负荷 $\dot{q}$ 恒定的情况下，薄膜温度的改变与流速 c_m 成近似反比。

薄膜温度对热传导油设备的设计构造和安全技术装备具有决定性的作用。这在批复资料中应当给予说明，特殊情况下必须根据 DIN 4754 提供证明。因为薄膜温度在测量技术上很难掌握，因此间接通过平均温度 T_m 和流速 c_m 来监控是否遵守薄膜温度。对此，每一台设备都应当装备安全温度限制器(TAH)和流量保护装置(FLAL)。

通常情况下，载热设备作为单回路系统运行。管路系统的设计应使得通过加热器的容积流量与所连接的消耗设备无关，而总是保持不变。这可以通过分流管路来实现，它通过一个三通阀把进流管和回流管连接起来。三通阀的开启受回流温度的影响。

如果加热器受热力机械的废气加热，且没有设定通过废气气流的加热调节装置，那么必须在分流管中安装一个冷却器，使不需要的热能可以排放到周围的环境中。

如果通过热力机械的形式可以保障排气温度不会超过允许的薄膜温度，那么设备将设计成为有初级和次级回路的双回路系统，来避免昂贵的液压调节或者易发生故障的排气支路调节(见图 5.11.3)。

对于管道、各类装置、容器和其他构件，只允许使用管道等级 I 所要求的材料。铜和有色金属不允许使用，因为在空气存在的情况下会对热传导油产生催化影响的危险。

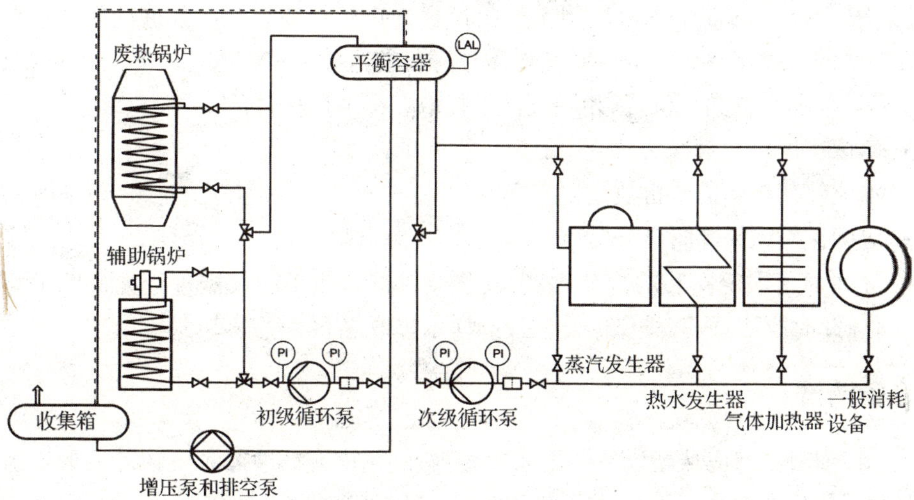

图 5.11.3 双回路设备示意图

5.11.2　热传导油设备的运行

设备加料

为了在设备加料时把大部分空气都排除出来，系统应当从最低点起开始加料。加料过程应该缓慢进行，直至达到储油柜中的最低液位。加料过程结束之后，在开启排气阀时接通循环泵，然后对整个管网进行排气。在此过程中应当观察平衡容器中液体位置，大约30min之后切断泵并清洗污泥箱。应当不断重复循环这一过程，直到污泥箱里不再有沉积物为止。

当载热体流出的时候才关闭排气阀。如果泵不再出现空化杂音、液体冲击停止以及储油柜表面不再有气泡形成，则设备已经排气完成。

在设备加热到约100℃的期间，储油柜应该朝向大气打开，以使水能够蒸发。

如果设备充覆惰性气体后运行，那么在设备添加热传导油以及在冷态下设备被排气之后装入气体。

从新注入的油中提取出约1升的试样并进行检验。分析数据用做长期监控期间的后续试验比较值。对载热体进行长期监控和评价有一个重要的前提，就是试样总是在同一位置、相同条件下提取。提取试样时：

- 应该在加热器附近从分流中提取；
- 不应使载热体的分析数据受到影响；
- 应确保避免易沸腾成分发生泄漏；
- 应该利用固定安装的冷却闸阀(见图5.11.4)或手动仪器进行无危险的操作；此时应注意，取样仪器要在最终样本提取之前冲洗干净。

设备清洗

在加料之前应从新设备中去除如焊刺、氧化皮或锈蚀等污染物。一般不需要使用化学试剂进行清洗。与此相反，建议用后来导入的热传导油来冲洗设备，并通过分流中的过滤器来净化冲洗用油。

当清洗需要更换液体的旧设备时，在排空原有液体之后，应当目视检查设备，特别是加热器的管道内壁的状态。根据检查结果判断是否必要对管道进行机械式清洗还是更换管道。污泥状的残渣则利用高芳香油冲洗去除。建议将冲洗用油温度从 100℃ 加热到 150℃。

设备保养

为了保证较长时间内的无故障运行，必须根据德国工程师协会（VDI）指令 3033 进行检查、功能检测、展开保养和检验工作（见表 5.11.1）。

检验时间间隔和检验范围

载热液体的试验时间间隔应遵照压力容器管理条例来实施。只有根据所规定的审核得出载热体可继续使用时，才允许继续使用载热体。对热传导油的要求，参见 DIN 51522。

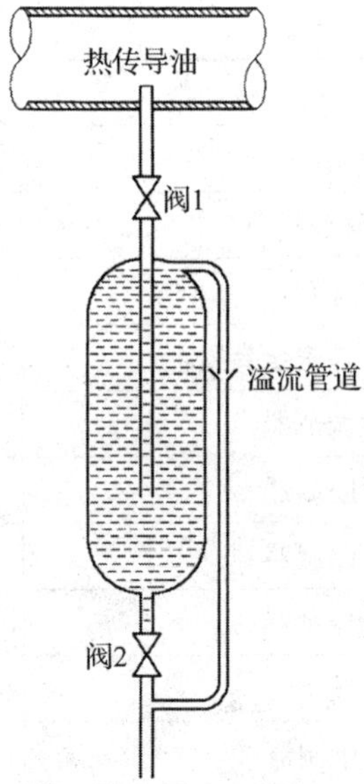

图 5.11.4 冷却闸阀

表 5.11.1 载热体系统的检查、功能检测和保养工作

设备部件	每次每天启动运行	每月	每 3000 个运行小时，至少每年一次
载热体			
储油柜中的液面	+		x
储油柜中的惰性气体气压	+		
储油柜中的温度	+		x
惰性气体用安全阀			x
加热器			
外部状态	+		
内部状态	+		
燃烧设备			
设备			x
外部状态	+		
油压	+		x
密封性	+		

（续表）

设备部件	每次每天启动运行	每月	每3000个运行小时,至少每年一次
过滤器	+	x	
火焰控制		o	x
排气检测		x	x
调节与安全装置			
温度调节器	+		o
温度限制器			o
压力限制器			o
流量控制器			o
流量显示器	+		o
液位限制器			o
紧急排放阀			o
安全阀			o
泵			
轴封	+	x	
冷却装置	+		
联轴器		+	
污泥箱		+	x
管网			
法兰接头		+	
补偿器		+	
金属软管		+	
支撑点和浮动点		+	

注:+=检查；o=功能检测；x=保养工作

一般情况下,DIN 51562 有关 40℃时黏度(mm^2/s)的规定、DIN 51522 有关封闭坩埚(PM)里的燃点的规定和 DIN 51551 有关康拉德逊(Conradson)残炭(%)的规定,对热传导油的工作状态的陈述已经足够。特别是该燃点允许做出一个肯定的推论,即热传导油是否出现过热。

去除蒸汽

由于载热体持续的热变应力，出现了易沸腾的产物，它使载热液体的燃点大大降低。通过循环泵抽吸管路中的气体分离器，蒸汽从管道系统中排出，然后经过储油柜导入收集箱，并在此发生冷凝。

无论如何都不能允许蒸汽从系统中排出，因为它易燃，而且和空气中的氧气结合形成爆炸性混合物。

对于没有收集箱的设备，可以在运行期间利用氮喷管将蒸汽从储油柜中排出。这应该只有在特殊情况下进行（热传导油的燃点约为 100℃），且只能由接受过相应培训的人员来操作。

载热液体的混合和清除

在混合不同的载热液体之前，必须进行相容性检测。把非常老化的载热液体和大量的新油进行混合是不经济的，因为不能延长基本的使用寿命，而且不允许超过最低的允许预流温度。

从设备中溢出的热传导油（溢出油）不允许回流进设备，否则必须予以清除。

由于从溢出油或二手热传导油中还是可能出现易沸腾的产物，因此仅容许在以过压运转的并允许燃烧热油的设备中燃烧溢出油和二手热传导油。建议不要通过将溢出油或二手热传导油混合入 IF 燃料中的方式进行清除，因为可能会出现混合问题，而这种问题在分离器中、在发动机供给系统（高温）内供给燃料时以及在发动机内进行燃烧时，会导致出现明显的故障。

5.12　压缩空气系统

哈克·奥科·迪德里希斯(Hark Ocke Diederichs)
李树山　译

压缩空气在船舶上主要用于起动发动机。其他的应用领域有汽笛和移动式工作仪器。因此,系统设计主要由待起动的发动机大小和类型、起动力矩(定距螺旋桨、可调距螺旋桨)、环境条件以及必要的最低转速(点火转速)来决定。

对于气动容器的安装和运行,除了劳氏船级社的建造规范以及海洋事故预防规范外,还有 VGB(大型锅炉业主联合会)18 的规定起着决定性的作用。

每个容器(见图 5.12.1)都必须配备有一个固定的铭牌,其上清楚地标明制造商、制造编号、制造年份、允许的运行压力和容积。

预防超压的安全装置的设计必须是这样的,即可以自动阻止超过允许压力的 10%以上。安全装置不允许被隔离。

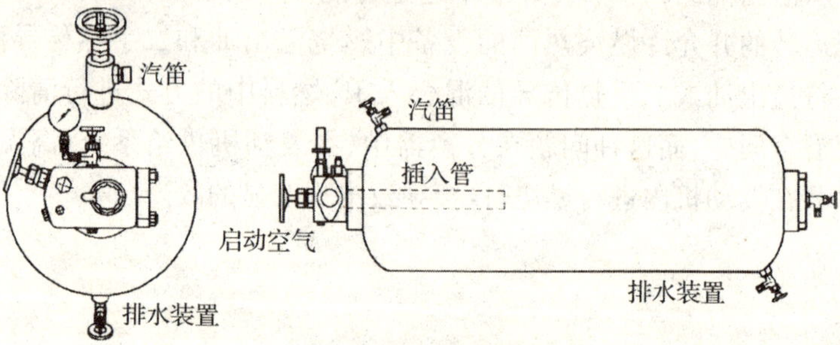

图 5.12.1　起动空气容器

每根所连接的管路必须在容器上设有相应的阻隔装置。只要空气压缩机没有装备液体分离器,在空气压缩机和容器之间的连接管路中则必须安装液体分离器。

每个容器都必须装备一个可以排放冷凝液的装置。在气动容器和消耗设备之间的连接管路中,其允许的工作超压小于气动容器的压力,因此必须安装设有后置测压装置和安全装置的减压阀,以防止出现过压。

这里需要安装两个大约同样尺寸的起动空气容器，它们可以相互独立使用（见图5.12.2）。两个容器的总容积应当这样计算，即在无需重新加料时任何一台可转换式发动机都可执行不少于12次先后进行的转换和起动操作。对于无需反力矩起动的发动机（可调距螺旋桨、发电机），起动操作则必须不少于6次。

为了制备压缩空气，规定至少应设置两台空气压缩机。压缩机的总功率可这样测定，即两个起动空气容器能够在一小时内从大气压加料至终压力。

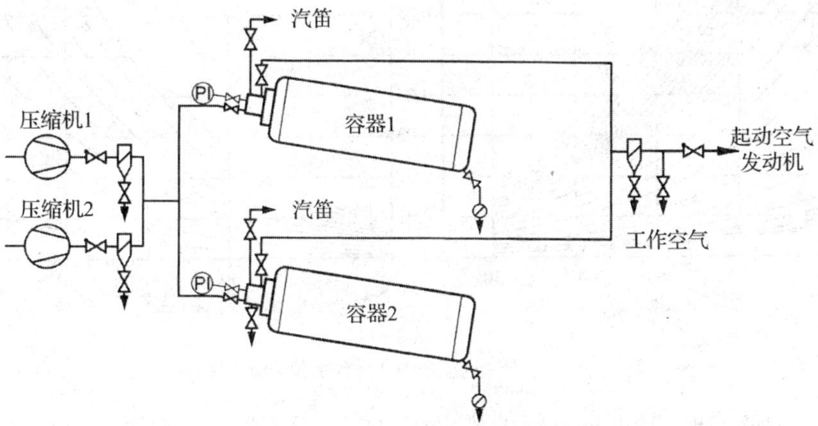

图5.12.2 发动机设备的压缩空气系统

只有为了发动机（起动和控制）和船舶（汽笛）的运行，才允许将消耗设备连接到主起动空气系统上。其他消耗设备的连接需征得船级社的批准，或者必须设有独立的供气系统。

包括主起动空气系统在内的气动容器，将根据船级社的规定进行内外检验，另外，将定期进行液压测试。

随着环境条件的变化，在加满容器时由于压缩机的作用会产生凝水，而凝水一般是在直接通过压缩机后由凝水排放器排出系统。凝水水量可以利用图5.12.3得出。

通过接触式压力表，可以自动控制起动和停止过程。第一台压缩机在容器压力达到25 MPa时启动。如果这台压缩机的输送功率不足，则容器压力会继续下降，而且当压力降至约20 MPa时起动第二台压缩机。一旦容器压力升高到约28 MPa时，第二台压缩机即停止工作，而第一台压缩机只有在压力到达30 MPa时才停止运转。通过这种阶段式打开和关闭压缩机的方式，使压缩机的输送功率与消耗量相适配。

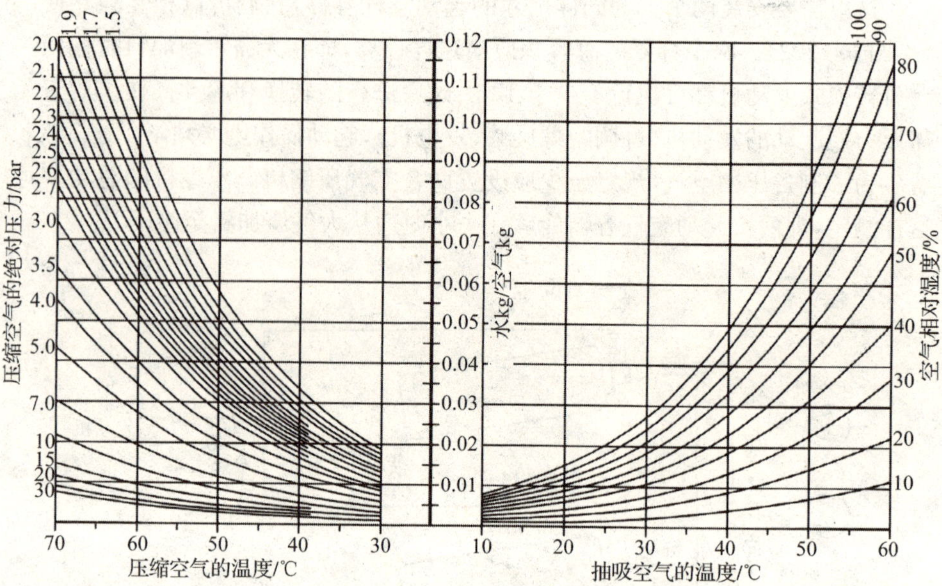

图 5.12.3　压缩空气中的凝水水量确定曲线图

自动运行时，凝水排放阀的排水阀由电磁阀控制。在起动过程中阀被开启。借此从系统中排出剩余的液体，同时因背压的减小而有利于压缩机的起动。只有当压缩机到达其额定转速时阀门才被关闭。

在水冷压缩机中，冷水液的注入同样由电磁阀控制。阀在起动前不久被打开，在停止后又被延时关闭。

第6章　制冷、空调和通风

译：耿惠彬　孙宏亮　周迎兵

校：张中明　易小冬　郑士君　王　婧

6.1　引言

随着原动机的缓慢开发，直到1820年才得以将一种风车形式的蒸汽驱动的通风机装船，首先是用于给锅炉送风。由此，在驱动功率增大的同时，现代的机舱通风得到发展。在住舱和货舱方面，这种情况一直持续到1870年。航运公司和船厂通过试验—失败—再试验的反复摸索，认识到没有人工通风，旅客和货物就无法运输。在此之前，只采用自然通风，通过风帽和风斗将外界自然空气引入住舱和货舱。在良好的风力状态下，舱中的空气状态还是可以接受的。但是在无风情况下，或在外界温度过高时，情况就不一样了：机舱和锅炉舱中空气情况恶劣，住舱中的人员无法忍受恶劣的空气条件，大部分人员都涌到甲板上(见图6.1.1)[6.1]。

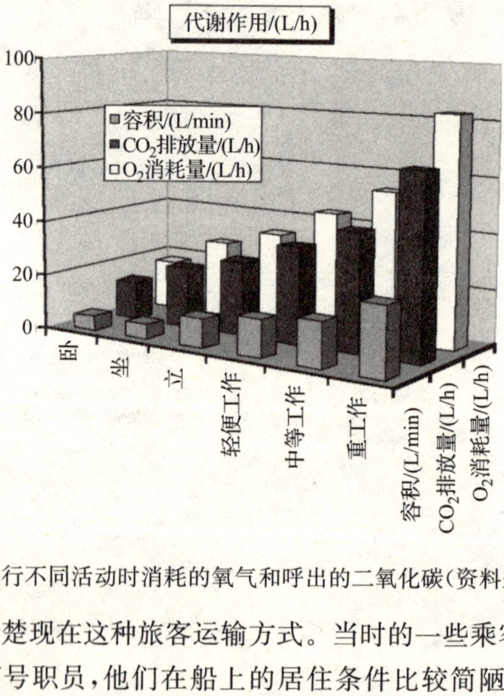

图6.1.1　人在进行不同活动时消耗的氧气和呼出的二氧化碳(资料来源：Hochhaus)

当年还不太清楚现在这种旅客运输方式。当时的一些乘客只是移民、商人和去国外谋生的商号职员，他们在船上的居住条件比较简陋，就像船员一样。只是到1870年以后，才出现了定期航行、付费优厚的客人，改善居住条件首先是旅客，然后是船员。确定了空气的更换水准，使航海的舒适度不断提高，直到商人已不再把海上航行作为一种无奈的烦恼，而成为令人愉快的消闲为止。从1900年起，在豪华邮船上航行已成为当时的时尚。去美国的淘金者，往往乘住三等、二等舱，有时甚至住上一等舱。四等舱的旅客往往是一些季节工或其他移民。

制冷机的发明，不仅被用于粮食的冷藏，还应用于空调系统。这种系统可根据外界温度进行采暖或降温，成为船舶豪华的一大象征。在由W·开利(Carrier)引入送风和除湿功能以后，上述系统更加扩大了工作范围，真正成为空调系统，可将相对湿度调节在50%～60%的范围内，使人们感觉更加舒适。在货物运输方面，1875年发生了划时代的变化，引入了运输鲜货的冷藏船[6.2]，1896年开始了水果运输，而从1966年起，开始了集装箱革命，导致了冷藏集装箱的出现[6.3]。

6.2 船舶的送风和排风装置

现在，不同的船舶要求采用不同的装置：有的采用送风和排风装置，有的安装能满足更高要求的空调装置，有的甚至需要调节大气的成分，例如氧含量等。因此，有些特种船舶安装了昂贵和高能耗的系统（见表 6.2.1），其消耗的能量达到船舶电网容量的 15%～25%，甚至达到 50%。

表 6.2.1 不同船型的机舱、住舱和货舱通风和空调所需要的电功率及其所占百分比

船 型	集装箱船		滚装船	多用途船		化学品船[(1)]	渡 船		尺度
建造年份	1983	2004	1985	1980	1984	1983	1988	1986	
载重量	19	65	9	10.5		3			1 000 DWT
集装箱数量	1 000	5 560							TEU
主机功率	8	46	4	8	7	2	15	20	MW
海上航行所需电功率	450	1 500	310	450	400	145	1 400	2 300	kW
河口航行所需电功率	825	2 100	330	500	440	150	1 450	4 900	kW
港口作业所需电功率（不装卸）	280	1 000	250	380	300		650	650	kW
港口作业所需电功率（装卸）	570	9 800[(5)]	540		700		102		kW
空调压缩机[(4)]	70	124				13.5	210	700	kW
住舱区域的电动通风机功率[(3)]	43	33	34	30	20	8	80	430	kW
机舱区域的电动通风机功率	93	261	40	40	98	14	250	300	kW
货舱区域的电动通风机功率	28	1 340	85	40	13	2	120 (420)	320	kW[(2)]
通风总功率	164	1 634	159	110	131	24	450	1 050	kW
所占%百分比	36	17	51	24	33	17	32	45	%

(1) 化学品船；(2) 危险货物；(3) 无空调压缩机；(4) 空调压缩机运行所需的附加电功率；(5) 具有冷藏集装箱时的海上航行。

货舱送风系统的特点是货舱中货物所影响的大气和外界环境大气之间进行着相互作用。在过渡到由钢材制造的大型船舶时，由于不再具有用木材制造的货舱护壁，这种缺陷表现得特别明显。货舱中的发热过程和气体的滞留，可能导致货物的损坏，而原先所用木材的贮存功能，可减缓或消除这一作用。因此，逐步开发了能灵活适合货物和舱室的送风和排风装置。自然通风能优化至每小时换气 5 次，除此之外，还引用了每小时换气 10 次（冷藏船最多为 60 次，后来改为 90 次）的人工通风，以及两者的组合。

随着可逆转的轴流式风机（见图 6.2.1）的引入，达到了船厂和航运公司所期望的灵活性，使一台风机可以完成 3 项任务（鼓风、吸风和循环送风）。这样，造船部门就可以不受舱室大小到目前为止的限制，船厂可以借助于通风技术建造更大的船舶，诸如需要更少人员操作的特种船舶。特别是在运输汽车时，可以开发能满足对通风要求特别高的新型合理船型，例如超巨型汽车运输船和滚装船。船舶的不同部位采用不同的方式，诸如住舱（通常设置空调系统）、机舱（冷却空气和燃烧空气）、货舱（除湿和降温）及其他舱室（例如，粮食舱、车间、轴隧、泵舱和库房等），需要不同的送风和排风装置[6.1和6.4]。

图 6.2.1　未封闭的风管中的 3 台轴流风机（资料来源：Hochhaus）

6.2.1 机舱通风

各项任务:要为轮机人员在各种气候条件下创造可承受的空气状态(温度、相对湿度)。还要供给柴油机和锅炉所需要的燃烧空气。要排除机械所辐射和损失的热量,排掉机械发生的烟雾。要完成这些任务,需要供给大量的空气,对典型的货船而言,送风量通常是货舱的40~60倍。对于柴油机,送风量则为燃烧空气量的250%~300%。在设计机舱通风时应遵照相应的规定[6.1和6.4]。经验数据表明,在外界空气平均温度和舱内机舱平均温度之间可取13~15℃的温差。因此可取外界空气循环输送或予以优化[6.5和6.6]。

6.2.2 各种规范

主机和辅机舱的送风和排风(见图6.2.2)应统一执行作为上级规范的SOLAS规范[6.7],但该规范只做出了一般规定。详细规定,请参照各船级社和各国同业协会的各种规范[6.8和6.9]。

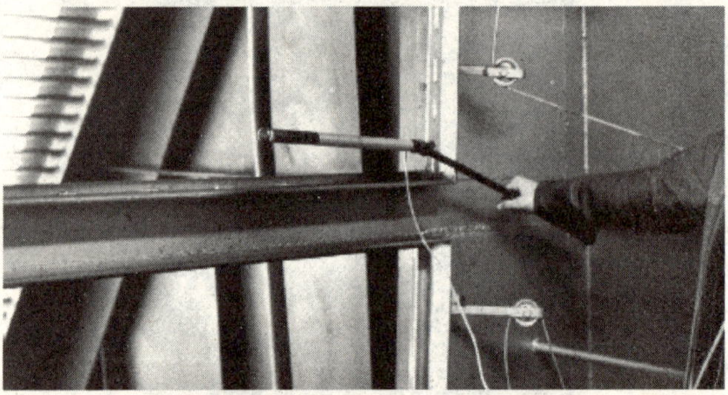

图6.2.2 一艘渡船排风筒中排风速度的测量(资料来源:Hochhaus)

SOLAS Ⅱ-1第35条规定机舱应有充足的通风,以保证在所有气候条件下人员的健康和安全,以及满足机舱的空气供给需要。所有其余机舱应根据其功能提供足够的通风。另一些条款(SOLAS Ⅱ-2第15、16、32、40条)对风管的截面积、流经其他舱室的风管的敷设、材料(不可燃)、进风和排风口、以及风机的开关做了规定。船级社对机舱通风做了详细规定,此外必须遵守船籍国的相应规定,悬挂其国旗进行航行。挂德国旗的船舶,要遵照远洋航运同业协会(SBG)的相应法规。SBG的"机舱通风装置"规范制定于1983年9月1日,被

DIN ISO 8861“柴油机船机舱通风”所广泛引用。针对 DIN ISO 8861 还要注意以下的补充条件(全文的缩写版,参见参考文献[6.9])。

送风机风量

送风机风量按计算确定,此时应考虑从机舱进口百叶窗、经消声接头到出口吸入侧和压出侧的全部流阻所造成的总压力损失 Δp。计算的依据是所有原动机、柴油发电机、锅炉和其他机械在额定功率下同时运转所需要的空气。对于轴流式风机,为使吸入段和压出段运行平稳,这些管段的长度应取为风机叶轮直径的 5 倍。送风机应选可逆转的,从而可作为排风机使用。

送风风管

送风风管和排风口的布置(见图 6.2.3)应该是这样的,即海水不致进入电气或机械装置,空气消耗设备保持有足够的空气,固定工作场所有足够的空气供应,并不超过规定的温度极限,封闭的空间保有足够的空气,确保空气能充分扫过机舱并带走热量。出口风速对封闭空间为 1～3 m/s,而对固定的工作场所为 0.1～0.5 m/s。

图 6.2.3 机舱中各柴油机的空气分配(资料来源:Hochhaus)

排风

排风口尺寸应选为:在自由截面上平均速度最高为 6 m/s。对于排风量 q_{ab} 适用下式:

$$q_{ab} = q - (q_{dp} + q_{dg}) \tag{6.2.1}$$

式中:q 为按 DIN ISO 8861 的总风量;

q_{dp}为主柴油机的燃烧空气量/(m^3/s);

q_{dg}为辅柴油机的燃烧空气量/(m^3/s)。

采用轴带发电机时,$q_{dg}=0$,但考虑另装一台辅柴油机的情况除外。在机舱内应建立不超过 50 Pa 的正压。若不能排放足够的空气,应考虑设置一排风机,以满足恶劣气候条件和海上航行之所需。机舱中的封闭空间,设有排风机或排风口,使排风流入机舱。分油机舱应具有单独的排风系统。

分油机舱(站)的排风应至少每小时换气 30 次。分油机舱的排风应单独进行,以免气体空气混合物或蒸气进入机舱的其他部位。在排风管路中应设置易于通达和便于更换的分油器或毛毡过滤器。

固定工作场所

为了遵守规范 UVV See 第 65 条,该场所应满足各项规定。若工作场所被布置在有热辐射表面的部位,则应将该表面隔热。若温度超过 70℃,例如在液货舱中,则其隔热层厚度至少应为 100 mm。焊接工作场所应设置排风机。

风阀、消防阀

所有风口(进风口、排风口)都应设置消防阀,后者的控制应引到机舱外的甲板上(在客船上机舱之外,还要设置中央控制)。因此,一般都要设置一个安全控制站,在该站上对风机做远距离控制。一旦机舱发生火警并以 CO_2 灭火时,应关闭消防阀,并停下风机。

6.2.3　已建成的系统

自然通风还使用在极小的船上,属例外情形。而主机舱的送风都是在正压下进行的。进入的空气由电动风机送入机舱或其他舱室(辅锅炉舱、泵舱、轴隧),再分配到各个平面,而排风经机舱顶部的风阀或百叶窗排到外面(见图 6.2.2 和图 6.2.4)。在高负荷的舱室(分油机舱)中,以及经常有人的机修间内,要设置送风和排风装置。车间和仓库现在已有一部分设置在空调区内。

在大船上,送风机从装有消声器和水分离器的进风室中吸入空气。送入的空气沿风管从上面经机舱井向下供给空气消耗设备和发热设备。主机、锅炉、辅机和空气压缩机等大型的空气消耗设备,直接由风管供给新鲜空气(见图

6.2.3)。没有安装在机炉舱(MKR)内的特殊消耗设备,诸如配电板和配电站等,应设有单独的空气过滤器进行空气净化。所有其他的消耗设备和发热设备间接地由输送到下部的新鲜空气供给。进风一直送到机舱最底下部位,并经过轴隧输送,以支持发热后向上对流的自然排风。这种正压通风,至少要装 2 台大风机,实际上往往要装 4 台或 6 台,其中一部分,有时全部都是可逆转的。一般商船以主机功率计,风机的单位驱动功率为 5～10 W/kW(见表 6.2.2)

图 6.2.4 机舱排风用带排气门的排气筒图(资料来源:Hochhaus)

表 6.2.2 各型船舶所需的风机驱动电功率和年运行费用

船 型	所需的风机驱动电功率* /kW	年运行费用** /欧元
散货船	50～300	30 000～180 000
护卫舰	150～250	90 000～150 000
液货船	200～400	120 000～240 000
牲畜运输船	200～1000	120 000～600 000
集装箱船	400～800	240 000～480 000
冷藏集装箱船	800～1300	480 000～790 000
汽车运输船	200～1000	120 000～600 000
客船	200～500	120 000～300 000

*无空调机组;**假设:0.075 欧元/kW·h 和每年8 000 运行小时。

通常的商船采用垂直结构的机舱，其中可自行调节由下而上的排风流。与此相对的客船和滚装船，其上甲板为旅客而保留或布置贯穿甲板，以便优先安置滚装货物。对于这种水平结构的机舱，一般都需要较强的机舱通风，需要较高的风机驱动单位电功率，达10～20 W/kW。因此，过去除正压送风外，还加装专门的加压通风系统。现在都采用模块式结构，装有两个在不同压力下工作的系统。

Hi-PRESS多喷嘴系统[6.10]——设有两个独立的系统：一次系统（轴流式风机）送风给主要消耗设备，并冷却主要发热设备。二次系统（离心式风机）送风给位于机舱中的、经常有人的部位，诸如应急控制台、仓库和机修间等。

DIRIVENT系统[6.11]——其一次系统设有一般的轴流式或半轴流式风机，送风给大型的消耗设备和各部分甲板（见图6.2.5）。二次系统设有较高压力（约4 000 Pa＝400 mmH_2O）的离心式风机用于送风，被安装在较小截面的风管中，所占的机舱空间也较小。二次系统的出风口采用固定的和移动的喷嘴，以便有针对性的送风和导出热量。这样可以避免形成不易通达部位的热点，并将排风沿垂直井道引出。

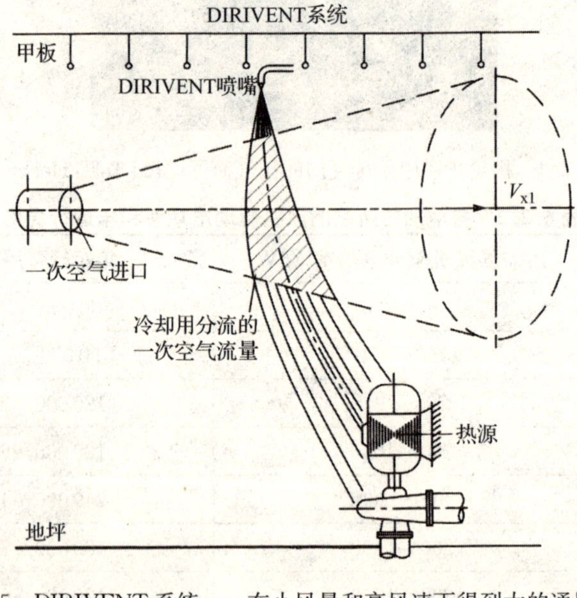

图6.2.5 DIRIVENT系统——在小风量和高风速下得到大的通风量[6.11]

这种系统的主要优点是缩小了进风通道，从而减小所需的空间和重量。但它需要两个系统，这一缺点使投资和运行费用都有所增加。但是，对于上述机舱空间紧缺的船型，这种方案还是比较理想的。利用小量的高速空气可以输送较大量的空气。

若在机舱中敷设这种系统场地不够充裕，则可在机舱中设置利用海水冷却的机舱循环通风系统，以减少总的送风量。这种方案可以节约不少场地，但要增设水-空气换热器，并考虑冷却水的消耗及其平衡(见图 6.2.6)。

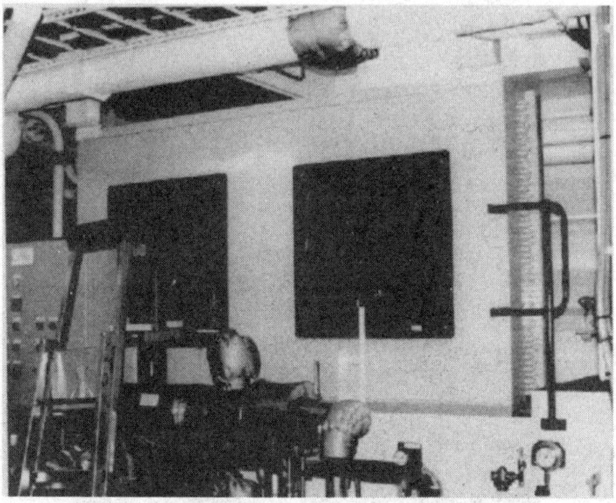

图 6.2.6 2000 年由 Blohm & Voss 公司交付的 OLYMPIC VOYAGER 号机舱排热用循环风冷却器一览(资料来源：Hochhaus)

6.2.4 货舱通风

货舱通风系统应根据所运输的货物和货舱中所在的工作人员来设计。相应的规范只做了非常一般的规定，只规定了特殊场合(汽车运输、危险品运输)时的换气次数。通风系统一般由船厂根据其经验设置。

6.2.5 散货船

以往散货船的货舱通风主要都采用自然通风。为此，在甲板或甲板室中布置压出或吸入侧通风帽[6.1和6.12]。设计基准采用平均风速约 4 m/s 或相应的动压 1 mm H_2O(9.8 Pa)。这种通风方式的缺点(速度过低，在风向改变时，风帽要人工转向)导致了采用经改进的风帽(风向改变时不需要人为改变方向的风帽)，以及现在通行的动力风机(见图 6.2.7)。在采用人工通风时，船厂可以自由选择风管截面积及其布置。这对于集装箱船是很需要的，因为在甲板上也要堆置集装箱，而布置吊杆柱和绞车的甲板室在集装箱船上已经消失。

在运输危险货物时，例如滚装船，在封闭的货舱内需要每小时换气6次，而且风机要防爆(Ex防护型)。

图6.2.7 货船甲板室上带风机和排风口的动力风机头(资料来源:Hochhaus)

6.2.6 水果运输船和冷藏船

冷藏集装箱船之类的特种船舶，仅做简短介绍，在此请参见参考文献[6.2]。在水果运输船和冷藏船上，可根据船舶和货舱大小设置不同类型的通风系统。开始时主要采用横向通风(从左舷吹到右舷或相反)。风管是可巡查的，同时用做货物检测(货物检视和温度测量)。风沿水平方向吹过货物，在以前一般较小吨位的船舶上，可以达到均匀的温度分布。随着船舶的逐渐增大，船舶宽度也加大，温度分布变得不均匀，于是逐渐过渡到垂直布风。这样就需要在货物下布置风管，一般通过多孔舱底垫板(栅板)来实现。风从侧面风管(风管系统)引入，或直接从纵向风管(无风管系统)引进。也有采用横向和纵向组合的通风系统。

风机的风量、尤其是温度调节均属重要方面，而从冷藏船上积累的经验，正推广应用到其他船型上。重要的是要区分循环通风和新风运行。循环通风和新风运行一般与空货舱有关。循环通风时要规定每小时换气数，例如对于低温货(鱼、肉)为 30～40 次/h,对于水果则为 60～90 次/h。此外只有在运输水果时才引入新风(每小时换气 122 次),因为这里有代谢作用,空气中的含氧量被吸收,而且要排除 CO_2、水和气态芳香物等代谢产物。

对湿度敏感的或吸湿性货物应防止受到空气中的水分和凝水的破坏。特别重要的是要注意在不同温度区域间航行时无法避免的温度急剧变化。

当船舶由低温区行驶到高温区时,货物温度比空气温度低,空气中的一部分水分会冷凝在货物上(货物出汗)。为了避免发生这种现象,要对空气进行预热和干燥。在相反情况下,当船从热湿区来到低温区时,热货会加热引入货舱的冷空气,空气中的一部分水分会凝结在被冷却的外板上。

6.2.7 集装箱船和冷藏集装箱船

当冷藏集装箱堆置于甲板上运输时,散热一般是不成问题的[6.3]。但是在冷藏集装箱连同其制冷机组一起(一体式集装箱)置于甲板下运输时,则必须从货舱中除去制冷机组产生的热量(每一 TEU 约为 7～14 kW)。冷藏集装箱的制冷机组一般所允许的最高环境温度为+50℃,即以此温度为空气允许最高设计温度。现在采用 3 种设计方案:纯新风冷却、货舱由海水冷却(间接海水冷却)、集装箱直接用淡水(很少用海水)冷却。

纯新风冷却最为常用,从甲板上引来环境空气,并在甲板下沿空气分配系统引往每一制冷机组。每一 40 英尺集装箱采用这种冷却方式时所需的电功率随设计状态和船型而在 1.5～4 kW 范围内变化。在采用间接海水冷却时,空气在货舱内循环,并在海水冷却式空气冷却器中被冷却。当甲板结构中不能布置风管横截面时,可采用这一方案。这一方案的能耗并不比纯新风冷却低。在集装箱采用水冷时,应采用同时装有风冷式和水冷式冷凝器的专门的集装箱。集装箱从船侧通过软管供给冷却水。此外,所耗电能的一部分由货舱传到空气中,因为电力拖动和制冷机组中的高温部件要将热量传给货舱中的循环空气。因为并非所有冷藏集装箱都可装有水冷式冷凝器,这一类船只有有限的能够安装。显然,冷藏集装箱在甲板下运行需要消耗较大的电功率。这一方案在参考文献[6.3]中有详细的论述且附有实例。

通常在集装箱船的前货舱装载危险品时,按照 SOLAS 规定,每小时的换气次数规定为 6 次。气体和蒸汽应能从货舱的上部和下部排出。因此,风机必须是可逆转的。排风口的布置应该是:约 1/3 风量从上部排出,而约 2/3 从下部排除。

6.2.8 滚装船、汽车运输船

滚装船和汽车运输船(参见图 6.2.8)应在其封闭的货舱中安装通风系统，只要舱内有汽车，通风系统就要运行。应保证每小时 6 次的换气率，应没有静止的空气层和死角。这一通风系统应该与其他的通风系统完全隔离。在汽车驶进和驶出期间，规定有更高的换气率。该通风系统的操作应在舱外进行。

图 6.2.8 现代汽车运输船，上甲板上可看见为车厢甲板供给空气的送风和排风通道(资料来源：Hochhaus)

6.2.9 风机(鼓风机、通风机)

在小压差下输送大容积的空气、气体或气体混合物所用的做功机械即流体机械，称为风机或通风机(离心式和轴流式)(见图 6.2.9 和图 6.2.10)[6.13]，这已在第 1 章中做了详细介绍。与此相反，船上也需要在大压差下输送小容积的空气(例如 3 或 10 bar 的工作空气，30 bar 的启动用空气)，为此可采用容积式机械(活塞式或螺杆式压缩机)。

风机的电功率 P_L(W)可表示为：

$$P_L = \frac{\Delta p \cdot \dot{V}_L}{\eta_L} \tag{6.2.2}$$

式中，Δp 为压差/(N/m^2)；$\dot{V}_L$ 为空气容积流量/(m^3/s)；η_L 为风机效率(实际数值：大型机为 0.6～0.85；中型机为 0.5～0.7；小型机为 0.3～0.6)。

上式中的压差为全压差，由静压和动压两部分组成：

$$\Delta p = \Delta p_{动} + \Delta p_{静} \tag{6.2.3}$$

动压部分为：

$$\Delta p_{动} = \frac{\rho}{2} \cdot v^2 \quad (\mathrm{N/m^2}) \tag{6.2.4}$$

它与空气从吸入速度(通常为零)到出口速度的加速度有关。静压部分考虑吸入和压出侧风机管道的压力损失。因此，它与空气密度 ρ、风管直径 d、风管长度 l 以及嵌装件(过滤器、弯头、分支接头等)有关。由嵌装件产生的压力损失通过单位压力损失系数 ξ 表示，该值可从表中查取[6.13和6.14]：

$$\Delta p_{静} = \frac{\rho}{2} \cdot v^2 (\lambda \cdot l/d + \Sigma\xi) \tag{6.2.5}$$

式中，λ 为摩擦系数，根据雷诺数和风机管道的粗糙度确定[6.13和6.14]。风机的运行满足模型规则(比例规则)，风机的制造则满足型谱规则(风机型谱)。模型规则与风机转速 n 有关。风机转速可在采用变极电动机时分级变化，在采用变频器时无级变化。

这样，可列出下列算式：

风机容积流量 $\dot{V}_L$ 与转速 n 成正比：

$$\dot{V}_L / \dot{V}_{Lm} = n/n_m \tag{6.2.6}$$

风机排出压力 Δp 与转速 n 的平方成正比(在紊流时)：

$$\Delta p / \Delta p_m = (n/n_m)^2 \tag{6.2.7}$$

风机功率 P 与转速 n 的立方成正比：

$$P/P_m = (n/n_m)^3 \tag{6.2.8}$$

风机的运行可以较好地用其性能的特性曲线来描述。根据结构形式，风机可分为离心式风机和轴流式风机两种。离心式风机排出的空气沿径向流动(见图 6.2.9)；而轴流式风机排出的空气沿轴向流动(见图 6.2.10)。两者的空气都沿轴向吸入。还有一种斜流式风机，其部分空气沿圆周进入，并相对地沿圆周排出。这种风机在船上应用不多。

离心式风机根据排出压力可分为：

低压风机　Δp 在 750 Pa 以下；

中压风机　Δp 在 750～3 600 Pa 范围内；

高压风机　Δp 在 3 600～30 000 Pa 范围内。

风机还可按叶片布置、叶片形状和运行条件分类。

船上主要安装大型风机(机舱风机)和中型风机(空调装置风机)，而且常常在吸入侧或排出侧运行，即应克服吸入侧或排出侧的阻力。

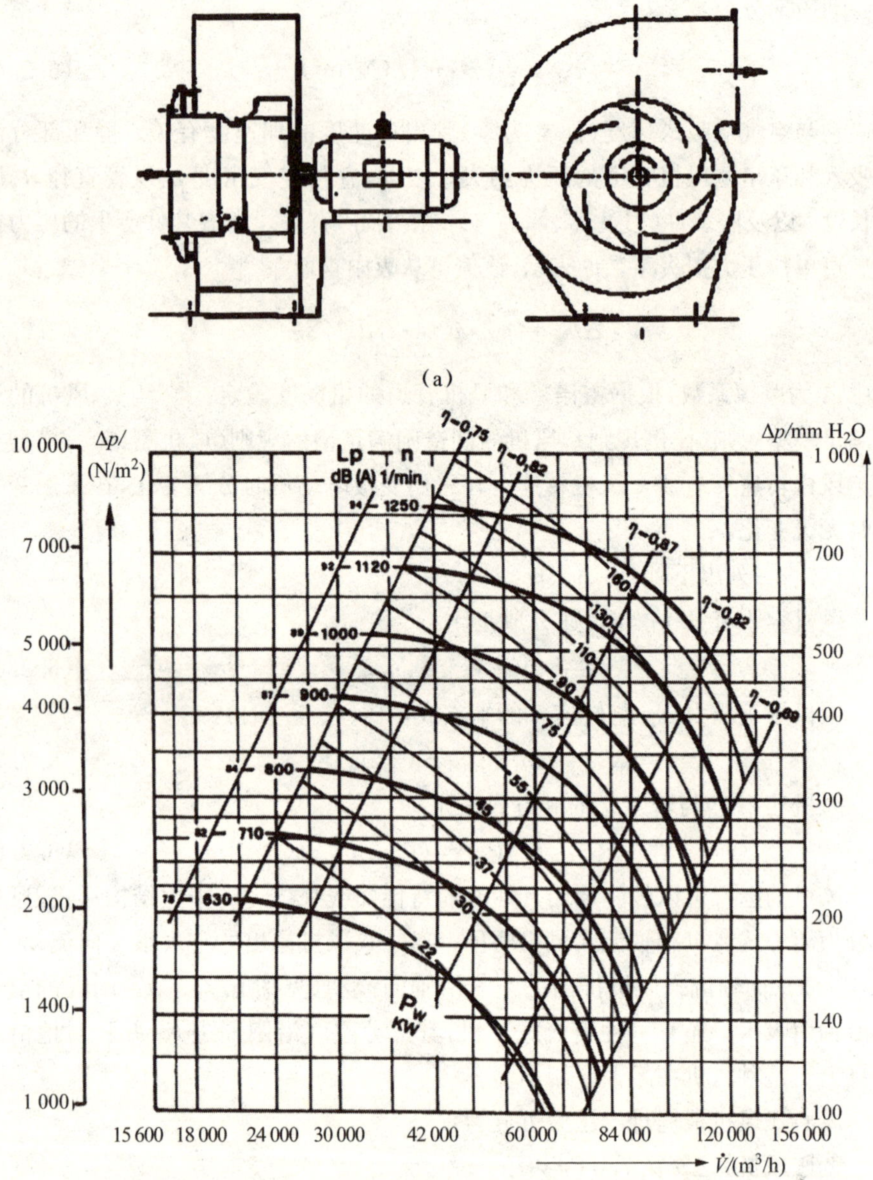

图 6.2.9　离心风机

(a) 电动机直接驱动的离心风机；(b) 离心风机特性曲线：效率(69%～87%)、流量 30 000～120 000 m^3/h、压差 1 000～7 000 N/m^2(资料来源：Rosenberg Nord)

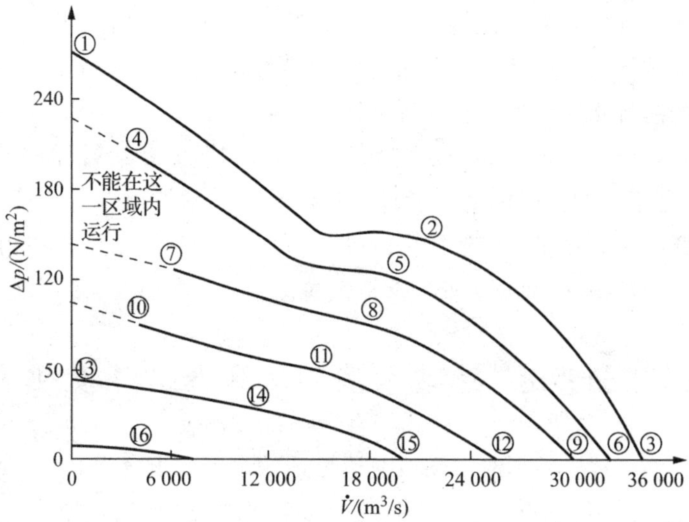

图 6.2.10　轴流风机特性曲线：流量 3 000～24 000 m^3/h、压差 15～125 N/m^2（资料来源：Rosenberg Nord）

6.2.10　风机设计和选择

列入“制造商清单”的风机制造商可以根据使用情况和设置要求提供各种风机，其效率以及电动机功率、圆周速度、风机特性曲线、重量、结构状态、动态特性（启动时间、启动状态）、噪声数值以及价格各不相同。在最终选择时，应由船厂、航运公司和风机制造商按照通风装置的特性曲线（见图 6.2.11）在上述参

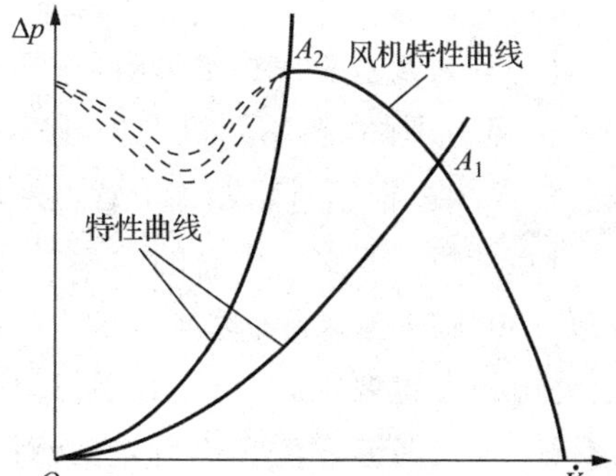

图 6.2.11　轴流风机特性曲线（不稳定区画有虚线）与两根不同特性曲线的交点，得到工作点 A_1 和 A_2，点 A_2 接近危险区

数之间取得最佳的匹配。机舱和住舱用风机，属于长期运行类，航运公司和检验部门希望选择昂贵而性能优良的风机，以节省运行的能源费用。长期运行的风机每年的能源费用约为风机本身价格的3～6倍。

滚装船之类的货舱风机，根据运行状态（港口装卸货运行、海上航行、压载航行）要求有不同的容积排量，一般以双转速为好，这样可以省去第二台风机。此时应注意能在静止状态调节风机的叶片角。在这种情况下，风机可以较好地配合以后的运行情况，而省去安装节流装置。

6.2.11 船舶营运中各类装置的保养、检测和优化

保养工作一般应根据制造商或航运公司的设置要求确定，但主要依照运行时间判断。为便于在航行或港口中进行保养，重要的是风机要安装得易于保修。若风机在装配时没有设置装配或保养阀件，则船上的轮机人员就没有可能进行优质的目标明确的检验和保养。还有一点也很重要，即大型风机（机舱风机）应尽可能安装在设有起重设备的区域，或设置能从起重设备上转载的吊耳。除了目测检查外，还要测量绝缘电阻，并根据保养规定更换滚动轴承。每一轴承应做定期检查。脏物、异物和水分不应进入其中。船上一般应安装持久的润滑轴承。在润滑不良时，应严格注意在保持清洁的情况下，更换润滑剂和轴承。应检查过滤器的脏污，需要时予以清洗或更换。应定期检验消防阀，远距离和手控检查其运动部件和闭塞件的功能。

装置的优化

机舱通风系统的设计与动力装置和航行区域有关。在部分负荷、寒冷区域和港口作业时，需要的风量显著下降，船舶轮机人员可以根据偏离设计点的情况明显节省能源的消耗[6.15和6.16]。根据对船舶整个营运寿命中正常运行情况的分析，可以肯定，满足设计点的情况是绝无仅有的。

在设计点上主机以100%功率运行（通常为70%～90%），海水温度为32℃，根据船级或航运公司的设置要求，空气温度为35℃或40℃。但是这种情况在船舶使用中很少碰到，仅能够发生。因此，在设计通风装置时，重要的是要考虑偏离设计点的其他运行条件，以便能在能耗上优化运行。这样不仅能节省电能，还能避免事故，如防止因损坏转子而导致破坏轴流式风机的本体的现象出现。其原因往往是在寒冷气候条件下机舱风管出口关闭或主机空

气消耗量下降(河口航行、港口航行)。这样,轴流式风机处在风机特性曲线上禁止的运行范围内(倾覆点上),往往导致空气柱振荡(失速),从而损坏风机转子。

当机舱通风系统优化目标明确规定时,机舱通风系统的优化是比较简单的。航运公司、船厂、通风公司和风机制造商等 4 个单位的利益虽然不同,但可以找到相应的折中解决办法。航运公司追求低的新船建造和运行费用;船厂和通风公司追求低的投资成本;风机制造商宁愿推出具有稳定特性曲线、高效和低运转成本的昂贵风机。因为合同中标的都是出价较低的商号,他们愿意提供多台初始成本较低而运行费用较高的风机。机舱风机属于长期运行的机械,值得指出,上述 4 方通过协商可以求得折中方案。这种风机通常每年运行 8 760 h 购买优质风机所额外支付的费用,往往通过 3 年的节能运行即可收回[6.17和6.18]。

为节省风机的电功率,可以采取提高效率、减小压差、完善隔热和改进流量匹配等措施(见图 6.2.12 和图 6.2.13)。

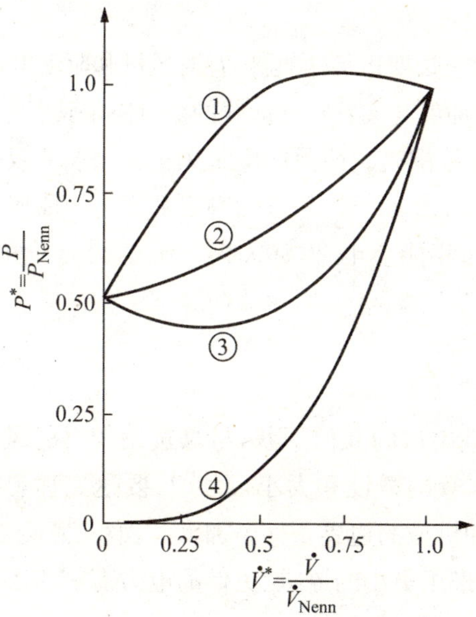

图 6.2.12　节流调节①、导叶调节②,③和转速调节④时风机所需功率与额定值之比

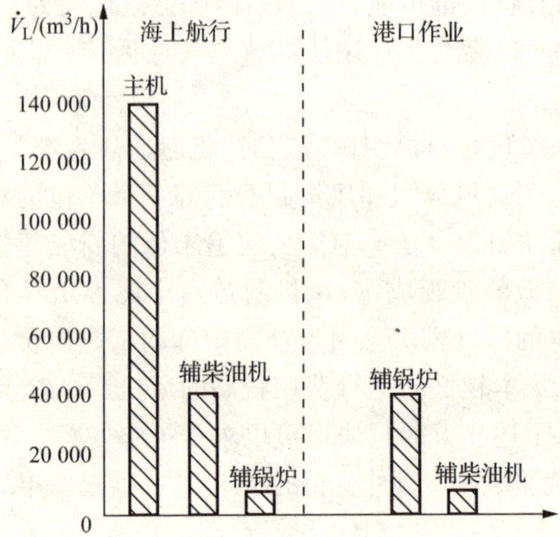

图 6.2.13　所需的风量的变化与船舶营运状态的关系[6.6]

效率

由于风机主要属于长期运行的机械，宜对风机和驱动电动机的效率进行考察并做规定。风机特性曲线与装置特性曲线的交点决定其工作点(参见图 6.2.11)。该点应位于最高效率范围内。简单的廉价风机其当前的效率约为 60%，高效的为 85%，特别高性能的达 90%。一般的额定功率为 60 kW 的机舱通风装置，若其效率提高 5%，则每年能节电 25 000 kW。若假设电费单价为 0.1～0.15 欧元/kW·h，则每年可节约 2 500～3 750 欧元。

压差

要优化风管和进出口的几何形状，尽量选用较大的风管截面积，以尽可能减少损失。在决定风管的敷设和大小尺寸时，要达到理想的折中方案，因为这里要优先确定船舶和机械的边界条件。加大截面积，意味着需要更大的面积和更高的投资，而可以采用更小的风机、更低的电力需求和运行费用。

隔热

一种简单的节能方法是将新风供入管加以隔热处理，这样可使新风的温升下降 1～4 K。根据船型、辅机和加热液舱的型式与布置，每 kW 安装功率(包括主机和辅机)需要 6～15 m^3/h 的冷却空气。新风从甲板上的进风口以 10～20 m/s

的速度流到机舱内的出风口。加热后的空气反向向外流出，因为机舱井的截面大于风管，流出速度较低，约为 2～5 m/s。在客船上，机舱井更狭窄，速度可达 10 m/s。

容积流量

设计点的容积流量由规范确定。由于主机、辅机以及影响空气需要量的其他设备很少在设计点（MCR、海水温度 32℃、外界空气温度 35～40℃）上运行，空气容积流量也可偏离设计点。由图 6.2.13 可以明显看出，海上航行和港口作业是有区别的。现在，空气容积流量的变化是通过节流和改变转速（风机由变极电动机驱动）实现的。此外，还可以采用其他方式：布置多台按功率分级的风机、导叶调节[6.13]、降低频率（滑动频率）和通过变频器[6.15和6.16]。

转速调节（变极、变频和滑动频率）

在降低转速时，可以节约较多的能量。简单易行的方法就是风机采用变极电动机驱动，这是由船上有节能意识的操作人员提出的。船上也进行了试验，得出了值得注意的节能效果[6.6和6.18]。当时油价飞升，也强化了这一效应。

在设有轴带发电机和滑动频率的电力装置中，通过频率的下降实现主机负载对空气消耗量的影响。在主机转速下降时，电网频率也下降，导致风机电动机转速下降，从而使空气容积流量呈线性变化，而电功率消耗量按三次方下降。

导叶调节

导叶调节提供了进一步节能的可能性，使空气容积流量更好地与需求相匹配。导叶调节可以通过多种方式实现，在参考文献[6.13]中有详细介绍。采用节流、导叶调节和变速时空气容积流量和所需功率的关系如图 6.2.12 所示。

6.3　船舶制冷装置

在船舶上，居住舱室的空调以及粮食和货物的冷藏都需要制冷装置。

迄今为止，船上广泛采用装有压缩机的压缩式制冷装置。目前正在开发准备装船用的吸收式制冷装置。

6.3.1　制冷装置型式

制冷装置首先有直接式和间接式装置以及集中和分散装置之分。在直接式制冷装置中，制冷回路中的蒸发器直接安装在待冷却的舱室/空调机组中。在间接式装置中，制冷回路中蒸发器的热量要通过另一种介质来传递。根据温度的高低，可以采用水、盐水和冰水混合物作为上述传热介质。

6.3.2　压缩式制冷装置

压缩式制冷装置的原理基于低温沸腾的制冷剂的强制蒸发和凝结。

通过压缩机中的升压和冷凝器中的散热，实现工质的散热和凝结。通过节流阀的节流和蒸发器中的吸热，工质从周围环境吸热而蒸发。

在压缩式制冷装置中采用的工质，称为制冷剂。根据对臭氧空洞和温室效应的讨论，工质问题的讨论引起了公众媒体和政治家的兴趣，将来可能会引用“天然”制冷剂(参见1.16节)。

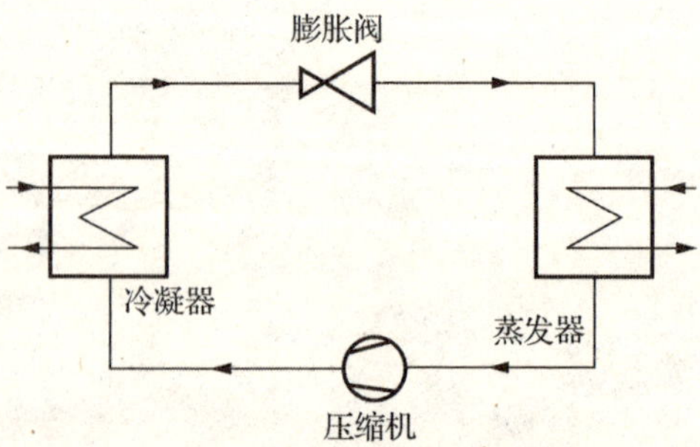

图6.3.1　压缩式制冷机工作原理简图

6.3.3 吸收式制冷装置

压缩式制冷装置需要采用机械能来制冷。与此相反,吸收式制冷装置则用热来制冷。在船上,至少在航行时,有大量余热产生。在油价飞涨的背景下,采用高温冷却水和/或蒸汽驱动的吸收式装置具有相当的意义。为了在港口作业时也有足够的冷量供给,必须也有相应的热量来制冷。

现在,吸收式制冷装置采用不同的工质对。空调装置主要采用水-溴化锂(H_2O-LiBr);低温装置主要采用氨-水(NH_4-H_2O)。

吸收式制冷装置的工作原理在于:工质对的一个组分在高压下因吸热而产生,又在低压下因放热而被吸收。所产生的组分像压缩式制冷装置中一样在高压下被凝结,而在低压下被蒸发。在吸收器中,蒸汽被二元溶液所吸收(见图 6.3.2)。

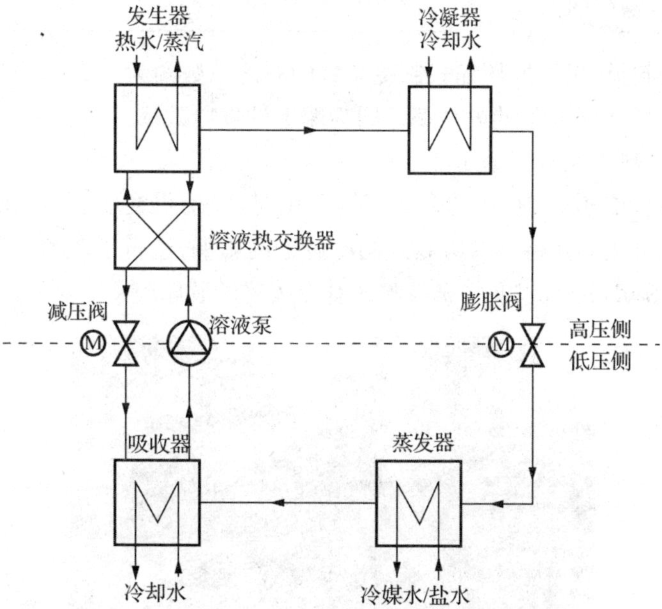

图 6.3.2 吸收式制冷机基本工作原理

制冷所需的加热介质的热量表示为制冷量和热源热量之比,即热力系数(见表 6.3.1)。由该表可知,如对于单效 LiBr-H_2O 吸收式制冷装置,每 kW 制冷量需要热量约 1.5 kW。因此,总热力系数(COP)显然取决于加热介质的温度和制冷剂的蒸发温度。

表 6.3.1 吸收式制冷装置的热力系数与蒸发温度的关系(摘自参考文献[6.4])

氨-水(NH_4-H_2O)				
1 级吸收				
蒸发温度/℃	0	−10	−30	−50
热力系数(COP)	0.63	0.58	0.48	0.34
2 级吸收				
蒸发温度/℃	0	−10/−30	−30/−50	
制冷量分配/%	60/40	60/40	60/40	
热力系数(COP)	0.62	0.57	0.48	
水-溴化锂(H_2O-LiBr)				
蒸发温度	+4℃			
单效机热力系数(COP)	0.67			
双效机热力系数(COP)	1.00			

为比较起见,可以取压缩式制冷装置的制冷系数约为 3.5,即产生每 kW 制冷量需要消耗 0.29 kW 的电功率。因为船上的发电效率为 50%左右,参考燃料的热值,得到热力系数约为 1.2。

由此可以知道,只有在有余热可资利用时,才值得在船上引入吸收式制冷装置。为了解决船舶运动对吸收式制冷装置的影响,进行了改型装置的成功试验研究(见图 6.3.3),以便将来吸收式制冷装置的装船应用。

图 6.3.3 WTD71 试验台上的溴化锂吸收式制冷装置
船舶航行影响试验(资料来源:参考文献[6.19])

6.4 船舶空调装置

6.4.1 设计准则规范

不论船型如何,船舶的空调和通风技术状态对旅客所感受的舒适度、船员的健康以及机械、装置和系统的无故障运行都具有持久的影响。挂德国国旗的船舶,原则上应遵守德国劳氏船级社(GL)和远洋航运同业协会(SBG)的各项规定。两者的规定主要涉及适用于海船通风装置的各项指令[6.8、6.9和6.21],且大致相似。

在消防区和水密隔舱内,空调/通风系统原则上是作为独立系统设计的。

作为安全技术标准应遵照GL/SBG规范的B节"空调边界条件"的规定,在设计时必须满足其最低的数据要求。任何设计的目标都是优化影响到个体的各项参数,诸如空气温度、湿度、空气量、风速、CO_2 或 O_2 含量、热辐射及其他。

图6.4.1示出了舒适度区域,这是温度场与风速及空气湿度的关系。

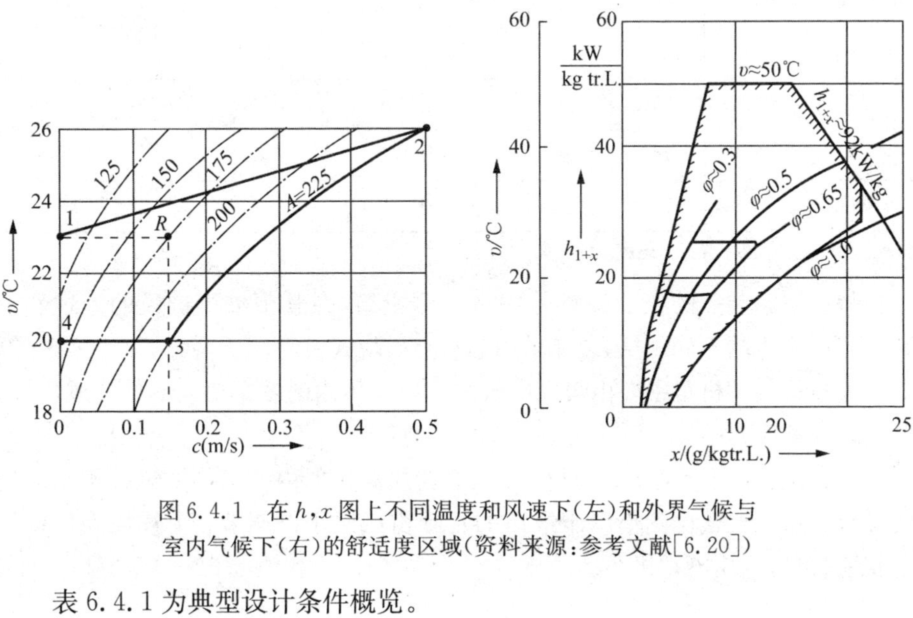

图6.4.1 在h,x图上不同温度和风速下(左)和外界气候与室内气候下(右)的舒适度区域(资料来源:参考文献[6.20])

表6.4.1为典型设计条件概览。

夏季:外部气候:35℃/70%相对湿度;

内部气候:27℃/50%相对湿度。

冬季:外部气候:－20℃;

内部气候:22℃/50%相对湿度。

除上述规范外,还有其他一些参数影响海船居住区和生活区空调与通风装置的计算结果和技术设计。

表 6.4.1 SBG 规定的通风和空调系统设计数据[6.21]

舱 室	机械通风		空调装置				最小新风量/(m^3/h/人)
			带最多20%回风		无回风		
	进风	出风	进风	出风	进风	出风	
住舱/卧室	8	—	8	—	6	—	50
卫生间	—	10	—	—	—	—	—
餐厅、客厅、办公室	15	15	15	15	12	12	50
走廊	—	5	—	—	—	—	—
医院	12	12	12	12	12	12	50
厨房,低温区	15	—	15*	—	12*	—	50
厨房,高温区	25	40	25*	40*	28*	40*	—
配膳室	25	25	20	20	15	15	50
洗衣间	15	15	—	—	—	—	50
干燥室	25	30	—	—	—	—	50
洗衣/干燥组合间	15	20	—	—	—	—	50
干粮库	10	10	10	10	5	5	—

*只适用于厨房直接布置在空调区内的情况。

每一空调装置的核心部件是中央空调机组,在其中进行进风的处理和调整。依据机组的不同规格,现在采用的只有模块式机组。

完整的空调机组主要由集成在机组金属本体内的8个单一部件构成(见图6.4.2和表6.4.2)。

混合室:在混合室中,由外部供入的新风和由船内排出的回风按预定的比例混合。这一混合比例借助于进口的百叶窗风阀予以调节。上述风阀可以固定安装,也可以用电动机驱动调节。

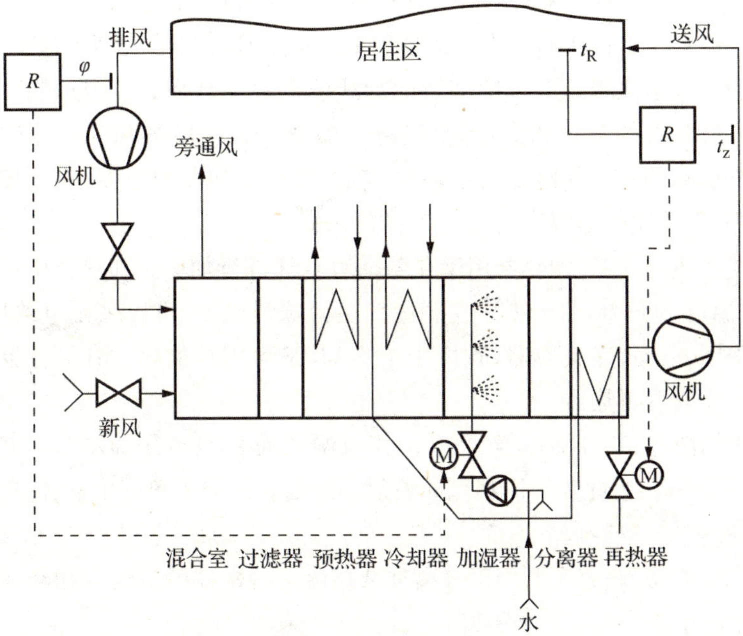

图 6.4.2 船舶空调装置的典型结构

表 6.4.2 各型船舶采用的空调系统数据

参 数	5 500 TEU 集装箱船 约 65 000 DWT	旅游船	渡船 约 6 250 DWT	液货船 约 40 000 DWT
船上人数	25	1 550	1 722	25
空调风量/(m^3/s)	7	163	52.9	5.7
每人风量/(m^3/s)	0.28	0.11	0.03	0.22
空调装置数	1	42	25	1
制冷量/kW	490	6 100	2 590	270
每人制冷量/kW	19.60	3.93	1.50	10.8
采暖量/kW	500	2 800	1 370	240
每人采暖量/kW	20	1.81	0.80	9.6

过滤器：与混合室相连的过滤器用于滤除空气中的灰尘。这种过滤器大多是袋式过滤器，偶尔也用毡式过滤器。

空气冷却器/除湿器：经过滤的空气进入空气冷却器。空气在该处由进口温度27～30℃(在纯新风而不用回风时可能还要高)冷却到12～14℃。同时进行除湿。所产生的凝水收集在冷却器下方的由优质钢制成的滴水盘中,然后再引往船舶的排水系统。空气冷却器的形式随制冷循环而定。根据制冷循环中所连接末端装置的数量和大小,空气冷却器分为直接冷却和间接冷却两种方式。在直接冷却式空气冷却器中,制冷剂直接在冷却器中蒸发;在间接式冷却器中,供入冷却器的是温度为6～7℃的冷水。

空气加热器:空气加热器用于在冬季对空气进行加热。加热介质可以是热水(进口温度80～90℃)、热油或蒸汽。在特殊情况下,可以采用电热棒加热。有时也采用复合式热交换器,既可用于冷却,又可用于加热。有部分也在加湿器后再补充设置再热器。

空气加湿器:离开加热器的空气,相对湿度为20%～30%左右。需要加湿到50%～60%。为此要采用蒸汽或喷射加湿器。从卫生角度出发,优先采用蒸汽加湿。

水滴分离器:该分离器用于分离夹杂在流过冷却器的空气流和经加湿器的空气流中的水滴。

风机:主要采用离心式风机。这是空调机组中唯一的运动部件。该风机大多由采用变频器调速或变极式电动机驱动,以便调节风量。为了进行降噪减振,风机安装在橡胶减振器上。

分配室:由风机送出的空气流进入分配室,再引到送风管中。风量用固定安装或可调的百叶窗风阀调节。

除上述标准构件外,根据需要,还可选用下列构件:

活性炭过滤器:在进风有强烈气味时,可在空气冷却器/加热器组合前,加装活性炭过滤器。

热回收设备:为了节约能源,有些还装有热回收设备。

6.4.2 商船用空调装置

商船上主要采用两种空调装置。

单风管装置

在这种装置中,从中央空调机组中只引一根风管与舱室的布风口相连。因此,空气的全部处理(过滤、空气冷却/加热、加湿等)都在中央空调机组中进行。

这样处理后的空气沿隔热的风管导入舱室和公共部位，并经过布风口进入住舱。在布风器中可装设电加热，以便进行温度的个别调节。

同时还可进行风量调节。电再热器（只要是现存的）以及风量调节器都由室温调节单元控制。这样，供入舱室的新风量是可变的，并通过后调节使舱室温度处于较狭窄的范围内。排风进入走廊和楼梯间，有部分作为回风与新风相混。卫生间和厨房的排风直接排到外面。图 6.4.3 为带有电再热的单风管系统。

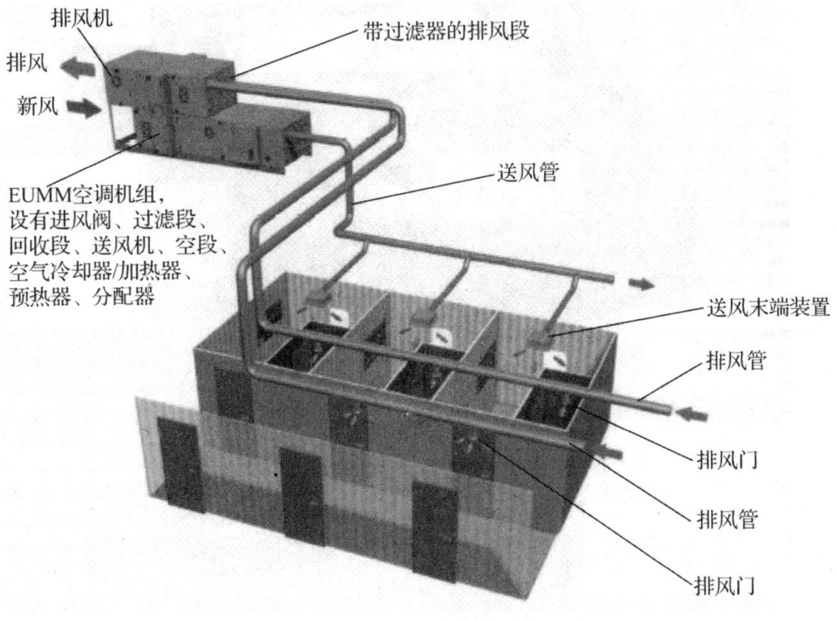

图 6.4.3 带电再热和热回收的单风管装置（资料来源：ABB Fläkt）

双风管装置（见图 6.4.4）

与单风管装置相反，在该装置中采用两根单独的经不同退火处理的风管（一根输送冷风，另一根输送热风），连接于中央空调机组和有关舱室之间。在这里，空气调节的主要过程也在中央机组内完成，但热风和冷风分开。热风流过再热器补充加热，而冷风直接与舱室布风器相连。在布风器中，根据调节目标，将热风和冷风相混合。混合比例由室温调节单元控制。排风和单风管系统一样，由卫生间、走廊和公共部位排出。

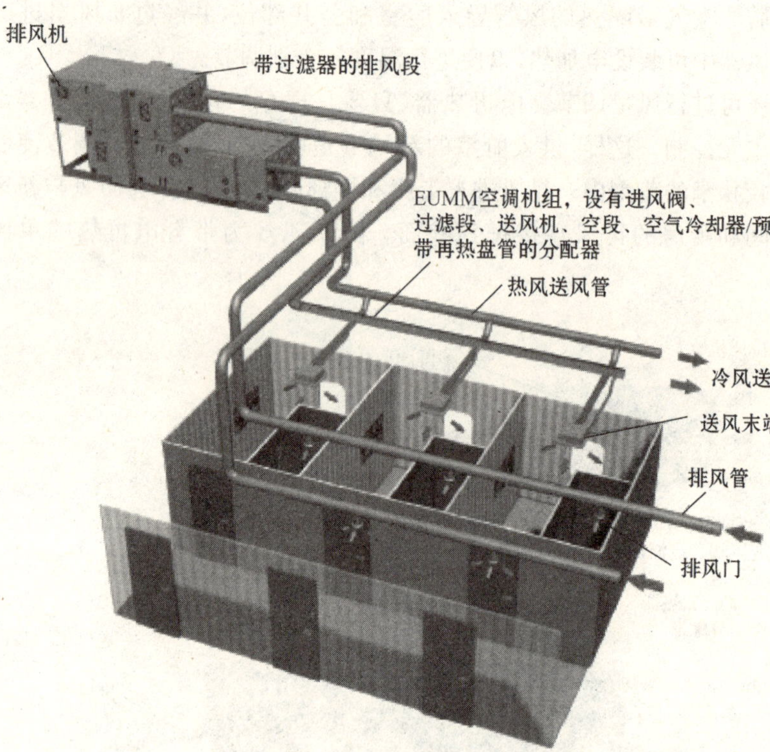

图 6.4.4 带回风的双风管装置(资料来源:ABB Fläkt)

6.4.3 客船和旅游船用空调装置

客船和旅游船用空调装置与货船相比,其特点是舒适度更高。这要求采取更完善的技术措施,特别是系统的调节。原则上可以采用原来货船上采用的空调系统。为避免单管和双管系统的缺点,近年来在建造大型旅游船时,开发了第三种空调系统。

风机盘管装置

这种空调装置基于空调的分散化原理。在空调间内,由小型中央空调机组进行空气预处理(过滤、空气冷却/加热、加湿)。经预处理的空气经单风管系统送到舱室。在每一个舱室中不用一般的天花板出风口,而采用风机盘管装置对进风加热和冷却。风机盘管装置通常设有一个二次风过滤器、一个带调节阀的空气冷却器、一个电再热器和一台风机(至少是三级的)。风机盘管装置或垂直安装在隔间中,或平卧在舱室天花板内,并具有凝水和冷水接头。来自风管的一次风在压出侧或吸入侧进行混合(见表 6.4.3)。

表 6.4.3 客船用不同空调系统的比较[6.4]

	单风管装置	双风管装置	风机盘管装置
优点	• 调节性好 • 节能 • 新风比高(达 100%) • 重量轻 • 风管和管路安装费用省 • 要求的天花板和通风井尺寸比双管装置小 • 运行费用低 • 噪声低	• 调节性好 • 舱室和公共部位风量稳定 • 管网中无压力波动 • 通过一定的风量平衡全船压力状态稳定 • 新风比高(达 100%) • 易于保养	• 节省空调中心、通风井和天花板尺寸(约 1%～2%) • 风管和管路安装费用省 • 节能 • 通过最佳的个人化空调提高舒适度
缺点	• 与风机盘管装置比较,中央空调占地面积较大 • 采用电再热需要舱室中的附加安装费用 • 温度调节差,舒适度低 • 管网压力状态不稳定 • 送风量波动	• 不节能(总能量消耗大) • 利用两组风管,协调费用高 • 中央空调和天花板所需空间较大 • 重量大 • 运行费用高 • 噪声问题 • 混合时风量大	• 需要的舱室天花板尺寸较大 • 舱室的回风比例高 • 气味问题(例如,烟雾) • 舱室天花板中敷设水管,安装费用高 • 舱室内漏水问题 • 维修费用高 • 风机盘管装置一般只适用于住舱 • 投资费用高

直接蒸发式空调装置

直接蒸发式空调装置适用于制冷量约为 50～600 kW 的情况。间接蒸发式空调装置由于省去了二次循环回路而需要采用冷水或盐水作为载冷剂,并为此而需要循环泵。与此相比,直接蒸发式空调装置造价比较便宜。但是这种装置的蒸发器数量有限,否则,在增大蒸发器数量时,制冷和调节问题的解决就比较昂贵。商船空调用制冷量一般都在 500 kW 以下(见表 6.1.1)。因此蒸发器数目有限,并且船上制冷装置主要采用在空气冷却器中直接蒸发。

在能量调节方面,应该考虑到需要以额定制冷量运行的时间相对较短。在极大部分场合,只需在部分负荷下运行。其能量的匹配可以采用下列措施:

• 安装可调节能量的机组;

- 调节吸入压力；
- 热气旁通调节；
- 压缩机由可调速的电动机驱动；
- 采用多机装置，部分负荷下单机运行。

间接蒸发式空调装置

在采用大于约400 kW的空调装置、多联空调机组或吸收式制冷装置时，通常都安装中央液体冷却设备。此时选用出口温度约为+6℃的普通水作为载冷剂，供给空调机组。在出口温度低于+5℃或冷水管路敷设在有冻结可能的区域内时，管路应有防冻保护。此外，在温度−20℃以上时，可以采用价格合适的乙尔醇作为载冷剂，而更低温度时则使用特殊的制冷用盐水。但是这对空调装置实际上是没有意义的。

船用液体冷却装置通常设有由下列构件组成的紧凑式单元：压缩机、蒸发器、油冷却器、管路和附件、内装或独立的设有全部调节功能的控制柜、内装或独立设置的冷却水和载冷剂泵。但是，船用装置也可偏离上述模式，例如由于场地欠缺可将冷凝器单独安装。

一般采用螺杆式压缩机，也采用离心式或开式或半封闭活塞式压缩机。根据使用情况，螺杆式压缩机需要安装一台油冷却器。该冷却器可以是(海)水冷却式，或制冷剂冷却式。应注意所需的冷却水量，特别要考虑冷凝器的需要。现代开式或半封闭式螺杆式压缩机的突出之处是保养方便和运转安全。螺杆式压缩机的能量范围从约50 kW起到4.5 MW止。螺杆式压缩机可以采用滑阀能量调节，理论上其调节范围为10%～100%。为了达到最佳的蒸发负荷和防止液击，一般不要在30%负荷以下运行。

冷水管网的结构有：蒸发器串联并采用一台公用泵；蒸发器并联并采用一台公用泵；或蒸发器并联，并各自有一台泵[6.4]。

机舱控制室和随后补充的单独舱室(例如，餐厅、客厅等)的空调，可以采用柜式空调机。

6.5 粮食冷藏装置

每一艘船舶都有粮食冷藏装置，随着船型和大小的不同，往往设置一个冷藏/冷冻复合装置，最多有3～4个冷藏库不等。客船上甚至设置30～50个冷藏库，有的专门用于保存酒、花卉、香烟等。表6.5.1列出了船上所装的冷藏库的数量及其制冷量的数据。

表6.5.1 各种船舶上安装的粮食冷库的数据

	货船 1000 TEU以下	货船 8000 TEU	客船	渡船
低温/正常冷却冷库数	1/2(共3)	1/2(共3)	10～15/30 (共40～50)	1～3 (共3～10)
冷库尺寸/m^3	30	50～60	1500～2500	80～250
低温/正常冷却冷库制冷量/kW	3～4	5～6	50/400～450	5～15/15～30

冷藏装置的设计取决于航行区域(环境条件)和航程、船员数量、旅客数量、国际和本国的各种规范(如美国公共保健署—USPH规范、船级社规范、压力容器规范、环境保护条例、联邦国防军建筑规范等)。

冷库的任务是提供空气温度和湿度等最佳储存条件。冷库的天花板、墙壁和地坪都覆有隔热层，隔热层的厚度由库内和库外的条件确定。为了避免辐射损失，冷库没有开窗，只装有专门覆有保温材料的门。为了减少进库时冷库的漏冷，在冷库的门前设有预冷室。食品储存室采用耐水、卫生、易清洁的表面(参见USPH的特殊要求)。因为库内空气湿度一般很高，需要为潮湿房间进行电气安装(见图6.5.1)。

产品的正常冷却与低温下的储存条件如表6.5.2和表6.5.3所示。

货船上粮食冷藏装置大多采用直接蒸发的联合装置。所装的压缩机一般为开式或半封闭式活塞式或螺杆式压缩机。将来，预期全封闭式压缩机(螺杆式或涡旋式压缩机)的应用将增加，以减少制冷剂的损失。制冷装置通常是水冷的。货船上冷凝器优先采用淡水冷却，军舰和小艇则优先选用海水冷却。客船上两者皆可。

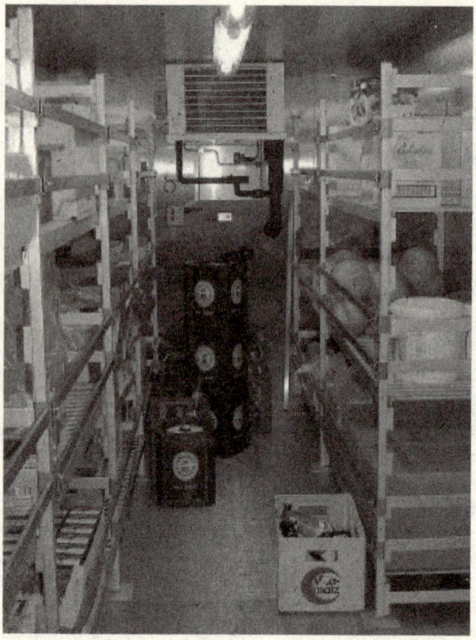

图6.5.1　双壳液货船的正压冷库(资料来源:Wild有限公司)

表6.5.2　在正常冷却和低温条件下产品的储存条件和最长储存时间

产品种类	温度/℃	相对湿度/%	最长储存时间/周
苹果	0.0～4.5	90.0～95.0	24.0～32.0
梨	−1.0～0.0	87.0～92.0	24.0
欧洲甜樱桃	0.5	85.0～90.0	3.0～4.0
欧洲酸樱桃	0.5	85.0～90.0	1.0～2.0
李子	−1.0～0.0	90.0	4.0～8.0
草莓	0.0～0.5	85.0～90.0	1.0～1.5
生香蕉	12.0	90.0	3.0
熟香蕉	15.5	80.0	0.5
橙子	4.0～5.0	90.0	10.0～16.0
熟柠檬	0.0	85.0～90.0	3.0～5.0
葡萄	−2.0～0.0	85.0	3.0～6.0
花椰菜	−0.5	90.0～95.0	4.0～8.0
球芽甘蓝	−3.0～2.0	90.0～95.0	8.0

（续表）

产品种类	温度/℃	相对湿度/%	最长储存时间/周
胡萝卜	−0.5～0.5	90.0～95.0	32.0～36.0
龙须菜	0.5～1.0	90.0	2.0～3.0
西红柿	1.5～2.0	90.0～95.0	3.0～5.0
洋葱	−2.5～2.0	75.0～80.0	36.0
带壳豌豆	−1.0～0.0	90.0	4.0～6.0
黄瓜	0.5～2.0	85.0～90.0	2.0～3.0
牛肉	−1.5～0.0	90.0	3.0～5.0
猪肉	−1.5～0.0	90.0～95.0	1.0～2.0
火腿	−3.0～1.0	80.0～90.0	4.0
内脏	−1.0～0.0	85.0～90.0	1.0
家禽	0.0～1.0	85.0～90.0	1.0～1.5
带壳蛋	−1.0～0.0	75.0～85.0	24.0～28.0

表 6.5.3 在正常冷却和低温条件下产品的储存条件和最长储存时间

	储存时间/月		
产品种类	−18℃	−24℃	−30℃
草莓、覆盆子	12	18	24
草莓、覆盆子(有糖)	18	24	>24
桃、杏(有糖)	12	18	24
水果浓汁	24	>24	>24
菜豆、花椰菜、豌豆、菠菜、龙须菜	18	24	>24
1/4 只牛肉	14	18	24
半片猪肉	10	12	15
包装家禽	9	12	18
包装炸猪肉	12	18	24
全蛋产品	12	24	>24
高脂肪鱼	3	8	12
低脂肪鱼	5	18	24

（续表）

	储存时间/月		
贝壳	4	10	12
黄油	6	8	15
冰淇淋	9	18	24

以现在优先采用的 R404A 和 R410A① 作为制冷剂。最希望在一艘船上只采用一种制冷剂，因此空调（高温制冷）和粮食冷藏（低温制冷）一般采用同一种制冷剂。这两种应用范围必须做一折中（见图 6.5.2）。

图 6.5.2　2 000 TEU 集装箱船的粮食冷库制冷装置（资料来源：Hochhaus）

压缩机采用吸入压力调节。涉及的调节方法有整台压缩机启停、分级调节（例如，关断某些汽缸）或无级调节（例如，螺杆式压缩机滑阀调节）。单独库房的温度调节一般采用双位法由恒温控制器控制。

在蒸发器温度低于 0℃时，空气冷却器定时融霜。融霜可以采用电加热或取用制冷循环中的热气。在温度高于 0℃时，也可简单地通过关闭制冷来融霜（循环融霜）。

① R410A 有“蓝色天使”的美称。

6.6 冷藏集装箱

6.6.1 冷藏集装箱的结构和功能

现在最流行的是一体式冷藏集装箱。在集装箱的端部安装着一个制冷机组[6.3和6.24]。这类集装箱采用交流电源。

6.6.2 冷藏集装箱内风的流动

冷藏集装箱内的冷风，由格栅流到本体内，穿过或环绕其中的货物，再从集装箱的天花板下面流回。循环风机使风吹过空气冷却器，同时流过制冷回路的蒸发器，然后经格栅流入货物堆中(见图 6.6.1)。

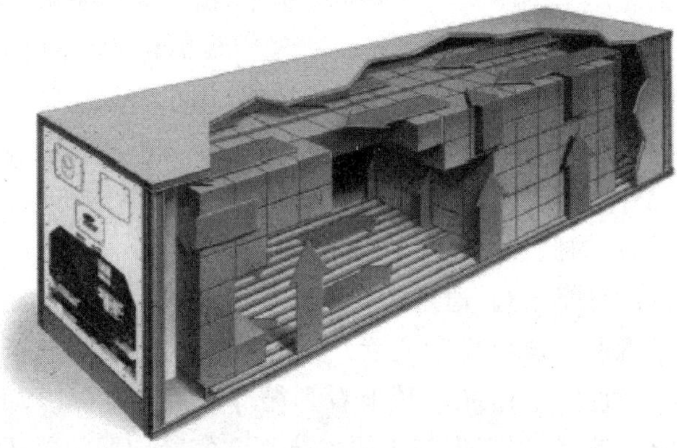

图 6.6.1 一体式冷藏集装箱内风的流动(资料来源:Carrier Transicold)

经过预冷的低温货物只要有空气环绕即可，因为货物本身不需散发热量。只需将从外界通过隔热层漏入集装箱的热量带走。但是在运输水果和蔬菜时，冷风要穿过货物，因为其内部会产生成熟热，这部分热量应该散发。为了在运输低温货物时确保冷风能环绕货物流动，并在运输水果时气流不致短路，集装箱的内壁一般都设有卷边，货物堆到集装箱的墙壁部分时，留出了冷风通道，以便带走外部渗入的热量。

现在采用的换气率约为：在运输低温货物时为30～40次/h；运输水果时为60～80次/h。循环风机的压差（压出压力与吸入压力之差）在通常堆放时为12～25 mmH_2O（120～250 Pa）；根据堆放方式、电网频率和新风阀的开度，也可采用其他数值。

在集装箱中堆放货物时，应保证不阻塞气流，货物的堆高不超过红色“货物极限线”，还要防止冷风经门前的空间短路（这里应采用格栅通过相应的措施堵住）。

当集装箱在隔离室（例如，冷库）中装货时，应将集装箱进行预冷，使打开后的门前的温度与集装箱内的温度大致相等。否则，在集装箱开门时，经预冷的集装箱壁上会有凝水积聚，从而会损坏货物。

6.6.3 制冷循环

一体式冷藏集装箱的制冷机组可由不同的制造商供应。机组的宽度和高度及其在集装箱上固定螺栓的布置都是确定的。只有深度原则上是可变的，但是各家制造商都力图将制冷机组尽量做得扁平，以加大集装箱的有效容积。

图6.6.2为Carrier Transicold 69NT型冷藏集装箱，图中各检查盖都处在打开位置。在上部可以清楚看到2台循环风机，用于将风送往装在其下面的空气冷却器。目前风机大多由单相电机驱动，以免交流电源相线变换时风机的旋转方向变化。此外这类电机一般都是两级的，其中高温运行时用高速（约高于10℃）；低温运行时（约低于－10℃）用低速。

空气冷却器设有膨胀阀，通过中间检修盖可以通达该阀。制冷回路的冷凝器位于冷凝器风机下的蓝色横梁之后。冷凝器风机使制冷剂压缩机上的空气流过冷凝器。在后视图上还能清楚地看到循环风机和空气冷却器。在空气冷却器中还装有电加热器，用于集装箱的加热和空气冷却器的融霜。在空气冷却器下的滴水盘中，也装有电加热器（见图6.6.3）。

在侧视图上可以看到USDA① 的用于测量货物温度的温度传感器接头。该温度传感器用于证实已进行了害虫的杀灭。

① USDA为美国农业部的缩写，该部也负责进口农产品的质检。

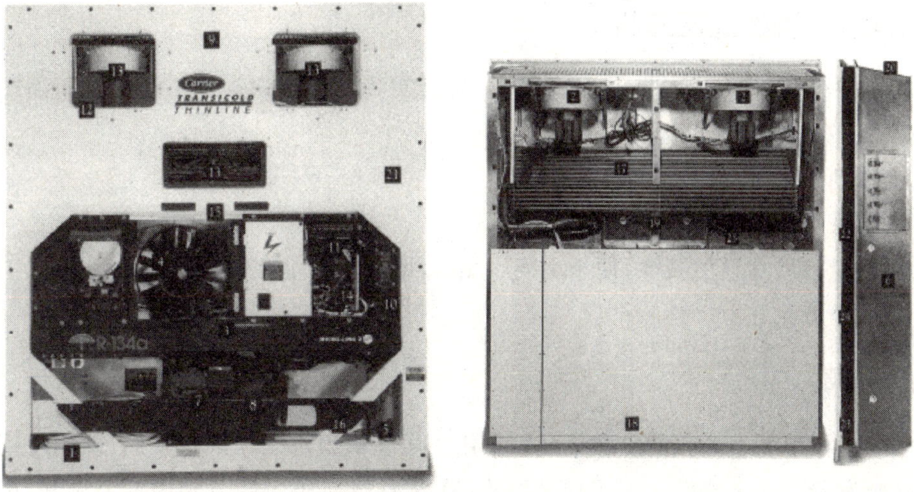

图 6.6.2 一体式冷藏集装箱的主要部件(资料来源:Carrier Transicold)

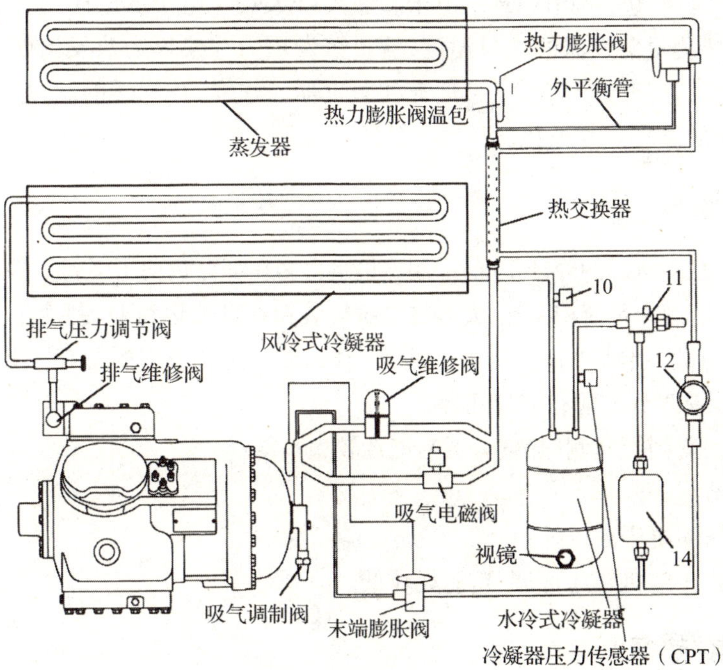

图 6.6.3 带有活塞式压缩机和附加水冷冷凝器的
一体式冷藏集装箱(资料来源:Carrier Transicold)

活塞式/涡旋式压缩机

现在制冷剂压缩机明显的趋势是从活塞式发展到涡旋式。涡旋式压缩机具有下列优点：

- 运动部件少，故障修理少；
- 全密封型结构，制冷剂泄漏少；
- 重量和尺寸显然减少，便于更换压缩机，增加集装箱有效容积；
- 噪声低。

膨胀阀

现在市场上见到的冷藏集装箱采用的压缩机组都是干式蒸发的，即制冷剂在蒸发器中完全蒸发。为了保证这点，在蒸发器前作为调节阀用的节流阀，用于调节蒸发器后的过热度。为此，可安装采用机械调节原理的热力膨胀阀(TXV)和采用电子调节原理的电子膨胀阀(EXV)。电子膨胀阀用于测量过热度，为此要测量蒸发器的出口温度，测量蒸发压力并换算为蒸发温度。采用电子膨胀阀可达到制冷剂较完善地充注蒸发器。这样，在同样的制冷量下，可以达到较小的循环空气干化。

制冷量调节

除了在装货后的冷却工况外，制冷机组大多在部分负荷下运行。因此制冷量要与实际的制冷负荷相匹配：大多数冷藏集装箱在低温运行时，制冷量调节一般都采用开/关控制(见下述)。在长期运行时，制冷量调节需要备有一定的消耗。

制冷量调节通常有下列几种：

- 热气回流到吸气侧(热气旁通)，能耗较大；
- 吸气节流；
- 涡旋压缩机中断压缩；
- 活塞式压缩机转速可调节，能耗较低。

融霜(电/热气)

在蒸发器表面温度低于 0℃时，蒸发器上就要积霜和结冰。为了防止空气流温度偏离额定值，必须按一定规律进行融霜。融霜可以在蒸发器(和滴水盘)中通过电加热进行。这种方法容易实现。在环境温度低于设定值的采暖运行以及除湿运行时也要融霜。电加热的缺点是电热棒的温度要比表面温度高，因此引起强烈的热对流（热空气上升）。此外，电热棒温度变化剧烈，并有水存在，因此出现电绝缘问题（对地短路）。

制冷机组的另一种融霜办法是热气融霜，此时从压缩机排出的热气流往蒸发器（热泵工况）。其优点首先是传给热量的部位是制冷时散发热量、因而结冰的部位。出现的问题是，在环境温度很低时，热泵工况无法实现。此外，在采用热气融霜时，制冷循环中阀件增多，因此潜在的泄漏和出现故障的部位较多。

6.6.4 运行状态

对所有运行状态、报警和调节特性做完整的叙述，超出了本书的范围。因此，这里只能对主要的运行状态进行简要的描述。

低温运行状态

在低于−10℃左右做低温运行时，小的温度波动不起作用。因此，在这种状态下，为了节能起见，几乎所有各种型号的冷藏集装箱的压缩机都采用开/关调节。循环风机在低速下运转，其输入功率可减少 20%。温度调节以回风温度以及从货物处排出的温度为准。在这一温度超过设定值例如 0.2℃时，开始制冷（压缩机启动）；而在这一温度低于设定值 0.2℃时，停止制冷（压缩机停止）。为了防止压缩机开/关过于频繁，可以设定只有在超过两者相隔的最短时间情况下，才能进行开/关切换。采用可调速的压缩机，其输入能量可少于开/关调节（见图 6.6.4）。

冷却运行状态

在高于−10℃的冷却运行状态下（见图 6.6.5），要求进行准确的温度调节。这种状态特别涉及−1.4℃下的“冷却肉”运输和水果运输。此时，循环风机做高速运转，以达到货物中温度更均匀的分配。与低温运转相反，在冷却运行状态，调节的是送风温度。制冷压缩机始终运转，制冷量采用相应的措施调节。

在如图 6.6.3 所示的 Carrier Transicold 的制冷回路情况下，采用吸气压力节流调节。只要送风温度高于设定值，两只阀就全开。达到设定值后，电磁阀（吸气电磁阀）关闭，精调由调节阀（吸气调制阀）实施，直到制冷量与应排除的热量平衡为止。若送风温度继续下降（一般在环境温度降低时），制冷完全停止。在温度持续下降时，最终将接通加热。

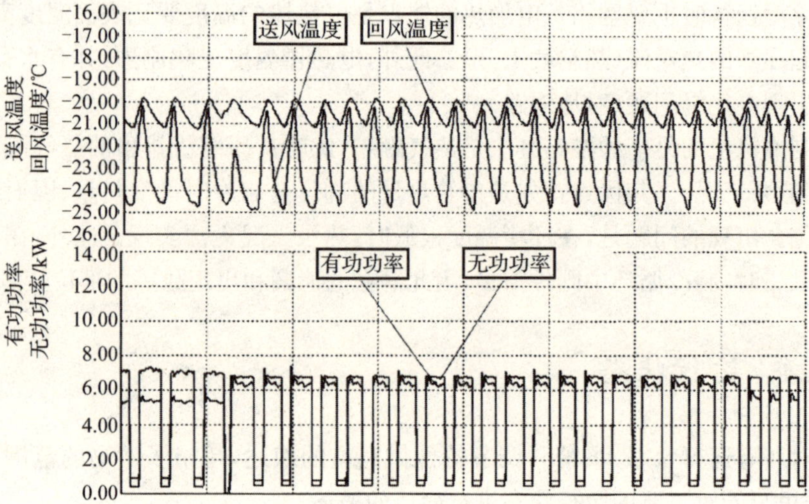

图 6.6.4　冷藏集装箱低温运行时测得的送风和回风温度及有功/无功功率

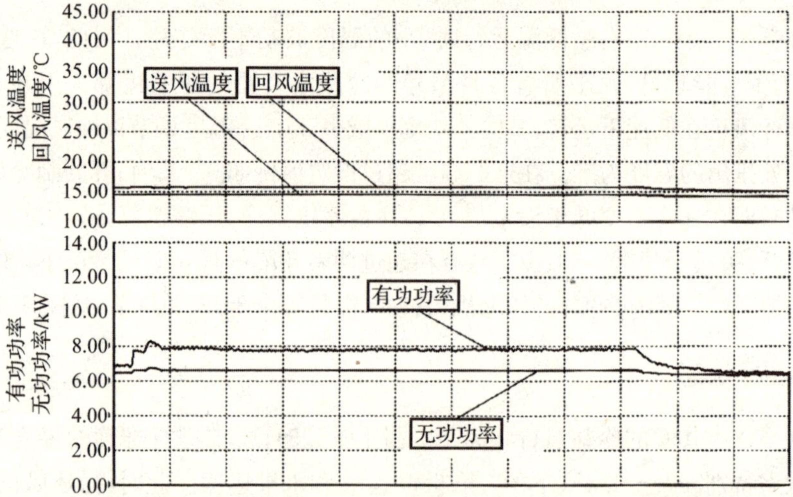

图 6.6.5　冷藏集装箱冷却运行时测得的送风和回风温度及有功/无功功率

融霜

在送风温度低于约＋10℃时，空气冷却器要不时进行融霜，因为从这一温度极限起空气冷却器表面温度可能低于0℃。在进行融霜过程中，集装箱内的循环风机和整个制冷回路停止工作。空气冷却器和滴水盘用电加热或热气融霜。因为热空气在制冷机组中缓慢上升，在融霜过程中回风温度传感器将逐渐指示温度的升高。

融霜过程一般以时间进行控制，也就是每经 6、8、12 h 融霜一次。在融霜结束时，空气冷却器上所装的“融霜结束”传感器通常达到了结束温度。与此同时，还设定了最长的融霜时间，超过这一时间，融霜自行结束(见图 6.6.6)。

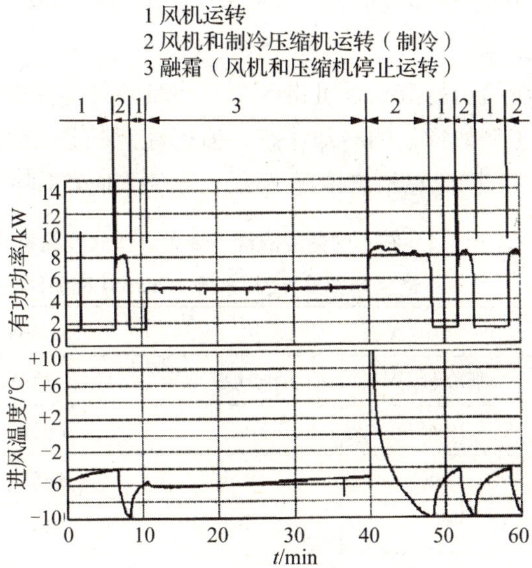

图 6.6.6 融霜时测得的进风温度和有功功率

特殊状态

为了减小最大输入功率和/或平均消耗能量，设有特殊的节能状态。例如，制冷压缩机的输入电流可以通过制冷量调节加以限制。或在冷却状态风机采用低速运转(在运输不呼吸的货物，如坚果时)，在气调运行状态也是有意义的。

制冷机组可在接通加热的情况下进行除湿运行。采用较大制冷量可在同样的送风温度下降低空气冷却器表面的温度，此时空气冷却器的凝水量会增加。

6.6.5 供电/耗电

一体式冷藏集装箱的电气数据在 ISO 1496-2 中有规定。原则上适用，即所有的一体式冷藏集装箱通常都采用不同频率和电压的三相电流运行。特别应强调，与交流岸电网不同的是没有中线(MP)。相应的是连接电缆也只有 4 芯(3 根相线和 1 根保护线)。

一般适用最大输入功率不超过 15 kW 和 18.75 kV·A。对地绝缘电阻至少应为 1 MΩ。保护等级为 IP56。

一体式冷藏集装箱的实际输入功率取决于其运行状态。这里,集装箱内温度决定着制冷剂的蒸发温度,有着特别的作用。一般是内部温度越高,输入电功率越大,得到的制冷量也越大。表 6.6.1 归纳了 Thermo King 制冷机组的制冷量和电功率数据。

表 6.6.1 所给出的数据是可得到全制冷量和外界温度 37.8℃下的最大值。这种状态相当于例如货物的冷却状态。值得注意的是,冷藏集装箱的允许环境温度通常为 50℃,因此在给定情况下输入功率可显著下降。

表 6.6.1 在不同蒸发温度下 2 种一体式冷藏集装箱的最大制冷量(资料来源:Thermo King)

	404A 涡旋式压缩机		R134a 活塞式压缩机	
集装箱温度/℃	制冷量/W	输入电功率/kW	制冷量/W	输入电功率/kW
21	13771	10.7	11617	12.0
2	9962	9.1	9853	10.5
−18	5860	6.1	4820	6.0
−29	3809	5.3	2600	4.5

在环境温度 37.8℃(100℉)和电网频率 60 Hz 时。

在货物冷却一段时间后的正常情况下,平均输入电功率可以下降。在低温运行(例如,在低于约−10℃)的情况下,制冷机做开/关运转;在冷却运行(高于约−10℃)时,制冷回路的制冷量进行连续调节(例如,通过图 6.6.3 所示的吸气调制阀)。在 45℃的环境温度下①,40 英尺集装箱低温运行(−21℃)时的平均输入功率约为 4.2 kW;在运输香蕉(+15℃)时,为 12~13 kW。

对于各种型式集装箱、环境条件和货物种类,大致数据可采用 3.6 kW/TEU。此时对 20 英尺集装箱,该数值可达到 4 kW,而 40 英尺集装箱可达 7 kW[6.23]。实际的电站设计(电力平衡)应依据特定的装置条件,并考虑预期的装载货物。

冷藏集装箱在船上由船舶本身的电站供电。发电机由辅助柴油机驱动,和/或采用主机驱动的轴带发电机。主机的转速随船舶航速而变,在采用轴带发电机时需要安装变频器,以便使电网频率保持恒定。这样往往会造成电网频

① 通常以该值作为在甲板下运输冷藏集装箱时的环境温度。

率高频振荡，会使部分电子设备出现问题。特别是电力线路监控装置的运行发生困难(见下述)。

在船上，发电机运行时的电网电压/频率为 460 V/60 Hz，但也可以采用其他电压/频率组合。在集装箱堆放面积较大时，可采用中压(2～4 kV)电网，以免电流过大。为了向冷藏集装箱供电，上述电压应经过变压器转换到集装箱所用的电压。

在某些船上，发电机的容量不足以满足冷藏集装箱的需要，在甲板上可设置装于集装箱内的移动式发电机组，以供给峰值用电需求。此时可直接向集装箱供电，也可经由电网供电。

总之，船舶电网比较薄弱，经常有频率波动。因为这类供电往往是通过岛式电网实现的，必须注意其特点。

6.6.6 环境条件

ISO 1492-2 并没有规定，必须确保冷藏集装箱能在何种极限环境温度下运转。只为试验规定如下：在 38℃ 环境温度下，集装箱制冷量应为内部温度在 −18℃时由环境经集装箱壁渗入热量的 125%。在当前通用的隔热结构条件下，该热量为 3～3.5 kW。如表 6.6.1 所载，现在可得到的制冷机组的制冷量远远超过这一数值。从该表可知，在 −18℃下的制冷量约为 6 kW。

从实际考虑，应满足下列要求：

1) 在制冷机组停止运行和有太阳辐射的情况下，制冷回路的机械安全装置不应有动作，即在 70～80℃ 的温度下，不应打开过压阀而放出制冷剂。在 Carrier Transicold 69NT40 型制冷机组中，安全膜的爆破压力为 35 bar。根据所用制冷剂 R134a 的蒸气表，这一压力相当于温度约 94℃。

2) 在机组停止运行和有太阳辐射的 70～80℃ 的温度下，冷藏集装箱的其他部件也不应损坏。

3) 机组的电子部件在有太阳辐射时不应发生故障。这里也是指 70～80℃ 的实际温度下。

4) 制冷机组应在实际上可能遇到的环境温度下运行。最高可能的温度发生在冷藏集装箱在甲板下运输和在太阳照射下的沥青地坪上工作时。这里一般取最高温度为 50℃，但标准没有明确规定。

5) 环境温度下限的现实数值为 −30～−40℃。当然，在这种情况下不能发生故障。

6）在集装箱堆置在甲板上经受雨淋和海水浇泼时，制冷机组的所有部件都应安然无恙。

6.6.7　散热

根据物流方面的要求，越来越多的冷藏集装箱都堆置在甲板下。因此，必须将集装箱的排热可靠地从货舱内排除，否则制冷机组将无法在这样高温的条件下运行。现在的制冷机组最高允许运行到环境温度约为 50℃。考虑到对局部温升还要留有一定的余量，货舱通风的设计应以 45℃的货舱排风温度为准[6.22]。

图 6.6.7 为这种货舱通风的原理结构。重要的是，35℃的来自周围环境的"冷"风（在苏伊士运河区这一温度可能更高），应引到每一只冷藏集装箱上，理想状态是能吹到制冷剂压缩机上。

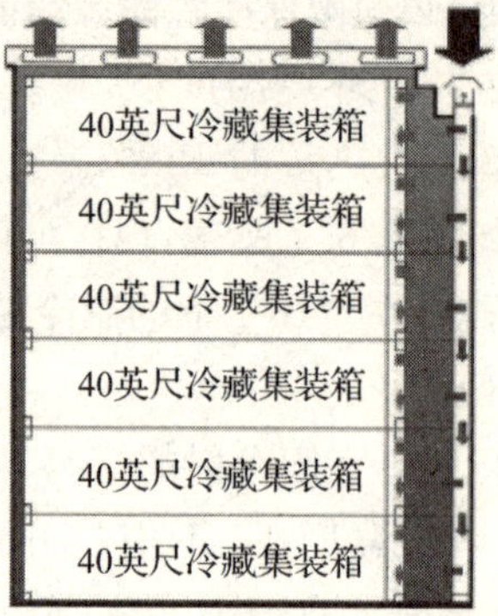

图 6.6.7　冷藏集装箱散热用货舱通风

当然，所需的新风量与冷藏集装箱所处的运行状态有关。在极限状态下（例如，在运输香蕉时），应散发约 26 kW 左右的热量，这样需要的风量为 8 500 m^3/h。作为准则数，对于"统货"，可以按德国劳氏船级社的建议，取每一集装箱所需的新风量为 4 500 m^3/h[6.22]。需要注意的是，在冷藏集装箱堆置在甲板下运输时，其平均有效能耗同时升高，原因有二：一是货舱通风需要每一集装箱额外消耗 1～2 kW 电功率；二是货舱中的高环境温度（45℃）使集装箱的平均输入功率提高约 1 kW。

有些航运公司因此选择了其他的途径，在集装箱上另外安装了水冷式冷凝器。在这种集装箱堆置在甲板下运输时，集装箱将连接于固定在船上的海水冷却系统。这种制冷机组的制冷回路示于图 6.6.3。制冷剂首先流过风冷式冷凝器，但由于水压的关系，冷凝器的风机不运转。图 6.6.8 为水冷式冷凝器的冷却水接头。该接头符合 ISO 1496-2 的规定。所需的水量为 15～25 L/min。但是，估计只有 30%的冷藏集装箱设有这类附加的冷凝器。

应该注意的是，就是水冷式冷藏集装箱在甲板下运输时，每箱还要向货舱发散约 2 kW 的热量。这是因为高温制冷剂还要流过风冷式冷凝器。因此还要考虑每箱需要货舱风量约 700 m^3/h[6.22]。

图 6.6.8 冷藏集装箱冷却水接头

6.6.8 集装箱中的气氛

在运输水果和蔬菜等会呼吸的货物(存在呼吸过程、生化活性)时，必须从集装箱内除去货物所产生的二氧化碳和乙烯(当然设有气调装置的除外)。集装箱应装设新风阀，新风经该阀进入集装箱，而空气从集装箱经该阀排出。新风交换根据循环风机的压差进行，即新风进入风机的吸入侧，再引到风机的排出侧。每小时引入的新风量最大为集装箱容积的 2 倍，当然与风机的压差和集装箱内货物的堆积有关。

图 6.6.9 为一种集装箱的新风阀。下面小的管接头是"箱内气氛取样点"，可以在消防阀关闭的情况下测量集装箱内的气体组成。

有些集装箱还设有自动新风阀，它能根据集装箱内的 CO_2 含量电动开启。

在空调集装箱(CA-Container)中可实现对集装箱内气氛的完善控制(见图

6.6.10)。其中氧含量通常控制在 1%～10%，而 CO_2 含量一般控制在 0.5%～20%范围内。为了这种集装箱的正常运行，集装箱的气密性具有很大意义[6.24]。

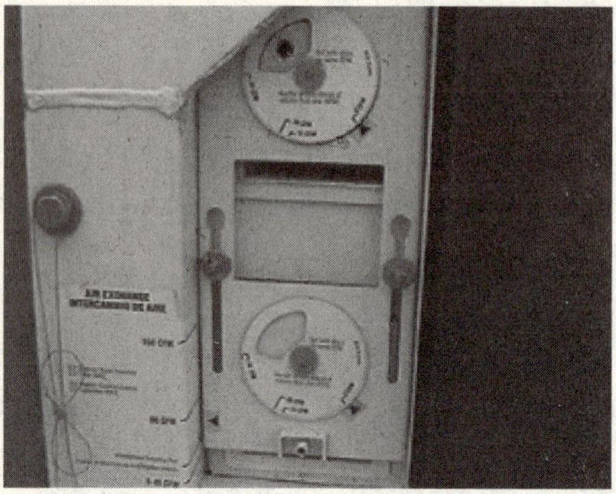

图 6.6.9　冷藏集装箱上的新风阀

图 6.6.10　高气密性的带门帘的集装箱

6.6.9 管理

冷藏集装箱在船上停放期间必须由船员来巡查，必要时需及时进行修理，以避免货物发生损失。为了在集装箱停止运转的情况下避免由船舶来承担责任，必须予以证实，即船员具备了避免货物发生损失的一般责任心。为此，比较典型的要求是，每天至少两次检查冷藏集装箱的功能是否正常，而且在误操作时是否采用了适当的措施。船舶必须为所有的船载冷藏集装箱配备相应的成套修理工具，而且有合适的工具可以修理冷藏集装箱（如真空泵用于在充满制冷剂之前抽排制冷回路）。

手工巡查/数据记录

为了记录定期监控冷藏集装箱的数据，要手工记录集装箱的温度。每一集装箱都要记录当时的实际温度。若出现报警，应予以记录。通常在出现误操作时，应填写相应的误差与工作报告，以备工作量结算和备件准备之用。

远程监控

现在，冷藏集装箱的远程监控（RRM—Remote Reefer Monitoring）通常借助于电流电缆进行。这里的高频数据信号被调制到电流导线。其条件是，不论集装箱还是船舶都应配备相应的调制器。现在约有30%的冷藏集装箱设有这类调制器，其推广与航运公司关系密切。在进行远程监控时，除了实际温度外，还可测量机组的其他数值和报警状态等。

现在还有一种所谓"4线监控"方式，通过在集装箱上连接一根附加的电缆，可发射"温度范围"、"压缩机运转"和"融霜"等3种信号。这种方式还没有推广。

制冷剂

所有冷藏集装箱最早都采用R11和R12制冷剂。但是由于"臭氧空洞"的讨论和由此引起蒙特利尔备忘录对这些制冷剂的禁用，有些制造商临时以R22作为替代制冷剂。但是这类制冷剂也受到管制，现在用R134a和R404A作为替代。但是由于这些制冷剂的温室效应，制冷剂还要进一步替代。

控制器

制冷机组的控制和调节现在都采用电子控制器。根据设备的配置，这种控制器要承担各种复杂的任务。但是应该指出，控制器本身往往还是故障的来源。许多冷藏货物的事故是由于控制器本身或其所属的外围部件（例如，传感器）的故障引起的。

6.6.10　无冷却时的温升

为了判断温度数据，具有决定意义的是要估计，集装箱中货物的温度随时间有可能怎样发生变化。特别常见的是冷藏集装箱有一段时间没有冷却的情况。在冷藏集装箱由船上卸到岸上时通常会发生这种情况，在发生技术故障时也会造成这种情况。因此，这里要简单讨论没有冷却时集装箱内的温升。

为了估算集装箱内货物的温升，这里假设集装箱内的货物同时发热，没有局部温差。这种计算尤其不考虑集装箱内的温度分层，这要等待长时间才会出现。

对于非呼吸货物（没有成熟热），经过时间 t 之后的温升适用下式：

$$\Delta T(t) = \Delta T_{环境} - \Delta T_{环境} \cdot e^{\frac{A \cdot k}{m \cdot c_p} \cdot t} \tag{6.6.1}$$

式中，t 为无冷却的时间/s；ΔT 为在时间 t 后货物的平均温升/K；$\Delta T_{环境}$ 为在开始发热时箱内外温差/K；A 为集装箱面积/m^2；k 为集装箱传热系数/$(W/m^2 \cdot K)$；m 为货物质量/kg；c_p 为货物比热/$(kJ/kg \cdot K)$，见表 6.6.2。

此处集装箱的传热系数可取为 0.4 $W/m^2 \cdot K$。该数值适用于满足 ISO 1496-2 的新集装箱。新集装箱一般可以达到 0.3 $W/m^2 \cdot K$。但是，随着绝热材料的老化，对于使用 3～4 年后的老集装箱，传热系数可能增大到 0.5 $W/m^2 \cdot K$。

大多数冷冻货物通常都含有大量的水和多多少少的脂肪，其比热位于 1.1～2.1 kJ/kg·K 范围内，其中许多货物的平均比热约为 1.7 kJ/kg·K（见表6.6.2）。在非冻结状态，比热容约为其 2 倍，因此其温升也比较慢。

在表 6.6.3 中，载有典型低温集装箱情况的货物平均温升与集装箱型式、货物质量以及同环境温差的关系。在估算温升时可以使用这些数据。

表 6.6.2 各种冷却货物的比热(资料来源:Pohlman)

货 物	含水量/%	固体含量/%	比热容	
			凝结前/(kJ/kg·K)	凝结后/(kJ/kg·K)
苹果	83	17	3.85	1.76
香蕉	75	25	3.35	—
黄油	15	85	2.60	1.26
冰(水)	100	0	4.19	2.09
高脂肪鱼	60	40	2.85	1.59
低脂肪鱼	73	27	3.43	1.80
肥肉	51	49	2.55	1.49
瘦肉	72	28	3.25	1.76

表 6.6.3 各种大小集装箱①货物的平均温升:适用于冷冻货物②

20 英尺集装箱
12 小时后平均温升

		内部温度/环境温度温差							
		5K	10K	15K	20K	25K	30K	35K	40K
货物质量	5t	0.7	1.3	2.0	2.7	3.3	4.0	4.6	5.3
	6t	0.6	1.1	1.7	2.2	2.8	3.4	3.9	4.5
	7t	0.5	1.0	1.4	1.9	2.4	2.9	3.4	3.9
	8t	0.4	0.9	1.3	1.7	2.1	2.6	3.0	3.4
	9t	0.4	0.8	1.1	1.5	1.9	2.3	2.7	3.0
	10t	0.3	0.7	1.0	1.4	1.7	2.1	2.4	2.7
	11t	0.3	0.6	0.9	1.3	1.6	1.9	2.2	2.5
	12t	0.3	0.6	0.9	1.2	1.4	1.7	2.0	2.3
	13t	0.3	0.5	0.8	1.1	1.3	1.6	1.9	2.1
	14t	0.2	0.5	0.7	1.0	1.2	1.5	1.7	2.0
	15t	0.2	0.5	0.7	0.9	1.2	1.4	1.6	1.9
	16t	0.2	0.4	0.7	0.9	1.1	1.3	1.5	1.7
	17t	0.2	0.4	0.6	0.8	1.0	1.2	1.4	1.6
	18t	0.2	0.4	0.6	0.8	1.0	1.2	1.4	1.6

① 冷藏集装箱的表面积:20 英尺的为 70 m^2;40 英尺的为 132 m^2。传热系数为 0.4 W/m^2·K。
② 比热为 1.7 kJ/kg·K。

（续表）

		内部温度/环境温度温差							
		5 K	10 K	15 K	20 K	25 K	30 K	35 K	40 K
货物质量	19 t	0.2	0.4	0.6	0.7	0.9	1.1	1.3	1.5
	20 t	0.2	0.3	0.5	0.7	0.9	1.0	1.2	1.4

40 英尺集装箱
12 小时后平均温升

		内部温度/环境温度温差							
		5 K	10 K	15 K	20 K	25 K	30 K	35 K	40 K
货物质量	5 t	1.2	2.4	3.5	4.7	5.9	7.1	8.2	9.4
	6 t	1.0	2.0	3.0	4.0	5.0	6.0	7.0	8.0
	7 t	0.9	1.7	2.6	3.5	4.4	5.2	6.1	7.0
	8 t	0.8	1.5	2.3	3.1	3.9	4.6	5.4	6.2
	9 t	0.7	1.4	2.1	2.8	3.5	4.2	4.8	5.5
	10 t	0.6	1.3	1.9	2.5	3.1	3.8	4.4	5.0
	11 t	0.6	1.1	1.7	2.3	2.9	3.4	4.0	4.6
	12 t	0.5	1.1	1.6	2.1	2.6	3.2	3.7	4.2
	13 t	0.5	1.0	1.5	2.0	2.5	2.9	3.4	3.9
	14 t	0.5	0.9	1.4	1.8	2.3	2.7	3.2	3.7
	15 t	0.4	0.9	1.3	1.7	2.1	2.6	3.0	3.4
	16 t	0.4	0.8	1.2	1.6	2.0	2.4	2.8	3.2
	17 t	0.4	0.8	1.1	1.5	1.9	2.3	2.7	3.0
	18 t	0.4	0.7	1.1	1.4	1.8	2.2	2.5	2.9
	19 t	0.3	0.7	1.0	1.4	1.7	2.0	2.4	2.7
	20 t	0.3	0.6	1.0	1.3	1.6	1.9	2.3	2.6

20 英尺集装箱
24 小时后平均温升

		内部温度/环境温度温差							
		5 K	10 K	15 K	20 K	25 K	30 K	35 K	40 K
货物质量	5 t	1.2	2.5	3.7	5.0	6.2	7.4	8.7	9.9
	6 t	1.1	2.1	3.2	4.2	5.3	6.3	7.4	8.4
	7 t	0.9	1.8	2.8	3.7	4.6	5.5	6.4	7.4
	8 t	0.8	1.5	2.4	3.3	4.1	4.9	5.7	5.5
	9 t	0.7	1.5	2.2	2.9	3.7	4.4	5.1	5.9
	10 t	0.7	1.3	2.0	2.7	3.3	4.0	4.6	5.3
	11 t	0.6	1.2	1.8	2.4	3.0	3.6	4.2	4.9
	12 t	0.6	1.1	1.7	2.2	2.8	3.4	3.9	4.5
	13 t	0.5	1.0	1.6	2.1	2.6	3.1	3.6	4.1
	14 t	0.5	1.0	1.4	1.9	2.4	2.9	3.4	3.9

（续表）

		内部温度/环境温度温差							
		5 K	10 K	15 K	20 K	25 K	30 K	35 K	40 K
货物质量	15 t	0.5	0.9	1.4	1.8	2.3	2.7	3.2	3.6
	16 t	0.4	0.9	1.3	1.7	2.1	2.6	3.0	3.4
	17 t	0.4	0.8	1.2	1.6	2.0	2.4	2.8	3.2
	18 t	0.4	0.8	1.1	1.5	1.9	2.3	2.7	3.0
	19 t	0.4	0.7	1.1	1.4	1.8	2.2	2.5	2.9
	20 t	0.3	0.7	1.0	1.4	1.7	2.1	2.4	2.7

40 英尺集装箱
24 小时后平均温升

		内部温度/环境温度温差							
		5 K	10 K	15 K	20 K	25 K	30 K	35 K	40 K
货物质量	5 t	2.1	4.2	6.2	8.3	10.4	12.5	14.5	16.6
	6 t	1.8	3.6	5.4	7.2	9.0	10.8	12.6	14.4
	7 t	1.6	3.2	4.8	6.4	8.0	9.5	11.1	12.7
	8 t	1.4	2.8	4.3	5.7	7.1	8.5	10.0	11.4
	9 t	1.3	2.6	3.9	5.2	6.4	7.7	9.0	10.3
	10 t	1.2	2.4	3.4	4.7	5.9	7.1	8.2	9.4
	11 t	1.1	2.2	3.2	4.3	5.4	6.5	7.6	8.7
	12 t	1.0	2.0	3.0	4.0	5.0	6.0	7.0	8.0
	13 t	0.9	1.9	2.8	3.7	4.7	5.6	6.5	7.5
	14 t	0.9	1.7	2.6	3.5	4.4	5.2	6.1	7.0
	15 t	0.8	1.6	2.5	3.3	4.1	4.9	5.7	6.6
	16 t	0.8	1.5	2.3	9.1	3.9	4.6	5.4	6.2
	17 t	0.7	1.5	2.2	2.9	3.7	4.4	5.1	5.8
	18 t	0.7	1.4	2.1	2.8	3.5	4.2	4.8	5.5
	19 t	0.7	1.3	2.0	2.6	3.3	4.0	4.6	5.3
	20 t	0.6	1.3	1.9	2.5	3.1	3.8	4.4	5.0

20 英尺集装箱
48 小时后平均温升

		内部温度/环境温度温差							
		5 K	10 K	15 K	20 K	25 K	30 K	35 K	40 K
货物质量	5 t	2.2	4.3	6.5	8.7	10.9	13.0	15.2	17.4
	6 t	1.9	3.8	5.7	7.6	9.4	11.3	13.2	15.1
	7 t	1.7	3.3	5.0	6.7	8.4	10.0	11.7	13.4
	8 t	1.5	3.0	4.5	6.0	7.5	9.0	10.5	12.0
	9 t	1.4	2.7	4.1	5.4	6.8	8.1	9.5	10.8
	10 t	1.2	2.5	3.7	5.0	6.2	7.4	8.7	9.9

（续表）

		内部温度/环境温度温差							
		5 K	10 K	15 K	20 K	25 K	30 K	35 K	40 K
货物质量	11 t	1.1	2.3	3.4	4.6	5.7	6.6	8.0	9.1
	12 t	1.1	2.1	3.2	4.2	5.3	6.3	7.4	9.4
	13 t	1.0	2.0	2.9	3.9	4.9	5.9	6.9	7.9
	14 t	0.9	1.8	2.8	3.7	4.6	5.5	6.4	7.4
	15 t	0.9	1.7	2.6	3.5	4.3	5.2	6.0	5.9
	16 t	0.8	1.6	2.4	3.3	4.1	4.9	5.7	6.5
	17 t	0.8	1.5	2.3	3.1	3.9	4.6	5.4	6.2
	18 t	0.7	1.5	2.2	2.9	3.7	4.4	5.1	5.9
	19 t	0.7	1.4	2.1	2.8	3.5	4.2	4.9	5.6
	20 t	0.7	1.3	2.0	2.7	3.3	4.0	4.6	5.3

40 英尺集装箱
48 小时后平均温升

		内部温度/环境温度温差							
		5 K	10 K	15 K	20 K	25 K	30 K	35 K	40 K
货物质量	5 t	3.3	6.6	9.9	13.2	16.5	19.7	23.0	26.3
	6 t	3.0	5.9	8.9	11.8	14.8	17.7	20.7	23.6
	7 t	2.7	5.4	8.0	10.7	13.4	16.1	18.7	21.4
	8 t	2.4	4.9	7.3	9.8	12.2	14.7	17.1	19.5
	9 t	2.2	4.5	6.7	9.0	11.2	13.5	15.7	18.0
	10 t	2.1	4.2	6.2	8.3	10.4	12.5	14.5	16.6
	11 t	1.9	3.9	5.8	7.7	9.7	11.6	13.5	15.4
	12 t	1.8	3.6	5.4	7.2	9.0	10.8	12.6	14.4
	13 t	1.7	3.4	5.1	6.8	8.5	10.1	11.8	13.5
	14 t	1.6	3.2	4.8	6.4	8.0	9.6	11.1	12.7
	15 t	1.5	3.0	4.5	6.0	7.5	9.0	10.5	12.0
	16 t	1.4	2.8	4.3	5.7	7.1	8.5	10.0	11.4
	17 t	1.4	2.7	4.1	5.4	6.8	8.1	9.5	10.8
	18 t	1.3	2.6	3.9	5.2	6.4	7.7	9.0	10.3
	19 t	1.2	2.5	3.7	4.9	6.2	7.4	8.6	9.8
	20 t	1.2	2.4	3.5	4.7	5.9	7.1	8.2	9.4

20 英尺集装箱
72 小时后平均温升

		内部温度/环境温度温差							
		5 K	10 K	15 K	20 K	25 K	30 K	35 K	40 K
货物质量	5 t	2.9	5.8	8.6	11.5	14.4	17.2	20.1	23.0
	6 t	2.5	5.1	7.6	10.2	12.7	15.3	17.8	20.4

（续表）

		内部温度/环境温度温差							
		5 K	10 K	15 K	20 K	25 K	30 K	35 K	40 K
货物质量	7 t	2.3	4.6	6.8	9.1	11.4	13.7	16.0	18.3
	8 t	2.1	4.1	6.2	8.3	10.3	12.4	14.5	16.5
	9 t	1.9	3.8	5.7	7.6	9.4	11.3	13.2	15.1
	10 t	1.7	3.5	5.2	6.9	8.7	10.4	12.2	13.9
	11 t	1.6	3.2	4.8	6.4	8.0	9.6	11.3	12.9
	12 t	1.5	3.0	4.5	6.0	7.5	9.0	10.5	12.0
	13 t	1.4	2.8	4.2	5.6	7.0	8.4	9.8	11.2
	14 t	1.3	2.6	3.9	5.3	6.6	7.9	9.2	10.5
	15 t	1.2	2.5	3.7	5.0	6.2	7.4	8.7	9.9
	16 t	1.2	2.3	3.5	4.7	5.9	7.0	8.2	9.4
	17 t	1.1	2.2	3.3	4.4	5.5	6.7	7.8	8.9
	18 t	1.1	2.1	3.2	4.2	5.3	6.3	7.4	8.4
	19 t	1.0	2.0	3.0	4.0	5.0	6.0	7.0	8.0
	20 t	1.0	1.9	2.9	3.8	4.8	5.8	6.7	7.7

40 英尺集装箱

72 小时后平均温升

		内部温度/环境温度温差							
		5 K	10 K	15 K	20 K	25 K	30 K	35 K	40 K
货物质量	5 t	4.0	8.0	12.0	16.0	20.0	24.0	28.0	32.0
	6 t	3.7	7.4	11.1	14.8	18.5	22.2	25.9	29.5
	7 t	3.4	6.8	10.3	13.7	17.1	20.5	23.9	27.3
	8 t	3.2	6.3	9.5	12.7	15.9	19.0	22.2	25.4
	9 t	3.0	5.9	8.9	11.8	14.8	17.7	20.7	23.6
	10 t	2.8	5.5	8.3	11.1	13.8	16.6	19.4	22.1
	11 t	2.6	5.2	7.8	10.4	13.0	15.6	18.2	20.8
	12 t	2.4	4.9	7.3	9.8	12.2	14.7	17.1	19.5
	13 t	2.3	4.6	6.9	9.2	11.5	13.8	16.2	18.5
	14 t	2.2	4.4	6.6	8.7	10.9	13.1	15.3	17.5
	15 t	2.1	4.2	6.2	8.3	10.4	12.5	14.5	16.6
	16 t	2.0	4.0	5.9	7.9	9.9	11.9	13.8	15.8
	17 t	1.9	3.8	5.7	7.5	9.4	11.3	13.2	15.1
	18 t	1.8	3.6	5.4	7.2	9.0	10.8	12.6	14.4
	19 t	1.7	3.5	5.2	6.9	8.6	10.4	12.1	13.8
	20 t	1.7	3.3	5.0	6.6	8.3	9.9	11.6	13.3

实例：

一只装有 20 吨肉的 20 英尺集装箱初始温度为－20℃，有 2 日没有冷却。环境温度为 20℃。得到与环境温度之差为 40 K。由表 6.6.3 可求得平均温升为 5.3 K。肉的温度平均可上升到－14.7℃。

参考文献

[6.1] Drews, G.: Schiffslüftung und Warmlufheizung, im Handbuch der Werften, Band 9 Schiffahrtsverlag Hansa.

[6.2] Hochhaus, K.-H.: Deutsche Kühlschifffahrt (1902-1995), Verlag H. M. Hausschild GmbH, Bremen 1996, ISBN Nr.: 3-931785114.

[6.3] Hochhaus, K.-H.; Idler, L.; Wild, Y.: Kühlcontainer und Kontrollierte Atmosphäre im Schiffstransport; Handbuch der Werften Band 21, 1992 Schiffahrtsverlag Hansa.

[6.4] Behrens, V.; Hochhaus, K.-H.; Wild, Y.: Schiffsbelüftung und Klimaanlagen (S. 49-114), im Handbuch der Werften, Band 25, Schiffahrtsverlag Hansa.

[6.5] Wille, R.: Lufttechnische Anlagen für Schiffe, STG Jahrbuch 1953, Springer Verlag, Hamburg.

[6.6] Hochhaus, K.-H.: Optimierung der Maschinenraumlüftung, Antrieb Nr. 3, 1990.

[6.7] N. N.: Internationales Übereinkommen von 1974 zum Schutze des menschlichen Lebens auf See geändert durch das Protokoll von 1988 (SOLAS 74/88) in Schiffssicherheits-Vorschriften, Seeberufsgenossenschaft 1995.

[6.8] Überarbeitung der GL-Richtlinien für Lüftungsanlagen an Bord von Seeschiffen. Germanischer Lloyd, Entwurf Stand 03.11.1999.

[6.9] N. N.: Lüftungsanlagen für Maschinenräume, SBG, Schiffssicherheitsabteilung, Stand 19.02.1999.

[6.10] Kristensen, K.: Kombiniertes System der Lüftung für Maschinenräume, Hansa Nr. 17, 1972.

[6.11] Behrens, V.: Dirivent System, Vortrag am 16.6.1999 vor der STG-Arbeitsgruppe Kälte-Klima-Lüftung in Wismar.

[6.12] Drews, G.: Lüftung und Klimatisierung von Schiffsladeräumen, Dissertation, Hannover, 1970.

[6.13] Eck, B.: Ventilatoren, 5. Auflage, Springer Verlag, Heidelberg, New York 1972.

[6.14] Beitz, W., Grote, K.-H. (Hrsg.): Dubbel Taschenbuch für den Maschinenbau, 19. Auflage, 1997 Springer Verlag Hamburg, Berlin, New-York.

[6.15] Hochhaus, K.-H; Janssen, U.: Brennstoffeinsparung durch Frequenzabsenkung im Bordnetz, Hansa, Heft Nr. 10, 1985.

[6.16] Droste, W.; Hochhaus, K.-H.: Reduzierung des elektrischen Energiebedarfs auf Handelsschiffen, Hansa, Nr. 11, 1987.

[6.17] Witt, K. C.: Risiken beim Komponentenkauf in Billiglohnländern, Hansa, Heft 7,1996.

[6.18] Fette, J.; Hochhaus, K.-H.; Schmautz, K.: Maschinenraumlüftung, Messungen auf der PETER PAN, Schiff und Hafen, Nr. 2, 1990.

[6.19] C. Weber: Systemuntersuchung an einer für die Verwendung an Bord adaptierten Absorptionskälteanlage; Vortrag vor dem Fachausschuss Klima Kälte Lüftung der Schiffbautechnischen Gesellschaft, Warnemünde 2006.

[6.20] Moeck, Strickert, Begemann: Schiffsmaschinenbetrieb 5. Auflage Verlag Technik GmbH Berlin, 1990.

[6.21] N. N.: Technische Regeln für Bau und Ausrüstung von Unterkunftsräumen auf Seeschiffen, Seeberufsgenossenschaft inkl. 10. Änderung 2001.

[6.22] N. N.: Guidelines for the Carriage of Refrigerated Containers on Board Ships (RCP), Germanischer Lloyd 2003.

[6.23] Wild, Y.: Statistische Auswertung des E-Verbrauchs von Kühlcontainern auf fahrenden Schiffen; STG-Sprechtag „Kühlcontainer"; Hamburg 25. August 2004.

[6.24] Wild, Y.: Kühlcontainer; Container-Handbuch des Gesamtverbandes der Deutschen Versicherungswirtschaft (GDV) 2002.

第 7 章　货物装卸装置

译：施　璟　孙宏亮　周迎兵

校：张中明　易小冬　郑士君

货物装卸装置是指船舶装卸货物时所用的输送装置。按照作业时间顺序的不同可将输送装置分为两大类，一是连续式输送装置，二是非连续式或间歇式输送装置（见图 7.1）。

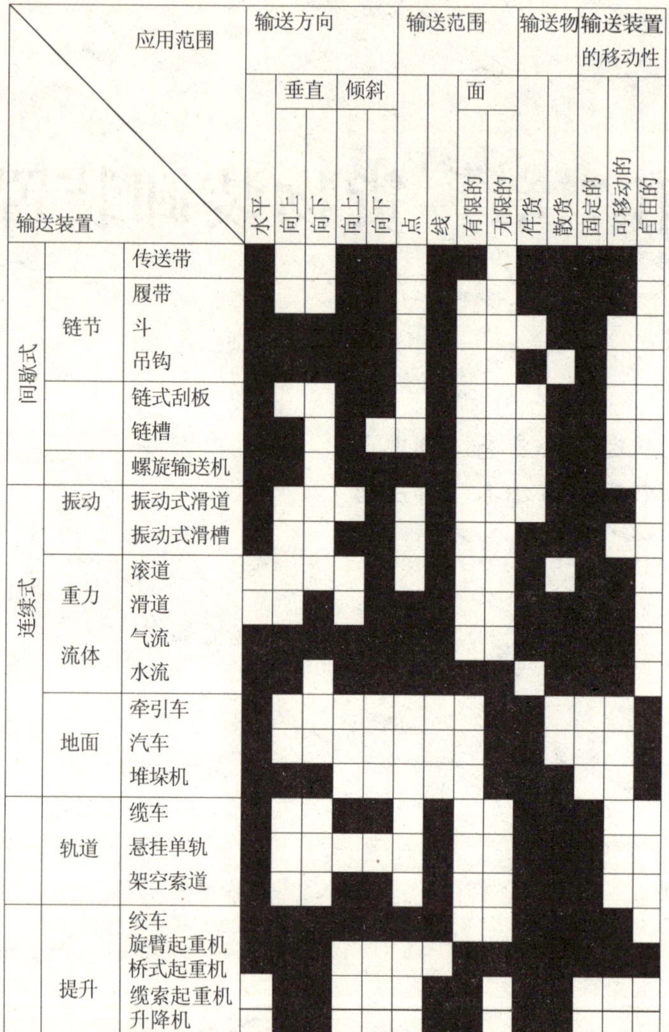

图 7.1 输送装置

选择有待使用的输送装置时所需考虑的因素有：作为输送物的船舶装载物、输送范围和输送方向。海运中的运送对象有单件物品、集装箱、散货和液体货。

单件物品或采用航运包装而分成不同批次的散件货物称为件货。对其单件重量与尺寸应有如此安排,即尚可借助于船载装置来装卸件货。

件货通常是不再另行包装就直接堆垛在船舶货舱内或甲板上,并受间歇式输送装置的限制。所必需的输送范围依照船型(带货舱口的杂货船)加以确定,且必须覆盖某一有限面积。

在最简单的情况下,“回转吊杆”能满足这些要求(见图 7.2)。采用用于改变吊杆伸距的跨索和回转用的支索,就能覆盖某一输送范围,其半径由起重吊杆的长度决定。垂直输送方向由吊货索,即所谓的滑车索动端套住。

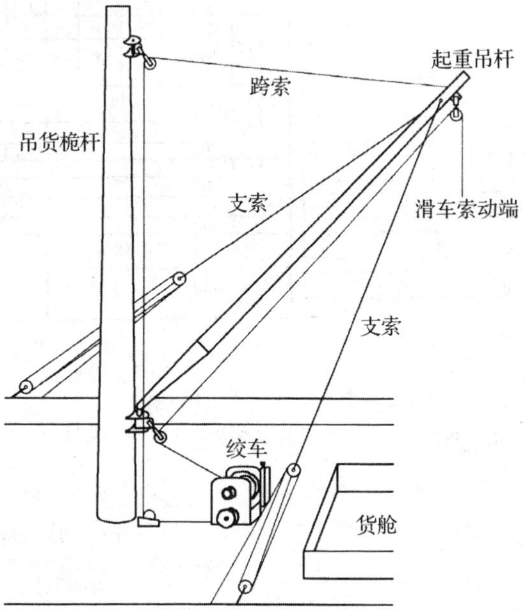

图 7.2　回转吊杆

回转吊杆的缺点是,满负载作业时只能实现有限的侧向偏转。为了实现侧向偏转,利用一根中部稳索将两根吊杆连接起来,并以侧支索将两根吊杆定位在输送线的目标端。通过连接两个滑车索动端,就能在负载时沿着这条输送线实现偏转。

为实现更大的有效负载,根据回转吊杆系统开发出了起重吊杆系统,该系统也能在满负载时覆盖某一输送面积。在 K7 型起重吊杆系统中,跨索与支索相互连接。支索以反方向绕在绞车的双卷筒上,而跨索则绕在一个自备的绞车上。

双跨索起重吊杆系统属于带索吊杆系统的最终研发阶段。该系统的特征是有两根跨索，均通向桅顶横杆的外侧。负载在回荡时不再需要支索。

此列最著名的系统是“Hallen 通用吊杆”或“Stülcken 吊架”，后者带有两根桅杆和一根安装在中间的吊杆。

双跨索系统是为大型有效负载（可达 350 t）而设计的。

集装箱是指拥有统一规格尺寸的箱形货物容器，也是单件物品和散件货物的一种航运包装。其尺寸是根据积木式系统进行分级的，并标以某个字母（见图 7.3）。

(a)

标号			ISO 668										
			40'				30'				20'		
			1A	1AA	1AAA	1AX	1B	1BB	1BBB	1BX	1C	1CC	1CX
高	H	ft	8'	8'6"	9'6"	<8'	8'	8'6"	9'6"	<8'	8'	8'6"	<8'
		mm	2438	2591	2896	<2896	2438	2591	2896	<2896	2438	2591	<2438
长	L	ft	40'				29'11 1/4"				19'10 1/4"		
		mm	12192				9125				6058		
	S	mm	11958				8918				5953		
	C_1	mm	101.5										
宽	W	ft	8'										
		mm	2438										
	P	mm	2259										
	C_2	mm	89										
D_1-D_2差			≤19mm				≤16mm				≤13mm		
最大毛重质量kg			30480				25400				24000		

(b)

图 7.3　集装箱尺寸

(a) 集装箱尺寸的积木式结构；(b) A 至 C 列的集装箱尺寸

海运中主要使用 A 列和 C 列集装箱。

按照统一的编码将集装箱堆放在船上（见图 7.4）。沿船舶纵向的各集装箱堆垛被称为“叠”（Bay），从船艏开始标以一个数字。船舶垂直方向上的各个集装箱位被称为“层”（Tier），并同样标以一个数字。沿船舶横向的集装箱列被称为“列”（Row），也标以一个数字。从船舶的中线开始，位于左舷的集装箱列为偶数，位于右舷的集装箱列为奇数。

通过相互堆叠这种简单的方式将集装箱进行堆放。集装箱的堆垛高度与各待堆叠集装箱的自重有关。根据 ISO，在遵守最大允许重力的情况下，最大高度为 10 层。

集装箱被固定在堆垛内（堆垛用锥形箱角），并利用夹紧元件（扭销、桥式连接件、链板）将集装箱相互间牢固地连接起来，以形成一个彼此关联的整体。

在船只内部，使用合适的元件将集装箱堆垛支撑在舷墙上，在甲板上则使用夹紧螺钉（花篮螺钉）将集装箱牢固地连接在船上（见图 7.5）。

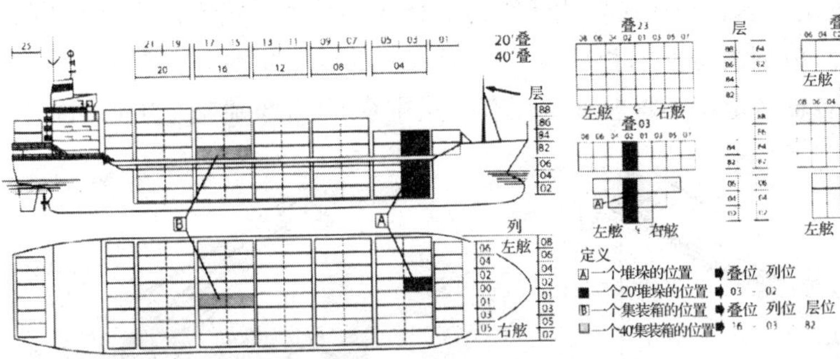

图 7.4　集装箱堆放的特征

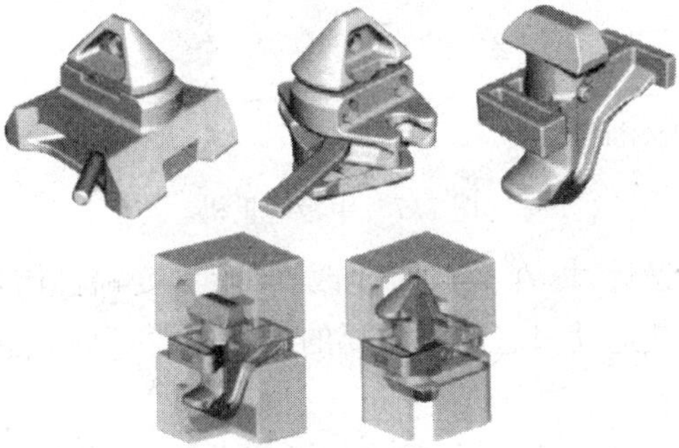

图 7.5　集装箱紧固元件

为了确保船舶的稳性并避免集装箱受损，堆放时应注意由船级社制定的规程(《货物系固手册》)以及夹紧元件制造商的规定。图 7.6 为几种典型的损失，这些损失也可能是由夹紧螺钉的过高预应力造成的。

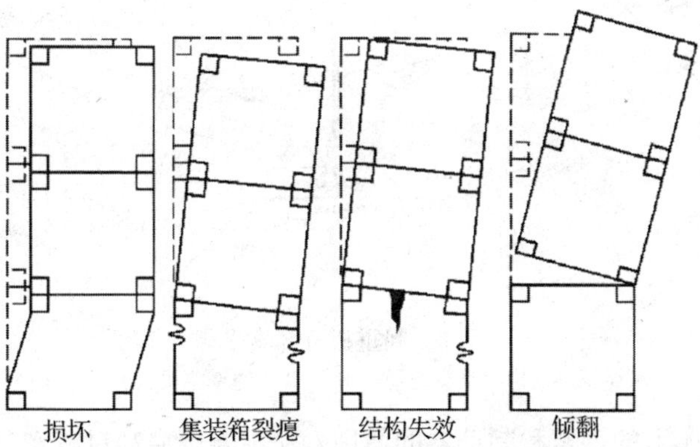

图 7.6　集装箱堆放时可能的损毁情形

只能采用间歇式输送装置用于装卸。优先使用的是塔形旋臂起重机(见图7.7),其输送范围由悬臂的长度确定。当有多部起重机时,将它们分散安装在船上,以使各输送范围不重叠或者仅有少量重叠,且能覆盖整个甲板面积。

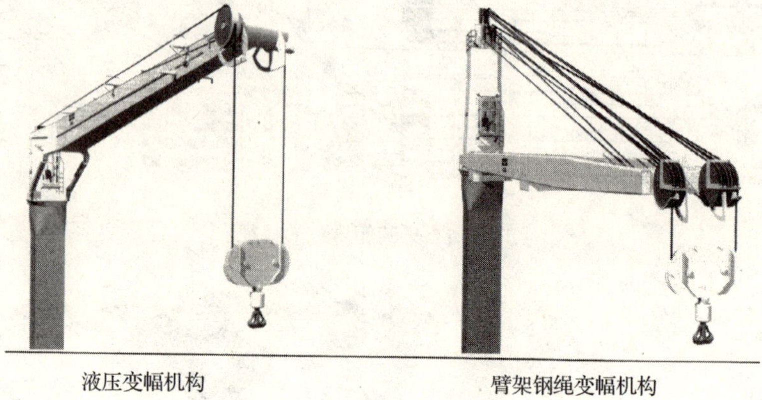

图7.7 甲板起重机

起重机应如此设计,即在负载时能改变伸距(变幅机构)。在改变伸距时,为了避免由垂直负载运动引起的不必要的提升作业,负载途径在变幅时必须呈水平向移动。

在液压变幅机构中,这一点是通过在塔架上安装升降索绞车或一个相应的升降索导向装置来实现的[见图7.8(a)]。在臂架钢绳变幅机构中,吊货索导向装置的设计是这样的,即在变幅时完成较少量的提升作业[见图7.8(b)]。

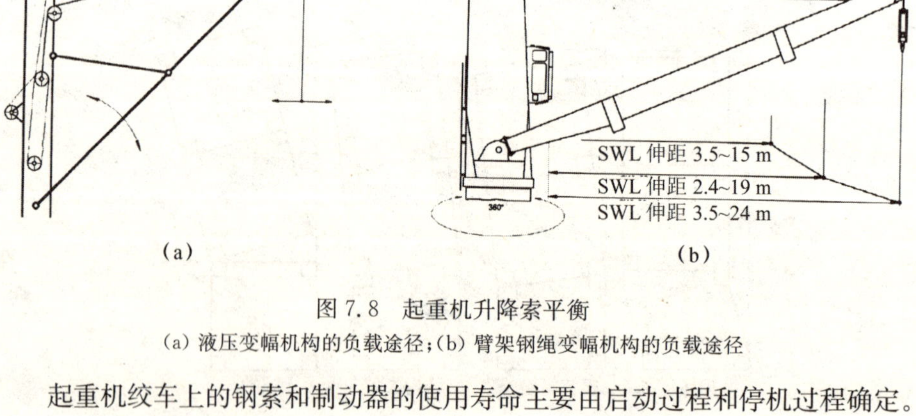

图7.8 起重机升降索平衡

(a) 液压变幅机构的负载途径;(b) 臂架钢绳变幅机构的负载途径

起重机绞车上的钢索和制动器的使用寿命主要由启动过程和停机过程确定。为了避免由于加速峰值而导致的负载冲击,这些过程必须平稳地进行。因此,必须遵守绞车驱动装置和制动器的正确控制时间。启动时，只有当绞车上的驱动力矩足以保持负载时，才能松开停车制动器。停机时，也只有当绞车卷筒已经停止时，才能重新拉上停车制动器。设计制动器只是为了保持负载，而不是为了制动。

图 7.9(a)为一台起重机绞车控制装置的示意图。为升举操作，将 4/3 旁通阀 5.6 移至 B 位置并将 3/2 旁通阀 12.1 移至 A 位置。由此打开从泵至绞车电动机与制动器压力气缸的联接管路。同时通过泵的调节来提高排送流量，以使两条已开启管路内的压力升高。当绞车扭矩不断上升，引起压力升高时，则因流量控制阀 12.2 缓慢开启制动器，使压力油缺的力重新建立起来。制动器一旦松开，绞车便开始转动并提起货物。吊钩速度可通过泵的排送流量实现无级控制。

如果制动器太晚打开，电动机就会产生一个很高的剩余力矩，该力矩在打开制动器时在轴上造成的角加速度很大。提早打开制动器时，负载货物会突然下降且必须通过一个较大的电动机转矩来制动并朝反方向加速。

负载货物下降时，通过减小排送流量进行制动，并且只有当卷筒已经停止时，才能通过弹力拉上制动器。图 7.9(b)概括性地描述了起降货物时电动机和制动器上压力的理想时间分布。

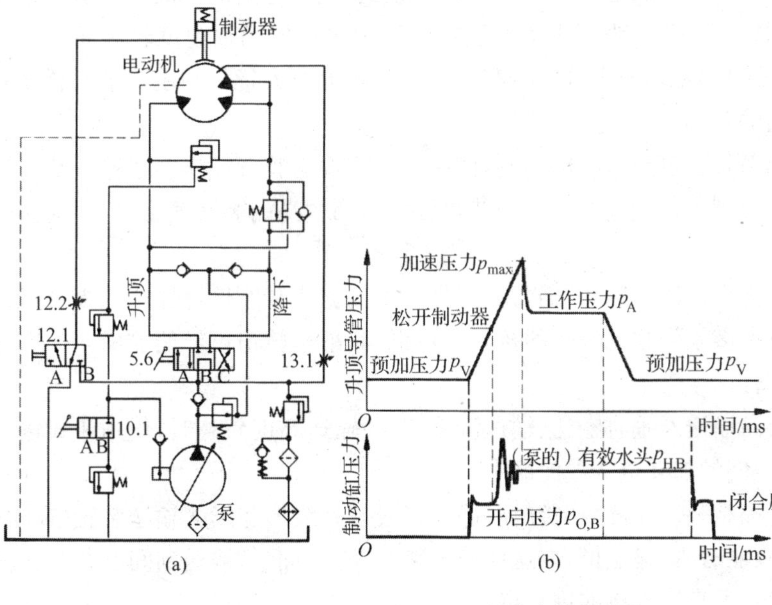

图 7.9　一台液压甲板起重机的绞车控制装置

(a) 示意图；(b) 升顶执行程序

散装货为不同粒度和密度的散货，未经包装，以散装形式装载在船舶货舱内进行运输。散货在货舱内形成一个锥形堆，其上升角度被称为“散装货的最大堆积斜度”(见图7.10)。

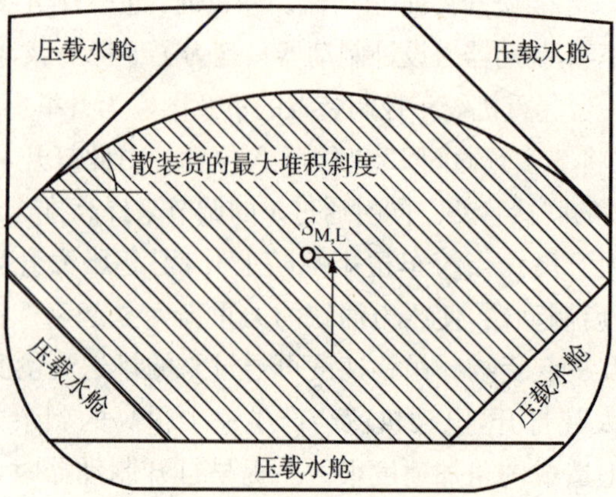

图7.10 某一散装货船的横截面

散货在外力影响下其特性类似于液体。所以在海浪中必须防止货物滑动。通过将货舱分隔为多个舱或利用货舱内的倾斜侧壁(双锥形),就能达到该目的。

装货时形成带质心 $S_{M,L}$ 的锥形堆,重心至龙骨之间的距离与散货的密度和最大堆积斜度有关。为了避免船舶在海浪中出现因角加速度较高而形成的短横摇,必要时用水填满上部的压载水舱。因此可增大货物和压载水的总质心与龙骨之间的距离。

根据散货粒度与密度的不同,使用间歇式输送装置或连续式输送装置用于其装卸。原则上使用连续式输送装置可以达到较高的装卸速度,但伴随有较高的能量需求。

装卸煤和矿砂货物时,通常使用带有多叉抓斗和刚性杆抓斗的提升机。船载提升机大多是带移动绞车的桥式起重机,其吊车轨道可沿船舶横向伸出船舷移动或翻转。

在斜向输送及垂直输送、输送流量较大、输送高度较高时,使用斗式输送机(提升机),例如在斗链式挖泥船中。

为了提高装卸速度,在货舱底部固定安装有线形连续式输送装置(输送带、链槽、螺旋输送机、输送槽)。这些输送装置连续将散货输送到间歇式垂直输送机或连续式垂直输送机的进料点。

使用空气或水作为输送介质的流体输送机,可用于装卸易受损的(谷物、荚果)、粉状(水泥、粉煤灰)和细粒状(沙子)散货。在考虑到输送介质和散货的情况下,应遵守输送介质的最小质量流量 $\dot{m}_{T,min}$。该值取决于散货/载体介质的密度比(ρ_S/ρ_T)以及散货 $\dot{m}_S$ 在总质量流量 $\dot{m}_{总}=\dot{m}_T+\dot{m}_S$ 中所占的比例。相对质量流量比

$$\frac{\dot{m}_S}{\dot{m}_T+\dot{m}_S}$$

被称为装货系数 μ。如果在输送过程中输送介质流量 $\dot{m}_T$ 恒定不变的情况下超过了极限值 μ_{max}，那么多余的散货则脱落在装置内，因此减小横截面和质量流量，并导致装置完全崩溃。在这个过程中，流体的总动能被转化为静态压力能。此时可能会出现非常高的压力峰值，并可能造成装置的严重损毁，如导管爆裂等。

在中等输送高度(约 25 m)和输送距离(约 300 m)的情况下，以空气作为输送介质的抽吸系统呈现出相对高的能量需求。因此它通常只在这些情况下使用，即在要求无尘(水泥)时、输送物必须充分通风(谷物)或冷藏(化学品)时。相反，压缩空气输送装置则以明显较低的能量需求而见长，而且在输送高度相同的情况下其输送距离可达 1 500 m。为此需要最大为 4 bar 的冲压压力。

图 7.11 为一台用于装卸粉状及细粒状散货的压缩空气式流体输送装置。

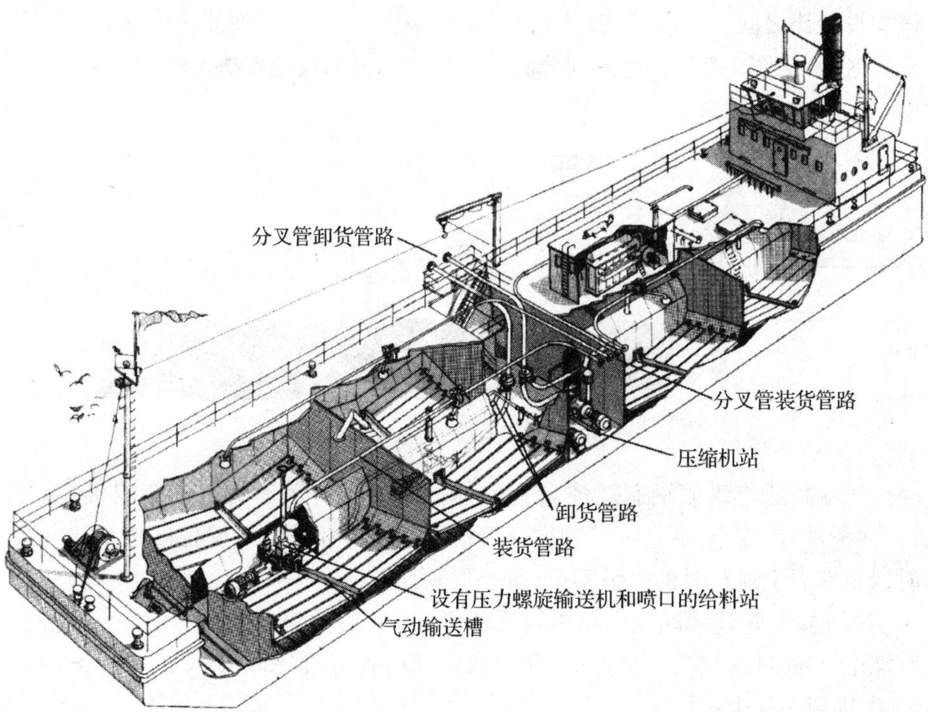

图 7.11　水泥船的自卸载装置

散货(在所示装置中为水泥)从货舱经由气动输送槽到达给料站。在这里的喷嘴室内经过配量装置(星形加料器)和压力式螺旋输送机,将散货加入压缩空气流中。混合物流经卸料管路到达中转站(分叉管),并在此被送入岸上的管路系统。为了充填货舱,则通过装货管路将水泥空气混合物泵入货舱内。无论是在船上还是在地面站内,输送空气都要经一个多级过滤系统进行清洁后再排放到周围环境中。

液体货

液体货即为原油及其衍生产品。相应地将油轮分为原油或货油油轮、成品或液态化学品运输船和液化气运输船。

原油油轮

原油油轮是可以用来运输原油的船只。待运输原油是一种部分闪点非常低的碳氢化合物的混合物。其爆炸范围为空气中所含燃气的比例为 2～12 个体积百分比之间。所以,原油被列为 K1 危险类别,而且整艘油轮被划分为 3 个危险区域(见图 7.12)。这一划分对所使用的机械和仪器有决定性的影响。

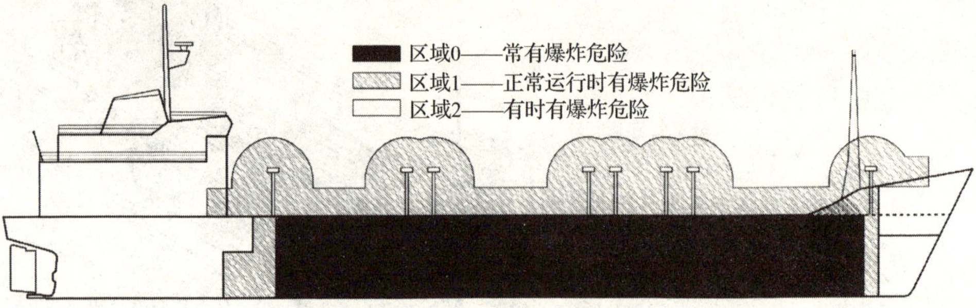

图 7.12　油轮上的安全区域

运输货舱与船舶钢制船体合为一体。为了保护运输货舱和燃料油舱(燃料、润滑油)的安全,新造油轮都被建造成双层壳体船。为了确保船舶装卸货物时以及在海上航行时的操纵安全,每个货舱都必须配备有:

- 一个防爆、防连续燃烧的超压阀;装货时,如果货油舱内溢出的燃气空气混合物没有通过换气装置被排出,那么超压阀应将混合气体以 30 m/s 以上的速度排到大气中;
- 一个双重防火的均压装置;该装置应调节卸货时进入油舱内的伴流气体(空气、惰性气体);

- 一个组合式通排气阀；通排气阀应确保海上航行期间将油舱压力保持在＋140 mbar(超压)和－35 mbar(低压)之间；
- 一个封闭式液位测量仪；
- 一个高速阀门；发生火灾时从油舱内溢出的气体必须以 30 m/s 以上的速度排出，以避免被点燃，或将气体转移到距船舶有足够距离之外的地方。

根据所安装的货油泵的数量，沿船体的纵向或横向将油舱归总为几个分段(见图 7.13)。每个分段都设置有一根主管路，连接其上的有一台泵、对应的油舱、一根上升及甲板管路(主管)和一根下降管路(出口管)(见图 7.14)。甲板管路在中转站处结束(分叉管)。

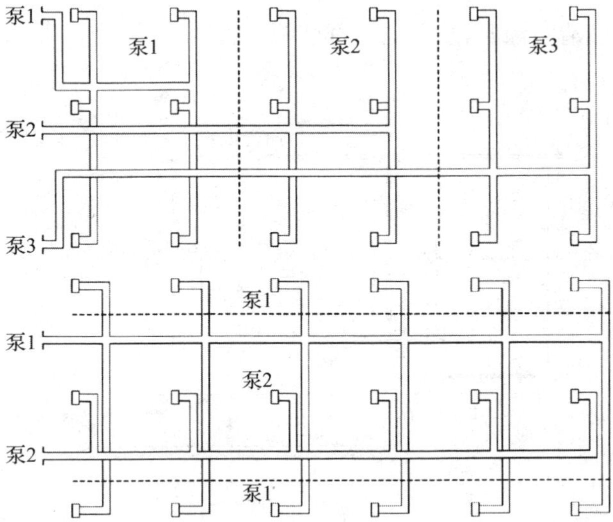

图 7.13　油船的直通管路系统

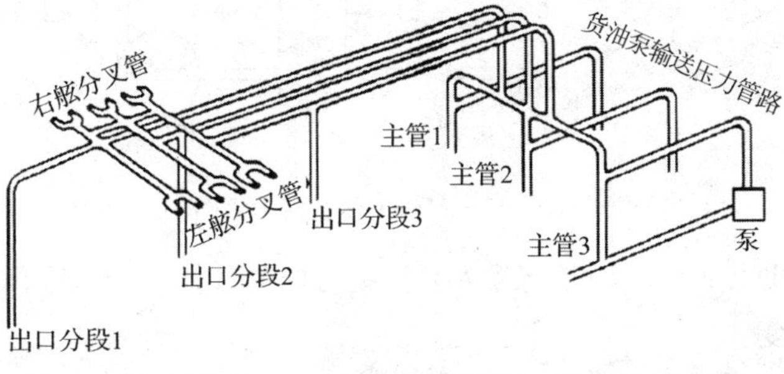

图 7.14　直通管路系统的货油装卸管路

主管及连接油舱的分叉管只能铺设在货油舱的内部。不允许将这些管路铺设在各独立的压载水舱(SBG)内。

采用这种结构的管路系统被称为直通管路系统。该系统的设计是这样的，即在船只卸货的同时能使用货油来清洁货舱。通过使用“原油洗舱”法(COW)，就不会有清洗残留物(污油)出现，否则就必须对这些清洗残留物进行特殊处理并排出。

用做货油泵的是单级或多级离心泵。除液压马达之外，泵和原动机(柴油机或电动机、涡轮机)都应安装在隔离的舱室内。隔墙内的轴封必须是气密性的，且防连续燃烧。运行时，不允许出现因旋转部件相互接触而产生的过多的摩擦热或火花。

为了彻底清空油舱，所有的泵都装配了辅助装置(见图7.15)。

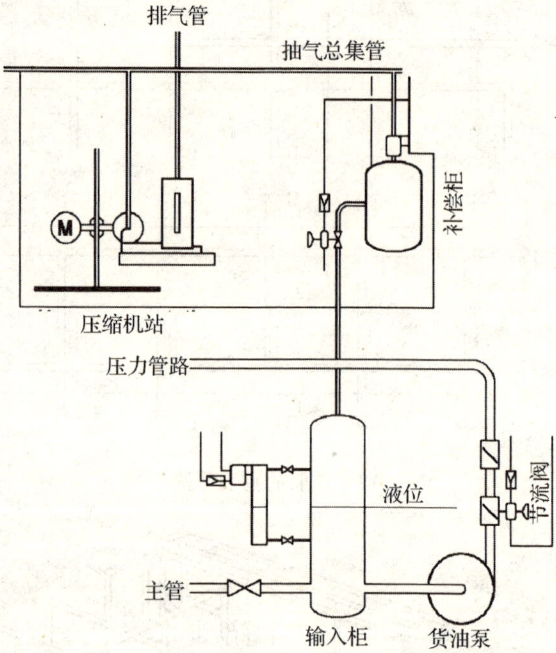

图7.15　某一清舱管路示意图

这台辅助装置的功用是将渗入泵抽吸管内的气体(空气)吸出，并保持泵的扬程恒定不变。

为此在抽吸管内布置有一个输入柜，它通过调节阀与一个补偿柜相连。补偿柜内的低压由抽气压缩机保持恒定不变。

当货油舱内渗入气体或货油舱液位下降且泵的输送功率较高时，输入柜内的液位下降。若打开补偿柜与输入柜之间连接管路中的真空阀，那么气体将被抽出，直到输入柜内的液位重新达到其额定液位为止。同时在泵的转数不变的情况下，通过关闭节流阀来减小货油泵的排送流量。

在液位保持不变且排送流量不断减小时，除少量残余几乎能将货油舱完全抽空。

液态化学品运输船

液态化学品运输船是指允许将液体化学品作为散装货运输的船舶，只要所涉及的不是液态气体即可。《国际散装运输危险化学品船舶构造和设备规则》给出了液态化学品运输船与成品油轮及液化气运输船之间的界定。该《规则》包括了当液态化学品运输船被批准用于运输 MARPOL Ⅱ 中规定的“A”至“D”级化学品时的构造和设备的说明。

货舱

液态化学品运输船都是带有一体化液货舱的双壳船。在整体式货舱中，液货舱是船体纵向及横向构架的组成部分。货舱内的最高压力位于 1.25～1.7 bar 之间，最低温度约为－10℃。因此，内部的舱室是设有外绝缘的液货舱，外部的舱室则是压载水舱。

为了运输腐蚀性液态化学品，可使用符合 DIN ISO 1.4462/AISI S31803 标准的由耐腐蚀钢材制成的舱壁，或者为舱壁涂上一层相应的涂层。

图 7.16 为一艘带有 14 个整体式货舱的液态化学品运输船。每个舱均配备有：

- 一个温度测量装置；
- 一个带警报器的压力测量装置，当压力超出或低于可调节极限值时接通警报器；
- 一个带警报器的液位测量装置，当液位超出或低于可调节极限值时接通警报器；
- 一个液位警报器，当液位到达最高允许液位的 94％时发出警报(高位)；
- 一个液位警报器，当液位到达最高允许液位的 98％时发出警报(溢流)；
- 一个带一体化温度测量器的封闭式手动液位测量装置；
- 一个封闭式抽检装置。

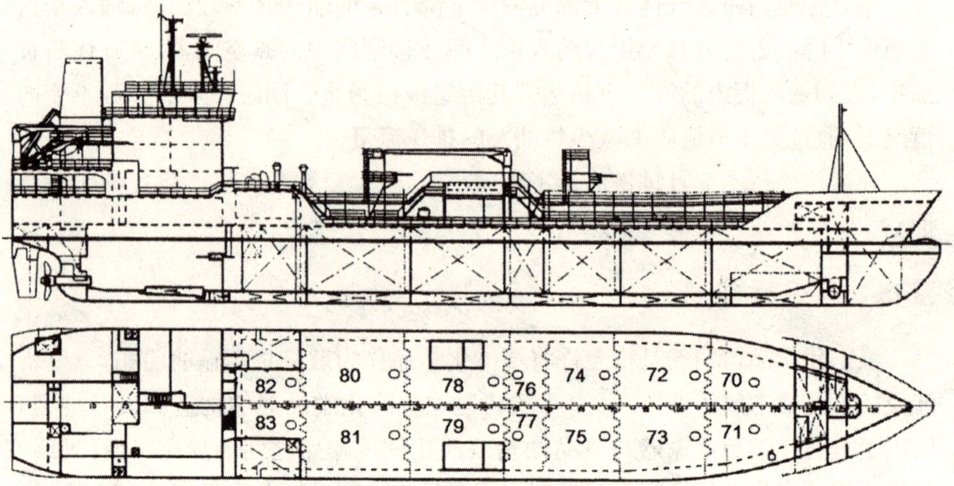

图 7.16　整体式货舱的液态化学品运输船

有时也会使用薄膜液柜。这里所涉及的是由薄膜(0.5～1.5 mm 厚的镍片或类似钢片)制成的且必须通过一隔离层支撑在船舶承重构件上的舱壁。通常只有当液态化学品必须以低于整体式货舱的极限温度进行运输时，才会使用薄膜液柜。

装卸装置

根据 MARPLO Ⅱ第5条之规定，每个货舱都必须配备独立的泵、管路和卸货装置。所以都无一例外地采用模块化结构的潜水泵，即所谓的“深井泵”。从总体上看，各种深井泵的驱动方式和残油清除装置也各不相同。

如图 7.17(a)所示的泵由以下几个部分组成，即包括液压马达在内的泵的下半部分、带有货油装卸管路接头的泵的上半部分以及液压马达的供应管路。通过使用相应的插件，使泵的长度适应所需的下潜深度。

套管的内管中设有通向电动机的供应管路。外管是截面呈环形的货油装卸管路。

为了彻底抽空货舱，可使用连续工作的喷射泵，其通过支撑管供应有压缩气体。压缩气体管路一旦开启，泵的进口就被关闭，泵内残留的物质即被气体排出。与此同时，喷射泵将残留物质从货舱内抽出并压入货油装卸管路之中。

如图 7.17(b)所示的泵中，电动机被布置在货舱外部并通过一根轴与泵实现机械式连接。长轴被安装在轴承中，轴承则由输送物来润滑。为了彻底清空货舱，使用间歇式压缩气体吸入装置，该装置被设置在泵的下方。

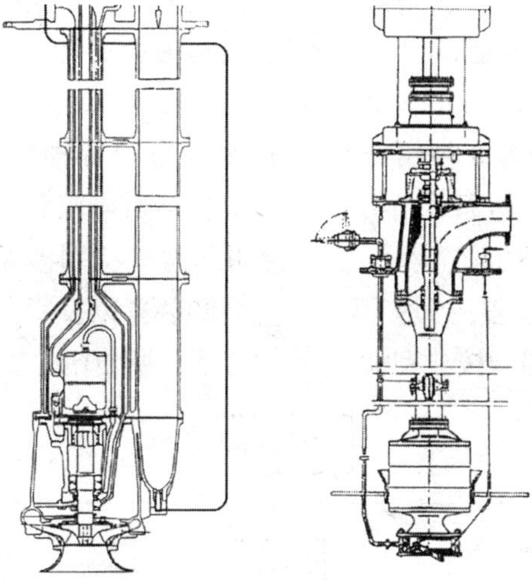

(a)　　　(b)

图 7.17　深井泵
(a) 液压驱动式　(b) 机械驱动式

压缩气体虹吸装置由一个带入口的容器、压缩气体接口和一根上升导管组成。容器内一旦充满连续而来的输送物，压缩气体阀就会开启。由于容器内压力的上升，入口内的球阀关闭，且容器内的液体被压入泵的货油装卸管路内。

如果主系统由于货舱内液位太低而无法继续排送时，残液清除装置便开始运行。残液清除结束后，包括所有泵和管路在内的每个货舱仅允许残留一定的残留物。对于一艘通用型液态化学品运输船来讲，所允许的残留物约为 100 L，而"C"类货物允许的残留量约为 300 L。为了能确保遵守此类极限值，只允许安装拥有《装载认定书》的合格装置。

液化气运输船

液化气运输船是指允许将液化气体(LPG/LNG)或液态化学品以散装形式装载在货舱内运输的船舶。对于经石油开采而得的且是由甲烷、丙烷、丁烷和其他碳氢化合物组成的混合物的液态气体来说，英文名"液化石油气(LPG)"已获认可。LPG 是指密度为 630 kg/m^3 且常压条件下蒸发温度在 −50℃到 −6℃之间的液体。石油气是指主要由纯净的甲烷组成的并掺杂少量如乙烷、丙烷、丁烷和戊烷等其他气体的天然气，被称为"液化天然气(LNG)"。这里所讲的是密度(约 450 kg/m³)非常小且蒸发温度(常压条件下为−162℃)非常低的液体。氨水、氯乙烯等液态化学气体的密度(高达 1 850 kg/m³),其蒸发温度要高得多。由于在此所涉及的主要是碳氢类有机化合物,因此通常也把它归入液化乙烯气体(LEG)的概念之下。

液化气运输船分为 3 种船型。《国际海运危险货物规则》(IMDG-Code)对船型ⅠG、ⅡG 和ⅢG 进行了界定。该规则包括对当液化气运输船被批准用于运输相应液态气体时的构造和设备的说明。这里特别涉及了船内的装货容器及其安放情况、包括过程压力容器在内的装卸装置以及所允许的材料。

图 7.18 为 3 种船型按典型载货、运输方法和所使用的舱柜系统的分类情况。

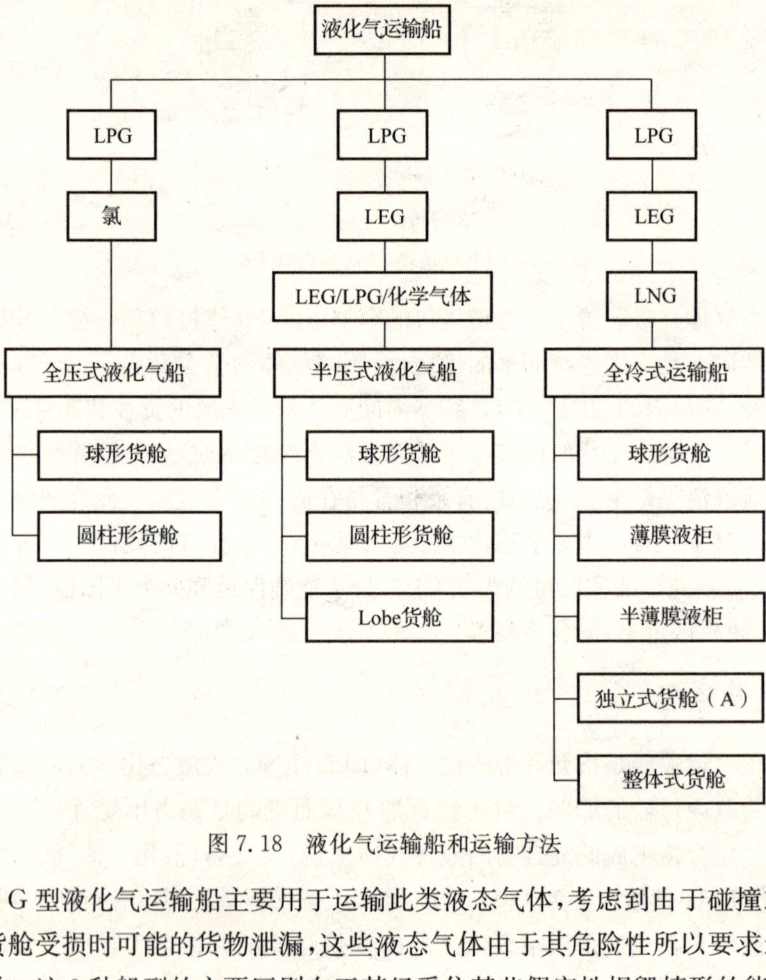

图 7.18　液化气运输船和运输方法

ⅠG 型液化气运输船主要用于运输此类液态气体,考虑到由于碰撞或搁浅导致货舱受损时可能的货物泄漏,这些液态气体由于其危险性所以要求最安全的船舶。这 3 种船型的主要区别在于其经受住某些假定性损毁情形的能力。

液货舱

根据液货种类的不同，以不同的状态进行运输：

- 受压下，其货舱温度可根据外界温度进行调节——全压式液化气船；
- 受压下，其自形成的蒸汽发生二次液化，此时货舱内的压力和温度降低——半压式液化气船；
- 不受压时，其自形成的蒸汽发生或不发生二次液化——全冷式运输船。

只有独立式货舱允许作为自承重结构，其被设置在船内并支撑在船体上。有 3 种基本形状可供使用：圆柱形、棱柱形和球形货舱形状[见图 7.19(a)]。

每个货舱都必须配备如下[见图 7.19(b)]装置：

- 一个温度测量装置；
- 一个压力测量装置；
- 一个液位测量装置；
- 一个液位警报装置，当液位到达最高允许液位的 94%时发出警报(高位)；
- 一个液位警报装置，当液位到达最高允许液位的 98%时发出警报(溢流)；
- 一个带一体化温度测量器的封闭式手动液位测量装置；
- 一个封闭式抽样装置；
- 喷射管。

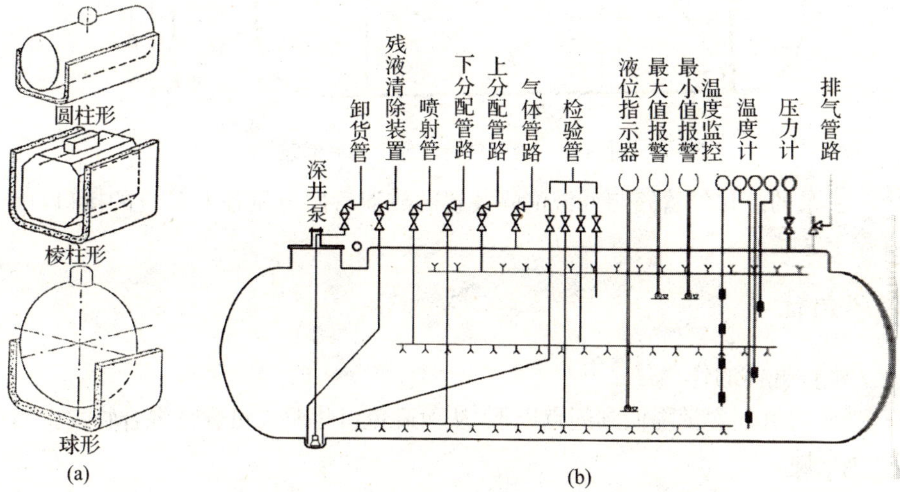

图 7.19　货舱基本形状和货舱检验仪表

(a) 基本形状　(b) 检验仪表

装卸装置

根据《国际海运危险货物规则》的规定，每个货舱均须配备独立的卸货装置。卸货装置由带液化气导管的液货泵、带放泄管的残液清除装置和蒸汽导管组成(见图7.20)。无一例外的是都使用深井泵。壳体和叶轮主要采用铝合金作为材料，轴和轴承则采用高冷态韧性的合金钢作为材料。轴承由输送物润滑。

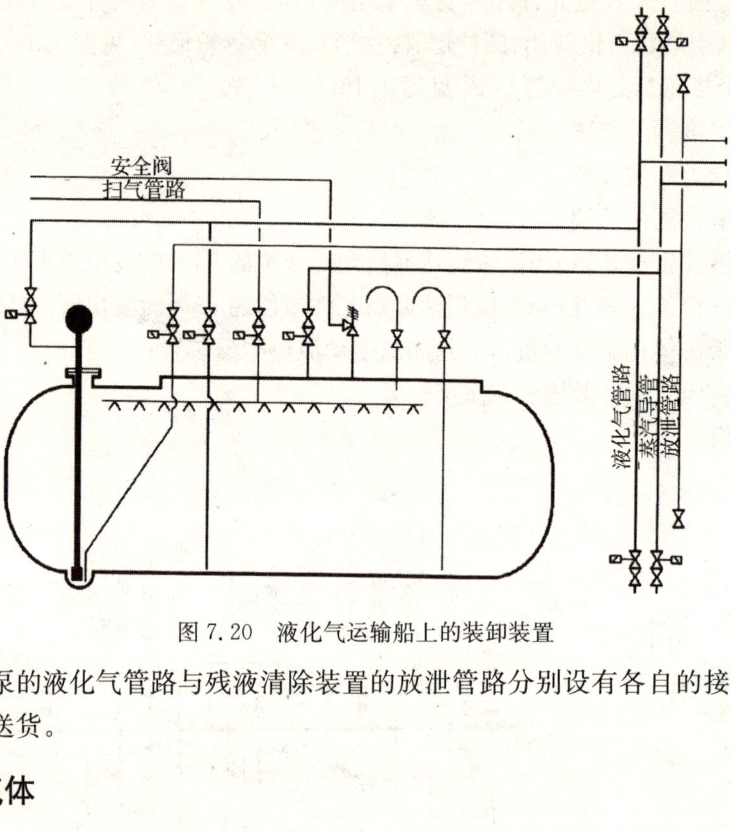

图7.20　液化气运输船上的装卸装置

主泵的液化气管路与残液清除装置的放泄管路分别设有各自的接口，用于往岸上送货。

惰性气体

惰性气体的作用是：

- 把舱内氧气含量降低到闪点以下，从而避免由货舱内可燃性混合物发生的火灾危险；
- 防止某些货物与空气中的氧气、二氧化碳或其他气体发生反应。

视所需的质量要求，将惰性气体存放在合适的容器中(50 L/200 bar)进行携带，或者由船载气体发生器自行制造。

在油轮上，当货舱内空气中氧气含量约为 10%时，实际上就不可能形成爆炸混合物。所以，由氮气、二氧化碳和其他惰性气体组成的惰性气体就已足够。

根据化学计量法，通过在辅助锅炉或特制的气体发生器中燃烧柴油的方式来产生气体。燃烧所产生的气体主要由氮气和二氧化碳组成，经过洗气和冷却（见图 7.21）后就能直接输送到货油舱或贮气柜内。

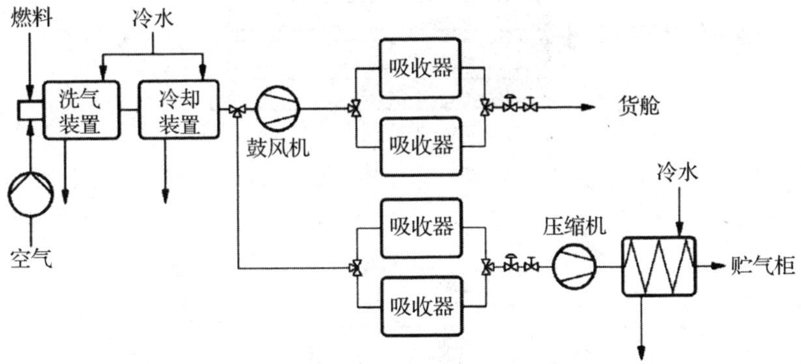

图 7.21　惰性气体发生器

如果要求气体中不含有主要的二氧化碳成分，那么在洗气和冷却之后可再将气体通入吸附器进行后处理。

由于许多化学品，特别是液化气可能会与二氧化碳发生反应，所以它们都需要氮气含量较高且不含二氧化碳的惰性气体，用于货舱扫气以及覆盖液货（填充）。这种气体只能用分离法才能制造。根据此法，由于空气中各种成分的扩散性和吸附性的不同能将空气进行分离：

采用膜式分离法即 Kvaerner 船舶设备法（KSE）时，经净化与干燥的压缩空气流经一模块，该模块内的高压侧与低压侧之间被一层由聚合物母体制作的薄膜分隔开（参见图 7.22）。由于扩散性不同，氧气、水蒸气和二氧化碳同时在液流段的开始端扩散穿过薄膜并通过泄漏扩散再次进入大气。

像氮气和氩气之类扩散性较差的气体则留在气流中并在整个流动线路的末端被吸出。

这种方法以连续的方式提供氮气含量高达 99.5%的惰性气体。

在变压吸附法（PSA）中则使用分子筛来分离空气（见图 7.23）。

该装置由 3 个容器组组成，每个容器组分别设有一个分离容器和一个干燥器。为了制造气体，将经过滤的空气充入其中的一组容器，第二组被抽成真空用以解吸，第三组进行吸附。

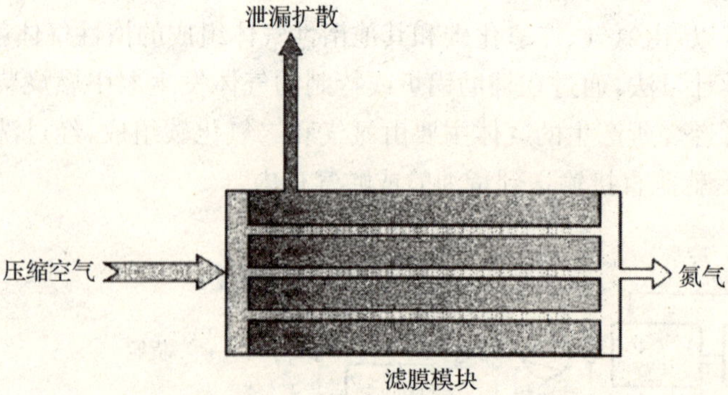

图7.22 膜式分离法

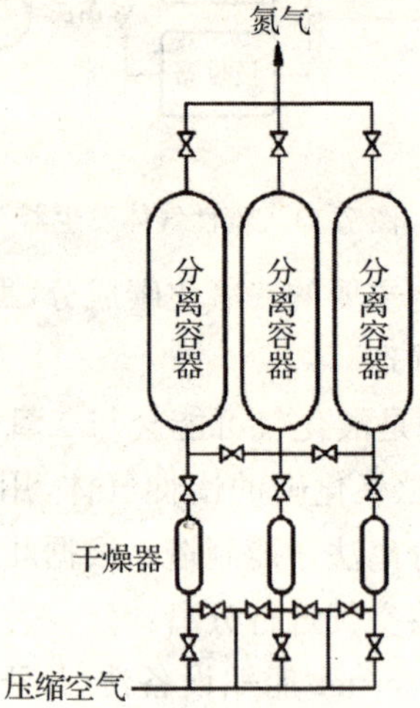

图7.23 变压分离法

吸附和充气时,空气由下往上流动;抽真空和解吸时,空气则由上往下流动。因此可以利用真空泵将解吸时产生的气体从分离容器中吸出。

容器的充气过程发生在原有的分离过程之前,所充的气体为常压下的空气,空气通过干燥器流入分离容器。当分离容器内达到工作压力时,结束吸附过程,所形成的高含氮量气流可以直接通入消耗设备中。充气过程与排空过程之间的压力差,确保了用于分离氮气和氧气的分子筛具有良好的再生性。

为了确保分子筛在常温下具备充分的吸附能力,首选使用含钙分子筛。使用这种分子筛可获得氮气含量达99.99%的惰性气体。

换气装置

根据货物种类的不同，在开始装货前使用惰性气体充填液态化学品运输船和液化气运输船上的液货舱。充填货舱时，惰性气体与货物的蒸汽混合在一起。但不得将该气体混合物排到大气中，而且必须通过换气装置将其往回输送（见图 7.24）。

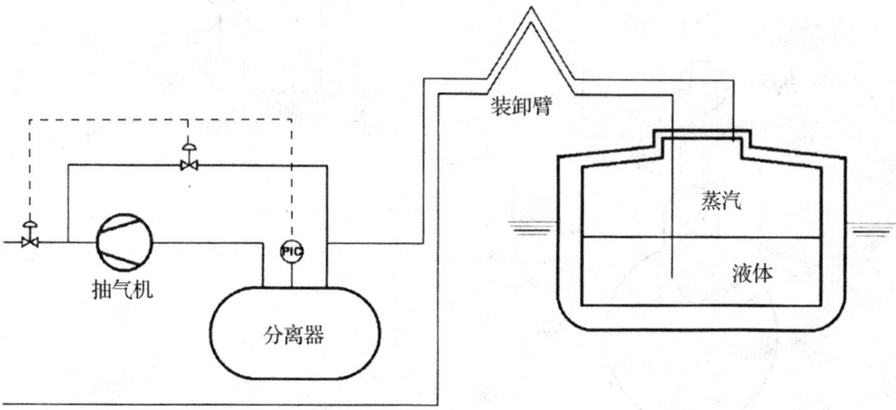

图 7.24　换气装置

利用装载站内的一台抽气机将气体混合物从货舱内抽出并输送到离析器中。货物与惰性气体在此实现分离。通过鼓风机将货物蒸发而来的蒸汽继续输送到储存箱内。蒸汽在此得到二次处理（循环冷却）并被重新输送至货油装卸管路中。

循环冷却

每当运输液化气体时，必然会有一定量的液态气体转变为气态。这样所产生的气体可以作为船舶机械的燃料使用，或者通过安装在船上的二次液化装置进行液化并再次输送到货物中。

由于作为燃料使用时

- 货舱中温度非常低，因此必须预加热使气体温度达到约 20℃并被压缩到约 2～3 bar 的压力；
- 大多数 IMO 成员国均严格禁止在其领土内排放气体。

所以，通过冷却进行二次液化的方法得到了广泛的应用。

在直接循环冷却装置（见图 7.25）中，利用压缩机对从货物产生的蒸汽进行压缩，并通入利用海水冲压的冷凝器中。由于压力较高，蒸汽通过散热而液化，并能通过节流阀重新被通入货物中。

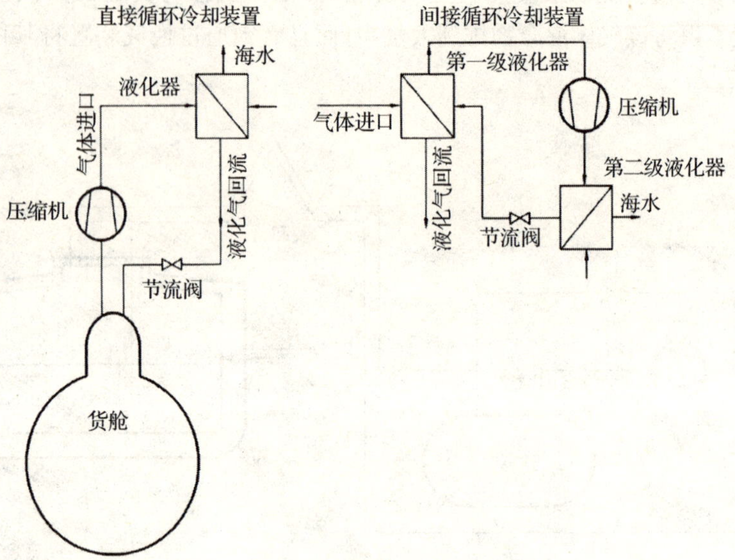

图 7.25　循环冷却流程示意图

只有当压缩后的气体的温度高于海水温度时，才可能进行冷却及二次液化。如果海水温度高于气体的临界温度，那么就无法使用直接循环冷却装置进行二次液化。

由于船级社为船舶设计给出了最高可能的海水温度为 32℃，所以对所有其临界温度都低于该设计温度的气体来说，都需要一台间接循环冷却装置。采用这种方法时，用于液化由货物产生的蒸汽的液化器，则由二次制冷循环中的制冷剂进行冷却。

由于所需的制冷功率随船舶尺寸和温度的下降而上升，因此研发了具有部分能量变换功能的二次液化装置。

如图 7.26 所示的二次液化装置以氮气作为封闭式高压循环过程的制冷剂。气态氮在带有中间冷却功能的压缩机 1 和 2 中进行高强度压缩，并通过后置冷却器输入热交换器 2 中。气体在此仍吸收热能并被输入涡轮机进行减压。通过减压，气体发生剧烈冷却并在该状态下输入热交换器 1 中。气体在此吸收液化时排出的热能，并通过热交换器 2 回流至压缩机 1 中。通过至热交换器 2

的旁通管，可以货舱压力来调节制冷功率。

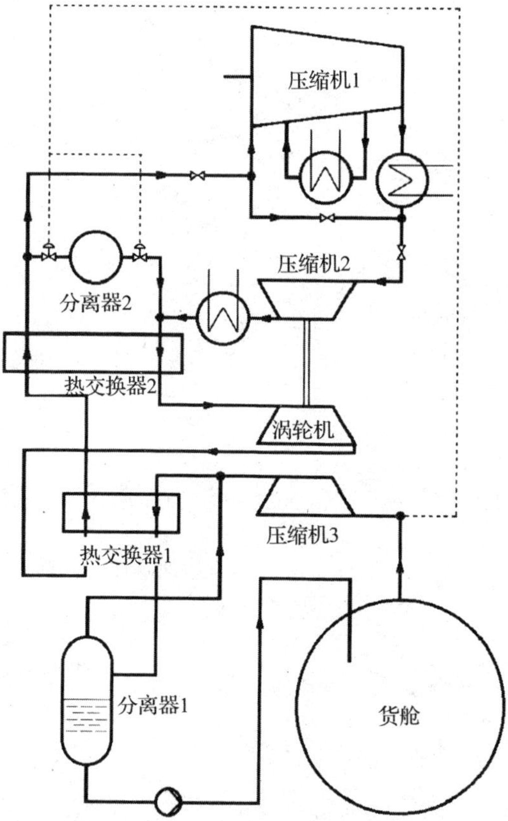

图 7.26　LNG 运输船循环冷却装置

整个高压装置可安装在机舱内，其低压回路设有压缩机 3 和离析器 1，用于甲板范围内的货物。

YM系列液压起锚绞车

概述： IYM系列液压起锚绞车由具有制动和过载保护功能的阀组，液压马达、行星减速器、液压（手动）带式制动器、液压（手动）牙嵌式离合器、机架等部件组成。由于绞车自带阀组，它不但简化了液压系统而且提高了传动装置的工作可靠性，并可以使HYM型液压系泊绞车再提升和下放工作中运转均相当平稳，除此，它还具有起动和工作时效率高、能耗少，噪音低、外形美观、尺寸紧凑、经济性好等特点。

型号说明：

IYJ * - *

- 锚链直径（mm）
- 行星减速器齿轮模数
- 意宁液压股份有限公司液压起锚绞车

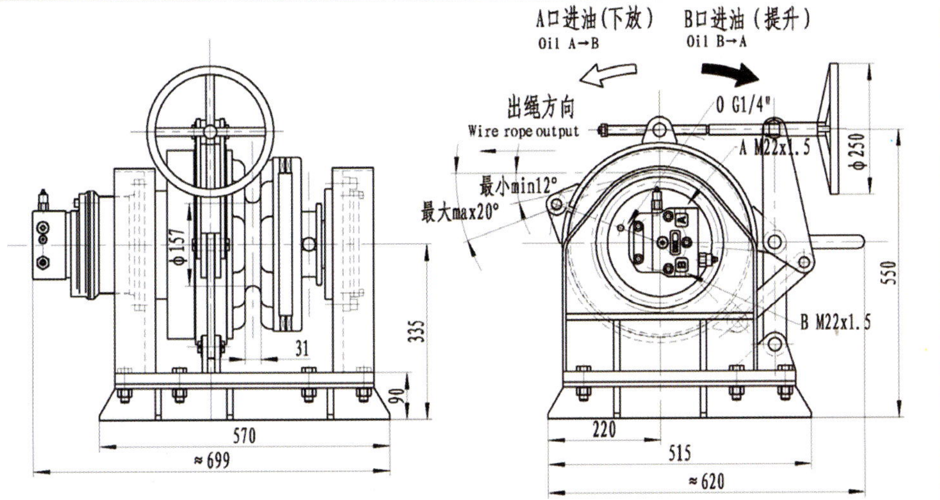

型号 Model	工作负载 working load (KN)	过载拉力 overload pull (KN)	支持负载 holding load (KN)	起锚速度 nominal speed of windlass (m/min)	抛锚深度 anchorage (m)	总排量 Total displacement (mL/r)	工作压力 Rated Pressure (mL/r)	供油流量 supply oil flow (L/min)	锚链直径 chain diameter (mm)
IYM2.5-Φ17.5	13	19.5	≥80	≥9	≤82.5	1050.5	15	14	17.5
IYM3-Φ22	20.6	30.9	≥126	≥9	≤82.5	3107.5	15	31	22
IYM4-Φ30	38.3	57.5	≥231	≥9	≤82.5	6580	14	46	30
IYM4-Φ32	43.5	65.3	≥261	≥9	≤82.5	8170	12.5	53	32
IYM4-Φ34	49.1	73.7	≥294	≥9	≤82.5	8987	12.5	55	34
IYM5-Φ36	55.1	82.7	≥329	≥9	≤82.5	10035	14	60	36
IYM5-Φ38	61.1	92.1	≥365	≥9	≤82.5	12560	14	70	38
IYM6-Φ40	68	102	≥402	≥9	≤82.5	13821.5	14	72	40
IYM6-Φ42	75	112.5	≥442	≥9	≤82.5	16725.5	14	83	42

IYJP系列液压绞盘

IYJP由带平衡阀机控制制动器的高压梭阀组成的各种集成阀块、高速液压马达、Z型制动器、行星减速机、绞盘头及机架等部件组成，用户只需配备泵站和换向阀即可。由于绞盘自带阀组，它不但简化了液压系统而且提高了传动装置的工作可靠性。除此，它还具有起动和工作时效率高、功率大、能耗少、噪音低、外形美观、尺寸紧凑、经济性好等特点，该产品可广泛用于各种船舶甲板机械等设备。

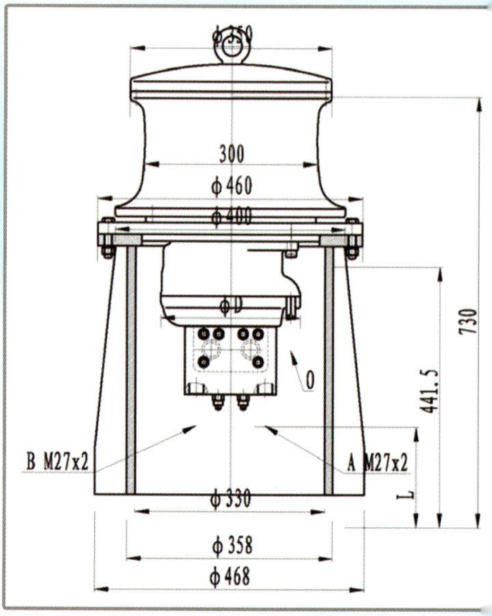

型号说明：

IYJP *-*

- *（后）：系缆负载（kN）
- *（前）：行星减速机各级齿轮的模数
- IYJP：意宁牌液压绞盘

型号 Model	系统负载 System load (KN)	公称速度 Nominal Speed (m/min)	钢丝绳直径 Rope diameter (mm)	工作压差 Working pressure differential (MPa)	总排量 Displacement (mL/r)	供油流量 Oil flow supply (L/min)	液压马达型号 Hydraulic motor model	齿轮箱型号 Planetary gearbox model	D	D1	D2	D3	L	O
IYJP3-10	10	25	13	14	860	25	INM1-175D47+F1202	C3AC（I=5）	242				170.6	G1/4"
IYJP3-20	20	20	15	12	2125	48	INM2-420D47+F1202	C3AC（I=5）	304				144.6	G1/2"
IYJP3-30	30	20	17	13	2825	63	INM2-550D47+F1202	C3AC（I=5）	304				144.6	G1/2"
IYJP4-40	40	15	20	14.5	3960	56	INM3-800D47+F1202	C4AC（I=5）	460	360	540	380	171.5	
IYJP4-50	50	15	20	14.5	4935	69	INM3-1000D47+F1202	C4AC（I=5）	460	360	540	380	171.5	
IYJP4-60	60	15	22	16.5	6138	72	INM4-1100D47+F1202	C4DC（I=5.5）	530	430	600	410	152.5	
IYJP4-70	70	15	22	16.5	7238	85	INM4-1300D47+F1202	C4DC（I=5.5）	530	430	600	410	152.5	
IYJP5-80	80	15	24	13.5	11698.5	118	INM6-2000D2402	C5DC（I=5.5）						
IYJP5-90	90	15	26	13	13821.5	140	INM6-2500D2402	C5DC（I=5.5）						
IYJP5-100	100	15	28	12	16725.5	168	INM6-3000D2402	C5DC（I=5.5）						
IYJP56-120	120	15	30	16.5	18960	148	INM5-1200D90+F4802	C56（I=16）						
IYJP56-140	140	15	32	15.5	23392	182	INM5-1500D90+F4802	C56（I=16）						
IYJP56-150	150	15	32	12	29056	226	INM5-1800D90+F4802	C56（I=16）						
IYJP56-160	160	15	34	13	32112	249	INM5-2000D90+F4802	C56（I=16）						
IYJP79-240	240	10	36	14	46794	229	INM6-2000D90+F	C79（I=22）						
IYJP79-260	260	10	36	13	55286	270	INM6-2500D90+F	C79（I=22）						
IYJP79-280	280	10	38	11.5	66902	326	INM6-3000D90+F	C79（I=22）						
IYJP79-300	300	10	38	12.5	66902	326	INM6-3000D90+F	C79（I=22）						

第 8 章　船舶建造

译：王平庚　李春清　崔为耀

校：孙玉祥　周　洋　张延辉

8.1　主尺度、名称和定义

8.1.1　主尺度

船舶的主尺度是船的主要数据。主尺度不仅用于在许多方面比较一条船与另一条船，而且用于确定港口费、码头预定、向各有关行政当局和租船人提供信息，当然也用于船舶建造和入级。由于这些数据重要并可能造成严重后果，因此对所使用的概念必须有清晰和明确的定义。

主要主尺度

船长

船长有总长 Loa 和艏艉垂线间长 Lpp 之别。总长对于比如说码头占用具有重要意义。垂线间长 Lpp 从构成舵的旋转轴线的艉垂线到作为设计水线与艏柱前缘交点的艏垂线测量而得。设计水线即是浮面，指船舶满载时漂浮在所谓夏季干舷上的水线面。另外还有一系列适用各种不同的国际公约时规定的其他长度，如 L_c、L^* 和 L_S。见各国船级社的入级规范，或直接查阅相应的国际公约，如 LLC 66(1966 年载重线公约)、MARPOL 73/78(1973/1978 年国际船舶防污染公约)、IBC(国际散装化学品运输规则)和 IGC Code(国际液化气船运输规则)以及 SOLAS 74(1974 年国际海上人命安全公约)。

宽度

宽度通常是指型宽(英文：breadth moulded 或 moulded beam)。型宽是在外板内缘测定的，也称为理论宽度或计算宽度。通过宽度，例如通过运河水闸的宽度，还要再加上外壳板的板厚以及可能有的护舷材的厚度。

舷高

至各层甲板的舷高，从龙骨外板的上缘至甲板的上缘测得，如果有甲板覆层，则应测量到甲板覆层的上缘。

吃水

吃水从龙骨板的下缘量起。有所谓结构吃水（英文：scantling draught）与设计吃水（英文：design draught）之别，前者是指据以进行结构构件强度计算的吃水，后者是指船舶满载状态在淡水中漂浮时的吃水。

干舷

干舷指吃水水线与甲板或甲板覆层上缘之间的那一部分舷高，即吃水＋干舷＝舷高＋龙骨板厚度。

排水量

一条船的排水量（英文：displacement）即它的排水体积乘以水的密度。

载重量

一条船的载重量（英文：dwt＝deadweight）应理解为排水量减去功能齐备的空船的重量。这就是说，管路、锅炉或制冷装置中的液体属于船的重量，而压载水或各种燃料则不是，只要不关乎不可排放的液量，就不属于船的重量。

发动机功率

发动机功率是发动机连接法兰上发出的最大持续功率（英文：Maximum Continuous Rating＝MCR）。现在以 kW 为单位表示发动机功率。

8.1.2 名称和定义

现在造船行业中的许多名称和定义一般都起源于木帆船时代，来自英语或荷兰语语区。对于某些概念深入的解释，请读者查阅 A·施特伦策的《德国航海词典》、F·克鲁格的词源性质的《海员用语手册》或 C·帕施非常有名的船舶辞书《从龙骨到桅冠》。后者用 6 种语言解释概念，可用来追溯词源。

肋板：

双层船底中的横向构件，多半开有较大的开口。

C_B:

方形系数,船体的排水体积除以船长、型宽与吃水的乘积所得的商:

$$C_B = \frac{V}{L \cdot B \cdot T} \tag{8.1.1}$$

C_{wp}:

水线面面积系数

$$C_{wp} = \frac{A_{wp}}{L \cdot B} \tag{8.1.2}$$

FEU:

英文 Forty foot Equivalent Units 的缩写,表示 40 英尺集装箱符号。

IBC-Code:

英文 International Bulk Chemical Code 的缩写,即《国际散装化学品运输规则》,是适用于运输散装危险化学制品的海船的建造和装备的国际准则。IBC-Code 基于国际海事组织的 MSC4/48 号决议案"International Code for the Construction and Equipment of Ships Carrying Dangerous Chemicals in Bulk"(《散装危险化学品运输船建造和装备规则》)。

IACS:

英文 International Association of Classification Societies 的缩写,即国际船级社协会。IACS 是跨国工作和国际公认的各国船级社的顶级组织。其中包括:

ABS　美国船级社(American Bureau of Shipping),纽约/休斯敦
BV　法国船级社(Bureau Veritas),巴黎
CCS　中国船级社(China Classification Society),北京
DNV　挪威船级社(Det Norske Veritas),奥斯陆
GL　德国劳氏船级社(Germanischer Lloyd),汉堡
KR　韩国船舶登记局(Korean Register of Shipping),首尔
LR　劳氏船级社(Lloyds Register),伦敦
NK　日本船级社(Nippon Kaiji Kyokai),东京
RINA　意大利船级社(Registro Italiano Navale),热那亚
RS　俄罗斯船级社(Russian Maritime Register of Shipping),圣彼得堡

IMO:

英文 International Maritime Organization 的缩写,即驻地设在英国伦敦的国际海事组织。IMO 成立于 1948 年,原名 IMCO(Inter-Governmental Maritime Consultative Organization)即政府间海事协商组织,于 1982 年改为现名。

船级社:

船级社是独立的或国家的船舶及其他工业制品的检验机构。船级社是为改进船舶安全和对船舶进行公正的鉴定,例如进行安全技术鉴定而设立的。国际公认的船级社联合在国际船级社协会(IACS)中。最早的船级社是伦敦的劳氏船级社。

节:

船舶航速的单位规定为节(kn)。1 kn 相当于每小时 1 海里的航速。(1.852 km/h)。

隔离舱:

不同液舱之间的空舱。

LLC 66:

《1966 年国际干舷协定》。LLC 66 基于国际海事组织 1966 年的《国际载重线公约》(International Convention on Load Line)和不同的修正案,如 IMO MSC-142(77)等。

MARPOL 73/78:

73 国际船舶防污染公约和 78 议定书。鉴于 1973 年几次严重的油污染事故而召开了一系列国际会议之后,由国际海事组织通过了《国际船舶防污染公约》(International Convention for the Prevention of Pollution from Ships)及其 1978 年的附加议定书。

MSC 海上安全委员会:

国际海事组织内部的海上安全委员会(Marine Safety Committee),负责处理海上安全的各种问题。

OPA 90：

《90 油污染法》(Oil Pollution Act)，1990 年“Exxon Valdez”号严重油污染事故后公布的支持美国环保局(EPA)为保护环境所做努力的美国法律。

海里：

1 海里的长度相当于赤道圆周的 1 分弧长。如果设地球在赤道上的周长为 40 000 km，则 1 海里的长度为 40 000 000 m/(360 度×60 分)＝1 851.85 m。英制海里规定为 1 853.181 m，相应的地球周长为 40 028.707 km。今天，精确的地球周长定为 40 075.017 km。根据这一周长，1 分弧长为 1 855.325 m。

SOLAS：

SOLAS 是英文 Safety of Live at Sea 的缩写，即《国际海上人命安全公约》。

TEU：

TEU 是英文 Twenty foot Equivalent Units 的缩写，是 20 英尺集装箱的名称。

8.2 船型

商用船型的发展一方面以船舶不断增大尺度为特征，另一方面则以适应载货要求为特征。另外，推进方式对船舶设计以及船舶发展中不断提高的安全要求也有显著的影响，而安全要求对例如干舷勘定也有影响。发展商用船型的主要推动者是海运企业，因为海运企业总是希望以新颖的运输概念或采用新技术取得竞争优势。今天在航的多数商用船型都与海运企业的名字连在一起。所以大西洋的大型蒸汽动力快班船都与塞穆尔·丘纳德(Samuel Cunard)或艾伯特·巴林(Albert Ballin)的名字连在一起。今天的油轮起源于安东·里德曼(Anton Riedemann)的理念，而集装箱船则起源于美国运输企业家马尔柯姆·麦克莱恩(Malcom McLean)。航运是国际性的，因此，商用船型在全球范围内的发展是相当一致的。只有少数几种船型的发展是地区性的，美国大湖区的散装货运输船或艏艉同型渡船都是这种情况，而波罗的海的艏艉同型渡船与比如说加拿大的看起来完全两样(见图 8.2.1)。

工业造船始于 19 世纪中叶的蒸汽动力船，当时简称为汽船。截止到 20 世纪 50 年代，一直都在建造蒸汽动力船。由锅炉、煤舱和蒸汽机构成的动力装置大多布置在船的中部，以便能在不同的装载情况下达到均衡的平衡状态。

杂货船

后来，杂货船取代了蒸汽动力船，杂货船多半采用柴油机动力装置，有的也采用汽轮机动力装置，采用柴油机电力或汽轮机电力推进的比较罕见，这种杂货船多年来已是世界贸易中的标准货船。货船多半有一层或两层中间甲板，有的也有较小的装运植物油的货油舱。因为欧洲以外的许多港口没有足够的装卸设备，所以货船不得不在港外锚地装卸货物。因此，货船上还有很多货物装卸设备，但后来已被甲板起货机取代(见图 8.2.2)。

重型起重货船

为运输特别重的货物而产生的所谓重型起重货船本来与普通的干货船相

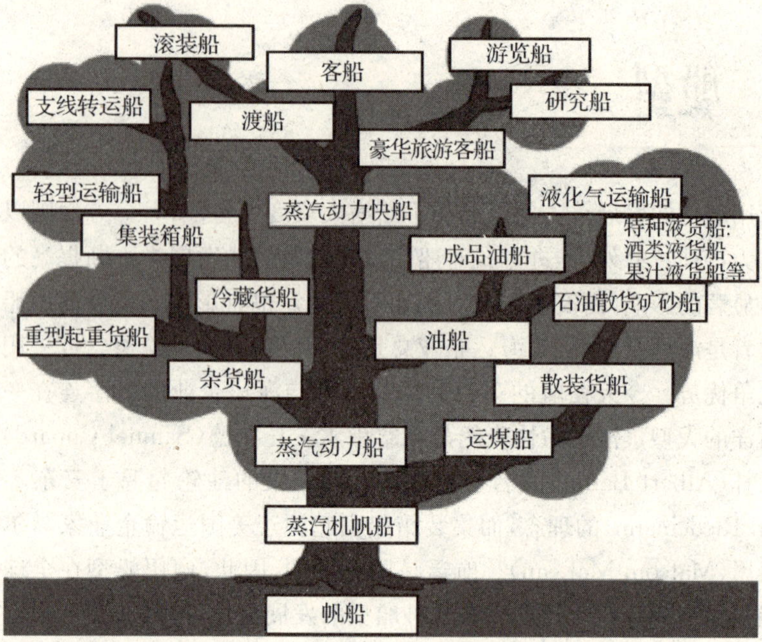

图 8.2.1　商用船舶的发展

图 8.2.2　典型的内燃机杂货船

当,只是因为有较大的舱口和重型起重设备,例如 Stülcken 结构式样的重型起重设备,与普通的干货船不同。能装运诸如海上钻井平台、工业制品或甚至整条船的数千吨重物件的特种重型起重货船,要设计成所谓的浮船坞。这就是拥有许多压载水舱的船,压载水舱允许船下沉以便装上需要装运的物件,然后再排放压载水舱中的水以便重新达到要求的干舷(见图 8.2.3)。

图 8.2.3　在重型起重货船上运输大件钢结构

冷藏货船

为了运输各种不同的食品，如肉类、鱼类、水果和蔬菜，需要专门的冷藏货船投入运输。这类船舶由普通的干货船发展而来，与普通干货船的区别在于多半较高的航速和相应的冷藏设备，包括广泛的隔热材料。货舱被分成若干彼此隔离的冷藏单元，以便能够以不同的温度运送冷藏货物。各个航运公司习惯选用不同的制冷系统以及货舱中的通风管路。因为这类船舶相对较小，但航速较高，而且由于隔热层都涂上白漆，所以冷藏货船也因其瘦长的线型而显得非常时髦（见图 8.2.4）。

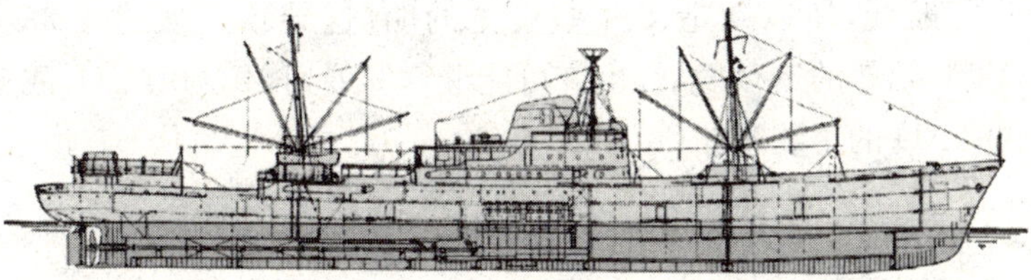

图 8.2.4　典型的冷藏货船

集装箱船

今天，所有上述船型正越来越多地被集装箱船代替。集装箱船运输标准化的集装箱，一般是 20 或 40 英尺长。人们通常称之为 TEU 或 FEU。也有其他长度的集装箱，特别是美国的集装箱。集装箱的高度一般是 8 英尺，但也有使用更高的 8.5 英尺集装箱的。所有集装箱都是 8 英尺宽。集装箱船的货舱也是根据这样的尺寸设计的。为了顺利地完成装卸货过程，原则上在船上只能垂直移动集装箱，这相应地需要大舱口开口。为了能在货舱内更安全地堆放集装箱,集装箱要有导轨(英文 cell guides=箱格导轨)导向。在甲板上,集装箱堆放在两舷的舷边甲板上和舱口盖上,并用固缚杆和不同的紧固件系紧。由于系紧集装箱需要很多和有危险的手工操作,因此越来越多地在上甲板上安装所谓的拴固桥架,以简化甲板集装箱的紧固。归根结底,这可能仅仅是一种暂时性的解决办法。目标必须是,今后无须手工操作就能实现集装箱在甲板上的堆放和紧固(见图 8.2.5)。

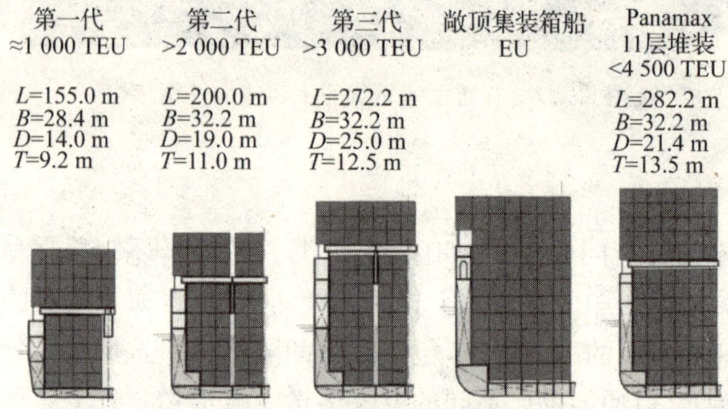

图 8.2.5　船宽受巴拿马运河航道宽度限制的集装箱船的发展

集装箱船发展的特点是多年来受到巴拿马运河航道宽度的限制,因为通过巴拿马运河限定最大可能的船宽为 32.20 m。今天,由于在很多情况下不必经过巴拿马运河航线,所以建造了一些更宽的船,这导致了从约 4 000 TEU 到 9 000 TEU集装箱船的迅猛发展,也许可能继续发展到 12 000 TEU,或者甚至发展到 18 000 TEU 的集装箱船(见图 8.2.6)。

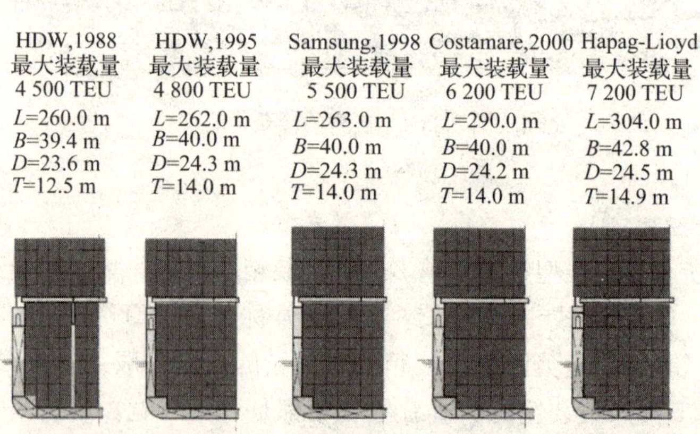

图 8.2.6　船宽不受巴拿马运河航道宽度限制的集装箱船的发展

这些船都无一例外地采用柴油机推进，一般都达到了 24～25 kn 的航速。

散装货船

散装货船又叫散货船，是专门用来运送煤炭、粮食、矿砂或精矿的货船，但也可用来运送所谓的干散货。今天，在全球范围内的不定航线运输中大部分使用散装货船，少数为 1 000 dwt，最大达到 300 000 dwt 以上。因为散装货的量大，要求尽可能低的运输成本，因此过去和现在建造的都是中等航速的散装货船。低速航行时，船舶阻力主要是摩擦阻力，只在很小的范围内考虑所谓的剩余阻力（兴波阻力），因此散装货船宁愿选用丰满的船体线型（$C_B \geqslant 0.80$）。建造散装货船必须考虑到既要运输粮食和煤炭这类较轻的散货，也要运输矿砂或精选矿砂这类较重的散货，并考虑以较低的成本在尽可能短的时间内装货和卸货（见图 8.2.7）。

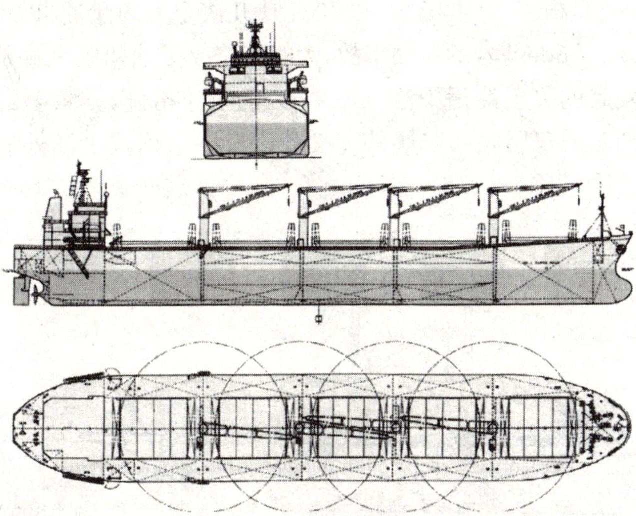

图 8.2.7 典型的现代散装货船与起货机

今天，散装货船主要根据其载重量分类：

轻型散货船（10 000～30 000 dwt），适合于小装载量和港口吃水深度较浅的航区。轻型散货船多半有自己的货物装卸设备。中型散货船（30 000～50 000 dwt），多半有自己的货物装卸设备，它填补了轻型散货船与巴拿马型散货船（55 000～80 000 dwt）之间空白，主要用来在全世界范围内运输煤炭、粮食和铁矾土。

海岬型散货船（100 000～300 000 dwt），几乎无一例外地用于运输铁矿石和煤炭。海岬型散货船因为尺寸大不能通过苏伊士运河。

对于专业使用这类散装货船特别重要的是两个国际规则(IBF 和 IGC),而设计也要遵守《国际散装化学品运输规则》(IBC)。

液货船

液货船用来运输液体货物。主要是用来运输石油及柴油、汽油等炼油产品,但也运输不同的液体化学品和液化气。可以泵送的各种不同的液货,例如酒类和果汁、胶水和沥青,要用特种液货船运输。

原油油船

从产油国运输大量原油到工业国需要大型和超大型油船。因此,第二次世界大战结束后到 20 世纪 70 年代初发生能源危机时,油船从 15 000 dwt 迅速增长到 500 000 dwt 以上。近几年来也建造了一些大型油船,但大多小于 500 000 dwt。原因主要是根据 20 世纪 60 和 70 年代几次重大的泄油事故,以及后来又发生的“Exxon Valdex”号的泄油事故,大幅度修改了油船安全规范。这次由美国行政当局发起的关于油污染法(OPA 90)的法律措施,其重要的建设性的后果是将大型油船的双层底和双层外壳义务以及一系列减少油外泄的措施扩大至在全世界范围(见图 8.2.8)。

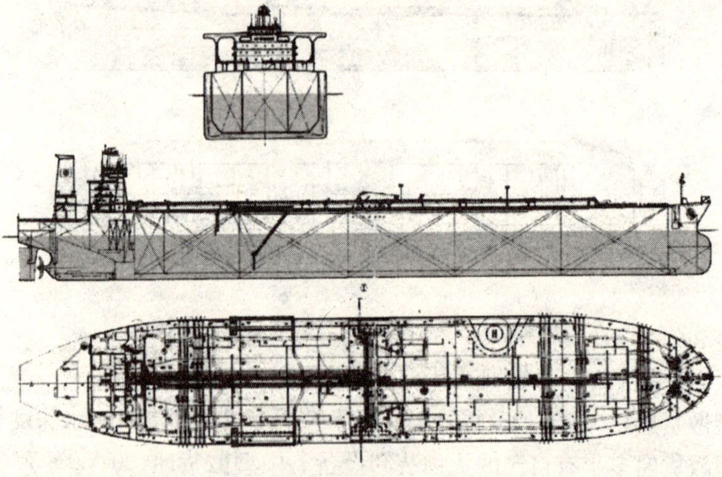

图 8.2.8　现代双层壳体油船

由于今天建造的液货船具有不同的尺度,因此做如下分类:

轻型油船的载重量为 20 000～30 000 dwt;中型油船的载重量约为 45 000 dwt。

正好可以通过巴拿马运河的最大油船被称为巴拿马型油船，载重量为79 000 dwt。

70 000 dwt 到 120 000 dwt 的大型油船往往被称为 Aframax 型油船。Aframax 是英文 average freight rate assessement maximal 的缩写。这个名称起源于美国运费率协会，是 80 000 dwt 级船的一个运费率指数。正好能通过苏伊士运河的油船，载重量在 120 000 dwt 与 180 000 dwt 之间，又叫做苏伊士型油船。介于 200 000 dwt 与 300 000 dwt 之间的油船称为 VLCC(Very Large Crude Oel Carrier)即巨型油船，超过 300 000 dwt 的油船称为 ULCC(Ultra Large Crude Oel Carrier)即超大型油船。

石油产品/化学品运输船

石油产品/化学品运输船多半小于原油油船，在结构上的特征是各个液舱可以运输不同的液体。液舱舱壁用环氧树脂或其他涂层保护。特殊液体的液舱用优质钢板制造。对于专业使用这类散装货船特别重要的是两个国际规则(IBF 和 IGC)，而设计也要遵守《国际危险品运输规则》(IDC)。所有液货船的典型特征是动力装置都布置在船艉。这一典型特征是蒸汽机动力装置时代出于安全技术的考虑而形成的，目的是为了减少发生火灾的危险。在机舱前面布置泵舱，因为这样一来可从机舱来驱动泵的运转。

在安全技术方面，自 1973 年以来，对运输散装液体货物船舶的建造和装备制定了统一的规则，并经 IMO 通过，自 1983 年起作为 SOLAS 公约的组成部分成为国际通用的基础。所有重要的安全技术规则中早期的法律规定已经发展成为液化气运输船行业中国际性的高标准。因此，这类运输船在 30 年前就已经采用了双层底和双层壳。

在《国际危险品运输规则》(IDC)中，人们根据货物的危险性进行区分。

Ⅰ G 型船按规定是指运输如氯、环氧乙烷或溴代甲烷等特别危险液体的船。运输甲烷、乙烷或乙烯等液化气的船规定为Ⅱ G 型船。

乙醛、氨、丁二烯、丁烷、丁烯、二甲胺、乙胺、氯乙烷、氯甲烷、丙烷、丙烯和氯乙烯装在Ⅱ G/Ⅱ PG 型船中运输。

Ⅲ G 型船只允许运输既不可燃也无毒的液体。液舱的设计分为 A 型、B 型和 C 型。A 型液舱的设计压力低于 0.7 bar，采用简单的计算方法进行设计，要求第二屏障，而 C 型液舱的设计压力较高，采用细化的计算方法进行设计，不必有第二屏障。此外，在设计时还要广泛考虑企业的要求。

今天,各种石油化工产品越来越多地要经海上运输。为此要使用适合于不同液体的液货船。这些液货船的液舱大多数都拥有借助环氧树脂涂层保护的液舱,或舱壁有一层优质钢的液舱。后者用来运输要求具有特别耐酸的酒类或果汁。

液化气运输船

液化气运输船用来运输散装的液化气,液化气装在船上不同结构形式的液货罐中。气体液化后体积大幅度地缩小,因此海运液化气在经济上很有意义。液化气在一定的压力下或在低温下可以保持在沸点以下。

液化气运输船分为所谓的LPG(液化石油气)船和LNG(液化天然气)运输船。每种燃气都是被液化后运输的。因为大多数燃气在接近0℃时要在非常高的压力下才能液化,出于安全原因,这样液化的燃气不允许海运。普通造船钢材在非常低的温度下要变脆。因此,只有这样的办法,即如采用低温韧性材料铝合金等制造液货舱,或者在结构上用隔温层保护液货。如果采用低温韧性材料,可从外部隔离液货舱,这在技术上意味着耗费要远低于从内部隔离液货舱(见图8.2.9和图8.2.10)。

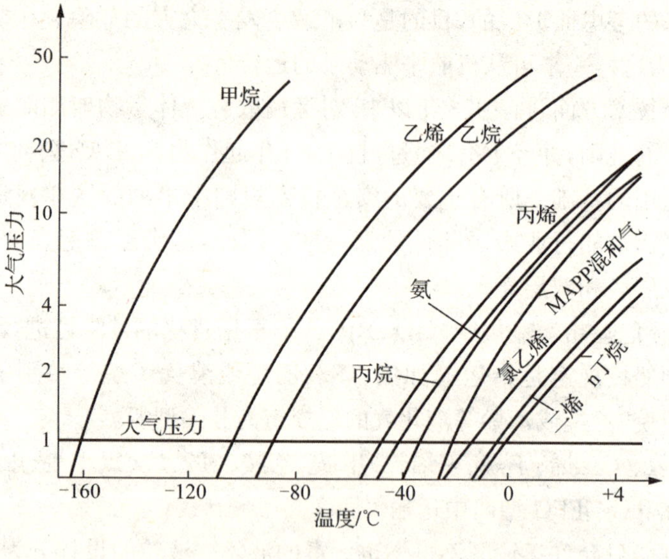

图8.2.9　经海上运输的主要工业燃气的曲线图

图中显示燃气液化的压力和温度。其中,例如甲烷在大气压力下当温度达到−162℃时才液化,而丁烷在零下几度时即可液化

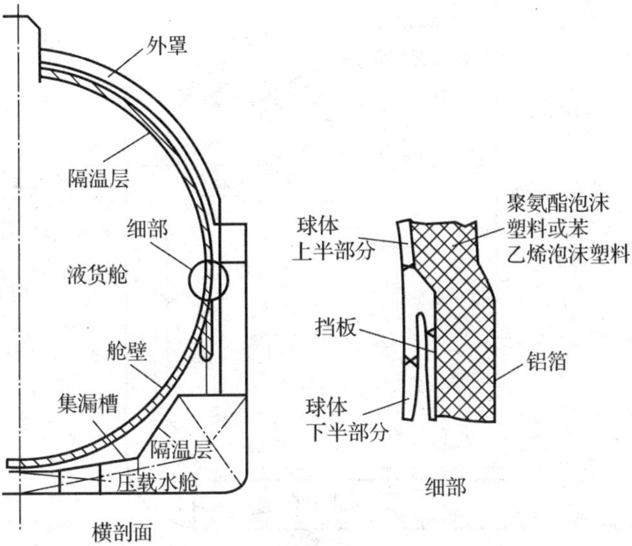

图 8.2.10 根据 Moss-Rosenberg 专利的液化气运输船。
液舱用铝合金制造,隔温层在液舱外

在低温下运输液化气在安全技术上的耗费要远高于运输原油所需要的耗费。为了使不可避免的气化损失保持尽可能小,最主要的是必须进行隔温,需要付出一定的耗费。气化的液化气要重新液化,或者,如果是甲烷的话,可用做动力燃料。

另外,液舱舱壁和所有管路、阀门等都必须用低温韧性材料制造。一个特殊的问题是用非低温韧性造船钢材制造的船体承重结构隔离的低温问题(见图 8.2.11)。

因此,必须通过结构措施绝对保证发生漏泄时外泄的液化气不与船体结构接触。此外,还必须保证不发生突然的温度变化,例如在给液舱加注液化气时。所以,通常是在正式装载之前先用液化气喷射液货舱,以降低它的实际温度。

第一条液化天然气运输船是 1959 年由"Normanti"号货船改装成的"Methane Pioneer"号液货船。其铝质液货舱的总容积为 5 123 m^3。今天,多数要么就是根据 Moss-Rosenberg 专利的球形铝质合金舱,要么就是与船体结构一体化的膜式液舱,用来运输液化石油气。液舱总容积为 125 000～135 000 m^3,一般分成 5～6 个液舱的液化天然气运输船,当前居于优势地位。除此以外,液舱容量在 250 000 m^3 以下的液化气运输船正在计划中(见图 8.2.12 和图 8.2.13)。

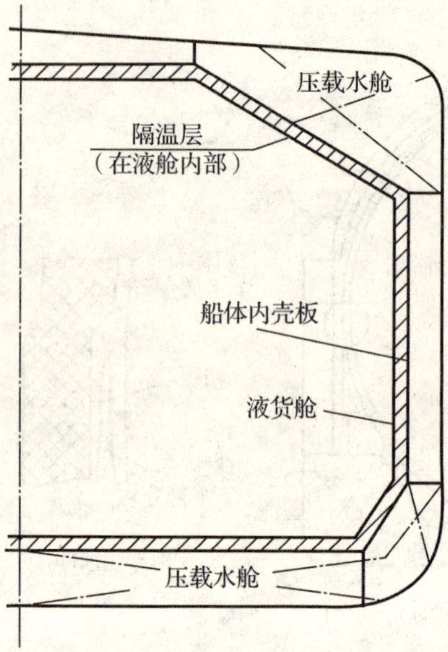

图 8.2.11　有膜式液舱的液货船。液舱参与整船的强度。
液货利用设在舱内的隔温层与船的钢结构隔离

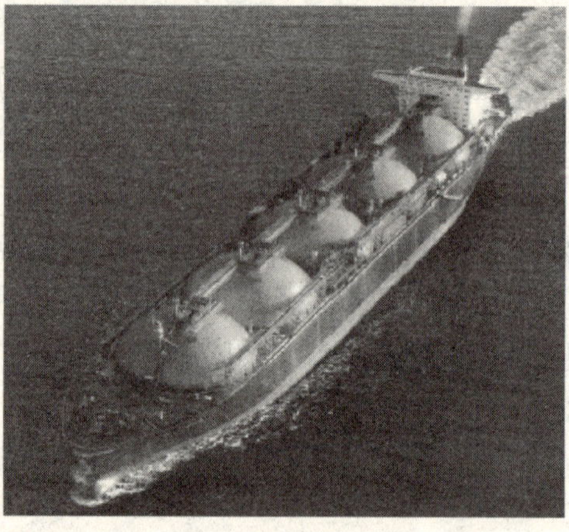

图 8.2.12　液化天然气运输船“Golar Freeze”号，
液舱采用 Moss-Rosenberg 系统，由 HDW 于 1977 年在基尔建造

图 8.2.13 液化石油气运输船“Donau”号，采用膜式液舱，
由 Meyer 造船厂于 1985 年在 Papenburg 建造

8.3　船舶水动力学

船舶水动力学所描述的是造船中的流体技术问题。最古老的问题是船体线型设计问题，据此可达到可能达到的最高航速。与帆船时代不同，今天，螺旋桨推进在其中起着特殊作用。因为螺旋桨对船艉的艉流场有强烈的影响，所以，最佳船体线型问题始终与螺旋桨推进，也就是与整个推进问题相关联。由于推力在实际的船舶运行中具有突出的意义，因此下面特别关注这两个问题。

8.3.1　阻力与拖曳试验

如同所有的运输工具一样，船舶在运动中受到一定的阻力，阻力可用

$$R_T = C_T \cdot \rho_W \cdot v^2 \cdot S/2 \tag{8.3.1}$$

来表述。阻力与动压头 $\rho_W \cdot v^2/2$、浸湿面积 S 和阻力系数 C_T 有关。水的密度为 $\rho_W = 999 \sim 1\,025\ \mathrm{kg/m^3}$。汽车和飞机的阻力系数可用试验技术相对精确地加以确定，而船不但在水中，而且也在空气中运动，这一事实说明其阻力有复杂的物理背景。因此，起初为确定 C_T 所做的拖曳试验并不像在许多拖曳试验研究所里的拖曳试验迄今所证明的那样彻底。虽然如此，人们还是借助回归方程式对部分利用系列变化的模型试样所做的成千上万次拖曳试验进行了数值计算，提供给有关人员使用。但是，为了获得对实船的可靠预测，人们对于新船一般还是用缩小的船模进行新的拖曳试验。在拖曳试验中确定阻力系数只有在一定的假设下才是可能的，在得到可靠的结果之前，已经做了 100 多年的科学研究。背景是，根据雷诺(Reynolds)和傅汝德(Froude)的研究，阻力系数与两个技术上不可能同时满足的相似定律有关。船舶阻力的起因一方面与水的黏性有关，另一方面与特别是在波浪形成中显示出来的重力有关。这两部分彼此互不相关，而是通过复杂的物理现象互相联系。

但是，摩擦阻力是总阻力的一部分，用公式表述为：

$$R_F = C_F \cdot \rho_W \cdot v^2 \cdot S/2 \tag{8.3.2}$$

船模和实船的阻力系数 C_F 在雷诺数相同的情况下是一样的。雷诺数的定义是：

$$Re=\frac{v \cdot L}{\nu}$$

式中，$\nu=\mu/\rho_W$，μ 是动力黏度。至于 ν，淡水可设为 $1.139 \cdot 10^{-6}\,m^2/s$，海水可设为 $1.188 \cdot 10^{-6}\,m^2/s$。

剩余阻力可用公式

$$R_R = C_R \cdot \rho_W \cdot v^2 \cdot S/2 \tag{8.3.3}$$

来表述。当以与实船相同的傅汝德数进行拖曳试验时，阻力系数也相同。傅汝德数的定义是：

$$Fn = \frac{v}{\sqrt{g \cdot L}} \tag{8.3.4}$$

因此，总阻力系数 $C_T(Re, Fn)$ 为两个系数 C_R 与 C_F 之和。于是

$$C_T(Re, Fn) = C_F(Re) + C_R(Fn)$$

换言之，总阻力系数 $C_T(Re, Fn)$ 与雷诺数和傅汝德数有关，被解释为与雷诺数有关的摩擦系数 $C_F(Re)$ 加上与傅汝德数相关的剩余阻力系数 $C_R(Fn)$ 所得的和(见图 8.3.1)。

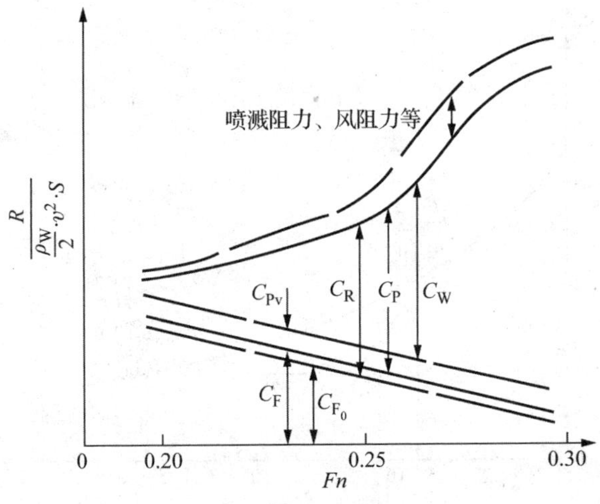

图 8.3.1 阻力系数与傅汝德数的关系

不难看出，傅汝德数小于 0.20 的低速船，如液货船和散货船，其阻力主要是摩擦阻力，而傅汝德数为 0.25 及以上的集装箱船，相对于剩余阻力而言，特别是相对于兴波阻力而言，摩擦部分是微不足道的。阻力系数 C_{F_0} 所表述的是水动力光滑面的系数。系数 C_{Pv} 所表述的是黏性压阻力，兴波阻力系数是 C_W，C_P 是所谓的压阻力。这些系数的如上表述意在说明各阻力分量的相

互联系。

这些不同的相关性使船模试验变得困难，因为当人们要在雷诺数相同的情况下做一次这样的试验时，人们得到的船模速度要达到$\lambda = L_S/L_M$，L_S 为实船船长，L_M 为船模长，v_M 为船模速度和 v_S 为船舶速度，即：

$$Re(\text{船模}) = Re(\text{实船}) \tag{8.3.5}$$

$$v_M = v_S \cdot \lambda \tag{8.3.6}$$

但如果船模的傅汝德数与实船的傅汝德数相同，则船模速度

$$Fn(\text{船模}) = Fn(\text{实船}) \tag{8.3.7}$$

$$v_M = v_S / \sqrt{\lambda} \tag{8.3.8}$$

技术上最好的和今天人们所用的试验技术起源于 W·傅汝德。拖曳试验按实船的傅汝德数进行。这意味着，阻力的摩擦分量发生在非常之小雷诺数下，因而非常之大。广泛的试验已经导致能够确定一种被普遍接受的摩擦系数与雷诺数的关系曲线。现在人们可以求出船模试验的摩擦系数，并把它从总阻力系数中减去，然后加上取实船雷诺数时的摩擦系数。图 8.3.2 为具体的做法。

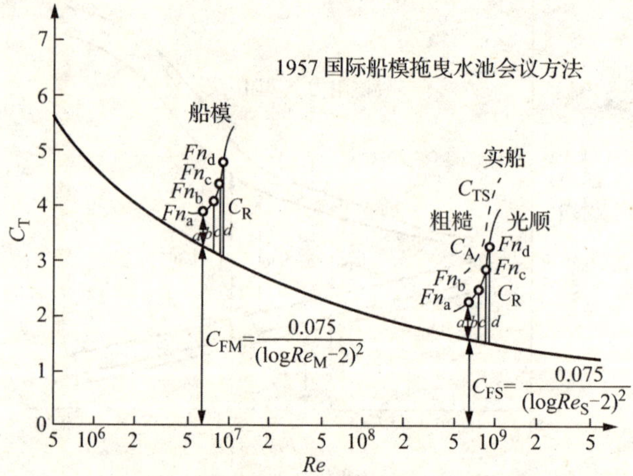

图 8.3.2　根据 1957 国际船模拖曳水池会议方法的拖曳试验换算示意图（1983 年 Harvald）

船模试验的结果为：

$$C_T(Re_M, Fn) = C_F(Re_M) + C_R(Fn) \tag{8.3.9}$$

适用于实船时为：

$$C_{T}(Re_{S},Fn)=C_{F}(Re_{S})+C_{R}(Fn) \tag{8.3.10}$$

阻力有很大一部分与船体水下部分浸湿表面的粗糙度有关。因此，在船舶运行中要注意船体表面尽可能没有附生物。

8.3.2 推进

船舶

船舶航行中最重要的推进问题是，应当为多么高的航速 v_{S} 提供多么大的推进功率。拖曳功率是

$$P_{E}=R_{T}\cdot v_{S} \tag{8.3.11}$$

式中，R_{T} 以 kN 为单位，v_{S} 以 m/s 为单位。

螺旋桨收到功率为

$$P_{D}=\frac{P_{E}}{\eta_{D}} \tag{8.3.12}$$

推进效率 η_{D} 由敞水试验螺旋桨的效率 η_{O} 和螺旋桨相对旋转效率 η_{R} 以及船身效率 η_{H} 组成。

$$\eta_{D}=\eta_{O}\cdot\eta_{R}\cdot\eta_{H} \tag{8.3.13}$$

船身效率 η_{H} 用下式定义：

$$\eta_{H}=\frac{1-t}{1-w} \tag{8.3.14}$$

其中 t 是所谓的推力减额系数，其定义为

$$t=\frac{T-R_{T}}{T} \tag{8.3.15}$$

正如人们所乐于承认的，推力 T 实际上不等于阻力 R_{T}，因为螺旋桨在螺旋桨的前面生成一负压场，负压场强化由黏度引起的船艉的压力降，因而增加整船的阻力。因此，推力 T 必须大于被拖船的阻力，从而使船向前推进。丰满系数 C_{B} 较小时，单螺旋桨船的推力减额系数 $t=0.11\sim0.17$，双螺旋桨船的推力减额系数 $t=0.08\sim0.15$；丰满系数 C_{B} 较大时的推力减额系数 $t=0.15\sim0.23$。伴流系数 w 定义为

$$w=\frac{v_{S}-v_{A}}{v_{S}} \tag{8.3.16}$$

式中，v_{S} 是船速，v_{A} 是螺旋桨的迎流速度。

丰满系数 C_B 较小时的伴流系数 w=0.15～0.24，丰满系数 C_B 较大时的伴流系数w=0.24～0.36。

螺旋桨(见图 8.3.3)相对旋转效率 η_R 综合考虑诸如不均匀迎流、舵的作用、艉轴架等的影响，这些影响是用 η_O 和 η_R 所不能包括的。因而，船后的螺旋桨效率为

$$\eta_B = \eta_O \cdot \eta_R \tag{8.3.17}$$

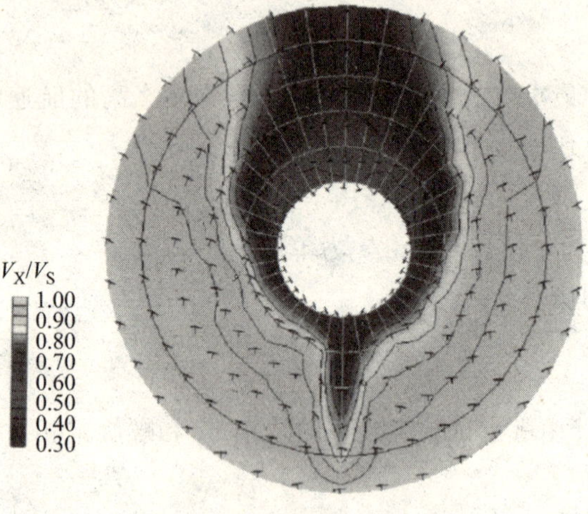

图 8.3.3　在螺旋桨位置上测得的标准化的伴流场。
深色区域是由螺旋桨前的船体所产生的，它代表船速 v_S 的一小部分

在螺旋桨收到功率 P_D 与发动机在发动机连接法兰上发出的功率之间还会产生螺旋桨收到功率损失，这一功率损失用 η_S 表示。如果有传动装置，则还要考虑传动装置的效率 η_G。于是

$$P_B = \frac{P_D}{\eta_S \cdot \eta_G} \tag{8.3.18}$$

有时规定发动机的指示功率 P_I 为

$$P_I = \frac{P_B}{\eta_M} \tag{8.3.19}$$

综合起来于是得：

$$R_T \cdot v_S = \underbrace{\underbrace{\underbrace{\eta_O \cdot \eta_R}_{\eta_B} \cdot \eta_H}_{\eta_D} \cdot \underbrace{\eta_S \cdot \eta_G \cdot \underbrace{\eta_M \cdot P_I}_{P_B}}_{P_D}}_{P_E} \tag{8.3.20}$$

各个效率可以估算如下：

$$\eta_M=0.85\sim0.90,\eta_G=0.98\sim0.99,\eta_S=0.98\sim0.90$$

$$\eta_H=0.95\sim1.40,\eta_R=1.00\sim1.05,\eta_O=0.50\sim0.75$$

不难看出，这主要涉及螺旋桨效率 η_O 以及船身效率 η_H。两者在船舶航行中可能由于例如船底附生物的影响而明显发生不利的变化。

19 世纪军用舰船的迅速发展给英国海军带来了各种不同的军舰。当时为了能进行一定的分级，英国海军尝试用一个简单的公式估算推进功率。这个所谓的海军公式多年来也在商用船舶建造中运用。这个海军公式是

$$P_B=\frac{\Delta^{2/3}\cdot v^3}{C} \tag{8.3.21}$$

式中，v 以 kn 为单位，排水量 Δ 以 t 为单位。对于货船而言，常数 $C=400\sim500$；对液货船和散货船而言，常数 $C=600\sim750$。系数中覆盖了所有效应，如效率和阻力系数。当然，人们不能期望得到太精确的估算。但是，试验研究所喜欢运用这个海军公式表达其试验研究结果，当然是在量纲上正确地表达。

$$P_B=\rho_W\cdot\nabla^{2/3}\cdot v\cdot C^*/2 \tag{8.3.22}$$

式中，排水体积∇ 以 m^3 为单位，ρ_W 以 kg/m^3 为单位，v 以 m/s 为单位，P_B 以 W 为单位。

螺旋桨

螺旋桨的作用在于把旋转功率转换成推力功率。这一推力提供克服船舶阻力的动力。以前人们想象螺旋桨是穿过水旋转，所以也曾使用过滑动量这一概念。根据螺旋桨的进速是用转速乘以螺旋桨螺距，将这一额定滑动量定义为

$$S=\frac{H\cdot n-v_A}{H\cdot n} \tag{8.3.23}$$

式中，H 为螺距，n 为螺旋桨转速，v_A 为船速（H 以 m 为单位，n 以 r/s 为单位，v_A 以 m/s 为单位）。所谓的傅汝德-兰肯螺旋桨理论提供了一种颇有说服力的判断螺旋桨工作原理的方法。据此，人们以螺旋桨产生一定的压力跃变为出发点，当然不描述物理过程。借助连续方程、动量定理和伯努利定律成功地建立了基本关系式，沿用至今（见图 8.3.4）。

上述压力跃变导致螺旋桨后的流速高于螺旋桨前的流速。利用连续公式 $A\cdot v=$常量，用 v_A、v_2、v_1 分别表示螺旋桨前、后和螺旋桨盘面上的速度，导出：

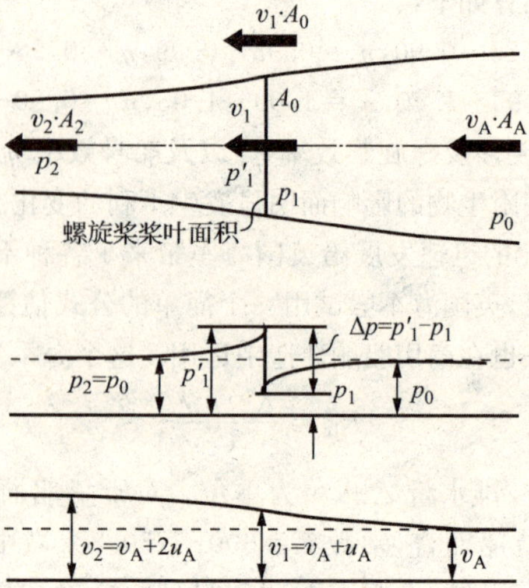

图 8.3.4　傅汝德-兰肯螺旋桨理论

$$A_A \cdot v_A = A_2 \cdot v_2 \quad 或 \quad A_2 \cdot v_2 = A_0 \cdot v_1 \tag{8.3.24}$$

$$A_2 = A_A \frac{v_A}{v_A + 2u_A} \quad 或 \quad A_2 = A_0 \frac{v_A + u_A}{v_A + 2u_A} \tag{8.3.25}$$

改变单位时间的冲量，得推力 T 为

$$T = m(v_A + 2u_A) - m \cdot v_A = m \cdot 2u_A \tag{8.3.26}$$

其中，m 是单位时间流过螺旋桨盘面的水的质量。

$$m = A_0 \cdot \rho_W \cdot v_1 \tag{8.3.27}$$

运用螺旋桨前、后的伯努利定律推导出

$$\rho_W v_A^2/2 + p_0 = \rho_W (v_A + u_A)^2/2 + p_1 \tag{8.3.28}$$

和

$$\rho_W (v_A + u_A)^2/2 + p'_1 = \rho_W (v_A + 2u_A)^2/2 + p_0 \tag{8.3.29}$$

由此得压力跃变为

$$\Delta p = p'_1 - p_1 \tag{8.3.30}$$

$$\Delta p = 2\rho_W u_A (v_A + u_A) \tag{8.3.31}$$

但因为

$$\Delta p = \frac{T}{A_0} \tag{8.3.32}$$

于是，推力为

$$T = 2\rho_W u_A (v_A + u_A) A_0 \tag{8.3.33}$$

使上面 Δp 的两个公式相等，然后实际得

$$v_1 = v_A + u_A \tag{8.3.34}$$

这样，实际上只有一个假设。然后，与阻力系数的情况相类似，可以引入一个理论推力负荷系数：

$$C_{Th} = \frac{T}{\rho_W v_A^2 \cdot A_0/2} \tag{8.3.35}$$

作为理想的效率就是螺旋桨在速度 v_A 下提供给船舶的功率与螺旋桨发到水中的功率之比。

$$\eta_I = \frac{T \cdot v_A}{T(v_A + u_A)} = \frac{v_A}{v_A + u_A} \tag{8.3.36}$$

把推力表达式代入理想的推力负荷系数中，然后再把后者代入理想的效率表达式中，于是得

$$\eta_I = \frac{2}{1 + \sqrt{1 + C_{Th}}} \tag{8.3.37}$$

这个表达式反映了这样一个事实，即在小推力负荷下理想的效率提高，这是可以理解的。可惜的是，当推力，即理论推力负荷系数趋于零时，这一效率等于 1，这与实际情况不相符。因此，今天人们所用的是推力系数

$$K_T = \frac{T}{\rho_W \cdot n^2 \cdot D^4} \tag{8.3.38}$$

和力矩系数

$$K_Q = \frac{Q}{\rho_W \cdot n^2 \cdot D^5} \tag{8.3.39}$$

以及功率系数

$$K_P = \frac{P_D}{\rho_W \cdot n^3 \cdot D^5} \tag{8.3.40}$$

式中，n=转速，D=螺旋桨直径。

今天，人们把螺旋桨效率定义为

$$\eta_O = \frac{\text{推力功率}}{\text{螺旋桨转速功率}} = \frac{P_T}{P_D} = \frac{T \cdot v_A}{2\pi \cdot n \cdot Q} \tag{8.3.41}$$

利用进速系数

$$J = \frac{v_A}{n \cdot D} \tag{8.3.42}$$

最后得

$$\eta_O = \frac{K_T}{K_Q} \frac{J}{2\pi} \tag{8.3.43}$$

螺旋桨独有的特征参数在所谓的敞水曲线图中表示，从敞水曲线图中(见图 8.3.5)可以读取所有重要的螺旋桨特性。有趣的是，人们也可以借助额定滑动量 S 表述进速系数，于是

$$J=(1-S)\frac{H}{D} \tag{8.3.44}$$

(螺距 H 和直径 D 均以 m 为单位)

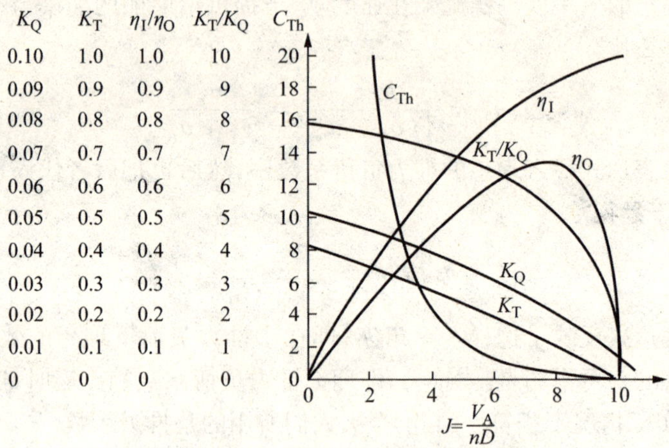

图 8.3.5　螺旋桨敞水曲线图

8.4 稳性和纵倾

船舶稳性，特别是帆船的稳性，自古以来就是船舶安全最重要的问题。因此，最早的造船技术理论研究就已经涉及船舶的稳性，这是不足为奇的。对船舶稳性的基本认识来源于法国和英国，至今仍然是船舶稳性研究的基础。前提自然是船的漂浮性，毫无疑问必须满足阿基米德原理。阿基米德原理是：某一固体沉入水中，它在水中下沉到它所排开的水量与它自身的重量相等为止。也就是浮力相当于物体的重量。

$$\Delta = G \tag{8.4.1}$$

浮力可以通过垂向压力对船体水下部分积分来确定。如果一条船搁浅在平坦的水底，例如搁浅在沙滩上，则承重面上的流体静压力消失，结果造成剩余的浮力小于船的重量，因此船就脱离不开水底。对稳性的详细说明，请查阅参考文献[8.4.1]。

8.4.1 初稳性

稳性的精确定义是正浮与微倾两条相邻浮力作用线的交点。首先来看正浮状态的稳性。人们设想，有一个外力力矩 dM 作用于船体，船体在这一力矩作用下产生一横倾角 $\mathrm{d}\varphi$。这样就规定了两条相邻的浮力作用线。然后，浮心从船的中心向 $B_{\mathrm{d}\varphi}$ 移动。重心 G 保持不动。船的一舷下沉，另一舷上浮，并以(出、入水)楔形体积力矩回应。

利用图 8.4.1 中的符号，于是成立

$$\rho_{\mathrm{W}} \cdot g \cdot \overline{BM}_{\mathrm{O}} \cdot \mathrm{d}\varphi \cdot \nabla = \int_{A_{\mathrm{W}}} \rho_{\mathrm{W}} \cdot g \cdot y \cdot y \cdot \mathrm{d}\varphi \cdot \mathrm{d}A_{\mathrm{W}} \tag{8.4.2}$$

利用静浮水线的面积惯性矩

$$I_{\mathrm{T}} = \int_{A_{\mathrm{W}}} y^2 \mathrm{d}A_{\mathrm{W}}$$

可得：

$$\overline{BM}_{\mathrm{O}} = \frac{I_{\mathrm{T}}}{\nabla} \tag{8.4.3}$$

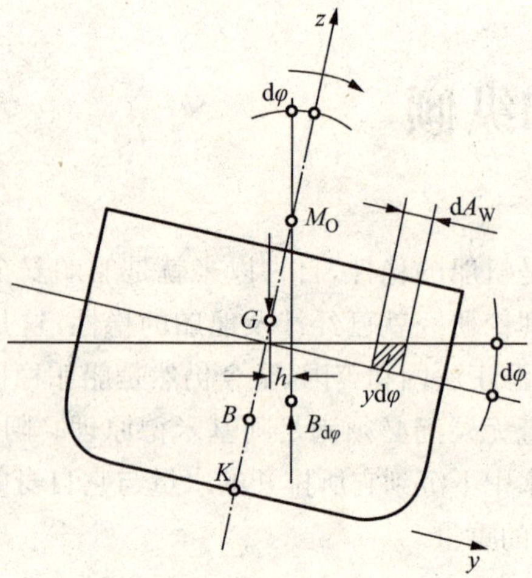

图 8.4.1　小倾角稳性

∇ 是船的排水体积。以 $\overline{KB}$ 为浮心至龙骨点的距离，可得所谓的龙骨以上的横稳心高

$$\overline{KM_O} = \overline{KB} + \overline{BM_O} \tag{8.4.4}$$

然后得距离 $\overline{GM_O}$，其中 $\overline{KG}$ 为重心至龙骨点的距离：

$$\overline{GM_O} = \overline{KB} + \overline{BM_O} - \overline{KG} \tag{8.4.5}$$

在图 8.4.1 中很容易看出，在 $\overline{GM_O} > 0$ 的情况下，船处于稳定状态，而当外力力矩消失时，又回到正浮状态。在变成 $\overline{GM_O} < 0$ 的情况下，船力图在大于 $d\varphi$ 的倾角下得到新的平衡状态。这可能意味着，只有在倾角很大的情况下才会发生，或者根本不会发生，因为那样意味着船的倾覆。如果 $\overline{GM_O} = 0$，则出现一种随遇平衡的状态。

外力力矩为

$$dM = \rho_W g \cdot \nabla \cdot \overline{GM_O} \cdot d\varphi \tag{8.4.6}$$

以 $\Delta = \rho_W g \cdot \nabla$ 和 $dM = \Delta \cdot dh$，稳心高为

$$\overline{GM_O} = \frac{dh}{d\varphi} \tag{8.4.7}$$

对于一条已建成的船，为了持久地改进其初稳性，有时可在水线范围内采取横向拓宽的措施（见图 8.4.2）。这种措施的作用在于持久地加大静浮水线的面积惯性矩 I_T，从而加大 $\overline{BM_O}$ 并最后加大 $\overline{GM_O}$。添加结构物的附加重量往往恰好相当于采取措施所造成的附加浮力，因此不必特别注意。还可以看出，在拓宽后发生下沉或上浮时的吃水状态下没有发生影响。

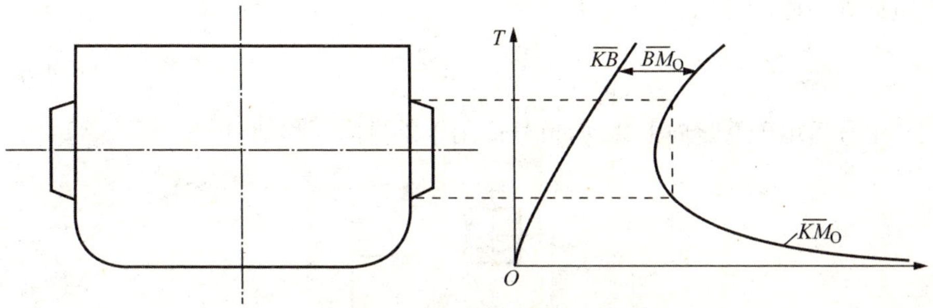

图 8.4.2 $\overline{KB}$、$\overline{BM}_O$ 和$\overline{KM}_O$ 与吃水的关系示意图

为了调整船的纵倾，可不用横向面积惯性矩 I_T，而代之以用纵向面积惯性矩 I_L，得到类似的表达式

$$\overline{BM}_L = \frac{I_L}{\nabla} \tag{8.4.8}$$

龙骨以上的纵稳心高为

$$\overline{KM} = \overline{KB} + \overline{BM}_L \tag{8.4.9}$$

和

$$\overline{GM}_{O,L} = \overline{KM}_L - \overline{KG} \tag{8.4.10}$$

为了进行纵倾计算，还需所谓的单位纵倾力矩，它相当于艏艉吃水差 1 m 时的纵向楔形体积力矩(见图 8.4.3)

$$ETM = \rho_W g \frac{I_L}{L} \tag{8.4.11}$$

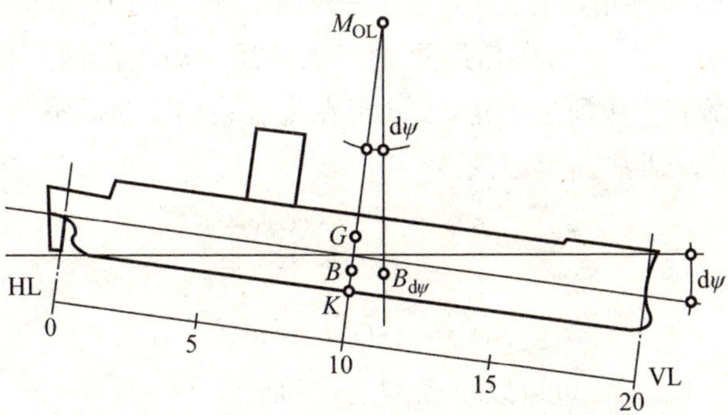

图 8.4.3 纵倾

垂向移动重量

如果垂向移动重量而没有引起纵倾(见图 8.4.4)，就像是进行一次简单的

力矩计算一样，可以立即求出重心

$$\Delta\,\overline{KG} = \pm\frac{P\cdot d}{\Delta} \tag{8.4.12}$$

正号适用于重量向上移动，负号适用于重量向下移动。

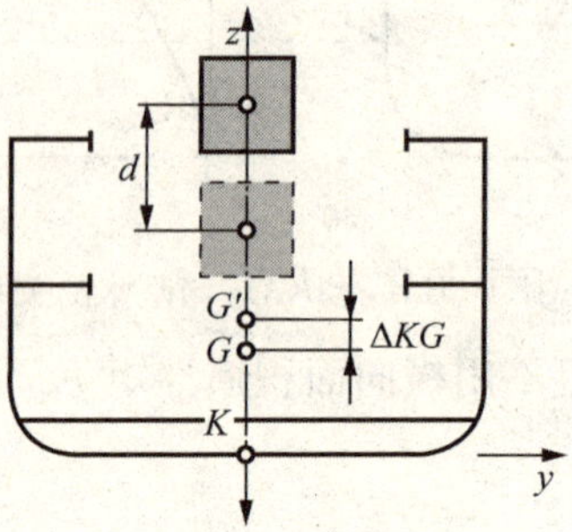

图 8.4.4　垂向移动重量

横向移动重物（横倾试验）

除了重心以外，确定正浮状态平衡的所有参数都可根据船体几何形状精确地计算出来，并汇集到一幅所谓的曲线图（表）上。往往不能可靠确定的唯一参数就是重心位置，另外，重心位置在船舶运行中可能经常发生变化。因此，经常性地凭经验检查重心位置很有意义。为此，要加上一外力力矩，并测量横倾角。同时，必须考虑多半只有在小倾角下外力力矩与横倾角才成线性关系。为了产生大约 2°～4°的横倾角，当然只需加上一个相对较小的力矩，这样就可进行横倾试验。在较小的船上，可以借助重量产生所述力矩。在较大的船上，可以用泵转移液舱的舱容产生所述力矩，如同现在集装箱船上横倾平衡系统的例行做法（见图 8.4.5）。通常，横倾力矩为

$$M_P = P\cdot e\cdot\cos\varphi \tag{8.4.13}$$

船的回应是

$$M_S = \Delta\cdot\overline{GM}_O\cdot\sin\varphi \tag{8.4.14}$$

因为在小倾角下稳心 M 也可以换成 M_O。于是

$$\overline{GM}_O = \frac{P\cdot e}{\Delta\cdot\tan\varphi} \tag{8.4.15}$$

对于这里在横倾试验中出现的倾角，可以换成 $\tan\varphi=\widehat{\varphi}$。

$$(\widehat{\varphi}=\varphi^\circ\cdot\pi/180^\circ)$$

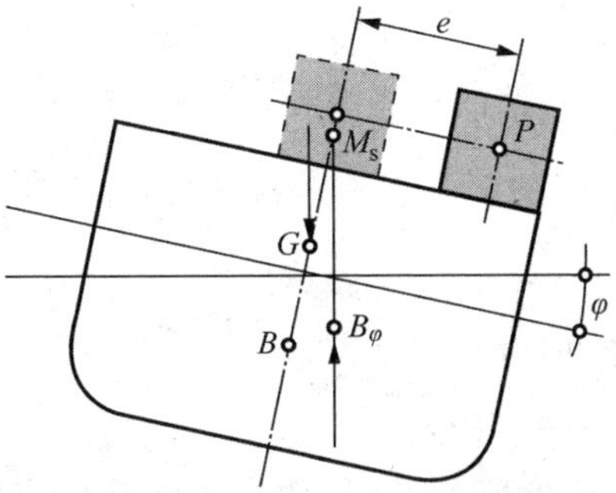

图 8.4.5 横向移动重量

液舱中的液体

船上有很多液舱，装有不同的液体。如果液舱完全注满，则里面容纳的就是固定不可移动的物质。如果液舱部分注满，则横倾时重量就会发生移动，这对稳性可能产生严重影响。

图 8.4.6 为两个仅部分注满的双层底舱的此类效应，造成重心从 G 向 G'' 移动，因而起到了减小稳心高的作用。于是

$$\overline{G''M_O} = \overline{GM_O} - \overline{G''G} \tag{8.4.16}$$

或者

$$\overline{G''M_O} = \overline{BM_O} - \overline{G''G} - KG + KB \tag{8.4.17}$$

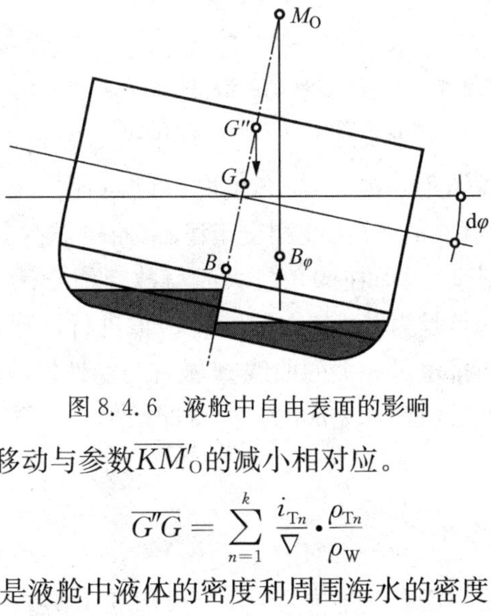

图 8.4.6 液舱中自由表面的影响

液舱中液体的移动与参数 $\overline{KM'_O}$ 的减小相对应。

$$\overline{G''G} = \sum_{n=1}^{k} \frac{i_{Tn}}{\nabla} \cdot \frac{\rho_{Tn}}{\rho_W} \tag{8.4.18}$$

式中，ρ_{Tn} 和 ρ_W 分别是液舱中液体的密度和周围海水的密度；i_{Tn} 是 n 液舱自由液

面的面积惯性矩。

通常，上述影响是通过修改稳心高$\overline{KM_O}$加以考虑，不是作为外力力矩

$$\overline{G'M_O}=\frac{I_T}{\nabla}-\overline{G'G}-\overline{KG}+\overline{KB} \tag{8.4.19}$$

8.4.2　大倾角稳性

小倾角稳性可以根据横倾角 $d\varphi$ 的平衡条件在假设的前提下进行推导，即以 $d\varphi$ 内的关系不变为前提，而在大倾角下则需要做额外的考虑，即基本上考虑浮心的几何位置根据横倾角和排水量确定(见 8.4.7)。

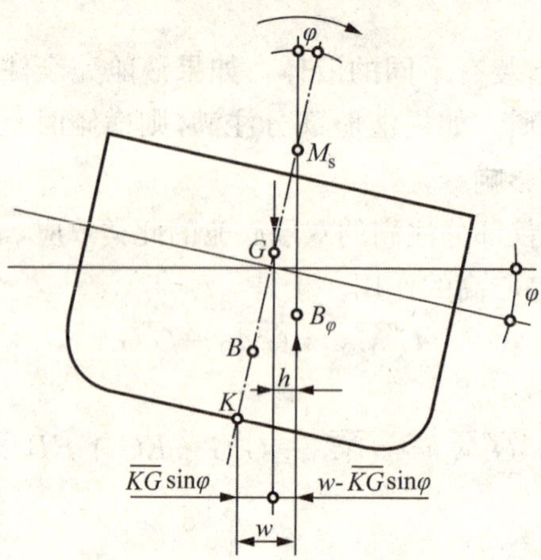

图 8.4.7　大倾角稳性和所谓稳性横截曲线 w 的定义

M_S 被称为视在稳心，因为实际的稳心是正浮与微倾两条相邻浮力作用线的交点。当人们将横倾角 φ 扩大 $d\varphi$ 角度时，可得到这一稳心。成 φ 角的浮力作用线与成 $\varphi+d\varphi$ 角的浮力作用线相交于稳心，而稳心不在船的中线面上。稳心的计算搞得非常复杂，因而在倾角较大时就放弃稳心计算，因为人们最终进行力矩计算所需要的仅是力臂 h。力臂借助 w 值进行计算，这比计算 φ 的函数要简单得多。上述与排水量相关的曲线 w 被称为稳性横截曲线。今天，力臂的计算是借助计算机的数值计算完成的。力臂即是

$$h(\varphi)=w(\varphi)-\overline{KG}\cdot\sin\varphi \tag{8.4.20}$$

扶正力矩是

$$M=\Delta\cdot h(\varphi) \tag{8.4.21}$$

通用的做法是将力矩表述为力臂 $h(\varphi)$(见图 8.4.8)

$$\frac{M}{\Delta}=h(\varphi) \tag{8.4.22}$$

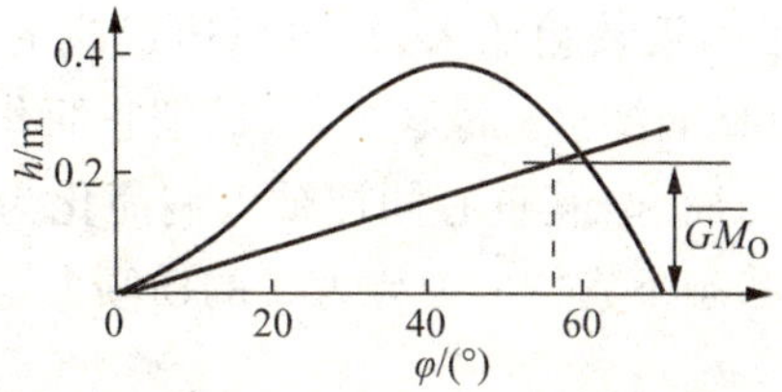

图 8.4.8　典型的力臂曲线 $h(\varphi)$

特别有意义的是力臂曲线的初始斜率。力臂就是

$$\begin{aligned} h(\varphi) &= \overline{GM}_O \cdot \sin\left(\frac{\pi}{180^\circ}\varphi^\circ\right) \\ \frac{\mathrm{d}h(\varphi)}{\mathrm{d}\varphi} &= \overline{GM}_O \cdot \frac{\pi}{180^\circ}\cos\left(\frac{\pi}{180^\circ}\varphi^\circ\right)\bigg|_{\varphi^\circ=0} \\ \frac{\mathrm{d}h(\varphi)}{\mathrm{d}\varphi} &= \frac{\overline{GM}_O}{180^\circ/\pi} \end{aligned} \tag{8.4.23}$$

初始斜率也容易记入力臂曲线，办法是在

$$\varphi^\circ = 180^\circ/\pi$$

时标出稳心高$\overline{GM}_O$。

有些情况下，人们试图额外通过形状稳定的附加结构物提高稳性。如果人们把附加结构物设在静浮水线的高度上，则这样的措施当会导致力臂曲线在下部倾斜范围内上升，直至达到角度 φ' 为止。如果人们把附加结构物设在水线的上方，则在开始时改变不了力臂曲线，因为$\overline{GM}_O$ 不受影响。力臂曲线在大角度下才会上升（见图 8.4.9）。

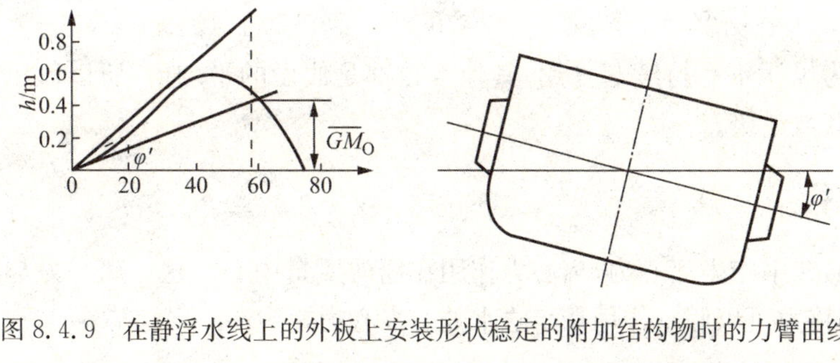

图 8.4.9　在静浮水线上的外板上安装形状稳定的附加结构物时的力臂曲线

人们把船的力臂曲线与可能的横倾力臂进行对照。横倾力臂可由风压、回转航行、悬挂着的载荷引起，或在搁浅时产生。

风压

今天对于大型渡船和集装箱船来说，由风压造成的这种外力力矩很有意义。横向风压使船发生横向漂移。漂移力，人们把它简化为在半吃水位置上起作用的外力，伴随着风力而起，其重心同样被人们简化为是在水上部分侧面面积的重心上，但在平衡状态下它构成力臂为 d 的横倾力矩（见图 8.4.10）。

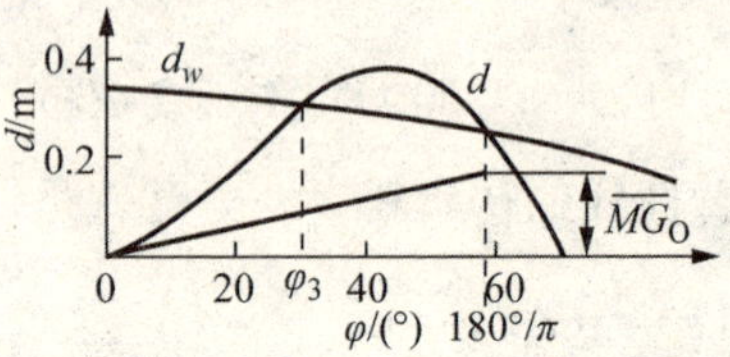

图 8.4.10　风压力臂和力臂曲线 φ_3 上的交点表述风压下的横倾角

$$M_w = c_w \cdot \frac{\rho_L \cdot v^2}{2} \cdot A_L \cdot d \tag{8.4.24}$$

式中，ρ_L 空气密度≈1.3 kg/m³，c_w≈1.3，A_L＝面积/m²，d＝面积重心至半吃水的距离/m。

风压力臂为

$$h_w = M_w/\Delta \tag{8.4.25}$$

风力/B_f	v/(m/s)	v/(kn)	$p_w=\rho_L v^2/2$/(kN/m²)
9	21	40	0.37
10	26	50	0.57
11	31	60	0.81
13	36	70	1.10

因为风压不是持续起作用，其他参数都是假设的平均值，所以风压力臂只能确定其数量级。

回转航行

在回转中产生离心力，离心力作用在船的质量中心。这一离心力与漂移力相对，漂移力可以假定作用在半吃水处。离心力矩为

$$M_D = \frac{\Delta}{g}\frac{v^2}{R} \cdot d \tag{8.4.26}$$

式中，v 为在回转中的速度，R 为回转半径，d 为半吃水与质量中心之间的力臂，

质量中心也就是重心。

横倾力臂为

$$h_D = M_D/\Delta \tag{8.4.27}$$

与横倾角的约略关系不明确，因此假定为常量。

悬挂载荷

用船上的货物装卸设备或起重机进行装卸作业时(见图 8.4.11)，会产生一横倾力矩。在提升载荷时，载荷的重心移至货物装卸设备的转向点或吊杆头。横倾力矩是

$$M_P = P\cdot(b\cdot\cos\varphi + c\cdot\sin\varphi + a\cdot\cos\varphi) \tag{8.4.28}$$

力臂平衡时所计及的力臂

$$h_P = M_P/\Delta \tag{8.4.29}$$

横倾力臂当然不是同时起作用，而必定是在给定的情况下相应地组合起来。

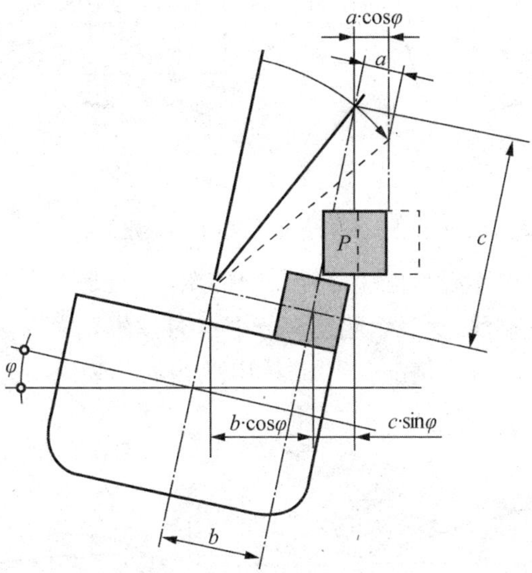

图 8.4.11 悬挂载荷

8.4.3 搁浅稳性

设想船在中部搁浅，从船艏到船艉都不能浮动。然后根据上浮和水线面计算搁浅支持力。设倾斜角为 dφ，参见图 8.4.12。产生相对于龙骨点的力矩为

$$dM = \nabla' \rho_w g \cdot \overline{KM'_O} \cdot d\varphi - \Delta \cdot \overline{KG} \cdot d\varphi \tag{8.4.30}$$

或者

$$\frac{dM}{d\varphi}\frac{1}{\nabla' \cdot \rho_w g} = \overline{KM'_O} - \frac{\Delta}{\nabla' \cdot \rho_w g} \cdot \overline{KG} \tag{8.4.31}$$

式中，∇'是搁浅时浸入水中船体的排水量，$\overline{KM'_O}$是与排水量∇'对应的龙骨到稳心 M'_O的距离。图 8.4.12 为两个相加数相对于吃水的曲线。交点表示所谓的临界吃水。如果吃水小于 $T_{临}$，就可能发生倾覆，至少也会产生一个较大横倾角的后果。

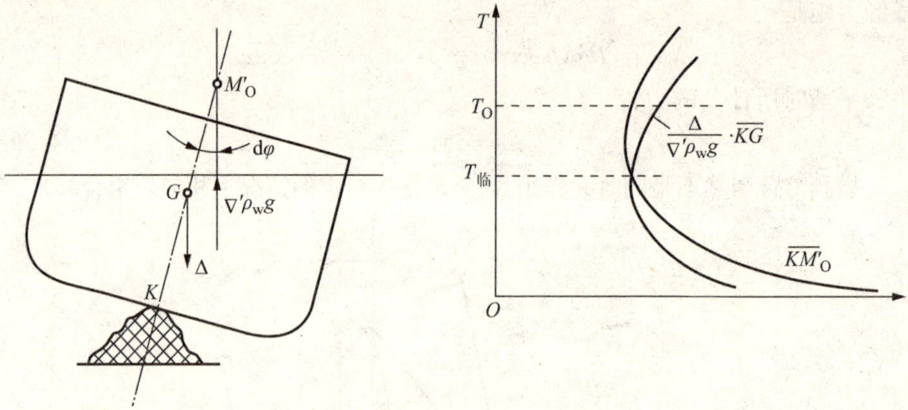

图 8.4.12　临界吃水的确定

很多情况下可以不必考虑船恰好在中部搁浅，而是考虑在纵向和横向发生导致纵倾或横倾的搁浅。当然，船艏部分上浮时发生较大纵倾的情况要少于一舷搁浅时发生较大横倾的情况。图 8.4.13 为没有出现纵倾的一种情况。

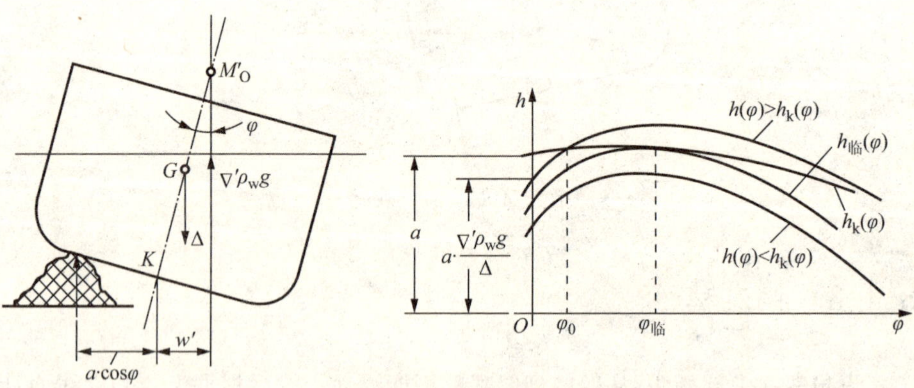

图 8.4.13　一舷搁浅

$$M = \nabla' \rho_w g(a \cdot \cos\varphi + w') - \Delta \cdot (a \cdot \cos\varphi + \overline{KG} \cdot \sin\varphi) \qquad (8.4.32)$$

如果用力矩除以排水量 Δ,就可以对照扶正力臂和横倾力臂。

$$h(\varphi) = \frac{\nabla' \cdot \rho_w g}{\Delta}(a \cdot \cos\varphi + w') \text{和} h_k(\varphi) = a \cdot \cos\varphi + \overline{KG} \cdot \sin\varphi$$

当 $h(\varphi) > h_k(\varphi)$时,就在角 φ_0 下出现平衡。当 $h(\varphi)$最大等于 $h_k(\varphi)$时,则角 $\varphi_{临}$ 表示最后一次出现平衡时的横倾。如果继续退潮,当 $h(\varphi) < h_k(\varphi)$时,倾覆是不可避免的。

8.4.4　坐坞稳性

根据上文所述可以估算确定坐坞时的临界吃水。如果达到了临界吃水,要谨慎从事。

从图 8.4.13 中可以读取角 dφ 下相对龙骨点的力矩:

$$\mathrm{d}M = c_O \cdot \frac{2}{3} d \cdot \frac{2}{3} d \cdot n \cdot \mathrm{d}\varphi - \Delta \cdot \overline{KG} \cdot \mathrm{d}\varphi \qquad (8.4.33)$$

式中,c_O 是小角度下软木支座的弹性常数,d、n 分别是木墩的长度和数目(参见图 8.4.14)。稳性衡准是

$$\frac{\mathrm{d}M}{\mathrm{d}\varphi \cdot \Delta} > 0 \text{稳定}, \quad \frac{\mathrm{d}M}{\mathrm{d}\varphi \cdot \Delta} = 0 \text{一般}, \quad \frac{\mathrm{d}M}{\mathrm{d}\varphi \cdot \Delta} < 0 \text{不稳定}$$

$$\frac{\mathrm{d}M}{\mathrm{d}\varphi \cdot \Delta} = \frac{4}{9} \cdot \frac{c_O \cdot d^2 \cdot n}{\Delta} - \overline{KG} \qquad (8.4.34)$$

这意味着,为了避免稳性临界状态,软木支座的弹性常数应当为

$$c_O > \frac{9\Delta \overline{KG}}{4d^2 n} \qquad (8.4.35)$$

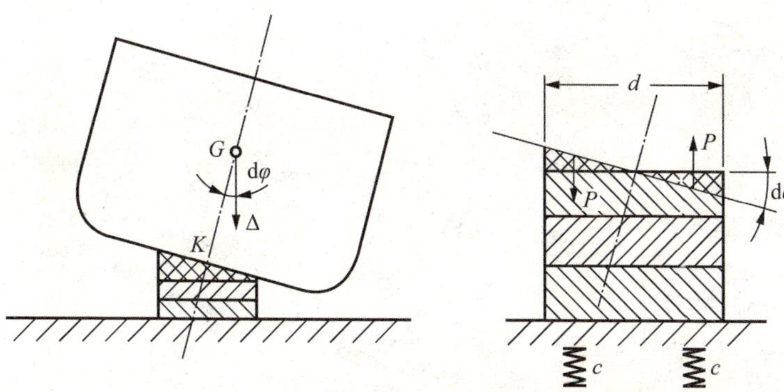

图 8.4.14　在木墩上的船

8.4.5　船的稳性临界状态

有些船型由于其结构形式可能在运行中处于临界状态。例如，所谓的巴拿马型集装箱船可能就是这种情况。由于船宽受到限制，往往只能靠压载水才能具有足够的稳性。船艉水线较宽和悬伸船艉平直的船，例如今天通常所见的滚装船，在这方面具有特别的优越性。通过调整艏倾减小了有效水线面面积，从而超比例地减小了水线面面积惯性矩 I_T，这就导致了 $\overline{BM}_O$ 的较大下降和 $\overline{GM}_O$ 的减少。在海浪中的情况尤其如此。宽度大、干舷小的船也会有危险，因为这种船的力臂范围很小。这里没有涉及支线转运船。

8.5 船舶结构

8.5.1 概述

钢质海船的结构是由其功能、载货和人员的安全、生产条件特别是焊接技术决定的。木船制造业经历了上千年之后，在开拓工业造船的过程中，特别是在英国，用铁和后来用钢造船发展迅速。首先在英国迅速得以发展的背景是，铁船的建造在船体成形方面应当归功于建造铁桥的经验和蒸汽锅炉制造中应用铆接技术的连接工艺。铆接结构需要非常宽敞的机械车间，根据船体形状，也相当复杂和费时。焊接技术和分段建造工艺的采用，使造船工艺得到了合理化，形成了今天非常有利的建造方式。被视为相当梁结构的船体，早先的困难主要在于船没有铁质甲板，而是木质甲板，以至于“船体相当梁”没有“上部固定件”。因此，人们在木甲板下添加了甲板边材，即所谓的甲板边板。今天露天甲板的边板仍叫做甲板边板。人们还用轧制型材取代了木肋骨，并在不同的高度上用水平走向的桁梁支撑肋骨，即所谓纵桁。

外壳

今天，外壳由一系列用横向和纵向骨架加强的列板构成。列板分为若干列，从龙骨向上一直数到甲板边缘。列板的编号是从船艉编到船艏。横骨架式的列板厚度大于纵骨架式的列板厚度，因为横骨架式的局部外板弯曲应力必须全部加到纵强度应力上，而纵骨架式的最大外板弯曲应力垂直于纵强度应力，因此，只有一部分($\nu=0.3$)必须加到纵强度应力上(见图 8.5.1)。

具有特殊意义的是局部的结构细节，如舷侧(货)门、海水吸入箱或排水孔等开口，还有舭龙骨。这些构件引起局部应力升高，所以应特别予以注意，避免发生可能出现裂纹的情形。

双层底

今天，船体都有连续的双层底，搁浅时可用来防止海水涌入货舱。早先处于安

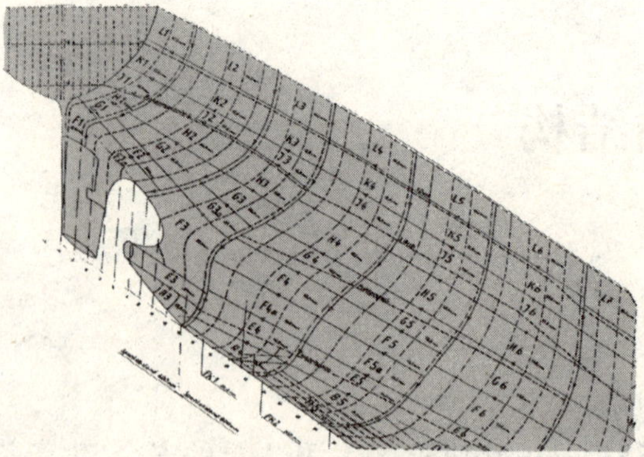

图 8.5.1　外壳板

全原因很少预设双层底，而是用它来容纳压载水。自从采用液体燃料后，双层底又用来容纳液体燃料、压载水和淡水。因此，双层底承受不同的负荷。一方面，它是“船体相当梁”的“下部固定件”，另一方面，它又必须承受水和货物的压力。因为双层底的进、排气管道多半一直通到上甲板，所以在每一双层底隔舱内都可能产生高压，必须在尺寸规格上予以充分考虑。由于双层底液舱至少必须有两个径向布置的人孔允许人通过，所以在内底上也要有很多这样的人孔。因为淡水和压载水必须分开，所以必须预设相应的空舱，即所谓的隔离舱。双层底大量的管道往往成为在船舶中心线上建立管道涵洞的理由。这样的管道涵洞一直通到机舱，并向前贯通整条船，出口设在上甲板上。管道涵洞在航行中必须保持关闭(见图 8.5.2)。

横向布置的肋板和纵桁与双层底内底和外壳板构成一个刚性很强的交叉梁结构，即使在局部超负荷时也不会崩溃。

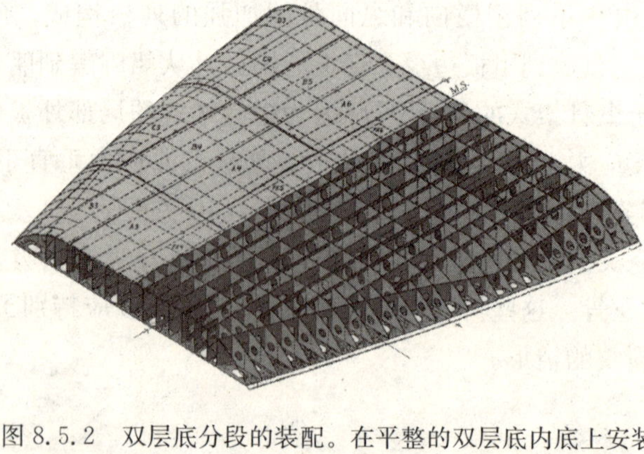

图 8.5.2　双层底分段的装配。在平整的双层底内底上安装并焊接由肋板和纵通材构成的交叉结构。然后再铺上外板

舱壁

帆船除了在船艏范围内有防撞隔壁外，多半没有横舱壁，现代钢质船舶则有很多横舱壁。当机舱布置在船中时，机舱用前、后机舱舱壁分隔。在船艉，艉尖舱范围是用艉尖舱舱壁分隔，当动力装置布置在船艉时，艉尖舱舱壁同时也是后机舱舱壁。如果货舱范围超过一定的尺度，要设相应的货舱舱壁。借此可以提高抗沉性。关于舱壁的具体位置，由破舱计算提供。

甲板

额定甲板的尺寸也是要根据不同的假设进行。最上一层的纵通水密甲板一方面构成“船体相当梁”的“上部固定件”，另一方面又必须承受住冲上来的水的负荷和货物的压力。上甲板因甲板开口持久性地被减弱，因此必须用舱口围板加强，防止水浸入舱口，也防止人员跌倒在舱口内，舱口围板作为构架系统能大大增强甲板强度。中间甲板用来改善货物的堆放，设计上只能承受货物的压力，以及必要时叉式装卸车或挂车和载重汽车驶过的压力。中间甲板的强度还特别取决于货物的堆放高度以及在甲板上驶过的车辆的车轮压力。

一个重要的结构构件是舱口盖。在帆船航行中，舱口关闭时是水密的。今天，原则上是要达到风雨密的要求。如果在密封处产生 5 N/mm 的线压力，就算是达到了风雨密的要求。当然，如果船的舱口开口很少受到冲上来的水的威胁，则可偏离这一要求，只要求防溅水密，或干脆放弃密封要求（见图 8.5.3）。

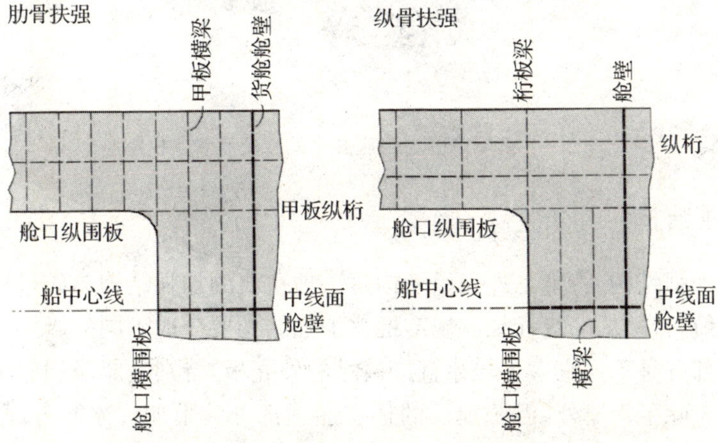

图 8.5.3　纵骨架式和横骨架式的甲板舱口开口

主机基座

主机的基座，特别是大型低速二冲程柴油机的基座，要求特别严格，其中基座的刚度要比强度更重要。机舱范围内双层底的结构形式由柴油机的机型来决定。造船上希望内底齐平，具有相应的高刚度，这要求必须相应地设计发动机的底架。在很多情况下，主机基座可以下凹，这对双层底的刚度会有不利的影响。为了得到足够的刚度，必须在每一根肋骨上预设肋板和相应的纵骨。在机舱范围的双层底内多半有较多的油舱，此外还要预设检查发动机螺栓固定的通道，以及不同的分隔用隔离舱（见图 8.5.4 和图 8.5.5）。

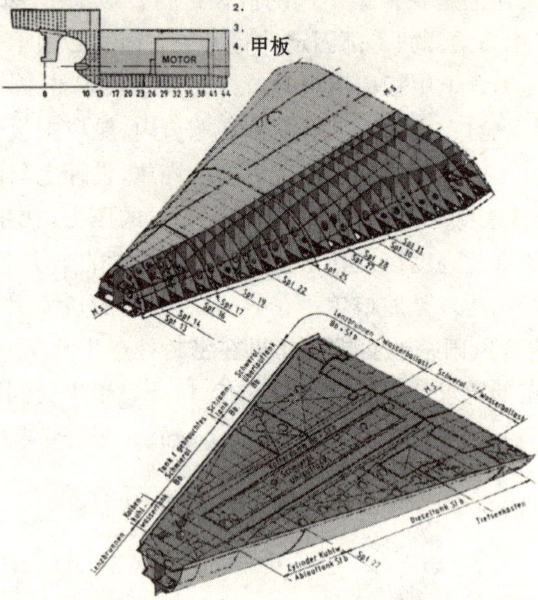

图 8.5.4　机舱范围内内底齐平的双层底和主机基座

抗冰加强结构

抗冰加强结构，特别是外壳板结构是一项重要的加强结构。如果预期船舶要在冰区航行，根据船级社规范规定抗冰加强结构要分成不同的级别。特别受到威胁的部分是不同吃水下与冰直接接触的外壳板，特别是船艏到船宽达到全宽的区域。除了板厚外，需要提及的还有船艏部分的附加抗冰肋骨，附加抗冰肋骨用来在冰区航行时承受升高的冰压力。

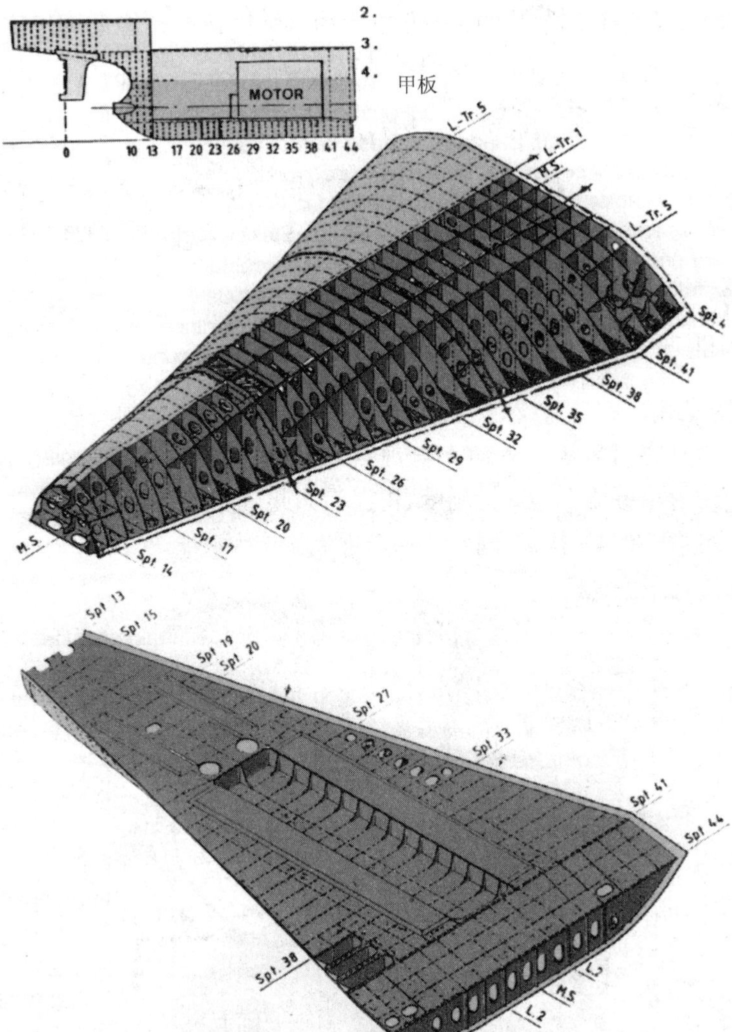

图 8.5.5　机舱范围内内底下凹的双层底和主机基座

高强度造船钢

大型船舶必须用大厚度的钢板制造。因为大厚度钢板的加工，尤其是焊接困难，所以在船的高应力区域采用屈服极限较高的材料，因为用这种材料制成的钢板厚度较小。由于这样一来出现疲劳裂纹的风险较大，所以实施焊接，即使在较小的范围内，也需要多加小心和考量。在没有把握的情况下，进行这样的焊接要与船级社协商。为了标准强度和高强度造船钢能适用同样的建造规范，船级社规定了一个所谓的材料系数“k”。

$$k=\frac{295}{R_{eH}+60}$$

式中，R_{eH}是钢材的屈服极限，标准强度造船钢的 $R_{eH}=235\ N/mm^2$，高强度造船钢 HF 36 的 $R_{eH}=355\ N/mm^2$。系数“k”直接用于梁和肋骨的最小剖面模数的计算，板厚的计算用$\sqrt{k}$。

船艉和舵

船艉结构有特别意义，因为机械设备在船艉，不仅必须安装主机和所有其他设备，而且还因为从流体动力学观点来看，舵和螺旋桨都必须布置在船艉。为此，要求有尽可能大的结构刚度，正因为如此，钢船的建造要特别注意通过肋板和桁梁进行有力的扶强，同时往往用艉尖舱作为液舱（见图 8.5.6）。

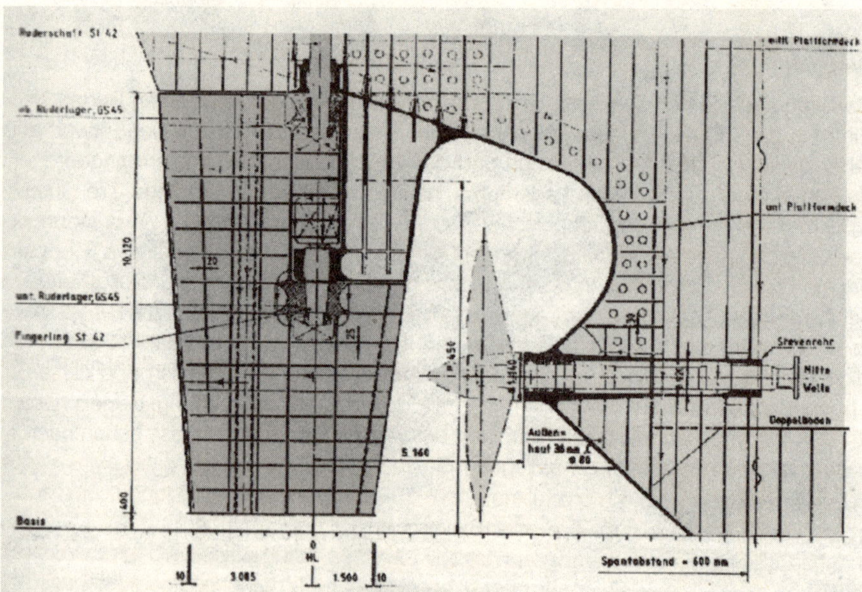

图 8.5.6　舵和螺旋桨布置

8.5.2 与船型相关的结构特点

考虑到不同的用途和想把船舶设计得尽可能适应相应运输使命的愿望，于是就形成了各种船型不同的结构特点。这些特点广泛地决定了船舶航行的实践。这里只讨论主要船型。

集装箱船

这种船型的结构特点在于主甲板上的大开口度，以及由此而造成了船体抗扭刚度较差的结果。此外，必须根据集装箱的标准尺度相应地设计货舱，这样必然导致这种船有相对较多的空舱，受船型限制这些空舱不能载货出航。这种船型的典型特点是在两舷主甲板下纵向布置了一箱形梁结构，一般作为工作通道使用。各个货舱用横舱壁隔离，横舱壁上布置集装箱导轨。横舱壁在主甲板高度上用箱形梁隔断，箱形梁同样是作为工作通道使用。集装箱船的甲板载货本来就占很高的比例，很多情况下集装箱数明显比船内要多。甲板集装箱堆放在舱口盖板上和空余的甲板上。甲板集装箱在下部位置上用固缚杆固定，在较高的位置上用所谓的“转锁”固定。不同情况下也从船上自备的拴固桥架上用固缚杆固定集装箱。总的来说，今天甲板集装箱的固定还是以繁多和费力的手工作业为特点。

散货船

第一次世界大战后由于工业国家对散装货的需求大增，散货船不仅在数量上而且在尺度上都增长了。但设计上的变化很小。动力装置和驾驶桥楼都布置在船艉。散货船多半有 5～9 个货舱，长度往往不同。横舱壁大多设计成双层舱壁或垂直波形舱壁。出于装载技术的原因，散货船有所谓的上、下翼舱(斜边液舱和顶边液舱)以及所谓的舱壁底座，以便容易用抓斗卸货。这类船舶往往也能运输集装箱或其他货物，如轧钢产品或笨重物品。因为这类船舶航行速度相对较慢，虽然尺寸很大，但仅需要很小的推进功率。这类船舶在技术上不是特别复杂。但往往由于装货作业粗糙酿成事故，因为强力构件腐蚀几年后会明显老化(见图 8.5.7)。

均质装载时，只产生很小的弯矩。而在交替装载或综合装载的情况下，结构必须承受高弯矩和剪力(见图 8.5.8)。

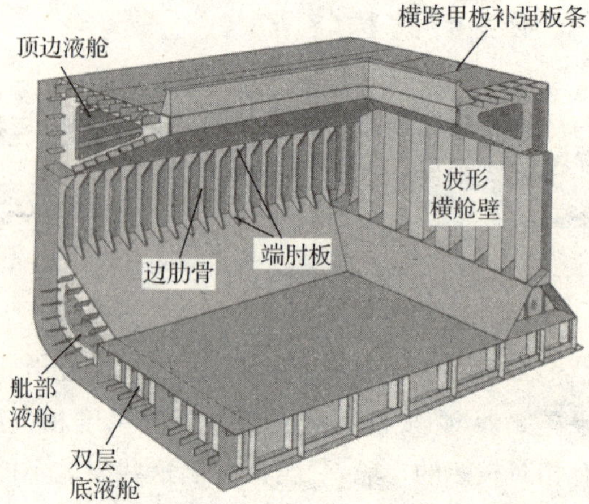

图 8.5.7　现代散装货船的典型货舱(资料来源:IACS 小册子)

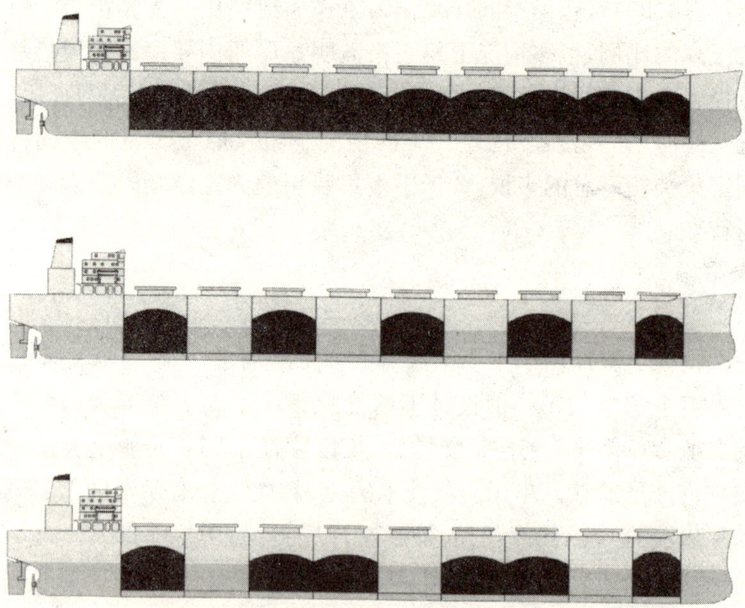

图 8.5.8　散装货船典型的装货状况

上:均质装载,如粮食;中:交替装载,如精矿,下:所谓的综合装载

(资料来源:IACS 小册子)

液货船

液货船的结构特点在于，除了液舱舱口相对较小以外，它的主甲板是封闭的，液舱舱口对船体强度只有局部影响。因此，这类船舶在总强度方面没有问题，因为压载水舱是分离的，在压载航行时只承受很小的弯矩。液货船固有的危险是在搁浅和碰撞时可能有大量的油外泄。因此，双层底和双层外壳结构是减小这一危险的根本措施。

滚装船

滚装船的结构特点不在于纵强度，而在于横强度，因为这类船舶在主甲板上有很多上层建筑，都是为滚装装载而设的。为了不干扰装载作业，多半不设横舱壁，以至于横向强度必须仅靠机舱棚和框架结构来维持。横强度表现为框架肋骨与甲板构架连接处的高弯矩。因此，角隅连接的设计必须特别谨慎。

8.5.3 损伤

船体结构损伤可能引起灾难性的后果，因此在航运实践中进行早期损伤测算非常重要，以便能在必要时采取相应的措施避免造成较大的损失。最常见的破损是焊缝范围内的裂纹、撞击凹痕之类的机械损伤以及腐蚀现象。所有这3类现象可能同时发生。裂纹一般可用振动应力引起结构疲劳来解释。因此这类损伤在一定的焊接结构细部特别多见。振动应力本身还不是发生裂纹的关键因素。对于裂纹来说，值得注意的是法向拉应力，法向拉应力是由于局部应力升高或固有应力引起的。因为船上不是到处都有同样的情况，所以裂纹损伤在船体上分布非常不同。例如在主甲板范围内常见的裂纹是在局部的结构细部，如栏杆支柱和舱口围板支柱上，焊接到舱口围板和支座上的复板上。特别是纵向的舱壁上下缘列板，由于其位置在船舶纵向构架中暴露在外，有发生裂纹的倾向。另一范围是外板，特别是靠泊和有拖轮擦过时会有受损的危险。常见的损伤是外壳板的撞击凹痕。撞击损伤在双层底上和船艏部位也常见。船艏部位的撞击损伤主要是由于超载在海浪中航行引起的，而双层底内底上的这种损伤可用不合理的堆货来解释。在船舶航运实践中，重要的是联系后果来评估损伤的意义。原则上一定要搞清楚，损伤是否影响船的入级。如果不能排除这个问题，要向船级社报告损伤情况，由船级社通过自己的调查确认或不确认这一情况。如果船舶经营方错过了这一机会，可能发生涉及投保保险的法律后果(见图 8.5.9)。

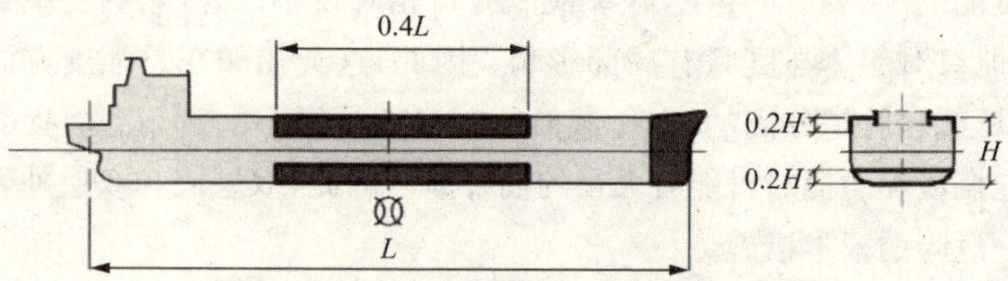

图 8.5.9　船体特别易受损的区域

在各种情况下确定是不是涉及一次有申报义务的损伤与否，船舶经营方不能明确做出判断。因此这里略加说明。裂纹的关键部位是主甲板区域，包括船中 0.4L 范围以内的舱口围板，也包括舷缘列板、上部外板以及底部范围。在该范围内必须特别仔细地调查承受压力负荷船板范围内发生的翘曲现象。

如果在“中拱”状态下装载时确定主甲板上有裂纹，必须仔细观察裂纹是不是在继续扩大。必要时，可以例如用泵抽掉燃油或压载水，或重新堆放货物，以减小主甲板上的弯矩。也可以在裂纹端部给裂纹钻孔，以阻止裂纹扩大。钻孔可用 8～10 mm 的钻机进行，当然事先要通过表面裂纹检查来仔细确定裂纹端部的位置。

腐蚀损伤在几乎所有的船上都能找到。特别是压载水舱的腐蚀严重，所以今天的船级社规范规定每年检查一次。

损伤现象也是各种不同船型的典型结构特性。

集装箱船

在集装箱船上，特别是甲板范围内的裂纹，以及该处特别是舱口围板上和舱口角隅上的裂纹，可能产生灾难性的后果。原因是，考虑到结构上需要上述范围内必须广泛使用高强度钢。因为高强度钢的焊接结构实际上与标准强度钢具有相同的使用强度，还因为一般情况下集装箱船的主甲板区是高应力区，所以发生裂纹不足为奇。另一个损伤区是肋骨与构架使用角钢连接的部位。因为角钢凸缘只在很小的范围内有效(斜向弯曲)，所以在直接靠近角焊缝接头处的应力上升，以至于在相应的动载荷下常常出现振动裂纹。集装箱船是高速船，航速一般为 23.0～25.0 kn。因此船艏范围内常见由海浪冲击造成的损伤。

散货船

典型情况下，散货船上特别是货舱范围内的损伤往往是由于货物和装载作业引起的。大部分涉及由抓斗作业造成的双层底内底损伤或肋骨变形，包括肘板端部固定部位的变形。很多情况下可以观察到严重的腐蚀损伤，腐蚀损伤会决定性地降低结构的耐久强度。因为过去散货船多有损失，所以现在制订了严格的结构设计条款。过去曾发现，由腐蚀酿成的外板上的振动裂纹导致了货舱进水，然后由于一道货舱舱壁的崩溃，结果最后损失了整个一条船。如果散货船不能满足上述为避免货舱进水而损失整条船而规定的严格结构设计条款，则该船只允许在上文中用图说明的交替装载情况下并再加上铺板才能航行。这样的散货船只允许货舱交替装载到允许载重量的 90%。如果载重量超过 90%，则各个交替装载的货舱中至少载运货物重量的 10%。否则只允许均质装载（见图 8.5.10）。

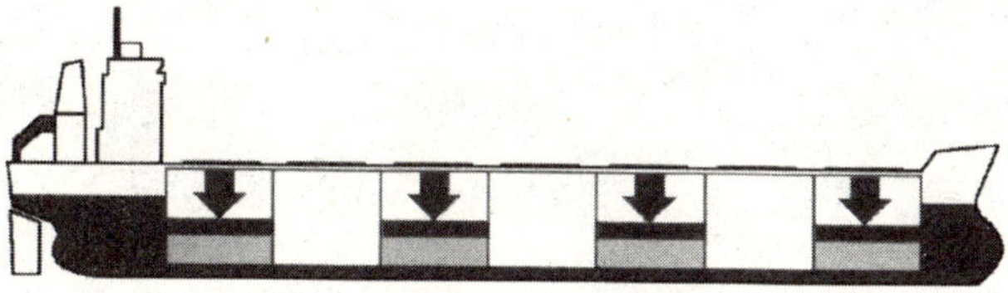
(a) 交替装载限制到载重量的90%

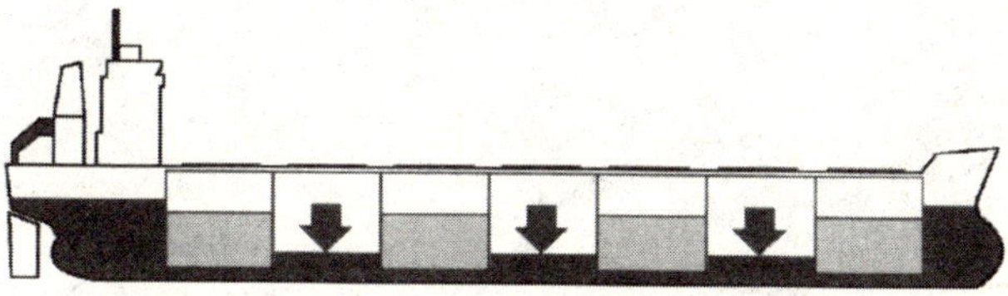
(b) 超过90%至少货物重量的10%装在各货舱内

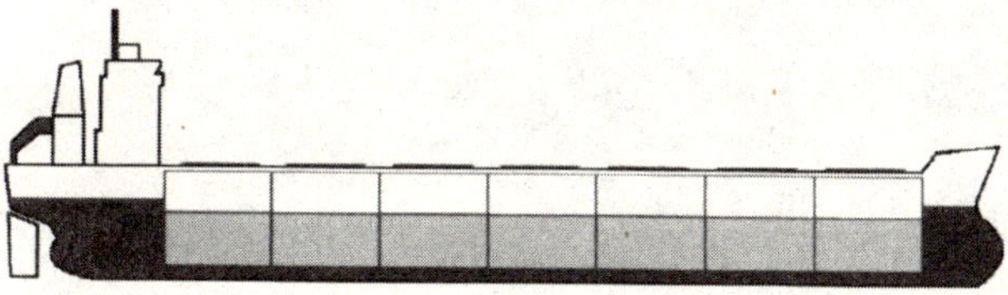
(c) 超过90%时，均质装载

图 8.5.10　自 2006 年 7 月 1 日起，
对不能满足防止货舱进水要求的老式散货船的装载规定
（资料来源：IACS 小册子）

滚装船

滚装船典型的损伤是载货甲板上的撞击凹痕。这种损伤是由车辆行驶时引起的,是一种不危及船舶安全的损伤。但这种损伤很不受欢迎,因为叉式装卸车不得不减低其速度,不利于装载和卸载。另外,损伤也经常发生在艏吊门上。横倾时车辆不对称的行驶会导致艏吊门发生扭曲,以至于在关闭时发生故障。

8.6 船舶强度

足够的强度是船舶安全航行的前提。因此,船级社向来努力用船体以及所有重要构件和承重结构细部的建造规范来保证船舶的安全。19 世纪工业造船之初,在缺乏公认的强度理论的情况下,仅根据航船队的经验来额定船舶的尺寸,而今天则是在公认的用于造船和相关领域的强度理论的基础上行事。具体的做法是,在相当梁应用理论的基础上,用相对较简单的设计公式额定各个结构构件的尺寸。然后,在板和盘理论的基础上,利用计算平面构架的方法额定各个结构组件,如舱壁、甲板和双层底的尺寸。最后,鉴于船体的形状,借助技术上的相当梁理论确定整个船体的尺寸。这种设计公式的性质在于只能是近似地确定实际出现的应力,因此在公式中规定了相对较高的安全系数。

一般规定允许的应力在材料的屈服极限以下,这意味着,结构在各种情况下使用过程中均处在弹性范围以内。只对一定的结构才假设仅在极少的情况下结构处于设计载荷下,或者说不危及船体的完整性。对于承受非常高的载荷的船舶,为了证明具有足够的强度,要运用有限元法。这涉及一种数字计算方法,它允许对船体,包括所有结构组件和单一构件在内,放在一个计算模型中进行计算。这一计算模型由任意布置的单元构成,单元与所谓的节连接,实现一种关联的计算模型,实际上可达到任意精确度。对于船舶强度问题的理解,特别是在实船应用中,一向都是适合于在梁、板和盘理论的基础上进行观察研究。

8.6.1 船体强度

船体强度分为纵强度和横强度。

纵强度是设想船体的形状为梁形,然后把它置于垂向和横向弯曲载荷下以及扭转载荷下进行研究。在研究横强度时,例如滚装船的横强度,人们必须以一个杆件构架模型为出发点,把它置于推力载荷下进行研究。

纵强度

为了计算弯矩、横向力以及因此而生产的应力,要把船体视为在内力和外力作用下的静定弯曲梁。力和力矩的平衡既适用于动态，也适用于静态。一般为了额定主支承构件尺寸，要假定承受一静载荷，即使涉及狭义的动负荷也是如此，例如涉及波浪中的动负荷。

因为假定船体在内力和外力作用下处于平衡状态，所以，这两个条件

$$\Sigma F = 0 \quad \Sigma M = 0 \tag{8.6.1}$$

足以用来确定船体每一横截面的弯矩和剪力。

第一个条件背后隐藏着阿基米德原理，因为所有质量一起所引起的垂向力等于排水量。于是

$$G - \Delta = 0$$

第二个等式迫使浮力和重力的重心重叠。

通常，人们所研究的是静水中承受的负荷，即在港内静水中承受的负荷，以及在海上波浪作用下承受的负荷。确定了静水允许载荷中有多少应当利用，以及波浪负荷该有多少剩余之后，就可以确定港内的最大允许装载状态，并通过重新调整载货进行必要的修正。

现在通行以两种典型情况为出发点：第一种情况为船向上弯曲（称为“中拱”），第二种情况为船向下弯曲（称为“中垂”）。第一种情况甲板承受拉应力，第二种情况甲板承受压应力。在静水中和在海浪中都会产生这两种情况。第一种情况船处在一波峰上，第二种情况处在波谷上。在静水中是否产生“中垂”或“中拱”，取决于船型和装载。集装箱船是典型的“中拱”船，而动力装置在船中的船在压载状态下多半是“中垂”船。另外，最大弯矩多半不出现在满载状态下，而是出现在压载航行中的各种不同的船上。

船体状态的静定性只有通过力和力矩的平衡才能达到，可用来根据重量和浮力通过对载荷分布的两次积分确定弯矩。相对于坐标 x 对载荷分布积分得剪力分布（见图 8.6.1）。

$$Q(x) = \int_0^x [G(x) - \Delta(x)] \mathrm{d}x \tag{8.6.2}$$

然后由剪力分布推导弯矩分布

$$M(x) = \int_0^x Q(x) \mathrm{d}x \tag{8.6.3}$$

伯努利相当梁理论的定理证明在弯矩分布与挠度之间存在微分关系如下

$$w''(x) = -\frac{M(x)}{EI(x)} \tag{8.6.4}$$

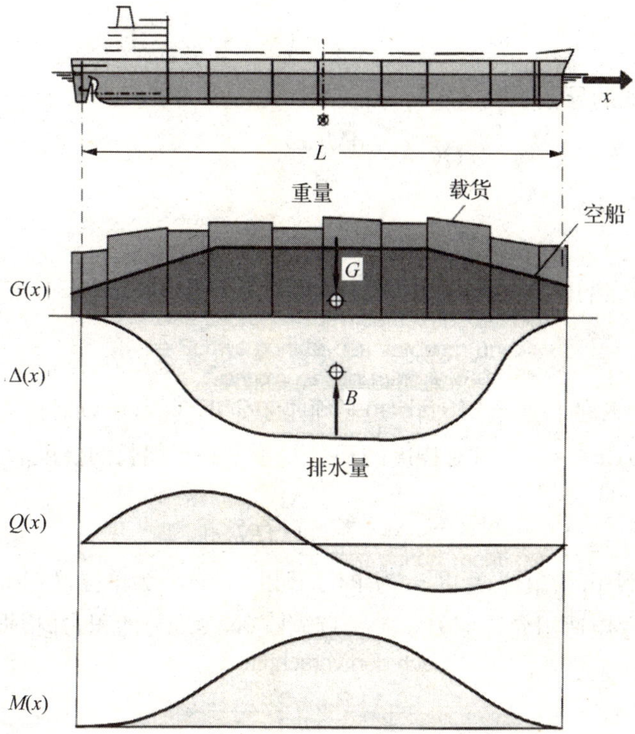

图 8.6.1 由船和载货重量决定的载荷分布、排水量、剪力和弯矩分布

式中,E 是弹性模数(钢的弹性模数是 210 000 N/mm^2),$I(x)$是船舶横剖面相对于中性弯曲轴线的面积惯性矩分布。这一等式相对于挠度线的倾角积分导出

$$w'(x) = -\int_0^x \frac{M(x)}{EI(x)}\mathrm{d}x + C_1 \tag{8.6.7}$$

然后通过对倾角曲线积分得出挠度

$$w(x) = -\int_0^x w'(x)\mathrm{d}x + C_1 x + C_2 \tag{8.6.8}$$

前后挠度将消失,也就是设边界条件 $w(0)=w(L)=0$,得出常数

$$C_2 = 0 \quad 和 \quad C_1 = \frac{1}{L}\int_0^x w'(x)\mathrm{d}x \tag{8.6.9}$$

于是挠度为

$$w(x) = -\frac{x}{L}\int_0^L\int_0^x \frac{M(x)}{EI(x)}\mathrm{d}x\mathrm{d}x + \int_0^x\int_0^x \frac{M(x)}{EI(x)}\mathrm{d}x\mathrm{d}x \tag{8.6.10}$$

弯矩曲线可用下式逼近

$$M(x) = M_{(L/2)} \frac{1}{2}\left(1 - \cos\frac{2\pi x}{L}\right) \tag{8.6.11}$$

剪力即为下式的导数

$$Q(x) = \frac{\mathrm{d}M(x)}{\mathrm{d}x}$$
$$Q(x) = M_{(L/2)} \frac{\pi}{L} \sin\frac{2\pi x}{L} \tag{8.6.12}$$

作为 L 可借用 L_{PP} 为计算长度。最大横向力出现在 $L/4$ 和 $3L/4$ 处

$$Q_{(L/4)} = -Q_{(3L/4)} = M_{(L/2)} \frac{\pi}{L} \tag{8.6.13}$$

因为对于 0.4 L 的长度范围，惯性矩必须是稳定不变的，所以对挠度的积分简化为船的全长 $I(x) = I_{(L/2)}$ 时对挠度的积分。于是一半船长的挠度为

$$w_{(L/2)} = -\frac{M_{(L/2)} L^2}{11.4EI_{(L/2)}} \tag{8.6.14}$$

式中，M 以 kN·m 为单位，L 以 m 为单位，E 以 N/mm^2 为单位，I 以 m^4 为单位。

如果设弯矩适用允许应力 $\sigma_{允许} = 175/k/(N/mm^2)$ 的积，并根据 GL 规范利用所谓的材料系数

$$\frac{1}{k} = \frac{R_{eH} + 60}{295} \tag{8.6.15}$$

R_{eH} = 钢的屈服极限(标准强度造船钢为 235 N/mm^2，高强度造船钢为 355 N/mm^2)，剖面模数取 $W_{(L/2)}$，则力矩为

$$M_{(L/2)} = W_{(L/2)} \cdot \sigma_{允许} \tag{8.6.16}$$

惯性矩与剖面模数之比是粗估的

$$I_{(L/2)}/W_{(L/2)} = 0.35H \tag{8.6.17}$$

以这样的假设，E = 钢的弹性模数 210 000 N/mm^2，得估算船舶最大允许挠度的简单算式为

$$w/L = 0.0002L/H \frac{R_{eH} + 60}{295} \tag{8.6.18}$$

不难看出，相对于船长的相对挠度与 L/H 之比成正比，随着屈服极限的上升而增大(标准强度造船钢为 235 N/mm^2，高强度钢 HF 为 355 N/mm^2)。对于一条 2 500 TEU 的集装箱船，以船长 L = 213.0 m，舷高 H = 16.70 m 计，如果用标准钢制造，得其最大允许挠度的数量级为 500 mm。

今天人们已用计算程序进行精确的计算。前提是详细了解重量数据和精确的浮力分布。力矩分布的最大值在船的中横剖面附近，其变化曲线成钟形。

对于快速估算来说，确定中横剖面上的力矩就足够了。下面的估算方法写入德国劳氏船级社的规范已有多年时间，是 M. Böckenhauer 的研究成果，今天已经证实对于快速人工计算非常实用。

人们以最大弯矩出现在 1/2 船长处这一假设为出发点，并设想在该处做一横剖面。为了让前、后两部分保持平衡，可对船体两半部分的剖面弯矩进行计算，并形成平均值。根据定义，$L/2$ 剖面平面上的剪力等于零。

于是

$$M_{(L/2)} = \frac{1}{2}\left\{\sum_{i=1}^{m} G_{Hi} \cdot \zeta_{HGi} - B_H \cdot \zeta_{HB} + \sum_{j=1}^{n} G_{Vj} \cdot \zeta_{VGj} - B_V \cdot \zeta_{VB}\right\} \tag{8.6.19}$$

Böckenhauer 于 1962 年的计算表允许进行快速手工计算。设每 10 个单一重量的重量分布和相应的重心，大多数情况下足已够用。空船重量可以估算。空船重量大约为排水量的 23%～27%。对于前、后部分的浮心，Böckenhauer 以曲线图的形式给出了与丰满系数 C_B 的关系，是可信的(见图 8.6.2 和图 8.6.3)。

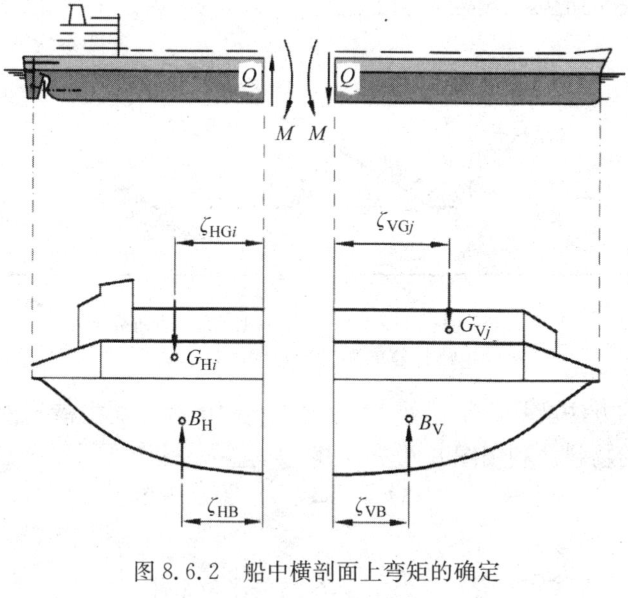

图 8.6.2　船中横剖面上弯矩的确定

在船舶运行中，减小中横剖面上弯矩的一个最重要的方法在于移动载货各部分的重量和重新调整液舱的灌注量。为了迅速地综合了解这一类措施的作用，可对准确表述这一类措施作用的简化模型进行简单的力矩计算。这样的估算当然不能代替详细的计算，但在很多情况下足以能够评估这一类措施的有效性。

静水弯矩计算					项目:				
L	m				装载情况				
B	m				Δ	t			
T	m				C_B				
V	kn								
船体后半部					船体前半部				
编号	位置	G_H	ζ_{HG}	$G_H\zeta_{HG}$	编号	位置	G_V	ζ_{VG}	$G_V\zeta_{VG}$
1					1				
2					2				
3					3				
4					4				
5					5				
6					6				
7					7				
8					8				
9					9				
10					10				
11					11				
ΣG_H			$\Sigma G_H\zeta_{HG}$		ΣG_V			$\Sigma G_V\zeta_{VG}$	
ΣG_V			$\Sigma G_V\zeta_{VG}$						
ΣG			$\Sigma G\zeta$						
$G_S Ln$									
$-\Delta\zeta_B L$									
$M_{SG}=(\Sigma G\zeta+G_S Ln-\Delta\zeta_B L)/2$									

G_S=空船重量

n=主机在船中时0.224

n=主机在船艉时0.240

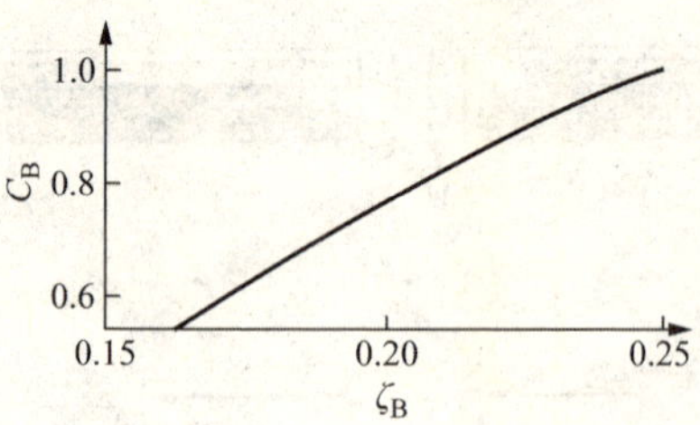

图 8.6.3　根据 Böckenhauer 于 1962 年的研究成果粗略计算船舶最大弯矩的计算表

最简单的方法就是假定船处于“中拱”或者“中垂”，在中横剖面处取下或加上一块浓缩的物料。利用图 8.6.4 可得

$$M_{(L/2)} = F\cdot L/8 \tag{8.6.20}$$

和

$$M(x) = M_{(L/2)}\left[1-\left(\frac{2x}{L}\right)^2\right] \tag{8.6.21}$$

另一个值得注意的情况是两个单一载荷对称于中横剖面作用在船上。根据简单的力矩计算方法，中横剖面上的弯矩为

$$M_{(L/2)} = \frac{F\cdot L}{8}\left(1-\frac{2a}{L}\right) \tag{8.6.22}$$

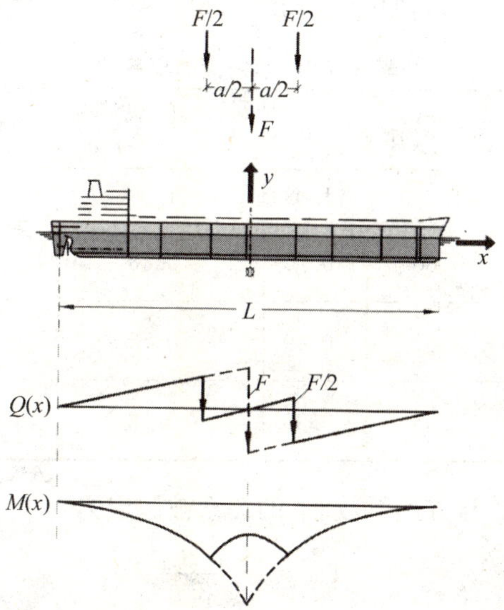

图 8.6.4　由 1/2 船长处的一块单一载荷 F 和对称于中横剖面间距为 a 的两块单一载荷引起横向力和弯矩变化曲线

载荷下的弯矩为

$$M_{(\pm a/2)} = \frac{F \cdot L}{8}\left[1-\left(\frac{a}{L}\right)\right]^2 \tag{8.6.23}$$

值得注意的是观察极限情况。如果 $a=0$，则算式的解转换为单一载荷的情况。如果 $a=L/2$，则中横剖面上力矩消失。如果 $a=L$，则在中横剖面上产生一大小相等但正负符号相反的力矩，或者更准确地说，产生一“中拱”力矩，而在 $a\leqslant L/4$ 的情况下则在中横剖面上产生一“中垂”力矩。这里所假设的船体由一水线面面积系数 $C_W=1.0$，即丰满系数 $C_B=1.0$。这一结果严格地说仅适用于浮箱。对于实际的船需要考虑船舶线型。通过水线面的面积矩对中横剖面积分得中横剖面上的最大弯矩

$$M_{(L/2)} = T \cdot \rho_W g \int_0^{L/2} yx\,\mathrm{d}x \tag{8.6.24}$$

和力 F

$$F_{(L/2)} = 2T \cdot \rho_W g \int_0^{L/2} y\,\mathrm{d}x \tag{8.6.25}$$

为能简单地进行积分，可用简单的多项式表述水线。对于水线面面积系数、弯矩以及横向和纵向的面积惯性矩，得到表 8.6.1 中的系数。该系数考虑到这

样的情形，即当仅提供了船舶的主尺度时，可用给定的算式很快地计算出结果。

表 8.6.1　水线面面积系数

函　数	$C_W=\frac{A_W}{L\cdot B}$	C_B	$C_M=\frac{8\cdot M_{(L/2)}}{F\cdot L}$	$C_{I_T}=\frac{12\cdot I_T}{L\cdot B^3}$	$C_{I_L}=\frac{12\cdot I_T}{L^3\cdot B}$
$y=B$	1.0	1.0	1.0	1.0	1.0
$y=B\left[1-\left(\frac{2x}{L}\right)^4\right]$	0.80	0.70	0.83	0.66	0.57
$y=B\left[1-\left(\frac{2x}{L}\right)^2\right]$	0.87	0.49	0.75	0.46	0.40
$y=B\left[1-\left(\frac{2x}{L}\right)^2\right]^2$	0.53	0.30	0.63	0.34	0.23

水线面面积系数与方形系数 C_B 的关系被假定为

$$C_W=\frac{1+2C_B}{3} \tag{8.6.26}$$

不难看出，水线面惯性矩 I_T 的系数可以非常近似地用方形系数 C_B 来表述。当方形系数未知时，可以在下面的估算中近似地把它找出来

$$C_B=1.08-1.68\cdot Fn \tag{8.6.27}$$

设傅汝德数 Fn 为

$$Fn=\frac{v}{\sqrt{g\cdot L}}$$

如果用上述多项式对弯矩和单一作用力 F 进行积分，就得到丰满系数不同时在单一载荷作用下出现的最大弯矩如下

$$M_{(L/2)}=\frac{F\cdot L}{8}C_M \tag{8.6.28}$$

因为大多数海船的丰满系数在 $C_B=0.6$ 与 $C_B=0.8$ 之间，可以认为对一浮箱所做的估算是完全可以使用的。

单一载荷 F 在大多数情况下，例如在一液舱被灌注时，是在一规定的范围内起作用，这当然会减小中横剖面上的最大力矩，参见图 8.6.5。假定这一作用力作用在"a"的范围内，据此得中横剖面上的力矩为

$$M_{(L/2)}=\frac{F\cdot L}{8}\left(1-\frac{a}{L}\right) \tag{8.6.29}$$

极限值 $a=0$ 时，也会得出单一载荷的结果。当载荷在长度范围内均匀分布时，所有力矩全都消失。如果线载荷伸出船体之外，即当 $a\geqslant L$ 时，则产生一正负符号相反的力矩。

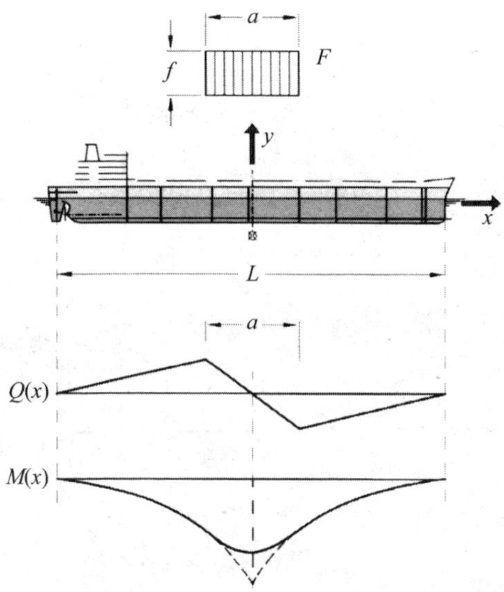

图 8.6.5 在一线载荷作用下弯矩和剪力的变化曲线

移动载荷

移动载荷特别重要。如果载荷 F 移动一段距离 e，一般会产生一定的纵倾调整。这一纵倾调整的旋转点在水线面上，经过简化假设旋转点在 1/2 船长处。移动应当发生在不超出 $L/2$ 的范围内。

根据图 8.6.6 得到两个弯矩，分别为 $F\cdot e$ 和 $F_{\Delta}\cdot a$，当然两个弯矩大小相等，作用相对。于是

$$F\cdot e = F_{\Delta}\cdot a \tag{8.6.30}$$

现在的问题是，这一弯矩在怎样的范围内施加或去除，最大弯矩是在 $L/2$ 处吗？简单的弯矩计算得

$$M_{(L/2)} = F\cdot e - F_{\Delta}\cdot \frac{a}{2} \tag{8.6.31}$$

如果达到以上弯矩平衡，则得到关系式

$$M_{(L/2)} = F\cdot \frac{e}{2} \tag{8.6.32}$$

这就是说，载荷移动的弯矩只有一半对中横剖面上的弯矩发生影响。这一关系以良好的准确性适用于所有船舶，并且精确，条件是水线面中心在 1/2 船长处。即水线对称于中横剖面。

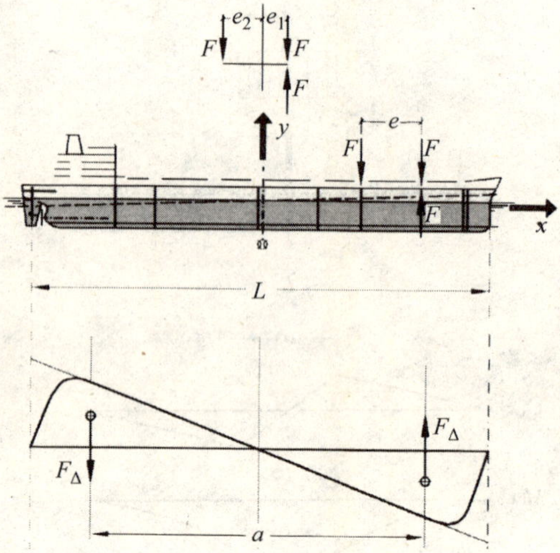

图 8.6.6　移动载荷

如果越过中横剖面移动载荷，即从船的前半部分移动到船的后半部分或者相反，则利用图 8.6.6 得

$$F_{\Delta} \cdot a = F(e_1 + e_2) \tag{8.6.33}$$

中横剖面上的弯矩为

$$M_{(L/2)} = F \cdot e_2 - F_{\Delta} \cdot \frac{a}{2} \tag{8.6.34}$$

或在达到弯矩平衡时

$$M_{(L/2)} = F \cdot \frac{e_2 - e_1}{2} \tag{8.6.35}$$

不难看出，当 $e_1 = e_2$ 时，在中横剖面上没有附加力矩。如果重量覆盖中横剖面，则覆盖的重量化为单一重量。

确定海浪中负荷的方法与静水中相同。为此需要假定一种相应的波形。通常认为与船长相等的波长是最不利的波长。有两种不同的情况，一种是船在波峰上，即“中拱”，相应地甲板承受拉力；另一种是船在波谷上，即“中垂”，相应地甲板承受压力。波高一般规定用与波长成一定的比例表示。当然也可用规定的“设计波浪”仅用于计算“设计负荷”。船级社的现代额定规范利用海浪的统计自然特性来考虑实际的波浪，并规定在设计船舶强力构件时不得以一定的概率超过规定的负荷。船舶航运方面值得关注的是估算波浪负荷占总允许负荷的百分比。船级社的规范可以帮助解决这方面的问题。根据船级社规范，任何海船必须具有的最小剖面模数为

$$W_{\min} = k \cdot C \cdot L^2 \cdot B \cdot (C_B + 0.7) \cdot 10^{-6} \tag{8.6.36}$$

式中，

$$C = \begin{cases} 10.75 - \left(\dfrac{300-L}{100}\right)^{1.5}, & \text{当 } 90 \leqslant L \leqslant 300\text{ m 时} \\ 10.75, & \text{当 } 300 \leqslant L \leqslant 350\text{ m 时} \\ 10.75 - \left(\dfrac{L-350}{150}\right)^{1.5}, & \text{当 } L \geqslant 350\text{ m 时} \end{cases}$$

k 是材料系数(L 和 B 以 m 为单位)。“中垂”状态下的波浪附加弯矩是

$$M_{WV} = 0.11 \cdot L^2 \cdot B \cdot (C_B + 0.7) / (\text{kN} \cdot \text{m}) \tag{8.6.37}$$

在“中拱”状态下

$$M_{WV} = 0.19 \cdot L^2 \cdot B \cdot C_B / (\text{kN} \cdot \text{m}) \tag{8.6.38}$$

因此,“中拱”状态下产生的应力为

$$\sigma_{WV} = \frac{1\,900\, C_B}{k \cdot CC_B + 0.7} / (\text{N/mm}^2) \tag{8.6.39}$$

而在“中垂”状态下为

$$\sigma_{WV} = \frac{1\,100}{k \cdot C} / (\text{N/mm}^2) \tag{8.6.40}$$

如果考虑最大允许应力为

$$\sigma_{允许} = 175/k/(\text{N/mm}^2) \tag{8.6.41}$$

那么,波浪负荷有多大的影响就变得显而易见了。

在“中垂”状态下,如用标准强度钢建造长度为 250 m 的船,允许应力中波浪的百分比为 60%,静水百分比只剩下 40%。

搁浅

当船在一浅滩搁浅时,值得关注的是在中横剖面上产生了多大的附加弯矩。根据上文所述可以确定这一弯矩。

首先设想触点压力 F(见图 8.6.7)作用在船中。然后把这个作用力移动相当于杠杆 e 的距离,根据上文推导即在中横剖面上产生大小为 $F \cdot e/2$的弯矩,得中横剖面上的弯矩为

$$M_{(L/2)} = \frac{F \cdot e}{2} - \frac{F \cdot L}{8} C_M \tag{8.6.42}$$

于是得作用力 F 为

$$F = \Delta T \cdot A_W \cdot \rho_w g \quad 和 \quad \Delta T = T_0 - \frac{T_h + T_v}{2} \tag{8.6.43}$$

式中，T_h 和 T_v 分别是搁浅后船艉和船艏的吃水，T_0 是搁浅前的平均吃水，$\rho_w g = \gamma_W$ 是水的比重。因搁浅而造成的中横剖面上的弯矩为

$$M_{(L/2)} = \frac{\Delta T \cdot B \cdot L^2 \cdot C_W \cdot \rho_W g}{8}\left(4\,\frac{e}{L} - C_M\right) \qquad (8.6.44)$$

这一算式表明，当

$$e = \frac{L \cdot C_M}{4}$$

时，船的中横剖面上没有产生弯曲力矩。只是担心船在“中垂”状态下可能超载。如果考虑到最不利的情况，即船承受最大允许静水弯矩，其值约为船总允许弯矩的 37%，因此，当搁浅时的附加弯矩超过静水弯矩的 1.7 倍时，船的总强度才会受到威胁。

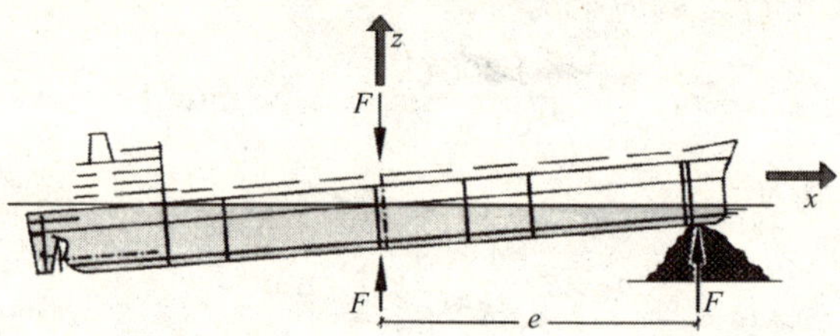

图 8.6.7　在浅滩搁浅时船的水上部分

抗扭强度

把船作为弯曲梁来研究，对于多数船来说已是足够，但是对有些船来说，另外一种负荷是非常重要的。这就是扭曲负荷，扭曲负荷在所谓的敞舱式船上会引起非常高的附加应力。敞舱式船有非常大的舱口开口，其抗扭刚度很小，因而会导致相当可观的附加应力。敞舱式船最主要的代表是集装箱船。发生扭转时不仅产生高剪切应力，而且产生附加的法向应力，这些附加应力必然相位同步地叠加到由于船体垂向和横向弯曲而产生的弯曲应力上。与梁弯曲理论相类似，这些附加应力用所谓拱力理论的微分方程求解，拱力理论原由 S. P. Timoshenko 创立，后来由 W. S. Wlassov 针对横剖面值不变化的梁加以扩展。对于横剖面值不同并有敞式和闭式甲板构件的船舶来说，只能近似地应用这种拱力理论。因此，今天为了确定船的总应力所使用的方法是基于有限元法的数字计算模型。图 8.6.8 表明扭曲变形的基本特征。由于横剖面扭曲，也就是由于横剖面绕龙骨下的一个旋转中心即所谓的剪切中心扭转，船的左舷向右舷移动。但这一移动被前后甲板封闭部分以及隔离货舱的甲板构件所阻碍，导致在

舱口角隅发生很高的应力集中。因此,在船舶运行中要特别注意在舱口角隅处可能发生切口或其他损伤,因为这在波浪中会导致舱口角隅撕裂。

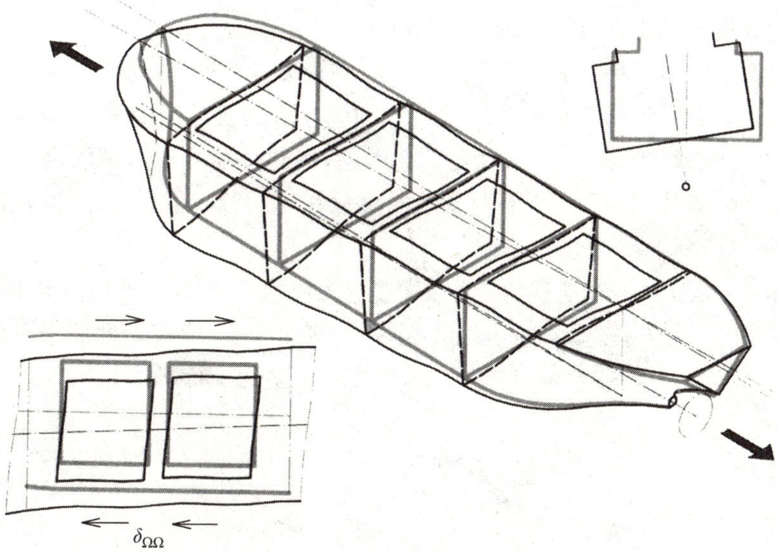

图 8.6.8　扭矩引起的“敞舱式船”的基本变形

船的扭曲负荷的计算,如同正常的纵强度计算一样,分为静水负荷和波浪负荷两部分。静水扭矩可以根据集装箱的堆放和横倾平衡系统灌水马上确定。因为集装箱的堆放箱位是用船内的“箱格导轨”和甲板上的固定系统固定的,所以为了确定船的每一横剖面上的扭矩,只需要重量和堆放箱位的位置。可以不必提供集装箱重量不同时的简单变化曲线。但要预计到装载不利时可能发生可观的静水扭矩。

在波浪中可能出现两种不同的扭矩。如果船在航行中遭遇斜浪,在每一横剖面上即产生由在波浪中的浮力所造成的扭矩,如图 8.6.9 所示。

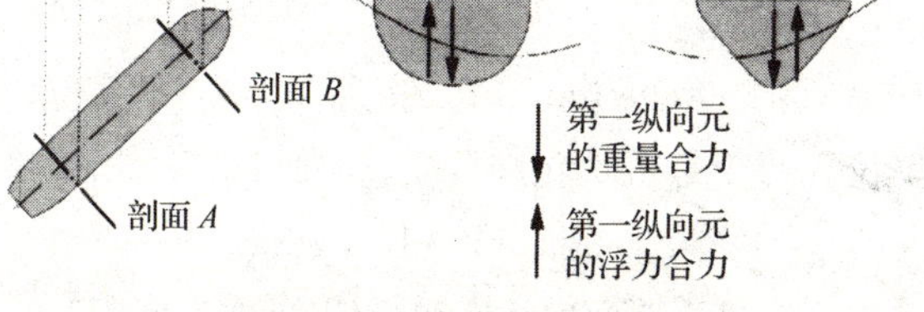

图 8.6.9　在斜浪中扭矩的产生

如果船有可观的静水扭矩发生横摇，则因此而产生另一扭矩，原因是每一横剖面上的惯性半径和载货重量不同。可利用横摇减摇装置来大大减小这一扭矩。因此，尽可能按重量对称装载，这不仅有助于减小在静水中的扭曲负荷，而且也有助于减小在波浪中的扭曲负荷。

甲板扭曲变形导致舱口开口发生平行四边形性变形，参见图 8.6.8。结果，在舱口开口的对角线上测量，可产生超过 100 mm 的变形。相反，舱口盖因具有足够的横向刚度，基本上不发生变形。因此，在舱口盖与舱口围板之间发生可观的位移。集装箱船因为航行时集装箱堆放在船的舱口甲板上，所以在确定固定设备的规格时要注意这一位移。

在航运实践中经常遇到的一种情况是进入浮船坞的情况，这种情况也适用相当梁理论的微分方程。此时的出发点是，坞的弯曲曲率与船的弯曲曲率完全相同

$$w''_{D}(x) = w''_{S}(x) = w''_{D+S}(x) \tag{8.6.45}$$

于是

$$\frac{M_{S+D}(x)}{E[I_S(x)+I_D(x)]} = \frac{M_S(x)}{EI_S(x)} \tag{8.6.46 a}$$

或

$$\frac{M_{S+D}(x)}{E[I_S(x)+I_D(x)]} = \frac{M_D(x)}{EI_D(x)} \tag{8.6.46 b}$$

因此，坞的弯矩适用

$$M_D(x) = \frac{M_{S+D}(x)}{1+\dfrac{I_S(x)}{I_D(x)}} \tag{8.6.47 a}$$

或

$$M_S(x) = \frac{M_{S+D}(x)}{1+\dfrac{I_D(x)}{I_S(x)}} \tag{8.6.47 b}$$

对弯矩 M_{S+D} 进行如上估算，第一次逼近可用

$$M_{S+D} = -\frac{11.4E(I_S+I_D)}{L^2}\cdot w_{(L/2)}/(\mathrm{kN\cdot m}) \tag{8.6.48}$$

式中，E = 弹性模数 210 000 N/mm^2，I_S 和 I_D 以 m^4 为单位，L 以 m 为单位，$w_{(L/2)}$ 以 mm 为单位。弯矩是否是允许弯矩，现在可估算如下。船的允许弯矩是

$$M_{允许} = \sigma_{允许}\cdot W\cdot 10^3/(\mathrm{kN\cdot m}) \tag{8.6.49}$$

如果中横剖面上的应有的最小剖面模数未知，可以近似地使用 W_{min}（$\sigma_{允许}$ 以N/mm^2 为单位，W 以 m^3 为单位）。

举例：货船 $L=140\,\text{m}$，宽 18.0 m，$H=12.0\,\text{m}$，$C_B=0.68$，

$W_{min}=4.25\,\text{m}^3$，$I_S=33.15\,\text{m}^4$，$M_{允许}=743\,750\,\text{kN·m}$。

浮船坞 $L=140\,\text{m}$，$I_D=8.4\,\text{m}^4$，$W_{min}=1.29\,\text{m}^3$，

$M_{允许}=225\,750\,\text{kN·m}$。

测得挠度为 100 mm。

结果：$M_{S+D}=507\,500\,\text{kN·m}$，$M_S=404\,900\,\text{kN·m}$，$M_D=102\,600\,\text{kN·m}$。两弯矩均小于允许弯矩。浮船坞承受总弯矩的约 20%，船承受约 80%。

因为一般浮船坞的刚度要比进坞的船小得多，所以浮船坞超载没有危险。当船长明显不同于坞长时，情况就不同了。这时有两种情况，一种是船明显较长，另一种是浮船坞明显较长（见图 8.6.10 和图 8.6.11）。比坞明显较长的船

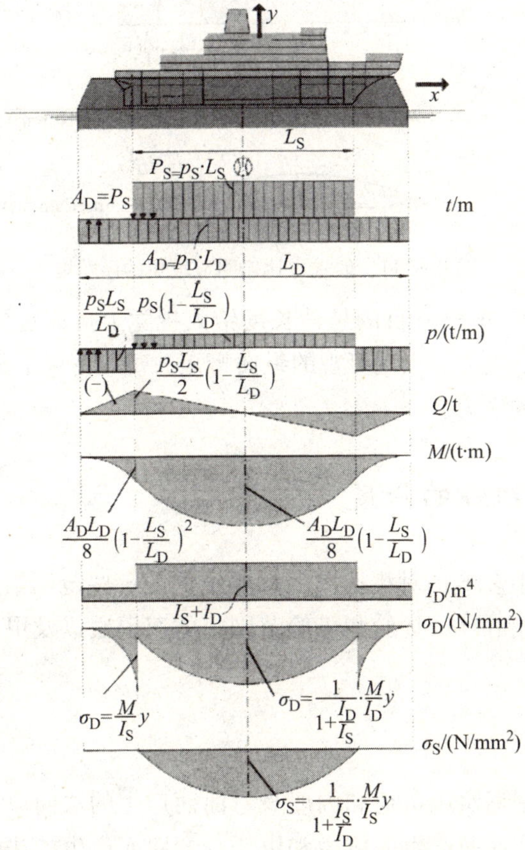

图 8.6.10 船进入比船明显较长的浮船坞

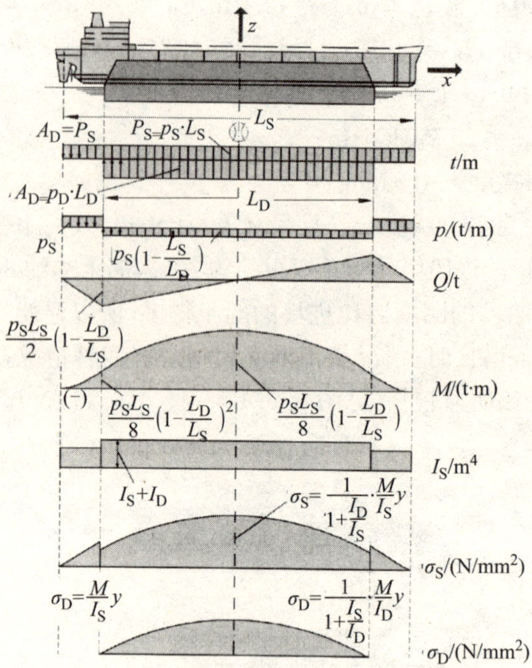

图 8.6.11　船进入比船明显较短的浮船坞

不会对坞造成危险，虽然醒目的悬伸长度给人视觉上造成这样印象。相反，比坞明显较短的船在坞内会出现可观的纵向弯矩。每一情况下都要测量挠度，并据此推断所出现的应力。

8.6.2　各个组件的强度

在航运实践中多半是对挑选出的船舶结构的一些范围给予关注。这些范围包括外板、舱壁和液舱、货舱和机舱范围内的双层底以及甲板上有舱口围板和舱口盖的区域。

外板

外板的板厚根据水压负荷和因船身弯曲而产生的法向应力和剪切应力而定。因为由外板弯曲而产生的应力和由船身弯曲而产生的法向应力在采用横骨架式的船上是相互叠加的，但在采用纵骨架式的船上有关的板应力垂直于所述法向应力，在与由船舶弯曲而产生的法向应力叠加时只需考虑其中的一部分，因此，采用横骨架式时的板厚要大于采用纵骨架式时的板厚。

舱壁

舱壁一般是按一侧受流体压力设计的。额定压力考虑到在涉及船舶运动时技术上可能的压头。允许应力主要根据航运中出现的频度而定。因此，人们的出发点是，例如在发生碰撞时或恶劣天气下全部灌满水，因而额定压力影响防撞舱壁的概率高。因此，防撞舱壁是这样定尺寸的，即在上述情况下出现的最大应力不超过钢的屈服极限。货舱范围用水密货舱舱壁隔开。如果机舱布置在船艉，则货舱的后舱壁构成机舱的前舱壁。机舱本身与艉尖舱用有填料函的舱壁隔开。这道舱壁之所以有这个名称，是因为传动轴穿过这道舱壁必须用填料函保证水密。总的来说，舱壁应该这样布置，即在一舱灌满水时（一舱浸水不沉）或两个相邻舱灌满水时（两舱浸水不沉）仍保持漂浮。出现这种状态的概率相对较低。因此，要这样来额定舱壁板的尺寸，即在额定尺寸情况下允许出现永久的塑性变形，但不允许舱壁出现破裂。

液舱

额定舱壁板尺寸的原则同样适用于在船上有不同尺度和用途的液舱。额定扶强材尺寸的原则是不得达到屈服极限。板所承受的应力非常高，是因为破裂之前的承载能力一般都非常高。每一液舱都必须有通气管、溢流管和探测管。通气管一般应通到干舷甲板以上 760 mm。灌注液舱时，例如加燃油时，通气管同时充当溢流管。为了在灌注时液舱溢流的瞬间不产生超压，溢流管横截面必须为灌注管横截面的 1.25 倍。通气管、溢流管和探测管要配上充分有效的关闭设备。此外还要保证液体不会外泄。

双层底

额定双层底的尺寸首先要看水压与载货压力之差，其次要看作为液舱使用的双层底内底的压力比。同时，双层底内底往往需要加厚，以防额外损伤。另外，双层底作为船体的重要组成部分参与整个船体的弯曲。根据以上这些功能，额定结构尺寸是范围相当广泛和细致的。双层底有纵骨架式和横骨架式的区别。横骨架式要在每一根肋骨上布置肋板。纵骨架式只需每隔两根肋骨布置一道肋板，外板和双层底内底还要用纵骨扶强。另外，双层底都有相应的纵桁。这样构成的交叉梁系具有高强度，因此局部超载一般不意味着有特别的危害。甚至搁浅时外底受到较大的损伤，大多数情况下也不会导致船舶受到严重危害。因此，双层底是船舶安全的基本要素。另外要注意，在双层底内装运重油，要在预热的状态下才能用泵输送。这意味着双层底液舱必须装备预热盘管。

机舱范围内双层底的建造必须保证今天非常大的柴油机能够安全和可靠地安装在基座上。对此，船舶运行期间吃水和温度的变化所引起的变形有很大关系。机舱范围内双层底的挠度对推进主机功能的影响可从曲轴振动上看出来。曲轴振动的变化明显提示双层底的挠度发生了变化。由于吃水变化和双层底内水或液体温度的影响以及海浪中水动力的影响，所造成的机舱范围内双层底的变形可能达到数毫米之多。

甲板

由于天气条件和装载作业的关系，甲板区域要承受很大的负荷。通常，人们以这一负荷至少等于 16 kN/m² 为出发点。对于干舷很小的船舶来说，这一负荷可能是太高了。详细情况请查阅船级社的规范。当需要运送甲板载货时，必须考虑相应的设计载荷。对于甲板载荷，必须考虑其作为船体上部固定构件而承受船体弯曲所产生的应力。

为了凸显允许应力对甲板变形影响的意义，可做以下简单的估算。设

$$\sigma_{\text{允许}} = E\varepsilon, \quad \sigma_{\text{允许}} = 175/k, \quad \varepsilon = \frac{\Delta l}{l} \tag{8.6.50}$$

弹性模数为 210 000 N/mm²，所得变形为

$$\Delta l = \frac{l}{1\,200k}$$

装运 40 英尺集装箱的现代集装箱船的舱口开口为 12.40 m 长。这样，当采用高强度钢($k=0.71$)时，甲板在纵向应力作用下，舱口变形达 14.5 mm。这属于扭曲造成的变形。

甲板区域在大多数情况下是全船承受应力最高的区域。除了弯曲和扭曲所造成的应力外，装载作业可给很多结构细部，如栏杆、舱口围板、步桥和舱口角隅等，带来严重裂纹的危险，甚至可能导致全船崩溃。

8.6.3　各个结构细部的强度

大多数情况下，损伤发生在结构细部上，其中常见的是由操作引起的损伤。例如，一根支柱由于轻微的预变形在某种程度上失去其承载能力。这可以简单

地用以下估算来证明：

有一根上、下自由支撑的支柱，长度为 l，承受载荷 F，发生在 1/2 支柱长度上的预变形为 w_O，亦参见参考文献[8.6.3]。如此，得支柱上的最大应力为

$$\sigma = \frac{F}{A} + \frac{M}{W} \tag{8.6.51}$$

式中，A 是支柱横截面，M 是弯矩，近似等于

$$M = F \cdot w_O \frac{1}{1 - \frac{F}{F_{ki}}} \tag{8.6.52}$$

临界断裂负荷近似为

$$F_{ki} = \frac{E \cdot I \cdot \pi^2}{l^2} \tag{8.6.53}$$

式中，I 为支柱的面积惯性矩，E 为弹性模数。支柱的剖面模数是 W。其出发点是，达到屈服极限就是支柱的承载能力已经耗尽

$$\sigma = R_{eH} \tag{8.6.54}$$

以

$$\delta^2 = \frac{R_{eH} \cdot A}{F_{ki}} \quad 和 \quad \eta = \frac{w_O \cdot A}{W} \quad 和 \quad \sigma_m = \frac{F}{A}$$

于是得

$$\frac{R_{eH}}{\sigma_m} = 1 + \frac{\eta}{1 - \frac{\sigma_m}{R_{eH}}\delta^2} \tag{8.6.55}$$

这一公式改写成可用的形式为：

$$\frac{\sigma_m}{R_{eH}} = \frac{1 + \delta^2 + \eta - \sqrt{(1 + \delta^2 + \eta)^2 - 4\delta^2}}{2 \cdot \delta^2} \tag{8.6.56}$$

极限情况下，即没有预变形的情况下，就是说当 $\eta=0$ 时变成

$$\frac{\sigma_m}{R_{eH}} = 1 \quad 当\ \delta \leqslant 1\ 时；$$

$$\frac{\sigma_m}{R_{eH}} = \frac{1}{\delta^2} \quad 当\ \delta > 1\ 时。$$

根据 Perry-Robertson 方法所做的这一估算清楚地表明，预变形是如何减小了支柱的承载能力。下面举例说明预变形的效果。

举例：一根管支柱，直径 159 mm，壁厚 4.5 mm，长 $l=2.80$ m，设变形为 10 mm。没有预变形时，即当 $\eta=0$ 时，$\sigma_m/R_{eH}=1$，当支柱达到屈服极限时，支柱才崩溃，就是说，这是一非常保守的设计。如果支柱在其 1/2 长度处有所述挠

度 $w_O=10\,\text{mm}$，即 $\eta=0.266$ 和 $\delta^2=0.298$，则 $\sigma_m/R_{eH}=0.58$。这意味着支柱几乎已经失去了其承载能力的一半。

单一构件的计算是按照船级社基于一般梁、板理论的公式进行的。这些公式都有一定的保险系数，以避免达到材料的屈服极限。如果借助基于有限元法数字计算模型的详细计算程序直接进行计算，则由船级社直接规定计算方法所不允许超过的允许应力(见图 8.6.12)。

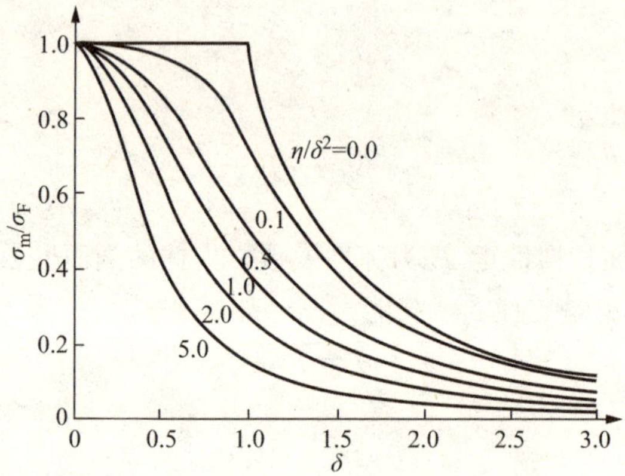

图 8.6.12　支柱有预变形时承载能力减小

8.6.4　船舶结构的振动

船舶钢结构的振动是由多种多样的原因引起的，包括海浪、螺旋桨或不同的发动机和泵。今天，结构分析的新方法不仅能计算无阻尼自由振动，而且，如果成功地对阻尼做出恰当的假设，也能计算实际的振幅。

船体振动

因为大型蒸汽机没有充分的质量平衡，所以 19 世纪横渡大西洋的汽轮曾发生剧烈振动。对弯曲振动进行最简单的计算是以相当梁理论为基础进行的。计算适用质量均布梁的偏微分方程

$$EIw^{\mathrm{IV}}(x,t)=-\rho\cdot A\cdot\ddot{w}(x,t)\tag{8.6.57}$$

时间项可容易地用 $w(x,t)=z(x)\cdot e^{-i\omega_0 t}$ 消除。这样即得普通的微分方程

$$\alpha^4=\frac{\rho A}{EI}\cdot\omega^2\tag{8.6.58}$$

$$z^{\mathrm{IV}}(x)-\alpha^4 z(x)=0\tag{8.6.59}$$

这一方程的解为

$$z(x) = c_1 \sin h\alpha x + c_2 \cos h\alpha x + c_3 \sin \alpha x + c_4 \cos \alpha x \tag{8.6.60}$$

因为船体被理想化为一自由振动的梁，所以确定船艏和船艉的常数 c_i 的边界条件是：当坐标系布置在船中心时，以 $z=\pm L/2$ 对应 $z''=z'''=0$ 和 $z=0$ 对应对称振动情况 $z=z'''=0$，并适用于反量规振动模式 $z=z''=0$。由此得出两个齐次方程系，当其系数行列式变为零时，该方程系有不普通的解。所以需要寻找方程的零位

$$\tan h\frac{\alpha L}{2} \pm \tan\frac{\alpha L}{2} = 0 \tag{8.6.61}$$

并在下表中列出：

对 称		反量规	
n	$\alpha_n L/2$	n	$\alpha_n L/2$
1	2.365	2	3.926
3	11π	6	13π
k	$(2k+1)\pi$	$k+1$	$(2k+3)\pi$

圆频率为

$$\omega_{\mathrm{O},n} = \alpha_n^2\sqrt{\frac{EI}{\rho A}} \tag{8.6.62}$$

对钢而言，$E=210\,000\ \mathrm{N/mm^2}$，$\rho=8.0\cdot10^{-9}(\mathrm{N\cdot s^2/mm^4})$，$A$ 以 $\mathrm{mm^2}$ 为单位，L 和 I 以 m 或 $\mathrm{m^4}$ 为单位。

以 Hz 为单位计的频率为

$$f_{\mathrm{O},n} = \frac{\omega_{\mathrm{O},n}}{2\pi} \tag{8.6.63}$$

使用常数 c_i 的解，则导致不同的振动模式。原因在于固有振动计算的特性，即除了常数 c 以外，振动模式是可以确定的。这里，这一常数规定为：在艏垂线上 $c=1$。于是，对于对称振动模式得

$$z = c\left(\cos h(\alpha_0 x) + \frac{\cos h\left(\frac{\alpha_0 L}{2}\right)}{\cos\left(\frac{\alpha_0 L}{2}\right)}\cos(\alpha_0 x)\right) \tag{8.6.64 a}$$

对于反量规振动模式得

$$z = c\left[\sin h(\alpha_0 x) + \frac{\sin h\left(\dfrac{\alpha_0 L}{2}\right)}{\sin\left(\dfrac{\alpha_0 L}{2}\right)}\sin(\alpha_0 x)\right] \tag{8.6.64b}$$

振动模式表明，期望的最大振幅是在船艏和船艉。因此，在船体发生各种谐振的情况下，靠近船艉布置的上层建筑倾向于仰俯振动。在振动等级较高的情况下，抗剪刚度有很大影响，所以较高等级的实际固有频率明显低于根据上文所推导的结果(见图 8.6.13)。

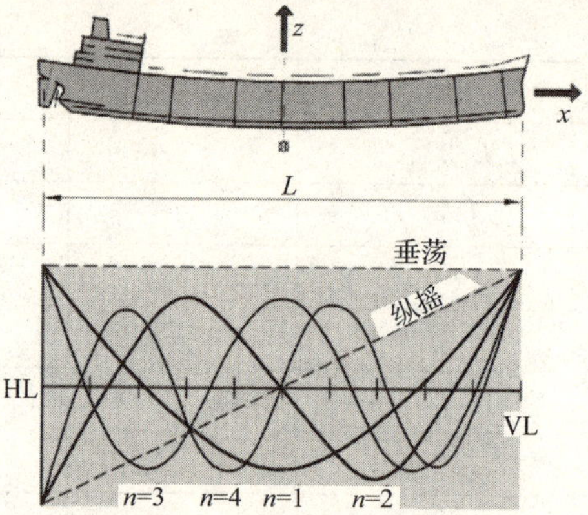

图 8.6.13　质量分布不变和惯性矩不变时船的垂向弯曲振动

为了能很快地了解概貌，可根据 Kumai(1968 年)的研究用下列算式估算二节点振动的固有频率：

$$f_{O,2k} = 3.07 \cdot 10^6 \sqrt{\frac{I}{\Delta_i \cdot L^3}} \tag{8.6.65}$$

式中，I 以 m^4 为单位，Δ 是船的质量(含水动力质量的作用，以 t 为单位)，L 以 m 为单位。质量应规定

$$\Delta_i = \left(1.2 + \frac{B}{3 \cdot T_g}\right) \cdot \Delta \tag{8.6.66}$$

对于较高的频率(参见图 8.6.14)，可假设

$$f_{O,n} = (n-1)^{\mu} \cdot f_{O,2k}$$

式中，指数 μ 对油船取 1.02，对散货船取 1.0，对干货船取 0.845。惯性矩可借用 $I = 3 \cdot 10^{-2} \cdot W_{min} \cdot L/k$。

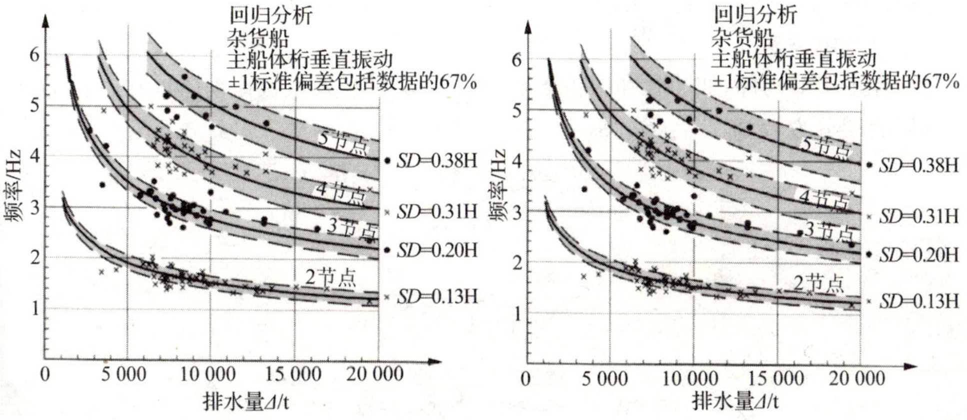

图 8.6.14 根据 Johannessen 和 Skaar(1980 年)的研究对不同船型固有频率的测量和计算结果

局部构件的振动

在船上经常可以观察到局部构件发生谐振式的振动。假如有被集中的单一物质 m,其周围的结构就可以使用一个单一弹性常数。根据上文所述推导,单一物质振动体的固有频率为

$$f_O = \frac{1}{2\pi}\sqrt{\frac{c}{m}} \tag{8.6.67}$$

弹性常数是

$$c = \frac{P}{\vartheta_{静态}}$$

式中,P 是单一物质的重量;$\vartheta_{静态}$ 是物质单一重力作用下的挠度。以 $P=m\cdot g$ 和 $g\approx 100\pi^2$ 得简单算式为

$$f = \frac{5}{\sqrt{\vartheta_{静态}}} \tag{8.6.68}$$

其中 $\vartheta_{静态}$ 必须用 cm 为单位。

如果物质被分散,则适用质量均布梁的微分方程,该微分方程早已应用于船体振动的计算。不同情况使用相应的边界条件,不逐一列举,这里概括最重要的情况。两端自由支撑梁固有振动的固有频率为

$$f_O = \frac{\pi}{2l^2}\sqrt{\frac{EI}{\rho A}} \tag{8.6.69}$$

对钢而言，取 $E=210\,000\ \mathrm{N/mm^2}$，$\rho=8.0\cdot10^{-9}\ \mathrm{Ns^2/mm^4}$，$A$ 以 $\mathrm{mm^2}$ 为单位，L 和 I 以 mm 或 $\mathrm{mm^4}$ 为单位。

除了梁形构件，如肋骨和甲板横梁上的振动外，还发生板振动(见图 8.6.15)。适用的微分方程为

$$\frac{\partial^4 w}{\partial x^4}+2\frac{\partial^4 w}{\partial x^2\partial y^2}+\frac{\partial^4 w}{\partial x^4}=-\frac{\rho\cdot h}{N}\cdot\frac{\partial^2 w}{\partial t^2} \tag{8.6.70}$$

其中 h 是板厚，还有

$$N=\frac{Eh^3}{12(1-\nu^2)}$$

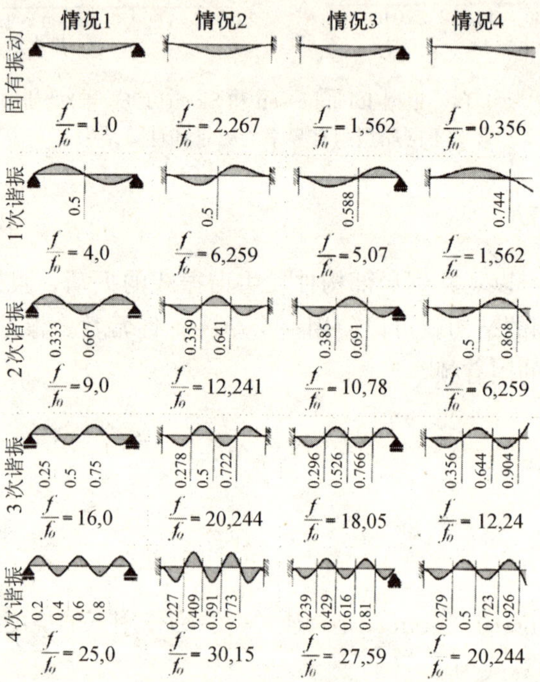

图 8.6.15　边界条件不同时梁的固有频率和本征形式

钢的横向收缩系数为 $\nu=0.3$。尺寸为 $a\times b$ 的矩形钢板固有振动的解是

$$w(x,y,t)=y\cdot e^{-i\omega t}\sin\frac{\pi x}{a}\sin\frac{\pi x}{b} \tag{8.6.71}$$

这一解代入微分方程，然后得

$$\left(\frac{\pi}{a}\right)^4+2\left(\frac{\pi}{a}\right)^2\left(\frac{\pi}{b}\right)^2+\left(\frac{\pi}{b}\right)^4=\frac{\rho h}{N}\omega^2 \tag{8.6.72}$$

设 $\alpha=a/b$，得板的最低固有频率为

$$f_0 = \frac{\pi}{2b^2}\sqrt{\frac{E \cdot h^2}{12(1-\nu^2) \cdot \rho}} \tag{8.6.73}$$

不同展弦比和边界条件下的固有频率如图 8.6.16 所示。

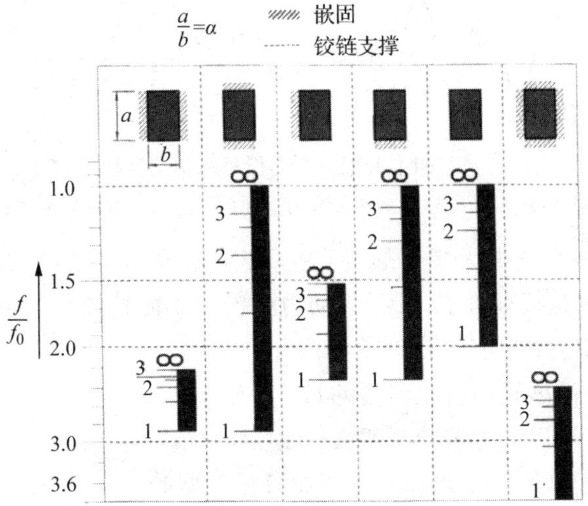

图 8.6.16　不同边界条件和展弦比下板的固有频率

激励频率与固有频率交会在阻尼很小的情况下大多数会导致干扰性振动，某些情况下甚至导致破坏性振动，因此应当避免。主要激励源是激励频率为 $\omega = i \cdot n \cdot z/60(\mathrm{Hz})$ 的螺旋桨。

推进主机的激励规定为

$$阶数 = \frac{激励频率}{转速}$$

低速二冲程柴油机的激励规定为Ⅰ，Ⅱ，…，N 阶。四冲程柴油机的激励作用也可以为半阶。

8.6.5　工作强度

船舶焊接结构在大多数情况下是承受按时间变化的负荷。这些负荷产生的原因是装货/卸货周期、海浪，或由不同类型的机器引起的振动负荷。因为当前还没有纯理论的预先计算方法能可靠地确定裂纹生成，所以人们都依赖试验。实际上不可能模仿真实的负荷，所以不得不选择简化的高频率负荷变化，并用可信的理论假设或理由将试验结果转化为实际的船舶结构。为了限制试验费用，常常使用小试样。小试样包括对使用寿命有重要影响的局部的细部几何形状。船上典型的应力随时间无规律变化如图 8.8.17 所示。

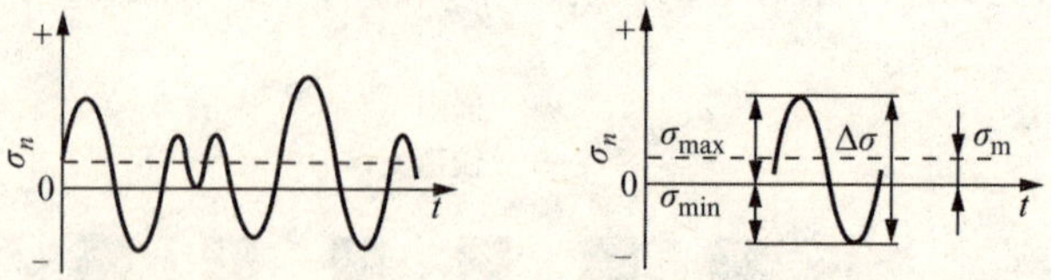

图 8.6.17　船上典型的应力信号和负荷变换的定义

$\Delta\sigma$=应力摆动宽度，σ_{max}，σ_{min}，=最大和最小负荷变换/(N/mm²)，$\sigma_m=(\sigma_{max}+\sigma_{min})/2$

这样的信号本来是无规律的，但为了能分解成均匀分量，人们假定它在规定的一段时间内是周期性的。因此，动力激振的不同特性以所谓群的形式来描述。船级社所用的群(见图 8.6.18)如下：

A：直线群(对海浪激励而言是典型的)；

B：抛物线形群(逼近应力摆动宽度 $\Delta\sigma$ 的正态分布)；

C：矩形群(均匀激励，对主机和螺旋桨而言是典型的)。

对波浪应力一般可规定为直线群，负荷变换数 $n_{max}=5\cdot10^7$。

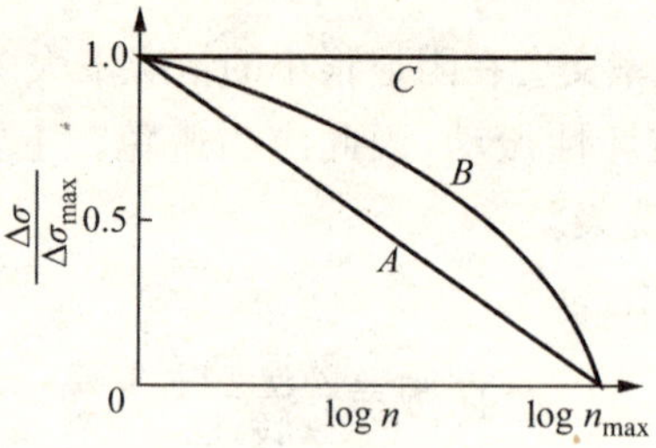

图 8.6.18　造船结构的应力群，$\Delta\sigma_{max}$群内的最大应力摆动宽度

使用寿命计算的起点当然首先是对相应构件的试验结果。这类试验的结果用所谓的韦勒曲线(Wöhlerlinie)表示，以纪念最早在铁路车轮组上进行此类试验的 August Wöhler。韦勒曲线又叫做 S-N 曲线(英文：S-N curves)。振动应力是均匀的，所以相当于 *C* 群，用复对数形式表示。试验结果自然离散，所以人们在考虑一定的生存概率的情况下按高斯正态分布进行分析。分析时分成 3 个范围：

K：短时强度，一般在造船中意义不大；

Z：疲劳强度，这一范围内可承受的负荷变换与应力级有关；

D:预期没有崩溃的耐久强度范围。

韦勒曲线(见图 8.6.19)在疲劳强度范围内可以用

$$N=\frac{c}{\Delta\sigma^m}$$

表示。取这一函数的对数,然后得:

$$\log N=\log c-m\cdot\log\Delta\sigma$$

m 是韦勒曲线在疲劳强度范围内的斜度。

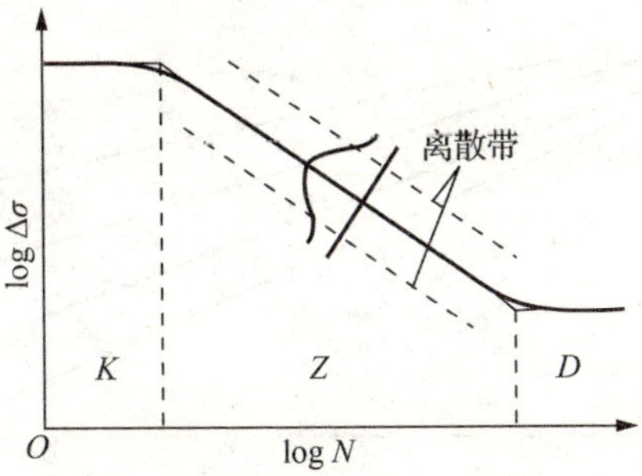

图 8.6.19 以韦勒曲线形式简化表示的使用寿命试验结果

图 8.6.20 表示了群对可承受负荷变换高度的巨大影响。在一定的应力摆动宽度下,如在矩形群 C 中 $2\cdot10^6(\Delta\sigma_{max0})$的摆动宽度高出 4 倍的应力摆动宽度下,在造船直线群 A 与抛物线群 B 之间可承受的载荷循环次数中有大于 10% 的差额。更新的研究已经证明,即使在耐久强度的范围内也可能发生断裂,所

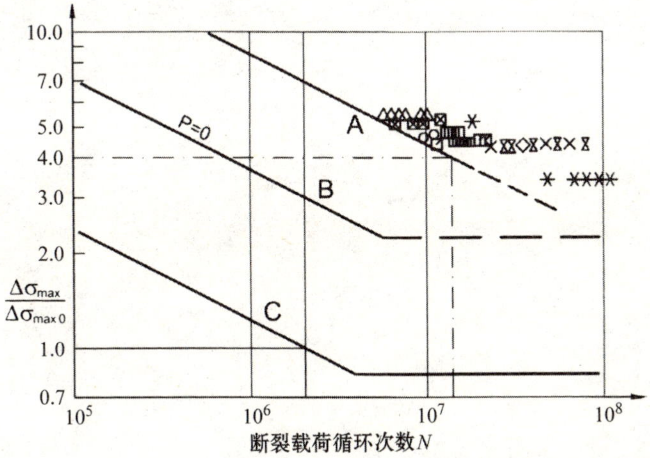

图 8.6.20 不同群的韦勒曲线

以人们在这一范围内以韦勒曲线有一定的坡度为出发点。人们在疲劳强度范围内以 $m=3$ 的坡度为出发点，而在耐久强度范围内则选择 $m=5$ 的斜度为出发点。

重要的是认识到基本材料的工作强度与实际结构的特性有明显区别。焊接接头和表面腐蚀的影响在很大程度上减少了使用寿命。

Todorski 的研究结果(见图 8.6.21)不可直接用到船舶结构上，但清楚地证明了焊接结构和腐蚀的影响与使用寿命的关系。

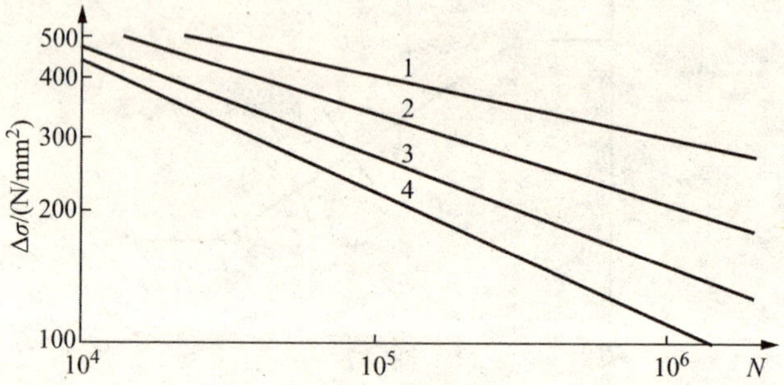

图 8.6.21 焊接十字接头的韦勒曲线

1. 基体材料在空气中；2. 基体材料在摄氏 30℃的海水中；

3. 焊接试样在空气中；4. 焊接试样在摄氏 40℃的海水中

(根据 Todorki，1978 年)

8.7　船舶运动

船舶运动应当理解为由相应的复原力引起的以相同或类似方式多次重复发生的各种动态现象。通常，船舶运动分为刚性船体的船舶运动和弹性船体或弹性船体单一部件的船舶运动。其中，弹性船体或弹性船体单一部件的船舶运动又叫做振动，而刚性船体的船舶运动则称为船舶振荡。严格的船舶振荡有时是与稳定临界状态相关，所以，与其如 8.4 节中所讲的那样把它作为准静态平衡问题来描述，还不如把它作为振荡问题来描述更好些。当然，这样的思路在今天还不能令人满意地站得住脚，而且还特别错综复杂，因此，这里只能相对简单地考虑一些在使用中值得关注的问题。

8.7.1　波浪中的船舶运动(垂荡、纵摇、横摇)

如上所述，描述船舶运动的出发点是船体为刚性，运动可以被描述为重心的移动。船体共有 6 个运动分量，可能单独出现，但也可能联合出现。如图 8.7.1 所示，6 个运动分量是指 x 方向的纵荡运动，y 方向的横荡运动以及 z 方向的垂荡(升沉)运动。还有绕 x 轴的横摇运动 φ，绕 y 轴的纵摇运动 ψ，和绕 z 轴的艏摇运动 ϑ。并非所有运动都导致上述意义上的振荡，因为纵荡、横荡运动和艏摇运动都没有复原力出现。

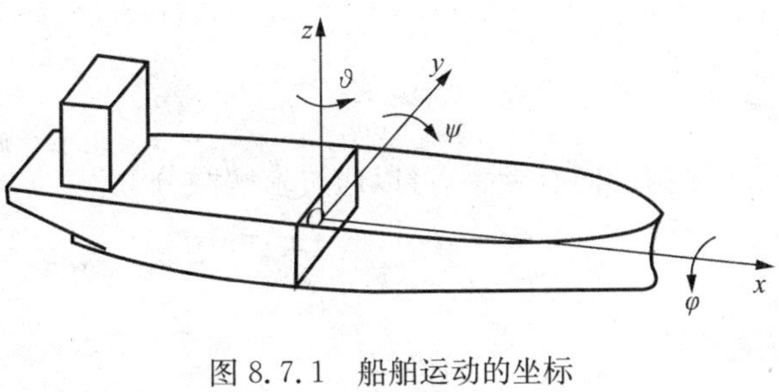

图 8.7.1　船舶运动的坐标

船体运动可用线性的单一物质振动体模型来描述(见图 8.7.2)。模型由刚性物质构成，具有惯性力 $m\ddot{x}$(质量 m 乘以加速度 $\ddot{x}$)，线性弹性复原力 cx(弹性常数 c 乘以弹簧行程 x)以及阻尼力 $d\dot{x}$(阻尼系数 d 乘以速度 $\dot{x}$)。这些力在每

一时间点与激励力 $P(\omega t)$ 平衡(见图 8.7.2)。

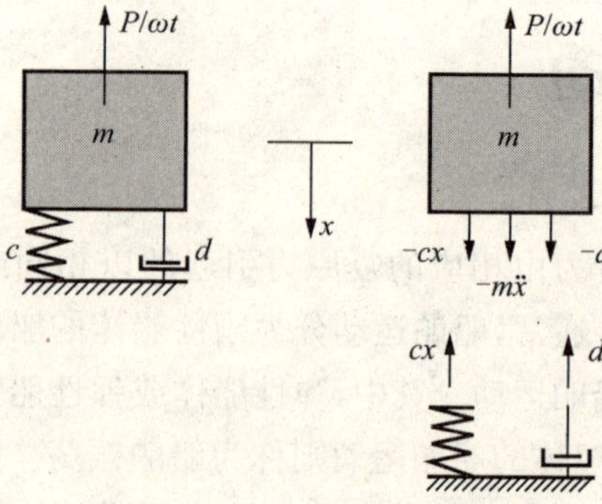

图 8.7.2　单一物质振动体模型

因此

$$m\cdot\ddot{x}+d\cdot\dot{x}+c\cdot x=P(\omega t) \tag{8.7.1}$$

首先来看自由和无阻尼振荡,并得

$$m\cdot\ddot{x}+c\cdot x=0 \tag{8.7.2}$$

这一方程的解为

$$x=X\cdot\sin(\omega_O t+\varepsilon) \tag{8.7.3}$$

其中,无阻尼固有振荡的圆频率 ω_O 为

$$\omega_O=\sqrt{\frac{c}{m}} \tag{8.7.4}$$

频率以赫兹(Hz)为单位,

$$f=\frac{\omega_O}{2\pi}$$

周期以秒(s)为单位,

$$T=\frac{2\pi}{\omega_O}$$

下一个是阻尼振荡的固有频率,可以通过求解微分方程

$$m\cdot\ddot{x}+d\cdot\dot{x}+c\cdot x=0 \tag{8.7.5}$$

而得。为此,用

$$\delta=\frac{d}{2m}$$

改写这一方程,然后得

$$\ddot{x}+2\delta\cdot\dot{x}+\omega_O^2\cdot x=0 \tag{8.7.6}$$

这一齐次微分方程的解是

$$x = X \cdot e^{-\delta t} \cdot \sin(\omega_D t + \varepsilon) \tag{8.7.7}$$

由此得

$$\vartheta = \frac{\delta}{\omega_O} = \frac{d}{2\sqrt{m \cdot c}} \tag{8.7.8}$$

阻尼圆频率为

$$\omega_D = \omega_O \sqrt{1 - \vartheta^2} \tag{8.7.9}$$

一般情况下阻尼不大，因此计算无阻尼圆频率要简单得多，足以用来对振荡进行评估。

阻尼强迫振荡微分方程的非齐次解是

$$x = A\sin\omega t + B\cos\omega t \tag{8.7.10}$$

$$\text{或以}\quad X = \sqrt{A^2 + B^2} \quad \text{和} \quad \tan\varepsilon = \frac{B}{A}$$

$$x = X \cdot \sin(\omega t + \varepsilon)$$

因为函数 $\sin\omega t$ 和 $\cos\omega t$ 是相互正交的，所以可以为未知常数 A 和 B 的 $\sin\omega t$ 和 $\cos\omega t$ 项建立两个分离的方程，其中，作为激励力选择的是 $P(\omega t) = P \cdot \cos\omega t$。

$$A(c - m\omega^2)\sin\omega t - B\omega d\sin\omega t = 0 \tag{8.7.11}$$

$$A\omega d\cos\omega t + B(c - m\omega^2)\cos\omega t = P \cdot \cos\omega t$$

所以很容易得

$$X = P\frac{1}{\sqrt{(c - m\omega^2)^2 + (\omega d)^2}} \tag{8.7.12}$$

和

$$\varepsilon = \text{arctg}\left(\frac{\omega d}{c - m\omega^2}\right)$$

在无因次表达式中，设 $\eta = \omega/\omega_O$，得所谓的放大函数，也叫传递函数(见图 8.7.3)

$$V = \left|\frac{X \cdot m\omega_O^2}{P}\right| = \frac{1}{\sqrt{(1 - \eta^2)^2 + (2\eta\vartheta)^2}} \tag{8.7.13}$$

和相位角 ε

$$\varepsilon = \arctan\left(\frac{2\eta\vartheta}{1 - \eta^2}\right) \tag{8.7.14}$$

总解于是为

$$\frac{x}{X} = \sin(\omega t + \varepsilon) + e^{-\vartheta\omega_O t} \cdot \sin(\omega_D t + \varepsilon) \tag{8.7.15}$$

为了确定船的运动特性，必须计算垂荡、纵摇和横摇的惯性力 $m\ddot{x}$、复原力

cx 和激励力 $P(\varphi t)$。

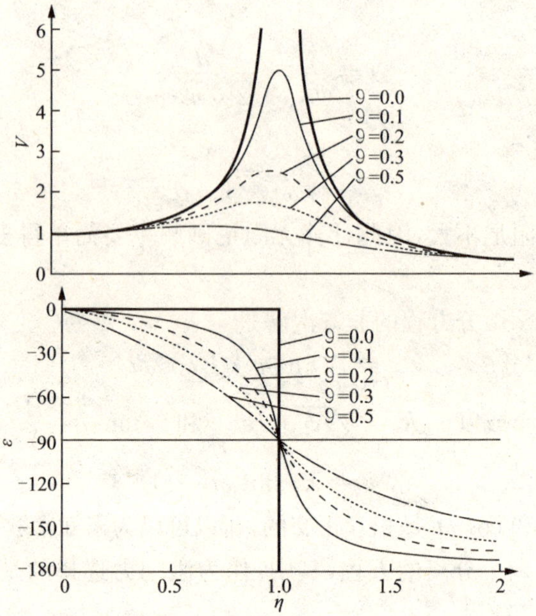

图 8.7.3　放大或传递函数 V 和相位角 ε

垂荡运动

在发生垂荡的情况下(见图 8.7.4),船体垂直振荡,即在 z 轴方向上振荡。所以复原力变成

$$c_z \cdot z = \rho_W g \cdot A_W(z) \cdot z \tag{8.7.16}$$

垂荡幅度小时,设水线面 $A_W(z)$ 不变,用最简单的方法得弹性常数

$$c_z = \rho_W g \cdot A_W \tag{8.7.17}$$

另外还要考虑惯性力

$$m \cdot \ddot{z} = (m_S + m_{hy}) \cdot \ddot{z} \tag{8.7.18}$$

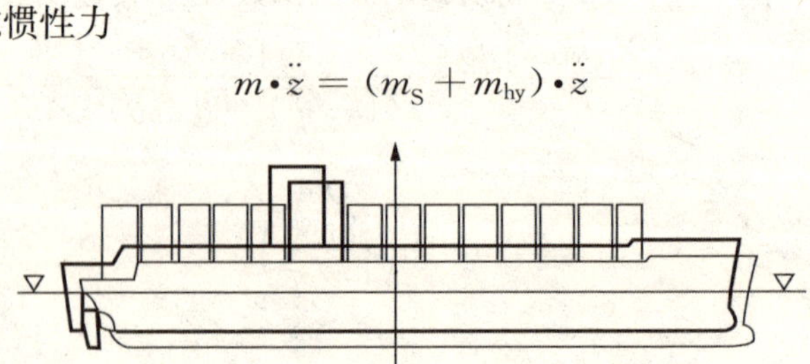

图 8.7.4　垂荡的复原力

运用阿基米德原理，可以简单地确定船的质量 $m_S = \rho_W \cdot B \cdot L \cdot T_g \cdot C_B$。为了确定所谓的水动力质量，船体线型有重要意义，并需要进行大量的数字计算。但其数量级就是船自身的质量。估算垂荡的圆频率可用 $A_W = \cdot B \cdot L \cdot C_W$ 和

$$C_W = \frac{1 + 2C_B}{2} \tag{8.7.19}$$

$$\omega_{O,z} = \sqrt{\frac{g}{2}\,\frac{1 + 2C_B}{3C_B}\,\frac{1}{T_g}} \tag{8.7.20}$$

在海浪中或在港内例如猛烈的卸货或装货，都可能激起垂荡。我们观测海浪的激励力 $P(\omega t) = P_z \cos\omega t$ 和垂荡运动 $z = Z\cos\omega t$，可以直接得到上文所推导的 Z 的传递函数。为了确定 P_z 首先要表述海浪(见图 8.7.5)。

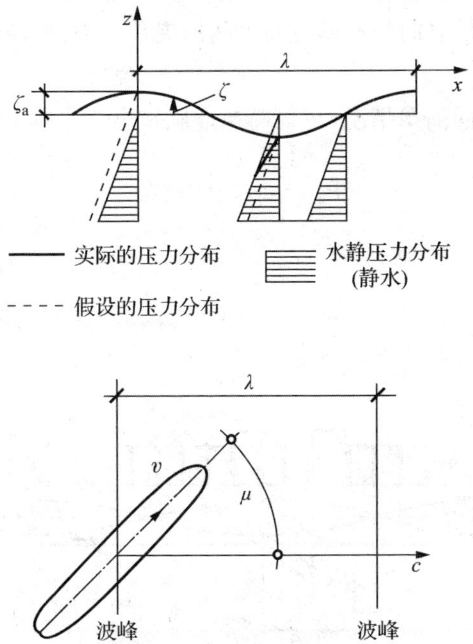

图 8.7.5　简单的谐波

在波浪中的压力分布不是与水静压力相应地随吃水线性增大，而是在波峰上与吃水成反比，在波谷中与吃水成正比(史密斯效应)。如果把波形理解为变了形的准静力性质的水线，在考虑史密特效应的情况下，这将导致增加的波高较小。

波速和波周期为：

$$c=\sqrt{\frac{g\lambda}{2\pi}} \quad 和 \quad T=\frac{\lambda}{c} \tag{8.7.21}$$

以及波圆频率

$$\omega=\sqrt{\frac{2\pi g}{\lambda}} \tag{8.7.22}$$

然后得波的函数为

$$\zeta=\zeta_a\cos\left(\frac{2\pi\cdot x}{\lambda}-\omega_E t\right) \tag{8.7.23}$$

假定观测者在航行的船上与波浪一起运动，观测到的圆频率为

$$\omega_E=\omega-\frac{\omega^2}{g}v_S\cdot\cos\mu \tag{8.7.24}$$

其中，v_S 是波速，μ 是航向与波的方向之间的夹角。因此，波长 $\lambda_E=\lambda/\cos\mu$ 也变得较长。

对于 μ 等于零的简单情况，可以简单地确定力 P_z

$$P_z=2\rho_W g\int_0^L \zeta\cdot y\mathrm{d}x \tag{8.7.25}$$

为了表述水线，可以采用 8.6 节中的 y。然后以 $m=m_S+m_{Hy}$ 得垂荡幅度（见图 8.7.6）

$$z=\frac{P_z}{m\omega_O^2}\cdot V \tag{8.7.26}$$

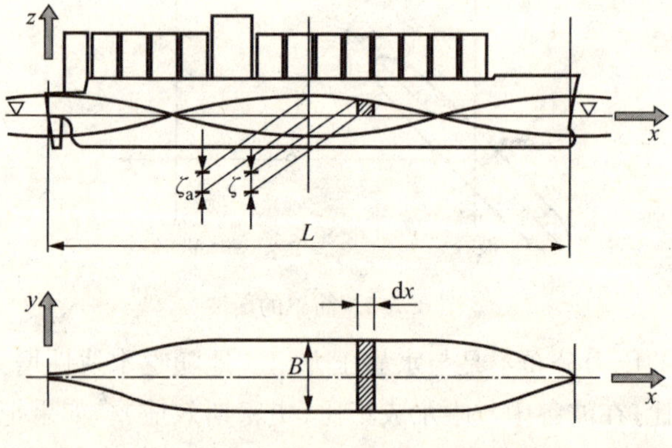

图 8.7.6　船在规则波浪中的垂荡

不难看出，例如，对于一浮箱来说，当波长等于船长时，力 $P_z=0$，因为上浮和下沉同等的体积。同样重要的是，随着波长的增加，丰满系数较小的船，其垂荡力也较小。

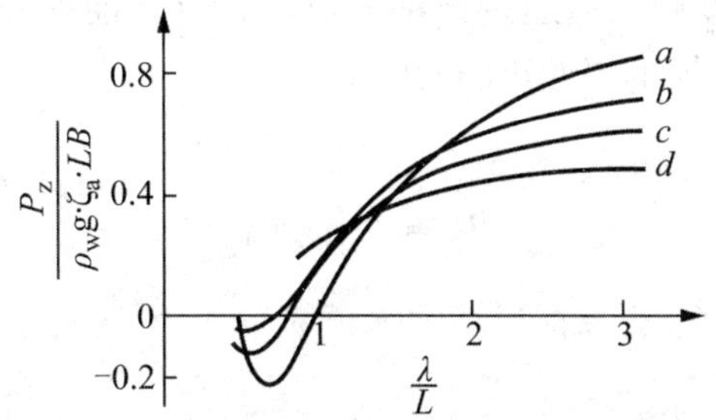

图 8.7.7　垂荡力幅度与波长和不同水线面面积系数的关系

a 为 $C_W=1.0$；b 为 $C_W=0.80$；c 为 $C_W=0.67$；d 为 $C_W=0.53$

纵摇运动

如图 8.7.8 所示，复原力矩是

$$c_\psi \cdot \psi = \Delta \cdot \overline{BM}_L \cdot \psi \tag{8.7.27}$$

其中，

$$\overline{BM}_L = \frac{I_L}{\nabla} \tag{8.7.28}$$

于是得常数 c_ψ 为

$$c_\psi = \rho_W g I_L \tag{8.7.29}$$

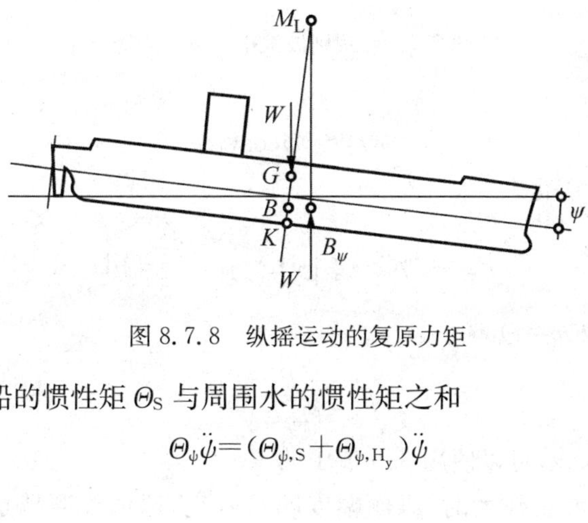

图 8.7.8　纵摇运动的复原力矩

惯性力为船的惯性矩 Θ_S 与周围水的惯性矩之和

$$\Theta_\psi \ddot{\psi} = (\Theta_{\psi,S} + \Theta_{\psi,H_y}) \ddot{\psi}$$

船的惯性矩是

$$\Theta_{\psi,S} = \frac{\Delta}{g} \cdot I_\psi^2 \tag{8.7.30}$$

惯性半径当然取决于船上的质量分布，与载货状态有关。合理的估算是 $i_\psi =$

0.25L。周围水的作用只能通过详细的数字计算才能准确地确定。为了简单起见，该作用假定为船的惯性矩的 50%。

利用

$$I_{\mathrm{L}} = \frac{B \cdot L^3}{12} C_{I_{\mathrm{L}}} \tag{8.7.31}$$

和 $\Delta = \rho_{\mathrm{w}} \cdot B \cdot L \cdot T_{\mathrm{g}} \cdot C_{\mathrm{B}}$ 得纵摇运动的圆频率为

$$\omega_{\mathrm{O},\psi} = \sqrt{\frac{8 \cdot g}{g} \frac{C_{I_{\mathrm{L}}}}{C_{\mathrm{B}}} \frac{1}{T_{\mathrm{g}}}} \tag{8.7.32}$$

系数 $C_{I_{\mathrm{L}}}$ 可根据 8.6 节确定。

为了确定由波浪生成的纵倾力矩，需要观测 $\lambda = L$ 时波浪的情况(见图 8.7.9)。波形的函数是

$$\zeta = \zeta_{\mathrm{a}} \sin\left(\frac{2\pi x}{\lambda} - \omega_{\mathrm{E}} t\right) \tag{8.7.33}$$

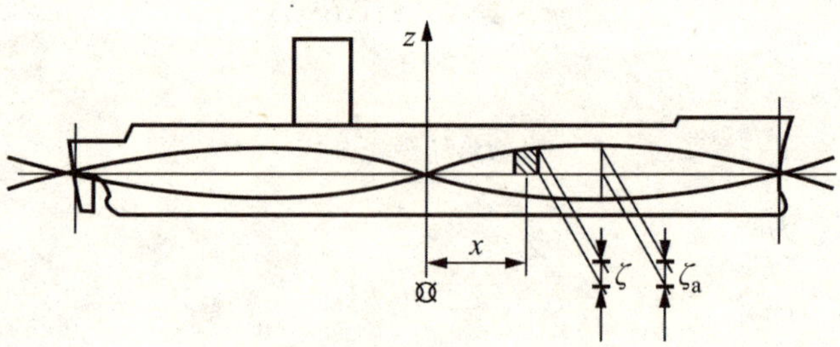

图 8.7.9　规则波浪中的纵摇力矩

纵摇运动是

$$\psi(t) = \psi \cos(\upsilon t) \tag{8.7.34}$$

然后，波浪纵倾力矩是

$$P_{\psi} = 2\rho_{\mathrm{w}} g \cdot \zeta_{\mathrm{a}} \int_0^L y \cdot x \cdot \sin\left(\frac{2\pi x}{\lambda}\right) \mathrm{d}x \tag{8.7.35}$$

纵倾角的幅度取 $m = \Theta_{\psi}$

$$\psi = \frac{P_{\psi}}{\Theta_{\psi} w_{\mathrm{O}\psi}^2} \cdot V \tag{8.7.36}$$

为了表述水线，可以使用 8.6 节中的 y。

不难看出，波长较大时，纵倾幅度明显减小，船体线型越是瘦长越是如此(见图 8.7.10)。

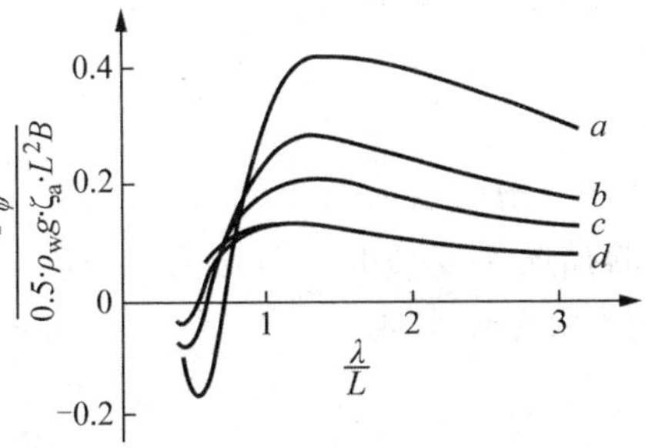

图 8.7.10 纵倾力矩幅度与波长和不同水线面面积系数的关系
a 为 $C_W=1.0$，b 为 $C_W=0.80$，c 为 $C_W=0.67$，d 为 $C_W=0.530$

横摇运动

垂荡和纵摇运动的幅度相对较小，而横摇运行时则可能出现非常大的横摇角。复原力是

$$c_\varphi \varphi = \Delta \cdot h(\varphi) \tag{8.7.37}$$

如 8.4 节所述，力臂曲线的变化 $h(\varphi)$ 明显是非线性的，此外，仅数字上为已知。因此，如垂荡和纵摇运动那样，利用线性振荡器来考虑复原力是不可能的。因此，一般是利用小角度下的力臂，尽管知道这在大横摇角下会产生错误的值。弹性常数 c_φ 于是确定为

$$c_\varphi = \Delta \cdot \overline{GM}_O \tag{8.7.38}$$

惯性矩采用与纵摇运动同样的方法确定

$$\Theta_\varphi \cdot \ddot{\varphi} = \frac{\Delta}{g} \cdot I_\varphi^2 \cdot \ddot{\varphi} \tag{8.7.39}$$

横摇运动时，周围水对质量的添加量当然比垂荡运动时要小得多，数量级大约为惯性矩 Θ_φ 的 10%到 20%。惯性半径 i_φ 一般确定为 $i_\varphi=0.35\sim0.45B$。

小角度下横摇运动的圆频率为

$$\omega_{O,\varphi} = (6.9 \sim 8.5)\,\frac{\sqrt{\overline{GM}_O}}{B} \tag{8.7.40}$$

式中，$\overline{CM}_O$ 和 B 以 m 为单位。横摇运动的阻尼比垂荡和纵摇运动时要小得多，因而衰减的时间比垂荡和纵摇运动时要长得多。在舷侧浪中航行时的横倾力矩

$$P_\varphi = \Delta \cdot \overline{GM}_O\,\frac{\mathrm{d}\zeta}{\mathrm{d}y} \tag{8.7.41}$$

其中，$d\zeta/dy$ 最大可变为 $\zeta_a \cdot 2\pi/\lambda$。横摇角于是变成

$$\varphi = \frac{P_\varphi}{\Theta_\varphi \omega_{O,\varphi}^2} \cdot V \tag{8.7.42}$$

这样考虑仅适用于小角度，角度较大时不精确。根据上文所述可知，对于规则波浪中船舶运动特性的描述是成功的。但是描述不规则波浪中船舶运动特性要复杂一些，因此必须参阅专业文献。

横摇试验

根据以上推导，至少可以确定小角度下船的横摇时间与稳性参数 $\overline{GM}_O$ 之间的关系

$$T = \frac{2\pi}{\omega_{O,\varphi}}$$

其前提为所涉及的是自由振荡，而不是波浪强迫振荡。如果在港内进行这样的横摇运动，则码头岸壁和限定水深均为影响因素。尽管如此，还是可以展开一个很实用的经验公式

$$T = (0.73 \sim 0.91) \frac{B}{\sqrt{\overline{GM}_O}} \tag{8.7.43}$$

因此建议通过测量横摇时间和选取 $\overline{GM}_O$ 来确定有关船的有效因数。

8.7.2　波浪中的稳定特性

对于垂荡、纵摇和横摇运动来说，波浪是根本的激励力。波浪因风和海流而产生，风和海流的方向和强度随时间而变化。因此给人以海平面不规则运动的印象。这种不规则性虽然不能用恰当的方式方法重现，但人们仍然可以在风和海流近似相同的情况下，以可比较的状态和周期性的海浪为出发点。这一假设证明，根据谐波运动中的波长、波高和频率对波浪进行分解是正确的。如 8.7.1节所述，任何一种此类谐波中的运动特性均可以很好的精确度进行测定，并通过叠加返回到自然海浪中的运动特性加以测定。假设一定的周期性海浪本身当然是随机的，因而服从其出现的随机定律。因此，实际的船舶运动当然也服从其出现概率的定律。由于横摇运动的复原力 $\Delta \cdot h(\varphi)$ 具有明显的非线性特性，基本上不能对横摇运动进行分析计算，所以只能利用非常错综复杂的推导才能进行表述，其中的一部分尚属研究的对象。但是，因为过去发生过一系列在海浪中的倾覆事故，近年来多次报道过关于未能预见的极端横摇运动造成

载货严重损失的情况，所以至少应当对极端运动特性的这种情况加以描述。

如果人们以船在静水中有足够的稳性储备为出发点，则在海浪中只能是因为有超大的激励力和力矩，例如因为有超大的海浪，即所谓“异常波”(freak waves)或因为复原力矩极大地衰减，才会发生倾覆的态势。据 8.4 节所述，复原力矩衰减可能是由于复原力臂 $h(\varphi)$ 极大地衰减造成的。在出现倾覆的状态之前，不稳定的状态必定延续一定的时间。在随浪中，当船在波速 c 范围内于波浪之前航行且有一定的时间跨在波峰上时，就可能发生这种情况[8.7.1]和[8.7.7]。这种情况下，波长等于船长特别关键。

当出现船在波峰上且波长等于船长这种情况时，力臂曲线大幅度衰减，衰减程度可能如此之大，以至于力臂曲线甚至变成负的。在这种情况下发生严重的静横倾，严重的静横倾在随后的过程中，例如由于货物滑动，最终导致倾覆。当然，这种情况的前提是船较长时间“跨”在波峰上。船速必须接近于波速(见图 8.7.11)。如果在傅汝德数

$$Fn=\frac{v_S}{\sqrt{g\cdot L}}$$

中代入波速

$$c=\sqrt{\frac{g\cdot\lambda}{2\pi}}$$

然后，以 $\lambda=L$，船速 v_S 等于波速 c 的 0.8，则得傅汝德数

$$Fn\geqslant\frac{0.8}{\sqrt{2\pi}}=0.32 \tag{8.7.44}$$

从此开始可能出现上述情况。

只有改变航向或显著改变船速方能避免这种情况。

最近有报道称大型集装箱船的船体型线在船艏和船艉有非常外飘的现象，这一现象不是在随浪中航行时，而是在顶浪中航行时观察到的。如果没有特别声明，以上所述是船舶的一系列极端的横摇运动，当然目的还是要阐明一般的横摇特性(见图 8.7.12)。

显然，结果并没有发生倾覆，但据报道，甲板上的集装箱却蒙受了严重的破坏和损失。参数量的船舶运动原则上可用下面的所谓马蒂厄(Mathieu)微分方程来表述(根据参考文献[8.7.3])。

$$\ddot{\varphi}+2\vartheta\omega_{O,\varphi}\dot{\varphi}+(\omega_m^2+\omega_a^2\cos(\omega_e t))\varphi=0 \tag{8.7.45}$$

式中，$\omega_{O,\varphi}$是根据上面的推导所得的圆频率，

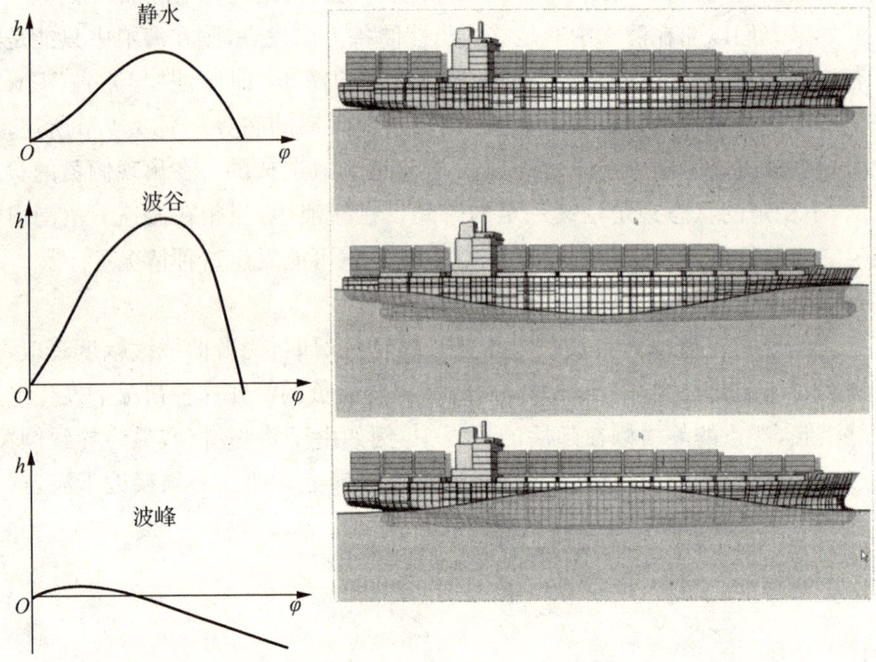

图 8.7.11　在静水中以及在波峰上和波谷中的复原力臂曲线（根据 Døhlie 2006[8.7.2]）

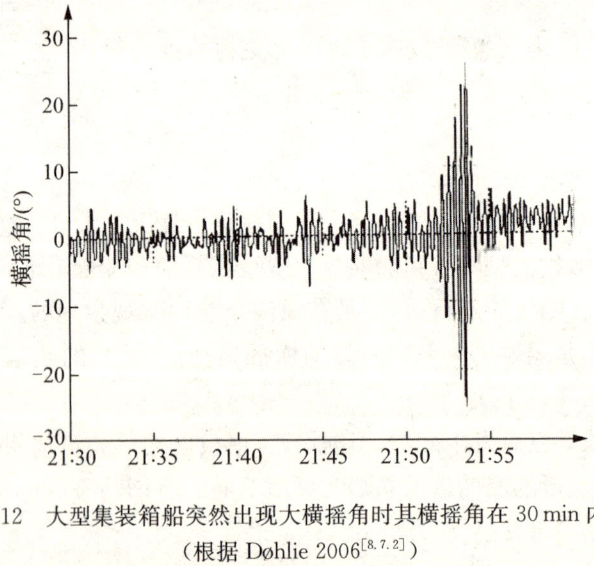

图 8.7.12　大型集装箱船突然出现大横摇角时其横摇角在 30 min 内的变化（根据 Døhlie 2006[8.7.2]）

$$\omega_{\mathrm{m}}=\omega_{\mathrm{O},\varphi}\sqrt{\frac{\overline{GM}_{\max}+\overline{GM}_{\min}}{\overline{GM}_{\mathrm{O}}}},\quad \omega_{\mathrm{a}}=\omega_{\mathrm{O},\varphi}\sqrt{\frac{\overline{GM}_{\max}-\overline{GM}_{\min}}{\overline{GM}_{\mathrm{O}}}} \tag{8.7.46}$$

这一方程的一般解是不可能求的，特别是当参数$\overline{GM}_{\mathrm{O}}$本身随时间的变化是以数字式信息的形式提供时。各种研究至少是阐明了出现参数量横摇所必需的条件。这些条件是：

- 船舶必须有非常外飘的船艏线型，以便造成纵摇和横摇运动有效的联合；
- 表征波高，即在进行观测的一段时间内所观测到 1/3 最高波的平均值，必须相当大，达到船艏外飘肋骨明显浸入水中的程度；
- 根据最新的知识，主导波长必须是船长的 0.7～1.2；
- 频率必须是横摇频率的一倍那样高。

根据最后一个条件

$$\frac{\omega_{\mathrm{O},\psi}}{\omega_{\mathrm{O},\varphi}}=2 \tag{8.7.47}$$

利用

$$\omega_{\mathrm{O},\psi}=\sqrt{\frac{8\cdot g}{g}\frac{C_{\mathrm{I_L}}}{C_{\mathrm{B}}}\frac{1}{T_{\mathrm{g}}}}\quad 和\quad \omega_{\mathrm{O},\varphi}=(6.9\sim 8.5)\frac{\sqrt{\overline{GM}_{\mathrm{O}}}}{B} \tag{8.7.48}$$

可以找到简单表述$\overline{GM}_{\mathrm{O}}$的方法，其中给定了参数量激励力的上一个条件。因此应当避免

$$\overline{GM}_{\mathrm{O}}\approx(0.011\sim 0.032)\frac{B^2}{T_{\mathrm{g}}} \tag{8.7.49}$$

这一范围，以便不发生这样的横摇运动。当波浪强迫发生纵摇时，则纵摇时间约略为

$$T_{\psi}=\frac{L}{1.17\cdot\sqrt{L}+0.15\cdot v_{\mathrm{S}}} \tag{8.7.50}$$

因此应当避免

$$GM_{\mathrm{O}}\approx(0.14\sim 0.21)\left(\frac{B}{L}\right)^2\cdot(1.17\sqrt{L}+0.15\cdot v_{\mathrm{S}})^2 \tag{8.7.51}$$

这一范围（L 和 B 以 m 为单位，v_{S} 以 kn 为单位）。

图 8.7.13 中的计算表明，顶浪航行的危险范围明显小于随浪航行[8.7.5]。

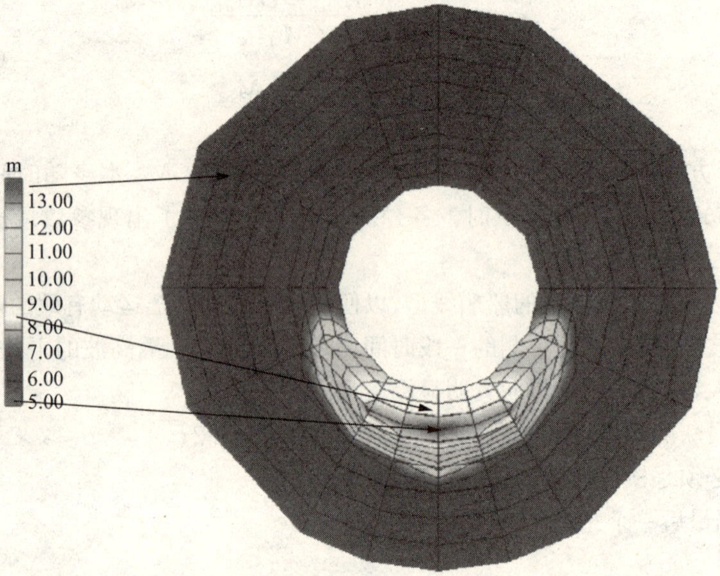

图 8.7.13　随浪中可能发生参数量横摇的危险范围极线图示例
颜色深浅表明浪高(对应箭头)

8.8 丈量

容积吨位

船舶丈量已经进行了几百年，目的是为了计算确定费率，特别是港口费和运河费。因为在早期的船舶运输中为了保护货物免予浸水和损坏，货物基本上都是装在桶内堆放在船上，所以人们是根据桶的数量额定船的载货量。人们登记吨数。由此产生了登记吨、容积吨位。

吨位有所谓总容积吨位与净容积吨位之别。其中涉及完工后舱室的内部丈量。丈量结果规定为登记吨(Rgt)。1 Rgt=100 cft=2.83 m^3。今天人们所用的方法根据1968年《国际船舶丈量公约》(International Convention on Tonnage Measurement of Ships)已经明显简化。总吨位自1982年生效

$$GT = K_1 V \tag{8.8.1}$$

其中，V 是所有封闭式舱室的总容积，以 m^3 为单位计算。以前通用的不计非盈利舱的做法已经废止。

为了与早先的丈量衔接，采用了一个系数 K_1

$$K_1 = 0.2 + 0.02 \lg V$$

净吨位为

$$NT = K_2 \cdot V_C \left(\frac{4T}{3D}\right)^2 \tag{8.8.2}$$

式中，V_C=货舱容积，以 m^3 为单位；T，D=吃水，舷高规定为 $4T/3D \leqslant 1$；$K_2 = 0.2 + 0.002 \lg V$。

限定乘客少于13人。净吨位不得小于总吨位的25%。在德语区用 BRT (Brottotaunzahl)表示总吨数(英文 GT=Gross Tons)，用 Nettoraumzahl 表示净吨数(英文 NT=Net Tons)。

加权登记吨

OECD(经济合作与发展组织)于1966年成立了造船委员会工作组，即所谓的第6工作组。该工作组的任务是协调各国的造船政策，从而改善透明度和信息交流。希望通过经常举行会议和交流各成员船厂关于新到订单、交船和手持

订单的信息达到这一目的。其中进行比较的标准是容积吨位。

但由于参加比较的两船没有关于建造费用和价值的信息，该工作组就为各种船型和尺寸规定了系数，为了能够进行有效的价值比较，应当用规定的系数乘以总吨数。

今天，人们把加权登记吨称为所谓的补偿总吨（CGT＝Compensated Gross Tons），$CGT=COE\times GT$（补偿总吨＝系数×总吨）。

这一体制已于1966/67年由日本造船联合会（SAJ）与西欧的AWES（西欧造船厂联合会，现为CESA＝Community of European Shipyards Associations，欧洲造船联合会共同体）在协商中达成一致，并在1978、1984和1994年做了修订。首先必须界定母型船或基准船。人们以当时流行的船为基础。当时对出口产品的一致意见是，作为基准船应当理解为在基本上有能力建造各种船型的一家船厂建造的，其价值等于费用统计平均值的那种船。作为费用，计及了船壳的建造、机器设备和舾装件的安装。

作为母型船选择了一条11 000总吨、用350 000工时建成的干货船。由此推定，32工时相当于1补偿总吨。每种船型确定工时除以吨位值，所得结果就是上文所说的系数。各种修订版只有很小的修改，因为生产的进步也包含了拟定的比较船；进行修改是因为出现了新的结构形式，例如单壳-双壳油船。对船的尺度进行补充也是必要的，例如集装箱船尺度以从未预料的程度增大了。

各种船的比较原来不是有意用CGT（补偿总吨）进行的，也不能以基于统计平均值的计算为基础，而是人们希望能比较各国的生产情况。值得关注的是，例如CGT系数非常明显地随着船舶尺度（用dwt测算）下降。这样，一条4 000～10 000 dwt的小型集装箱船的系数是1.2，而尺度超过50 000 dwt的大型集装箱船的系数为0.65。由于dwt与GT不能进行换算，所以船舶尺度的属性不能量化，但可以清晰地分辨出来。

干舷勘定

最小干舷是为了在海运中防止因超载危及人员、货物和船舶的安全，经过百年努力以求制定一项统一的安全标准所获得的结果。Samuel Plimsoll，一位煤炭商人、伦敦的议员，于1873年在英国用他的惊世之作《我们的海员》指出了海运中的缺憾，特别是船上的装货让航运业者和船长本人听天由命的陋俗，这往往造成了船只无止境地超载和船只具有有限的航海能力。

今天，根据原有的国家规范，1966年的《国际载重线公约》规定了干舷的分配、干舷的大小以及与干舷有关联的所有问题。其中，船舶分为 A 型和 B 型。所有运输液体货物的船都属于 A 型。所有其他船舶，只要遵守公约，都属于 B 型。干舷根据船长用“基本干舷”的形式做出规定，其中在有上层建筑、脊弧或大丰满系数的情况下可以打折。现代集装箱船的干舷往往大于干舷规范的要求。

干舷标志又叫做载重线标志，用圆圈和线组成，超过干舷标志不允许再向船上装货。这时的干舷相当于夏季吃水，用 *S* 表示。在规定其他干舷时要顾及船舶运行的实际情况。这样，停泊在水的密度小于海水的淡水港中的船舶，因为下沉较大，可以装货。这种情况可用干舷 *F* 来考虑。对于一般在热带稳定航行的船只，则用 *T* 和 *TF* 干舷来考虑。但是，在冬季必须保持较大的干舷 *W*，在北大西洋航行时必须保持干舷 *WNA*（见图 8.8.1）。

特殊规定适用于木材运输，因为装运木材的船只具有较大的储备浮力。

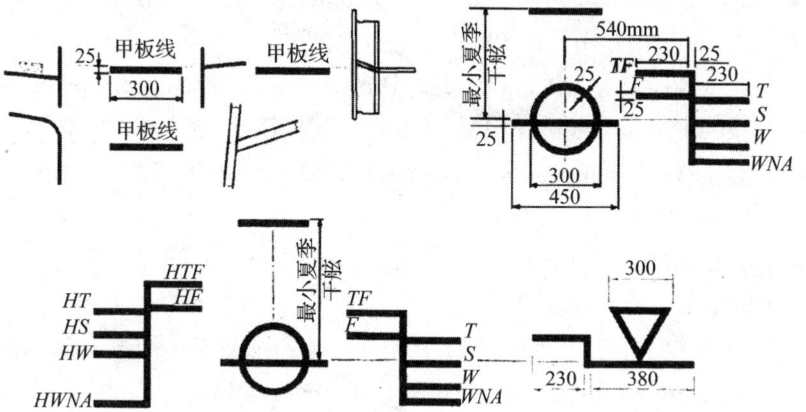

图 8.8.1 干舷标志

参考文献

[8.1.1] Kluge, F.: Seemannssprache, Verlag und Buchhandlung des Waisenhauses, Halle, 1911.

[8.1.2] Paasch, C.: Vom Kiel zum Flaggenknopf, Eckardt und Messtorff, Hamburg, 1904.

[8.1.3] Stenzel, A.: Deutsches Seemännisches Wörterbuch, Mittler und Sohn, Berlin, 1904.

[8.3.1] Krappinger, O.: Schiffswiderstand und Propulsion, Handbuch der Werften, Bd. Ⅶ, Schiffahrts-Verlag Hansa, Hamburg, 1963.

[8.3.2] Harvald, S., A.: Resistance and Propulsion of Ships, Wiley Interscience Publications, 1983.

[8.4.1] Krappinger, O.: Schiffstabilität und Trimm, Handbuch der Werften 1960, Schiffahrts-Verlag Hansa, Hamburg 1960.

[8.4.2] Henschke, W.: Schiffbautechnisches Handbuch, Bd. 1, 2. Auflage, 1957, VEB Verlag Technik, Berlin.

[8.6.1] Johannessen, H., Skaar, K. T.: Guidelines for Prevention of Excessive Ship Vibration, SNAME Trans. Vol. 88.

[8.6.2] Böckenhauer, M.: Über die Berechnung des Längsbiegemomentes von Schiffen, Schiff + Hafen, H. 1, S. 11-15, 1962.

[8.6.3] Lehmann, E.: Vorlesungen Grundzüge des Schiffbaus, TUHH, Hamburg-Harburg, 1999.

[8.6.4] Todorki, R.: Effects of Toe Profile Improvement on Corrosion Fatigue Properties of Welded Joints, ⅡW-Doc. ⅩⅢ-875-78, 1978.

[8.7.1] Boie, C.: Kenterunfälle der letzten Jahre, J STG 59. Bd., Springer-Verlag 1965.

[8.7.2] Døhlie, K.: Parametric Rolling-a problem solved?, DNV Container Ship Update Nr. 1 Feb. 2006.

[8.7.3] Jensen, J., J.; Petersen, P., T.: Critical Wave Episodes for Assessment of Parametric Roll, Proc. Ninth International Marine Design Conference, Ann Arbor, 2006.

[8.7.4] Krappinger, O.: Schwimmfähigkeit und Stabilität, Handbuch der Werften 1960, Schiffahrtsverlag „Hansa", Hamburg, 1960.

[8.7.5] Krüger, S.: Evaluation of the Cargo Loss of a Large Container Carrier due to Parametric Rolling, Proc. Ninth International Marine Design Conference, Ann Arbor, 2006.

[8.7.6] Seefisch, F.: Stabilitätsbeurteilung in der Praxis, J STG 59. Bd., Springer-Verlag 1965.

[8.7.7] Wendel. K.: Bemessung und Überwachung der Stabilität, J STG 59. Bd., Springer-Verlag 1965.

第 9 章　消防、安全和救生装置

译：陈德吾　李春清　崔为耀

校：张延辉　陈传明　王　婧

公式符号/缩写字		公式符号/缩写字	
A	漏损面积	RMS	救生设备体系
BRZ	总登记(吨位)数	RB	救生艇
C	浓度	RF	救生筏
CO	一氧化碳	See-BG	(德国)远洋船运同业协会
CO_2	二氧化碳	T_i	舱内温度
g	重力加速度	T_L	最高气温
GRP	玻璃纤维增强塑料	t	温度,时间
h	从水面至漏损破口中点的距离,高度	U	电压,压力
kn	节(船速测量单位)	V_E	进水量
KVR	避碰规则	V_L	排水量
LED	发光二极管	v_S	速度
n	功率	λ	波长
p	压力	φ	相对空气湿度
PoB	落水人员	μ	收敛因子
ppm	百万分之一(1×10^{-6})		

9.1 引言

9.1.1 船舶安全防护工作的依据

在船舶上安装安全设施的必要性是从海上事故的经验教训中衍生而来的。尽管国际上协定一致采取各种各样的措施来提高航海船舶的安全性，但是海船的损耗总数以及大量相关人员的遇难还是一如既往地令人震惊。虽然损失总数已有所回落，相比之下吨位方面损失的减少却并不值得一提。此外，近年来发生事故损失的平均数却在持续升高。值得注意的是，海难对环境的长期损害而产生的负面影响正在受到公众社会越来越严厉的抨击。

由于海上事故不可能完全避免，因此必须强化预防措施，以便一旦出现事故应将其负面影响控制在公众社会可以认可的范围之内。有鉴于此，在船上必须配备有效的安全设施以及拥有一支有素养、能够在充满危险的情况下完美运用防护技术的乘员队伍。

目标始终应该是，即使遭遇了海难也能依靠人员、技术设施和管理这 3 个因素来尽量保障船舶的安全运转，甚至在丧失了技术设施的情况下也能局部做到减少损失。

船舶正常运转中我们每天必须将主要的精力集中在那些潜在的风险上，也就是说要尽量排除潜在风险或充满危险的情况。提高设施的安全性与操作的准确性就可以保证做到这一点。由于技术设施的缺陷以及主要因为操作的失误，事态就有可能发展成为一种紧急的局面。在这类情况下，要想恢复船只的安全运转只能借助有效的安全技术设施和一支能可靠响应的乘员队伍。船舶领导层快速而可靠地评估所出现的情况并迅速决策以采取最佳的措施，是进行处置的前提条件。

图 9.1.1 是为了保障船舶安全性所采取的一些重要措施及其所需技术设施的概况。本章将介绍用于处置紧急情况的重要设备。但这并不表明其他措施的效果就会差一些。因此对于被动式技术系统，例如在分隔舱室或者结构性防火方面，为保证能达到很高的安全标准，会产生各种各样的开销。同样，必须重视在克服海难事故上所采取的各项具体技术措施及其防护效能方面的知识。

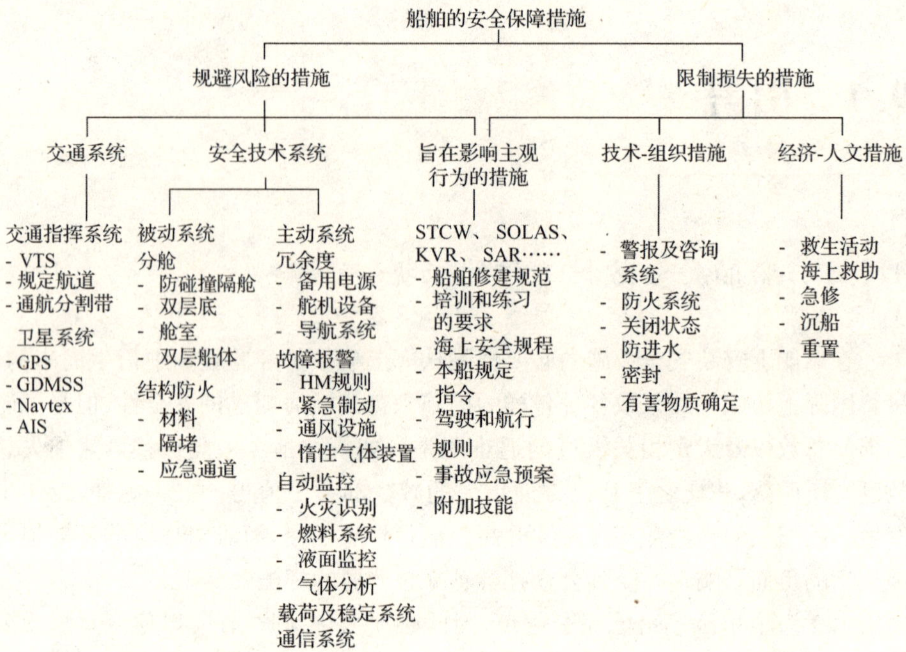

图 9.1.1　保障船舶安全性的一些重要措施及其所需技术设施分类的概要

9.1.2　对船舶安全技术的要求

根据经验以及海难的基本过程模型，推演出针对安全技术设备方面的高要求。据理做如下要求：

- 具有极高的技术可靠性；
- 时刻处于可动用状态；
- 包含一定的设备冗余度；
- 拥有极高的操作准确性；
- 针对大气条件和气候变化具有稳固性。

保障此类设定技术的使用能力，对船舶运转时时刻刻都起着至关重要的作用。保证有机会在任何时候都能成功地克服如下可能不期而至的紧急情况：

- 爆炸；
- 火灾；
- 因碰撞导致进水；
- 搁浅。

9.2　防火安全技术系统

9.2.1　防火的分类

一如既往，船舶火灾通常以机舱中发生的最为常见，它总会引起非常可观的全损。以下特别列举机舱火灾的原因和特点：

机舱发生火灾的主要原因是燃料从燃油系统泄漏出来，因为

- 维修保养工作不当；
- 振动引起的疲劳断裂；
- 废气管路没有完全绝缘；
- 没有注意遵守操作规程。

下面的这些情况提醒我们安装可靠的火警和有效灭火装置的必要性：

- 相当多的可燃物质装载进狭小的空间会增大引发火灾的风险；
- 结构条件良好的热传导性能会促使火情的迅速扩散；
- 由于不完全燃烧而导致产生烟雾并强烈地弥散开来(有毒性)；
- 通道、升降口和竖井等位置上空气流速大会助长烟雾和火情的蔓延；
- 逃生舱口通常是通向上方，就是说那个区域往往温度和烟雾浓度较高。

船舶发生火灾，在绝大多数情况下必须由船上的乘员去解决危险的局面。

仅仅在例外的情况下才能保证得到来自陆上的援助。必须界定火灾发生的条件：

氧气、可燃物质和达到燃点的温度这 3 个要素原则上必须同时存在，并在特定情况下相互作用(参见图 9.2.1 和图 9.2.2)。

一场火灾引起的效应是：

- 温度升高；
- 毒性增加；
- 视野减小。

器材的损坏部分是由于极短时间里的高温造成的。毒性主要对人员造成危害。由于火灾导致的视野通常会受到限制，因此极大地延长了人员身处火灾

区域的逗留时间，并因此遭致额外的风险。基于对这种构造性措施的认识，使人们可以对抑或会发生的火情之扩散条件进行更精确的评估。图 9.2.3 是适用于船舶防火保障的不同方面/要素。对于被动式防火保障来说，由于在船舶

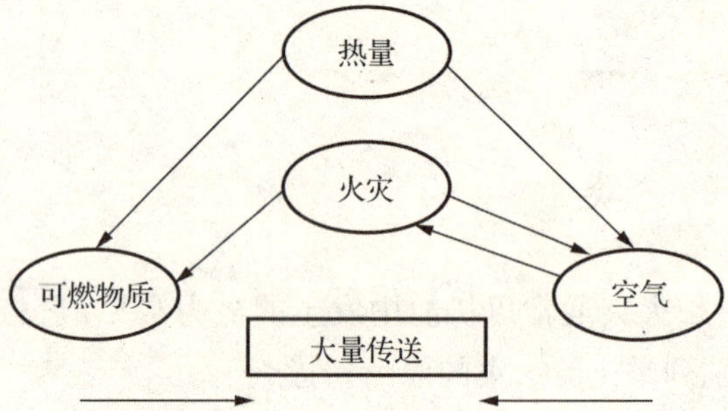

图 9.2.1　火灾发生的条件

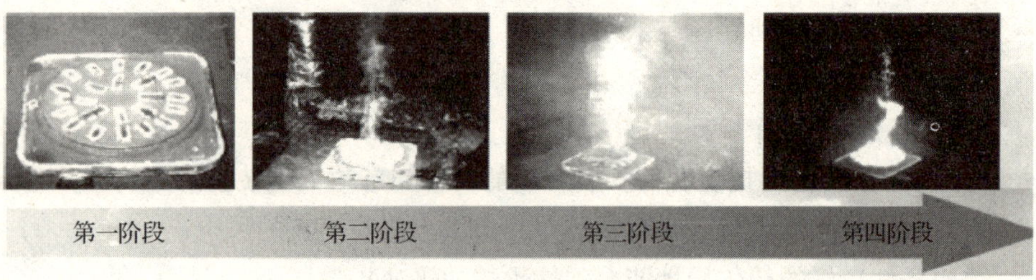

图 9.2.2　火灾发生各阶段的火灾探测参数

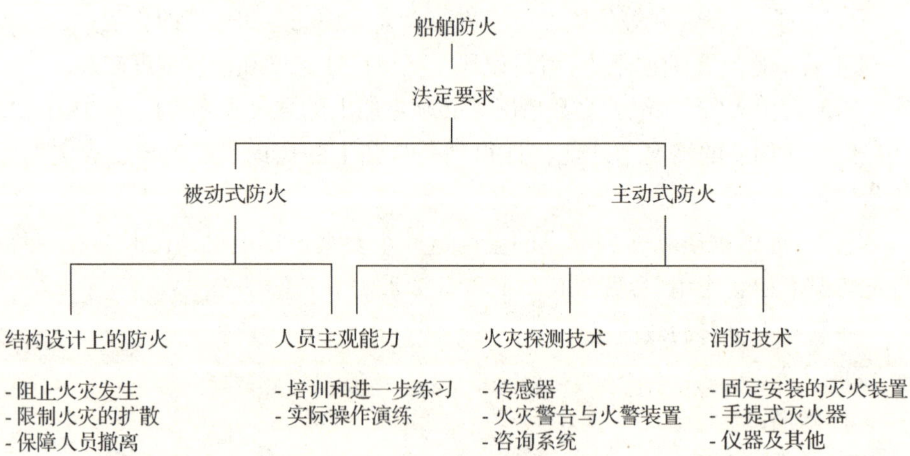

图 9.2.3　船舶防火的基本原理

的不同分段设置各类耐火的或防火的隔堵墙，因此建造费用的全面增加是必不可少的。

9.2.2 火警装置

在船舶上安装的火警装置可以将由于火灾发生而形成的火灾探测参数与以标准值为基础的参数等级比对，一旦超越临界值就发出危险报警。接收装置会对该信息进行评定并针对这一危险发出光学和声学信号。

当然也可以经人员确认危险后手动发出报警。图 9.2.4 为火警装置连同伺服机构的功能图。火灾探测参数是由参与燃烧的物质和氧化物质进行物质和能量的转换而生成的(见图 9.2.5)。过去几年，尤其是利用了有关火灾探测的物理参数，越来越多地应用新一代以化学方法为基础的传感器，它能够对燃烧产物进行评定和评估。

对于安装在离开火源一定高度和距离仍有反应的火灾报警器，即使由火源造成相应的火灾探测参数已进入报警器的阈值区域，仍不能作为判断依据。只有警报器离开燃烧中心轴的距离、离开火源的高度以及局部流速才是判断其是否达到阈值的最重要因素。

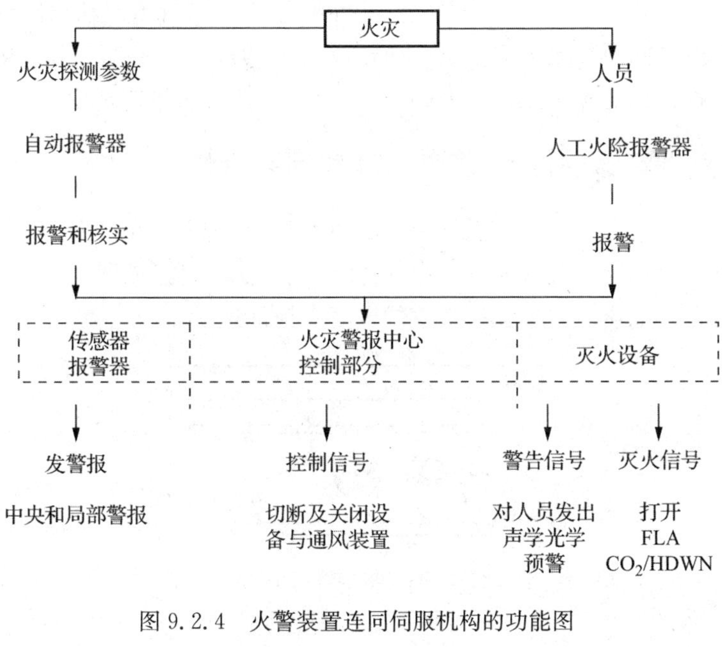

图 9.2.4 火警装置连同伺服机构的功能图

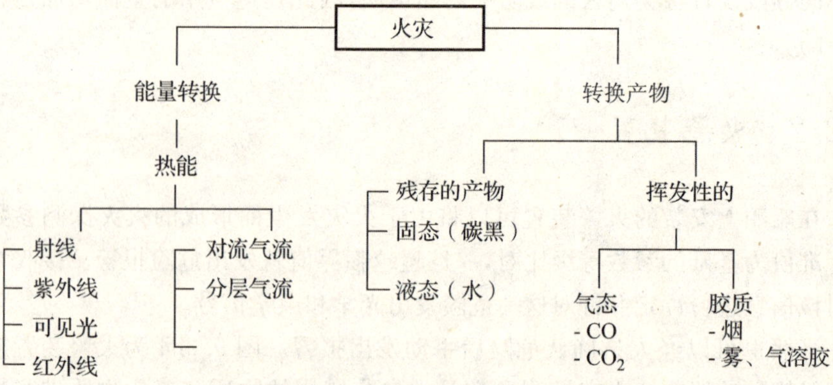

图 9.2.5　火灾早期探测中重要的火灾探测参数一览

当烟和粉尘抵达传感器时，它们在垂直和水平方向上的流速分布对于火灾探测参数何时达到传感器设定值才最为关键。其上升速度是由对流气流的强度所确定的。由此可见燃烧中心轴位置上的速度最大，沿火源径向扩散方向上的速度逐渐减弱。在火源上方，随高度不断增加，燃烧中心轴位置上的气流速度亦会不断减小。

其次就是室内的气流情况对烟雾和热量的扩散有着关键的作用。业已存在的室内气流和火源引发的上升气流会相互作用。在自由流动气流的影响下，由于其强度不同可以导致气流的转向，或是说两股气流会合并成一股混合气流。后一种特性意味着烟雾浓度的减小，或是夹带的热量在减少。

离子烟雾报警器的构造、工作原理和启动特性

离子烟雾报警器由两个相互分隔的容室组成，即开放的测量容室和封闭的基准容室。容室中的空气通过一束 β 射线照射后电离化（见图 9.2.6）。容室中的电极间存在电压。离子在所产生的电场中被加速后形成电流。

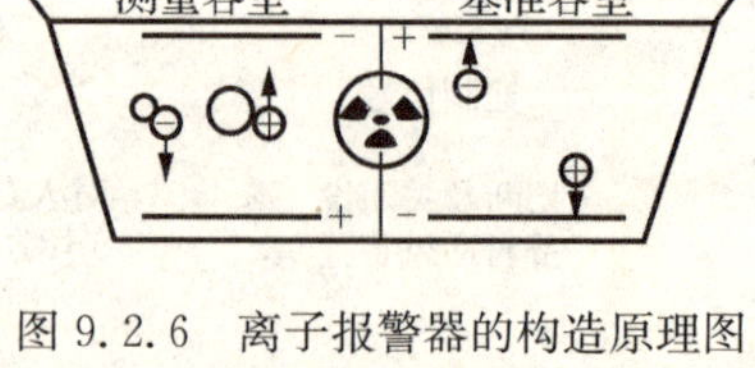

图 9.2.6　离子报警器的构造原理图

倘若因发生火灾而有烟雾或微粒进入测量容室,离子就会被吸附到这些烟雾或微粒上并变得具有惰性。在测量容室内的电流因此减慢其速度,对比基准容室的电流就会触发警报。警报器在某些空间内的匹配条件随着时间的变更会受到干扰,因此船舶运行中可能会有误报警发生。最常见引发误报警的原因,例如非常潮湿的空气、空气中含有尘埃、空气流速大等。

透射光报警器的构造、工作原理和启动特性

透射光报警器在其隔绝外部日光的迷宫式容室内设有一个发光二极管和一个光敏元件。发光二极管直接照射这个元件。一旦由于火灾事故有烟雾进入容室,烟尘就会减弱这束光线。根据光敏元件上相应的电流/电压变化即可进行判定(见图 9.2.7)。

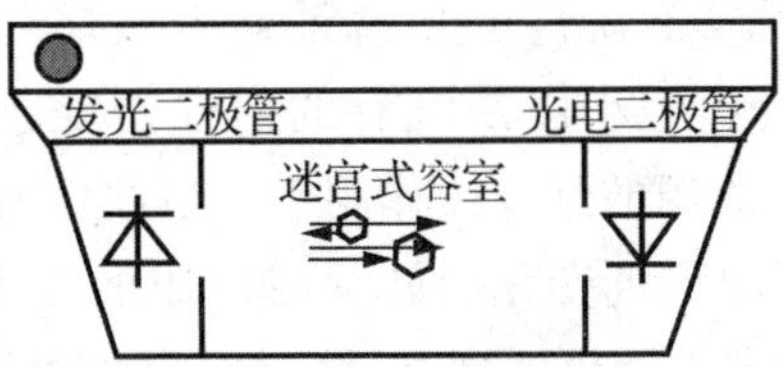

图 9.2.7 透射光报警器的构造原理图

但是如果有灰尘或者液体微滴侵入报警器容室的话,这类报警器也会出现错误报警。此外,基于容室结构上的原因,在发生火灾的情况下这类报警器发生的漏报现象也一直是个问题。

散射光报警器的构造、工作原理和启动特性

在散射光报警器(见图 9.2.8)上发光二极管与光电二极管是分开安装的,以使发光二极管的光线并不直接照射在光电二极管上。迷宫式容室的壁面设置了吸收光线的材料。报警器内有一个固定的零照度状态。一旦有烟雾进入迷宫式容室,烟雾微粒会反射光线并作用到接收元件上。视其亮度的变化由光

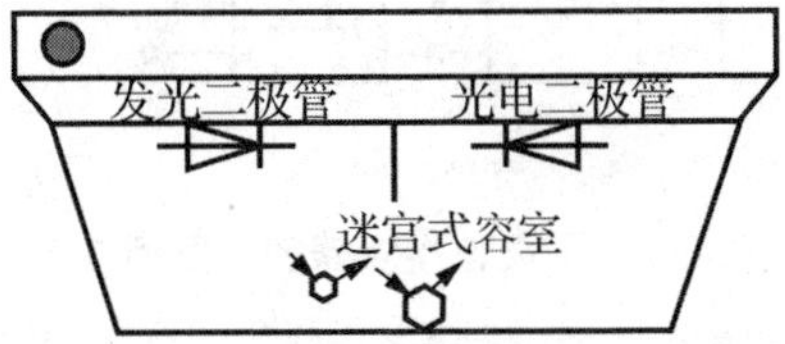

图 9.2.8 散射光报警器的构造原理图

电二极管进行记录，根据相应的电流/电压变化即可进行判定。只是探测性能完全由烟雾的反射特性所决定。其缺点首先是烟雾和湿气的侵入也会引发错误报警。

红外线火焰探测器

由热能激励而产生的每一种电磁射线均称为热辐射线。它们完全由发射体本身的温度所决定。在红外线范围应用相应的测试手段来探测火灾已经证明是非常合适的。热辐射射线的波长基本上在 $\lambda=1\sim3\ \mu m$ 范围内波动。火灾中的一束火焰，基于燃烧温度其绝对值即便最小也是介于 $\lambda=2$ 和 $3.5\ \mu m$ 之间。被视为射源的是加热的燃烧物质、灼热的燃烧气体以及未完全燃烧时火焰中呈炽热状态的炭黑微粒。

其缺点在于红外射线是在整个光谱系列内被烟雾微粒所吸收的。吸收的强度取决于微粒数量和大小以及既有的射线密度。图 9.2.9 为火焰探测器的电路原理图。发自火源的红外线作用于一组波长为 $\lambda=1\sim3\ \mu m$ 的彩色玻片。对入射红外线产生的阻抗变化会转换成电压的变化。使用电容连接到后面的三级交流电压放大器上即可实现高通特性，它只对红外线引起的变化才继续进行处理。紧接着是两组通过一个二级放大器相对而分开连接的不同规格的低通滤波器。临界频率为 $f=30$ Hz。因此对白炽灯和荧光灯都能进行可靠的滤波处理。依据无线电原理，红外线火焰探测器应安装在有可能成为火源所发出射线的直接入射范围之内。应该考虑到墙壁和天花板反射的射线对探测器会发生的影响。此外也应考虑到烟雾在入射范围内可能对射线产生的吸收作用。

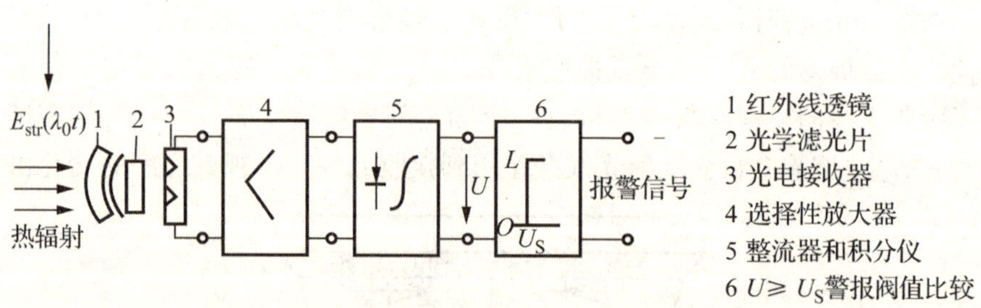

图 9.2.9　火焰探测器的电路原理图

此类报警器的启动特性是非常有争议的。只要满足了计算标准，几秒钟内就可启动。但在以下条件变更后也会出现漏报或者出现错误报警：调整了元件、回波反射、烟雾以及至火焰的距离等。目前这类测量火焰发出电磁射线的探测器其应用领域正在国际上引起极大的关注。在军事技术以及航空和航天方面的专业应用表明，这一类火情报警器在特殊场合具有极高的可靠性。

温度传播和探查方法

火灾探测参数“温度”是可用于单独探测火灾的首类火灾影响效应之一。突发的火灾在发生危险的空间里总是随着时间的变化引起温度的变化。由此依据各种不同的物理效应开发出了不同的探测器。温度报警器由于它在航海中启动概率极小早就丧失了意义，所以已经不再应用。目前仅在船舶厨房里还准予使用。多种调查表明这一决定是正确的。

半导体探测器

20 世纪 90 年代下半叶，开始了半导体气体探测器的开发和试验。这也对未来航运业的早期火灾探测发挥作用。与前面所称的常规火灾报警器相反，这类报警器识别的不是微粒和烟雾，而是燃烧产生的气体，诸如 CO、CO_2、HCl、NO、NO_X 以及爆炸性的气体。这样，在火灾发生的第一时间就可以探测其危险性。半导体探测器的探测灵敏度业已达到百万分之几的精度。

火灾早期探测的专业观点和发展趋势

一旦某项或者数项指标被突破，自动火灾报警器即会做出反应。探测到所发生事件的时间越往后，就越可以期望对所选择标准的错误解读会越小，因为它的唯一性是随着时间的增加而越来越大。所发生事件的探测时间段越早，误报概率也就越大，因为经过仔细的分析所测定的各个单项指标在每个事件发生之际正在按照不同的强度发展。

有鉴于此，对早期警报系统的要求是在最高的启动灵敏度和最低误报概率之间实现最佳组合。

如果经常出现误报或错报现象，这台安全设备的可靠性就有了问题。误报会让人产生怀疑，随后就会习以为常，直至无所谓，有时也会导致可观的损失。只有对误报的原因进行准确的分析才能帮助确定所采取措施的重点。要减少自动火灾报警装置的错报或误报现象有以下几种可能的做法：

- 仔细分析其真实原因；

- 调整设备或报警器以适应外界环境条件；
- 引入专业的带有时间存储器的监控式警报组织单元；
- 按不同的标准测试警报的合理性；
- 采用更高一级的智能系统。

例如多数情况下是通过在警报器内的一个简单的积分电路让短时间出现的虚假数值自行得以排除。倘若记录到的火灾探测参数在确定的积分时间里持续地高于报警阈值或者在一定的区间多次重复，积分式烟雾报警器就会发出警报。将传统的和积分式报警器连接至自动火灾报警设备上或者将该设备置于干扰影响之下，警报的合理性即可通过专业设备进行检测。

即使是随着新技术的研发出现了更好的解决方案，并且由此生成更好的评估能力，却仍然不能做到绝对排除错误，因为其基本关联性依然存在。目前国际上正朝着对火灾报警设备测得的火灾探测参数进行“智能化”评估的方向继续发展。

9.2.3 灭火方法和灭火剂

将燃烧速度减低到零的目标，是通过冷却并减少物质交换以及燃烧所必需的活化能量来实现的。图 9.2.10 显示了从火灾原因开始一直到借助不同的灭火剂和方法实现灭火目的之原理过程。这里可以推演出有实际应用可能的一系列可优先选用的灭火剂。从灭火剂的效能可以区分为物理方式和化学方式，此外还有综合效应灭火方式。船舶上最重要的灭火剂及其主要的灭火效应如下：

- 水　降温、稀释、隔绝；
- 二氧化碳　降温、隔绝（用于手提式灭火器）；
- 惰性气体　稀释；
- 泡沫　隔绝、降温；
- 卤代烷替代物　抑制，比如 FM 200、Novak 1230 等。

目标旨在每次使用一种灭火剂就能将燃烧速度减低到零。但在评价灭火剂的效能方面，以下因素还是有着决定性的作用：

- 环境亲和性；
- 可用性；
- 无毒性作用；

- 能应用于尽可能多的火险级别；
- 尽可能低的灭火浓度；
- 尽可能少的灭火损害；
- 速效；
- 不产生导电体。

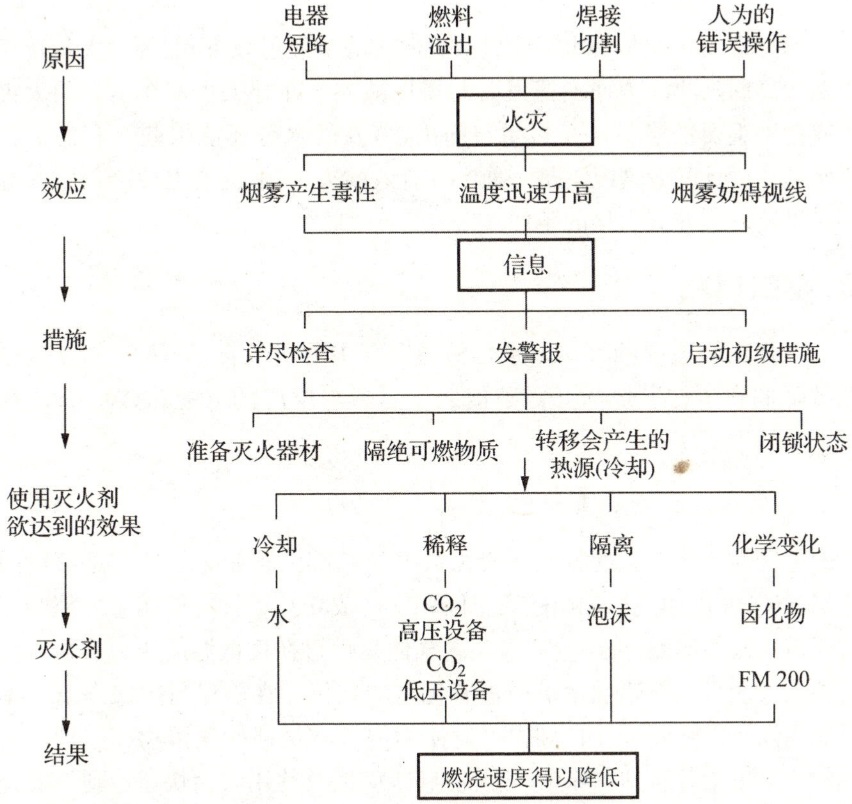

图 9.2.10 机舱发生火灾的消防原理模型及其目标：使用灭火剂降低燃烧速度

目前尚不能提供一种在船舶所有区域都能应用的灭火剂。这里仅列举不同灭火剂的优缺点以及相关设备从经济角度考虑有代表性的解决方案。在必要的使用情况下，通过正确操作所安装的设备，就可以在最短时间达到灭火剂的现有实际效果。

水

“冷却”是水最主要的效果，此外它还有一些突出的优点，因此今后在海船上仍会占有优先的地位。其原因首先是：

- 蒸发热大(更确切地说:蒸发能量或蒸发热焓)；
- 输送条件好；
- 操作简便；
- 无毒性作用；
- 使用经济、价廉。

人们特别关注的是将水雾化成微滴形式的喷射射束方式，因为大量转移热能以及较高的吸收能力而使蒸发时间得以减少。在扑灭由液体引发的火灾方面具有特别重要的意义。在封闭空间内，蒸发的水分还能引起有利的稀释效应。水雾在最佳配置情况下是一种十分有效的灭火剂，能在有效降低空间温度的同时迅速形成扑灭火焰的条件。

二氧化碳(CO_2)

二氧化碳最主要的灭火效果是稀释空气中的氧气含量(O_2)。由此，氧气含量被降低到参与燃烧的必需数值之下。参与反应的二氧化碳成分计算式如下：

$$C_{CO_2} = \frac{21 - O_2}{21} \times 100(\%) \tag{9.2.1}$$

其中的氧气为参与燃烧的物质所必需数值的基础。船舶必须携带足够量的二氧化碳气体，才能达到船舶内较大空间一次性成功扑灭火灾的用量。那些拥有很大通道货舱的船舶，一部分二氧化碳气体是贮存在极低温的压力容器内。二氧化碳灭火剂目前在船舶运输中占有优先的地位。在确保封闭状态下其极高的可靠性以及保障效果才得到保证。使用中微不足道的残留物和这种灭火剂极低的价格也十分有利。除了以上优点外，应提及使用时会快速达到二氧化碳气体致命浓度这一缺点。

进入空间的灭火气体流首先引起空间压力的升高，基于热力学作用过程，二氧化碳会在燃烧空间大致均匀地分布开来。超压会将通常并不是密闭的空间里的烟雾排挤出去。烟雾气体里除了可见的烟雾微粒外首先是氮气、氧气和二氧化碳气体。由于这些作用过程的结果就达到上面所说的，稀释了空气中的氧气含量。对于由典型燃料引发的火灾，大约需要将氧气含量降低到占总体积的14%～15%，原则上可以保证扑灭火灾(见图9.2.11和图9.2.12)。

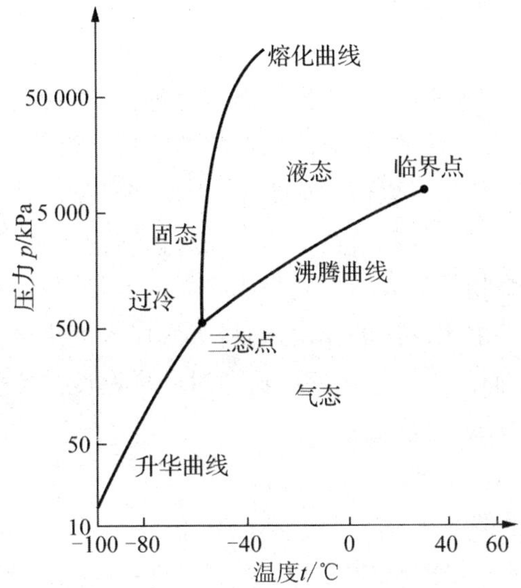

图 9.2.11　二氧化碳相平衡曲线

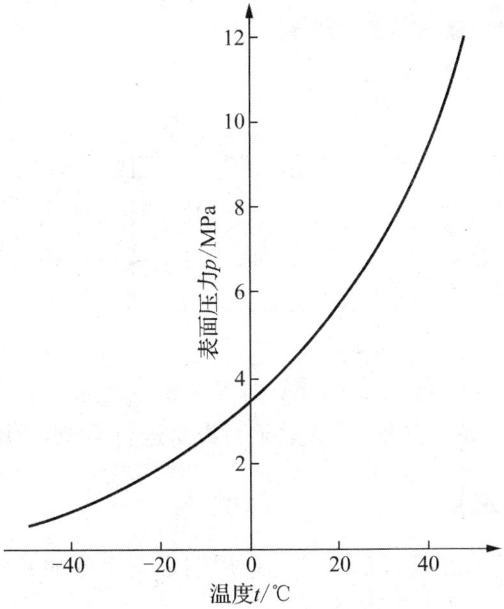

图 9.2.12　二氧化碳瓶内压力分布曲线与温度的关联图

空气机械式泡沫

泡沫是一种气体在液体中的弥散状态。对泡沫的特殊要求是，泡沫气泡具有高的稳定性和弹性、泡沫的流动性大、蒸汽的穿透力极低以及抗热效应强。

根据产生泡沫的数量可以区分成重型、中型和轻型泡沫。泡沫的灭火效果应根据不同方向上的燃烧复杂特性来看。在灭火时由于泡沫的作用，火焰的能量不再能出现在燃烧物质的表面。气化所必需的能量由此减少，泡沫达到了隔绝温度的效果。另外由于泡沫的作用，燃料蒸汽侵入燃烧区域的速度被明显降低，因为通过泡沫表面的物质输送速度比通过同样厚度的空气层要慢得多。再者，蒸汽不再经由泡沫的温度而被加热。

空气泡沫区分为：

- 发泡率 20 倍的重型泡沫；
- 发泡率 20 倍至 200 倍的中型泡沫；
- 发泡率 200 倍至 1 000 倍或者更高的轻型泡沫。

泡沫生成的可靠性基本上取决于混合与计量设备。在其中或在泡沫生成罐内稍稍注油就可以限制泡沫的生成。

干粉灭火剂

干粉灭火是通过粉末侵入火焰的混合区域阻断燃烧的反应而达到灭火效果的。由于粉末灭火剂分解所产生的物理-化学作用而使火焰区域的链式反应被中止。固态物质燃烧时，在燃烧的固体表面形成玻璃状覆盖层从而隔绝了氧气的自由进入，也就是说同时还产生窒息效应。正确地应用干粉灭火剂可以达到迅速的灭火效果。

其缺点是可能产生危害技术设备的大量粉尘污染。它首先会侵入精密机械式或电气/电子设备。此外，灭火后须对设备进行清洗，费用昂贵。

卤素氢化物(哈龙)

哈龙是氢原子全部或者部分被元素周期表第 7 族的元素，例如氟、氯、溴、碘等卤素原子置换后的碳氢化合物。

重要的灭火哈龙有：

- 氯溴甲烷 CH_2ClBr 1011；
- 二氟氯溴甲烷 CF_2ClBr 1211；

• 三氟溴甲烷 CF_3Br 1301。

除了哈龙 1211 和 1301 由于沸点低可以通过自身的压力喷出外，哈龙 2402 必须配置压力弹性垫才能推送出来。用于成功灭火所必需的浓度不具有毒性作用。只需要极小的量就能够快速迅猛地扑灭火焰。灭火效应基于将可燃物质经化学作用转变为不可燃物质。其中最重要的是形成原子团。

从工艺技术角度来看，采用哈龙是着眼于在火场只需使用极少量的哈龙化合物（最多为 0.2 kg/m^3）即可。大约相当于 4%（体积）的灭火气体浓度。因此这具备了实现经济性灭火效应的前提条件。由于几种已知的哈龙产品已被禁止使用，人们已经选择性地研究出几种也是采用化学基础的解决方案。例如这类产品中有一种名为 FM 200，化学式为 C_3F_7H，它不会对臭氧层产生负面影响，因此已经获准在多个国家使用。它的灭火效应与哈龙相似。所需的气体灭火浓度约为 7%（体积）。

9.2.4 灭火装置

水灭火装置

此类灭火系统由离心泵供水。可以连接：喷淋水系统、水幕、水喷洒装置、自动开启式水喷洒装置（喷水灭火装置）和泡沫灭火装置（见图 9.2.13）。喷嘴的分布应保证那些单独的喷嘴能覆盖所有需要喷淋的区域。关闭控制器处于被保护区域之外。水幕一般用于特种船舶例如渡轮、挂车船（被拖带的船舶）等，以便阻绝火势的蔓延。

在没有通航限制范围的客船上，那些已经安装了通用水灭火装置的诸如检查站、居住和服务舱室等区域，还附加安装了自动开启式水喷洒装置（喷水灭火装置），用于自动开启保护。特别是采用干法工作方式的自动开启式水喷洒装置必要时须考虑防冻现象。这种情况下，从报警阀门到喷嘴部分的水管网络都充入了压缩空气。万一发生火情，快速自动抽风机会从水管中排出空气，使水能跟着涌出来。采用湿法工作方式（这是主要使用的方法）的自动开启式水喷洒装置，从水管直到喷嘴的水均处在受压状态下。自动开启式水喷洒装置和加压水储存容器的管道应经常充满淡水（防锈）。采用海水灭火后应进行冲洗。

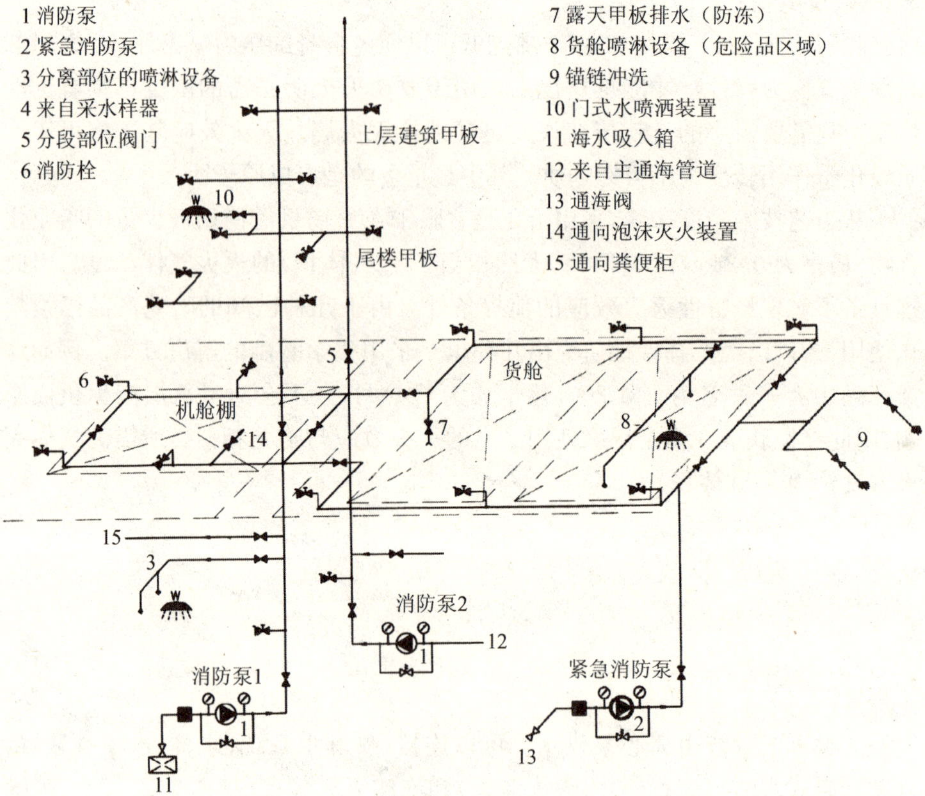

图 9.2.13　水灭火装置的原理示意图

喷水灭火装置

喷水灭火装置是一种自动开启式水喷洒装置。整个系统处于一定的预置压力之下并且拥有连续的供水能力。压力罐可保证在无泵情况下向本系统提供超过一分钟的淡水。水泵拥有独立的动力且完全是为喷洒装置自动开启供水之用。在压力罐里的淡水用完以前，系统内的压力倘若有所降低它也必须能够自动起动（见图 9.2.14）。

本装置借助玻璃瓶开启装置激活。喷水灭火装置上连接有一个装满特种液体的玻璃瓶。当达到特定的外界温度时，这种液体会膨胀直至把玻璃瓶胀破并开启喷水灭火装置。当系统内压力降低时水泵便开始泵送。船舶的每个部位包括在封闭的水密防火门部位，都要配备至少两根泵送水软管。

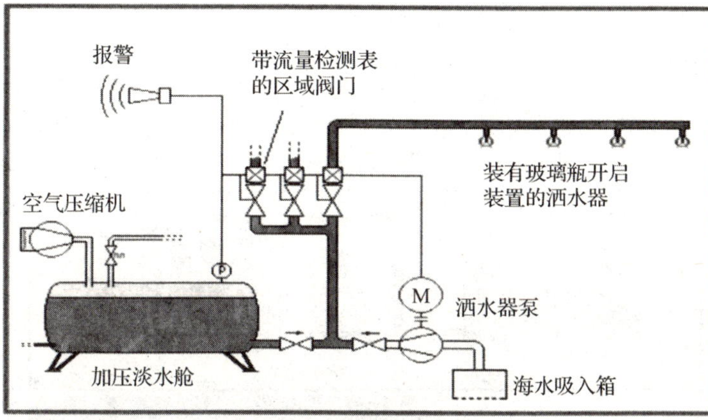

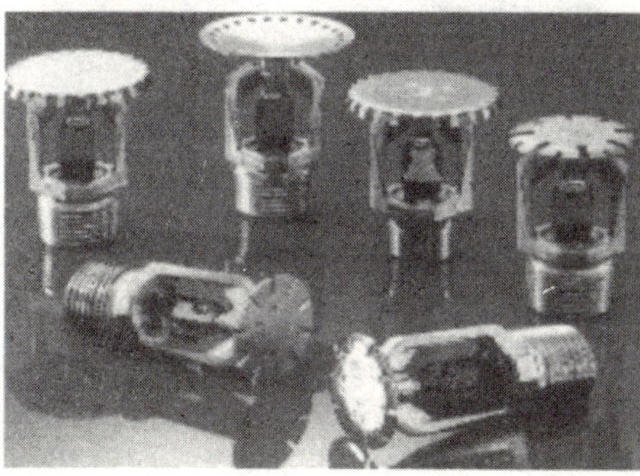

开启(装置的)温度(额定开启温度)	洒水器区域不得超越的温度	液态的色泽
57℃	27℃	橙色
68℃	38℃	红色
79℃	49℃	黄色
93℃	63℃	绿色
141℃	111℃	蓝色
182℃	152℃	淡紫色

图 9.2.14　设有喷嘴的喷水灭火装置简图及有关喷嘴的数据

水雾装置

水雾装置是一种自动开启式灭火装置。整个系统处于一预置压力之下。约为 10～15 bar 的压力由一个输送能力很小的恒压水泵来维持。该装置与喷水灭火装置一样借助喷头的玻璃瓶开启装置激活。只要系统内的压力降低且恒压水泵无法保持下去时，主泵(柱塞泵)就开动并向业已打开的喷嘴提供压力为 100～130 bar 的淡水。同时打开报警器(见图 9.2.15)。

此外还设有一个压力瓶系统。一旦主泵失灵就会激活压力瓶。压缩空气会涌入水瓶，可以在规定的时间段内向整个系统供水。该装置与喷水灭火装置不同之处在其用水量是最少的。

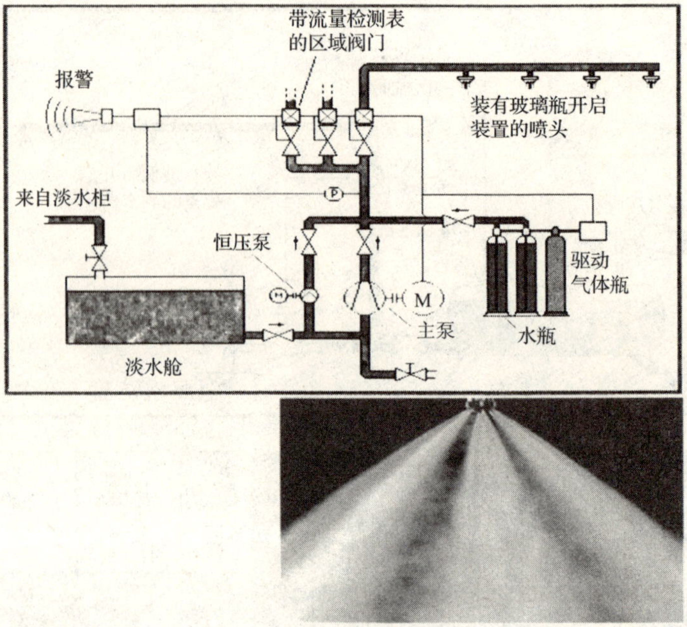

图 9.2.15　水雾装置的系统简图及喷雾图

泡沫灭火装置

泡沫灭火装置必须随时处于立即能够启动的状态下。发泡剂装在一个储存罐内。其储量视需要保护的目标而定。个别情况下，发泡剂从储存罐通过管道输送至混合器。在这里它们与水流混合。视装置的构造不同，可以装一个发泡剂中继泵。发泡剂与水的混合物然后通过管道系统直接输送到吸收空气的泡沫生成设备(见图 9.2.16)。

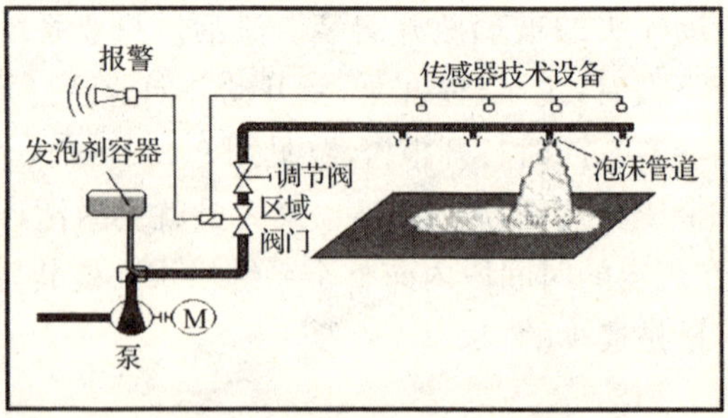

图 9.2.16　泡沫灭火装置的系统简图

重型泡沫灭火装置

对于像锅炉和机器间等部位应考虑安装重型泡沫灭火装置，以便在 5 min 之内将 150 mm 厚的泡沫层覆盖在绝大多数可能有燃料扩散的面积上。

轻型泡沫灭火装置

安装轻型泡沫灭火装置予以保护的最大空间，在不考虑安装在空间内的机器和器械的情况下，应该在 1 min 之内能够充满至少 1 m 厚度的泡沫层。发泡剂的储备量要足以保证将有待保护的最大空间至少能使用泡沫完全充满 5 次。

高压二氧化碳灭火装置

用于机舱和泵房的二氧化碳灭火装置须将所需体积浓度的 85%在 2 min 之内注入该空间。机舱所需灭火气体浓度约为 40%(体积)。而货舱至少是 30%(体积)。且必须在 10 min 内将 2/3 的灭火气体浓度注入目标空间内。

二氧化碳是呈液态保存在钢制压力瓶内。在环境温度为摄氏 20℃时钢瓶压力约 57 bar。钢瓶有一根虹吸管以便能以液态方式抽取。二氧化碳则以混合态涌到喷嘴处，然后在环境压力下减压。整个装置由一个装有时间延迟机构和警报器的手动释放装置激活(见图 9.2.17)。

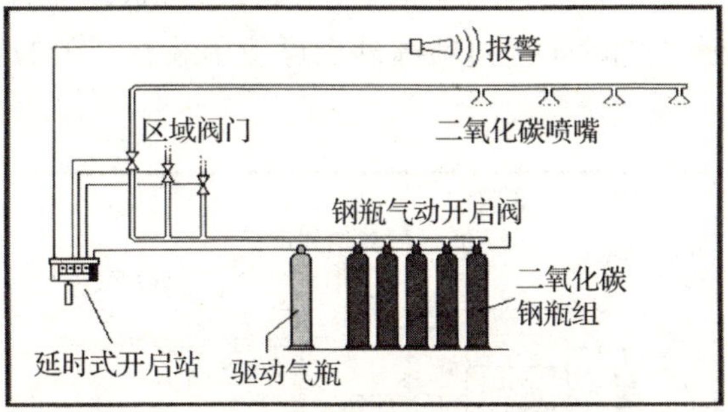

图 9.2.17 高压灭火装置的系统简图

注意：因有窒息危险，人员不得停留在准备注入(二氧化碳)的空间。

低压二氧化碳灭火装置

低压二氧化碳灭火装置的设计规定与高压装置一样。灭火剂保存在压力约 18～22 bar 的压力容器(钢瓶)内。鉴于其物理特性，温度应保持在摄氏－20～

−22℃，以液态形式保存。钢瓶备有一个安全阀及监控其压力和液面的装置。钢瓶的保温绝缘设施应有这样的保证，即倘若冷却缺失，环境温度为 45℃的情况下最早需要 24 小时后才达到泄放压力。冷却保障装置至少应安装有两套彼此完全独立的自动制冷机组。该设备的启动和工作原理与高压装置类似（见图 9.2.18）。

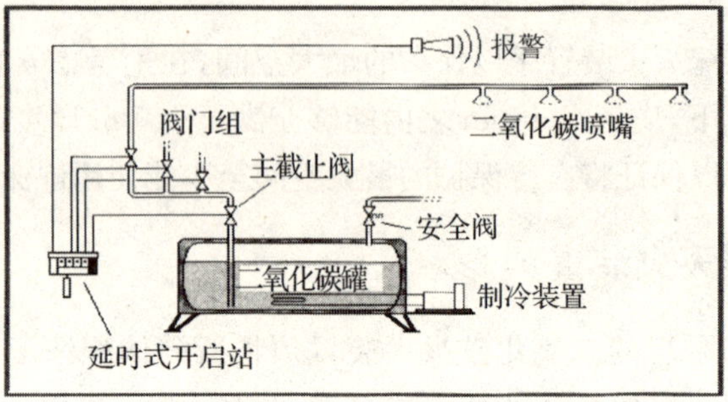

图 9.2.18　二氧化碳低压灭火装置的系统简图

干粉灭火装置

将贮存在容器里的干粉灭火剂使用驱动气体以环境大气压均匀搅拌。几秒钟后该过程结束，警报也同时拉响。当达到运行压力时干粉主阀自动开启，呈流动状态的干粉灭火剂驱动气体混合物即通过管道，经喷嘴撒布到需要保护的空间里。干粉灭火剂除了通过喷嘴外也可使用装有开关的软管喷枪来喷洒（见图 9.2.19）。

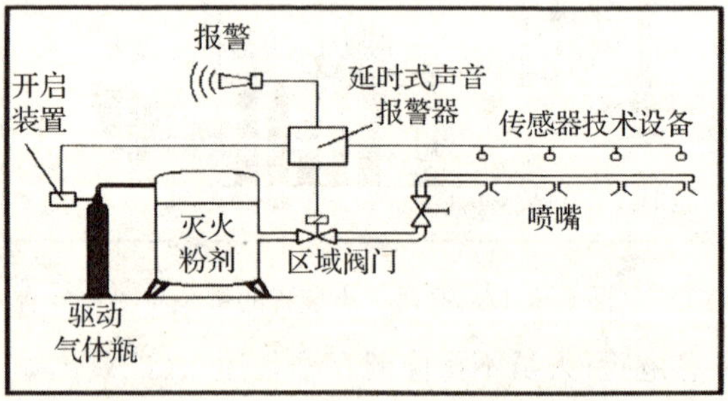

图 9.2.19　粉末/惰性气体灭火装置的系统简图

惰性气体装置

惰性气体装置是一种非常重要的安全设备，首先是用于油轮。此类装置要满足预防性的功能。它应当在油轮装载和卸空的过程中阻止爆炸性混合气体的产生。在化学计量范围内工作的燃烧装置生产一种氧气含量仅允许为5%（体积）的气体。这种气体以很小的超压泵入油轮的货舱。货舱里的可控氧气浓度就变为小于8%，从而阻止了爆炸性混合气体的生成。因此实质上这并不是一种灭火装置，而是一种气体冲洗装置（见图 9.2.20）。该装置主要由以下设备组成：

- 气体发生器；
- 冷却机/清洗机；
- 鼓风机；
- 分配系统；
- 警报/控制设备。

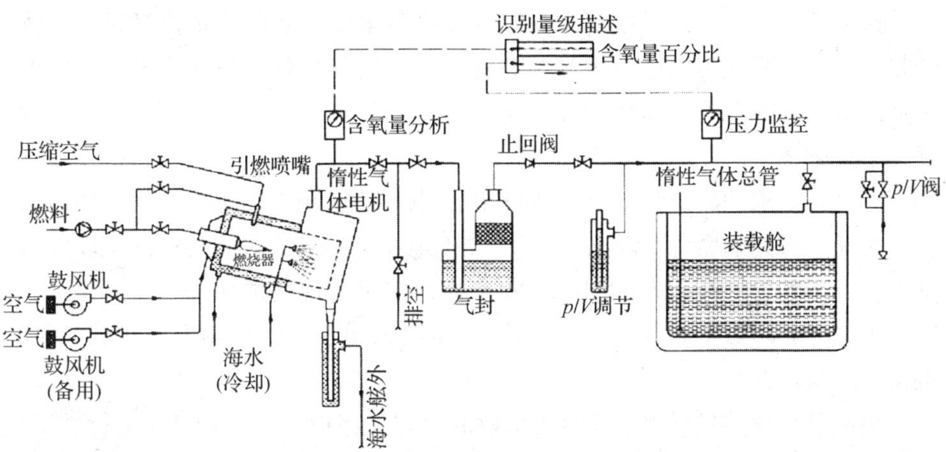

图 9.2.20 惰性气体装置的系统图

惰性气体装置在船舶航运中用于以下作业程序：

- 装载和卸空油轮；
- 油轮和系统清洗；
- 升高压力弹性垫；
- 阻止将有害物质排入环境中。

9.2.5　消防的组织

制订应急预案

确保在消防过程中实施有效组织的最重要前提条件是风险分析。在这项分析的框架内必须测定出可能发生火灾的每一个区域。一方面应吸收至今所积累的海运方面的经验,另一方面也应预先考虑到那些航海作业中连续发生的变化,例如危险货物运输业务的扩展。

对于得到高度关注的火灾风险,则必须制订应急预案。为此,必须注意到由国际海事组织(IMO)推荐的用于确保统一的标准化预案[IMO 提案 A.852(20)]的方法。几十年来,海运业都是借助于核查清单来应对紧急情况的并进行相应的演练。现在国际海事组织要求海运企业设立统一的标准化预案并按此进行演练。

这就提出了更高的质量要求。制订应急预案的重要前提是针对相应具体的船舶来分析可能想像到的风险并对这些风险进行评估。当然这里一定要考虑从海难事件中获取的丰富经验和教训。图 9.2.5 为紧急情况的分组,这无疑是一个基础。

制订所要求的应急预案,其基础和出发点始终是预先设想的具体的紧急情况。必须从可能的紧急情况出发,相对准确地描绘出灾难进展的概况。以经济学上所使用的事件流程方框图的形式来描述灾难的进展情况,完全是可行的。对各种情形必须做出相应的危险评估(界定对人员、环境、船舶本身、载运货物的潜在危险)。

根据危险评估推导出相应需要采取的消防及保护措施并且对此进行界定。随后对消防及保护方案中的所有可能性、设备和条件包括以下因素进行评估:

- 评估技术及其极限能力;
- 评估所采用的工艺;
- 评估人员因素(主动方式/被动方式以及技术和工艺的界面);
- 人员的效率、极限能力或行为模式(主动方式/被动方式)。

很明显,只有利用所有上述几方面(技术、工艺和人员)可靠而又全面的知识,才能得出接近最佳安全管理的解决方案。借助于此类应急预案,来形成高质量要求的安全管理所需的主要基础。在此应明确指出,对应急预案的文字描述在真实情况下只具有次要意义。重要的始终是对可以想像的情形进行认知性预先处理并存储在长期记忆中。发生真实情况时，人们只有在极少情况下才真正去回忆那些文件。这再次强调了在船上进行实际消防演练的必要性。图9.2.21为火灾通用型应急预案。

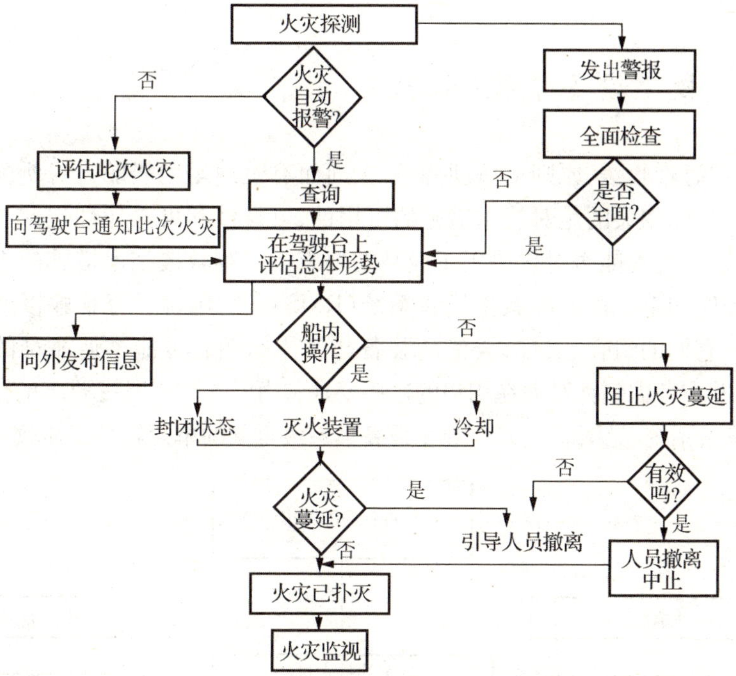

图9.2.21 发生火灾时的基本应急预案

由于机舱失火的进程与上层建筑及货舱完全不同，所以必须对各个区域制定不同的应急预案。鉴于各种船型的差异相去甚远以及边界条件的不同，这样的分类是不充分的。因此对海洋、河口与海港区域做进一步的区分无论如何总是合乎目的要求的。进一步的分类则需根据每一种具体的船型以及企业的安全管理体系而进行。

消防的效能主要取决于对具体充满危险的情形进行迅速而又可靠的评估以及对采用的安全技术的效力的准确认识。一般说来火灾的进展非常之快，并足以在很短的时间就造成各种各样的损害，因此留给人们做出决策的时间也非常短促。由于这个原因，在此种形势下几乎没有机会去回忆有哪些文件，而是必须从记忆中调出那些共同制定的应急预案并顺畅地加以执行。

9.3 救生系统

9.3.1 救生设备系统(RMS)

进行"海难救援"原则上所期待是,全面而有效地运用船舶自身所配备的技术措施。与此相关的是对技术措施的可用性、可靠性和可操作性包括与其他人员、方法以及规程能否对接提出了极高的要求。海难救援技术措施的主要部分就是一艘船舶上所配备的救生设备系统(RMS)。它包含了海难救援所有的技术措施。它们的组合、安排、设施和装备与具体船舶有可能遭遇海难的各种要求相符,并在考虑到针对潜在用户的这些要求和由潜在用户所提要求的情况下配备救生设备系统(见图9.3.1)。救生设备体系最重要的单元就是集体救生设备。

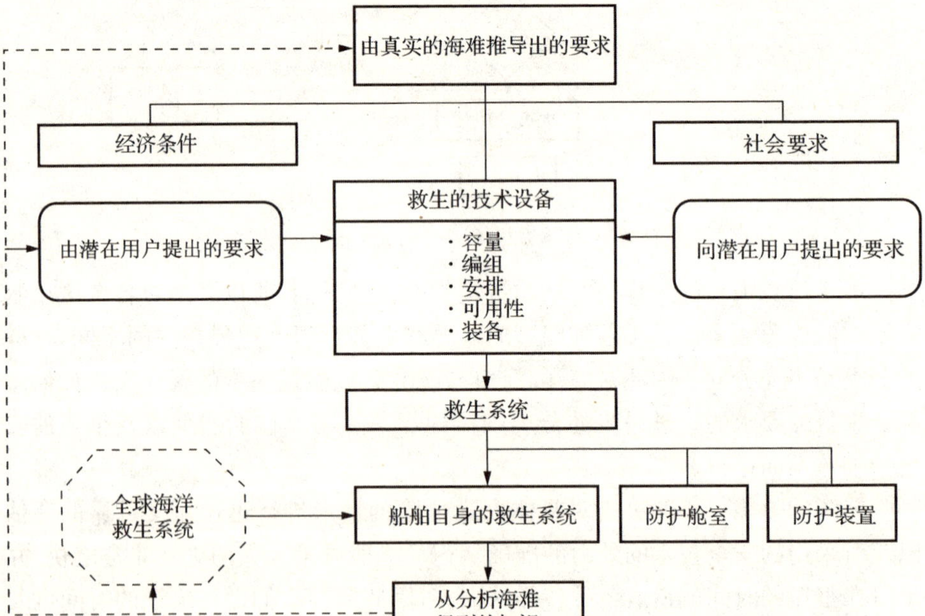

图 9.3.1 救生设备系统中的相互作用概览

9.3.2 集体救生设备

决定在新造船舶上引入救生设备系统，使救生设备在船舶上安排到位并具有非常好的可用性以及对有关设施的以及船员遭遇海难时对所配备技术设施掌握的熟练程度，均构成了救生设备体系(RMS)能否具有很高生存概率的前提条件。从时间上来看，远在可能遭遇海难之前，对技术先决条件的保证和必要资质的获取，是受到现行的国际和国内的各项规定的制约。

人们在弃船的那个时刻，以上这些个因素几乎是没有什么影响的。救生设备体系(RMS)不应该出现技术不适应的情况，并且人员的培训和进修也不应存在缺陷，因为这些因素对后续的所有阶段具有决定性的影响。

从设计师及运营商的角度来看，救生设备的可用性是一个完全充满问题的复杂体系。通过众多的技术解决方案和措施而致力于针对所有可能的海难类型(自救和外来求助以及船员落水事故)，向船员提供全能的集体救生设备。因此，必须重视国际(国际海上人命安全公约)和国内(远洋航运同业协会)的各种规范中的相应规定。

各种救援手段的可用性和可靠性的因素在弃船阶段能发挥突出的作用。经验和预见性的思考致使产生下述原则性的结果。

为保护技术设备不致缺失会对相应质量进行组合并且确保对救生设备体系统(RMS)进行冗余性配备，例如：

- 救生艇、救生筏；
- 应急(救助)艇；
- 救生背心等。

救生设备尽量设置在起居和工作舱室近旁以保证逃生路径是最短的。通过安排释放或投放位置就可由单人放船下水。在船舶迅速沉没时能够自动释放的特性，保证了救生设备无须人员操作的实用性。图 9.3.2 为集体救生设备的基本特征。

救生艇

货船和客轮均装备有救生艇和应急(救助)艇。其数量、造型和装载量均有规定。对一艘救生艇的重要要求如下：

- 针对船舷遭受撞击与使用中遭受其他作用力时抗损强度高；

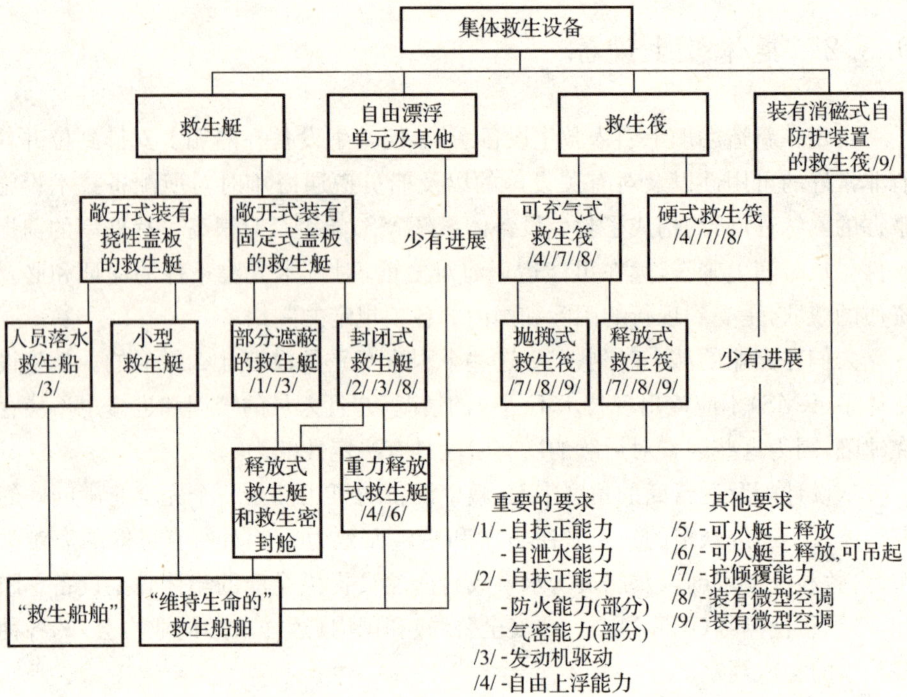

图 9.3.2　集体救生设备的技术特征一览

- 装有硬式结构的完全顶棚，保护乘用人员不受外界环境的影响。最高等级的要求是防火和防止有害气体及蒸汽穿透救生艇的隔绝和密封层；
- 通过自动扶正装置提高抗倾覆安全性；
- 改善稳性的同时提高抗沉性（自动泵吸排水）；
- 在提高功率及运行安全性的同时仅通过发动机提升救生艇的动力性能；
- 通过缩短准备时间来获取更高的操作安全性和更快捷的可用性（在设置地点能立刻释放），释放速度快，在船舶航行中加上负载即可释放中央式吊钩等。

救生艇的建造形式分为开启式、半封闭和全封闭式。全封闭式救生艇具有自动扶正能力。

特种航运业（这里首先指油轮航运业）以及海洋开发工业由于其特殊的危险性，要求在其工作领域所配备的救生艇具有防火和气密特性。因此，油轮上的救生艇必须使用不燃材料制造而成或者装备无需依赖外部空气供给以及具备特殊防火性能的设备。

救生艇应该在这种前提条件下把船舶失事幸存者带离危险区域（燃烧着的海面、有毒的气氛）。要达到这一点需要：

• 具有近乎完全的密封性能；
• 具备内部空气储备(供人员呼吸和发动机燃烧使用的空气至少要维持 10 min)；
• 艇内要维持轻微的超压，以阻止有毒气体的侵入；
• 绝缘材料(增强玻璃纤维的阻燃型增强玻璃纤维塑料)；
• 具备一套外部喷淋系统用于冷却。

假定 $T=1\,200\sim1\,300$℃(燃料柴油)是燃烧的海面可能达到的温度。以下是挪威的“燃烧试验”所测得的若干结果：

• 内部空气最高温度 $T_L=33$℃；
• 水面之上的内部表面最高温度 $T_i=70$℃；
• 时间从 $t_{CO_2}=3.5$ min 开始发现少量二氧化碳；
• 发现不可确定含量的二氧化碳、光气(二氯化碳酰)、氯化碳氢化合物(内部)；
• 空气的相对湿度 $\varphi=45\%\sim60\%$；
• 内部超压 $t=2$ min 起产生效果。

要达到这些数值必须保证救生艇内各个分系统都以最高的可靠性工作，例如在规定时间内确保有一个供人员呼吸和为发动机供气的内部环境。同等重要的是通过水喷淋系统形成厚度至少约为 0.5 mm 的水膜。如这些系统中的某一个在短时间发生缺失就会致使乘员的生存能力产生问题。在这个例子中，可特别清楚地看到安全技术设施的维护、修理和保持其操作可靠性的意义之所在。

今天的救生艇主要是以玻璃纤维增强塑料(GRP)成型制造的。以这种方式人们得到的是大块的构件，使用螺钉或者粘合剂就可以将其互相组装起来。

在成型制造时需要成熟考虑每一个可与成型构件相连接的装配件。尽量避免发生进行昂贵的、补救性质的装配工作。尽管如此，还是免不了许多独立的装配步骤，如发动机的基座、燃料罐、冷却设备、轴、尾轴管、螺旋桨、升降装置、救生索和救生攀绳、舭龙骨把手、舵，特别是还有电气和无线电设备。

技术参数：

• 长度	6.60 m
• 宽度	2.85 m
• 至顶棚的高度	3.00 m
• 最多人数	31 人
• 所有装备和人员的重量	6 400 kg
• 动力	装备转向传动机构的柴油机功率 $P>22$ kW

• 速度　　　　　　　　　　　>6 kn

全封闭式救生艇还包括顶棚栏杆、窗、出入舱门和通风筒盖的锁闭装置、水喷淋装置以及在油轮、液化天然气与化学品运输船上所使用的救生艇中无需依赖外部供给空气的通风装置。水喷淋装置的管道系统配有一个 C 级 Sorz 型接合器。以此可以实现软管与船舶消防管道的连接，这使得在堵塞的情况下也可以对救生艇进行喷淋操作。由于设有嵌入式或者在内外层之间有气密储备浮力舱，救生艇即使满载额定数目的人员并且艇内已经灌满了水也能保持浮力。为了在浮力舱发生损坏时还能保持住这个性能，救生艇浮力舱采用分隔式处理或者充填封闭式的蜂窝状发泡材料(见图 9.3.3)。

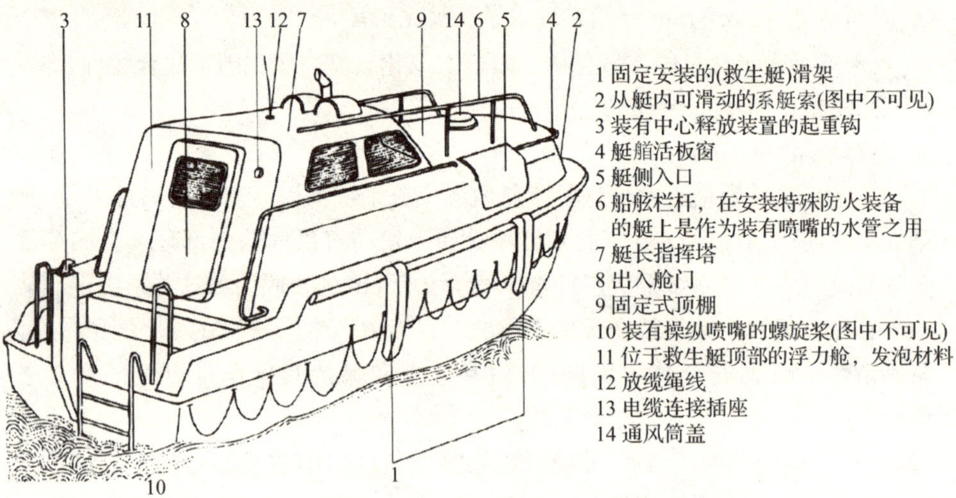

图 9.3.3　全封闭式救生艇

如果关闭所有的出口并达到水密的程度，而且全体处于救生艇内的人员都在自己的座位上(使用束紧安全带)束紧，全封闭式救生艇即具有自动扶正能力。这已经成为救生艇下水的通常状态。倘若一艘全封闭式救生艇因其出入舱门和通风口都被打开而在水里发生倾覆，那么在最不利的情势下也可以通过水面离开。为了实现这一点，顶棚上也设置有浮力舱。在少数最极端的形势下，再次扶正也还是十分可行的(见图 9.3.4)。

部分封闭式救生艇首先在客轮上得到应用。在紧急情况下，能有较多的人员以较快的速度登艇。采用重力式释放救生艇并不适用，因为它总是需要特殊的放艇装置。

重力释放式救生艇是全封闭式救生艇，它通过特殊的放艇装置被架设在船

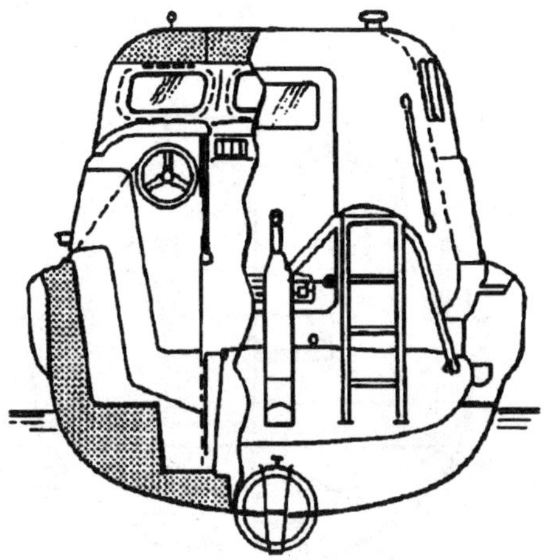

图 9.3.4 一艘全封闭式救生艇的横截面

舶尾部。艇上配有特殊的硬壳式座位和束紧安全带。船体在横倾 $\varphi=20°$ 和纵倾 $\psi=10°$ 的情况下可以使用重力释放方式。在一艘 10 000 载重吨的船舶上，平均架设/释放高度约 15 m。通过在设计工艺上进行相应的造型即采用一个合适的入水角以及专门设计的设施（软性座位、束紧安全带等），将较大的重力加速度降低到可以承受的限度。触水后的反弹加速度本身仅作用在 100～200 ms 之内。其平均值大约 $a=6\sim7$ g；极限值最大为 $a=15$ g（见图 9.3.5 和图 9.3.6）。

图 9.3.5 "吕贝克·汉莎"号柴油机船上的重力释放式救生艇

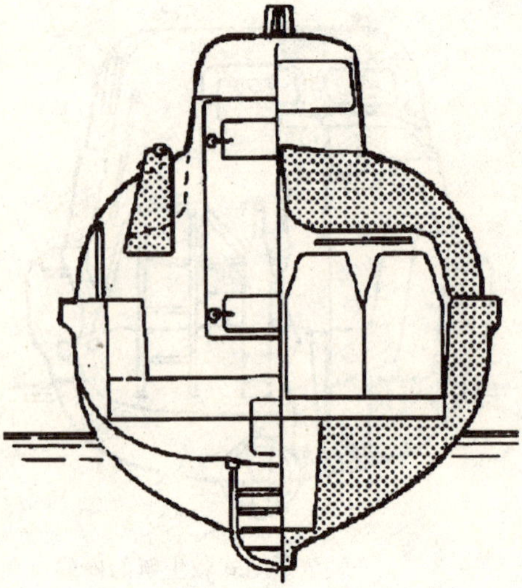

图 9.3.6 一艘重力释放式救生艇的横截面

救助艇

救助艇主要有两大用途：

- 迅速救援在水中的人员；
- 正在救生筏的握索上待援和被拖曳人员的汇合。

为了适应这些目的进行救助艇的建造和装备：

- 可以在全体艇员均乘坐其上并装备全套设备而且是充气的情况下从其放艇和回收装置中吊入水中或者收回；
- 在敞开式甲板上的架设位置处，无需保护措施就能承受公海上所有的气候条件。

救助艇装备有内嵌式或舷外发动机。自由航行时能达到至少 6 kn 的航速，而拖曳航行时为 2 kn。刚性救助艇的建造规范大部分等同于救生艇的。对充气式救助艇则有不同的规定。

充气式救助艇的浮力至少由一根被分隔成 5 个约同等容积隔舱的管状浮体，或者由两根相互分离约等大的管状浮体来保证。管状浮体的体积已有规定。当其中有一个隔舱发生损坏时还必须使干舷保持足够高度。每一个隔舱都装有手动充气单向阀以及超压阀或放气阀。救助艇的船底和外舷表面均装有护舷条（见图 9.3.7）。

图 9.3.7 硬底式充气橡皮救助艇

救生筏

货轮、客轮和捕鱼船舶均装备有经过许可的救生筏。其数量、造型和装载能力均根据规范和补充条例执行(见图 9.3.8)。

许可的内容有:

- 可抛掷式或者安装在下水滑道上的最多载员 50 人的救生筏;
- 载员 35 人的缆索释放式救生筏;
- 载员 30、35、60 或 65 人的大型救生筏,无防护顶棚,可在船舶两舷使用。

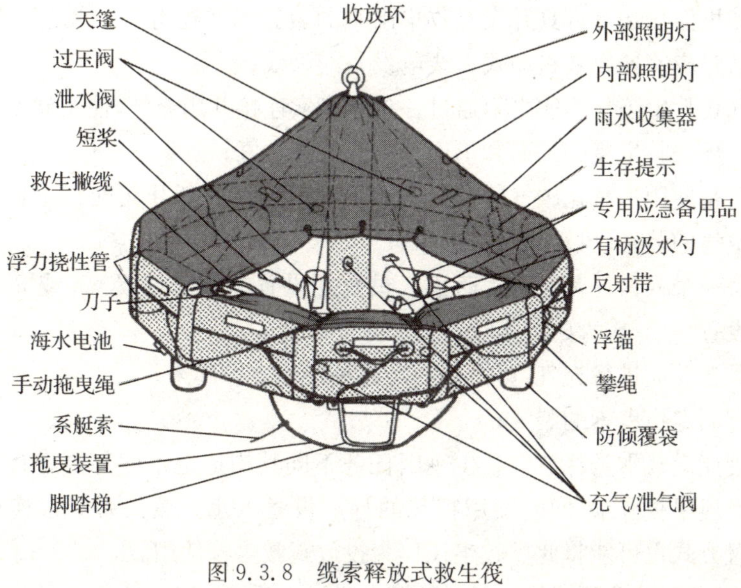

图 9.3.8 缆索释放式救生筏

救生筏都是自动充气的。它可以在满载的情况下抛掷下水或者经收放装置释放下水。所有架设在甲板上的救生筏即使横倾达 20°情况下，也可以尽可能由单人操作，快速、可靠和没有危险地放到水面上。因此今天的救生筏总是安装在可折叠式支撑架、下水滑道或者具有同等效能的设备上。

每只救生筏均使用涂覆式化纤织物制作而成，且一般都是压紧后包装在塑料容器里。客轮上还允许例外使用一种不透水的便携包来包装一种可以满载艇员下水的救生筏。救生筏的质量包括其包装材料以及全套海难装备，按救生筏的尺寸大小约为 100～185 kg。每只充气式救生筏均符合以下条件：

- 制作材料和造型是经过许可的。一只救生筏应在海面上经受所有的气象条件保持飘浮状态 30 天；
- 在气温－30°至＋66°范围内保持运转能力；
- 包装在有浮力的容器内；
- 可以装在该容器内投放入水，同时又不造成救生筏本身及其装备的损坏；
- 充气装置在有海浪情况下有足够的稳性；
- 管状浮体的分隔舱数目是偶数，以便保证即使只有一半隔舱充气的情况下也能浮在水上；
- 底部不透水且在充气后能隔绝寒冷；
- 顶棚颜色非常醒目。这个顶棚可保护艇员免受气候影响。救生筏的上面、外面和里面均装有灯具并设有收集雨水的装置以及还有一个装置可以安装雷达信号应答器或者移动式无线电设备的天线；
- 充气式救生筏与船舶之间通过一条系艇索连接并用充气，使用砍索刀可以解开。环绕救生筏的外面和里面都安装有安全索；
- 充气是使用二氧化碳气体。只要拉下系艇索就可断开充气。还装有重新泵入空气的装备(风箱或者空气泵)；
- 在每一个入口处都装有为落水人员登船设置的登艇装置。6 或 8 人的救生筏设置一个，较大的救生筏有两个登艇装置；
- 若是在反面进行充气，可由单人轻而易举地支撑起来；
- 设有固定拖曳索的装置；
- 一艘能满载乘员释放的救生筏因任务不同其构造也不同并要进行加固。可从登艇甲板登乘，同时使用特殊的释放设备入水。按其系艇索连接船舶的设置方式也可能将此类救生筏作为投放式救生筏使用。

救生筏的安放形式能确保船舶沉没时自由浮起。若救生筏是使用绑扎带固定在安装位置上，由于这个原因必须使用经允许的有效解脱装置。实践中已经使用各类不同的水压释放装置来自动脱卸绑扎带。随着船舶沉没而逐渐增大的水压力作用到膜片的一侧，其另一侧则由安装在空腔内可根据释放深度进行调节的弹簧顶住。水压会挤压这个空腔。当深度为 2.00 m 至 3.70 m 时触发头会脱开，从而释放绑扎带。救生筏容器向上浮起。与船舶紧密连接的系艇索随着船舶的进一步沉没会从容器中被拉出。如果这个过程不顺利，充气瓶则会打开，给救生筏充气。要是船舶继续下沉，系艇索或是一条特制的应急破断线就会拉断。

可以利用安装在水压释放装置和绑扎带环之间的专利牵拉式脱卸扣或者滑脱钩来手动解开绑扎带。连接着应急破断线的系艇索被固定在水压释放装置上。

橡皮艇

大型远洋渔业船舶、护渔船、远洋小型渔船、远洋拖轮和总登记吨位小于 1 600 吨的船舶可以装备橡皮艇。橡皮艇装备的数量、造型和装载能力都已有规定。所有橡皮艇上的管状浮体均通过舱壁分隔成几个隔舱。

管状浮体、橡皮艇底部和舱壁由抗老化、耐大气腐蚀、抗燃油腐蚀以及耐磨蚀的涂覆式化纤织物制造而成，对其抗拉强度、抗撕裂强度以及断裂延伸率都已有规定。单管状浮体橡皮艇的管状浮体和双管状浮体橡皮艇的上面一根管状浮体均漆成亮黄色，所有其余部分被漆成黑色。橡皮艇的各个隔舱均经过充气阀泵入空气。

9.3.2 个人救生设备

对于身处船上的人员在需要时为他们提供个人救生设备。它们包括：

- 救生连衣裤；
- 保暖辅助设施；
- 救生背心；
- 劳动保护背心。

个人救生设备的种类和最低数量也是有规定的。它们保存在人员集中的区域。补充使用的个人救生设备必须保存在其他位置上，例如供驾驶台上航行值班人员使用的救生背心。

新上船的船员需要进行个人救生设备存放位置方面的培训。下面仅就救生连衣裤做进一步的介绍。

救生连衣裤

对使用全封闭式救生艇的船舶，允许为每条救生艇配备3套船用救生连衣裤。对使用开放式救生艇的船舶，按照船舶安全证书的规定每一个船载人员都拥有一套经许可的救生连衣裤。救生连衣裤主要是在海难情况下保护穿戴的人员抵抗过冷状态。它包覆着整个身体包括头部、手和脚，仅露出脸部。和连衣裤连在一起的手套至少有3个手指。救生连衣裤由封闭的蜂窝状氯丁橡胶制成，或者由塑料作为外覆层，而内表面嵌有隔热材料并具有储备浮力的织物制成。

由于类型的不同，有的连衣裤连带有救生背心或没有。救生连衣裤由一条不透水的拉链实现密封。头戴护面罩与穿戴人员面部的密封部位能保证至少留有120°的视角。救生连衣裤可以轻便穿戴，也可以全套着装。有的救生连衣裤既可以连同鞋或靴一起穿戴，也可以像过去那样，必须先脱下鞋或靴才能穿戴。救生连衣裤可以使穿戴人员：

- 在垂直的梯子上向上或向下攀登；
- 在弃船情况下执行任务；
- 从极低的高度上跳入水中；
- 在水中可以进行短距离游泳以便登上救生船舶；
- 能在0℃的水中至少坚持6 h而不至于陷入过冷状态。

9.3.4　救生仪器

在许许多多的救生设备之中，尤其应关注那些在搜救过程中具有突出意义的技术设备：

无线电救生设备

为了向外发送海难警报，与搜寻和救援单位取得无线电联络以及通过搜寻和救援单位对救生船舶进行定位，而在船舶上装备无线电救生设备。与其他装备不同，一般它们并不固定安装在救生艇或者救生筏内。这些装备是便携式的。在紧急情况下必须将它们从指挥桥楼或者救生船附近原先的安装位置上取下并带到救生艇或者救生筏内。

卫星海难无线电信标

卫星海难无线电信标在激活后会自行发送海难警报，经由卫星传送它一个或几个陆上无线电台，并从那里传送给海难指挥中心。海难警报包含这艘船的识别信号和其他对于开展成功搜寻和救援行动十分有用的信息。海上遇难的位置：

- 由卫星海难无线电信标内嵌装的导航接收机添加到海难警报中；
- 在整个航海行程中由操作人员持续手动输入；
- 借助其他船舶定位装置测得。

卫星海难无线电信标在整个航海行程中位于指挥桥楼范围内存放点。在弃船之前应将其携带到其中一艘使用的救生船上。如果不可能做到，那么就简单地将其抛入船舷外面的水中。要是连这也做不到，信标在船舶沉没时会自行浮起。在以手动方式接通，或被抛出舷外，或自行浮起之后，无线电信标即开始发送信号。卫星海难无线电信标被涂成亮黄色或者亮橙色，含有反射材料，并在其上部装有闪光灯，便于在黑暗中被发现。重要的是在紧急情况下救生船必须和卫星海难无线电信标处在一起，因为搜寻和救援行动的目标是无线电信标的所在位置(见图 9.3.9)。

图 9.3.9　卫星海难无线电信标

搜寻和救援雷达信号应答器

属于船舶装备的还有一种或多种雷达信号应答器。它们被安装在指挥桥楼附近的存放位置，必须在紧急情况下携带到其中一艘使用的救生船上。它们具有漂浮能力，应急时也可以抛入船舷外面的水中，如果无法携带到救生船上的话。如果雷达应答器中的接收天线接收到一艘船或者一架飞机的雷达脉冲，则以同样的频率发送应答脉冲信号。它在船舶或者飞机的雷达显示屏上产生国际上确认的一种信号模式(见图 9.3.10)：

- 根据国际避碰规则(KVR)附件Ⅳ，它被视为海难信号，使接收者有义务进行救援；
- 它使雷达信号应答器的位置标注在雷达显示屏上。

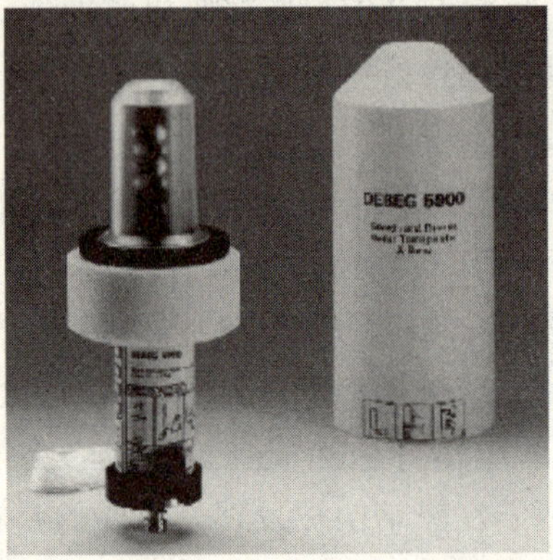

图 9.3.10　雷达信号应答器

因此雷达信号应答器也被称为雷达应答信标。受接收-发送天线高度以及海浪情况的限制，雷达信号应答器的作用距离约 5 海里。

9.3.5　救生设备的操作

必须根据操作规程让新上船的船员熟悉如何操作目前船上所装备的仪器和设备。这里应利用向全体船员提供使用的船上现有的培训和仪器操作手册。其中就包括有关船载安全设备中各种仪器和装置的操作规程。

个人救生设备的操作

每个船员必须掌握个人救生设备的操作应用。这一点只能通过有计划的引导并在定期规定举行的安全演练中有针对性的进行演练才能得以实现。安全演练规定了救生连衣裤的穿脱操作训练。在这类演练中只使用少量的且总是相同的救生连衣裤。其余的救生连衣裤应保存在原始包装内。维护保养规程必须仔细加以遵守，以便在紧急情况下救生连衣裤始终处于应急时所必需的完好状态下并确保其避免受到损坏。救生背心、劳动保护背心以及保暖辅助设施的使用亦与此相同。

救生船的操作

救生船舶指的是救生艇、应急(救援)艇和救生筏。在出现险情的情况下,当乘员或乘客还没有直接遭受危险之时,船长就已经命令准备一艘或几艘救生船舶。不能排除这样的情形,即海难会突然降临并造成不得不采取极端匆忙处置措施的危急形势。因此有关准备救生船的演练是按规定在短时间间隔内接近真实的情况下进行,如同紧急情况下的一样。事先制订的弃船应急预案是处理顺序的基础。如图 9.3.11 所示的原理流程图对制订应急预案大有帮助。

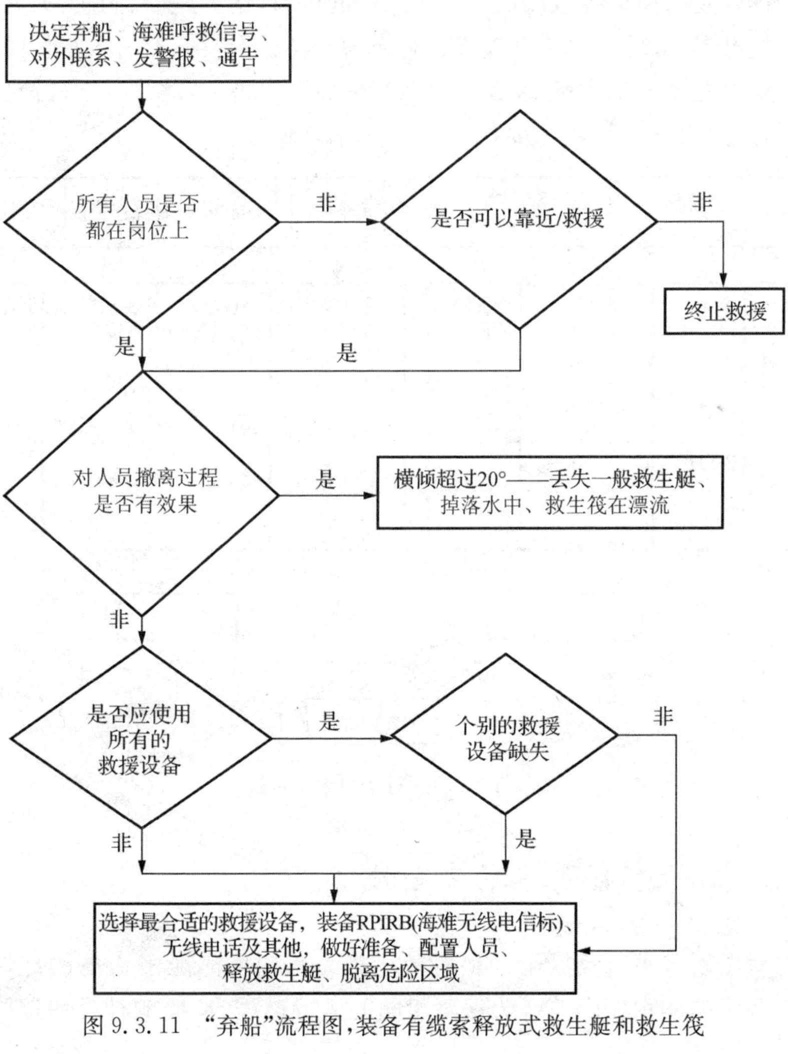

图 9.3.11 “弃船”流程图,装备有缆索释放式救生艇和救生筏

9.4　防止船舶进水

9.4.1　船舶进水的起因和连锁反应

船体外壳的损坏导致船舶内部进水的起因有，诸如碰撞、搁浅、火灾、船舶横向构件过载、未封闭的开口或者还有人为操作错误。倘若涌入水量极大，船舶就可能因此丧失浮力和/或者其稳性受到高度损害，因此受制于碰撞位置或漏损面积，船舶可能会快速沉没。

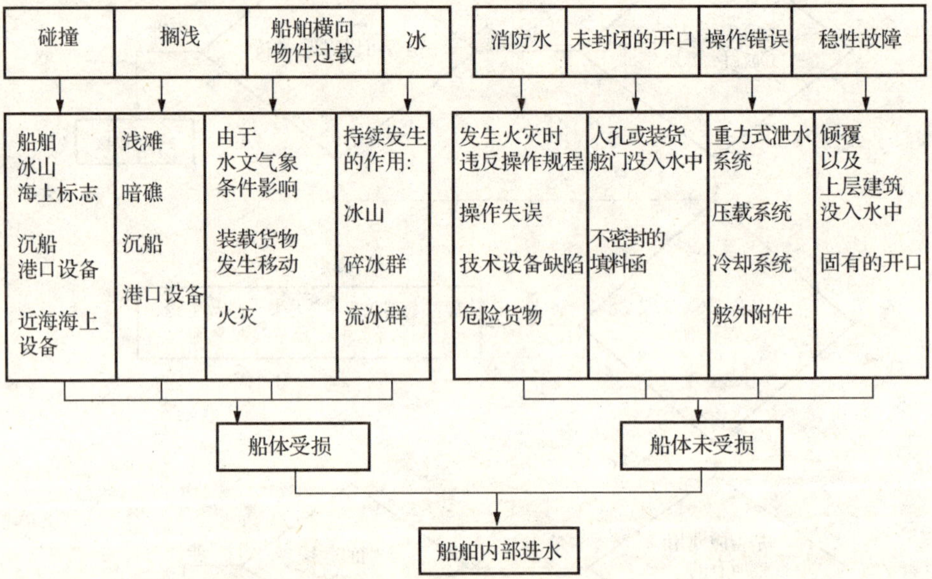

图9.4.1　进水原因一览

9.4.2　防止船舶进水的安全技术

针对船舶进水所致后果的最有效措施是将船舶隔舱甲板下的部位分隔成横向和纵向的水密隔舱。为保障船舶的运行过程，按船舶种类在这些隔舱里设置水密门。首先是在危急形势下按规范操作这些隔舱门，对保证船舶的安全非常重要。在船舶进水的情况下限制可能的风险得以蔓延的重要技术设施是：

- 显示和警报设备；
- 隔舱闭锁设备；
- 排水设备；
- 某些情况下还有防漏损技术设备。

9.4.3 显示和警报设备

一旦出现船舶进水的情况，指示和警报设备会引导船员做出正确的反应。特别值得一提的是，驾驶台操纵板上所显示的桥楼隔舱闭锁设备的隔舱门是否开启或闭合。当然其他设备也同样在此显示。在英国的滚装客货轮“自由企业先驱号”于 1987 年在(比利时)Zeebrüge 港外发生倾覆的海难事件中这种设备发挥了重大作用。在这次翻船事故中，船只刚开出港口不久，海水即通过没有关上的前舱门涌入。

对这次海难的评估导致制订一系列新的国际规范。在此之后，所有客轮都必须在驾驶台操纵板上安装显示器，以显示全部舷门和其他闭锁装置是否仍然开启着或者没有正确锁闭因而会导致大量进水。此外，滚装船的货舱必须经常加以监控即是否有水侵入。通过电视设备或者水漏损识别系统即可。

9.4.4 隔舱闭锁装置

隔舱闭锁装置包括水密隔舱里所有的中央关闭式水密滑动门。这足以保证当某一舱室发生损坏时水不能侵入与其相邻的舱室。因此尤其重要的是，这台设备能否快速操作、在驾驶台上能否对闭锁状态进行控制并在液压系统失灵时能否实现手工操作。

一般情况下机械传动的隔舱闭锁装置包括：

- 隔舱水密滑动门；
- 每扇门配有一个装有应急储能器的泵机组；
- 一个安装在隔舱甲板之上的应急泵站。

其操作如下：

- 在驾驶台上(开启和关闭);
- 在每一边船舷的出事地点通过液压系统或者应急人工手动方式;
- 另可通过隔舱甲板之上的应急泵站进行(只能关闭)。

如果通过液压系统开动隔舱闭锁装置,一旦系统内达到运行压力活塞就会移动隔舱门。若要打开这台装置可以在驾驶台上操纵和控制。每一扇门都可以在所处位置上使用机械动力或是既有的手动泵进行移动。在门的两侧都能进行操作,因为所需要的手动操纵杆是通用的。隔舱侧壁上的操纵装置被设计成:如果穿过隔舱门的人员在某一个位置上紧紧抓住操纵杆则隔舱门就不可能被关闭。在穿过隔舱时如果没有正确操作这台装置可能会有生命危险。

移动门所处的位置在隔舱甲板之上的操纵台上会有光电信号显示。白灯表示“门打开”,红灯是“门在中间位置”,绿灯表示“门关闭”。

移动门的维护

每 4 个星期一次必须进行以下维护工作:

- 检查移动门的密封面和角钢框架以及键和键导轨是否有损坏,清除脏物然后在密封面薄薄地涂上油脂;
- 检查滚轮和滚轮导轨,清除脏物然后薄薄地涂上油脂;
- 涂防锈涂料的涂覆工作中须注意不要将移动门的密封面和滚轮的滑动面一并涂上涂料;
- 对于液压传动装置须注意其特种操作和维护手册之规定。

9.4.5 防漏损的组织

发生进水现象后,最严格要求的任务是对现实形势进行足够的评估。损害程度由以下因素来确定:

- 破口大小;
- 破口在船上的位置和船型;
- 船舶分隔情况;
- 本船排水能力;
- 防漏损的可能性。

通过计算海水涌入量与排水设备的可能排出量,就可得出有关损害程度的第一个结论。在通常的船舶运作中,排水设备主要用于排出底舱、货舱、隔离舱、空舱等处所积聚的水量。船舶在应急情况下的排水设备也可不断地将漏泄进来的水或者因扑灭火灾而使用的水泵出船外，以保证船舶的浮力和稳性。

一般船舶的排水能力视其吨位大小约为 $V_L \approx 200 \sim 500\,\mathrm{m^3/h}$。只有在几类特种船舶上其排水能力才提高若干倍。

通过近似公式可以足够精确地估算出进水量

$$V_E \approx \mu A \sqrt{2gh} \times 3\,600 \tag{9.4.1}$$

式中，μ 为收敛因子约为 0.6～0.8；A 为破口面积/漏损面积按平方米计算/$\mathrm{m^2}$；g 为重力加速度/($\mathrm{m/s^2}$)；h 为从水面至漏损破口中点的距离，单位/m；V_E 为进水量，单位为立方米/小时/($\mathrm{m^3/h}$)。

倘若破口面积 $A \approx 1\,\mathrm{m^2}$，破口中心位于水线下 1 m 的深度，那么进水量 V_E 的数量级约 $15\,000\,\mathrm{m^3/h}$。也就是说，为了与船舶配备的排水能力保持平衡，漏损的面积不得超过 $A \approx 0.02 \sim 0.03\,\mathrm{m^2}$。大约相当于一张 DIN A5 号纸的大小。

图 9.4.2　$h=2\,\mathrm{m}$ 的进水过程图，涌入量约为 $V_E \approx 250\,\mathrm{m^3/h}$

国际海事组织(IMO)没有对防漏损技术提出过明确要求。不同的企业对其技术措施采用了各自的防进水规范。使用相对简便的措施就可以对一定尺寸的破口，在可以操作的情况下进行堵漏。由于船舶一般都是最大限度地利用船内的空间，从船内应用防漏损技术几乎是不可能的。而采用所谓的防漏损卷帘原理或使用其他类似平板的物件来缩小漏损面积，仅在一定的情况下才有可能并且只能暂时解决问题(见图 9.4.3)。

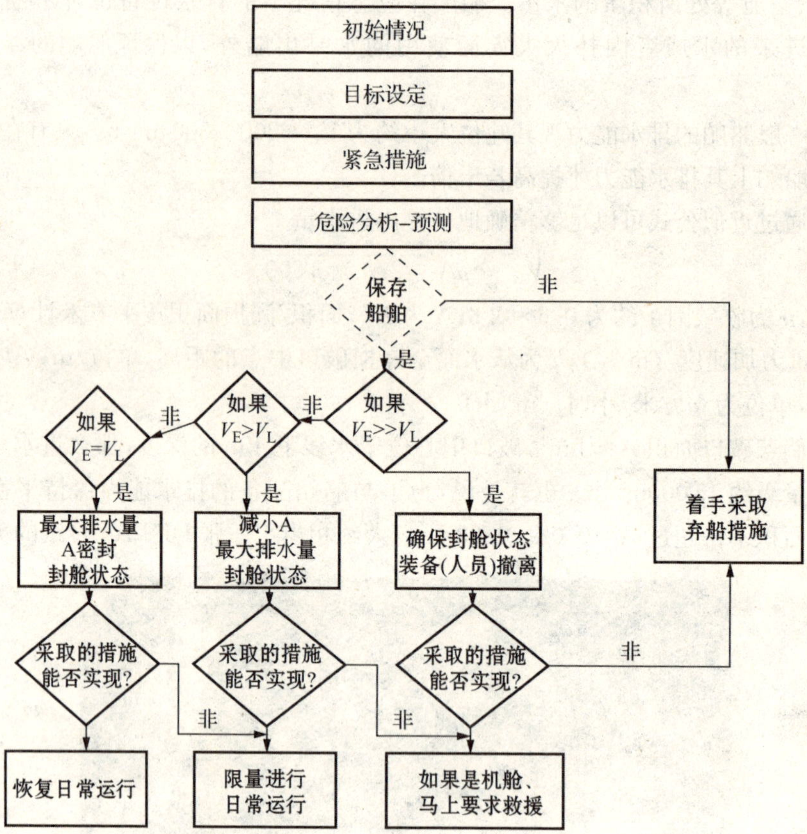

图 9.4.3　应对船舶进水的基本紧急预案

参考文献

[9.1] Brühe，B.；Hahne，J.；Tober，H.：Rettung aus Seenot；Deutscher Kommunal-Verlag；Vieselbach/Erfurt，1997.

[9.2] Germanischer Lloyd：Vorschriften für Klassifikation und Bau von stählernen Schiffen. —Hamburg，1989.

[9.3] Hahne，J. Ltr. u. a.：Feuer an Bord；Transpress VEB Verlag für Verkehrswesen；Berlin 1988.

[9.4] Hahne，J. Ltr. AK：Optimierung der Brandabwehr auf Seeschiffen；FuE-Bericht des Bundesministeriums für Verkehr Nr. 40287/92；1996.

[9.5] Hahne，J.（Hrsg.）：Handbuch Schiffssicherheit；Seehafen Verlag

Hamburg; Mai 2006.

[9.6] Institut für Sicherheitstechnik/Schiffssicherheit e. V.: Computerbasierte Lehr- und Lernsoftware; Rostock-Warnemünde; 2000.

[9.7] See-BG: Handbuch Schiffssicherungsdienst 1996, Ergänzung 2002.

[9.8] SOLAS Regel Ⅱ-2/15 und Ⅲ/3.

第10章　维护保养

译：初述海　李松玲　李　锋

校：张延辉　陈传明　王　婧

10.1　引言

10.1.1　维护保养的普遍意义

维护保养并非出自发明，而是作为有效生产的必需才得以发展。因此，始终必须从生产过程的角度来看待维护保养的意义。仅针对自身目的的维护保养也就并非在此之列。企业必须尝试使生产过程最佳化，以实现既定目标（生产功能）。但是生产设备中的各种元部件在生产过程中产生了损耗和磨损。为了维持生产过程，有必要采取维护保养措施（维护保养功能）。生产功能在复杂过程中主要实现自动化操作，而维护保养功能（状态监测、维护、维修、更新）则以多样化的人为措施为标志。在今天激烈的竞争条件下，生产设备的无故障正常运转具有越来越重要的意义。系统中若有任一元部件发生故障和停止运转都会导致停产，而这又会直接对企业业绩产生负面影响，或造成市场份额的损失，进而对企业自身造成有害威胁。维护保养对设备的可用性和生产的经济性具有决定性的影响。“因此人们绝对清楚维护保养对企业业绩的意义”[10.1]。主观上这种意义的重要性还在不断增强，但在客观上它却是几乎不可描述的。从工程技术角度出发，将效率视为收益与开支之商的方法对维护保养来说并不适用，因为收益即维护保养的成果，例如避免因技术原因所引起的故障和停工期或者新磨损裕量的储备等就无法进行直接测定。维护保养的意义本质上体现在生产过程中的技术对象上。按照设备越昂贵、维护费用越高的假设，可以将维护保养程度定义为：

$$\text{维护保养程度}=\frac{\text{维护保养费用}}{\text{显示的购置成本}}\times 100\%$$

今天对复杂设备来说，维护保养程度假定在 3%～10%之间。对企业来说，所估算的维护保养费用的份额占总费用的 2%～15%。欧洲范围内的维护保养费用总计占国民生产总值的 11%～12%，全球范围内估计每年大约有 4 万亿美元被用做维护保养费用的预算。维护保养的意义在不断增强，其原因如图 10.1.1 所示。

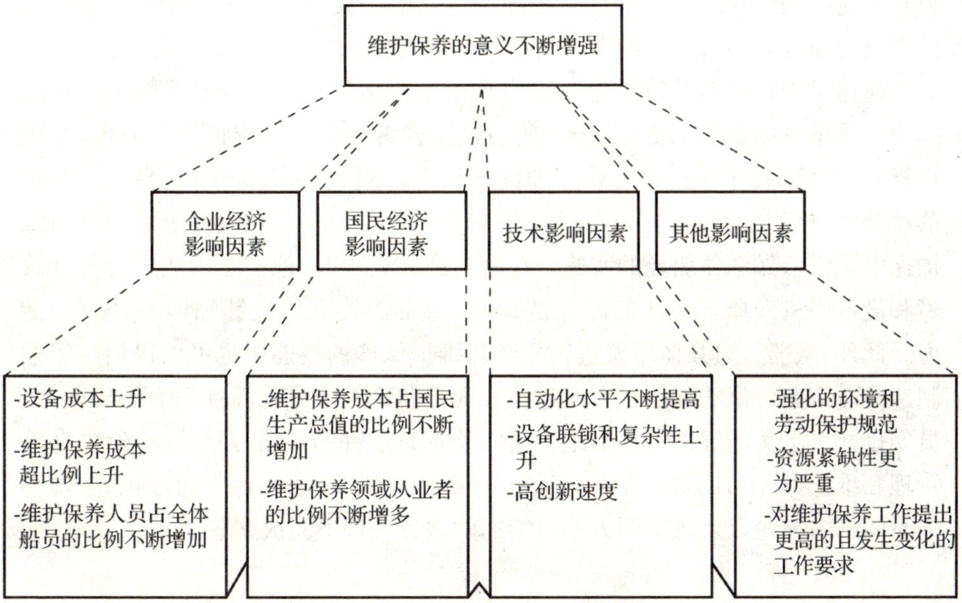

图 10.1.1 维护保养的意义不断增强的原因[10.2]

10.1.2 海运船舶维护保养的意义

海运公司是在国际市场上运作的经济运输企业。它的生产资料即船舶所产出的是地点变换。此类生产的特殊之处是生产与消费同时发生。在这方面不存在类似商品生产中的库存经济。船舶的主驱动设备停止工作则意味着生产的直接停止。船舶的任何不可使用性(停租)都会耗费船主的现金,因为事实上可用性水平先前已经在合同中确定(租船合同)。因此如果海运公司想要成功经营,作为生产资料的船舶其持续的可用性对海运公司来说必须拥有最大的优先权。而确保船舶的高可用性则与维护保养的成功实施直接挂钩。实际上在海运中如果不同时进行维护保养,就无生产可言。海运中维护保养的意义非同凡响,这不仅体现在生产的特殊性上,而且也表现在生产的方式方法上。有关船舶运营的定义参见如下表述:

“船舶运营的目标是,在最大可能的安全性、可靠性和可用性状态下以最小的开支,也就是以最小可能的成本执行规定的运输任务。”

运输任务应当不仅仅始终按期完成,而且还应当是安全、经济和环保的。没有维护保养,那么安全、经济和环保的船舶运营则无从谈起。在此,船舶主要遵守相应的国际和国内法规。船舶经济运营的必要性反过来又在生产开始之前以航行速度和最大允许的燃料消耗的形式在租船合同中得以规定。

海运中维护保养的特殊意义也出自于生产条件本身。维护船舶生产资料的价值是全体船员的职责。同时，他们是运营者即生产和维护保养人员，必须在极其复杂的技术系统中工作。即使在岸上可调派专家，柴油机、泵、压缩机、蒸汽装置、冷却装置、制淡装置、灭火装置以及电气与自动化装置等的运行与维护保养同样依靠全体船员的实施。在海上独立处理时，他们必须能应对各种故障和设备停机现象。为使船舶保持运转，通常需要有创造性和即时处理的能力。此外，从船员对具体装置进行操作和维护保养的技能中也可以得到对船舶制造商而言有价值的提示。在海运检查人员制定的维护保养计划的基础上，船员安排并自主实施维护保养措施。他们负责备用件的订购，而且同样负责仓储管理和维护保养的记录。今天，船员必须在人员减少、船舶运作国际化、港内停泊时间不断缩短以及成本压力不断增加的边界条件下完成这些任务。

10.2　维护保养的基础

10.2.1　理论基础

从历史角度来看，维修保养是一门非常新兴的专业学科。

随着19世纪初的工业革命，产生了用于生产具体产品的机器。过去这些机器一旦停止运转，损坏部件通常以“救火”的形式被更换或简单修理。以前没有专门负责这些任务的工作人员，也没有相应的部门。修理的目的仅仅是使机器重新恢复运转。

随着生产技术的发展，不仅是设备的生产能力和复杂程度不断提高，技术故障造成的进度和经济影响也不断增强。为将这些影响控制在尽可能小的范围内，培训了专门负责此类修理任务的工作人员并将其有组织地安排到车间。对企业而言，这意味着除实际生产经费外的一笔额外开支（人员、运行物料、组织机构）。

维护保养被理解为干扰性的并且仅是成本方面的问题。在此期间形成了对维护保养的负面形象，并且至今仍未被完全纠正。要想提高生产设备的可靠性和可用性，就必须定期中断生产流程并对设备进行预防性的维修。预防性维护保养体系得到了普遍接受。

不断提高的竞争压力迫使企业在所有细分领域中实行节约措施。于是借助当时已有的测量和诊断技术以及先进的数据采集和处理技术的应用，一种基于状态的维护保养体系得以发展。

现代维修保养以向全面反映4个生产要素（4M：人力-原料-机器-资金）的模式转变为开始，例如，在日本首次以人力资源管理或全面生产维护（TPM）的理念被引入。

今天，维护保养不再被视为某一部门的任务，而被视为企业的任务。它是一项复杂的任务设置，包含哲学（分类纳入企业的问题）、技术（损坏特性的问题）、工艺（方法的问题）、组织（生产能力和原料的问题）以及经济（涉及生产过程的成本问题）等众多课题。

较新的维护保养系统是以单一机器和设备的可靠性(RCM——以可靠性为中心的维护)为导向或建立在风险计算(RBI——以风险为基础的维护)的基础上。

根据 DIN 31051[10.3],维护保养可以理解为“为了维持可靠性状态或这一状态的再循环以使要求的功能得以实现,而对考查单位在生命周期内的所有技术、行政以及管理措施进行组合”。其中的措施包括保养、检查、维修和改进(见表 10.2.1)。

表 10.2.1 维护保养

概念	保 养	检 查	维 修	改 进
目标	延缓现有磨损裕量的减少	确认并评估实际状态、磨损原因、后果	回归可靠性状态	提高功能安全性,但不改变所要求实现的功能
工作	清洗、涂油、润滑等	视觉判定或借助仪表技术进行判定	更换组件或修理	对所有的技术、行政以及管理措施进行组合

其他重要概念的定义:

功能实现:满足在考查单位的生产中所界定的要求;

故障:考查单位无法执行所要求功能时所处的状态;

停止运转:终止考查单位执行所要求功能的能力;

磨损裕量:储备可能实现的功能;

磨损:由化学和/或物理过程(例如,摩擦、腐蚀、老化)所引起的磨损裕量的减少。

新设备、新机械具有较高的功能实现能力的储备。在实现功能、使用和设备的运行中,零部件发生了磨损即损耗。随着使用时间的推移,可用磨损裕量的比例也随之下降。磨损曲线(见图 10.2.1)以图形形式描述了一考查单位的可能历程。

起点是 $t=0$ 时的起始状态。在起始状态下可认为磨损裕量为 100%。不断使用后,磨损裕量,即储备的可能实现的功能持续下降,直至构件、机器最终停产,亦即丧失其运行能力。曲线走向是通过检查测定的并且取决于设备本身(材料选择、调质处理、加工等级等)以及外部影响和边界条件(保养状态、促生腐蚀的环境空气、灰尘、运行管理等)。这些因素会影响曲线走向,但不会使之产生量变,因为设备的使用始终意味着磨损裕量的减少。

机器和设备被制造的目的便是为了执行功能——通常将之区分为主功能和子功能。例如,柴油机应产生力矩以驱动螺旋桨或发电机,蒸汽锅炉单位时间内应产生一定量的蒸汽,泵单位时间内应输送一定的体积流量等。

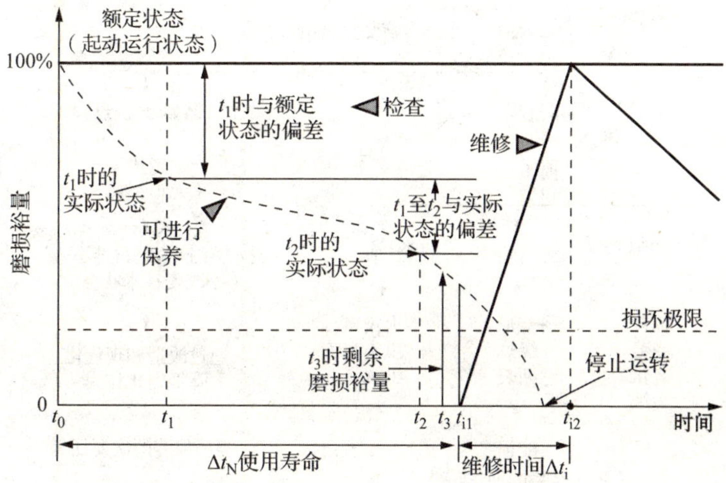

图 10.2.1　根据 DIN 31051 的磨损曲线

对生产而言，机器和设备是必不可少的，它们被使用和消耗。在使用期间、甚至在停机时，机器和设备都受到影响，并且这些影响最终意味着使用性（必需的和期望的）降低。作用于元部件的技术过程，不断发生状态变化并且导致损坏和物理磨损。除此之外起作用的还有导致无形损耗的技术-经济过程，如更好的及新颖的生产资料的研制、设备折旧等。由此，维护保养的首要任务在于降低物理磨损并消除其影响，而其次要任务则在于通过改造和使设备现代化以降低无形损耗。图 10.2.2 阐明了其间的关系。

根据参考文献[10.4]，维护保养的必要性和起因在于通过保养、检查和维修来控制磨损过程，避免发生运行故障，并在较低的运转费用下维持系统具有高的预期寿命。

根据参考文献[10.4]，系统状态可以借助以下量值进行衡量：

- 负荷承受能力 B_k；
- 负荷 B_a；
- 可靠性 ΔS；
- 磨损。

磨损：损耗＝摩擦

腐蚀＝电化学反应

疲劳＝荷载循环

老化＝时间

污垢＝沉淀物

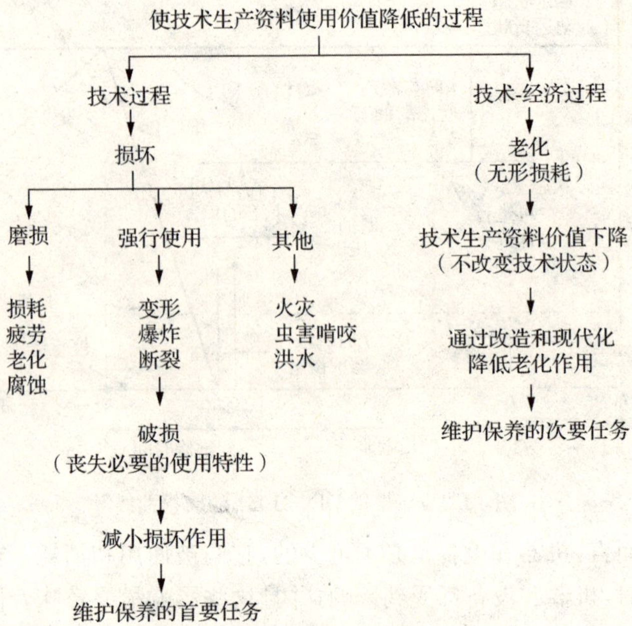

图 10.2.2　维护保养任务[10.2]

在为构件所设定的负荷下使用时，磨损以持续过程的形式产生。在非正常负荷时，会出现局部或整体性过载，也被称为强行使用。强行使用以跃变函数的形式出现。一旦磨损和强行使用产生相互叠加，安全性的损失就要相加（见图 10.2.3 和图 10.2.4）。

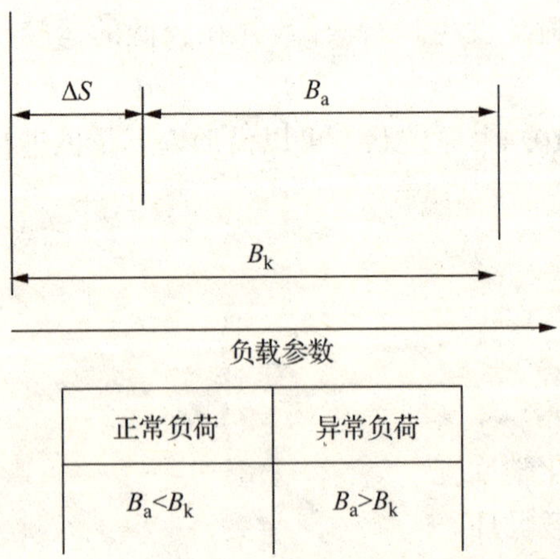

图 10.2.3　正常和异常负荷

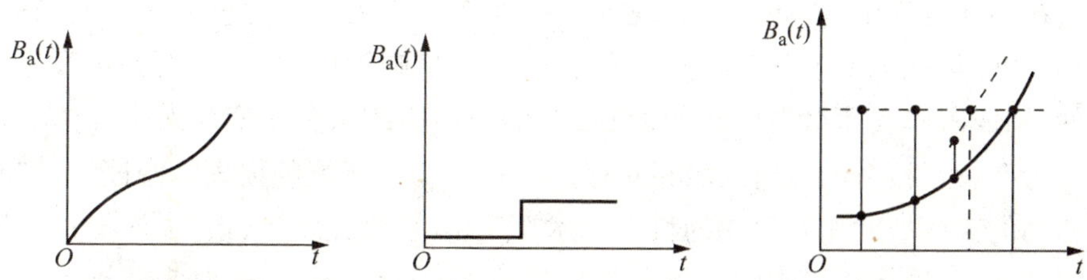

(a)磨损-持续过程　(b)强行使用-跃变函数　(c)磨损和强行使用叠加

图 10.2.4　磨损和强行使用的过程

维护保养下的运行使用流程如图 10.2.5 所示：

通过物理和化学作用，损坏改变了技术生产资料的结构、尺寸和元部件的归类。它们可以细分为 3 类(磨损、强行使用或过载、其他损坏)。磨损以损耗、疲劳、老化和腐蚀的表现形式存在。在过载时，会产生变形、断裂或爆炸。其他损坏则由火灾、恶劣天气等类似因素引起。

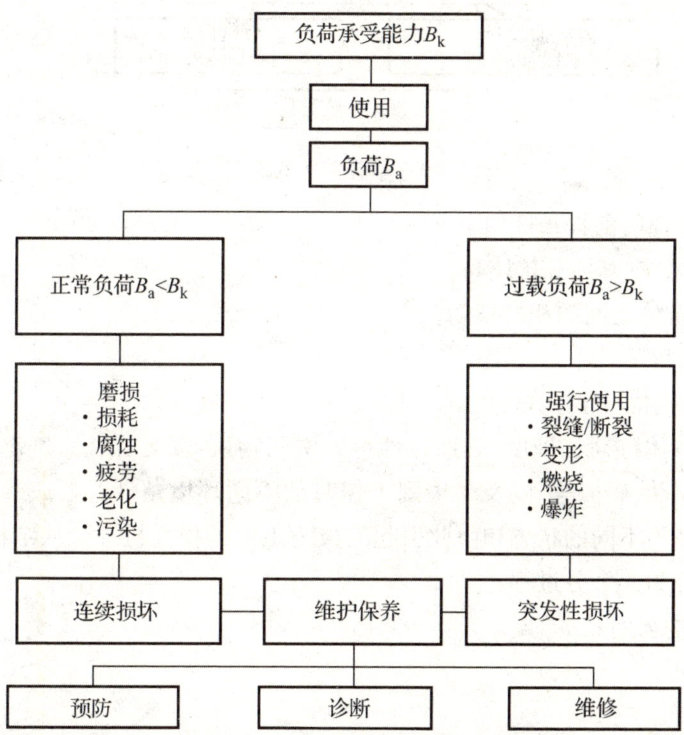

图 10.2.5　使用和维护保养示意图

在损坏过程中，损耗这一表现形式的经济意义无疑尤为重大。正因如此，例如1990年德国由于滑动磨损就消耗了约10亿吨钢材[10.2]。损耗是由摩擦引起的，构成固体表面材料区域的形状、大小和物质的永久改变。而摩擦本身被定义为在相互接触的材料区域相对移动的过程中机械能的损失。摩擦学是"相对移动的表面彼此相互作用的科学技术"[10.5]。它研究摩擦、损耗、润滑以及固体间、固体与液体或气体间的相互作用等诸多课题。图10.2.6为摩擦系统的模型。

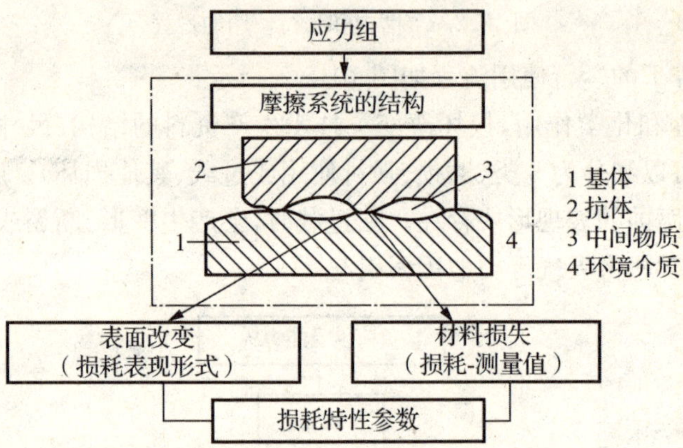

图10.2.6 摩擦系统的模型[10.6]

产生摩擦的前提条件如下：

- 两个摩擦体(基体和抗体)；
- 基体和抗体之间的相对移动；
- 出现应力；
- 两个摩擦体之间的中间物质。

由摩擦体(形状、硬度、表面特性等)、中间物质(固态、液态、气态)、负荷模式(静止、振动、碰撞等)以及摩擦副工作时的不同环境条件所形成的多种组合导致产生极为不同的状态和由此引起的极为不同的损耗机理。从结构上来说，这些机理分为4个分过程：

- 粘着点的剪断；
- 弹性变形；
- 塑性变形；
- 界面变化。

由相对移动的方式可推导得出相同命名的磨损类型：滑动磨损、滚动磨损、钻探磨损、碰撞磨损和粘着磨损。

滑动磨损以固体摩擦、混合摩擦和液体摩擦的形式出现。图 10.2.7 为具体摩擦形式所属的摩擦模型情况图。

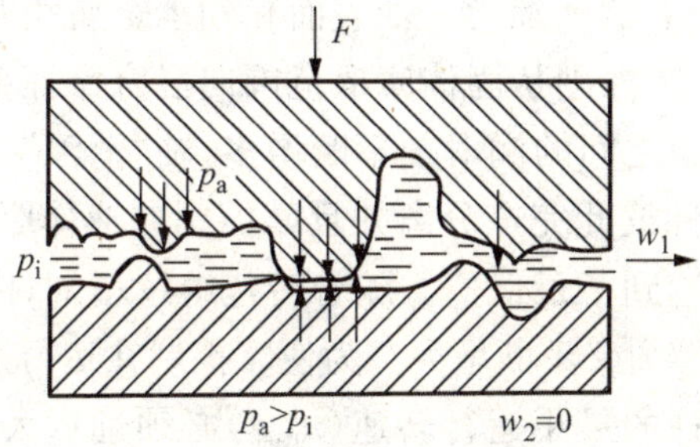

固体摩擦

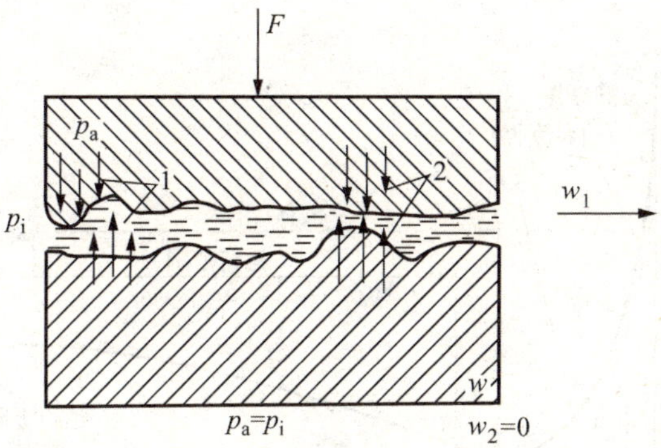

1 塑性　　　　2 弹性

混合摩擦

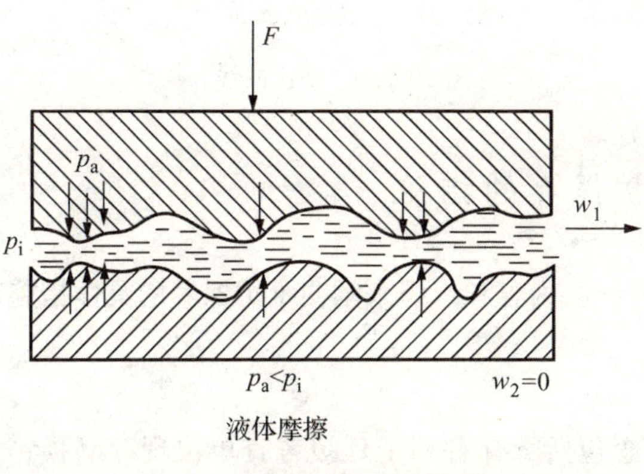

液体摩擦

图 10.2.7　摩擦类型[10.6]

从固体摩擦到液体摩擦，须克服的摩擦力不断减小，因为两个摩擦物体的固体表面在液体摩擦时不再接触。一般来说，滑动轴承随着轴转速的变化，摩擦力会经历以下过程：

启动状态须克服最大的摩擦力。轴表面和轴承金属相互接触。随着转速增加，摩擦力不断减小，摩擦副从固体摩擦范围向混合摩擦范围过渡。随着转速继续增加，进入两表面之间的润滑剂不断增多，轴“上浮”。当表面的粘着点不再相互接触时，两构件彼此完全分离并且摩擦副向液体摩擦范围过渡(n_u)。在这一转速下，摩擦力达到了最低值。随着转速继续增加，由于润滑剂的内部阻力，致使要克服的摩擦力又不断增大。为使摩擦副在运行期间保持在液体摩擦的无磨损范围内，选择的最小运行转速(n_{Bmin})必须远远大于过渡转速(n_u)。只有在启动和停车运行时摩擦副才经历混合摩擦和固体摩擦的密集磨损阶段(见图 10.2.8)。

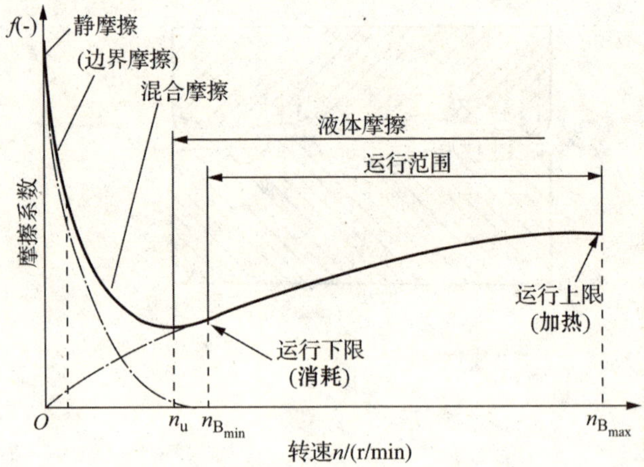

图 10.2.8　斯氏曲线[10.6]

10.2.2　维护保养的措施

以下将根据目的、内容和组织来阐明维护保养的具体措施。

保养[10.6]

保养这一概念包括所有有利于延缓考查单位现存磨损裕量减少的措施和工作。

具体措施有制定保养计划、准备并实施保养、进行反馈。

保养的首要目标在于延缓磨损。

保养工作能够使磨损速度下降，从而延长有效的使用寿命。相对简单实施的工作能够具有很高的成效。由于其预防特性，保养因此具有很高的经济价值。保养，作为维护保养的基本措施，其作用很难通过简单的指标进行测量。保养的影响体现于两个层面上。主要作用是降低磨损速度并且延长维修间隔，其次则是提高机器设备的可用性(企业利润)以及改善安全性和环境保护。

保养的工作包括清洁、润滑(添加和/或更换润滑剂)、封存、加固以及调节。这些工作要借助保养说明、保养规定和保养报告(组织方法)系统性地实施，而且还要借助工具(部分是专用工具)以及辅助手段(清洁、吸取、劳动和健康保护措施)执行。保养中运用的运行物料被视为消耗材料，是重要的成本因素。

成功进行保养的最重要前提是保养说明。其质量从根本上决定了保养工作的实施质量。保养说明必须准确无疑并且包括一切实施所必需的易懂提示。基础是机器设备生产商不具约束力的保养提示或建议。只有严格的核实和按照业务特性调整之后才能制定出具有约束效力的保养说明或任务。通常情况下，保养说明在相当长的时期内有效，但也并不被视为刚性文件。只有这一管理工具(保养说明)才使保养的人员、物料、成本等的业务规划成为可能。

即使保养说明看起来操作非常具体，但内容上还必须回答以下问题：

谁？　　实施者的资质说明(例如，电工、轮机人员)

哪里？　　标识保养对象(例如，财产清单号)

什么？怎样？保养说明中最为重要的部分；工作与保养对象的组合(例如，清洁过滤器、重新润滑滚动轴承、调整制动器)

用什么？　　方法和工具(例如，黄油枪 P2、平头注油嘴、润滑脂种类、5 次提升)

多久？　　保养实施的时间

什么时间？　　运行状态说明(例如，运行或停机状态)以及间隔说明(例如，每月或每 1 000 运行小时)

制定保养说明并非一次性静态措施。设备改进、运行流程改变、重新安装或环保规定强化都会引起必要的变化。

保养的计划和组织使用是不同的系统。计划时，按照保养措施的时间连续性可以分为周期性保养(由日历时间、运行时间、件数确定时间间隔)和基于状态的保养。周期性保养在组织上简单并且在资质技能不良的前提下具有优势。它尝试形成保养综合方案并使时间间隔相互协调。例如:

保养综合方案 A	每月
保养综合方案 B 包括 A	每 3 个月
保养综合方案 C 包括 A 和 B	每 6 个月
保养综合方案 D 包括 A、B 和 C	每 12 个月

对于基于状态的保养,保养的时间节点和可能范围则依据对保养状态的先前判断而定(例如,通过润滑油分析)。

保养组织系统将保养措施合理地编排到企业运行当中。在此要顾及到两个相对立的方面。一方面是以有效生产为目标的顺利的生产流程,另一方面是保养对延缓剩余磨损裕量减小的最大效应。保养的组织应该满足以下条件:

- 持续遵循保养措施和间隔;
- 实施保养措施时,考虑到使用条件和磨损条件;
- 有效实施保养措施;
- 确保遵守生态和安全技术要求。

保养可以作为企业自身的任务加以组织,也可以交付外来公司实施。两种组织形式各有利弊。

检查[10.6]

机器和设备的检查随不同问题的提出而开始:

- 检查工作应确认设备在一定时间内能够无故障运行;
- 检查工作应为必要的维修提供启示;
- 检查工作应解释设备对确定负荷的反应。

在此,最为复杂的检查任务是获知设备的状态。设备的实际状态出自于各元部件、负载和磨损机理的共同作用,而无法通过个别参数确定。这一点对判断者而言是最大的挑战。

检查的目标是确定实际状态,即查清某一给定时刻考查单位的状态。总之,状态与时间相关。实际状态的彼此连接形成了磨损曲线的走向(见图 10.2.1)。状态通过特征进行确定。这些特征被表达为磨损的程度和可用程度(生产能力/弹性)。而特征则通过参数(可变量值)求得定值。这些参数可以分为几何量值(长度、宽度、高度、厚度)以及物理量值(温度、容量、浓度、功率、速度等)。

这些由于磨损而不断变化的量值最终得出须由检查加以确定的特征值。

对状态确定而言有两种不同的方法——定性(评估)和定量(测量)状态确定。在进行定性状态确定时,预计会出现"仍然良好"、"坚持到下一港口"、"必须维修"等检查说明。即使这些检查说明在事实上几乎没有重现并且因此几乎无法被证明,但如果遵循这些说明的限制和界定,这一形式的状态确定也是理性的、有益的。检查说明始终是一种主观判断。但判断者依靠自己的声誉和经验尝试得出正确结论。通过设定框架条件(未来的负荷模式,至下一次计划维修的运行时间等)或者在已给出比较方式(一台柴油机的多个汽缸组等)时,做出判断就会变得容易些。对设备后续的运行能力这一问题的回答是一个纯粹定性的检查说明,但在大多数情况下完全足够。

定量状态确定是通过测量来测定不同特征的量值。它是客观的、可证实的、可实行的、明确无疑且主体上具有很大独立性。对仅仅定量确定实际状态来说,这是一种检查的理想方案。定量状态确定受到测量方式的限制,因为状态只以磨损的多种表现形式存在并且只有这些表现形式才可以被测量。通过测量技术直接掌握到的是损耗(形状大小)和腐蚀(重量)。老化和疲劳的探测常常只有在拆卸部位通过材料无损检测才有可能实现。如果能够从其他的、已知的或容易获取的参数中明确推断出考查单位的状态,则可以进行间接测定。在此的前提是测量值和状态特征(例如,滚动轴承的振动分析)之间已知的关联性(物理/化学规律)。定量状态确定的尺度有估算、比较(例如,曲柄轴曲柄间隙的测量;在此将变化与以往测量值进行评估比较)和绝对测量值(例如,磨损副的最大间隙)。

一旦通过定性或定量确定并借助直接或间接测量确知了考查单位的实际状态,即可通过对设备状态的判断对检查任务进行补充。可以将极度磨损的原因探测(对停止运转进行分析)或/和对考查单位未来运转能力的预测纳入检查任务当中。判断设备状态时,要顾及到所有影响参素(见图 10.2.9)。在此务必要回答综合方案中的多数问题。须判断的有:

- 元器件(实际故障易发处还是磨损极限设定错误?);
- 磨损机理(合适的润滑剂、合适的用量?);
- 负荷(是否记录了最大负荷、环境条件?)。

精确实施的检查可以推导得出关于保养、运行(负荷模式)和设计的结论。检查是一项 3 个时间层面上的复杂任务:现时层面(确定状态)、过去层面(查明原因)以及未来层面(设定预测)。这也是维修工程师的基本任务。

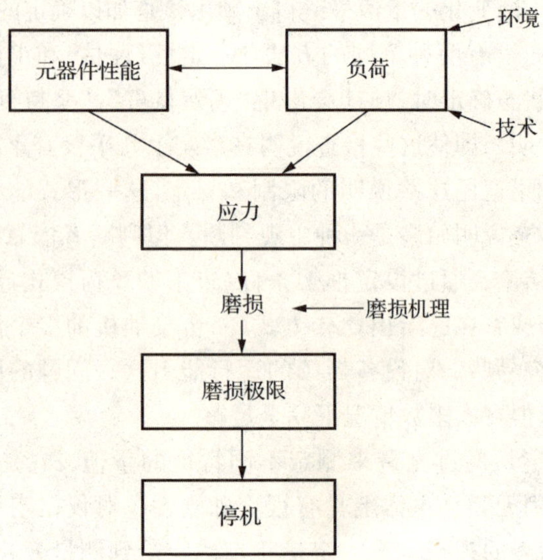

图 10.2.9　作为复杂系统的设备过程[10.6]

维修[10.6]

维修这一概念包含使考查单位归位于正常运转状态的所有措施。具体工作包括设定任务、策划、准备、实施、功能检验、验收、提交报告以及进行评估和反馈。维修是一门注重以技术为导向的学科。高创新速度致使在越来越短的间隔内产生不断改进的或新的生产资料，并要求维修人员持续学习和进修。

维修明显受到以下因素的影响：

- 环境保护和安全法律框架条件的强化（产品责任法、安全运行条例、举证责任倒置等）；
- 对生产设备可用性提出更高要求（如规定每年 360 天船舶可用性的租船合同；可用性满足经济性且可支付的要求）；
- 自动化和生产过程联锁程度不断提高；
- 在停机费用降低的同时尽可能在无负载的情况下增加设备费用；
- 更高的灵活性要求和未来指向性（生产资料在短时间间隔内被重新装配、补充或替换）。

为了成功实现并达到经济节约的目的，维修必须以企业目标和企业战略为导向。企业的目标是生产产品，即

- 利用所要求的可用性服务于一定的应用目的；

- 满足安全要求；
- 与环境相适应。

从这一目标出发，维修的实施要以安全、环境以及可用性为导向。从维修的角度来看，安全和环境保护领域的任务不容质疑，因为违规行为或者不作为将会导致相应的惩罚或者被吊销经营许可。以可用性为导向的维修仅仅着眼于技术-经济目标。在此，企业在两个极端——最大生产产出（技术功能性）和最小成本（实现功能的经济性）——之间有着宽广的余地。

维修的实施取决于时间间隔、状态和停止运转情况。基于时间间隔（预防性）的维修方法虽然容易安排计划，但存在一个缺陷，即会浪费很大比例的磨损裕量。基于状态的维修能够最充分地利用这些裕量，但前提是通过检查或诊断尽可能准确地确定考查单位的状态。设备停止运转后才进行的维修则完全利用了考查单位可能实现功能的储备。由于非常经济，这一维修方式非常适合于通过冗余能够确保继续运转，或考查单位停止运转不会对生产过程产生根本影响的企业。

当未能满足安全和环保要求或出于经济原因而未落实时，技术事件（故障或停止运转）也会引起维修。

维修的改进潜力在于以下领域：

- 先进的维修方法（车间的现代化装配、泵和传动装置的专用加工台、满足维修要求的计划和设计，例如，整单位的吊装辅助和拆卸等）；
- 使用高素质的工作人员（不仅仅在生产领域）；
- 改进型组织结构与流程（以企业结构、中央车间或现场车间为导向）；
- 更合理的资源分配（生产和维修的财务资源）；
- 自我维修或外部维修（准确权衡、成本、时间耗费、法律条件等）；
- 纳入客户服务（当自身员工不够合格、没有备件库存等时）。

10.2.3 维护保养战略[10.6]

战略是为实现既定目标而采取行动的方法。维修保养计划的结果是要制定出由已知的方法、人力和资源组成的可供选择的解决途径。维护保养战略必须追寻基于企业目的而设定的目标。其可行的目标功能在于：

- 使可用性最大化；
- 确保既定的可靠性；

- 减少磨损储备存留；
- 最优化地使用劳动力；
- 减少开支总额。

维修保养战略确定了具体措施的种类、时间和范围。它受到作用于企业的外部条件——技术进步、市场状况等——以及内部运行的因素如企业组织结构、投资和人事政策的影响。维护保养战略实际上起始于制造商(停机起因避免战略)并将设备运行人员(停机起因排除战略)包括在内。表10.2.2为维修保养战略结构的一种可能性。

停机起因避免战略(制造商)

- 停止运行起因少；
- 故障少；
- 符合原理(适合维修保养)。

维护保养的战略(维修保养者)

表10.2.2 维护保养战略的构建

主要目标	停机状态	计划方法	外部投入	改 变
以可用性为导向 以安全为导向 以环保为导向	基于时间间隔 基于状态 基于设备停机	按规划 已计划 已准备 未作准备	维护保养公司 制造商 客户服务部 手工作业公司	设备改进 与设备相匹配 节约能源 污染物减少 成本下降 质量改进

停机起因排除战略(运行人员和维护保养人员)

- 故障分析和起因分析；
- 反馈。

随着生产技术的发展先后形成了以下的基本战略：

表10.2.3 维护保养的基本战略

基本战略	引发维护保养的因素	优 势	劣 势
与破损相关	停止运行	完全利用磨损裕量	不易计划 可能造成连带损失

（续表）

基本战略	引发维护保养的因素	优　势	劣　势
与时间相关	周期	可计划性、高度可靠性	未完全充分利用磨损裕量、高成本
与状态相关	检查	最大限度充分利用磨损裕量时的高度可靠性	检查和诊断方法的可用性问题，可能是不受欢迎的维修期限

从这 3 种基本战略中产生了各自具有不同重点设置的维护保养管理方案。

表 10.2.4　维护保养的管理方案

方案名称(英文)	方案名称(中文)	简写	目标方向
Condition Based Maintenance	基于状态的维修	CBM	基于状态
Reliability Centred Maintenance	以可靠性为中心的维修	RCM	以可靠性为中心
Lean Maintenance	精益维修	LM	精简至核心业务流程
Risk Based Maintenance	基于风险的维修	RBI	精简至核心业务流程
Total Lyfestyle Cost Strategy	总生命周期最小化的成本战略	TLC	整个生命周期内成本最小化
Total Produktive Maintenance	全面生产维修	TPM	生产一体化

10.3　船舶运行期间维护保养的组织

10.3.1　规范

在认识到船舶安全运行和设备最大可用性之必要性的情况下，海运中的维护保养从根本上说是受到 ISM 规则（国际船舶安全营运和防止污染管理规则）和船级社规范的要求。ISM 规则要求海运公司执行旨在将船舶维持在符合规定和规范状态中的系统预防措施。通过船舶运营者陆上和船上的良好组织和系统性管理，务必确保安全性和环境保护。基础是保养计划，但也包括对保养间隔进行系统跟踪、对实际执行措施进行记录的程序。系统的最小范围是与安全相关的部分，如船体、主机、电力设备、舵机、锚设备等。除此之外，要求特别重视辅助设备（救生设备、应急发电机、应急灭火泵等）。其目标是进行旨在提高海运安全性的陆上和船舶操纵认证。之所以进行认证的背景是海上事故的发生，而这些事故主要不是由于技术缺陷，而是由人为失误引起。

船级社规定在一个船级期内要对与生产和安全相关的设备进行周期性勘测（检查）。根据船体和机械设备的区分，将有待勘测的机组和构件罗列在一张总表中。要求是在船级期内对所有这些机组和构件进行至少一次，有些则每年一次进行勘测。勘测的顺序可由船主确定。所采用的方式是部分重新入级（持续勘测）。在这一程序内，船舶轮机长可以单独对机组和构件进行勘测。勘测记录报告则要呈交船级社（见图 10.3.1）。

10.3.2　结构

检查的管理任务是保证海运公司船舶的技术可用性。在此通常根据航海和技术领域的不同，由检查员监督并领导船上全体船员的工作。轮机长负责船舶总体范围的技术工作。他与其他轮机管理员和轮机工作人员一起计划、准备、实施、记录维护保养措施。通过利用明确的船员结构，以管辖范围分工的形式，由各位轮机管理员分担负责专门的机组和系统。举例来说，由二管轮负责

船运公司 船舶名称
Shipowners Vessel

用于持续勘测的勘测部位记录报告 记录报告编号
Report of surveyed parts for continuous survey Report No.

设备部件
Part of plant 辅助鼓风机和2号机带
制造商
Manufacturer HIMCO：韩国
型号
Type
工厂编号
Work's No.

代码：勘测部位和结果
Code: Surveyed parts and results 0911 辅助鼓风机和2号机带

对电动机进行了外部检查；发现状态良好；未发现异常噪声等

利用扫气空气止回带对鼓风机部件进行了检查
发现状态良好

轮机长姓名 任轮机长的工作年限
Name of Chief Eng. Years of service as Chief Eng. years(年)
许可证书及编号 a）在柴油机船上
Licence and No. on motorships years(年)
签发日期 b）在蒸汽机船上
Date of issue on steamships

勘测地：新加坡 日期
Place of survey: Singapore Date

轮机长
Chief Ing.

图 10.3.1 勘测记录报告

主机、分离器和饮用水制取装置以及相关系统是否处于就绪使用状态，而三管轮则负责保证辅助柴油机、辅助锅炉、空气压缩机和舱底油污水处理装置是否可就绪使用。管辖范围的划分由海运公司确定且可以改变。轮机工作人员分归轮机管理员负责，他们的派遣使用通常由二管轮协调。

10.3.3　计划

过去要对单一机组建立所谓的简历档案（索引卡片）并用检查结果、原因、措施等关键词记录计划之外的工作，而现如今几乎完全使用计算机辅助的维护保养项目（planed maintenance systems 计划保养系统）。这些维护保养项目建立在与时间相关的基本战略之上，并根据项目的广度形成除维护保养工作计划和记录之外的可行方式，即备份存储保养说明和检查记录、启动备件订购程序、记录运行物料消耗、进行趋势和成本测算以及完成其他更多的任务。这些计算机辅助系统在与现代的通信技术的联合作业中，还具有能够即时向海运公司的陆上机构汇报每艘船只实际状态的优势。在船级期内，船级社所考虑的是根据已经过认证的程序而实施和记录的工作。

维护保养计划尽可能地涵盖所有需要维护保养的船舶设备和机组。借助设备清单绘制成元部件树，并据此归类确定的维护保养措施。有待执行的措施参见机组制造商手册。每项具体措施都设置有一时间间隔（日历时或运行小时）。随着船舶交付使用，维护保养周期也随之开始。然后在时间间隔与机组的节点上产生这一时刻有待执行的维护保养任务。工作一旦完成即被记录，时间间隔被重新设置，而维护保养周期也重新开始。维护保养任务编制在星期或月计划中并且按管辖范围进行分配。由于技术原因，对主机和其他重要的推进机组的维护工作只能在港口中实施。在重视时间和人力资源的前提下，由二管轮制定基于紧迫性的待实施维护保养工作的港口工作方案。对辅助设备和冗余设备（辅助柴油机、泵、分离器等）的维护工作则计划在航渡期间进行。

10.3.4　实施

在船上，很大一部分保养和维修工作（日常工作）由轮机工作人员独立实施并由轮机管理员进行检查。对于这些工作不需要特别的计划和准备，在简单确认实施后即可记录。检查工作（例如，活塞检查、动力装置检查）由轮机管理员执行，且多数是根据事先准备的备忘录进行记录的。在准备阶段这些工作很好控制，因为检查范围、时间范围和需要的辅助工具已经明确。计划进行的、较大的保养和维修工作（例如，系杆预应力的检查或主机构件的更换）需要进行全面的准备。极其短暂的港内停泊时间（如集装箱货船）迫使必须拥有有效的维护保养技术。既要重视轮机人员的能力和经验背景，又要重视可能的辅助型外部公司的必要检查。准备备用件（例如，备用活塞），准备好工具、专用工具和辅助工具以及与所有参与者协商技术和个人任务，有助于节省时间和预防故障的发生。

预防性维护保养的这套系统已经在船舶运行中被证明是行之有效的。它不仅是对有待实施的维护保养任务（大约 20%的工作时间）来说是一项计划工具，而且对人员计划、备用件供应或外部服务的有效利用也同样如此。这一系统的运行在很大程度上并不取决于船上的船员和船舶所处的位置。当然，这一系统的运用并不能百分百地排除技术性停机的出现而且也并不包括所有在船上积压的和必需的工作。所谓的“特殊工作”在船舶运行中比人们一般设想的范围更广阔。除了根本的安全和值班任务（约 50%）之外，此外还包括需要相应劳动力和劳动时间的其他工作[例如，清洁、油漆和整理工作、物品存储、装载粮食和接管备用件等（约 30%）]。尽管如此，这一预防性维护保养系统仍最好地满足了对船舶最大可能的持续可用性的要求。即使这一基于时间的维护保养战略在部件达到损坏极限前通过对其进行更换或修复还是定期浪费了现存的磨损裕量，即便一再必须为维护保养工作计划好固定数目的高额费用，而船主对其他的维护保养战略仍持保守态度。新技术和船舶操纵自动化水平的不断增强致使船员的数量减少，而这也引起维护保养的框架条件发生了变化。轮机管理员不再仅仅执行管理和检查任务，而要求转变成“管理工程师”。在船舶的一个或另一个工作区域内出现的瓶颈问题，将视情况的不同通过船员的轮换加以调整。甲板区的如靠泊和离泊时的辅助工作或机械区的如活塞取样时的辅助工作，只有具备基本的能力和技能才能很好地实施。作为三管轮或二管轮的职业生涯通常非常短暂，很少有时间允许他们“边干边学”，因此也很少积累对成功地组织维护保养所必需的经验知识。在此，重要的是传达个人知识的能力并对由外部公司实施的维护保养服务进行评估的能力。一旦船舶无法独自解决出现的问题，就需要陆地方面的支持。在技术上组织良好的海运公司适用这一原则：当船员有需要帮助的必要时，无论相关费用的高低，他们都会严格地得到帮助。海运公司以极为不同的方式给予支持。技术检查所持续的电话准备状态以及以此可与制造商取得联系，都确保了船员可以立即得到专家的指导。

在实施许多未完成的或特殊的维护保养任务时，海运公司可短时间地增加船员。机组制造商的专业人员为港口内或海上的船员提供支持，而港口内陆地方面的维护保养公司则承担主驱动设备的待实施维护工作。

10.3.5　改进的可行性

迄今为止，船舶上运用的几乎完全是预防性的维护保养方法。在这一维护保养方式下，根据构件的年限和/或达到的运行时数对其进行检查或更换。这一方法的基础是概率计算和经验值。只有对停机时船舶安全性或为海上运行而规定的冗余没有限制的系统才使用“停机”维护保养方法，在这一方法中，仅在机组或构件停止运转时才进行检查。只针对实际的、适度的状态数据而采取措施的基于损耗或状态的维护保养工作，迄今为止几乎没有得到应用。

即使在航海中要进行基于状态的维护保养也须具备很好的前提条件。一方面有越来越多的经检验的有关直接或间接状态确定的技术流程，另一方面船级社制定了准许引入相应的系统并为之进行奖励的框架条件。

与此同时，为达到自动化目的而对带有数据总线的设备进行的通用网络化，以及在工业标准基础上进行的开放式接口的研制，都为船舶上的状态监测开辟了新的可能性，因为这种方式的系统数据采集相比以前显得成本更低。此类战略成功实施的前提条件是对可信的系统数据进行持续或抽样采集，而对这些数据的分析和联系则使对设备状态做出结论成为可能。

实施的方式有所不同。一方面通过对机组和系统的分析性考察尝试前瞻性地决定适合的维护保养战略，另一方面通过对出现的破损情况进行后续的统计性分析从而使现有战略的最佳化(参见第 11 章)。

基于状态的维护保养建立在设备的技术状态(磨损裕量)能够通过测量技术措施加以查明(机械性检查)的这一假设的基础上。状态识别的基础是技术诊断。从定性表述状态(如间隙放大、裂纹扩张)的角度出发，必须找到一项描述技术状态变化的诊断特征(如有效值、包络曲线谱)。状态参数和诊断特征之间的关联性形成了诊断模型。与手工检测一样，在对当前状态做出评估并进行可能的趋势分析之后要做出决定。决定范围多种多样，包括不改变的继续运行、立即计划维修措施、预测剩余寿命、改变运行模式(仅部分负荷运行)或立即停机等。

在运用技术诊断时通常要区分两种诊断深度。

状态监测涉及的是仅探测机械和设备中的缺陷和破损的战略。所运用的是单一的、简单的测量参数来判定状态。一旦这一测量参数超过第一极限值(警戒值/ALERT 值),就要注意(例如,加强轮班监测和/或转入诊断)。一旦这一测量参数超过第二极限值(跳闸值/TRIP 值),如果监测仪器没有自动引发跳闸,就必须决定机器是否应继续运行还是实施切断。紧随其后的诊断,必要时由计算机实施的咨询系统会为操作员的决定提供支持。

诊断本身是为了对机器和设备中的缺陷或破损进行鉴定、定位和量化的战略。为此,要选择合适的判断量值(诊断特征),从测量信号(诊断信号)中进行提取且必要时进行组合。

基于状态的维护保养需要进行系统性的对象和程序分析。例如,这一分析可以在可靠性方法下(RCM)或基于风险(RBI)而进行。在进行可靠性方法的分析过程时,专家团队会按照 7 项标准对船舶的每一台机器和每一种技术设备进行分析。

1) 机器执行哪一功能?

2) 机器在执行功能时会受到何种方式干扰?

3) 这些单一功能干扰分别是由什么引起?(FMEA 失效模式与影响分析)

4) 每种单一干扰出现时将会发生什么情况?

5) 每种单一干扰发生作用的严重程度如何?

6) 怎样才能避免或预测这些单一干扰?

7) 如果干扰既不可预测又无法避免,要采取怎样的措施?

在进行基于风险的分析时尝试将风险(R)确定为破损程度(S)和出现频率(H)之积。因为风险集合并涉及破损情况的这两个参数,因此对维护保养措施的必要性来说它是一个合适的评估参数。现有的船级社破损数据库对船舶运行中可分级的破损情况给予提示。

借助对象分析要对适于诊断的组件做出选择,并确定与磨损相关的组件。测量部位要进行归类。程序分析则选择出最有效的诊断方法,设定参数值并确定极限值、检查周期和检查范围。根据总设备的价值不同,经营者保有确定分析深度和诊断技术开支的权利。无论是连续性的还是非连续性的,都应做出决定,是采用移动技术还是用固定安装的仪器进行工作。诊断仪器使用的其他重要检查标准是[10.2]:

- 选择的程序能否满足测量技术的定性和定量要求?
- 损坏过程的持续时间是否足够长?

- 意外破损(寿命比预期的要小得多)能否像正常破损一样被识别?
- 测量地点是否容易到达?
- 在运行条件方面,诊断仪器的要求能否被满足?
- 能否确保仪器被充分使用?
- 邻近设备是否存在使用可能性?
- 熟练的操纵人员是否可用于技术诊断工作?

对单一机组干扰原因的分析可以通过例如失效模式与影响分析(FMEA)的方法进行。为此,根据故障易感性对设备进行系统分析。最初在美国宇航领域研发的程序被进一步发展,并在今天以生产工艺、设计或系统失效模式与影响分析的方法而存在,它们在产品生产的多个阶段中(计划、修订和实现)都具有意义。失效模式与影响分析是一种定量的风险分析法,其分析结果是一张归类有风险值的风险列表。为了确定风险列表,必须对有待检查的系统进行界定并确定其细部。之后,系统被细分为逻辑要素。举例来说,一台技术仪器可以细分为:

- 由功能被整合为实现特定目的的不同子系统合成的总系统;
- 由各种不同的组件所构成的子系统;
- 由子组件结合而成的组件;
- 由单一元器件组成的子组件;
- 由单一零部件组成的元器件;
- 最终不能再行细分的单一零部件。

对这些单一要素(故障发生部位)必须确定可能出现的故障。通过 3 个特征指数来评定所测定的故障和干扰的发生概率(A)、意义(B)以及发现概率(E),其分别表示如下:

1) 故障的发生(A):用分数 1(没有可能)到 10(极有可能)对每一可能故障的发生可能性进行评判。

2) 意义(B):每一故障发生的结果意味着什么。运行能力居于中心地位。评分从 1(无后果)到 10(严重后果)。

3) 故障的发现(E):在进一步干扰出现或机组停机之前故障可被发现的概率。评分从 1(极有可能)到 10(没有可能)。

从这 3 个量值的乘法中求算出所说的“风险优先指数”RPZ:RPZ=A·B·E。

考虑到(所追求的)顺利运行,被列入高风险优先指数的故障被相应地赋予了更高的意义。失效模式与影响分析法的运用如离心泵的实例所示。与其他工程机组相比,泵运行领域中的运行故障或停机原因并非例外。以下领域被相互划定开来：

造成运行故障的缺陷原因，可能在于：

- 设计缺陷；
- 单件制造泵构件时的缺陷；
- 泵装配时的缺陷；
- 操作错误；
- 错误/不够充分的保养；
- 运行期间产生故障的状态。

图 10.3.2 为相关的数据。由于破损原因之间可能的相互影响，百分比数据只与数据系列相关而不要求其完备性。此外，基于作为依据的数据资料，百分比数据只能给出定性的提示。

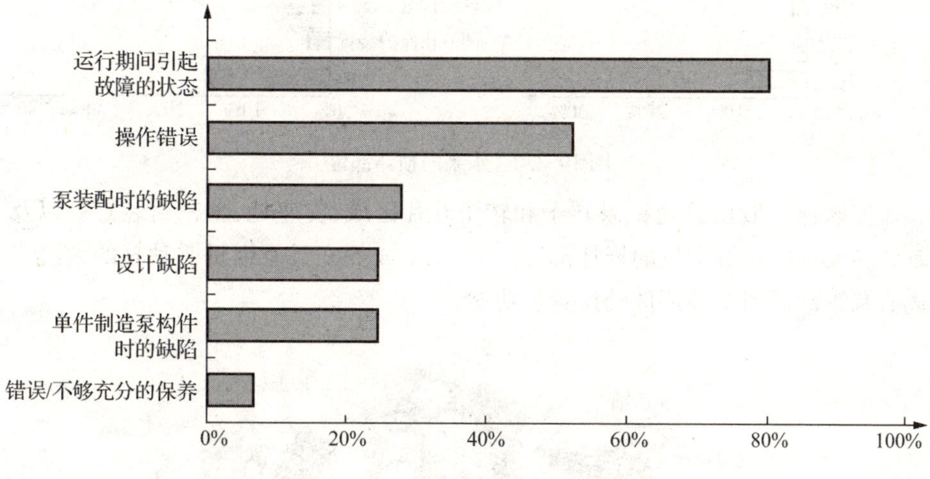

图 10.3.2 离心泵运行故障的原因

对机组运营者而言，由于保养不完善、操作错误和不宜的运行状态而引起的运行故障具有特殊意义。在这些领域中，运营者可以对使用的泵的寿命施加积极影响(不同于根源在于设计、制造或安装缺陷的生产特定故障)。

如图 10.3.2 所示，泵由运行期间所出现的引起故障的状态而产生的故障源，在绝大多数情况下都是发生运行故障的起因。而液压效应如空蚀和不利的水流条件则被认为是泵运行期间引起故障的主要起因。另一方面，从外部造成的振动、腐蚀性的环境条件或输送介质中的异物等引起的外部效应也有一定作用。

先于发生运行故障的操作错误的比列将会在纯粹的船舶操作中(至少对冷却循环系统而言)变得很小。基于现有的自动化水平，操作员之间的主动性互动在许多情况下并不是必需的。基于不完善的维护保养而发生的运行停机事件,举例来说通常是由于轴承结构的润滑油补给不足所致。此类性质的保养工作通常无需长时间中断运行即可进行。冷却水泵和锅炉给水泵中技术元器件的损坏频率参见《预防损坏联合手册》[10.7]。

在图 10.3.3 中可看到水泵损坏部位“问题区域”的频率。

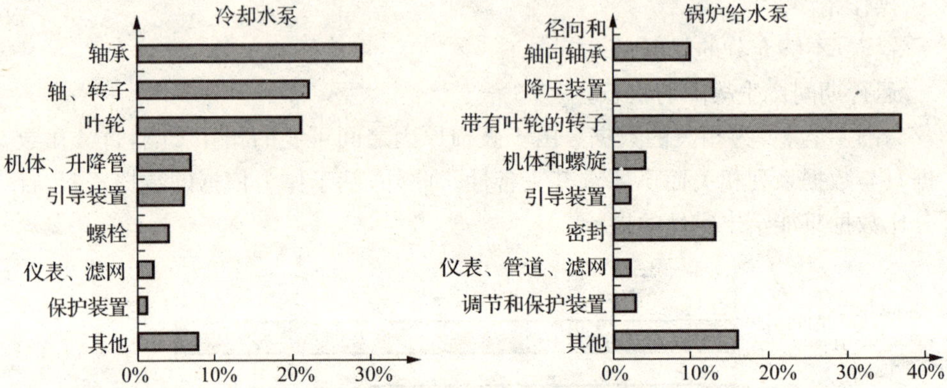

图 10.3.3　水泵的损坏部位

安联保险股份公司记录转子和转子叶片区域、支座处、轴密封装置处以及轴和转动件区域最常见的损坏部位。图 10.3.4 为在具有纵贯驱动轴的紧凑式离心泵纵剖面图中各部件的位置和功能。

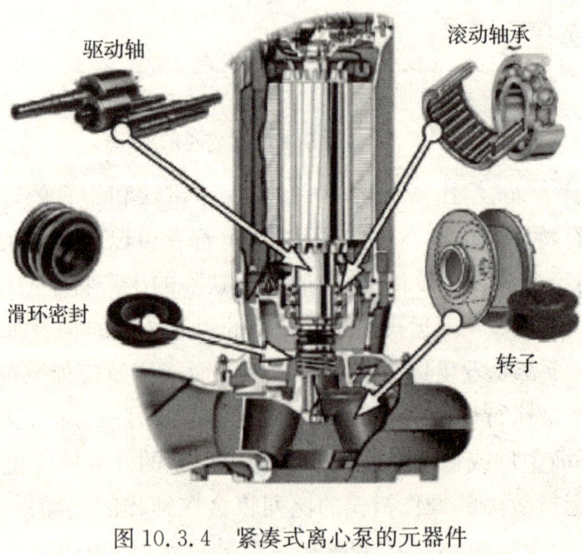

图 10.3.4　紧凑式离心泵的元器件

在其他来源和专家知识的帮助下[10.8和10.9]，以表格形式编制了船舶运行领域离心泵的失效模式与影响分析。

表 10.3.1　船舶运行领域离心泵的失效模式与影响分析

故障发生部位	故障原因	A	B	E	RPZ
轴密封	污染	3	9	5	135
	由振动引起的损坏：				
	外部造成振动	7	3	8	168
	过载下运行	3	4	5	105
	低负载下运行	6	4	6	144
	空蚀	5	7	7	245
	不平衡	5	8	7	280
	管路张力	6	7	8	336
轴承	腐蚀损坏	3	5	8	120
	对润滑油补给造成不良影响的因素：				
	不完善的保养	3	4	5	60
	冷凝水	4	4	8	128
液压部件	由输送介质中的异物造成表面磨损	2	6	7	84
	腐蚀性输送介质造成的损坏	4	4	7	112
	由于空蚀造成的腐蚀性磨损	5	7	7	245

通过风险优先指数(RPZ)的相关极限值大于120这一选择标准，对影响寿命的离心泵运行故障可以借助出自表10.3.1的失效模式和风险分析的风险优先指数以及下述故障部位和故障源一起进行鉴定：

- 轴密封圈的损坏：
  —由错误的取向(通过管路的泵张力)；
  —由不平衡产生(与推进、耦合和叶轮有关)；
  —由空蚀造成；
  —由外部效应引起(与其他机组的相互影响)；
  —由低负荷下的持续运转造成；
- 液压元器件的损坏(叶轮和陀螺室)：
  —空蚀基础上的腐蚀性磨损造成；
- 轴承的损坏：
  —由泵较长时间停止运行时所形成的冷凝水造成的润滑油质量下降而引起；
  —由润滑油不足造成；
  —由冷凝水引起的轴承腐蚀性损坏引起。

借助上述实例性质的分析方法，可以对在船舶运行中离心泵的设计、配置、运行、诊断可行性以及与构件相关的维护保养战略等做出更高水平的判断说明。

长期以来，用于船舶技术设备状态监测的测量和评估系统的引入一直在争论当中。用于船舶推进设备各分区的状态监测系统正在研制中，或处于测试阶段或已经完成。通过为此专门安装的传感器来获取必要的数据。对船舶运行来说，直接接受来自陆地方面的诊断技术（如发电厂工程）并不是可以随意地进行。根据参考文献[10.10]，在工业领域目前基于状态进行的机器监测的实施约有95%要借助振荡声音信号。对船舶技术设备来说，由于要考虑到条件的多变性，只有花费很大的开支才能实现振荡声音信号的获取和评估。由于机舱内非规律性或计划性开启和关闭的不同旋转和振荡机组群的排列，会产生相反且多变的震动起因。总之，如果要通过与参照状态的额定-实际-比较而将参数归入特定的破损之中，就有必要获取所有重要的可变参数。

最近几年，在家用技术和楼宇自动化等技术行业中研制成了各种用于监测的系统，这些系统不仅为船舶运行领域中业已非常成熟的全自动化运行提供了可能性，同样也使基于状态的同步保养可以实现。这些系统的基础是在自动化设备上所采集的数据和信号的关联性。于是，举例来说便可以从通风设备的转速、容积流量和压力差中判定传动带是否处于正常状态。在工业应用中，基于状态的检测方法的另一项应用形式是通过时间和频率走势对异步电动机驱动泵进行电动机电流分析。长期以来，这一方法因三相交流异步电动机而为人熟知。借助电动机电流分析来识别泵的运行故障的首要方法参见参考文献[10.11]。在参考文献[10.12]中阐述了电动机作为状态诊断传感器的应用情形，借助此项应用有可能通过对电动机电流改变进行分析从而识别出异常运行状态和起始损伤情形。运行不规律性影响电动机和被驱动机器之间的力矩流，是这一方法建立的基础。对柴油机和发电机之间的耦合也进行了此类关联性研究。

由单一制造商研制的用于单一机组的检测和诊断系统，通过使用特殊传感器而主要着眼于主发动机和辅助发动机或对单一机组进行监测。主发动机是船上的中心机组，因为特别是对于单一发动机设备，船舶、船员的可用性和安全性都取决于它。表10.3.2为现有的状态监测系统的概况。这些产品基本上由发动机制造商自身提供。

表 10.3.2 WIPS B1 研究报告中[10.13]的有关现有状态监测系统的概况

制造商	产品
测量校准系统公司(GMK)	柴油机分析系统(DMAS)
能源-环境-咨询(EUB)	CDS(复杂诊断系统)
MAN B&W 公司	发动机诊断系统(EDS)
MAK	DICARE
新苏尔寿柴油机	发动机监测程序 MAPEX
MTU	MCS-5 航运集成监测和控制系统
Schaller	DIEMOS
Kistler	发动机监控

在许多海运公司看来，为利用这些系统达到的结果而进行部分高额投资并不值得。船舶运行的成本优势被忽视，这也致使此类系统至今为止只在小范围内得以应用。

即便是船级社也使其规范与状态监测的技术可行性相适应。为准许引入状态监测系统，必须呈报一份关于系统的准确说明。具体阐述如下：

- 用此系统监测的设备名称；
- 硬件和软件说明；
- 程序、诊断模型；
- 适用于被监测设备的极限值；
- 数据存储的实施。

在一项由劳氏船级社所准许的尾管状态监测程序（尾轴状态监测/SCM）中，例如，如果能够定期监测并记录以下数据：尾管润滑油的化学和物理组成（至少每 6 个月一次）、耗油量、轴承温度和轴承损耗，即可不必进行每 5 年一次的定期内部勘测。

如果从上述几点中没有出现轴承损耗的异常症状，勘测者即可不必拉出螺旋桨轴。高成本的船舶进坞因此也能得以避免。船舶在船级社获得 SCM 注册。

在涡轮设备方面，如果满足规定的结构要求并且对涡轮机实施额外定期的振动路径测量，则在勘测期间通过运用合适的状态监测（涡轮机状态监测）即可不必打开涡轮机体。

最低涡轮级和倒车级叶片的光学监测必要时只有通过内窥镜才有可能实

现。另外还必须具备指示相对于机壳的转子轴向位置和在负荷下机壳纵向变形的指标。此外必须在涡轮机壳上 10～1 000 Hz 频率范围内，对振动路径进行定期测量并实施记录。为了进行监测，可以将这些数值和在涡轮机安装时通过所有负载级测得的参照值进行比较。包括振动测量装备的校正资料在内的所有数据都须保存在船上，并且在每隔 5 年实施勘测时将其提交给勘测人员。在这一勘测框架下，要借助涡轮机所有的工作点对振动路径进行反复参照测量。

如果为进行状态监测而使用了基于振动测量的经劳氏船级社批准的设备，劳氏船级社可不必进行勘测。

10.4 船舶维护与船员资质

尽管船舶制造商为船舶运行的技术设备的寿命最佳化做出了不懈努力，但是即便未来也不会出现完全无损耗、无故障的船舶机械设备。因此需要最优化地去运营成本越来越高昂但越来越有效的船舶设备（效率），并尽可能长时间地确保其功能实现。为完成这一任务，除了需要船员在设备运行方面的资质，还需要船舶维护保养领域广泛的知识和能力。这一点尤其适用于船上技术人员。

从国际上来看，STCW 95 确定了单一船员层面上的基本资质。至此也界定了船舶机器设备维护的最低要求（教学内容）。尽管协定了最低标准，但其实施却在不同的广度和深度上进行。有部分在“操作水平”上的能力已经不足以有序地实施最简单的保养工作。“管理水平”上不足的维护保养资质，会迅速对单一设备的状态和可用性或随之对整条船只产生影响。除此之外，不足的维护保养还会对船上的氛围造成消极影响，因为多数的技术故障和停机使得船上工作不再具有可计划性并且要求不必要的额外工作，而这些工作会破坏工作满意度并打击士气。

在现今和未来的船舶运行条件下，仅应用和实施从维护保养领域获取的知识对轮机员来说是远远不够的。在作为值更轮机员工作期间，轮机员必须首先掌握检查和维修方面额外的能力和技能。除了掌握基本技术之外，在此涉及的主要是设备专有特性的掌握。同时要积累在维护保养措施的计划、执行和记录方面的经验。用于积累经验知识的时间在航海的职业实践中通常极其短暂，并且下限只受到作为值更轮机员法定的 36 个月最低航行时间的限制。在这一最低航行时间结束后，船舶工程师就可作为机械设备主管而被派遣任用。期望的是随后所有的维护保养知识都可投入使用并且随时可用。但除此之外，在完成维护保养任务的同时也要一并考虑到运行的经济性、工作的系统性和管理（领导、激励、监督）等方面。所积累的经验知识和作为 LTO 而分担的职责之间的过大差距会对船舶的运行业绩产生负面影响。

扩充维护保养知识对每个具体的轮机人员来说都是永久性的任务。相对于传统技术，新技术的发展（如电子燃油喷射、阿尔法润滑器等）有部分需要其他新的维护保养措施。在 ISM 规则生效以后，要引入计算机辅助的维护保养计划和记录(计划维护系统)，必须通过软件开发者将项目培训作为陆上的主要培训活动或与船舶相关的具体说明来实施。轮机员不但要将此类革新引入实时的船舶实践中，而且其后还应该能够向其他船员继续传达所掌握的知识和他们的最新发现。在此，如果不进行全面的交接，在船员更换后会很快出现信息和技术诀窍的损失。由检查方面移交给船舶的维护保养信息(服务信函等)，必须用于船上使用期间知识的直接扩充或轮机人员的培训。至关重要的是使用之间的阶段，因为在这一时间内直接的信息渠道被中断。在此，为了回归到实时状况，轮机员的个人主动性很重要。计算技术上所运用的具体设备的手册为与质量相关的维护保养措施的执行提供了帮助。除了精确表述的保养说明，具体机组和构件的拆卸和安装也被直观地记录并且后置有详细的图纸。

对船上人员的一个特别挑战是实施与状态相关的维护保养战略。轮机员必须能够精确应用诊断技术，存储、分析并评估测量结果。为从诊断系统的信息中做出正确和及时的决定，必须具备很高的技术能力。必须从相关性角度出发考察全面的理论过程知识、设备的实时参数以及关于当前构件状态的信息。

10.5 船舶维护与经济性

航运公司的运营需要一个成本控制系统，以比较收入和支出，并以此为企业运营的经济性给出咨询信息。这一系统一方面必须在年终结算时能够精确地计算出利润或损失，另一方面作为管理工具必须足够迅速地用于检查和海运公司的管理工作。在作为全球化运作的运输企业的航运业务中，提供实时的成本信息可能还有些问题。

参照先前的年终结算的情况下，为船舶制定出年度预算。具有可比性的船舶其典型的收支平衡表被用做新造船舶的基础。在船舶收入方面是根据租船合同协定的租船费率，而在支出方面则列举了各类成本，如人力成本、运行成本、维护保养费用、保险费用、财务费用等。为了更好的分析，各类成本可以继续细分(例如，维护保养费用方面——运行材料费用(机油、油脂、油漆)、备件费用、工具费用、服务费用等)。在成本控制系统中，将产生的维护保养费用清楚地归入具体的设备和系统时，运用与计算机辅助的维护保养系统相同的模式其意义非同一般。

海运公司为其船只的维护保养投入多少资金，取决于其经营理念。最小的开支费用由国际和国内的规范(参见第 12 章)确定，务必予以遵守，而最大额度的维护保养费用则受到总经营业绩的限制。确定维护保养预算是一个最优化问题。过低的维护保养开支会引起间接成本(由停租引起的停机费用、打捞费、服务费等)的超比例上升，而过高的维护保养开支只会造成直接维护保养成本过高也不会带来其他益处。预算的制定其依据是已编制的保养计划，同时也包括必要的备件和耗材在内。船上的船员通过他们的工作能够直接影响到维护保养成本。由不完善的保养和不合实际的维修而造成的损坏、必要的维护保养措施的计划和准备不善、出错的仓储物流或过迟的备件供应、违反保养时间间隔(级别的成本增加)和其他事件，都会引起物流和高额成本的问题，并且导致预算透支。例如，关于迄今为止预算消耗的船舶月度信息，可以在运转良好的成本控制系统方面作为管理工具而被有效应用。

从陆地方面来看，海运公司的技术采购活动对维护保养成本有着根本影响。在相应的检查员审核完毕船上订购事宜之后，大多数情况下还要对在原始生产商、通过船务经纪人或在灰色市场上进行采购的不同选择方案（价格和时间方面）进行审核。这一点不仅适用于备件和工具，也同样适用于耗材。

除船上例行维护保养工作的累计成本之外，使用外部服务也会产生成本。例如，活塞或汽缸套的更换是依靠服务完成时，LTO同时要承担很大的责任。他的签字表示确认维护保养服务的成功实施，并随之进行验收。随着验收完成，即向海运公司开出账单。有关服务执行不当的后续索赔，在验收之后就难以进行。将配件整修交给陆上服务公司完成也同样如此。在此，要由签订相应合同的技术检查机构承担责任，以筛选出提供最好方案的公司（花费/服务）。对一艘船只来说，涉及维护保养事宜的成本非常高昂的一个阶段就是船厂周期。精确计划和准备船厂周期、制定尽可能完整的在厂名单（船员和检查机构合作）、提早的物料需求、正确选择船厂驻地等是降低成本的措施。船员与船厂代表、船级社代表进行的专业上正确且以目标为导向的合作，是在厂修理时间尽可能缩短且成功的前提。由船员接受船厂建议以作为自行服务的内容，这有助于节省维修保养的成本。

尽管遵循了保养时间间隔并运用了预防性维护保养，但在船舶运行中也会经常出现引起明显花费的构件和机组损坏的情形。在损坏情况发生后，轮机员的行动可以帮助海运公司使其财务不良后果最小化。重要的是尽可能完备地记录下破损情形（图形、检查记录）和设备的实时运行条件（警报设置、测量点设置）。已更换的破损构件应保存在船上，直至破损原因被毫无疑问地调查清楚为止。如果由于破损造成保险理赔事件，这些构件可以帮助船运公司减轻负担。

在船舶运行中，维护保养成本的明显节约潜力可能在于诊断技术的广泛使用。尽管首先必须进行必要的且是额外的投资，但这可以使具体的构件和组件的磨损裕量得到进一步的充分利用，并且根据状态来决定进行必要的技术维修所处的时间节点。昂贵的、周期性的维护保养措施可以被推迟或跳过。此外，可以将诊断技术用做即将发生故障的预警系统，从而避免更大停机事故的出现[10.14]。

参考文献

[10.1] Rötzel, A.: Instandhaltung-eine betriebliche Herausforderung. 3. Aufl. Berlin u. a.: VDE Verlag 2005.

[10.2] Kiel, T.: Grundlagen der Instandhaltung. Studienanleitung. Tempus Phare Projekt Instandhaltung von Schiffsmaschinen. TU Dresden:

2000.

[10.3] DIN Deutsches Institut für Normung e. V.: DIN 31051. Grundlagen der Instandhaltung. Berlin: Beuth Verlag 06/2003.

[10.4] Sturm, A.: Zustandswissen für Betriebsführung und Instandhaltung. Fachbuchreihe „Kraftwerkstechnik". Band 10. 1. Ausg. Essen: VGB-Kraftwerkstechnik GmbH 1996.

[10.5] DIN Deutsches Institut für Normung e. V.: DIN 50323. Tribologie. Berlin: Beuth Verlag 1989.

[10.6] RKW Rationalisierungs-Kuratorium der Deutschen Wirtschaft e. V.: Lehrgang Instandhaltungsmanagement. Essen: 1994.

[10.7] Allianz-Handbuch der Schadensverhütung. 3. Aufl. Berlin u. a.: VDI Verlag 1984.

[10.8] Michaelsen, A.: Untersuchung zur automatischen Diagnose von Kreiselpumpen mit Verfahren der Signalanalyse und Mustererkennung. Aachen: Shaker Verlag 1999.

[10.9] Grundlage für die Planung von Kreiselpumpen. Itzehoe: Sterling SIHI GmbH 2000.

[10.10] Gülich, F. J.: Kreiselpumpen. Handbuch für Entwicklung, Anlagenplanung und Betrieb. Sulzer Pumpen AG. Berlin u. a.: Springer Verlag 1999.

[10.11] Casada, D. A.: Using The Motor to Monitor Pump Conditions. 4th NRC/ASME Symposium on Valve and Pump Testing. Proceedings. Washington: 1996.

[10.12] Kenull, Th./Kosyna, G.: VDI-Bericht Nr. 1641. Braunschweig: VDI 2001.

[10.13] Bedienungsanleitung Pico-Turn-BM. Drehzahlsensor für Turbolader. acam Messelek-tronik GmbH. 2001.

[10.14] Wehner, K./Gau, D.: Service-Erfahrungen mit einem Diagnosesystem im Schiffsbetrieb. Schiff & Hafen. 7/2006.

第11章　部件损伤

译：许继衡　李松玲　李　锋
校：孙宏亮　周迎兵　王　婧

11.1　部件损伤分析的意义

为了在设定的运行期间内运行功能可靠且无危险存在，人们在考虑技术发展水平及合理的加工方法的情况下进行系统及其部件或元件的设计和加工。而且，在设计阶段就已考虑到以后运行时起决定作用的各种参数和条件。设计和加工的一部分工作是进行相应的测试和试验，这些测试和试验有的是伴随加工过程的，有的是作为交货先决条件进行的。

即使考虑了上述设计和加工的前提条件，也不是总能避免部件的失效。一个部件、一个元件或甚至整个系统的失效或停止运转，可能导致对操作人员致命的后续损害和健康伤害。而且，失效一般还引起维修费用的增加，因为它涉及一些始料未及的情况。

特别对于海轮而言，某一重要系统如主驱动装置的失效可能就不仅危及自身船舶和船员，而且还威胁到其他航海搭乘人员和环境。此时，损失的经济后果将很可能超过船舶价值的好几倍。如果失效部件或问题元件的使用寿命不符合设计规定，那么由磨损导致的部件失效总是鉴定为由部件损伤引起的失效。

在方法论上，对于一个确定的结构，下述的部件损伤分析首先起这样的作用，即通过查明部件损伤原因，在可靠的基础上防止部件损伤的重复发生，并在必要时提供一些指示，以说明设计或加工对部件损伤的影响。而且，部件损伤分析的结果还能为材料选择、加工工艺以及运行操作方面的优化潜力给出提示。最后，分析结果对于标准、技术规范或规定（例如，船舶分级规范）也会产生影响。它们也有助于避免由于经验缺失而重复出错。

在部件损伤分析中，材料可视为非常重要的信息库，因为它们几乎毫无歪曲地保存着与制造和加工有关的以及与操作运行有关的所有信息和变化。

11.2 概念描述与定义

11.2.1 部件损伤

要是部件上发生的改变使它的预定功能发生了明显的恶化甚至完全丧失，并且这种改变不是由于正常的工作磨损造成的，于是就发生了部件损伤。由工作而引起的正常磨损不能一般地加以规定。确切地说，正常的磨损，即部件能达到的工作寿命，通常在相应的设备部件使用手册中，或称为特性参数(例如mm/1 000 运行小时)或最大极限值。一个部件如明显缩短了工作寿命将被评价为非正常磨损，因此是一个部件损伤事件。

进一步说，还能区分为一次部件损伤、后续部件损伤及预部件损伤。一次部件损伤是首先出现的事件和可能的后续部件损伤(二次部件损伤)的原因。预部件损伤是最新监测的一次部件损伤事件之前业已存在的事件，但并未直接造成当前监测到的部件损伤，然而或许已使该部件损伤能够与其他一些事件发生内在联系。特别在高度复杂系统例如柴油发动机中，往往很难把原始成因和可能已出现的后续部件损伤加以区分。

11.2.2 部件损伤编址

要求对所有待采集的监测单元进行唯一性的编排(编码)，这就必须按分层的分类方式进行结构化。只有在这一前提下才能把数据融入到部件损伤数据库中，并对数据进行明确无误的分析评价。

按照 DIN 31051/2003 标准的规定，部件损伤的地址都是监测单元，即可能涉及损坏或磨损的部件、元件、分系统、功能单元或系统。

对于部件损伤分析而言，把所有的监测单元都在一个协议一致、分层建立的结构中进行表示是绝对必要的。为了采用电子数据原理对部件损伤数据进行系统的采集和分析评估，这一分层结构是先决条件(见图 11.2.1 和图 11.2.2)。

10000 空	20000 驱动设备	30000 能源供应	40000 热能辅助设备	50000 机械制造系统	60000 装货设备	70000 船舶操纵系统	80000 船舶装备	90000 空
11000	21000 柴油发动机（四冲程）	31000 供电	41000 蒸汽系统	51000 燃料系统	61000 舱货装卸设备	71000 控制中心（设备）	81000 舵驱动装置	91000
12000	22000 柴油发动机（二冲程）	32000 供热	42000 给水系统（主锅炉）	52000 润滑油系统	62000 舱货处理系统	72000 程序控制系统	82000 甲板机械	92000
13000	23000 蒸汽动力装置	33000 主发电机驱动	43000 给水系统（辅助锅炉）	53000 冷却水系统	63000 舱货保管系统	73000 （航行）自动化装置	83000 救生器材	93000
14000	24000 航行发动机（电机）	34000 应急发电机驱动	44000 主冷凝水系统（主锅炉）	54000 气动系统	64000 清洗油舱用设备	74000 安全保障系统	84000	94000
15000	25000 燃气轮机	35000 泵机专用驱动	45000 辅助冷凝水系统（主/辅助锅炉）	55000 舱底水、压载及消防水系统	65000 气体惰性化处理装置	75000 导航系统	85000 其他设备	95000
16000	26000	36000	46000 凝水系统（辅助锅炉）	56000 一般补给系统	66000	76000 通信系统	86000 供给物品升降机，人员升降机	96000
17000	27000	37000	47000 载热油系统	57000 液压系统	67000	77000	87000 通风、空调（生活区、事务舱室）	97000
18000	28000 传动机构	38000	48000 预热系统	58000 通风设备	68000	78000	88000	98000
19000	29000 尾轴传动装置/螺旋桨	39000	49000 其他加热辅助设备	59000 其他机械制造系统	69000	79000	89000 备用元件	99000

图 11.2.1　按照德国劳氏船级社 MASCHINE 部件损伤数据库的部件损伤编码

实例:驱动装置

柴油发动机(二冲程)→	驱动机构→	十字头→	十字头销→
系统	分系统	元件	部件

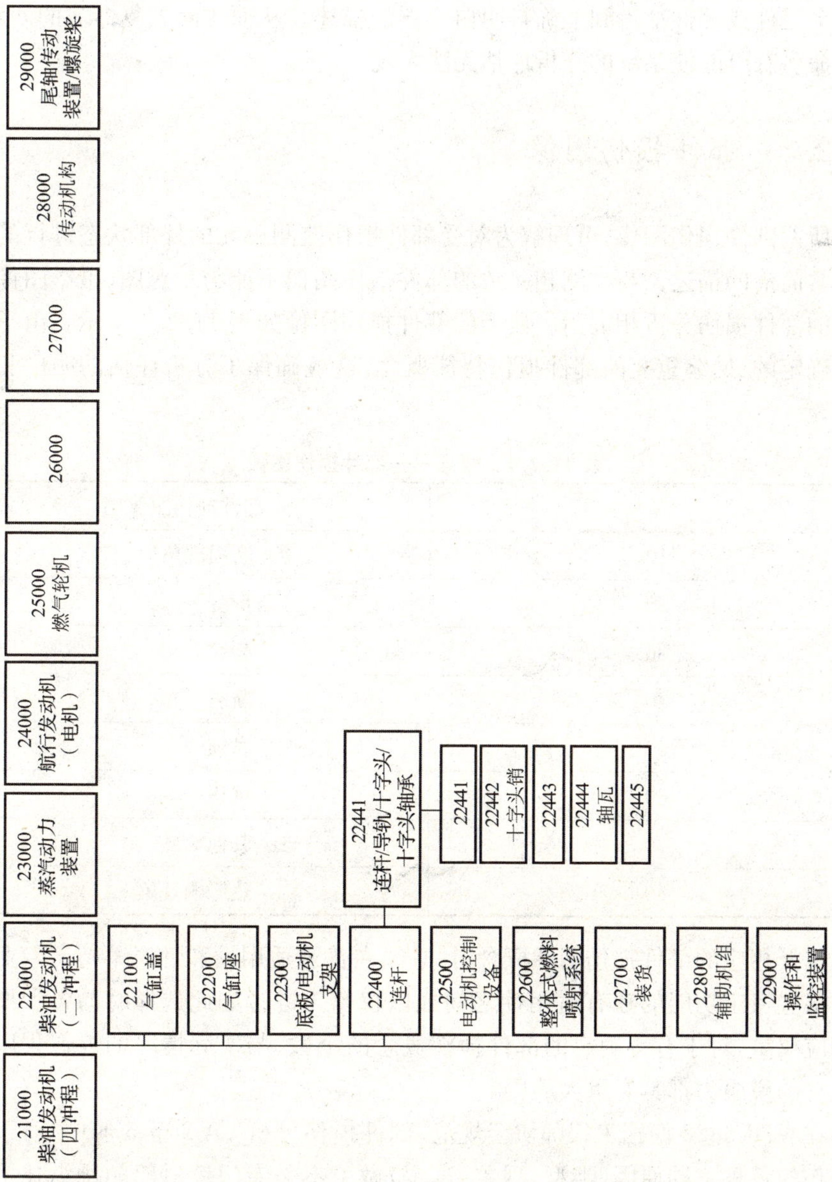

图 11.2.2 驱动装置举例

用于采集监测单元所必需的水平层面的个数，取决于部件损伤数据库用户所需的监测深度，必须在制定数据库方案之前就针对设备和船队的特点加以确定。在分层构建的结构内部，各种监测单元的编排是通过从上级系统直到单一元件自上而下的排列实现的，排列时必须给出每个水平面的名称。这样就保证了每个元件或部件都得到准确且明白无误的描述。从而排除重复命名的问题。重复命名有可能使系统的分析评估无法实现。

11.2.3　部件损伤图像

所谓部件损伤图像，可理解为对受部件损伤监测单元的外部状态进行的一种非常简洁的描述。与监测相一致的部件损伤图像不能与示意图、摄影图像或具体的部件损伤分析相混淆。典型的部件损伤图像如表 11.2.1 所示。由于仅限于确定的、始终重复的部件损伤特征概念，这就确保了分析评估的明确和唯一性。

表 11.2.1　概念——部件损伤图像

00	部件损伤图像
10	磨损现象
20	形变
30	裂纹
40	断裂
50	腐蚀
60	沉积
70	其他
80	热影响现象

选择相应的部件损伤图像概念时，必须在普遍适用性和针对某特定专业领域或某些特定功能的独有适用性之间加以权衡。进行如此选择时的各种概念的相应权重，对于有待确定的部件损伤概念的个数、与实际情况的近似程度以及概念的说服力都具有重大的影响。

在 VDI 3822 德国工程师协会规范“部件损伤分析”第 2 至 5 册中，对于部件损伤的各种不同原因（类型、现象、过程）做了不是专门针对船舶操纵技术的完全通用性的说明——第 2 册（2006 年 5 月）：“由机械应力引起的部件损伤”；

第 3 册(2005 年 12 月):“由电解液腐蚀造成的部件损伤”;第 4 册(1999 年 6 月):“由热应力引起的部件损伤”;第 5 册(1999 年 1 月):“由摩擦应力引起的部件损伤”。

部件或元件中的断裂可分为两类:强力断裂和振动断裂,这里还可区分为韧性裂缝扩张(目视韧性材料)和脆性裂缝扩张(目视脆性材料)。对于强力断裂,按照受力方向和/或扭力载荷又进一步区分为拉伸与压缩载荷的情况。实践中能较常见到,促使裂缝生成的不同原因可能叠加在一起,因而加大了寻求裂缝成因的难度。

腐蚀概念是非常多层面的,因此即使在国家和国际标准中也未能统一定义。根据 DIN EN ISO 8044 标准规定,腐蚀表示金属材料与其周围环境之间的反应,这种反应导致了材料和部件性能的改变,并可能因此使工程系统的正常性能受到严重的影响。工程系统与电解液一起构成了腐蚀体系。腐蚀现象总是基于某一系统特定的腐蚀类型。发生腐蚀的一个后果是导致所用金属材料的变化(腐蚀现象)。

上述 DIN EN ISO 8044 标准描述了涉及各种腐蚀类型和腐蚀现象的一种并不总是封闭的体系。人们把腐蚀类型部分地反映到表观图像(例如,穿孔腐蚀)或导致腐蚀的前提(如裂纹腐蚀)上。另一些则包含了与构造有关的部件损伤图像[例如 Spongiose-spongios(希腊语-拉丁语)-海绵状金属]或识别出构造中的腐蚀进程(例如,晶粒间腐蚀),表明电解液(例如,海水腐蚀)或描述材料性能的改变(例如,氢气脆化)。

在 VDI 3822 德国工程师协会规范第 3 册中,将各种腐蚀类型归入 3 类:均匀的表面腐蚀、局部的有界腐蚀和选择性腐蚀。例如,穿孔腐蚀、缝隙腐蚀、低于露点温度的腐蚀、微生物引起的腐蚀及电离腐蚀就属于前两类。属于最后一类的腐蚀有海绵状腐蚀、脱锌、晶粒间腐蚀、偏析腐蚀。另外一类是描述机械加载下的腐蚀类型。例如,由伸缩诱导的腐蚀、应力裂缝腐蚀、振动裂缝腐蚀、侵蚀腐蚀及空蚀腐蚀就属于这一类。

在德国工程师协会规范第 4 册中,介绍了热应力引起的部件损伤。在这一类部件损伤的形成原则上涉及由机械应力所引起的部件损伤以及由腐蚀与热效应叠加所造成的部件损伤。

上面引用的德国工程师协会规范第 5 册讨论了由摩擦应力引起的部件损伤。这一点不应与柴油发动机中的摩擦力系统相混淆。按照标准 DIN 50320(1979 年 12 月版)的规定,摩擦应力可理解为一个固体与一个固态、液态或气态的对立物体发生接触和相对运动时，其表面所受到的应力。此外，摩擦应力还具有这样的特性，即机械应力在两个参与摩擦的对象之间引发次生发热摩擦化学物理反应。除了纯粹的机械、热力或化学（腐蚀）应力以外，摩擦应力是一种集中于材料表面区域而到材料内部即衰减的特殊应力类型。

摩擦应力主要在滑动和滚动载荷（轴承/旋转轴等）以及振动载荷（例如，十字头滑轨等）下形成。其他的摩擦磨损类型有磨蚀磨损和流体磨损的表现形式。人们发现，后者几乎总是与腐蚀和空蚀的影响有联系。此外，流体磨损还包括液体摩擦磨损、射流磨损、气蚀、侵蚀腐蚀及空泡剥蚀等磨损类型。

11.2.4　部件损伤原因

每个部件损伤事件至少有一个原因，也可能有多个原因。部件损伤原因的识别对于部件损伤的持久排除是绝对必要的，因此成为管理的一个重要方面。通过成功确定部件损伤原因，就能在工艺和/或操作上采取应对措施，防止类型和原因相同的部件损伤再次发生。关于部件损伤原因的认知对于损失索赔（成本分配）同样意义重大。要是必须记录人员伤害的情况，这种认知将具有很高的法律价值。

为使分析评估能获得唯一和明确的结果，采用部件损伤数据库时必须有约束力地定义部件损伤原因的概念。

表11.2.2列举了关于部件损伤原因的确切概念。

表11.2.2　概念——部件损伤原因

100	部件损伤原因
110	制造过程导致的部件损伤
120	操作过程导致的部件损伤
130	外界影响
140	人为过失
150	后续部件损伤
160	具有电气原因的部件损伤
199	不明原因

11.2.5　局部影响(与船舶有关)

部件损伤或功能失误的影响仅限于受损的监测单元,或上一级元件,或整个系统。根据部件损伤类型的不同,能够使上级系统有限制地继续运行,或者通过某种技术措施(或许是应急措施)暂时重新恢复。典型的局部影响如表 11.2.3 所示。

表 11.2.3　概念——局部影响

200	局部影响
210	作用于受损部件
220	作用于上一级元件

另一些影响则表现为可能的爆燃、爆炸、火灾、系统内泄漏或电气短路。

监测单元中的那些所谓对运行至关重要的设备部件或元部件所受部件损伤的影响,通常首先采取冗余配置的电路、设备或功能元件来消除。由此就能确保不受限制地继续运行。不过,在这样的运行状况下,任何进一步的故障或失误都可能导致监测单元的立即失效,由此也导致上级系统的立即失效。如此引起可能的功能失误升级最严重的将会导致船舶驾驶失灵,并由此造成全局影响,即对于其他搭乘人员或环境的影响。

由于永远不能完全排除部件损伤,在海轮上都冗余配置那些对运行至关重要的设备和元部件。为了防止或至少暂时限制部件损伤的后果,那些报警、监控和安全设备也是必不可少的。这样,以一种经济上可接受的代价显著地降低了货物和船舶受到不良影响的概率。按照上述意思,在狂浪中载货的海轮发生无法仅依靠船上的手段可排除的而使推进力或驾驶性能恶化的那种部件损伤,将是一种严重的后果。这种情况下,一般必须排除对其他航行搭乘人员和环境的影响。在不利的气象条件下,推进力或驾驶性能的恶化可能导致搁浅甚至船舶及其货物的全部损失。船上的火灾也可能造成类似破坏。对此,进行有效的船上应急事故管理(ISM 规则)就具有非常重要的意义。

一般来说,仅在相应的上级设备也未正常工作或不完善,或者管理系统本身未合理安装或船员未充分掌握该系统时,这类部件损伤或事故才会发生。

11.2.6 全局影响(对其他航运搭乘人员、环境)

只有当部件损伤或功能失误的局部影响使得船舶不再能维持可靠地航行时,然后才形成全局影响。对于船舶本身,全局影响可以是触底、搁浅、碰撞、稳性降低、爆燃、爆炸及火灾。对于环境,作为影响的特征,可涉及水域和空气的污染。当一艘轮船整体损失时,即使在船舶沉没了几年之后,这两方面的影响还能导致严重的环境污染,主要是通过逸出的危险货物介质,例如燃料油、润滑油或液体货物所造成的水污染。不仅环境污染的范围,而且事故发生的地理位置也会对口岸的技术防范措施产生影响。

11.2.7 技术措施

所谓技术措施,首先是指那些使有关的监测单元临时或持久重新恢复功能的措施。在海上实施维修措施时,因受到船上现有专用工具及相应配件的限制,通常仅限于临时性措施。

更新或更换部件或元件、结构性改变以及采用认可的金属加工工艺,都是技术措施。属于金属加工工艺的有焊接和接合技术、热处理措施及机械加工。

11.2.8 部件损伤确定的成因

可以根据不同的成因来确定部件损伤情况。多数情况下是通过运行参数的改变、通过监测单元中的功能故障或者因监测单元的停止运行来识别部件损伤。受限于部件损伤的或与部件损伤有关的运行参数的改变,往往通过适合船上使用的监控系统得以比较早地发现,使船员能迅速干预,以便一方面限制破损范围、另一方面防止后续损害的发生。不过,在执行日常维护保养措施时也可能发现部件损伤,例如,在检查中断定非正常的严重磨损为部件损伤事件。

11.2.9 部件损伤机理

部件损伤机理所描述的是从初始的/部件损伤引发的原因起,经过部件损伤的出现、部件损伤的进一步发展,直到分析起始时部件损伤图像的整个途径。

因此，它们说明了原因-结果的联系。船上出现的大量部件损伤都存在直接的（说明缺陷本身就在材料内形成）或非直接的（对材料有影响的环境条件，例如，润滑油缺少）与材料有关的原因。

对破损的元件进行适当的材料试验，既能定性地又能定量地确定这些影响。材料试验包括材料无损检测[采用颜色渗透（红-白）法、磁粉（紫外光）法或超声波法进行的裂缝检测，磁感应壁厚和层厚测量法，硬度测试]以及用于测定工艺性能（弯曲试验、管材压扁试验和焊缝弯曲试验）或测定现有材料特性参数（拉伸试验、高温拉力试验、缺口冲击试验、宏观硬度检验）的有损材料试验。对于焊接连接处，上述试验和测量可再以金相检验作为补充，如组织及热处理状态、纯度及晶粒大小、覆层及边界层特征或不规则性的检验。用于部件损伤分析的材料检验的另一个领域是能够显示非常详细的组织结构图像的光栅电子显微镜。与所谓的能耗式 X 射线分析法（EDX）相结合，通过测定各单个元素的方法就能精确加以确定，即是否可能有杂质以某种方式引发或影响了部件损伤。

对于部件损伤出现时起支配作用的环境和操作条件的了解同样非常重要，因为这种了解有时能提示，哪些条件促使部件损伤的产生。事实证明，对于结构和/或加工方面具体细节的了解是另一个重要事项。

因为任何一次部件损伤都是一次独有的事件，自然对于每一次部件损伤事件都能确定一个独立的机制。这一点可通过实例加以阐明。与一个因过高扭转应力或弯曲应力而断裂的柴油发动机的曲轴相比，或与一根受冲击制动的发电机轴的强力断裂相比，一个含有空泡的螺旋桨的部件损伤机制是完全不同的。除此以外，几种部件损伤机制还可能重叠，这就使引发部件损伤的原因更加难以确定。有时因为技术和/或经济上的原因，研究费用超过了合理程度，其部件损伤机制问题就完全得不到解答。

11.3　部件损伤评估程序

11.3.1　基本特征和方法

在 VDI 3822 德国工程师协会规范(2004 年 3 月版)"部件损伤分析"——第 1 册:部件损伤分析的基本原理、概念、定义和过程中包含了一般信息和说明。其他一些指示则包含在标准 DIN EN 9000 的质量管理体系及 ISM 国际安全管理规则(参见 12.1.1 节)中。一种在船舶操纵技术实践中广泛应用的方法是所谓故障排除方法。在方法论上,它首先建立在这样的基础上,即确定所有可能的原因和影响,并提出一个部件损伤假设。这一假设又成为一种准绳来指导进行一些必要的试验、测量和检查工作,这些检测工作在当时基本上能够区分出初始和后续部件损伤。部件损伤假设的提出主要表达了个人经验的特点(见图 11.3.1)。

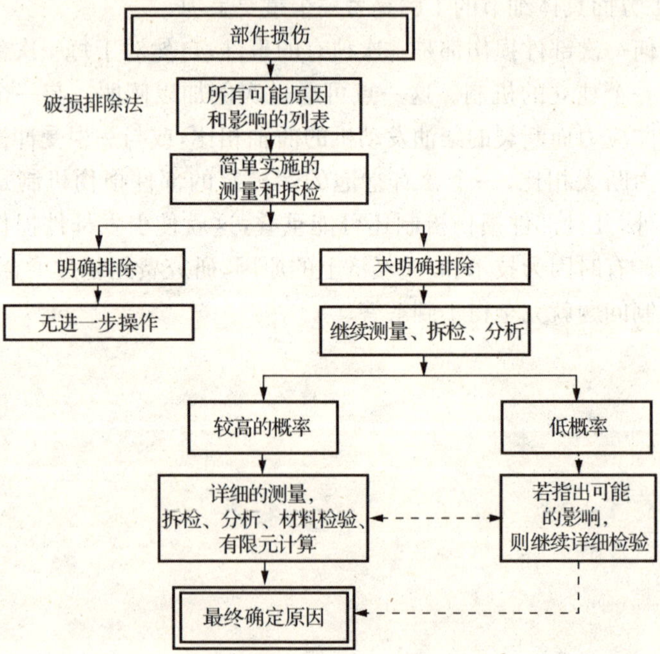

图 11.3.1　部件损伤排除方法

根据以上介绍的故障排除法能够将结果划分为“明确排除”和“未明确排除”两类。对于后一类结果，必须进行后续的测量、拆检和分析。如此获得的结果能够再次划分为“较高概率”和“低概率”两类。对于第一类，为了进一步界定可能的部件损伤原因，必须实施详细的测量、拆检、分析、材料检验或有限元(FE)计算。鉴于结果的相关性，对“低概率”分类中的部件损伤影响进行研究也可能是有益的。部件损伤分析的一个重要组成部分就是，利用相应的制造商技术资料和标准值或利用对照试验的结果进行理论值-测量值比较。

就材料试验而言，有一系列检验和测试方法可供选择，例如，除了断口组织显微观察和金相的试验方法外，还有其他的有损和无损检测方法、对照的或仿真的试验方法。

在此评估程序完成后，一般仅剩下一至二个部件损伤原因作为评估的结果。这些未排除的部件损伤原因可作为输入信息来确定适当的维修方法，并确保不再因同样的原因发生元件失效的情形。从可靠和持久地排除故障的角度来确定部件损伤原因的重大意义，避免将来再发生类似部件损伤的防范措施以及制订一般的预防措施，这些要点都已在 11.1 节中进行了阐明。

为了使研究结果也能实际用于防范措施，一个能提供可再现精确数据的资料汇编及存档系统是必不可少的。适当的资料汇编形式的选择取决于各个用户的需要(例如，航运公司、元件制造商或诸如此类的)。选择的判据有，例如需要存储的部件损伤数据及部件损伤报告的数量，以及所需检索的专业术语及其明确分类的数量(参见 11.2.2 节至 11.2.8 节)。另一个选择的准则是，系统建立和系统维护所需的物资和人员方面的成本，以及对数据和文件的管理规定及统计分析评估法的考虑。

11.3.2 船舶相关评估

受限于航运公司本身的规定，船上所采集并记录的破损事故数据首先按能再现和分析评估的要求编制文件。这一过程一般是以标准化的数据输入方式输入船载计算机的。由航运公司方面标准化的数据能够在越来越大的范围内用电子手段直接(经由卫星)传送到航运公司的检验处。

各种发动机和元件制造商都按他们的产品提供量体裁衣的所谓专家系统，这样的系统也能用于部件损伤分析。然而必须考虑到，此类系统在极其罕见的情况下才有可能得到超越系统极限的结论。

11.3.3 航运公司相关评估

为了能满足ISM规则中对于岸上操作(航运公司、检验部门)和船舶操纵规定的要求,在大多数航运公司内或委托船舶管理公司,既在岸上操作(技术检查部门)中也在各艘船舶上实现了模块化结构的IT(信息技术)手段,除了传统的部件损伤资料汇编,这种技术手段还拥有一系列其他的功能。凭借某几个这类商售IT系统,能够实现包括所有任务领域的整个船舶技术操纵,例如船舶航海日志功能、带有趋势分析功能的运行数据记录、保养和维修、配件及耗材储备管理、燃料及润滑油舱储量和消耗量管理以及其他功能。

采用现代数据传输技术(例如,经互联网/宽带或经卫星),甚至能够迅速而又经济地在世界范围传送庞大的成套数据记录。通过采用这样的数据传输技术,航运公司的岸上机构就能够根据转发的船上数据,部分或完全地为部件损伤评估进行标准化数据处理。任何情况下,对于每艘船舶而言,至少数据采集和数据处理的方法都必须准确地按照ISM规则进行确定。为了取得使用本方法的资格,必须对船员进行相应的培训。

11.4 部件损伤的避免

11.4.1 船舶相关措施

避免部件损伤的最重要前提为，按照基于设计的运行参数正确而专业地执行船舶操作，以及经常由船员检查操作运行情况（由值班船舶指挥人员实施工作巡视），包括检查运行极限参数的遵守情况。按照相应的经验，人的5种感觉（嗅觉、味觉、触觉、视觉和听觉）与所安装的测量、调节和监控系统相比是极其灵敏的测量仪器，因为当它们有所感觉时就已经在内心对测量结果进行评估了。

每次发生超越极限值的情况都是由于偏离了正常的运行条件所致，因此它们内部隐藏着引起某种部件损伤的危险。大多数情况下，及时地在运行方面采取纠正措施有助于避免设备部件损伤，例如，当连接某柴油发动机的排气平均值报警装置被激活时，可进行燃油注入的调整，某些情况下或许需要更换喷油嘴。

每一种技术系统都需要一套专门的维护保养对策。在为建造新船供货时，元件制造商就已经提供了基本维护要求及广泛的标准化维护保养资料汇编。这些内容必须按适当的方式汇集在涉及船舶或设备的保护与维修计划中。当然，这同样还包括适当的配件储备及耗材的库存。为了可靠地防止由部件损伤引起的意料之外的运行停机情况，遵循鉴于实际运行条件的维护保养间隔是另一个重要的前提。在标准 DIN 31051——维修的基本原理中，包含了各种部件损伤的关联性、概念及部件损伤分析树形图内容（参见第10章维护保养）。

11.4.2 航运公司相关措施

岸上机构预防部件损伤的措施是，为船舶符合规定地运行做好物资和人力的资源准备。这些资源中第一重要的当属船舶乘务组，它必须由数量充足和相应合格的船员组成，并符合 STCW 规则。除此以外，在考虑到船舶航行区域和任务特征的前提下，为了遵循所规定的维护保养对策，及时地提供运行设备、配件、舾装设备和耗材也是岸上机构的一项重要任务。

向其他船只传递有关已知运行故障和及时、准确的信息，可能是又一种预警系统意义上的避免发生部件损伤的措施。例如，通过致各制造商的技术通函(Service-Letter)、船级社通信及其他技术出版物的广泛转达，尤其属于该类措施之列。

11.5 事故中的应对举措

发生事故时，拯救人的生命具有高于任何其他要求的绝对优先级，尽管这样做可能扩大破损的范围。当船舶的驾驶性能恶化时，恢复全部驾驶性能具有与拯救人的生命相同的优先级，因为两个要求之间可能直接相互影响。保护环境（防止大气和海洋污染）具有类似的优先权。

然后，应从经济观点着手采取相应的措施，把破损范围限制在最小。任何时候都必须针对各个具体的部件损伤情形并考虑当下形势，才能做出技术上正确的措施选择。因为每一次部件损伤都表现为一个与有待监测和处理的情况始终存在联系的独有事件，因此无法制定标准化的预案。

部件损伤出现后采取的首批措施可能有临时性或永久性之分。举例说，当某活塞发生部件损伤，而当时的天气和海浪条件下无法实施活塞牵引，有时作为临时措施，可遵照制造商的操作使用手册规定将该气缸“悬挂起来”（使其不工作）。等天气转好或抵达避风港之后，作为永久性措施，可实施活塞维修或更换。

当发生重大部件损伤特别是涉及人员伤害的事件时，为了使随后的权利要求成为合法，采取某种保护证据的措施具有特别重要的意义。作为这种保护证据的一部分，须制定一份准确的又具有说服力的事故发生前的操作情况说明文件。在任何情况下，这种说明文件的组成部分都包含有，船舶航行日志或船舶航海分日志（桥楼和机舱日志、驾驶记录册、用油日志等）中的手动或自动登记的摘录。报警装置与部件损伤点及驾驶舱的打印机的打印输出、NAVTEX 接收机、回声探测仪及其他设备的打印输出，都属于重要性很高的证据文件。属于证据的还有，自动 VDR 记录仪（声音数据记录仪）的保护以及航行数据的存储/保护（电子海图、GPS 数据等）。在任何情况下，都应采用照片（优先以电子数据形式）和相应的视频摄像对证据文件加以补充。

根据船级社的规定（UR—unified requirements 统一的要求），船舶管理人员必须就每个实际发生的、也包括每个仅仅只是推测的部件损伤或者某个经定级的系统或设备部件上的功能恶化的情况，立即向主管的船级社报告。然后在个别情况下，主管的船级社将具体决定，在怎样的前提下才能确认一艘船的等级(class confirmed),以及是否给予一些规定条件(conditions),为了维持原有的级别,该船必须在规定的时间内满足这些条件。

发生重大事故时,航运公司将向其承保公司就事故损失提出索赔。在事故索赔之前,保险公司一般总是要求主管的船级社提供船级确认。要是船级社未能及时地即短时间内得到事故的报告,它就不能出具该确认书,而保险公司可能因此拒绝或推迟索赔要求的处理。作为后续损失,当发生了货物损失时,船主有可能蒙受巨大的经济损失。

针对基于采用机械加工和/或热加工工艺修理而定级的设备或设备部件的维护保养措施,必须在施工开始之前就得到船级社的批准。对于具有德国劳氏船级社等级的船舶,这意味着,为所选择的维修方法和/或焊接加工时的焊接工艺,都必须向汉堡市内船级社总部主管部门的"事故管理中心"递交批准申请。在焊接加工的情况下,施工企业必须被许可作为焊接企业作业,而任用的焊工必须拥有有效的焊工许可证。在任何情况下,维修措施都必须在当地的验船师的监督下,依据所批准的维修工艺实施。航运公司所委托的企业有责任完成施工、遵守安全要求以及贯彻质量保障措施。

用于已定级部件的焊接修理,主管的船级社最初通常仅将其归入临时维修一类。顺利通过复验后,取决于检查结果的不同,这种维修措施有可能由临时的改成永久的。对于采用有报批义务的所谓定位栓工艺的修理情况,这一规定在任何情况下都适用。一般在顺利通过复验6个月之后,宣布对其永久维修的认可。这种复验的范围主要集中于验证焊装的定位栓或销栓与经维修的部件之间是否牢固结合。

第12章 规 范

译：田 磊 吴国龙 谭 虎

校：董恩春 吴春平

12.1 国际规范

12.1.1 国际公约(协定)

国际协定是由像IMO(国际海事组织)以及ILO(国际劳工组织)之类的主管海事机构制定的,两者均为联合国的执行机构。

IMO成立于1948年,当时称为IMCO(政府间海事协商组织),1982年5月改为现称,其主要工作领域为船舶安全和防止海洋污染。由指定的委员会制订相应的基本法律,它们必须得到目前163个成员国中确定数量成员国的批准。通常规定,至少要得到15个成员国即所谓的签字国(旗籍国)的同意,(它们占世界商船吨位的50%以上),一个新协定方可生效。在规定的时间内,成员国必须将新协定(批准)贯彻到其国家法律中。

最重要的协定是SOLAS、MARPOL、LOAD LINE(LLC)、STCW、AFS和BMS。后二个协定目前(2006年5月)尚未得到批准。此外值得一提的还有由成员国批准的指令,即所谓的规则,尤其是ISM规则(国际安全管理认证)和ISPS规则(国际船舶和港口设施保安)。

SOLAS(国际海上人命安全公约)是商船安全方面最重要的国际公约。1914年,作为对泰坦尼克号沉船事件的回应,英国和德国首次制订该公约。由于战争事件(第一次世界大战),直到1921年才予以公布。其初稿原则上仅包括对客轮的要求(无线电台、水密舱分布)。

IMO成立后的第一版SOLAS于1960年颁布并于当年生效,在以后的数年中IMO始终根据技术水平的发展和国际海运要求的变化不断进行修订。此后的SOLAS公约以不同增补本的形式生效:SOLAS 60版、SOLAS 74版和现行的SOLAS 95版。

IMO的MSC(海上安全委员会)负责对各项国际建议进行审查。此外,MSC还根据现有的建议案负责对SOLAS公约进行相应的补充。

SOLAS针对与海轮安全相应的所有事务。它涉及海轮设计的防泄漏、结构防火、消防操作、各种安全设备、应急的船机设计、人身和设备的安全设施、海上求助通信设备以及危险品运输。SOLAS 95 版还要求海运业需遵守 ISM 规则。

MARPOL(国际船舶防污染公约)作为国际大会 IMCO 1973 的成果,由于存在不同的原因,1973 年 MARPOL 的初稿并未得到大多数成员国的批准。主要是当时的美国船舶管理局急于召开另一个国际会议 IMCO 1978(国际油轮安全和防止污染会议),在此会议的进程中制订了 MARPOL 议定书和 SOLAS 议定书。由于批准程序极为漫长,MARPOL(1978 年议定书和 1973 年公约)直到 1983 年 10 月 2 日才首次生效。

MARPOL 公约针对防止海船对海洋造成的污染。它包括一般规范和定义条文、6 个附件(针对船舶造成海洋污染的特定部分)。

附录针对防止油污染(燃料和装载)、防止运输物品有害物质的污染(由化学品液舱运输的化学品)、防止经包装的有害物质的污染(例如,集装箱中的危险品)、防止船舶废水的污染、防止船舶排弃物的污染以及防止海轮对空气造成污染的控制。

载重线公约于 1930 年生效,以禁止海轮超载。自 1960 年起,IMO 对此公约不断做了更新。

1978 年,IMO 制定了 STCW(国际海员培训、发证和值班标准公约)。现行的 STCW 95 已是海员培训的国际标准。它统一了各国的不同证书。STCW 也包括当值人员须遵守的一般操作指南。

AFS(国际控制船舶有害防污系统公约)是 2001 年才发布的公约,它禁止在船舶油漆中使用对环境有害的添加物。由于尚未达到批准该公约所要求成员国的数量,故迄今尚未生效。

2004 年制定的压载水管理公约(国际船舶压载水和沉积物控制与管理公约/BMS)旨在控制将压载水排入海洋,因为各海域会含有另一海域或水域对环境有危害的海洋生物和沉积物。这个公约也尚未得到最少必要数量的成员国的批准。

港口国家监管机构(在德国称为远洋航运同行协会)的验船师,或受旗籍国委托由授权船级社派出的验船师将定期检查上述所有公约是否得到了遵守。如未遵守,则船舶在达到要求之前,不得航行。

上述规则为 IMO 的建议,当然需要采纳到相应的公约中。

ISM 规则(国际安全管理)的目的是航运业通过采用管理体系,改进船舶的安全性和保持海洋的清洁。在法律上要求必须将该规则采用到 SOLAS 公约中。

ISPS规则(国际船舶和港口设施保安规则)是针对世界贸易中心和五角大楼于2001年9月11日遭受恐怖袭击事件的回应。该规则于2004年生效,适用于进行国际贸易的航船和港口。它规定了各种反恐措施和计划。必须将这些内容加入到SOLAS中,以满足ISPS规则的要求。

地区间的公约为赫尔辛基公约(1980年)和关于保护波罗的海、北海与北大西洋的OSPAR(奥斯陆-巴黎委员会)公约(1992年)。成员国有义务自行和共同采取各种必要的措施,来保持、维护和促进自然生存空间、自然进程和波罗的海、北海与北大西洋的生态系统生物多样性(包括沿海)。

1919年成立的ILO是第二个对海运业有重大影响的国际组织。它制订保证劳动权和人权的标准,已被所有成员国签署认可。必须遵守海运业海员的劳动时间、全体船员的劳动强度以及保证船上生活条件的最低要求。港监应检验该公约的遵守情况。如未得到遵守,有关船只则被禁航,直到缺陷被排除为止。

德国劳氏船级社定期出版国际公约的修订内容。在"IMO-Pilot——IMO技术和操作法律期刊"上,以醒目的列表方式刊登出现行的、经修订的和新制定的段落。德国劳氏船级社的IMO-Pilot期刊可从互联网的下列地址中下载各现行版本:http:/www.gl-group.com/brochurepdf/OEO77.pdf。

12.1.2 国际标准

国际上最重要的制定标准的机构为ISO(源自"iosos"希腊语"同")以及IEC。ISO(国际标准化组织)于1947年成立于日内瓦。此后有150多个国家的标准化机构参加了该组织。它制定现行的国际标准,对技术、入级和工艺领域进行统一,如获得75%以上成员国的同意,则可生效。自1951年起,德国标准化学会(DIN)成为ISO成员。

一些重要的标准有:ISO 32"量和单位"、ISO 1000"国际单位制"、ISO 216"纸的幅面"、ISO 4217"货币代码"、ISO 9000"质量管理"和ISO 14001"环境管理"。

1906年成立的IEC(国际电工委员会)是国际电子电工标准机构,总部设于日内瓦。目前它拥有62个成员国。DKE(德国电气、电子、信息技术委员会)在IEC内代表着德国电工领域的国家利益。IEC标准的制定人员有90%来自产业界。

IEC 技术委员会和工作组从事所有电工领域的活动，包括发电和配电、电磁学、声学、电信与多媒体。部分工作也与 ISO 合作，共同出版 ISO/IEC 标准。

12.1.3 欧洲标准

在欧洲各国紧密合作下，于 1957 年成立了欧洲标准化委员会（CEN）和欧洲电工标准化委员会（CENELEC），总部设于布鲁塞尔。

1988 年，在欧洲委员会的倡导下，成立了第三大的标准化机构——欧洲电信标准协会（ETSI），总部设于法国南部的尼斯附近。

由所有欧盟和 EFTA 成员国（EFTA＝欧洲自由贸易联盟：冰岛、挪威、列支敦士登、瑞士）国家标准化机构代表的 CEN 从事除电工和电信之外的所有技术领域的标准化工作，由 CENELEC 以及 ETSI 负责电工和电信方面的标准化工作。

由这些机构制定的欧盟标准（EN）包括了可能的技术解决方案。对标准的采用均出于自愿。符合 EN 标准的产品可加上 CE 标志。生产商可以此保证产品在各方面均符合欧洲标准，或样机经试验合格。

通常，欧洲委员会在 EG 指令中规定最基本的安全要求，各国需通过立法机构加以贯彻。对具体的技术细节须指明依据欧洲标准（EN）。

对海运至关重要的指令例如有 98/18/EG“客轮安全规范和标准”指令（1996 年”爱沙尼亚”号渡轮沉没是制定此项指令的决定性因素）、89/336/EWG“电磁兼容”指令、1999/5/EG“无线电设备和电信终端”指令、96/98/EG“船用设备”指令以及各种社会指令，例如 99/63/EG 关于调整海员劳动时间的指令。

12.1.4 入级和建造规范（德国劳氏船级社）

最早的船级社即劳氏船级社于 1760 年在伦敦成立。海运公司、商人和保险商对装载容积、尺寸和设施方面都在寻求统一的船舶分级和评定标准。对船舶分级可编制含有所需内容的登记册，必要时还可包括船舶缺陷报告。船监部门须公平、公正地开展工作。

目前，作为主管协会的 IACS（国际船级社协会）共有 10 个国际公认的船级社。另外，还有 30 个左右符合国际质量标准、但不属于 IACS 的其他船级社。

船级社的任务不再限于对船舶的分级和对船舶状态的定期检查，还制订船舶的设计和建造标准（制造规范）以及对船舶技术不同领域的研究。除此之外，还执行代表旗籍国的法规检验、促进船舶安全和环境保护。符合入级的船舶可得到由船级社颁发的相关证书。用户的文件和资料均对外保密。

德国的船级社为 1867 年成立的德国劳氏船级社，总部设于汉堡。作为 IACS 的成员，德国劳氏船级社是航运业和造船业中独立的权威机构。

12.2 德国规范

12.2.1 德国管理部门、德国管理条例

德国有着各种机构，它们制订前述的国际协议规范并将国际法转化成德国法律以及将现有的德国标准与国际标准进行比较。部分德国标准用于制定国际标准，或将国际标准采用到德国标准中。这些标准有多个代号，如 DIN ISO、DIN EN 或 DIN EN ISO。

DIN（德国标准化学会）成立于 1917 年，总部设于柏林。该学会负责德国的标准化工作，在世界和欧洲标准化组织中代表德国的利益。

SBG（远洋航运同业协会）是联邦德国交通、建设和城市发展部（BMVBS）的一个下属机构，全面负责执行船舶安全、海洋环境保护领域的国际公约及其补充规范（SOLAS、MARPOL、LOAD LINE、STCW 等）。

SBG 船舶安全部的任务是对悬挂德国国旗的船舶开展下列工作：签发船舶安全证书、新建船舶的安全和环境保护方面的设计审核、救生设备、消防和环保设计的审批、船舶的首检和复查、对船舶安全运行的检查（ISM 规则）、救生艇和消防人员的考核。受德国交通部的委托，SBG 按船员管理条例对各条船的船员做了规定。以此签发船员证并对船舶进行必需的检查。

自 1982 年以来，远洋航运同业协会还进行港口国家检验。在驶入德国港口的船只中，通常有 25%的船只不悬挂德国国旗，须对这些船只检查其是否遵守国际公约。对不符合国际公约的船只将予以扣押，直到排除缺陷为止。

除国际协定外，远洋航运同业协会根据社会保障法典，将事故防范作为其法定任务。它包括对人身事故、职业病和工作所致的健康危险的防护。根据国家的法律和国际法与管理条例，远洋航运同业协会为此制定了 UVV See（远洋航运安全规程）、指令、标准、手册和指南。

德国于 1998 年通过船舶安全法，将当前的国际协议和指令转化成德国法律。该法律不仅适用于悬挂德国国旗的海轮和内河船，也适用于悬挂外国国旗、在德国海域内行驶的海轮和内河船，它为海上专业协会提供了对挂德

国国旗和外国国旗船舶检查是否遵守国际公约的法律依据。根据船舶安全法和1982年联合国海洋法公约，对违反国际安全规则和义务的行为将予以处罚。

1998年9月18日颁布的船舶安全管理条例，除了海上安全外，还包括海员的劳动保护、环境保护、船舶安全法有效使用的内容。该管理条例还涉及职责、特殊规则、对锅炉设备和无线电设备的操作、船舶装置、船东和经营者的行为。此外还有关于违法和临时法规的内容。

海运危险品条例针对海轮危险品的运送。其依据是SOLAS国际公约、IMDG规则（国际海运危险品规则）、BC规则（固体散货安全操作规则）、IBC规则（国际散装运输化学品规则）、BCH规则（国际散装运输危险化学品船舶构造和设备规则）、IGC规则（国际散装运输液化气体船舶构造和设备规则）、GC规则（气体运输船规则）以及IMO、ILO和联合国欧洲经济委员会的CTU包装指南。IMO制定的EmS指南规定了危险品运输船的事故防范措施，同样由IMO出版的MFAG规则原则上规定了毒性程度。根据有关船舶的危险品管理条例的规定，这两项规则须同时执行。其他的基本公约如INF规则（国际船舶运装密封装辐射性核燃料、钚和强放射性废料规则）和有关危险废料过境和排放检查的巴塞尔公约。

12.2.2 德国工程师协会

VDI（德国工程师协会）是一个在1856年成立的协会，是德国国内和国际上代表工程师利益的服务机构。它是一个公益性的独立机构，目前拥有125 000名会员。科技专业信息和职业政策信息的公布、与各州主管部门合作政策的协调、与有关的工程师协会开展国际合作是VDI的首要任务。VDI有众多不同的专业领域和涉及最新技术发展的核心领域，并在这些领域中可向公众提供服务，例如通过VDI标准、公认的技术规则。

负责电气、电子和信息技术领域的是VDE（德国电工协会）。该协会拥有34 000名会员，从事未来技术、编制工艺和培训鉴定书、进行电工和信息技术标准化与产品检验。通过专业协会和举办活动的方式进行培训和知识转让。VDE在世界各地设有分支机构，在欧盟层面上，无论是VDI还是VDE都在布鲁塞尔设有自己的办事处。

12.2.3 德国的检验标准

同业协会“压力容器”专业委员会(FAD)出版的AD标准反映了压力容器管理条例的技术现状。这些标准包含了压力容器设备、灌注设备、管道设备以及各种部件生产与操作的安全技术要求。此外,“压力容器”专业委员会还向负责劳动防护的主管部门、工伤保险商以及生产商和运营商就安全技术问题提出咨询意见,并对事故和伤害做出分析报告并与国内和国际上的相关组织进行合作。

1860年由冶金工程师成立的钢学会VDEh原称为德国冶金工程师协会,在钢铁/冶炼技术行业发展中组织工程技术人员进行科技合作。在国际合作中,还邀请设备生产厂和供方参加其中。学会支持国家认可的培训和研究机构,并向钢铁业、主管部门、欧盟机构和国内外专业组织提出咨询意见,采购研究设备,开展专业领域的鉴定活动。

此外,钢学会VDEh还是钢铁材料标准(SEW)和交货条件(SEL)的出版机构。钢铁材料标准和交货条件在标准化领域内是统一钢材性能的一个最重要的手段。该学会的任务是对尚不能加以标准化的钢材规定其主要性能。通过这些规定,使钢材得到更广泛的应用,同时也注意收集炼钢、交货和应用方面的经验。

除此之外,还有规定陶瓷耐火材料性能的“钢铁材料标准”。钢学会VDEh出版的其他标准是关于测定某些材料性能试验方法的钢铁检验标准(SEP)和统一冶炼设备设计、制造、安装和维护的钢铁操作标准(SEB),并与欧洲钢号注册局合作,出版钢铁目录。目前,此目录上已列有2000个左右在钢铁材料标准(SEW)上规定的标准钢种以及非标钢种。

除上述适用面广泛的标准和指南外,在某个公司内部还有企业标准、集团公司标准、工艺标准和质量管理标准。

对海轮而言,为了满足主要的安全要求,ISM规则所指定的对船载记录文件的维护具有显著作用。

除旗籍国和入级文件外,对操作和维护手册、操作指南以及安装设备和安全装置的图纸、电路图和测量位置表都须系统保管,及时更新。这是船员及修船公司和船厂对设备进行正常操作、开展上述保养维修作业的依据。

此外,安全设备和装置只能由指定的船务人员操作,为此还编制了有关船上救生器具的专用“培训手册”，而救生器具是必须在船舶丈量时进行设计的。航海记录与海图必须始终更新。必须制定、修改安全技术、机械和设备的维修图，并随时予以更新。

除进港和离港内容以及记录事故和伤亡的准确时间外，船舶与机械日志还要记录重要的航海事件和观察到的情况，例如，航线、天气、潮汐、船员的招募和解雇、装载物品、港口等以及安全系泊情况；有关的机械运行的重要数据，例如，压力、温度、耗用量、转速、滑脱、工时、燃料量和维修作业。这些航海日志须按船舶安全法的规定记录。这主要在发生事故、对环境造成影响和引起海损时可作为佐证。

第 13 章　换算系数

译：田　磊　吴国龙　谭　虎

校：张　昕　吴春平

13.1　说明

本章以国际单位制的形式(标准国际SI制)列出了科学厘米-克-秒制(CGS体系)、米制(米-千磅-秒)和英尺-磅-秒制最常用的单位的换算系数。ISO国际单位制由7个基本单位(见表13.1.1)和2个辅助单位(见表13.1.2)构成。导出单位以基本单位的代数形式表示。某些导出量是表13.1.3中的名称与符号的组合。还有一些不属于国际单位制的单位,但由于实际上还在使用,或被专门行业所采用而被采纳到ISO标准中。一些外来单位如表13.1.4所示。

表13.1.1　国际单位制的基本单位

量的名称	单位名称	单位符号
长度	米	m
质量	千克	kg
时间	秒	s
电流	安[培]	A
绝对温度*	开[尔文]	K
物质的量	摩[尔]	mol
发光强度	坎[德拉]	cd

*也称为热力学温度。

表13.1.2　国际单位制的辅助单位

量的名称	单位名称	单位符号
平面角	弧度	rad
立体角	球面度	sr

表13.1.3　专用名称的国际单位制导出单位

量的名称	单位名称	单位符号	定　义
频率	赫[兹]	Hz	$1\,Hz=s^{-1}$
力	牛顿	N	$1\,N=1\,kg\cdot m/s^2$
压力、压强、应力	帕[斯卡]	Pa	$1\,Pa=1\,N/m^{2*}$

（续表）

量的名称	单位名称	单位符号	定　义
能[量]、功、热量	焦[耳]	J	1 J=1 N·m
功率	瓦[特]	W	1 W=1 J/s
电压、电动热、电位、电势	伏[特]	V	1 V=1 W/A
温度	摄氏度	℃	1℃=1 K**

*应力大都采用单位 N/mm^2，$1\ N/mm^2=10^6\ N/m^2$，应采用 MPa 表示。

**t(℃)$=T$(K)$-T_0$(K)，式中 $T_0=273.15$ K。

表 13.1.4　国际单位制的辅助单位

量的名称	单位名称	单位符号	定　义
时间	分	min	1 min=60 s
时间	小时	h	1 h=60 min
平面角	度	°	1°=(π/180)rad
体积	升	l(L)	$1\ l=1\ dm^3$
压力	巴	bar	$1\ bar=10^5\ Pa$

表 13.1.5 列出了可构成标准名称十进制倍数或小数的名称与符号词头。参考文献[13.1 和 13.2]对国际单位制作了详细说明。

表 13.1.5　国际单位制的词头

因　数	词　头	符　号	因　数	词　头	符　号
10^{18}	exa	E	10^{-1}	deci	d
10^{15}	peta	P	10^{-2}	centi	c
10^{12}	tera	T	10^{-3}	milli	m
10^9	giga	G	10^{-6}	micro	μ
10^6	mega	M	10^{-9}	nano	n
10^3	kilo	k	10^{-12}	pico	p
10^2	hekto	h	10^{-15}	femto	f
10	deca	da	10^{-18}	atto	a

13.2　换算常数

长度(m)

1 in(英寸)	25.40 mm=0.025 4 m
1 ft(英尺)=12 英寸	0.304 8 m
1 yd(码)=3 ft=36 英寸	0.914 4 m
1 英里=1 760 码	1 609 m
1 国际海里	1 852 m

面积(m^2)

1 sq. in(平方英寸)	$0.645\,2\times10^{-3}\,m^2$
1 sq. ft(平方英尺)	$92.90\times10^{-3}\,m^2$

体积($1\,m^3=1\,000\,L$)

1 cub. in(立方英寸)	$16.39\times10^{-6}\,m^3$
1 cub. ft(立方英尺)	$28.32\times10^{-3}\,m^3=28.32\,L$
1 加仑(英)*	$4.546\times10^{-3}\,m^3=4.546\,L$
1 加仑(美)*	$3.785\times10^{-3}\,m^3=3.785\,L$
1 桶(美国石油桶)=42 加仑(美)	$0.159\,0\,m^3$
1 bbl(干桶,美)	$0.115\,6\,m^3$
1 注册吨=100 cub. ft	$2.832\,m^3$

*1 加仑=4 夸脱=8 品脱

速度(m/s)(3.6 km/h=1 m/s)

1 kn(节)=1 海里/h(其他速度用长度换算表示) 1 852 km/h=0.514 4 m/s

质量(kg)

1 lb(磅)=16 ozs(盎司)	0.453 6 kg

1 ctw(英)(英担)=112 lb	50.80 kg
1 长吨(英)=20 cwt=2 240 lb	1.016 米制吨=1 016 kg
1 短吨(美)=2 000 lb	0.907 米制吨=907 kg
1 斯勒格	14.59 kg

密度

1 lb/cub. ft	16.02 kg/m^3

力($1\ kg\cdot m/s^2=1\ N$)

1 kg*	9.807 N
1 磅达**	138.3×10^{-3} N

*有时，在英裔美国人口语区也称做 kgf(千克力)，标准落体加速度 $g_n=9.806\ 65\ m/s^2$

**英尺-磅-秒制的力单位

压力($1\ N/m^2=1\ Pa, 1\ bar=10^5\ Pa, 1\ mbar=10^{-3}\ bar$)

$1\ kg/cm^2=1$ at=0.967 8 atm	98.07×10^3 Pa=0.980 7 bar
1 at=735.5 mm Hg*=10 m H_2O**($T=277$ K)	
750 mm Hg*	10^5 Pa=1 bar
1 mm Hg*($T=273$ K)	133.3 Pa=1.333 mbar
1 mm H_2O**($T=277$ K)	10^{-4} at =9.807 Pa $=98.07\times10^{-3}$ mbar
1 in Hg*($T=273$ K)	3 386 Pa=33.86 mbar
1 in H_2O**($T=277$ K)	249.1 Pa=2.491 mbar
1 atm(标准大气压)=760 mm Hg*	1.013×10^5 Pa=1 013 mbar
1 atm=1.033 at	
1 lb/sq. in(psi)	6 895 Pa=68.95 mbar

*汞，1 mm Hg=1 乇

上述数值依据标准落体加速度 $g_n=9.806\ 65\ m/s^2$

**水柱

压强($1\ N/m^2=10^{-6}\ N/mm^2$)

$1\ kg/mm^2=100\ kg/cm^2$	9.807 N/mm^2

1 lb/sq. in(psi)＝0.070 31 at	6.895×10^{-3} N/mm^2

动力黏度(N·s/m^2)

1 kg·s/m^2	9.807 N·s/m^2＝98.07 P(泊)
1 磅达 s/sq. ft	1.488 N·s/m^2
1 lb·s/sq. ft	47.88 N·s/m^2

泊是取自 CGS 制的一个量的名称。1 P＝0.1 Pa·s

1 cP＝1 mPa·s＝10^{-3} Pa·s

运动黏度(m^2/s)

1 sq. ft/s	92.90×10^{-3} m^2/s
	＝92.90×10^{3} cSt*

*cSt(厘斯托克斯)＝10^{-6} m^2/s。斯托克斯是取自 CGS 制的一个名称。

1 St＝10^{-4} m^2/s

能、功(1 N·m＝1 J, W·h)

1 cal_{IT}	4.187 J*
1 kg·m	9.807 J
1 hp·h(米制)	2.648×10^{6} J＝0.735 5 kW·h
1 ft·lb	1.356 J
1 hp·h(英、美)	2.685×10^{6} J＝0.745 7 kW·h
1 BTU(英、美)	1.055×10^{3} J＝1.055 kJ

*准确值:4.186 8 J

IT＝国际蒸汽表卡(英语:I. T. 即 International Steam Table)

功率(1 kg·m^2/s^3＝1 N·m/s＝1 J/s＝1 W)

1 kg·m/s	9.807 W
1 hp(米制)＝75 kg·m/s	735.5 W＝0.735 5 kW
1 $kcal_{IT}$/h	1.163 W
1 ft·lbf/s	1.356 W
1 hp(英、美)＝550 ft·lb/s	745.7 W
1 BTU/h	0.293 1 W

转矩、力矩($kg \cdot m^2/s^2 = N \cdot m$)

可从上述内容中直接推导出

比燃料消耗量($g/kW \cdot h$)

1 g/hp·h(米制)	1.360 g/kW·h

温差(K)

1℃(摄氏)	1 K
1℉(华氏)	5/9 K

温度换算

1℃(摄氏)	$t_C + 273.15 = t_K$
1℉(华氏)	$5/9(t_F - 32) + 273.15 = t_K$
华氏换算到摄氏	$t_C = 5/9(t_F - 32)$
摄氏换算到华氏	$t_F = 9/5 \cdot t_C + 32$

比热容($J/(kg \cdot K)$)

1 $kcal_{IT}/(kg \cdot ℃)$	4.187×10^3 J/(kg·K)
1 BTU*/(lb·℉) = 1 $kcal_{IT}/(kg \cdot ℃)$	4.187×10^3 J/(kg·K)

*英制热力学单位(参见能的换算常数)

热导率($W/(m \cdot K)$)

1 $cal_{IT}/(cm \cdot s \cdot ℃)$	418.7 W/(m·K)
1 $kcal_{IT}/(m \cdot h \cdot ℃)$	1.163 W/(m·K)
1 BTU*/(ft·h·℉)	1.731 W/(m·K)

*英制热力学单位参见能量单位的换算系数

传热系数($W/(m^2 \cdot K)$)

1 $cal_{IT}/(cm^2 \cdot s \cdot ℃)$	$41.87 \cdot 10^3$ $W/(m^2 \cdot K)$
1 $kcal_{IT}/(m^2 \cdot h \cdot ℃)$	1.163 $W/(m^2 \cdot K)$
1 BTU*/(ft^2·h·℉)	5.678 $W/(m^2 \cdot K)$

国际单位制中一些重要物质的物理数据

t=温度(℃) ΔK=温差

ρ=密度(kg/m³) c_P=比热容,J/(kg·K)

	t	ρ	c_P	$t_{范围}$	c_P
水	18	999	4.18×10^3		
润滑油(近似值)*	15	900	1.96×10^3		
空气(干燥大气)(p=1 bar)	0	1.276	998	0～150	1 005
废气				200～400	1 080

*黏度:40℃时 100～140 cSt

750 mm Hg=1 bar=10^5 Pa

1 atm(海平面标准压力) =760 mm Hg=1 013 mbar

空气和废气的气体常数 =287 J/(kg·K)

100℃水/1.013 bar 下的蒸发热量 =2.256×10^6 J/kg

燃料热值下限 H_u=41～43×10^6 J/kg

ISO 3046/1-1986 标准基准燃料 H_u=43×10^6 J/kg

燃油比耗(b_e,英语:SFOC Specific fuel oil consumption)和标准条件

以制动功率和下列条件为基准的燃料比耗数据(ISO):

鼓风机进口抽气温度:	25℃	298 K
鼓风机进口抽气压力:		1 000 mbar
充气冷却水温度	25℃	298 K
燃料热值下限(10 200 kcal/kg)		42 707 kJ/kg

13.3 物质数据

由于受到如空气湿度、密度的强烈影响，与这里给出的平均值可能存在明显的偏差(t/m³)。

矾 …… 1.7
铝 …… 2.7
铝合金 …… 2.6～2.9
铝青铜 …… 7.7
无烟煤 …… 1.4～1.7
锑 …… 6.7
石棉 …… 2.1～2.8
石棉麻线板 …… 1.2
沥青 …… 1.1～1.3
氢氧化钾 …… 2.05
生石灰 …… 3.3
烧碱 …… 2.13
棉纤维 …… 1.5
砖石 …… 2.5
矾土 …… 2.4～2.6
混凝土 …… 1.8～2.4
褐煤 …… 1.2～1.5
铅 …… 11.34
红丹 …… 9.0
青铜 …… 8.7～8.9
铬 …… 7.1
δ-合金 …… 8.6
冰(0℃时) …… 0.92
铁：
  纯铁 …… 7.88
  铸铁，GG …… 7.2
  生铁 …… 6.7～7.8
  可锻铸铁 …… 7.2～7.6
  钢，GS …… 7.85
土 …… 1.4～2.0
油脂 …… 0.9～0.96
熟石膏 …… 1.8
玻璃 …… 2.5
铸金 …… 19.25
橡胶制品 …… 1.0～2.0(1.2)
风干木材(偏差可能较大)：
  枫木 …… 0.65
  桦木 …… 0.65
  橡木 …… 0.7(～0.96)
  白蜡树 …… 0.7
  云杉 …… 0.5
  加蓬古夷苏木 …… 0.4
  山核桃树 …… 0.8
  松木 …… 0.5
  椴木 …… 0.5
  落叶松 …… 0.6
  桃花心木 …… 0.7
  胡桃树 …… 0.7
  俄勒冈松 …… 0.6
  杨木 …… 0.45

北美油松 …… 0.7
愈疮木 …… 1.3
红榉木 …… 0.7
榆木 …… 0.7
冷杉 …… 0.45
柚木 …… 0.85
鹅耳枥 …… 0.85
雪松 …… 0.5
柏树 …… 0.6
硬质纤维板 …… 1.0
木纤维板 …… 0.25～0.5
木炭 …… 0.4
依格利特 …… 1.35
因钢 …… 8.7
硝石 …… 2.1
石灰：
熟 …… 0.9～1.3
溶解 …… 1.2
石灰砂浆 …… 1.6～1.8
木棉 …… 0.13
刚玉 …… 1.4～1.8
橡胶：
生 …… 0.92
硫化 …… 1.5
砾石 …… 1.9
食盐 …… 2.15
焦炭 …… 1.6～1.9
软木 …… 0.1～0.3
金刚砂 …… 4.0
粉笔 …… 1.8～2.7
塑料(部分) …… 1.05～1.4
铜：
浇铸 …… 8.3～8.9
轧制 …… 8.9～9.0
皮革 …… 0.85～1.0
镁 …… 1.74
镁青铜 …… 8.8～8.9
大理石 …… 2.0～2.8
黄铜 …… 8.4～8.5
蒙钼 …… 8.58
镍 …… 8.8
镍钢 …… 8.1～8.2
夹布胶木 …… 1.3
纸 …… 0.95
石蜡 …… 0.9
沥青 …… 1.2
酚醛树脂 …… 1.3
铂 …… 21.45
聚乙烯塑料 …… 0.93
瓷器 …… 2.3
钾盐 …… 2.3
压制树脂 …… 1.25
压制木屑板 …… 1.2～1.4
石英 …… 2.1～2.5
炮铜 …… 8.5～8.7
砂 …… 1.4～1.6
石英砂 …… 2.7
耐火砖 …… 1.7～2.2
海绵橡胶 …… 0.06～0.1
矿渣 …… 0.6～0.7
矿渣棉 …… 0.05～0.4
刚玉砂 …… 4.0
松散雪 …… 0.06～0.2
硫 …… 2.0

浮石 ………… 0.85
重晶石 ………… 4.25
肥皂 ………… 1.05～1.2
银 ………… 10.5
碳酸钠结晶 ………… 2.45
注塑件：
　轻 ………… 2.6～2.9
　重 ………… 6.7～11.0
块滑石 ………… 2.6～2.8
硬煤 ………… 1.2～1.4
石器 ………… 1.3～1.6
粗瓷 ………… 2.5～2.6

牛脂 ………… 0.9～0.97
滑石粉 ………… 2.6～2.8
锌黄铜 ………… 8.5～8.8
蜡 ………… 1.0
巴氏合金 ………… 7.1～10.1
钨钢 ………… 8.2
金属胶合板 ………… 9.7
水泥(硬) ………… 2.3～3.2
砖 ………… 1.4～2.0
锌 ………… 6.9～7.2
锡 ………… 7.2～7.3
糖 ………… 1.6

在20℃左右温度下液体的密度 kg/dm³，可能与列出的数值有差异。

乙醇 ………… 0.7～0.8
汽油 ………… 0.68～0.78(0.76)
苯 ………… 0.88
褐煤焦油 ………… 0.8～1.04(0.92)
柴油 ………… 0.85～1.08
花生油 ………… 0.92
轻油 ………… 0.86～0.89
甘油(无水) ………… 1.26
燃油(取自石油) ………… 0.89～0.98
亚麻油 ………… 0.93
石脑油 ………… 0.76
橄榄油 ………… 0.92
石蜡油 ………… 0.9～1.02
石油 ………… 0.76～0.88(0.81)
汞：
　300℃时 ………… 13.595
　100℃时 ………… 13.351

蓖麻油 ………… 0.96
菜籽油 ………… 0.91
浓硝酸 ………… 1.51
浓盐酸 ………… 1.16
浓硫酸 ………… 1.834
润滑油 ………… 0.88～0.94(0.9)
海水 ………… 1.015～1.03
酒精(90 Vol. %) ………… 0.82
烟煤焦油 ………… 0.9～1.1(1.08)
焦油 ………… 0.85～1.25
松节油 ………… 0.86
鱼油 ………… 0.91～0.94

散装物料密度 t/m³

挖掘土 ………… 1.7～2.0
铁矾土 ………… 1.25
褐煤 ………… 0.8

土：
　干 ………… 1.1～1.7
　湿 ………… 1.7～2.0

矿石	2.0～3.5	铜块	5.8
粮食	0.6～0.8	生铁块	3.7
鸟粪	0.85	盐	1.0
木材	0.3～0.5	砂：	
钾盐	0.8～1.2	干	1.6
硝石	1.0	湿	2.0
干砾石	1.7	硬煤	0.8～0.85
焦炭	0.42	砖	1.2～1.4

其他数据参见参考文献[13.3]

参考文献

[13.1] Söding，H.：Das Internationale Einheitensystem. Jahrbuch der Schiffbautechnischen Gesellschaft e. V.，Bd. 68（1974），Springer Verlag Berlin 1974.

[13.2] Normen für Größen und Einheiten in Naturwissenschaft und Technik. Deutscher Normenausschuss，Berlin 1972.

[13.3] Rotermund/Koch：Die Ladung Bd. 1 und Bd. 2，Eckhardt und Messtorf Verlag，Hamburg 1962.

[13.4] Gesetz über Einheiten im Messwesen，Bundesgesetzblatt Teil I vom 5. Juli 1969.

[13.5] Ausführungsverordnung zum Gesetz über Einheiten im Messwesen，Bundesgesetzblatt Teil I vom 30. Juni 1970.

作者简介

冈特·阿克曼教授、工学博士(Prof. Dr.-Ing. Günter Ackermann)

在汉诺威大学攻读电气工程专业;1986年获汉堡-哈尔堡工业大学(TUHH)博士学位;而后至1995年,任职于船舶自动化领域的一家工业企业;自1995年起,任TUHH船舶电气工程学教授,并任电能系统和自动化研究所所长。研究领域:船舶电网中的发电机、发动机和大功率电子元器件的性能;船舶电网中的瞬态与超高频过程。

罗兰德·贝伦斯教授、工学博士(Prof. Dr.-Ing. Roland Behrens)

在汉诺威工业大学攻读船舶机械工程专业;1985～1990年,在活塞式发动机研究所任职,从事柴油发动机重油运转的研究工作;1990～2001年,任职于Deutz公司大型柴油发动机及燃气发动机研发部,后担任研发部副主管;自2001年起,任不来梅港高等学院热力发动机与做功机械专业教授,从事柴油发动机及燃气发动机领域的研究及鉴定工作。

弗兰克·伯恩哈德教授、工学博士(Prof. Dr.-Ing. Frank Bernhardt)

德意志航运公司(DSR)职业培训;瓦尔内明德/伍斯特罗航海国际学院学习,并获博士学位;而后至2001年从事航海工作,任技术值班驾驶员/LTO;自2002年起,在位于瓦尔内明德的维斯马高等学院航海系任教,专业方向:船用发动机运转和船舶维护保养。

彼得·博伊教授、工学博士(Prof. Dr. -Ing. Peter Boy)

海军军官职业培训;在汉诺威工业大学攻读内燃机专业;船舶推进装置船用发动机研究所从事研究工作;获中速船用柴油机方向的博士学位;任职于基尔MaK公司:船用发动机装置和柴油动力装置;在船舶上工作,并获CIW证书;自1985年起,在弗伦斯堡高等专业学院从事教学工作:研究方向为内燃机和船用发动机;弗伦斯堡高等专业学院副院长,德国船舶工程师协会发言人。

施特凡·克劳森工学硕士(Dipl. -Ing. Stefan Claußen)

弗伦斯堡高等专业学院船舶操作技术专业毕业后的两年里,在不同的船上担任工程师一职。1998年,进入BP Marine公司技术服务部。2001～2003年,兼任汉堡应用科技大学讲师,讲授运行消耗品方面的专业知识。2004年,转入销售行业,现担任Castrol Marine公司大客户经理。

哈克·奥科·迪德里希斯教授、双工学硕士(Prof. Dipl. -Ing. Dipl. -Ing. (FH) Hark Ocke Diederichs)

汉堡H. C. Stülcken Sohn造船厂机修钳工学徒;航海助理,曾在汉堡高等专业学院攻读船舶操纵技术专业;获得CI证书,航海期间任值班驾驶员兼机械设备负责人;汉诺威工业大学轮机工程专业毕业;基尔MaK公司试验及研发工程师;自1985年起,在弗伦斯堡高等专业学院执教,专业方向为做功机械和设备技术。

诺贝特·G·埃勒斯工学硕士(Dipl.-Ing. Norbert G. Erles)

机械制造学徒,远距离供暖施工经理,助理工程师,1969年获C5特许证书(弗伦斯堡市),二级工程师/有限工程,1972年获C6特许证书(弗伦斯堡高等专业学院),从事冷藏货船及集装箱船有限工程工作9年,监造人。1980年加入德国劳氏船级社,任职于公司管理部门,机械工程方面的海损事故鉴定员,德国航海同业协会兼任技术监察员,1985年任机械工程损管部副主管,1991年任首席验船师,2000年任"海损管理中心"主任,自2003年年中起任德国劳氏船级社负责全球业务的指定危机经理。

约阿希姆·哈内教授、工学博士(Prof. Dr.-Ing. habil. Joachim Hahne)

在罗斯托克攻读轮机工程专业;1965~1975年任罗斯托克德意志航运公司船舶工程师、科研人员;1969~1974年攻读研究生及博士学位;1975~1981年瓦尔内明德/伍斯特罗航海学院科研人员、讲师,研究方向:船舶安全性;1980年获得在大学授课的资格;1982~1992年任船舶安全学教授;1993~2003年任罗斯托克船舶安全注册协会安全技术研究所科研带头人;自1994年起任乌帕塔尔矿业大学私人讲师,专业方向:海上交通安全技术。

卡尔-海茵茨·霍赫豪斯工学博士(Dr.-Ing. Karl-Heinz Hochhaus)

机修钳工学徒,2年航海工作任助理船舶工程师,在不来梅港高等学院学习船舶工程(C5、C6)并拥有船上航海经历。在柏林工业大学攻读轮机工程专业,同时任柏林工业大学半日制试验工程师。之后任汉诺威轮机工程研究所助理(W·德罗斯特教授、工程博士)。1986年获TUHH博士学位,任总工程师。参与德国造船工程学会所属的多个专业委员会的工作。自2000年起任德国造船工程学会"船舶工程史"专业委员会主任。

彼得·F·科姆工学硕士(Dipl.-Ing. Peter F. Kehm)

1955～1958 年任化学实验员;1959～1961 年任化学技师;专业学习:1965～1969 年攻读化学工程专业;1974～1976 年从事物理学方面的工作:1961～1965 年汉堡壳牌德国公司;1969～1972 年戴姆勒-奔驰公司曼海姆化学实验室主管;1972～2000 年弗伦斯堡航海学校教师;1994～2000 年弗伦斯堡航海学校主管;1975～2006 年在弗伦斯堡高等专业学院船舶操纵研究所从事研究工作;1974～2006 年的学校放假期间,在不同的海运公司不定期出航。

施特凡·克吕格教授、工学博士(Prof. Dr.-Ing. Stefan Krüger)

1982～1987 年攻读船舶机械制造与船舶工程专业,于 1987 年获船舶工程硕士学位。1988～1993 年在船舶工程研究所从事研究工作,涉及多个研究项目。1992 年获博士学位。1993～2001 年任职于弗伦斯堡船舶工程协会,至 1995 年负责信息技术工作,之后任基础结构部主任,负责将基本的科学设计工艺引入工业实践。自 2001 年起,任汉堡—哈尔堡工业大学(TUHH)教授,船舶与船舶安全设计研究所主任。

艾克·莱曼大学教授、双工学博士(Uni. Prof. Dr.-Ing. Dr.-Ing. E.h. Dr. h.c. Eike Lehmann)

在基尔、汉诺威和汉堡攻读船舶工程专业。汉诺威工业大学船舶设计和静力学研究所 Obering 助理,汉堡德国劳氏船级社职员,吕贝克 Flender 造船厂设计主管,汉诺威大学/汉堡大学教授,汉堡-哈尔堡工业大学教授,汉堡德国劳氏船级社董事。船舶工程技术协会主席,德国工程师协会主席。

彼得·路德维希教授、工学博士(Prof. Dr.-Ing. habil. Peter Ludwig)

1956年高中毕业后在布拉格工业大学攻读“动力与做功机械”专业。在Görlitz的涡轮机制造厂担任10年之久的设计工程师和部门负责人,并当任瓦尔内明德造船厂研发工程师。此后获罗斯托克大学博士学位(1979年),并在航海工程学校任高级助教。自1980年起任罗斯托克大学轮机设备专业教授,并自1992年起任维斯马大学航海学系内燃发动机/涡轮机专业教授(至2005年)。

汉斯海因里希·迈尔-彼得教授、工学博士(Prof. Dr.-Ing. Hansheinrich Meier-Peter)

曾在不同的造船厂实习,作为工程研究生与保障工程师曾在多家航运公司从事海上航运工作。在汉诺威工业大学和汉堡大学攻读船舶工程专业。职业经历:汉诺威工业大学轮机工程专业教席助理(至1969年),伦敦劳氏船级社研究员(奖学金生,至1971年),不来梅Weser股份公司轮机工程领域负责人(至1982年),弗伦斯堡高等专业学院教授,船舶操纵研究所所长(至2004年)。

沃尔夫冈·普拉尼茨工学博士(Dr.-Ing. Wolfgang Planitz)

1982～1987年间在汉诺威工业大学攻读电气工程学专业;1987年汉诺威工业大学硕士毕业;1987～1992年在汉堡-哈尔堡工业大学任教;自1990年起成为船舶工程技术协会(STG)会员;1992年获得汉堡-哈尔堡工业大学博士学位;自1993年起获汉堡-哈尔堡工业大学“电力电子学”教学委任;1992～2000年任职于汉堡HEW;2000～2005年任职于汉堡ABB Marine;自2005年起在汉堡Vattenfall欧洲核能公司任职。

米夏埃尔·拉赫教授、工学博士(Prof. Dr. -Ing. Michael Rachow)

1975～1981 年接受船舶工程技术装配师培训并任海上航运助理机械师;1981～1986 年在瓦尔内明德/伍斯特罗海运大学攻读船舶操纵技术专业;1986～1988 年获马格德堡工业大学及瓦尔内明德/伍斯特罗海运大学船舶维护保养专业博士学位;1988～1991 年的航海期间任舰艇技术官员并获 CI 资格证书;1991～1994 年任弗伦斯堡海运专科学院讲师;自 1994 年起任维斯马大学航海系船舶发动机设备专业教授(位于瓦尔内明德/伍斯特罗)。

赫尔穆特·绍尔工学与理学博士(Dr. -Ing. Dr. sc. techn. Helmut Sauer)

在罗斯托克大学攻读轮机工程专业。德累斯顿流体机械研究所汽轮机评估研究工程师。作为 Bergmann-Borsig 柏林公司德累斯顿办事处主任,负责发电站汽轮设备的热动力和气体动力的研发工作以及项目孵化工作。1991～1998 年任德累斯顿工业大学能源技术研究所流体机械研究组负责人。

克里斯蒂安·沙尔夫爱特工学博士(Dr. -Ing. Christian Scharfetter)

在 Blohm & Voss 股份公司接受工业机械师培训后,于 1994～2000 年间在汉堡-哈尔堡工业大学攻读机械工程专业,专业方向:轮机工程与能源设备。至 2005 年获汉堡-哈尔堡工业大学博士学位,博士论文题为“以船舶状态为导向的船舶维修”,并从事科学研究工作。自 2005 年起任汉堡 Noske-Kaeser 有限公司制冷设备工程部主管。

霍尔格·施泰因博克工学硕士(Dipl. -Ing. Holger Steinbock)

高中毕业服兵役后接受特种机械工程刀具制造师培训,在汉堡-哈尔堡工业大学攻读轮机工程与能源设备专业,并任帕本堡 Jos. L. Meyer 有限公司项目工程师。之后调入汉堡远洋航运同业协会技术监事服务处,任船舶安全部技术与海洋环境保护科主任。

霍尔格·瓦特尔教授、工学博士(Prof. -Ing. Holger Watter)

1982～1983 年接受海军军官培训;至 1987 年攻读机械工程专业,主攻轮机工程;至 1994 年服役于联邦海军;至 1997 年任弗伦斯堡海运专科学院讲师;至 2003 年任船舶操纵、海上交通及模拟技术研究所(ISSUS)动力与做功机械专业教授,并负责船舶发动机模拟实验室;自 2004 年起任汉堡应用科技大学(HAW)机械工程及制造系机械与设备专业教授。

伊夫斯·维尔德工学博士(Dr. -Ing. Yves Wild)

自 1993 年起任制冷、空调及船舶技术独立鉴定专家。自 2001 年 11 月起公开受聘于汉堡商会制冷技术鉴定专家。通过各种会议上的专业报告和相关著作使他成为国际上公认的冷藏集装箱技术专家。自 2000 年起任船舶工程技术协会(STG)通风、空调及制冷技术专业委员会主任。

主审简介

陈　刚

陈刚教授，1962 年出生于上海，1984 年毕业于上海交通大学船舶及海洋工程系，1987 年公派留学并获日本政府奖学金，1993 年于日本横浜国立大学获船舶海洋工程专业博士学位，1993 年至 1994 年获 JSPS 日本学术振兴会外国人特别研究员计划资助，完成博士后研究。

历任上海浦东国际机场建设指挥部副总工程师、上海国际机场股份有限公司总工程师、上海市深水港工程建设指挥部副总工程师、上海交通大学船舶海洋与建筑工程学院院长。现任上海交通大学副校长，享受国务院特殊津贴。

宋新新

1977 年毕业于上海复旦大学外文系德语专业。自 1977 年起在上海船舶设备研究所从事船舶机电设备的相关技术工作。《德汉船舶科技词典》主要编写者。现任中国造船工程学会《船舶工程》杂志编辑部主任。上海市工程翻译协会副理事长。

国家钢铁及制品质量监督检验中心

Ntional Center for Quality Supervision & Test of Steel Material Products

国家钢铁及制品质量监督检验中心是国家质量监督检验检疫总局2007年11月批准在马鞍山市产品质量监督检验所基础上筹建的国家级法定检验机构。2010年5月首次通过CNAS认可，2012年与国际知名技术机构德国汉德技术监督服务有限公司开展合作，检测结果及报告实现互认。

中心为全国钢标准化技术委员会力学及工艺试验方法分技术委员会委员（TC183/SC4）与钢铁及合金化学成份测定分技术委员会委员（TC183/SC5）单位、中国铸造协会会员单位、安徽省钢铁产品标准化技术委员会秘书处单位等。近年来组织或参与2个国家标准、3个行业标准和5个地方标准的制修订工作。

中心主要承担有关产（商）品的质量监督检验、质量仲裁检验、新产品投产前的质量鉴定检验、生产许可证产品的发证检验、产品质量认证检验以及有关机构、客户委托的产（商）品检验；开展检验技术和检测方法的研究，开发新的检验技术、检测方法和设备；承担部分标准的起草和验证工作；开展人员培训；向上级和有关部门反映技术标准贯彻执行情况和产品质量存在的问题，并提出改进和处理的意见。

详情请登录：www.masgtzj.org

地址：安徽马鞍山市湖东南路4099号　邮编：243000

电话：0555-5235062　　传真：0555-5235063

请拨打
4008-670-886
会员服务热线